W9-DIE-759

PETER SPRINGER

DAS KÖLNER DOM-MOSAIK

Studien zum Kölner Dom

HERAUSGEGEBEN VON
ARNOLD WOLFF

BAND 3
PETER SPRINGER
DAS KÖLNER DOM-MOSAIK

19  91

VERLAG KÖLNER DOM

PETER SPRINGER

Das
Kölner
Dom-Mosaik

EIN AUSSTATTUNGSPROJEKT DES HISTORISMUS
ZWISCHEN MITTELALTER UND MODERNE

19  91

VERLAG KÖLNER DOM

Für I., B. und S.,
vor allem aber
für I.

Die Deutsche Bibliothek - CIP-Einheitsaufnahme

Springer, Peter:
Das Kölner Dom-Mosaik: ein Ausstattungsprojekt des
Historismus zwischen Mittelalter und Moderne / Peter
Springer. - Köln: Verl. Kölner Dom, 1991
  (Studien zum Kölner Dom; Bd. 3)
  ISBN 3-922442-13-7
NE: GT

©1991 by Verlag Kölner Dom, D 5000 Köln 1
ISBN 3-922442-13-7
Alle Rechte, insbesondere das der Übersetzung in fremde Sprachen, vorbehalten.
Ohne ausdrückliche Genehmigung des Verlages Kölner Dom ist es auch nicht gestattet,
dieses Buch oder Teile daraus auf photomechanischem Wege
(Photokopie, Xerographie, Mirokopie) zu kopieren oder zu vervielfältigen.
Printed in West Germany
Gesamtherstellung: M. Brimberg, Aachen

Inhalt

8

Abb. 1   Der Kölner Dom nach seiner offiziellen Vollendung im Jahre 1880

Vorwort

von Arnold Wolff

Jedes Kunstwerk hat seine Zeit, eine Zeit, in der es im Blickpunkt der Öffentlichkeit steht, bewundert oder verdammt wird, gepriesen oder verspottet. Die Zeit der Gemälde Vincent van Goghs begann erst, als der Künstler schon verstorben war, und sie dauert bis heute an. Die Zeit des um die gleiche Zeit entstandenen Kölner Domchor-Mosaiks aber war eigentlich schon vorüber, ehe es vollendet wurde. Am Anfang freilich, im Planungsstadium, da gab es Diskussionen, Presseberichte, Fehden und Kontroversen in Fülle. Doch vom Verlegen des letzten Feldes, fünfzehn Jahre später, nahm kaum noch jemand Notiz.

Dabei hätte es doch ein herausragendes Opus werden sollen. Mit Sorgfalt von den besten Kräften geplant, nach universellen Ideen gestaltet, mit subtiler Einfühlsamkeit in den Bestand integriert und in unverwüstlicher Technik ausgeführt brachte es alle Voraussetzungen für langanhaltenden Ruhm mit. Nein, an der Qualität kann es nicht gelegen haben. Es war der Wandel der Zeit, der es so schnell in Vergessenheit geraten ließ. Noch wurden zwar allenthalben große Wandgemälde und mächtige Denkmäler im Auftrage von Kirchen, Staaten und Gemeinden ausgeführt, doch das Interesse der gebildeten Kreise und vor allem der Kunstkritik hatte sich längst den Schöpfungen jener Künstler zugewandt, die ohne Auftrag, ganz auf eigene Gefahr, malten und modellierten, um sich dann dem Markt zu stellen und ihm das Urteil über Akzeptanz oder Ablehnung, Erfolg oder Mißerfolg zu überlassen.

Schnell war bald das Vorurteil fertig: Nur freie Kunst ist wirkliche Kunst; wer im Auftrage arbeitet, hat seine künstlerische Freiheit bereits verraten, hat schon den Lohn erhalten, ehe er die Leistung erbracht hat. Merkwürdigerweise galt dieses Verdikt jedoch nicht für alle Auftragskunst, was ja zur Folge gehabt hätte, daß man nahezu sämtliche Werke der Antike, des Mittelalters, der Renaissance und des Barock für Nichtkunst hätte erklären müssen. Es blieb vielmehr beschränkt auf die jüngere Zeit, so als hätte es freie Kunst erst seit dem Ende der Französischen Revolution gegeben, was natürlich nicht stimmt, denn spätestens seit dem fünfzehnten Jahrhundert finden wir Künstler, die vom Verkauf ihrer Druckgraphik und später auch kleinerer Gemälde auf dem offenen Markt oder über den Kunsthandel lebten.

Es scheint, als spiele hier die Entstehung der Kunstgeschichte eine wichtige Rolle. Der Kunsthistoriker, der die Kunst der Vergangenheit betrachtet, richtet sein Augenmerk notwendigerweise auf die frühesten Anzeichen neuer künstlerischer Entwicklungen. Nur so ist es ihm möglich, die Fülle des Stoffes zu ordnen, die Leitlinien herauszuarbeiten und die treibenden Kräfte vom nachhinkenden Troß zu trennen. Es entsteht eine neue Wertkategorie: Gut ist, was an der Spitze marschiert.

Aus dieser Sicht mußte der Auftragskünstler den Wettlauf um die Gunst des auf den Experten hörenden Publikums verlieren, denn sein Auftraggeber, in der Regel nicht mit der neuesten Entwicklung vertraut, wollte nicht ein Experiment wagen, sondern ein solides, allseits anerkanntes Kunstwerk bekommen, und dafür wählte er den bewährten Künstler, den Professor der Akademie, den ausgezeichneten Preisträger. So lange es keine wissenschaftliche Kunstkritik gab, war damit auch eine gewisse Garantie für den Erfolg gegeben, denn der bevorzugte Ort, die öffentliche Zugänglichkeit und nicht zuletzt die meist imponierende Größe verschafften dem Auftragswerk einen uneinholbaren Vorsprung vor dem kleinen, für den freien Markt geschaffenen Gemälde. Erst die Anwendung der aus dem Studium der alten Kunst gewonnenen Kategorien auf die jeweilige Gegenwartskunst, verbunden mit der Verfügbarkeit von Werken aller Zeiten und Räume durch die Photographie, führte zur einseitigen Bevorzugung der freien Kunst, aus der in der Tat seit dem siebzehnten Jahrhundert die meisten neuen Ideen geboren wurden. Leider zog man daraus den sicherlich voreiligen Schluß, daß deshalb auch hier, und zwar nur hier, die großen Kunstwerke entstehen können.

Inzwischen sollte die Zeit dafür reif sein, die damals vielleicht notwendigen Irrtümer zu erkennen und das Urteil zu korrigieren. Schon einmal sah sich die Kunstgeschichte in einer solchen Situation, und sie hat sie glänzend gemeistert, als sie sich nämlich vom Diktat Vasaris befreite, der nur jene Künstler gelten ließ, die er noch persönlich oder wenigstens dem Namen nach kannte. Ähnlich müßten auch heute die Weichen neu gestellt werden. In Musée d'Orsey in Paris wurde dieser Schritt bereits vollzogen, und viele Dissertationen und Monographien über die Kunst des 19. Jahrhunderts haben bei der Aufarbeitung des Versäumten mitgeholfen. Hat man erst einmal die gängigen Vorurteile überwunden, dann wird sichtbar, daß der sogenannte Fortschritt in der Kunst sich nicht im Formalen erschöpft, daß auch der Auftragskünstler innerhalb seiner Zeit steht und daß er nicht nur selbst neue Gedanken einbringt, sondern auch in der Lage ist, die künstlerischen Ideen seiner Gegenwart aufzugreifen und mitzutragen. Denn obwohl weder Essenwein noch Geiges jemals ein Bild von ihm gesehen haben dürften, erscheint van Goghs berühmter gelbgrüner Himmel hinter den Personifikationen der Ströme Europas; der Bauer unter den „Weltlichen Ständen" könnte von Vincent persönlich gemalt sein, und was ist schließlich pointillistischer als ein Mosaik?

Es hätte nicht viel gefehlt, dann hätte diesen Band über das Kölner Domchor-Mosaik das gleiche Schicksal ereilt wie das Mosaik selbst, denn längst ist es keine Besonderheit mehr, ein Werk vom Ende des 19. Jahrhunderts ausführlich darzustellen. Die Schuld für das späte Erscheinen liegt jedoch weder beim Autor, der sich seit 1975 mit dem Thema beschäftigt hat, noch beim Verlag Kölner Dom, der ungeduldig auf die Drucklegung wartete, sondern beim Mosaik selbst. Seine schiere Größe, die Fülle der Darstellungen, aber auch das überwältigende Material aus der Entstehungszeit, die fast vollständige Erhaltung des gesamten Schriftwechsels, nahezu sämtlicher Entwurfsskizzen und aller Ausführungskartons erforderten einen Aufwand, der eigentlich von einem Team hätte geleistet werden müssen.

Peter Springer hat jedoch die ganze Arbeit alleine geleistet und sich durch die widrigen Umstände nicht entmutigen lassen. Mit großer Gewissenhaftigkeit kämpfte er sich durch die Berge von Dokumenten und Zeichnungen, suchte an vielen Orten nach weiteren Quellen und trug alles zusammen, was für das Verständnis des Werkes und seiner Entstehung wichtig erschien. Selbstverständlich unterließ er es nicht, die geistigen Hintergründe aufzuhellen und das Mosaik in das künstlerische Umfeld seiner Zeit einzuordnen. Dafür haben ihm der Verlag und selbstverständlich auch alle für die Erhaltung des Domes Verantwortlichen ganz herzlich zu danken.

Ungeahnte Schwierigkeiten bereitete auch die Beschaffung des Bildmaterials, obwohl bereits zahlreiche, durch das Rheinische Bildarchiv Köln aufgenommene Photos vorlagen. Um die Mosaiken des Chorumganges neu zu photographieren, mußte ein riesiges Fahrgerüst in Portalform gebaut werden. Für die Aufnahme der 1:1-Kartons wurde ein großer Kellerraum zu einem reflexfreien Atelier umgebaut. Die subtile Farbigkeit der Bildfelder erforderte unglaublich aufwendige Belichtungsserien und immer wieder neue Beleuchtungstechniken. Am Ende aber konnten Aufnahmen vorgelegt werden, die alle Anforderungen erfüllen. Den Photographen, allen voran Martin Bräker, sei hierfür ausdrücklich gedankt.

Wünschen wir dem Werk eine gute Aufnahme beim Publikum, wünschen wir aber auch, daß das Kölner Domchor-Mosaik im Bewußtsein der Öffentlichkeit endlich jenen Stellenwert erhält, der ihm zukommt, und daß der Besucher des Domes künftig nicht mehr nur seinen Blick staunend in die hochragenden, von farbigen Glasgemälden in ein himmlisches Licht getauchte Gewölbe erhebt, sondern auch einmal nach unten schaut, auf die Bilder, über die er schreitet.

Köln, den 6. Januar 1991

Einleitung

Dieses Buch verdankt seine Entstehung einer Herausforderung: der persönlichen Herausforderung angesichts der Ungerechtigkeit des Blicks, der selbst dort schon auswählt und wertet, wo er scheinbar nur wahrnimmt. Anstoß, sich dessen bewußt zu werden, bot 1972 eine Führung durch den Kölner Dom im Rahmen einer Exkursion zur unvergeßlichen „Rhein-und-Maas"-Ausstellung. Deren Wirkung verband beide, Ausstellung und Dom-Ausstattung, doch kaum so wie es den Intentionen dieses Ereignisses entsprach und resultierte, auf das Dommosaik bezogen, denn auch mehr aus dem Bewußtsein des Abstandes als aus der Entdeckung vermeintlicher Entsprechungen.

Unübersehbar und doch übersehen, zumindest aber angesichts der Trümpfe gotischer Architektur kaum eines Blickes gewürdigt, breitete sich nämlich im Chor des Domes ein eher befremdliches „Mittelalter" aus. Im Spektrum der überwältigenden frischen Eindrücke mittelalterlicher Kunst zwischen 800 und 1400 schien für dergleichen kein Platz, vielmehr zeigte sich um so deutlicher gerade das ganz Andere im – nur auf den ersten Blick – sehr Ähnlichen.

Irritation bewirkte vor allem die Feststellung, daß zwar die Würdigung „mittelalterlicher" Kunst aus dem 19. Jahrhundert soweit sie etwa die neugotische Architektur Boisserées und Zwirners betraf, sich als eher problemlos-anerkennend erwies, während dies jedoch nicht im gleichen Maße auch für die Arbeiten des späten 19. Jahrhunderts galt, zu denen das Dommosaik gehört. So wurden wir mit dem Gegenstand dieses Buches zugleich auch mit den eigenen Widerständen und – gestehen wir es ruhig ein – Vorurteilen konfrontiert.

Was sich jedoch hier als „Riß im üblichen, gewohnten Bemerken"[1]) ankündete, verlagerte sich – erst einmal bewußt geworden – bald mehr und mehr vom Subjekt zum Objekt der befremdlichen Wahrnehmung. Zur persönlichen „Entdeckung" des Dommosaiks kam nämlich die Verlockung hinzu, hier zwei fachliche Interessenschwerpunkte, die Kunst des Mittelalters und des 19./20. Jahrhunderts, in *einem* Kunstwerk verbunden zu wissen und außerdem das eine in der spezifischen Brechung des anderen zu erfahren.

Außerdem bot sich hierzu überreiches Material an und zwar nicht nur zur Kunst/Geschichte der Dombeflurung im engeren Sinne, sondern auch zu ihren sozial- und wirkungsgeschichtlichen, denkmalpflegerischen und frömmigkeitsgeschichtlichen Aspekten, zu Planung und Organisation, Materialikonographie und Materialverarbeitung, zur Bedeutung des entwerfenden Künstlers wie auch der ausführenden Mosaikfabrik und nicht zuletzt zum Stellenwert im Kontext der Domvollendung wie im Zusammenhang des komplexen Lebenswerkes seines Urhebers.

Eine besondere Pointe bestand schließlich auch darin, daß der dreispaltige Essenwein-Artikel von Th. Hampe in Thieme/Beckers Künstlerlexikon dieses Hauptwerk mit keinem Wort erwähnte, es andere dagegen als „die großartigste Fußbodendekoration des 19. Jahrhunderts" bezeichneten. Nicht ganz zu Unrecht, wie uns heute scheint, zumindest ist das Dommosaik sicherlich eines der größten Mosaiken überhaupt, gewiß aber für die Kölner Kathedrale „das größte Ausstattungsstück des 19. Jahrhunderts".[2])

Während die eigenen Widerstände mit wachsender Vertiefung in das Thema schon bald Faszination und Respekt wichen, erwiesen sich andere Widerstände jedoch als schier unüberwindlich und sind es

---

[1]) Ernst Bloch, Tübinger Einleitung in die Philosophie I, (edition suhrkamp 11), Frankfurt a. M. 1967, S. 15.

[2]) Schulten, Dom, S. 36 (Schulten folgt offensichtlich der entsprechenden Formulierung von Helmken – Dom, Ausg. 1905, S. 153: „. . . die großartigste Flächendekoration, welche in neuerer Zeit zur Ausführung gelangen sollte".) – Wolff, Zeittafel, S. 53. Ebd. weist Wolff – bereits 1965! – auf das Desiderat einer umfassenden Arbeit über das Dommosaik hin: „Eine ausführliche Beschreibung des mit zahllosen Inschriften durchsetzten Werkes liegt bis heute nicht vor. Auch fehlt jede Würdigung des Programms oder der künstlerischen Leistung der beiden Schöpfer, August Essenwein und Fritz Geiges." – Vgl. zu den Stichworten Größe und Großartigkeit des Dommosaiks auch die Kapitel „ Die Größe des Mosaiks", S. 327 f., und „Wertungsproblematik und Qualitätsfrage", S. 444 ff.

– in einem Fall – bis heute geblieben. Relativ große Partien des Mosaiks sind nämlich nicht im Original zu betrachten: *Nicht mehr* die zerstörten Partien in der Achskapelle und im südlichen Chorumgang, *noch nicht* (wieder) die seit 1956 auf Dauer von einem hölzernen Podest für den Hochaltar zur Gänze überdeckten Mosaiken im Vierungsfeld. Daß sich das Dommosaik trotzdem forschender Neugier zunehmend als ein zwar nicht mehr ganz komplettes, dafür aber mehr und mehr über sich hinausweisendes Ganzes erschloß, verdanken wir der guten Quellenlage. Während Berge von Akten Einblicke in fast alle Phasen der Planung, Ausführung und Wiederherstellung erlaubten, zeigten sich bei den Vergleichsobjekten und Vorgängerprojekten schon bald weiße Stellen.

Der Überfülle und der Substanz des Erhaltenen hier stand dort nur allzuhäufig die völlige Zerstörung des Werkes und eine deprimierende Quellenlage gegenüber. So erwiesen sich nicht selten das Ausmaß der Kriegs- und Nachkriegszerstörungen, die Vernichtung aus Mutwillen, Gleichgültigkeit und Unkenntnis gerade als Movens dieser Untersuchung. Schien doch das historisch Nahe meist sehr fern gerückt und heute bestenfalls „ganz mit historischem Edelrost überzogen" (Th. Mann), fremder und ferner zuweilen als jenes vermeintlich so „finstere" Mittelalter. Erscheint jedoch das Wissen über die Voraussetzungen, Bedingungen und Intentionen nach kaum hundert Jahren nachhaltig verschüttet, so resultiert der Grad seiner Vergangenheit nicht eigentlich aus der zeitlichen Distanz, sondern vor allem aus der besonderen Zeit seiner Entstehung und aus unserem Umgang mit eben dieser Vergangenheit. Selbst wo wir es nicht wahrhaben wollen, ist auch diese Vergangenheit aber Teil unserer Gegenwart.

Breiter Raum wurde darum dem dokumentierenden Nachvollzug von Planung, Ausführung und – mit Einschränkungen – auch der Charakterisierung der Vorgängerprojekte eingeräumt. Was also auf den ersten Blick vielleicht als unangemessene Gewichtung erscheinen mag, erklärt sich als Reaktion auf den rigorosen Umgang mit Vergangenheit, als Reaktion auf Ignoranz, Zerstörung und Verlust. Darüber hinaus erwies es sich, spätestens als aus den einzelnen Fäden das Beziehungsgeflecht der zahllosen Details und Aspekte erkennbar wurde, auch als sehr produktives Bemühen. – Schließlich ist diese Arbeit seit ihrem Beginn geprägt vom Bewußtsein, in mehrfacher Hinsicht unsicheres Gelände betreten zu haben. Auch nach gut zehn Jahren – zwar häufig und lange unterbrochener – Auseinandersetzung mit der Materie hat nämlich die Einsicht, geradezu provozierend wenig über die Kunst des späten 19. Jahrhunderts im allgemeinen und die Mosaik- und Ausstattungskunst dieser Zeit im besonderen zu wissen, kaum etwas von ihrem Herausforderungscharakter verloren.

„Der Fußboden als künstlerisch gestalteter Teil des Innenraumes wird von der kunstwissenschaftlichen Forschung fast vollständig vernachlässigt. Diese Feststellung, die bereits (1970) bei der Bearbeitung der mittelalterlichen Schmuckfußböden gemacht werden konnte, gilt in noch größerem Ausmaße für die Beflurungsformen der Renaissance und des Barock." Diese Charakterisierung, von Hiltrud Kier 1976 der Einleitung ihrer Untersuchung über die Schmuckfußböden des 16. bis 18. Jahrhunderts vorangestellt, hat leider auch heute noch kaum etwas von ihrer Gültigkeit verloren.

Auf die (Mosaik-)Fußböden des 19. Jahrhunderts übertragen, wäre die Feststellung dieses Defizits freilich noch weniger einzuschränken, denn hier ist die Vernachlässigung eine totale. Kaum besser erscheint die Situation, wenn man die Fußbodenmosaiken in den Kontext der allgemeinen Mosaikproduktion des 19. Jahrhunderts stellt: Hier harrt ein ganzer Kunstzweig der Wiederentdeckung.

Noch am ehesten, so will es fast erscheinen, erschließen sich diese bisher vernachlässigten Bereiche der Forschung gleichsam von den Rändern her, über die zahlreichen Berührungspunkte mit verwandten Gebieten. Unvergleichlich weiter fortgeschritten ist nämlich in den letzten beiden Jahrzehnten die Rehabilitierung des späten 19. Jahrhunderts auf den Gebieten des Kunstgewerbes und der Architektur, der Skulptur und Malerei. Mit der Dekorations- und Glasmalerei des 19. Jahrhunderts sind aber zwei Schwesternkünste wieder ins Blickfeld gerückt, die ihrem Charakter nach auf das enge Zusammenwirken all dieser Komponenten im Gesamtkunstwerk verweisen. In diesem Sinne am weitesten fortgeschritten erscheint die Forschungsarbeit zu den Ausstattungsprojekten des 19. Jahrhunderts, deren Bestandteile die architekturgebundenen Mosaiken ja in der Regel waren.

Freilich steht die Forschung zu den Ausstattungs- und Renovierungsprojekten des späten 19. Jahrhunderts erst am Anfang, was sich auch im Alter der relevanten Literatur – sie ist fast ausschließlich erst in den letzten fünf Jahren erschienen – widerspiegelt. Doch gibt es auch hier Vorläufer, vereinzelte Vorstöße, die den Wandel des Forschungsinteresses ankünden. Um nur zwei Beispiele zu nennen, die durch ihren monographischen Ansatz bzw. ihren historischen Anlaß besonders typisch erscheinen: H. Vogts Arbeit über den Architekten Vincenz Statz, erschienen 1960, und die Stimmen, die sich bereits Anfang der 60er Jahre gegen die Beseitigung der Fresken des Speyerer Domes erhoben (A. Verbeek, Zur spätnazarenischen Ausmalung des Speyerer Domes 1846–1854; L. H. Heydenreich, Aufgaben und Probleme der Wiederherstellung des Speyerer Domes).

Diesen frühen Vorstößen folgt in den 70er Jahren eine Art Inkubationszeit, wenigstens soweit es – im Gegensatz zur allgemeinen Wiederentdeckung und Neubewertung des 19. Jahrhunderts – die Ausstattungs- und Mosaikkunst des späten Historismus betrifft. Besonders ausgeprägt erscheint rückblickend die starke Zurückhaltung vor allem gegenüber der offiziellen und kirchlichen Kunst des späten Historismus. Forschungsstand und denkmalpflegerische Praxis dokumentieren ihre wechselseitige Abhängigkeit auch unter diesem Aspekt. Entsprechend richtete sich der Aufsatz des Autors von 1975 über „das »verschollene« Mosaik in der Achskapelle des Kölner Domes" speziell gegen den geschmacklichen Rigorismus im Umgang mit diesem Beispiel des Historismus und allgemein gegen die bis vor noch gar nicht so langer Zeit grassierende Verarmung durch „Entdekorierung". Erst ganz allmählich nämlich vollzog sich der Abbau geschmacklicher Vorbehalte und erst seit etwa 1980 werden in größerem Umfang erste Ergebnisse einer systematischen (und z.T. in ihrem Ansatz revidierten) kunstwissenschaftlichen Erschließung auch der vermeintlich „dunklen" Seiten des späten 19. Jahrhunderts greifbar.

In diesem Zusammenhang wirkt der monographische Ausstellungskatalog über den „Kirchenmaler Friedrich Stummel (1815–1919) und sein Atelier", Kevelaer 1979, fast wie ein Bindeglied zwischen den früheren Forschungen und der nun breiteren Revision. – Um gleichsam eine Basis für weitere Forschungen zu umreißen und im Bewußtsein, die Kunst des *ganzen* 19. Jahrhunderts für eine Kunstlandschaft zum ersten Mal in umfassender Weise aufzuarbeiten, erschien zwischen 1979 und 1981 der von E. Trier und W. Weyres herausgegebene panoramatische Überblick über die „Kunst des 19. Jahrhunderts im Rheinland".

Unter den in fünf Bänden zusammengefaßten Beiträgen sind im Zusammenhang unseres Themas von besonderer Bedeutung: A. Verbeek, Gesamtkunstwerk im sakralen Bereich; W. Bornheim gen. Schilling, Stolzenfels als Gesamtkunstwerk und H. Rode, Die Wiedergewinnung der Glasmalerei. Während jedoch die beiden erstgenannten Aufsätze die Ganzheitlichkeit der Aufgabe und die Wechselwirkung der verschiedenen Künste und Techniken betonen, erscheint im letzteren das Mosaik lediglich komplettierend als Appendix der Glasmalerei; beider ganz entsprechende Bedingtheit aus einem umfassenden Kontext wurde damals – auch und gerade für das Dommosaik – noch nicht erkannt, ganz zu schweigen etwa von ihren technologischen, politischen und geschichtsphilosophischen Implikationen.

Was sich hier als Forschungsdefizit zu erkennen gab, wurde 1980 aus Anlaß des 100. Jubiläums der architektonischen Vollendung des Domes zumindest im weitgefächerten Nebeneinander der verschiedenen Aspekte deutlich. In seiner Wirkung als Resümee des aktuellen Forschungsstandes sicher über den eher zufälligen Anlaß hinaus wirksam, präsentierten damals zahlreiche Ausstellungen, Veranstaltungen und Publikationen am Beispiel dieses epochalen Baues die Vielfalt der relevanten Aspekte in ihrer komplexen Durchdringung von Architektur- und Kunstgeschichte, Kultur- und Technikgeschichte, Politik und Frömmigkeit einem breiten Publikum erstmals so umfassend, daß auch die „problematischen" Aspekte der späten Domvollendungsphase nicht ausgeklammert waren.

Das an diesen Bau geknüpfte Ideal-Ziel eines Gesamtkunstwerks und Musterbaus, die künstlerischen Konsequenzen trotz seiner monumenthaften Vereinzelung im Kontext von Leistungen der rheinischen Denkmalpflege des späten 19. Jahrhunderts und der Gegenwart vergleichen und würdigen zu können, ist das Verdienst des von U. Mainzer 1981 herausgegebenen Sammelbandes „Raum und Ausstattung rheinischer Kirchen 1860 – 1914".

Analog dazu bot in Norddeutschland der Abschluß der zwischen 1972 und 1981 durchgeführten Innenraumrestaurierung des Bremer Domes Gelegenheit, die Qualität der historistischen Ausmalung und die Bedeutung ihrer Wiederherstellung für das räumliche Gefüge des Baues wieder zur Geltung zu bringen und zu reflektieren (H.-C. Hoffmann, Die Restaurierung des St.-Petri-Domes in Bremen; W. Brönner, Die Wiederherstellung der historischen Ausmalung Hermann Schapers im Bremer Dom).

Unter der Leitung von Bernhard Rupprecht setzte sich die Sektion „Architektur und Farbe" 1978 auf dem XVI. Deutschen Kunsthistorikertag in Düsseldorf u.a. auch mit der Farbigkeit historistischer Ausstattungsprojekte auseinander. In diesem Zusammenhang wies nicht nur P. Königfeld auf die Qualität der Essenweinschen Ausmalungen in der ehem. Stiftskirche von Königslutter hin, auch W. Brönner publizierte eine erste Übersicht zur „Farbige(n) Architektur und Dekoration des Historismus". In anderen Publikationen differenzierte er seine Untersuchungen zu diesem Themenkreis: Mit seinem Aufsatz über „Schichtenspezifische Wohnkultur . . .", der konsequent die Bedeutung der Farbe sowohl für den profanen als auch für den sakralen Innenraum des Historismus und ihre Wechselwirkungen untersucht, ist er auch in der Publikationsreihe „Kunst, Kultur und Politik im Deutschen Kaiserreich" vertreten. Der Neuansatz dieser seit 1981 von E. Mai, S. Waetzoldt u.a. herausgegebenen Serie zielt nämlich gerade auf ein fächerübergreifendes, kulturgeschichtlich akzentuiertes Verständnis und eine konstruktive Überwindung der geschmacklichen Vorbehalte durch die Erschließung bisher vernachlässigter Zusammenhänge. Unter ihren zahlreichen, auch für unseren Zusammenhang relevanten Beiträgen, ist der von H. Siebenmorgen über „Kulturkampfkunst", Ergebnisse seiner umfassenden, 1983 erschienenen Arbeit über die „Beuroner Kunstschule" aufgreifend, von besonderer Bedeutung. – An einem verwandten Punkt, nämlich den vielfältigen Bemühungen zwischen Cornelius und Kandinsky um einen Anschluß der religiösen und kirchlichen Kunst an die Moderne, setzt auch das Thema der von P.-K. Schuster organisierten Ausstellung „München leuchtete" zum 88. Katholikentag 1984 an. Verdienst des aus diesem Anlaß erschienenen Ausstellungshandbuchs wie Umfang des noch Aufzuarbeitenden werden u.a. darin deutlich, daß Mosaiken im thematischen Kontext der „Erneuerung christlicher Kunst in München um 1900" eher beiläufig neben der Malerei behandelt werden, daß ihre tatsächliche Bedeutung aber bereits im 19. Jahrhundert über den kirchlichen Rahmen hinaus auch im profanen und privaten Bereich eine erhebliche war.

In diesem Sinne ergänzend vermittelt der bereits 1983 erschienene Aufsatz von P. van Treeck mit dem bezeichnenden Untertitel „Die Wiederentdeckung eines vergessenen Kunstzweigs" einen ersten zusammenfassenden Überblick über die Münchner Mosaikproduktion um 1900, der auch ihre Bedeutung als offizielle Staatskunst berücksichtigt.

Hier stellenweise und stärker bereits in der Arbeit von V. Frowein-Ziroff (1981) über die Kaiser-Wilhelm-Gedächtniskirche in Berlin und ihre umfangreiche Mosaikausstattung wird auch der Eigencharakter des Mosaiks mit seinen kunstpolitischen und materialikonographischen Dimensionen deutlich. Maßgeblicher Künstler der Mosaikausstattung hier, wie zuvor bereits am Bremer Dom, war H. Schaper. Nach Schapers Entwürfen wurden auch die meisten Mosaiken im Aachener Münster geschaffen, die Gegenstand der jüngst erschienenen Untersuchung von P. Heckes sind (Die Mosaiken Hermann Schapers im Aachener Münster).

Heute haben wir also eine Vielzahl von Ansätzen und Beiträgen zu einer Revision der historistischen Ausstattungs- und Restaurierungsleistungen, die auch das Mosaik miteinschließt, zu konstatieren. Doch noch fehlt etwa eine umfassende Würdigung Essenweins als Architekt, Museumsmann, Kunsthistoriker, Denkmalpfleger, Künstler und Theoretiker (erste Schritte dazu in der Festschrift des Germanischen Nationalmuseums von 1978 und in der Dissertation von K. Holzamer, 1984). Noch fehlen vor allem auch Darstellungen der führenden Mosaikwerkstätten in Mettlach, Berlin und München (ganz zu schweigen von der Mosaikproduktion außerhalb Deutschlands), die auch Aspekte der Industriekultur, Kunstpolitik, Materialikonographie, Kunstsoziologie etc. zu berücksichtigen hätten.

Häufig konnten wir feststellen, daß mit dem Bewußtsein ihres Eigencharakters und Eigenwertes zugleich auch die Einsicht in die Bedeutung der Essenweinschen Renovierungs- und Ausstattungsprojekte wuchs; ein durchaus wechselseitiger Prozeß übrigens, den in Gang zu bringen es beim Geber und Nehmer oft nur eines äußeren Anstoßes oder kleinen Fingerzeiges bedurfte. In diesem Sinne auch konnte dieses Buch in der vorliegenden Form nur durch Hinweise und die Mithilfe zahlreicher Personen und Institutionen entstehen.

Allen voran habe ich Arnold Wolff zu danken, der, als Dombaumeister und Kenner eine Institution, nicht nur besagten ersten Anstoß vermittelte, sondern über jetzt gut zehn Jahre hinweg in allen Phasen der Arbeit menschlich und fachlich, engagiert und kritisch dem Autor zur Seite stand, ihn in jeder Weise unterstützte und so die Entstehung dieses Buches eigentlich erst ermöglichte. – Nächst ihm habe ich Herbert Rode (†) und, mehr noch, seinem Nachfolger im Dombauarchiv, Rolf Lauer, für Rat und Unterstützung zu danken.

Die so mühsame wie aufwendige, sich über Jahre hinziehende und teilweise mit extremen technischen Schwierigkeiten verbundene Herstellung neuer Farbphotographien der Mosaikfelder und originalgroßen Kartons lag in den Händen von Martin Bräker und Günter Hettinger.

Für Auskünfte, Hinweise, Anregungen und Kritik dankt der Autor außerdem Ulrike Bergmann, Bernd Billeke, Peter Bloch, Theodor Böll, Hugo Borger, Wolfgang Brönner, Jutta Brüdern, Edelgard Caracciola, Bernhard Deneken, Elisabeth Derix, Toni Diederich, Gerhard Dietrich, G. Dillenburger, Paul Endres, Anton von Euw, Thomas Gaehtgens, Martin Gosebruch, Ernst Günther Grimme, Georg Hauser, Reiner Haussherr, Pia Heckes, Hans Peter Hilger, Karin Holzamer, Rainer Kahsnitz, Hiltrud Kier, Dieter Kimpel, Peter Königfeld, Ulrich Krings, Otto Kruggel, Anton Legner , Hellmut Lorenz, Dietmar Lüdke, Ekkehard Mai, Lutz Malke, Helmut Maurer, Ursula Mende, Janni Müller-Hauck, Wilfred Nerdinger, Roswitha Neu-Kock, Elisabeth Reiff, Heinz Reuter, B. Richter, Hartmut Rickert, Wilhelm Schlombs, Esther Schneider, Wilhelm Schneider, Reiner Schoch, Joachim Schürmann, Pater W. Schulten, Martin Seidler, Otto von Simson, Hans-Peter Tenschel, Thérèse Thomas, Peter van Treeck, Norbert Trippen, Ludwig Veit, Stephan Waetzoldt, Leonie von Wilckens, Irmgard Willemssen, Gerta Wolff und Maria Wunderlich.

Abb. 2   Blick aus dem Raum zwischen den Chorstühlen ins Mittelschiff nach Westen, im Vordergrund die barocke Vorgängerbeflurung, Aufnahme um 1890

DIE VORGESCHICHTE

Allgemeine Voraussetzung: Die Vollendung des Domes

Am 12. September 1863 fällt die Wand, die bis dahin den alten Hochchor von den neuen Hochschiffen trennte. Länger als ein halbes Jahrtausend hatte sie den westlichen Abschluß des Domchores gebildet, jetzt war ihre Beseitigung Zeichen der architektonischen Vollendung des Domes in seinem Inneren. Ähnlich dem Domkran, für Jahrhunderte ein weit sichtbares Zeichen der Unvollendung und „ein Symbol des Vollendungswillens", war die Scheidewand des Chores zugleich Provisorium wie auch Aufforderung zur Überwindung eben dieses Provisoriums. Nun bedeutete der Abbruch der mächtigen Ziegelmauer zudem die Zerstörung ihres riesigen Wandgemäldes und die Entgrenzung des so lange in sich geschlossenen Chorraumes: Sie waren der Preis für die Herstellung räumlicher Einheit im Inneren des Domes. Dafür verband sich nun endlich der mittelalterliche Chor mit der Vierung, dem Querschiff und dem Langhaus zu einem räumlichen Kontinuum; erst jetzt bot sich dem Blick des Betrachters das Innere des Domes in seiner ganzen Ausdehnung von den Westportalen bis zur Achskapelle ungehindert dar.

Lange und mit Spannung erwartet waren dieses Ereignis und seine Bedeutung für die Baugeschichte des Domes festlicher Anlaß, nicht nur in räumlicher Hinsicht zurück und nach vorne zu blicken; auch in historischer Hinsicht war jetzt der gegebene Zeitpunkt, Gedanken an die bisherigen Stationen der Domvollendung als Ausgangspunkt mit Überlegungen zu den weiter notwendigen Schritten zu verknüpfen.

Nachdem der Baubetrieb am Dom im Jahre 1560 endgültig eingestellt worden war, galt der gewaltige Torso mit dem Kran auf dem Stumpf seines Südturmes jahrhundertelang als eine Art Wahrzeichen Kölns. Wohl jeden Besucher der Stadt faszinierte seitdem das Riesenhafte und Unvollendete des Domes, ganz gleich, ob er in dessen trümmerhaftem Stückwerk ein Zeichen der Begrenztheit menschlichen Strebens erblickte, oder ob er angesichts des fragmentarischen Riesenbaus „Schauer der Erhabenheit" empfand. Stets lag es nahe, die Faszination des Unvollendeten mit Gedanken über die Möglichkeiten seiner Vollendung zu verbinden. An wiederholten Ansätzen zum Weiterbau hatte es denn auch nicht gefehlt, doch erst in einer Zeit, die sich anschickte, romantische Ruinenschwärmerei auf ein historisierendes und zunehmend wissenschaftlich fundiertes Verständnis mittelalterlicher Architektur hin zu überwinden, konnten aus derlei kurzlebigen Erwägungen und Ansätzen verpflichtende Aufgaben und Anliegen werden.

Den entscheidenden Schritt vom begeisterten Erstaunen und theoretischen Erwägen zur praktischen Auseinandersetzung mit dem Domtorso vollzog der Kölner Kaufmannssohn Sulpiz Boisserée. 1808 begann er mit der systematischen Bauaufnahme, den Vorarbeiten zu seinem monumentalen Domwerk. Ab 1821 erschien das Werk in vier Lieferungen, dessen Kupferstiche neben der exakten Erfassung des architektonischen Bestandes auch bereits der vorgestellten Vollendung des Domes galten. Boisserée schuf damit ein Instrument für die Propagierung der Vollendungsidee und eine Grundlage des späteren Weiterbaus. Als großer Werber für die Idee der Domvollendung „mit dem Mut zur konkreten Utopie"[3] setzte er sich über Jahrzehnte unermüdlich für den Weiterbau der rheinischen Kathedrale ein: der Gefahr fortschreitenden Verfalls sei am besten durch den Weiterbau des gewaltigen Torsos zu begegnen. Es gelang ihm, einflußreiche Persönlichkeiten seiner Zeit für die Fortbaupläne zu gewinnen, neben dem Freiherrn vom Stein, neben Hardenberg, Schinkel und Goethe vor allem auch den preußischen Kronprinzen und späteren König Friedrich Wilhelm IV. Förderlich waren schließlich auch glückliche Zufälle – die Wiederauffindung und Erwerbung wichtiger Originalpläne – und ein emphatischer Impuls, Joseph Görres' flammender Aufruf im Rheinischen Merkur, den Kölner Dom als Nationaldenkmal und zur Erinnerung an die Befreiung von der Franzosenherrschaft zu vollenden. Den ent-

---

[3] Vgl. Borger, Lebenslauf, S. 15.

scheidenden Anstoß zum Weiterbau des Domes gaben also nicht religiöse Erneuerung und neuer Glaube, sondern die Befreiungskriege gegen Napoleon I.; sie erweckten den (zunächst) freiheitlich-liberalen Nationalgedanken eines geeinten Deutschlands.

Bereits 1812 beklagte Sulpiz Boisserée, daß „durch bösen Streit und Zwietracht zerrissen, das arme Vaterland in Bruchstücken dasteht, unvollendet allem Ungestüm des Schicksals preisgegeben, wie das erhabenste Denkmal – der Dom" [4]). Die Idee zur Vollendung einer mittelalterlichen Kathedrale als Einheitsdom und Nationaldenkmal entspringt der patriotischen Begeisterung nationaler Romantik, die in der Kathedrale nicht nur das religiöse Symbol, sondern auch das einheitstiftende Moment sieht [5]).

Als Monument der mit den Befreiungskriegen eingeleiteten „Wiedergeburt Deutschlands", als „ein Symbol des neuen Reiches, das wir bauen wollen" [6]), wird von nun an ein Teil der patriotischen Begeisterung auf den Dom „abgeleitet" und die Vollendung „des herrlichsten Gotteshauses auf deutscher Erde am schönsten deutschen Strome" offiziell zur „Ehrenpflicht der deutschen Nation" [7]).

„Damit war eine Formel gefunden, die geeignet war, auf lange Sicht auch die säkularisierten Kräfte der Zeit für den Ausbau des Gotteshauses zu mobilisieren (und zu binden) ... Es sollte fast ein Menschenalter vergehen, bis es zur Ausführung kam, doch hatte die im Schwung der Befreiungskriege gefaßte Idee weitergewirkt, nur allmählich ihre politische Färbung ins Konservative hinübergewechselt." [8]) Verständlich, daß ein Projekt von der Größe und dem Anspruch eines Nationaldenkmals in der Gestalt einer Kathedrale – vor allem angesichts zunehmender Verengung auf das preußische Element – auch vehemente Kritik provozierte, die in der Neogotik einen Anachronismus und hinter der propagierten überkonfessionellen Aufgabe die politischen Interessen erkannte, ja die schließlich die Vereinnahmung des Domes als Symbol deutscher Einigung und Eintracht als eine „Allerhöchsten Ortes approbierte Phrase" entlarvte [9]).

Die Kritik an der Politisierung des Domfortbaus wie überhaupt an seiner Vollendung war verknüpft mit der allgemeinen Restauration und dem besonderen Interesse des „Romantikers auf dem preußischen Thron" am Fortbau des Domes. Bald nach seiner Thronbesteigung ordnete Friedrich Wilhelm IV. den sofortigen Beginn des Weiterbaus an und ermöglichte mit der Gründung des Dombauvereins auch die Einrichtung einer geeigneten Organisation zur Beschaffung erforderlicher Geldmittel. Am 4. September 1842 wurde in Gegenwart des Königs der Grundstein zum Weiterbau des Domes gelegt. In seiner Rede zur Grundsteinlegung beschwor Friedrich Wilhelm IV. den Dom als Symbol der Eintracht von Religion, Kunst und Vaterland. – Unter der Leitung von Dombaumeister Ernst Friedrich Zwirner (seit 1833), dann Richard Voigtels (seit 1861) schritt der Domfortbau dank reichlich fließender Mittel zügig voran, landesweit gespannt verfolgt.

Als das erste große Ziel dann endlich erreicht und das Innere des Domes vollendet war, scheint jedoch schon sehr bald nach der Feier von 1863 das Hochgefühl darüber einer gewissen Ernüchterung gewichen zu sein. Zu deutlich blieb nämlich der tatsächliche Raumeindruck hinter den hochgespannten Erwartungen zurück. Statt der erwarteten Großartigkeit und überwältigenden Erhabenheit bestimmten in Wirklichkeit „die an Höhe und Weiträumigkeit gewaltige steingraue Halle" [10]), die schiere Größe des umbauten Raumes, der ungehemmte Tiefenzug des Mittelschiffs und die immense Baumasse den Eindruck. Zum ästhetischen Urteil – grau, kalt, monoton – kam ein psychologisches: das Auge des Betrachters finde in der Weite und Höhe keinen Halt, keine proportionalen Anhaltspunkte, es fehle die Maßstäblichkeit.

---

[4]) Zit. nach Dieckhoff, Utopie, S. 259.
[5]) Vgl. Szeemann, Gesamtkunstwerk, S. 159.
[6]) Joseph Görres, Der Dom in Köln, in: Rheinischer Merkur, Nr. 151, vom 20. Nov. 1814; wiederabgedruckt in: ders., Dom, S. 3 – Vgl. auch Dieckhoff, Utopie, S. 261.
[7]) Verbeek, Vollendung, S. 96.
[8]) Ebd., S. 97.
[9]) Friedrich Theodor Fischer, Kritische Gänge, 1844; zit. nach Trier, Der vollendete Dom, S. 45.
[10]) Lohmann, Dom-Ausstattung, S. 313.

Abb. 3   Blick von Westen in das Mittelschiff des Domes. Im Vordergrund die Vorgängerbeplattung, Aufnahme um 1885

Ganz entsprechend charakterisiert der preußische Staatskonservator Ferdinand von Quast rückblickend die enttäuschten Erwartungen: „Ich bin wohl nicht der einzige, der es empfunden hat, daß der Gesamteindruck des Innern nach der Vollendung und nachdem die Trennwand zwischen Schiff und Chor gefallen ist, nicht der Vorstellung entsprach, die man sich von der Großartigkeit der Erscheinung gebildet hatte; mir haben es viele andere, denen ich ruhiges und sicheres Urtheil zutrauen durfte, in gleicher Weise versichert. Wenn ich die Ursachen zu zergliedern suche, welche diesen Mißerfolg erzeugten, so hat bei mir stets die Erwägung den Ausschlag gegeben, daß man gegenwärtig zu sehr den ganzen Raum mit einem Blicke ohne das Dazwischentreten eines fremden Körpers überblickt, während man früher, als die ganze Höhe der Kirche nur im Chor vorhanden war, hier durch die Arkaden des Umganges erst hindurchsehen und dann den Blick hoch hinauf werfen mußte, wo das Auge dann von einem zum anderen fortgeleitet wurde und einen Maßstab zur Beurtheilung der gewaltigen Massenverhältnisse an den bevorstehenden dunkleren vorderen Architekturtheilen gewann" [11]).

Der ganz offensichtlich von der Erinnerung an das Provisorium der Chorabschlußwand und an die durch sie geschaffene Raumwirkung geprägte Blick des zeitgenössischen Betrachters in die so unvergleichliche wie ungewohnte Weite des zudem gänzlich leeren Raumes verlangte also nach der Fortschreibung des Vertrauten, forderte gleichsam die Verlängerung des Chores in die übrige Kirche. Unausgesprochen scheint sich in den enttäuschten Erwartungen von 1863 mithin ein eher ästhetisch denn denkmalpflegerisch geprägtes Unbehagen zu artikulieren, ein Bedürfnis nach Kontinuität und Homogenität der Raumerfahrung, das sich an den Verhältnissen im Chor orientiert. Die räumlich-proportionalen Verhältnisse im Chor wurden aber ganz entscheidend mitbestimmt durch dessen reiche, historisch gewachsene Ausstattung.

---

[11])   Ferdinand von Quast (geschrieben 1873); zit. nach Lohmann, Dom-Ausstattung, S. 314 (ohne Angabe der Quelle).

Das Dommosaik als Teil eines Gesamtkunstwerks

Die Idee des Domfortbaus nach der Vorgabe der bereits im Mittelalter ausgeführten Teile, nach dem Fassadenplan (F), den beiden Südturmgeschossen und vor allem nach dem Chor, zielte nicht allein auf die architektonische Verbindung der Teile und auf die Komplettierung des Torsos, sondern auf die Herstellung einer Einheit aus dem „Gesetz" dieser Vorgaben. In der angestrebten Einheit, die Gotik und Neugotik miteinander verschmilzt, sollte nur ausgeführt und zu Ende geführt werden, was der ursprüngliche Baugedanke bereits vorsah. Denn in der vermeintlichen Homogenität der Details verweisen diese über den Fragmentcharakter hinaus auf ein einheitliches Ganzes. Daraus aber ergibt sich für Boisserée und Görres die Zuschreibung an *einen* Meister: „Wie Minerva in voller Rüstung aus dem Haupte des Zeus hervorgesprungen, so ist . . . (der Dom) aus dem Geiste seines Urhebers in ganzer Vollendung herausgegangen. Darum herrscht nur *ein* Stil im ganzen Werke; vom Höchsten bis zum Tiefsten, vom Äußersten zum Innersten, vom Ganzen zum Besondersten ist es in einem und demselben Geiste, wie gedacht, so ausgeführt." [12]) – „Dieser Wunderbau, in allen wesentlichen Theilen nach einem und demselben Plan im reinsten Styl angelegt, ist durch keine fremdartigen Zusätze entstellt, und man besitzt selbst noch den ursprünglichen Entwurf desselben; so daß aus dem Bestehenden und Beabsichtigten ein Ganzes von der höchsten Einheit und Vollständigkeit zusammengesetzt werden kann, und so wie es aus dem Geiste des Baumeisters hervorging." [13])
Die auffallende Betonung, ja Überbetonung der Einheitlichkeit in Planung und Ausführung ungeachtet aller Widersprüche, erscheint wie eine wunschgelenkte Vorwegnahme der Domvollendung in seinen Teilen und Details, scheint doch hier bereits im Kleinen angelegt, was es im Großen zu vollenden galt. Diese Überzeugung, so anfechtbar und unzutreffend sie im Detail auch sein mag, geht indes von der richtigen Einsicht aus, daß die Vorgaben der mittelalterlichen Bauteile wie auch die „in seltener Vollständigkeit erhaltene ursprüngliche Ausstattung" des Chores, bis zur Einstellung des Baubetriebs, von Abweichungen in Details abgesehen, vorbildlich blieb. [14])
Die Einheits-Fiktion stellte also eine direkte Verbindung zwischen der Annahme eines ganzheitlichen Baugedankens und seiner vermeintlich einheitlichen Ausführung her, um sie dann zur Forderung nach Vollendung des Domes in stilistischer Einheit zu verlängern. War aber erst einmal das Ideal des vollendeten gotischen Domes aus den Teilen und Details rekonstruiert, so mußten alle abweichenden Ergänzungen und späteren Veränderungen um so störender wirken, je mehr man davon überzeugt war, die ursprünglich geplante Ganzheit zu kennen, vollenden und, wo nötig, auch wieder herstellen zu können. Verhängnisvoll sollte sich für zahlreiche jüngere Ausstattungsstücke die Tatsache erweisen, daß an diese Überzeugung ein Wertgefüge geknüpft war, dem all das als minderwertig erscheinen mußte, was dem Ideal einer stilreinen gotischen Kathedrale nicht entsprach. Um sich ihm anzunähern, galt es zunächst, das Ideal von den Spuren des historisch Gewachsenen gleichsam wie vom Schmutz zeitlicher Ablagerungen zu reinigen: „Zu diesem Zweck müßte alles Störende, einem fremden Styl Angehörende entfernt, und das Fehlende auf eine dem Charakter des Doms angemessene Weise hergestellt werden." [15])
Reduzierend und restaurierend sollte also das Ziel eines vollendeten Domes angegangen werden. Noch vor dem offiziellen Beginn des Domfortbaus im September 1842 präzisierte Zwirner in einem Brief an das Domkapitel die erforderlichen Maßnahmen: „Es wird dringendes Bedürfnis sein, die vielen fremdartigen, mit dem Styl des Bauwerkes unverträglichen Nebenwerke, welche nach und nach im Verlauf der letzten Jahrhunderte aufgerichtet oder aus anderen zerstörten Kirchen hineingebracht worden sind, wieder zu entfernen, damit das erhabene Gotteshaus wieder zu seiner ursprünglichen Rein-

[12]) Joseph Görres, zit. nach Lützeler, Geistesgeschichte, S. 277. – Vgl. Blömer, Ueber den Plan und den Meister des Kölner Domes, in: KDBl., Nr. 19, vom 26. Juli 1846, bes. S. (6).
[13]) Boisserée, Geschichte (1823), S. I (Vorwort).
[14]) Nach Hilger, Ausstattung, S. 365.
[15]) Boisserée, Geschichte (1842), S. 91.

Abb. 4 Vier der mittelalterlichen Chorpfeilerfiguren in ihren farbigen Fassungen, Farblithographie von David Levy-Elkan, 1842

heit und Pracht emporgehoben werde. Unter jenen Nebenwerken verstehe ich die vielen wertlosen und zwecklosen Aufsätze, die über den steinernen Altären aufgestapelt erscheinen, sowie auch allerhand Schränke, geschmacklose Beichtstühle und dergleichen Bilder etc." [16])

Die durchgreifende Purifizierung vor allem des mittelalterlichen Chores setzte also noch vor dem offiziellen Beginn der „Restaurierung durch Weiterbau" ein, begleitete den ganzen Ausbau des Domes und sollte auch noch nach seiner architektonischen Vollendung 1880 fortgesetzt werden. Sie galt insbesondere den Ausstattungsstücken des 17. und 18. Jahrhunderts und betraf u.a. die Rubens-Teppiche der Chorschranken, den Barockaufsatz des Hochaltars, seine Umgebung und seine Nebenaltäre, die Marienkapelle, die Chorbeplattung aus schwarzem und weißem Marmor, die östliche Chorbegrenzung, wie schließlich das Dreikönigenmausoleum in der Achskapelle. Auch die Beseitigung der 1561 errichteten Wandgräber an den Pfeilern beim Chorgestühl und der zahlreichen Grabplatten des Chorumgangs gehört in diesen Zusammenhang.

Nun verfolgte – wie zu Recht bemerkt wurde – die um 1840 eingeleitete und z.T. bis über die Jahrhundertwende hinaus fortgesetzte Purifizierung und Regotisierung des Domchores nicht unbedingt das Ziel einer „Reaktivierung der erhaltenen mittelalterlichen Kunstwerke . . ., angestrebt wurde vielmehr deren Integration in ein nazarenisch gestimmtes Gesamtkunstwerk." [17]) Absicht der verschiedenen Regotisierungsmaßnahmen war also nicht in erster Linie die Wiederherstellung der originalen Substanz, sondern die harmonisierende Herstellung eines Gesamtkunstwerks, in dem sich mittelalterliche Bausubstanz und überkommene Ausstattung zu einer stilistischen Einheit verbinden sollten. Indes erforderte die Unvollständigkeit des „gereinigten" Altbestandes unbedingt verbindende stiladäquate Ergänzungen. Für den Domchor bedeutete das zunächst den umfangreichen Einsatz von Malerei (Erneuerung der hochgotischen Farbfassungen der Chorpfeilerfiguren durch Chr. Stephan (1840), E. v. Steinles Engel in den Arkadenzwickeln des Chores (1843–45), die Chorteppiche nach Entwürfen von J. A. Ramboux (1844–51), der Plan eines Altarbildes von Friedrich Overbeck für den Hochchor u.a.m.)

Die Notwendigkeit von Ergänzungen „im Stil des Überkommenen" bestand in ganz besonderem Maße aber für die neuerbauten Teile des Domes. Die Vereinigung des mittelalterlichen Chores mit dem frischvollendeten Langschiff rückte denn auch schlagartig die Notwendigkeit integrierender Ergänzungen ins allgemeine Bewußtsein: Die endlich erreichte architektonisch-räumliche Einheit bedurfte noch der ästhetischen Vereinheitlichung. Durch die Einbeziehung des Gesamtraumes in die Überlegungen, wie das Ideal eines einheitlichen Ganzen zu erreichen sei, erhielt die Bedeutung integrierender Maßnahmen also eine zusätzliche Dimension. Nicht allein Purifizierung, Regotisierung des mittelalterlichen Bestandes, nicht wie im Chor Wiederherstellung, sondern erst eigentliche Herstellung und konsequente Gotisierung schienen vonnöten. Damit verschob sich – vordergründig – der Schwerpunkt der harmonisierenden Maßnahmen von der Ausmalung zur Ausstattung, zur einheitlichen Verglasung auch, vor allem aber zur stilkonformen „Möblierung" des Domes. In diesem Sinne kreisen die vielfältigen Bemühungen zur Vereinheitlichung des Dominnenraumes nach 1863 um die Inszenierung einer stilistisch einheitlichen, optisch strukturierenden, zum Chor sich steigernden und im Hochaltar aufgipfelnden Gesamtkomposition von Raum und Ausstattung, in der alle Komponenten nicht für sich gesehen werden sollen, sondern in ihrer Wechselwirkung sich gegenseitig steigernd den Ensemble-Charakter des Ganzen betonen.

Die Regotisierung des Überkommenen im Kölner Dom, dessen stilkonforme Ergänzung wie auch die konsequente Gotisierung des Neugeschaffenen folgen der Überzeugung absoluter Verbindlichkeit stilistischer Einheitlichkeit. Dabei setzt ihre Verwirklichung im Sinne des doktrinären Stilpurismus

---

[16]) DBAK, Lit. X, vol. 1, Nr. 16. – Vgl. auch Ausst.Kat. Köln 1980/81 (II), S. 301.

[17]) Hilger, Ausstattung, S. 366. – In gleichem Sinne bemerkte bereits A. Wolff (Kölner Dom, 1974, S. 106), „...daß die gesamte mittelalterliche Bau- und Kunstmasse eingebracht wurde in ein Gesamtkunstwerk im Sinne des 19. Jahrhunderts."

Abb. 5 Edward von Steinle: Einer der Engel in den Arkadenzwickeln des Kölner Domchores, 1843-46

nicht nur einfühlendes Nachempfinden voraus, sondern mehr und mehr ein archivalisch fundiertes Wissen um den gotischen Formenkanon und sein ikonographisches Repertoire. Die zunehmende Erstarrung der akademisch-exakten Neugotik mußte jedoch zwangsläufig den Konflikt mit einer Tendenz provozieren, die nicht so sehr die quasi dokumentarisch-exakte Rekonstruktion einer fiktiven Einheit als Gesamtkunstwerk erstrebte, als vielmehr künstlerisches Schaffen „im Geiste der alten . . ., jedoch dem Stande der jetzigen Kunstbildung entsprechend". [18]

Andererseits mußte mit wachsender Einsicht des wissenschaftlichen Historismus in die inneren Gesetzmäßigkeiten mittelalterlicher Kunst auch der Respekt vor dem Original wachsen. Eine stärker originalbezogene Denkmalpflege und eine den Tendenzen der Gegenwartskunst angenäherte Kirchenkunst waren Indizien einer Trennung beider Wege. Wohl auch aus diesem Grund blieben manche Projekte zur Ausstattung des Domes nach 1880 im Ansatz stecken, kamen über die Planung nicht hinaus.

Damit aber war die Idee eines Gesamtkunstwerks gescheitert; die Überwindung dieser Zielvorstellung bedeutete auch das Ende ihrer inhaltlichen Implikationen, die bereits in der Verknüpfung von Domvollendung und nationalstaatlicher Einigung anklangen: „Das Streben nach Stileinheit gewinnt im 19. Jahrhundert inhaltliche Qualität. Heinz Gollwitzer hat dargelegt, daß der Begriff der Stileinheit . . . zum quid pro quo für Weltanschauungseinheit, Glaubenseinheit und Kircheneinheit wird." [19] Bereits die nationale Romantik hatte – wie wir sahen – im Kölner Dom nicht nur das religiöse Symbol

Abb. 6 Johann Anton Ramboux: Wandteppich (Detail) für die Chorschranken des Kölner Domes, 1857

---

[18]) Friedrich Wilhelm IV. (zit. nach Schäfke, Ausmalung, S. 21): „. . . alten Malerei . . ." – Vgl. Hilger, Ausstattung, S. 365.

[19]) Lauer/Puls, Skulptur, S. 304.

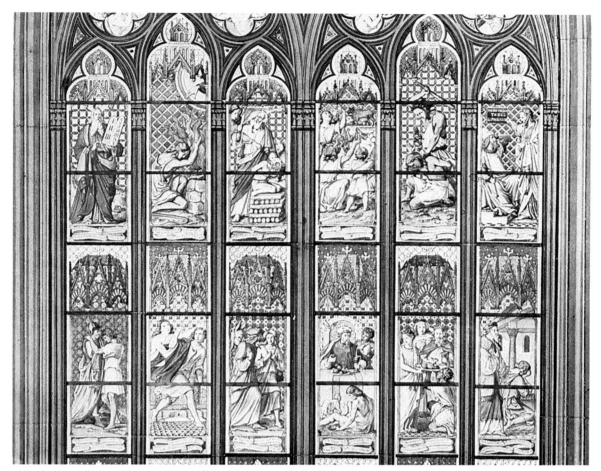

Abb. 7 Karl Julius Milde: Westfenster (Detail) im Dom nach Motiven von Peter Cornelius, 1867-70, restauriert 1980

gesehen, sondern auch das einheitsstiftende Moment beschworen. Doch entsprachen der angestrebten religiösen Erneuerung im Geiste der vermeintlich harmonischen Glaubenswelt des Mittelalters (als der Zeit des „wahren" Glaubens) nur zu bald weniger „die Harmonie der Gegenwart" (W. Brönner) als vielmehr die restaurativen Tendenzen auf dem Weg zur nationalstaatlichen „Wiedergeburt". In dieser Ambivalenz war das angestrebte Gesamtkunstwerk „Kölner Dom" Projektion und Vorwegnahme einer idealen Einheit, rückwärtsgewandte Utopie.

Bleibt festzuhalten, daß sich auch nach den Feiern zur Vollendung des Dominnern und seines architektonischen Äußeren 1863 und 1880 die Bemühungen um die Ausstattung des Domes fortsetzten. Ihr Ziel war die Schaffung eines Gesamtkunstwerks von bezwingender Einheitlichkeit und wirkungsmächtiger Harmonie, das Architektur und Ausstattung, Altes und Neues gleichermaßen umfassen sollte. Dreifach gestaffelt war die Intention, das im Mittelalter Begonnene fortzusetzen und zu vollenden, zunächst auf die Architektur gerichtet, fand dann ihre Fortsetzung in den Bemühungen um eine angemessene Innenausstattung und diese schließlich ihre Reduktion in der Beflurung.

Innerhalb der vielfältigen Aktivitäten zur Vollendung nach der Vollendung ist das Dommosaik also die letzte von der Idee des Gesamtkunstwerks getragene – und realisierte – Unternehmung. Für das Dommosaik wiederum besitzen die Beflurung und Ausstattung der Achskapelle entsprechende Bedeutung. Was gleichsam als i-Tüpfelchen der Domvollendung erscheint, sollte Anfang einer großangelegten farblichen Neufassung des gesamten Dominneren sein. Tatsächlich jedoch wurde hier nur im Kleinen verwirklicht, was im Großen nicht mehr gelingen konnte: ein Gesamtkunstwerk.

Abb. 8 Joseph Maria Laporterie: Innenansicht des Kölner Domes in antizipierter Vollendung, 1795, Köln, Kölnisches Stadtmuseum

Zur Vorgeschichte der Domausstattung

Während die allgemeinen Voraussetzungen schon früher gegeben waren, scheint der entscheidende Anstoß für konkrete Bemühungen um die Komplettierung des Domes über seine architektonische Vollendung hinaus in der Diskrepanz zwischen der erhofften und der tatsächlichen Wirkung des vereinten Innenraumes, in der Enttäuschung angesichts der gleichsam noch allein auf sich gestellten Architektur zu liegen. Zumindest ist vor 1863 die Ausstattung des vollendeten Innenraumes eigentlich noch gar kein Thema – und schon gar nicht die Form seiner Beflurung. Zu sehr scheinen alle Interessen auf das Ziel der architektonischen Vollendung gerichtet. Entsprechend berücksichtigen Überlegungen, die vor Beginn des Fortbaus zum Interieur des Domes angestellt wurden, nur die vorhandene Ausstattung [20]. Künstlerischen Vorwegnahmen des vollendeten Domes sind Ausstattung und Beflurung kaum je bildwürdig, folgen sie doch in der Regel ganz anderen Intentionen.

Die wohl früheste Ansicht dieser Art, ein Blick durch das überwölbte Langhaus in den Chor, datiert aus dem Jahre 1795 und stammt von Josef Michael Laporterie. Ihrer verzeichneten Perspektive entspricht die schematische Charakterisierung der Beflurung als großflächiges Schachbrettmuster.

Verwandt trotz unvergleichlich souveränerer Handhabung von Perspektive und Lichtführung ist die Lithographie von W.G. Krafft nach einem Gemälde von C.E. Conrad aus dem Jahre 1863, betonen doch beide Ansichten in ähnlicher Weise die ungeheure Weite des Innenraumes. In Conrads antizi-

---

[20] Nach Beines, Mobiliar, S. 353. – Vgl. damit Klevinghaus, Innenraum, S. 29 ff.

Abb. 9   W. G. Krafft nach einem Gemälde von C. E. Conrad: Innenansicht des Kölner Domes nach Osten in antizipierter Vollendung, Farblithographie, 1863

pierender Darstellung des Innenraumes erscheint der alte Fußboden als einförmiger Belag aus versetzten Quadratplatten [21]. Derartig aufgeräumt-indifferente Charakterisierungen der Beflurung begegnen übrigens häufig auch in Darstellungen des Chorumgangs, der damals noch seine unregelmäßige historisch gewachsene Beflurung besaß.

Kaum vergleichbar damit erscheint zunächst die Vision des vollendeten Dominneren, „Blick in das Langhaus nach Westen", die Georg Moller 1813 für Boisserées Domwerk schuf. Ihre effektvolle Lichtführung betont eindringlich den gewaltigen Höhenzug der Mittelschiffwände. Wohl gerade deshalb auch ist die Beflurung nur vage angedeutet.

Diese so gegensätzlichen Ansichten mögen beispielhaft für alle verwandten antizipierenden Darstellungen des Dominneren stehen, denen es vor allem darum geht, die so lange herbeigesehnte großartige Innenansicht des vollendeten Domes, seine immense Höhe und Weite vor Augen zu führen – und das bezeichnenderweise meist als reine Bauform, gänzlich leer, pur.

Schematismus, Beiläufigkeit und vage Indifferenz kennzeichnen also die Darstellungen der Beflurung in solchen Innenansichten, denen es in erster Linie um die eindrucksvolle Charakterisierung der

---

[21]   Vgl. Kraffts Chromolithographie nach dem Gemälde von Conrad (51x63 cm), Kölnisches Stadtmuseum, Köln, abgebildet u. a. in: KDBl. 25. Folge, 1965/66, Abb. 46 u. Ausst.Kat. Köln 1980/81 (I), S. 282, Kat.Nr. 18.13. – Originalgemälde (160x192 cm) im Paulushaus in Jerusalem, gegenüber dem Damaskus-Tor (freundl. Hinweis von A. Wolff). – Tatsächlich bestand die Beflurung des Langhauses aus unregelmäßigen, da oft geflickten und ergänzten, Sandsteinplatten, die erst ab Dezember 1885 durch die heutige Beflurung aus Sandstein-, Granit- und Syenitplatten ersetzt wurden.

Trümpfe gotischer Architektur geht – und das gilt durchaus auch noch für entsprechende Darstellungen nach dem Verlegen der Mosaikbeflurung. Eher beiläufig wird der noch im Bau befindliche Dom auch in Überlegungen mit einbezogen, die August Reichensperger 1854 der zeitgenössischen Kirchenausstattung widmet [22]. Sie solle grundsätzlich den Bedürfnissen des gegenwärtigen „Kirchenvolkes" Rechnung tragen und gleichsam einem pragmatischen Historismus folgen. Durch die Anschaffung von Sitz- und Kniebänken für das Langhaus sowie von geschlossenen Beichtstühlen sei dem zu entsprechen. Dem Idealbild eines vollendeten Domes, wie es beispielsweise viele antizipierenden Ansichten vermitteln – gleichsam als Monument seiner selbst –, stellt Reichensperger die Notwendigkeit praktischer, gottesdienstlicher Benutzbarkeit entgegen.

Offensichtlich noch unter dem Eindruck der enttäuschenden Raumwirkung nach dem Fall der Chorscheidemauer entwickelt Reichensperger bereits 1864 ein (re)gotisierendes Ausstattungskonzept für den Dom. Es umfaßt u.a. einen „würdigen Aufsatz auf dem Hochaltar" (Dombild), „einen würdigen Lettner ... mit Triumphkreuz darüber, weiter (die) Enttünchung des hohen Chores" – und auch bereits eine „stilgerechte Flurbeplattung" [23]. Mit diesen Forderungen nimmt Reichensperger wesentliche Punkte vorweg, die erst Jahre später Gegenstand eines offiziellen Vorstoßes zur Lösung des Ausstattungsproblems werden sollten. Entscheidend für diesen Vorstoß fast zehn Jahre nach dem Fall der Chorscheidewand dürfte, neben der zügig fortschreitenden Vollendung des Domäußeren, die Tatsache gewesen sein, daß 1866 mit Alexander Schnütgen ein ebenfalls dogmatischer Neugotiker und Kenner mittelalterlicher Kunst Mitglied des Domkapitels geworden war, der das 1863 noch recht diffuse Bedürfnis nach Proportionalität, Kontinuität und Homogenität im Sinne Reichenspergers auf das Prinzip von Stileinheit und Stilreinheit konkretisierte. Damit klingt das Leitmotiv der auf das Ziel eines Gesamtkunstwerks orientierten Domausstattung für die folgenden 40 Jahre an. Ein erster konkreter Schritt auf dieses Ziel – und in Schnütgen wurde wohl zu Recht ihr Initiator vermutet – ist die Konkurrenz von 1871 [24].

Abb. 10   Touristen im Kölner Dom. Aus: Richard Doyle, The foreign tour of Mrs. Brown, Jones and Robinson, London 1854

---

[22]   Reichensperger, Fingerzeige, S. 61 f.
[23]   Lohmann, Dom-Ausstattung, S. 315. – Vgl. damit KDBl., Nr. 233, vom 31. Juli 1864, S. (3).
[24]   Beines, Mobiliar, S. 353.

Abb. 11   A. Leisnier nach Georg Moller: Innenansicht des Kölner Domes nach Südwesten in antizipierter Vollendung, Kupferstich, 1813, aus dem Domwerk von Sulpiz Boisserée, Stuttgart 1821

Abb. 12   August Rincklake: Wettbewerbsentwurf zu einem Lettner im Kölner Dom, 1873, Köln, Dombauarchiv

DIE PLANUNG

Die erste Planungsphase (Erkundung und Klärung)

Die Ausschreibung von 1871

Die offizielle Planungsgeschichte der Dombeflurung beginnt am 10. Dezember 1871, also fast zehn Jahre vor der architektonischen Vollendung des Domes. Von diesem Tag nämlich datiert die vom Metropolitan-Kapitel ausgeschriebene „Conkurrenz für die Ausstattung des Inneren des Domes" [25]. Dabei ging es zunächst um Entwürfe zur Gestaltung des Hochaltars, der Chorschranken, des Bischofsthrons, der Sedilien, der Kanzel und Beichtstühle, wie auch zur Anlage eines Lettners mit Triumphkreuz. Darüber hinaus war die Aufgabe der Dom-Möblierung gekoppelt mit Vorschlägen zu den Fragen, wie man das Dombild aufstellen solle und – für die spätere Diskussion um die Beflurung höchst bedeutsam – ob und in welcher Form eine Polychromierung des Dominneren angebracht sei. Schließlich wurde, außer zur Beleuchtungsfrage, auch „eine gutachterliche Aeußerung über die Art und Weise der Beflurung des Domes" gefordert.

Diese Ausschreibung ist getragen von dem Bestreben, zur absehbaren architektonischen Vollendung des Dom*äußeren,* nun nach der Niederlegung der alten Trennmauer zwischen Schiff und Chor, eine Entsprechung zu schaffen, die das gewaltige Gebäude auch in seinem *Inneren* als Gesamtkunstwerk erfahrbar machen soll. Dabei ging der Absicht, dem Dominneren eine einheitliche Ausstattung zu geben – es im weitesten Sinne zu möblieren – die verbreitete Einsicht voraus, daß die gewaltigen Dimensionen des leeren Dominneren keinen Anhalt und keine „Stützpunkte" für das Auge, keinen „Maßstab zur Beurtheilung der gewaltigen Massenverhältnisse" bieten [26]. Im Sinne der dogmatischen Neugotik schien also aus denkmalpflegerischen und ästhetischen Gründen eine akademisch korrekte (Re-)Gotisierung des Dominneren unerläßlich und konsequent. Das charakteristische Streben nach „Stileinheit und Stilreinheit" [27], das sich hierin manifestiert, sollte sich leitmotivisch durch alle Phasen des Beflurungsprojektes ziehen, ja es erscheint als die eigentliche Motivation zu seiner Realisierung. Insofern ist dieser Leitgedanke für die Neubeflurung konstitutiv, ist Anstoß und Antrieb zugleich bis hin zur „verspäteten" Regotisierung der Achskapelle nach der Jahrhundertwende. Noch in der Kritik der Nachkriegszeit begegnet man dem Streben nach stilistischer Vereinheitlichung wiederholt, doch nun mit gleichsam umgekehrtem Vorzeichen als Anlaß zur Klage über den Preis dieser Vereinheitlichungen. Nicht aus einem Guß, sondern als historisch gewachsener Organismus sollte sich die Kathedrale in ihren verschiedenen Teilen zu erkennen geben [28].

Die Teilnehmer an dem beschränkten Wettbewerb von 1871 dachten darüber freilich anders. Von den sieben zur Konkurrenz eingeladenen Architekten [29] lehnten Richard Voigtel, Köln, und Friedrich von

---

[25] Zur Frage des Bodenbelags im Kölner Dom, in: Kölnische Volkszeitung, Drittes Blatt, Nr. 113, vom 25. April 1879.

[26] Lohmann, Dom-Ausstattung, S. 314 (nach Ferdinand von Quast 1873).

[27] Heimann, Ausgestaltung, S. 135.

[28] Vgl. in diesem Sinne z. B. Doppelfeld, Domgrabung I.-III. Teil, S. 20: „Als vor nunmehr gerade 50 Jahren die letzte Platte des neuen Fußbodens im Dom gelegt war, glaubte man wohl, einen endgültigen Abschluß, ein Werk für Jahrhunderte geschaffen zu haben. Und doch gehen wir heute schon mit sehr veränderten Gefühlen über diesen allzu glatten und ach so harten Boden. Keine Grabplatte, keine sonstigen Unterbrechungen lassen uns ahnen, wie viele und wie mannigfache Zeugnisse einer langen und ruhmreichen Geschichte unter unsern Füßen den Mutterboden bilden, aus dem auch der gotische Dom doch letzten Endes gewachsen ist. Das Gotteshaus erscheint uns durch diesen Boden von seinen Wurzeln abgeschnitten, ähnlich wie die Domfreilegung sein Äußeres mit einer kalten und windigen Isolierschicht umgab."

[29] Meist werden in der Literatur seit Ennen (Vollendung, S. 251) und wohl bedingt durch die Rolle Essenweins, nur sechs Konkurrenten genannt: Vgl. z. B. Lohmann, Dom-Ausstattung, S. 316. – Verbeek/Meyer-Wurmbach/ Schwering, Dom-Ausstattung, S. 115. – Sieben Konkurrenten nennt dagegen Beines (Mobiliar, S. 353), gestützt auf Anonymus, Konkurrenzentwürfe, Sp. 379 ff.

Schmidt, Wien, ihre Beteiligung ab; August Essenwein nahm eine Sonderstellung ein, da er – sicher nicht zufällig – aus der Reihe der Konkurrenten in die der Gutachter wechselte. (Bereits in dieser Tatsache scheint sich seine spätere Schlüsselrolle anzudeuten.) Vier Architekten reichten schließlich Entwürfe ein: die beiden Kölner Vincenz Statz und Franz Schmitz, der eine Erzbistums-Baurat in Köln und als Königlicher Baurat späterer Dombaumeister in Linz, der andere schon zu Zwirners Zeiten am Kölner Dom tätig und seit 1890 Dombaumeister in Straßburg. Hugo Schneider aus Aachen hatte seine Lehrjahre in der Kölner Dombauhütte verbracht und entwarf später u. a. die südlichen und nördlichen Bronzetüren des Domes. Der Düsseldorfer Architekt August Rincklake (1847–1915) schließlich hatte sich als Schüler der Neugotiker Heinrich Wiethase (1833–1893) und Friedrich (von) Schmidt (1825–1891) einen Namen gemacht.

Rincklakes Programm für die Ausstattung des Dominneren – soweit es den Fußboden betrifft – sieht einen einfarbigen Marmorbelag vor – grau im Schiff, weiß im Chor –, einzig Friese könnten nach seinem Konzept die „Hauptmomente der Architektur, wie Bögen u.s.w." markieren [30]. Die Wirkung der betont „neutralen" Beflurung sollte allein von der Kostbarkeit des zu verwendenden Marmors ausgehen, als zusätzlichen „Schmuck" des Bodens erwägt er Teppiche. Gegenüber diesem puristischen und minimalistischen Konzept schlagen die übrigen drei Teilnehmer in unterschiedlichem Umfang eine nach farblicher Gestaltung und formalem Aufwand reichere Beflurung vor.

Schneider erwägt eine Beflurung aus buntem Marmor „in künstlich zusammengestellten Formen" [31], oder ersatzweise, falls diese Technik und dieses Material zu hohe Kosten verursachen sollten, aus farbigen Tonfliesen, die, angesichts der benötigten großen Menge, speziell zu diesem Zweck hergestellt werden könnten. Anders als eine Beflurung aus schwarzen und weißen Marmorplatten in geometrischen Mustern, die bei den gewaltigen Dimensionen des Domes kalt und monoton wirken, würden variationsreiche farbige Tonfliesen mit den Fenstern und der polychromierten Architektur harmonieren. Schmitz verweist für seinen Vorschlag eines reicheren Bodenbelags mit angemessenem Formenwechsel auf entsprechende Vorbilder aus dem heidnischen und christlichen Altertum. Wie schon dort sei auch beim Dom die Beflurung als ein die Architektur ergänzender Faktor aufzufassen: in der Vorhalle, dem Schiff und dem Transept sei der Bodenbelag aus einer widerstandsfähigen Steinart quasi als Spiegelbild der Gewölbe hochdarüber zu betrachten. Dunkle Streifen sollten den Gurtbögen auf den in zwei engverwandten Farben alternierenden Fußbodenfeldern entsprechen. Bei der Farbwahl seien unbedingt gedämpfte Töne zu bevorzugen, damit die Beflurung den Schmuck der Wände und Pfeiler farblich nicht übertöne. Als Bereiche aufwendigerer Beflurung akzentuiert sein Konzept den Chor und Chorumgang – möglicherweise in Marmor – und für die Chorkapellen schwebt ihm „ein Uebergang zu Mosaik mittels Fliesen" vor [32]. Unter den Schlußsteinen der Mittelschiffgewölbe schließlich könnten figürliche Darstellungen angebracht werden.

Statz schlägt demgegenüber die generelle Verwendung von Marmor und Granit vor, in die nicht nur Ornamente aus Kupfer und Blei, sondern auch figürliche Darstellungen (ausschließlich) aus dem Alten Testament eingelassen werden könnten, keinesfalls aber „Symbole des Opfers". Der Grundcharakter des Fußbodens sollte nämlich seiner Meinung nach eher ein ornamentaler sein. Dabei sei die Beflurungsfläche durch gradlinig-polygonale Strukturen zu gliedern. Ansonsten könne nur durch eine Zeichnung ein konkreteres Bild der angemessenen Beflurung des Domes vermittelt werden [33].

Von den drei Juroren der Konkurrenz, Jean Baptiste de Béthune aus Gent, der als Architekt und Glasmaler schon zuvor intensive Kontakte zum Kreis der Neogotiker um Reichensperger pflegte, der Preußische General-Konservator der Kunstdenkmäler und Schinkelschüler Ferdinand von Quast und August Essenwein, äußerten sich nur die beiden letzteren speziell auch zu den für die Beflurung

---

[30]) Rincklake, Erläuterung, (1873), S. 14 (s. DOKUMENT Nr. 1).
[31]) Schneider, Erläuterungs-Bericht, S. 25 (s. DOKUMENT Nr. 3).
[32]) Schmitz, Erläuterungsbericht, o. Pag. (s. DOKUMENT Nr. 2).
[33]) Statz, Erläuterung, S. 18 (s. DOKUMENT Nr. 4).

gemachten Vorschlägen. Von Quast spricht sich dafür aus, daß (u. U. auch farbige) Darstellungen grafischen Charakters unbedingt Bestandteile eines akzeptablen Dombeflurungskonzeptes sein müßten, doch sollte man dabei im Rahmen des von der deutschen Gotik Entwickelten bleiben und sich nicht wie in England und Frankreich „in complizirte Spielereien mit künstlichem Material" einlassen [34].

Gegenüber gänzlich fehlenden und diesen eher beiläufigen Äußerungen zu den Prinzipien einer zukünftigen Neubeflurung des Domes entwickelt allein das Gutachten Essenweins konkretere Vorstellungen. Dabei schließt Essenweins Argumentation diejenige von Quasts mit ein und geht noch über sie hinaus: Offensichtlich das Ziel eines auch farblich gestalteten Gesamtkunstwerks vor Augen, fordert er, daß die nicht nur als ornamentaler, sondern auch als „figuraler Boden" angelegte Beflurung an der „Farbenpracht" des Dominneren teilhaben müsse. Zu verwenden seien zu diesem Zweck verschiedenfarbige Marmorsorten mit „eingerissener" und mit Blei oder Asphalt ausgegossener „Conturzeichnung". Im farbigen Mosaikfußboden des Hochchors sollte dieses aufwendige Gestaltungsprinzip noch eine Steigerung erfahren, ohne jedoch in seiner Farbwirkung ein unruhiges Gesamtbild entstehen zu lassen. Wichtig für die weitere Diskussion ist Essenweins Verständnis der „Farbenwirkung des Bodens . . . als Basis für die innere Bemalung" des Domes. Auch müsse die „Polychromie der Wände" ihre Fortsetzung in der Ausstattung finden. Schließlich seien die Kapellen und mit ihnen ihre Fußböden als selbständige räumliche Einheiten aufzufassen, für deren Beflurung er Marmor, farbige Tonfliesen oder Mosaik erwägt [35].

„Köln" – so schließt ein Chronist der „Kölnischen Volkszeitung" seinen Bericht über die Konkurrenz zur Domausstattung – „Köln, in dessen Kirchen sich Reste musivischer Fußböden aus der römischen und der romanischen Zeit erhalten haben und welches jetzt einen reichen Bodenbelag des romanischen Stils nach den Entwürfen Essenwein's in St. Maria im Capitol erhalten hat, muß auch im Dom eine Beflurung entstehen sehen, wie sie zu der Herrlichkeit des übrigen Baues gehört, und den Traditionen der gothischen Baukunst, der religiösen Erhabenheit des Gotteshauses und ihrer eigenen symbolischen Bedeutung entspricht." [36]

Damit aber klingen bereits wesentliche Momente an, die vom Bewußtsein der lokalen künstlerischen Tradition über das „Modell" anderer von Essenwein als Gesamtkunstwerke wiederhergestellter mittelalterlicher Kirchen bis hin zur Betonung einer notwendigen Einpassung des Bodenbelags in den architektonischen, stilistischen und ikonologischen Kontext, wie er durch das Kirchengebäude vorgegeben ist, reichen. Sie ziehen sich gleichfalls leitmotivisch durch die gesamte weitere Diskussion der verschiedenen Projekte zur Fußbodengestaltung des Domes. Schon in diesem Stadium machen sie deutlich, daß die Beflurung des Domes nicht isoliert gesehen werden darf, nicht allein als Teil der Domvollendung wie auch innerhalb des Domes nicht allein als seine Bodenbedeckung.

„Aus den Entwürfen der siebziger Jahre ist nichts zur Wirklichkeit gebracht worden." [37] Für das Scheitern all dieser Pläne und Vorstellungen kristallisieren sich in der Folgezeit zwei Gründe heraus, ein historischer und ein ästhetischer: Daß „die . . . inneren Ausstattungsgegenstände des Domes, also Hochaltar, erzbischöflicher Thron, Sedilien, Lettner und Kanzel, für welche die im Jahre 1873 von vier hervorragenden Architekten eingereichten Konkurrenzpläne sehr vielhöchst schätzbares Material geliefert haben, noch nicht in Angriff genommen worden, hat seine guten Gründe. Sie sind überhaupt nur auszuführen in Verbindung mit einem Plane für die malerische Ausstattung des Domes, mit dem bekanntlich schon das vierzehnte Jahrhundert im Chore gleich nach dessen Einweihung den Anfang gemacht hat." [38]

---

[34] v. Quast, Gutachten, S. 17 (s. DOKUMENT Nr. 6).

[35] Essenwein, Gutachten, S. 12 (s. DOKUMENT Nr. 5).

[36] (Anonymus), Zur Frage des Bodenbelags im Kölner Dom, in: Kölnische Volkszeitung, Nr. 113, 3. Blatt, vom Fr., 25. April 1871. – Vgl. auch Anm. 493.

[37] Lohmann, Dom-Ausstattung, S. 330.

[38] Nach unbez. Zeitungsausschnitt DBAK, Lit. X f II/3: „Lokales, Köln den 10. April, Die innere Ausstattung unseres Domes".

Die Ausstattung des Dominneren wird also – ähnlich wie es Essenwein in seinem Gutachten bereits andeutete – als eine ästhetische Einheit aufgefaßt, die zu ihrer Verwirklichung nach mittelalterlichem Vorbild auch der unmittelbar architekturgebundenen Komponenten bedarf. Die einzelnen Ausstattungskomponenten, ihre erstrebte Form wie überhaupt erst ihre Notwendigkeit, werden also aus ihrem Stellenwert im Kontext eines übergeordneten Ganzen abgeleitet und beurteilt. Was jedoch aus der Zielperspektive des erstrebten Gesamtkunstwerks als notwendig und folgerichtig erscheint, wird angesichts der ungelösten Probleme hinsichtlich Art und Umfang der Ausstattung/Ausmalung einerseits und angesichts der üblichen Ausstattungsfolge – Glasfenster, Ausmalung, Möblierung, Beflurung [39]) – andererseits, zum Zwang, ja zu einer Folgeordnung, die sich selbst blockiert.

In den Augen ihrer Verteidiger standen der Verwirklichung dieser Zielvorstellungen jedoch weniger ihre inneren Widersprüche und ungelösten Probleme entgegen, als von außen herangetragene Widerstände. Charakteristisch für diese Verknüpfung der Konkurrenz von 1871/73 mit der politischen Entwicklung ist Reichenspergers Feststellung aus dem Jahre 1880: „Auch hier hat der »Culturkampf« seine ertödtende Wirkung bekundet. Bis zur Beseitigung der unheilvollen Maigesetzgebung wird zweifelsohne das Meiste, was dem Inneren fehlt, auf sich warten lassen; nur die *Bodenbeplattung* soll, dem Vernehmen nach, unverweilt stilgerecht hergestellt werden." [40])

Damit aber ist die übliche Ausstattungs*folge* (s. o.) auf den Kopf gestellt bzw. der Ausstattungs*umfang*, der politischen Wetterlage entsprechend, auf ein Minimum zusammengestrichen. Gründe, warum ausgerechnet der Fußboden trotzdem ausgeführt werden sollte (auf eine Fußbodengestaltung hatte man bei anderen Projekten Essenweins z.T. verzichtet [41]), werden nicht genannt und sind auch nicht ersichtlich, es sei denn in der mißverständlichen Formulierung des Essenweinschen Gutachtens . . .

In dieser Situation mußte sich für die Anhänger des Prinzips „Stileinheit in Stilreinheit" Essenweins gutachterliche Forderung „die Farbwirkung des Bodens . . . als Basis für die innere Bemalung" zu gestalten, Boden und Ausstattung/Ausmalung also als Einheit zu verstehen, dahin verschieben, eine Beflurung zu entwerfen, die im doppelten Sinne des Wortes Basis einer irgendwann doch noch erhofften Gesamtausstattung sein sollte und konnte. Erschien ihre Verwirklichung unter den gewandelten Voraussetzungen allenfalls noch durch eine Politik der kleinen Schritte möglich, so lag es nahe, wenigstens das politisch Mögliche zu realisieren.

Für die Gegner solch umfassender Pläne mußte die Gelegenheit dagegen günstig erscheinen, zumal die politische Entwicklung ihrer Auffassung eher entgegenkam: Für sie galt es, den politischen Gegenwind des Kulturkampfes für ihre ästhetische Überzeugung zu nutzen und vollendete Tatsachen zu schaffen.

Damit reduzierte sich zugleich die Problematik einer adäquaten Domausstattung/-ausmalung auf die Entwicklung eines Beflurungskonzeptes, das sowohl die Möglichkeit einer zukünftigen Minimal- als auch einer etwaigen Totalausstattung offenläßt und weder die eine noch die andere Lösung erzwingt. Eine Kompromißlösung schien sich anzubieten; zunächst jedoch versuchten offensichtlich beide Parteien Maximalprojekte ihrer Wahl zu lancieren.

---

[39]) Vgl. Kapitel „Vorgänger- und Parallelprojekte", z. B. S. 388.

[40]) A.(ugust) R.(eichensperger), Ausstattung. – Vgl. in diesem Sinne auch Rincklake, Erläuterung, Vorwort zur 2. Auflage Münster 1897. – Vgl. auch Beines, Mobiliar, S. 353. – Beines stützt sich wohl auf Lohmann (Dom-Ausstattung, S. 331): 1897 ließ Rincklake eine zweite Auflage Ausstattungskonzepte drucken, um damit – wie er im neu hinzugefügten Vorwort sagt – „die damals so mächtig angeregte, aber durch den bedauerlichen Kulturkampf ins Stocken geratene wichtige Frage (der Domausstattung, d. Verf.) wieder auf die Tagesordnung setzen zu helfen." (zit. nach Lohmann, a. a. O.). – Die Neuauflage des Programms erscheint angesichts der Tatsache, daß das Dommosaik damals so gut wie vollendet war und gleichsam nach einer weiterführenden Ergänzung verlangte, durchaus sinnvoll.

[41]) Vgl. Kapitel „Vorgänger- und Parallelprojekte", bes. S. 388.

Das Projekt Friedrich Fischbachs von 1880

Unter den verschiedenen an die Dombauverwaltung oder Voigtel gerichteten Schreiben mit Empfehlungen und Bitten, bei Vergabe von Aufträgen im Zusammenhang mit der Dombeflurung berücksichtigt zu werden, verdient der Brief des Muster- und Ornamentzeichners Friedrich Fischbach (1839 bis 1908) aus Hanau besondere Aufmerksamkeit – und zwar durchaus nicht nur als Kuriosum. Fischbach war nämlich u.a. durch Publikationen wie „Ornamente der Gewebe", „Geschichte der Textilkunst", „Muster für Stickerei und Häkelarbeiten", „Die künstlerische Ausstattung der bürgerlichen Wohnung", „Alte und neue Spitzen", „Album für Stickerei", „Die Ornamente der Hausindustrie Ungarns" etc. hervorgetreten und wirkte später u.a. als Leiter der Kunstgewerbeschule in St. Gallen [42]).

In seinem vom 27. IX. 1880 datierten Schreiben drückt er die Hoffnung aus – anknüpfend an die langjährige Mitgliedschaft seines Vaters im Dombauverein – nun seinerseits Gelegenheit zur Förderung des Domes zu erhalten. Er bietet sich an, „die Komposition für einen Teil des Fußbodens des Domes unentgeltlich" anzufertigen [43]). Als Qualifikation für die Aufgabe, deren ästhetische und technische Durchführung ihn seit geraumer Zeit beschäftige, verweist er u.a. auf seine Studien an Mosaiken in Salzburg und Italien und auf seine langjährige Tätigkeit für die Teppichindustrie.

Grundsätzlich, so lautet sein Vorschlag, schreibe der große Kranz des Chorgrundrisses eine klare Gliederungsdisposition mittels Feldereinteilung vor, denn sie gewährleiste die Einheitlichkeit des Ganzen bei Mannigfaltigkeit im Detail. Für den Chor schlägt er – darin der weiteren Entwicklung vorgreifend – gesonderte Mosaikbilder vor, „d.h. entnaturalisierte Symbole" [44]) in Form kleiner Medaillons. Geometrische Farbornamente sollten jedoch dominieren und den Gesamtcharakter des Fußbodens bestimmen. Die Ornamente einer einzelnen Stilepoche reichen jedoch seiner Meinung nach dafür nicht aus. Vielmehr empfehle sich, der Bedeutung des Domes entsprechend, eine umfassende Auswertung der Fülle des archäologischen Materials, die eine vielfältige ornamentale Gestaltung der Dombeflurung ermögliche. – Als „Ornamentist" (sic) vergleicht er die „Endvision" des Mosaiks mit der Wirkung eines textilen Teppichs, eine Stereotype der gesamten Beflurungsdiskussion [45]).

Fischbachs Pläne für den Dom gehen über die Beflurung hinaus: Nach dem Vorbild des Dekorationskonzeptes der Ste. Chapelle in Paris – „die beste Decoration, die ich bisher in gothischen Kirchen sah" – müßte gleichzeitig die farbliche Gestaltung der Pfeiler und Gewölbe in Angriff genommen werden, „um nicht durch den Reichtum des Fußbodens das Auge nach unten statt nach oben zu lenken". [46]) Er empfiehlt weiter, für die Beflurung nur gebrochene Farben zu verwenden, da kräftigere Farben mit denen der Fenster und Wände konkurrieren würden. Andererseits sei auf jeden Fall jedoch ein zu monotones „Marmormuster" – wie z. B. dasjenige im Mailänder Dom – zu vermeiden. Schließlich schlägt er vor, durch die Beschränkung des Kirchengestühls mehr kontinuierliche Flächen zu schaffen.

Diese in den einzelnen Aspekten nur stichwortartigen und in ihrer Ausgangsperspektive z.T. recht unbefangenen Empfehlungen sind insofern für die Planungsgeschichte der Beflurung von Bedeutung, als sie in einem sehr frühen Stadium der Planung bereits eine Reihe wichtiger Argumente aus der weiteren Diskussion – wie dann auch Elemente aus den späteren Essenweinschen Plänen und dem schließlich ausgeführten Projekt – vorwegnehmen bzw. anklingen lassen: die Beflurungsgliederung durch Segmente entsprechend den architektonischen Vorgaben im Chor, die Verwendung der Mosaiktechnik in medaillonartigen Feldern, Überlegungen zur ornamentalen Wirkung der Gesamtbeflurung

[42]) Einige dieser Publikationen fügte er seinem Schreiben an Voigtel bei (DBAK, Lit. X f I/2). – Möglicherweise stammen von ihm die im DBAK erhaltenen Beflurungsentwürfe.

[43]) DBAK, Lit. X f I/2.

[44]) Ebd.

[45]) Der Vergleich der Beflurung in Struktur und Wirkung mit einem Teppich ist ein Topos, der sich durch die gesamte Literatur zur Beflurung des Domes zieht. – Vgl. z. B. Stummel, Teppichartige Wirkung. – Vgl. dazu auch Sternberger, Panorama, S. 222, Anm. 31.

[46]) DBAK, Lit. X f I/2.

in ihrem Verhältnis zu den Detailformen nach historischen Vorbildern, der farblich gestaltete Gesamtraum, das Problem der Monotonie und schließlich auch den Wirkungsvergleich des vollendeten Mosaiks mit einem ornamentalen Teppich.

Mehr als zwanzig Jahre später sollte diese Initiative Fischbachs für die Ausstattung des Dominneren noch ein kleines Nachspiel erfahren [47].

Das Projekt von Bogler und Schneider (1880)

Struktur und Charakter des Projekts

Im September 1880 legen der Wiesbadener Architekt Wilhelm Bogler und der Mainzer Dompräbendar Friedrich Schneider bei der Jahresversammlung des Verbandes der deutschen Architekten und Ingenieure in Wiesbaden ihren gemeinschaftlich erarbeiteten „Entwurf" zum „Bodenbelag für den Dom zu Köln" vor.

Am 31. 1. 1881 sendet Wilhelm Bogler dem Dombaumeister ein Exemplar des gedruckten Kommentars zusammen mit einer Fotografie seines farbigen Originalentwurfs für einen Bodenbelag des Kölner Domes [48]. Aus ihr ist die proportionale Gliederung der Gesamtbeflurung leichter und eindeutiger zu entnehmen, als es an Hand der gedruckten Erläuterungen möglich ist. Der Entwurf umfaßt die gesamte Fläche des Domgrundrisses. Von der projektierten Beflurung ausgespart sind lediglich die beiden äußeren Seitenschiffe des Langhauses, die Schatzkammer im nordöstlichen Teil des Querhauses sowie gut die Hälfte des Raumes vor dem Presbyterium wie auch sein Äquivalent auf der Südseite. Die Gestaltung scheint sich zunächst ausschließlich auf geometrische Muster in regelmäßiger Anordnung zu beschränken. Dabei erweisen sich die vermeintlich recht simplen Flächenaufteilungen und Gliederungsstrukturen bei eingehender Analyse als ausgesprochen ausgetüftelt.

Charakteristisch für sie erscheint, daß sie die jeweils benachbarten Bodenflächen durch kunstvolle Verschränkungen miteinander verklammern; ganz offensichtlich ist das Bestreben, über die Vielfalt der Einzelformen hinaus den Eindruck des Zusammenhangs und Zusammenhalts aller Beflurungteile zu vermitteln, Vielfalt und Einheit also in einem wohlausgewogenen Gleichgewicht zu halten. Den dominierenden geometrischen Elementen gegenüber nimmt erst genaueres Betrachten auch die figürlichbildlichen Elemente wahr. Eine gewisse Ausnahme bildet lediglich der Domgrundriß, der als auffälliges Motiv in der Mitte zwischen den Turmhallen fast in der ganzen Tiefe des Eingangsbereichs den Fußboden einnimmt. Gitterähnlich strukturiertes Flächenmuster leitet von hier zu den Turmhallen, die – offensichtlich zur Belebung des ansonsten weitgehend symmetrischen Entwurfs – eine unterschiedliche, auf Kreis- und Quadratkombinationen basierende Gestaltung erfahren sollten: In der nördlichen Turmhalle sind die Rahmenfriese eines Außenkreises und eines weiten Innenkreises um den Mittenpfeiler so miteinander verschlungen, daß zwischen ihnen vier kreuzförmig angeordnete Medaillonfelder entstehen. Die alttestamentarischen Präfigurationen ihrer figürlichen Darstellungen bilden mit dem um vier Brunnen ergänzten Mittenpfeiler eine inhaltliche, um die lebensspendenden Paradiesesströme und das Blut Christi kreisende Einheit. In der südlichen Turmhalle sind dagegen vier gegeneinander versetzte konzentrische Quadrate so arrangiert, daß in den äußeren Zwickel ganz entsprechende Medaillons hätten Platz finden können. Das um den Mittenpfeiler angeordnete Quadrat ist so geteilt,

---

[47] Vgl. Kapitel „Dommosaik und Polychromierung", bes. S. 402.

[48] DBAK, Lit. X f I/12. – Während der Verbleib des Originalentwurfs ungeklärt ist, hat sich die Photographie des Entwurfs im DBAK (M XXXVII U a, 26) erhalten. – Vgl. auch DOKUMENT Nr. 7.

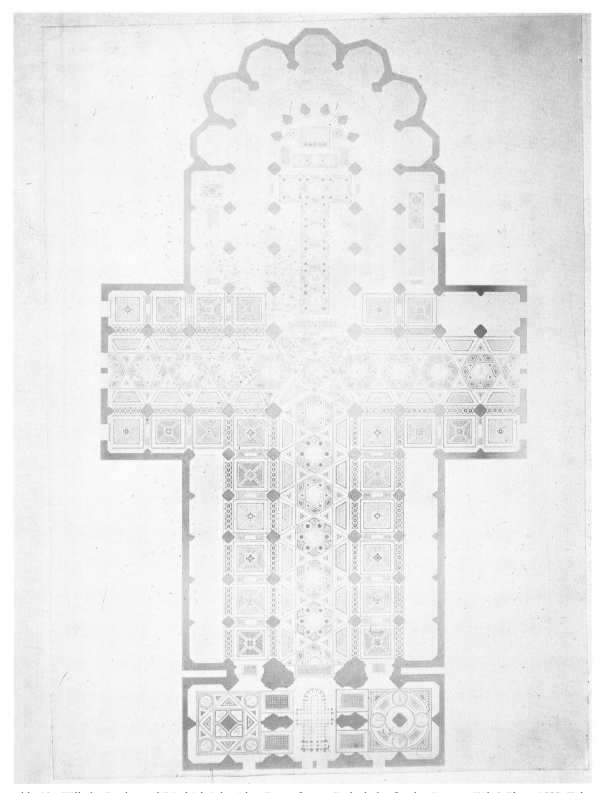

Abb. 13   Wilhelm Bogler und Friedrich Schneider: Entwurf zum „Bodenbelag für den Dom zu Köln", Photo 1880, Köln, Dombauarchiv

daß außerdem vier gleich große Trapezflächen entstehen. Hier hätten „die Tiere der Schöpfung" die Medaillondarstellungen mit Szenen von der Erschaffung der Stammeltern bis zu ihrer Vertreibung aus dem Paradies ergänzt.

Das hier anklingende Gliederungsprinzip wird im Langhaus und Querschiff modifiziert fortgeführt. In den Seitenschiffen des Lang- und Querhauses folgt es der Jochteilung, betont deren Begrenzungen und parataktische Reihung durch breite Rechteckfriese zwischen den Pfeilern, die jeweils in ihrer Mitte Inschriften tragen sollten. Darüber hinaus spiegelt es die Grate der Jochgewölbe dadurch, daß alle Bodensegmente in diesen Bereichen Diagonalkreuze (mit wechselnder Mittelstruktur) aufweisen: auch hier also Einheitlichkeit in der Grundstruktur und Vielfalt im Detail. Durch breite helle Streifenrahmungen sind alle diese Einzelfelder, hier wie auch beim übrigen Bodenbelag, deutlich gegeneinander abgegrenzt. Durch ihre Farbe und ihre zopfartig verschlungene Kreisstruktur mit einbeschriebenen Sternen davon abgehoben, markieren entsprechende Rechteckfriese zwischen den Pfeilern die seitlichen Grenzen zu den anderen Schiffen.

In den Mittelschiffen von Lang- und Querhaus erfährt die Beflurung durch die Verschachtelung verschiedener geometrischer Gliederungsprinzipien eine akzentuierende Bereicherung und Belebung. Die parataktische Reihung der deutlich umgrenzten Quadratfelder in den Seitenschiffen wird hier zugunsten einer rhythmischen Diagonalverspannung aufgelockert, die eine regelmäßige Abfolge miteinander verbundener Rauten, Rhomben und Dreiecke entstehen läßt, die teilweise wiederum von einem teppichartig durchlaufenden Mittelstreifen in der Breite der Seitenschiffe überlagert scheint. Dadurch entsteht im Mittelschiff des Langhauses eine verschränkte, unterschiedlich „lesbare" Beflurungsstruktur, die seitlich von alternierenden Dreieck- und Trapezfeldern begleitet wird. Die ornamentalen Trapeze setzen sich zur Mittenachse hin in ebensolchen Dreieckfeldern fort, so daß sie im Lang- und Querschiff gleichermaßen eine Kette aus sechseckigen Feldern flankieren. Abwechselnd sind diese sechs im Langhaus und zweimal vier Felder im Querschiff von einem rahmenden Sechseck, das an allen Seiten bzw. Ecken Kreisschlingen ausbildet, oder durch zwei sich durchdringende Dreiecke umgeben.

Innerhalb dieses komplizierten Gliederungsgefüges betont die Abfolge der Sechseckfelder die beiden Hauptachsen der Kirche. In den einzelnen Feldern vermittelt ein offensichtlich geschuppt gedachter Kranzfries (ähnlich den später z.B. im Chorumgang ausgeführten) zwischen der Sechseckform der Felder und der Kreisform der zentralen Bildmedaillons. Hier sollten im Sinne einer Genealogie Christi „die großen Führer auf dem langen Weg zu Christus" im Mittelschiff dargestellt werden, während im Querschiff „die Vertreter der Heidenwelt, ihrer Stämme, wie ihres Wissens" – im nördlichen Kreuzarm „die hervorragendsten Völker des Alterthums", im südlichen Darstellungen der Sibyllen – vorgesehen waren [49]. In der Vierung sollte die geometrische Strukturordnung eine weitere Steigerung erfahren. Hier sah der Entwurf einen großen vierzackigen Stern vor, der als dominierende Figur im Zentrum der Kirche die Vierungspfeiler diagonal miteinander verbindet. Während die vier Zacken des Sterns mit Bildmedaillons der Evangelistensymbole besetzt sind, nimmt ein großes Kreisfeld das Zentrum ein, dessen breite Rahmung mit der des Sterns kunstvoll verschlungen ist. Darin wiederum ist ein Kranz aus zwölf kleinen Bildmedaillons mit den Tierkreiszeichen plaziert.

Der innere Chorraum ist durch die T-förmige Anordnung von insgesamt acht großen Bildmedaillons mit jeweils vier ornamentalen Begleitmedaillons gegliedert, die durch ihre verschlungene Rahmung alle miteinander verbunden sind. (Der Gruftzugang bleibt unberücksichtigt.) Hier sieht der Plan zwischen den Chorstühlen Darstellungen der „großen Parabeln des Evangeliums" vor und, jenseits der Chortreppe, alttestamentarische Bilder „der Güte und Menschenfreundlichkeit des Erlösers" [50]. – Der Trias großer Medaillons vor der Chortreppe antworten drei ähnliche, doch kleinere Bildmedaillons mit Abel, Abraham und Melchisedech vor den Stufen zum Hochaltar. Ornamentmedaillons und neutral gemusterte Beflurung füllen die Restflächen um den Hochaltar.

---

[49] Bogler/Schneider, Bodenbelag, S. 7 f. – DOKUMENT Nr. 7.
[50] Ebd., S. 9

Der gesamte Chorumgang wird von einem kontinuierlichen teppichartigen Beflurungsfries geprägt, der (als Lebensstrom?) allein von drei parallel verlaufenden Wellenbändern strukturiert erscheint. – Für die sieben Chorkapellen sieht der Entwurf offensichtlich eine gänzlich undifferenzierte, nicht künstlerisch gestaltete Beflurung vor.

Nach den schriftlichen Erläuterungen zum Beflurungskonzept von Bogler und Schneider muß man den Eindruck gewinnen, als dominierten die Darstellungen der figürlich-bildlichen Motive des ikonographischen Programms gegenüber den gliedernd-ornamentalen Elementen bei weitem. Die zeichnerische Umsetzung des Konzepts belegt jedoch genau das Gegenteil. (Möglicherweise spiegeln sich in dieser Tatsache die jeweiligen Anteile der beiden Urheber.)

In der Entwurfsskizze treten die figürlichen Darstellungen stark hinter der aufwendigen Vielfalt geometrischer Gliederungselemente und den kunstvoll ausgetüftelten ornamentalen Verschränkungen zurück. Appliken eines Gemmenkreuzes vergleichbar wirken die flächenmäßig untergeordneten bildlichen Komponenten als punktuelle Akzente in der dominierend geometrisch-ornamentalen Gesamtstruktur des Beflurungsentwurfs fast wie (nachträglich) eingefügt. Sie entsprechen darin der verschiedentlich erhobenen Forderung nach einem primär geometrisch gegliederten bzw. gemusterten Fußboden, der lediglich an einzelnen besonders akzentuierten Stellen durch reichere – figürliche – Gestaltung aufzulockern sei.

Darüber hinaus ist das figürlich-inhaltliche Programm von Bogler und Schneider durch seine strenge thematische Beschränkung auf alttestamentarische Themen- und Motivgruppen charakterisiert. Bezeichnenderweise wird selbst der Grundriß des Domes – geradezu programmatisch – nicht etwa als „Beurkundung des Domes" oder als bauhistorischer Verweis auf die besondere Problematik seiner Vollendung gesehen, sondern funktional und verweisend zugleich verstanden: „Wie im Mittelalter seltsame Naturgebilde in der Vorhalle Platz fanden und so die Achtsamkeit der Eintretenden durch erstaunliche Dinge gefesselt wurde, so soll hier dem Beschauer die Grundform des mächtigen, vielgliederigen Gotteshauses vor Augen geführt, sein Sinn erhoben und mit der Anordnung des Heiligthums vertraut gemacht werden. Zugleich ist der Grundplan Vorbild der Kirche Gottes, in welche einzutreten Alle berufen sind, worin namentlich das Sakrament der Wiedergeburt, die Taufe gespendet wird, durch welches die verschlossenen Himmelspforten sich dem Menschengeschlechte wieder öffneten." [51] – Wenn man abschließend damit den sehr viel stärker historisch-chronikalen Charakter des Essenweinschen Beflurungskonzeptes (s.u.) vergleicht, so werden Besonderheiten und Ähnlichkeiten beider Konzepte deutlich.

W. Lübke über das Projekt von Bogler und Schneider

In einem längeren Artikel der „Augsburger Allgemeinen Zeitung" vom 5. November 1880, betitelt „Bodenbelag für den Dom zu Köln", bespricht der Kunsthistoriker Wilhelm Lübke das Projekt von Bogler und Schneider [52]. Wie sie ausgehend von der Feier zur architektonischen Vollendung des Domes, erinnert er daran, „daß für die innere Ausstattung des gewaltigen Gotteshauses noch manches geschehen müsse, ehe es auch im Innern ganz seiner Idee entspricht". Der Fußboden verlange eine künstlerische Gestaltung, die sich der gesamten übrigen Erscheinung des Domes einzufügen habe: „Die Größe der Aufgabe verlangt aber eine besonders sorgfältige Erwägung."

---

[51]) Ebd., S. 6 f.
[52]) W. Lübke, Bodenbelag für den Dom zu Köln, in: Augsburger Allgemeine Zeitung, Nr. 310, vom 5. Nov. 1880. Alle folgenden Zitate ebenfalls danach.

Seit der Frühzeit der christlichen Kunst sei der Kirchenfußboden Gegenstand künstlerischer Gestaltung gewesen. Als ein Beispiel für die Mosaikböden in römischen Basiliken nennt Lübke den in S. Maria Maggiore, der ganz aus bunt-farbigen Marmorstücken in verschlungenen Bändern als Opus Alexandrinum gebildet sei, einer Technik, die de Rossi in seinem Prachtwerk über die christlichen Mosaiken mit den schönsten Beispielen farbig publiziert habe.

Im weiteren Verlauf des Mittelalters habe man über diese linearen Dekorationsformen hinaus auch figürliche Elemente in die Gestaltung der Fußböden integriert, wie durch den in jüngster Zeit wieder zusammengefügten und von Ernst Aus'm Weerth publizierten Fußboden von St. Gereon belegt werde. Aus'm Weerth habe zeit- und formverwandte Mosaiken in Italien (Piacenza, Novara, Cremona, S. Benedetto bei Mantua, Pavia und Aosta) in seine Untersuchungen mit einbezogen und wahrscheinlich gemacht, „daß diese wiederbelebte Kunst damals aus Italien nach Deutschland übertragen worden sei". Auch das spätere Mittelalter kenne reichgeschmückte Fußböden, doch habe man – bedingt durch den Einfluß Bernhard von Clairvaux', der sich entschieden gegen die Darstellung biblischer Szenen auf dem Fußboden gewandt habe, da sie dort „mit Füßen getreten" würden – an Stelle von Mosaiken meist ornamental verzierte und bunt glasierte Fliesen quasi wie Teppiche verwendet. Für die Gegenwart biete „eines der gelungensten Beispiele künstlerisch ausgebildeter Fußböden die trefflich restaurierte Ste. Chapelle zu Paris".

Nach dieser gerafften kunstgeschichtlichen Legitimation eines künstlerischen Beflurungsprojektes für den Dom kommt Lübke auf das besondere Problem des Vorhabens zu sprechen: Der nicht zu bezweifelnden Tatsache, daß auch der Kölner Dom einen „künstlerisch ausgebildeten Fußboden" erhalten müsse, stehe nämlich die Schwierigkeit entgegen, daß es kein Vorbild dieses Ranges und Umfanges gebe. In dieser Situation sei es besonders verdienstvoll, daß ein „durch sein Stylgefühl ausgezeichneter Architekt" und ein in der christlichen Archäologie wohlbewanderter Gelehrter sich zusammengetan hätten, um eine künstlerisch und wissenschaftlich gleichermaßen befriedigende Lösung dieser Aufgabe zu versuchen.

Nach einer Zusammenfassung des Programms von Bogler/Schneider lobt Lübke „die sinnige Erfindung des Gedankenganges", der sich der rhythmischen Gliederung des Raumes gut anpasse. Das vorgelegte Programm verweise jedoch auf die Kardinal-Frage, ob und in welcher Form im Schmuck des Kirchenfußbodens figürliche Darstellungen überhaupt zulässig seien. Zwei Grundsätze gelte es dabei, seiner Meinung nach, unbedingt zu beachten:

1. Die „heiligen Gestalten des Glaubens" seien von der Darstellung auf dem Fußboden streng auszuschließen. (Dies sei im Entwurf von Bogler und Schneider beachtet worden, so „daß das symbolische und parabolische Element das Ganze" beherrsche.)

2. In künstlerischer Hinsicht hätten die Darstellungen „den Charakter flächenartiger Teppichdecoration" streng einzuhalten. In Zeichnung und Durchführung der einzelnen Gestalten sei alle Realistik auszuscheiden, vielmehr hätten sie sich in den Grenzen des „architektonisch Ornamentalen" zu halten. (Bogler/Schneider hätten ein Beflurungskonzept entworfen, das in seinen Darstellungen Rücksicht auf ihre Bedeutung im funktionalen Ganzen nehme und die Eigenart des zu verwendenden Materials berücksichtige.)

Wie weit die Entwurfszeichnung Boglers freilich diesen theoretischen Grundsätzen wirklich Rechnung trug, vermochte W. Lübke nur bedingt zu beurteilen, da er sie, wie er eingesteht, gar nicht im Original kannte.

Der Entwurf von Bogler und Schneider und seine Besprechung durch W. Lübke sind für die weitere Diskussion des Beflurungskonzeptes insofern von besonderer Bedeutung als sie – in der Art wie das Beflurungsprojekt im Zusammenhang der maßstäbesetzenden architektonischen Vollendung der „Krone vaterländischer Kunst" gesehen wird – charakteristisch ist für das ganze Projekt und seine weitere Diskussion. Mit seinem Hinweis auf die Arbeiten de Rossis und Aus'm Weerths akzentuiert Lübke ganz besonders die archäologisch-antiquarische Komponente, die im Sinne einer historischen Legitimation auch im Konzept von Bogler und Schneider eine wichtige Rolle spielt. Dabei spannt sich der Bogen der von Lübke zitierten Vergleichswerke von frühchristlichen römischen Fußbodenmosaiken bis zur frisch restaurierten Ste. Chapelle und verdeutlicht so auf charakteristische Weise das Fehlen *eines* durchgehend modellhaften Vorbildes, an dem man sich gleichsam wie an einer historischen Autorität orientieren könnte. Zugleich bekräftigt er damit abermals die nicht nur in ihrer flächenmäßigen Ausdehnung außergewöhnliche Dimension und Bedeutung der anstehenden Lösung des Beflurungsproblems, das über sich hinaus auf eine farbliche Gesamtausstattung verweist.

Andere Stimmen zum Projekt von Bogler und Schneider

Neben den grundsätzlichen, auf überregionale Resonanz zielenden Ausführungen Wilhelm Lübkes in der „Augsburger Allgemeinen Zeitung" finden sich auch in Fachzeitschriften und in der lokalen Presse verschiedene Besprechungen des „Entwurfs" von Bogler/Schneider. Dabei überwiegen freilich die Einwände gegen das Projekt: „Obschon musivisch geschmückte Fußböden, auch mit figürlichen Darstellungen, in mittelalterlichen Kirchen nicht selten vorkommen, namentlich in Italien, aber auch in Deutschland, wie wir ja auch ein altes Beispiel davon in der Krypta der St. Gereonskirche in Köln haben, und obschon auch die antike Kunst keinen Anstoß genommen hat, ganze Bilder in dieser Weise auf die Fußböden zu legen, so haben wir doch unsere Bedenken dabei und würden bloßes Ornament vorziehen, worin ja die kirchlichen Symbole aus dem Tier- und Pflanzenreich ihren sehr passenden Platz finden könnten. Es widerstrebt dem feineren ästhetischen Gefühle, Abbildungen von Personen und noch dazu von geheiligten Personen mit Füßen zu treten. Freilich war das Mittelalter nicht so empfindlich, legte man damals doch auch Grabsteine mit den sculpirten Bildnissen der darunter Begrabenen auf den Fußboden der Kirchen, wo die Füße der Frommen meistens sehr bald Bilder, Wappen und Inschriften übel zurichteten oder verschwinden ließen. Eine Bodenbelegung mit Steinen von zweierlei Farben, scharfkantartig, wie man sie aus weißem und schwarzem Marmor in vielen Kirchen als eine Verschönerung aus späteren Zeiten findet, wirkt namentlich bei großen Räumen unendlich langweilig, und so wäre denn eine musivische Bodenbelegung im Schmucke der Farben gewiß sehr zu empfehlen. Über die Art, wie dieses geschehen soll, und in welchem Material, sagt die genannte Broschüre nichts, darüber hat aber in der Versammlung zu Wiesbaden der bekannte Antiquarius Oberst v. Cohausen gesprochen. Er verwirft die Anwendung von gebrannten Thonplatten, empfiehlt auch das Mosaik aus Stücken farbigen Marmors nicht, schlägt aber zu der musivischen Arbeit ein Material, Chromolith, vor, welches, aus Quarz, Feldspath, Thon und farbigen Metalloxyden zusammengesetzt und im heftigsten Feuer gefrittet, nahezu wie Glasmosaik wirken wird, wenn man es in kleine Würfel formt und zum Bilde zusammensetzt." [53]

Daß das praktisch eine Empfehlung der Mettlacher Tonmosaiken (s. u.) bedeutete und es sich dabei um die erste – indirekte – Erwähnung von Villeroy & Boch handelt, erscheint nicht ganz zufällig. Der Archäologe und „Ingenieur-Oberst" August von Cohausen und Eugen von Boch waren nämlich miteinander befreundet.

---

[53] Nicht identifizierter Zeitungsausschnitt, bez. „Köln. Zeitung 1880?" in der Ausschnitt-Slg. der Kölner Stadt- und Universitätsbibliothek, Bd. 12. – Vgl. damit auch die Ausführungen August von Cohausens (nachdem er verschiedene andere Beflurungsarten verworfen hat): „Man sagt weiter, man könne etwa den Domboden mit Mettlacher Platten belegen. Entschieden nicht! So trefflich dieselben sein mögen, Material und Muster, das man in jedem Hausflur, in jeder Conditorei wiederfindet, ist zu trivial und unwürdig für diesen hehren Zweck. Wohl aber giebt es ein Material, den sogenannten Chromolith, welcher sich besser als irgend ein Marmor zu Mosaiken eignet, ein Stoff, der nahezu dem der Glasmosaik gleicht, indem er aus Quarz, Feldspath und wenig Thon zusammengesetzt und mittelst der reinsten Metalloxyde gefärbt, im heftigsten Feuer gefrittet ist. Diese Masse ist nicht plastisch, wie Thon, und kann nicht in Formen gestrichen werden, sondern sie ist als trockenes Pulver in kleine Würfelchen gepresst und erhält ihre Festigkeit und Härte erst durch das Feuer. Solche Würfelchen in den mannigfaltigsten Farben und daraus zusammengesetzten Mosaikbildern finden Sie in der Ausstellung aufgestellt und ich erlaube mir, sie Ihrer Beachtung zu empfehlen." (zit. nach: Der vierte Verbandstag

Bereits auf der Versammlung der Architekten und Ingenieure in Wiesbaden, wo Cohausen einen gleichlautenden Vortrag hielt, wurde der Entwurf von Bogler/Schneider sehr kritisch aufgenommen: Es „. . . fanden sich nur sehr wenige Stimmen, die dem Entwurf größere Berechtigung zugesprochen hätten, da ganz abgesehen von dem künstlerischen Werthe der betreffenden Arbeit vielfach die Nothwendigkeit einer derartigen Ausschmückung nicht anerkannt wurde. Herr Professor E s s e n w e i n, für mittelalterliche Kunst eine anerkannte Autorität, soll schon vor längerer Zeit sich mit der Idee einer derartigen Durchbildung des Fußbodens getragen und an einflußreicher Stelle Skizzen dazu vorgelegt haben, ohne daß man bisher zu weiteren Schritten in dieser Hinsicht gelangt wäre. Die neueren Versuche, in weiteren Kreisen für den B o g l e r schen Entwurf Propaganda zu machen, legen uns die Fragen nahe, ob diese Behandlung des Fußbodens eine Nothwendigkeit sei, dann ob der Dom dadurch an Kunstwerth gewinnen würde, und endlich ob der vorliegende Entwurf für Ausführung geeignet sei? Alle drei Fragen können füglich v e r n e i n t werden.

Wie die Verfasser in ihrer Brochüre selbst zugestehn, giebt es nach Umfang, Zeit und Styl in unserm Vaterlande kein einziges Beispiel, das hier als Anhalt oder Vorbild dienen könnte; die farbenreichen Mosaikböden, wie sie im letzten Jahrzehnt in Cöln in r o m a n i s c h e n Kirchen mit grossem Kunstverständnis zur Ausführung gekommen sind, eignen sich desshalb aber nicht in gleicher Weise für einen

---

deutscher Architekten- und Ingenieurvereine (Forts.), in: Wochenblatt für Architekten und Ingenieure, Jg. II, Nr. 40, vom 1. Okt. 1880, S. 362).

Der Altertumsforscher, Ingenieur-Offizier, Bauforscher, Historiker, Archäologe, Antiquarius, Architekt – die entsprechenden Angaben sind verwirrend vielfältig – Karl August von Cohausen (Rom 14. IV. 1812 – Wiesbaden 2. XII. 1894) war ein langjähriger Freund und enger Vertrauter Eugen von Bochs (vgl. Merten, „Mosaikfälschung", S. 301 u. 305. – Ders., Eugen v. Boch [1988], S. 5). Zwischen 1841 und 1848 war von Cohausen stellvertretender Direktor (nach M. Jähns, s. u., S. IX: „erster Direktor") der Mettlacher Steingutfabrik. Angeblich auf seine Anregung hin wurde bereits 1846 (sic) im Werk Septfontaines/Luxemburg versuchsweise mit der Produktion von Mosaiksteinchen für Fußböden mittels Trockenpressung begonnen (Firmenschrift „Villeroy & Boch 1893", S. 6. Vgl. auch Michael Weisser, Jugendstilfliesen. Die künstlerisch gestaltete Wandfliese als Gebrauchsgegenstand und Ornamentträger in Deutschland, Bremen 1978, S. 79 f.). Durch die Entdeckung des römischen Mosaikfußbodens von Nennig 1852 erhielt Eugen Boch den entscheidenden Anstoß zur industriellen Fertigung von Mosaiksteinchen nach römischem Vorbild (vgl. S. 285). Auch darüber korrespondierte er mit August v. Cohausen (Archiv Villeroy & Boch, Mettlach, Nr. 32).

Von Cohausen (und Boch) scheint es auch eine direkte Verbindung zu Essenwein zu geben: Cohausen war nämlich seit 1861 Mitglied des Gelehrtenausschusses des Germanischen Nationalmuseums in Nürnberg für das Fach „Geschichte der Kriegsbaukunst"; seit 1866 war Essenwein Erster Vorstand bzw. Direktor des Germanischen Nationalmuseums; 1879 publiziert v. Cohausen in der „Zeitschrift für Baukunde" (Sp. 609–620; das „April 1875" datierte Manuskript dazu im Archiv, Villeroy & Boch, Mettlach, Nr. 173) seinen Aufsatz „Ueber die Decoration von Fussböden", in dem er u. a. die Vorzüge der Tonstiftmosaiken und Mosaikimitationsplatten von Villeroy & Boch preist. 1880 hält Cohausen seinen Vortrag in Wiesbaden, in dem er praktisch die Mettlacher Stiftmosaiken für den Kölner Dom lanciert; vom 31. Dezember 1881 datiert die erste definitive Erwähnung von Villeroy & Boch in den Akten des DBAK zur Dombeflurung; von 1885 bis zu seinem Tode war v. Cohausen zudem Mitglied des Verwaltungsausschusses und Verwaltungsrates des Germanischen Nationalmuseums (vgl. Deneke/Kahsnitz, Das Germanische Nationalmuseum, S. 1074 u. 1042): „Alljährlich besuchte der Oberst die Generalversammlungen des Germanischen Museums zu Nürnberg . . ., wie er denn auch mit dessen Direktor, Dr. August von Essenwein, allzeit in den herzlichsten Beziehungen und regem Gedankenaustausch gestanden hat (M. Jähns, s. u., S. XXV). Ein weiteres Indiz für die verwandten Interessen von Cohausen und Essenwein ist nicht zuletzt die Tatsache, daß v. Cohausen „Die Kriegsbaukunst", einen Beitrag Essenweins für das Handbuch der Architektur (Darmstadt 1889), im Centralblatt der Bauverwaltung (X. Jg., Nr. 12, vom 22. März 1890, S. 117-119) rezensierte: „. . . ein in jeder Beziehung der »Architecture Militaire« von Viollet le Duc ebenbürtiges Buch".

Schließlich scheint sich von hier aus auch eine Verbindung abzuzeichnen, welche die definitive Entscheidung für Mettlacher Stiftmosaik zur Beflurung des Domes sicher mit beeinflußt haben dürfte. Reichensperger überliefert, daß erst die Vermittlung durch Kaiserin Friedrich diese Entscheidung ermöglicht habe (vgl. DOKUMENT Nr. 17). Dazu paßt nun die Tatsache, daß die einzige größere von Cohausen verfaßte Arbeit, das von Max Jähns postum herausgegebene und mit einem biographischen Vorspann versehene Buch „Die Befestigungsweisen der Vorzeit und des Mittelalters" (Wiesbaden 1898) Kaiserin Friedrich, Prinzessin von Großbritannien und Irland, Herzogin zu Sachsen „der kundigen Freundin der Altertümer, der hohen Gönnerin des Verfassers" gewidmet ist. – Zu A. v. Cohausen vgl. auch Anm. 327 u. Text zu Anm. 368.

gothischen Dom, und das Beispiel der Alten, die sehr wohl wussten, was an einem monumentalen Bauwerke nöthig, nützlich oder schön sei, hätte davon abhalten sollen, ein erstes Beispiel für einen solchen Boden unter Aufwand moderner Technik und moderner Anschauungsweise zu schaffen. Soweit sich die Fussböden der Kirchen des XIV. Jahrhunderts und der Folgezeit untersuchen lassen, finden sich nirgends Spuren dafür, dass eine ähnliche Technik wie die von Bogler vorgeschlagene beabsicht worden sei; vielmehr deutet alles darauf hin, dass der einfache Plattenbelag, wie wir ihn überall finden, von vornherein intendirt gewesen sein muss. Daraus geht aber hervor, dass unsere Vorfahren den Fussboden der Kirche nicht in die künstlerische Ausbildung hineinziehen und ihn lediglich dem Bedürfniss entsprechend möglichst einfach herstellen wollten. Eine Nothwendigkeit - also liegt aus der Tradition nicht vor und die zweite Frage wäre die, ob ein derartiger Fußboden künstlerisch schön sei. Das würde der Fall sein, wenn die Harmonie des Innern, wenn die Schönheit der Architektur dadurch gehoben werden könnte. Statt dessen wird ein teppichartiger prächtiger Mosaikboden, der mit figürlichen und allegorischen Darstellungen ausgestattet ist, den Geist, den die schlanken Pfeiler emporlenken wollen, von der Höhe herabziehen zur Erde; er wird die Aufmerksamkeit von dem erhabenen Raume auf einen untergeordneten Theil in störendem Grade lenken und dadurch den grossartigen Eindruck des Innern verwirren und vernichten. Der Fussboden würde also eine Disharmonie hervorrufen, welche in der Zukunft vielleicht nur dann mit Erfolg entgegengetreten werden könnte, wenn man sich entschlösse, dem Boden zu Liebe den ganzen Dom – auszumalen. Freilich wird eine derartige farbige Ausschmückung des Innern schon jetzt von verschiedenen Seiten befürwortet, namentlich von Solchen, welche in der Übernahme derselben einen angenehmen Auftrag erblicken würden, aber welchen ästhetischen Gefahren wir uns damit aussetzen müssten, das ist unschwer zu ahnen.

Der Boglersche Entwurf nun, mit seinen einfachen grossen unübersichtlichen Mustern ist architektonisch nicht recht durchgearbeitet und würde nach der Ausführung sehr nüchtern und wenig stylgerecht erscheinen. Die geistreichste Erklärung hilft hier nicht über den Eindruck des Flüchtigen und Skizzenhaften hinweg.

Soweit es sich bis jetzt übersehen lässt, hat nach dem Gutachten sehr bedeutender Architekten der Entwurf keine Aussicht, zur Ausführung zu gelangen und ist es deshalb auch überflüssig, auf die von Herrn Oberst von Cohausen empfohlene Technik (Ausführung in Chromolithen), näher einzugehen, wiewohl dessen Vorschläge an und für sich für ähnliche Arbeiten alle Beachtung verdienen.

Soll etwas für den Dom geschehen, so genügt es, Steinplatten von mässiger Grösse und bester Qualität, vielleicht von zweierlei Färbung zu wählen, die sich genügend von einander abheben, um einfache Umrahmungen und gemusterte Innenflächen zu schaffen. Damit würde die jetzt betonte unwürdige Schmucklosigkeit beseitigt werden, der Boden würde belebt erscheinen, ohne für sich innerhalb des wundervollen Bauwerkes eine andere Rolle zu spielen, wie die ihm zukommende, nämlich eine untergeordnete." [54]

Bemerkenswert ist an dieser anonym erschienenen Besprechung, wie deutlich bereits hier ein Zusammenhang, ja ein wechselseitiges ästhetisches Abhängigkeitsverhältnis zwischen Beflurung und Innenraum gesehen wird, das von der Vorstellung einer farblich gestimmten Harmonie aller Komponenten ausgeht.

Damit klingt bereits in diesem frühen Stadium ein weiteres Leitmotiv an, das sich durch alle Phasen der Diskussion um die Domausstattung zieht und über die Vollendung des Dommosaiks hinaus wirksam bleiben sollte. Der Hinweis auf diese Zusammenhänge dürfte die Aussicht des Entwurfs verwirklicht zu werden, freilich kaum erhöht haben. Denn, als Maximalprojekt auf die gesamte Beflurung bezogen, hätte es konsequenterweise eine entsprechende Ausstattung/Ausmalung des gesamten Dominneren geradezu erzwungen. Das aber mußte 1880 angesichts der „ertödtenden Wirkung des Culturkampfes" politisch kaum erwünscht und durchsetzbar erscheinen.

---

[54] Wochenblatt für Architekten und Ingenieure, II. Jg., Nr. 46, vom 12. Nov. 1880, S. 411 f.

44

Es hat denn auch fast den Anschein, als rechne das Projekt von Bogler/Schneider eigentlich nicht mit einer Realisierung; seine Intentionen scheinen vielmehr in eine andere Richtung zu weisen. Einerseits fällt nämlich auf, daß die entscheidende Frage, in welchem Material der Beflurungsentwurf denn aus-zuführen sei, unbeantwortet bleibt: merkwürdigerweise wird dieser zentrale Punkt auf den zehn Seiten der Begleitschrift mit keinem Wort auch nur angedeutet! – Andererseits kann man den Eindruck gewin-nen, als sei dieses (absichtliche?) Versäumnis ein geschickt arrangierter Vorwand, das Mettlacher Mate-rial nicht nur ins Gespräch zu bringen, sondern zugleich die Vorzüge der „Chromolithen", also der un-glasierten Mettlacher Steinzeugplatten mit eingelegten farbigen Mustern, auch in ihrer Verarbeitung als Stiftmosaiken vor einer Versammlung von Fachleuten (und in der Presse) herauszustellen.

Angesichts dieses geschickten Schachzugs Kölner Dom und Mettlacher Steinzeug zusammenzubringen, gewinnt der Entwurf von Bogler/Schneider den Charakter eines Wegbereiters und Versuchsbal-lons, eines Impulses „zur Förderung und Klärung des Problems", wie Reichensperger denn auch kon-statierte [55]): „. . . jedenfalls bildet derselbe eine schätzbare Unterlage für den definitiven Plan, und ist damit schon viel gewonnen." [56]) So liegt die Bedeutung dieses Entwurfs denn auch in erster Linie darin, daß er zwischen den durchweg lapidaren, grundsätzlichen Vorschlägen zur Beflurung, die die Konkurrenz von 1871/73 erbracht hatte, und dem ersten umfassenden Beflurungsprojekt Essenweins von 1884 – nicht nur zeitlich – vermittelt.

Das gilt freilich – jenseits der Materialfrage – mehr für die allgemeine, geometrisch-ornamentale und figürlich-darstellende Komponenten mischende Konzeption als für konkrete Einzelmotive: „Der Vor-schlag, in der Vorhalle zwischen den beiden Thürmen den Grundplan der Cathedrale als Zierde des Bo-dens anzuwenden, ist jedenfalls originell, aber aus ästhetischen Bedenken wohl schwer durchführbar." [57]) Nicht realisiert wurde auch der modifizierende Vorschlag statt dessen „Hier . . . eine . . . Tafel von be-liebiger Größe mit erhabener Schrift anzubringen, die am Besten aus Stein herzustellen wäre und nicht aus Bronce, weil letzteres Material erfahrungsgemäss in unruhigen Zeiten der Gefahr des Einschmelzens zu sehr ausgesetzt ist . . . Würde nun im südlichen Thurm eine solche Inschrifttafel angebracht sein, so liegt es nahe, dass der Nordthurm in gleicher Weise durch eine zweite Tafel ausgezeichnet werden könn-te, welche den Grundriss des Domes enthielte. Den Gedanken einer derartigen Erhaltung des Grundpla-nes eines Gebäudes haben neuerdings die Architekten M y l i u s und B l u n t s c h l i bei der Frankfurter Börse zu verwirklichen gewusst, und Architekt B o g l e r in Wiesbaden hat in seinem farbigen Entwurfe für einen Fussboden des Cölner Domes den Grundriss in dem Fussboden der Vorhalle darstellen wollen. Abgesehen von dem viel zu grossen Maassstabe, der die Absicht, den Grundriss übersichtlich darzustel-len, von vornherein vereiteln würde, ist der Fussboden als solcher durch allerlei Zufälle viel zu sehr der Abnutzung und der Zerstörung unterworfen, als dass man in dieser Art der Herstellung eine monumentale Conservirung erblicken könnte. – Die Einfügung zweier grösserer Steintafeln also, der Einen mit dem Grundriss des Domes, der Anderen mit einer grösseren Inschrift, deren Wortlaut der Bestimmung des hohen Protektors überlassen bleiben muss, das wäre im Wesentlichen das, was augenblicklich zur Beur-kundung des Domes zu Cöln hiermit in Vorschlag gebracht sein mag . . ." [58]). – Schließlich wurde der farbig ausgearbeitete Beflurungsentwurf von Bogler/Schneider, wie zuvor schon in Wiesbaden, auch in Köln für eine breitere Öffentlichkeit „im hiesigen Museum . . . zur Schau gestellt". [59])

---

[55]) Vgl. in diesem Sinne Reichensperger, Geschichte, S. 61 (dorther die letztere Formulierung).

[56]) A.(ugust) R.(eichensperger), Ausstattung.

[57]) Der vierte Verhandlungstag deutscher Architekten- und Ingenieurvereine. (Schluss) Die Ausstellung, in: Wochenblatt für Architekten und Ingenieure, II. Jg., Nr. 42, vom 15. Oktober 1880, S. 376.

[58]) P. Wallé, Die Beurkundung des Cölner Domes, in: Wochenblatt für Architekten und Ingenieure, II. Jg., Nr. 41, vom 8. Okt. 1880, S. 371 f. – Reichensperger (Anm. 56), dagegen: „Die Zeichnung des Grundrisses der Kathe-drale auf dem Boden der Thurmhalle entbehrt endlich, wie uns deucht, allzu sehr des ornamentalen Charak-ters, um dort platzgreifen zu können."

[59]) A.(ugust) R.(eichensperger), Ausstattung. – Vgl. auch Kapitel „Mosaik und Öffentlichkeit", bes. S. 349 f.

Die Beflurungsentwürfe Voigtels von 1878/82

Charakterisierung des Beflurungskonzeptes

Zwischen 1878 und 1882 zeichnete Dombaumeister Richard Voigtel mehrere Serien von Beflurungs-entwürfen. Sie sind alle durch den völligen Verzicht auf figürliche Darstellungen charakterisiert, viel-mehr setzen sie ihre sparsamen, durchweg geometrisch-ornamentalen Elemente vorwiegend glie-dernd, ordnend und zur Akzentuierung der architektonischen Raumeinheiten ein. Mit ihren einfachen formenden Mitteln und mit unkomplizierten geometrischen Mustern verbinden sie eine sehr verhalte-ne farbliche Differenzierung. Die eigentlichen Schmuckpartien der sich meist nur auf Teilbereiche erstreckenden, grundsätzlich aber auf den gesamten Domfußboden ausgerichteten Pläne sind dabei recht begrenzt: auf den Raum vor dem Hochaltar und zuseiten der sechs figürlichen Grabplatten zwi-schen den Chorstühlen, auf die Chorumgangsfelder und Chorkapellen, auf die unterschiedlich breiten Ornamentstreifen, die rechtwinklig die Säulen miteinander verbinden, und auf die Vierung. Eine be-sondere Rolle kommt den Diagonalkreuzen (quasi als Spiegelungen der Gewölbegrate über ihnen) zu.

Voigtels früheste erhaltene Beflurungsentwürfe datieren aus der zweiten Hälfte 1878; sie sehen für den gesamten Dom eine durchgehend einfarbige Beplattung aus Obernkirchner Sandstein vor [60]. Ein Jahr später entsteht eine Serie von Farbstift-Zeichnungen, die für Teile der Beflurung verschiedene Varian-ten eines diagonal versetzten Schachbrettmusters durchspielen, indem sie die Verteilung von hellen und dunklen Platten unregelmäßig modifizieren, zentrieren oder sternförmig variieren. Die trennen-den Zierstreifen zwischen den Säulen ordnen sich diesem Schema grundsätzlich unter und durchbre-chen es nur in ihren schmalen (helleren) Randstreifen. Varianten modifizieren die Breite und Struktur dieser Friese wie auch des ornamental aufwendigeren teppichartigen Frieses, der sich in der ganzen Länge durch das Mittelschiff zieht. Je nach dem Umfang der Seitenbegrenzung werden so die einzel-nen Beflurungsfelder quadratisch bzw. rechteckig, achteckig oder kreuzförmig modifiziert.

Neben Varianten, die der Jahre später im Lang- und Querschiff tatsächlich ausgeführten Beflurung mit versetzten querrechteckigen Platten (gerahmt von breiten Schmuckfriesen) vorzugreifen scheinen, gibt es auch solche, die eine Schachbrettvariante mit kleinen dunklen Zwischenplatten vorschlagen. Ein am 15. Januar 1880 gezeichneter Entwurf Voigtels geht dagegen von einem rechtwinklig gleichmä-ßigen Schachbrettmuster aus, das z.B. im Bereich der Türme diagonal versetzte Partien aufweist. Dun-kel gerahmt sind die einzelnen Felder in ihrer Begrenzung stärker betont. Zwischen den Pfeilern wer-den sie zusätzlich durch unterschiedlich breite, auffällig ornamentierte Musterfriese getrennt, welche die großen architektonischen Raumeinheiten wie die Schiffe und die Joche gegeneinander abgrenzen. Zeitweilig wird auch erwogen, die einzelnen Beflurungsfelder durch zentrierende Muster zu schmük-ken.

Diese tastenden Versuche münden schließlich im Juni 1881 in einer Serie von Entwürfen Voigtels, in der er die verschiedenen Elemente miteinander zu verschmelzen sucht. Entsprechend wird nun das strenge Schachbrettschema modifiziert zu einem beherrschenden Fondmuster aus einer gleichmäßi-gen Abfolge heller oktogonaler Platten und kleinerer, quadratischer, dunkler Zwischenplatten. Die Mittelschiffe des Lang- und Querhauses sind lediglich durch ein etwas größeres Platten-Raster hervor-gehoben, während die Vierung durch ein diagonales, im Zentrum kreisförmig zusammengefaßtes Fries-Kreuz ausgezeichnet ist, das ein auf der Spitze stehendes Quadrat viertelt und so eine regelmäßi-ge Folge kleinerer Quadrat- und Dreieckfelder entstehen läßt. – Der Raum zwischen den Chorstühlen und vor der Chortreppe ist durch ein regelmäßiges, ähnlich den Friesbändern fast textil wirkendes Flä-chenmuster ausgefüllt. Der Chorumgang und die Chorseitenschiffe dagegen sind durch ein ganz einfa-ches, diagonal(!) verlaufendes Schachbrettmuster strukturiert. Nur die Zentren der Chorumgangsfelder

---

[60]) DBAK, Mappe XXXVII/a, 1 ff.

werden durch wechselnde geometrische Muster besonders ausgezeichnet. Für die Beflurung der Chor-kapellen ist eine variierende Struktur kleinerer Quadrat-Platten vorgesehen.

Der Entwurf beschränkt sich also ausschließlich auf ein nur in Details der Form, der rasterförmigen Be-plattungsarrangements und Nuancen der Farben geringfügig variierendes Repertoire geometrischer Grundelemente. Bestimmend wirkt dabei der Rastercharakter der Beflurung, der den Eindruck eines sehr ruhigen und schlichten, bis zur Eintönigkeit zurückhaltenden, fast textil wirkenden Fliesentep-pich entstehen läßt, dessen gestalterische Armut – vor allem im Chorumgang – nicht zu übersehen ist.

Am 8. I. 1882 sendet Voigtel eine Überarbeitung dieses Beflurungsentwurfs zusammen mit fünf Detail-zeichnungen an den Oberpräsidenten der Rheinprovinz, Moritz von Bardeleben, nachdem das Ministe-rium in Berlin eine nochmalige Überarbeitung der Entwürfe „zum Zwecke eines reicheren Formen-wechsels" verlangt hatte. Als Bereiche aufwendigerer Gestaltung kämen außer dem Chorumgang und den Kapellen, die Turmgelasse, die Vorhalle, die Vierung und eventuell auch die Seitenschiffe in Frage [61]. Voigtels Überarbeitungen betreffen im wesentlichen zwei Punkte: die Hinzunahme eines dritten „mäßig abstechenden" Tones und die Erweiterung des Formenkanons durch ein – nach dem Schema der Vierung – quasi über das Plattenraster der Jochsegmente geblendetes Diagonalkreuz mit kreisför-mig betontem Schnittpunkt.

Um dem Metropolitankapitel und einer Abordnung von Ministerial-Kommissaren die Wirkung der in Aussicht genommenen Beflurung anschaulich demonstrieren zu können, wird Voigtel beauftragt, nach seinen Entwürfen im Dom ein Probefeld anfertigen zu lassen [62]. Am 8. IX. 1882 findet die Besichti-gung, zu der man sich sogar auf das Triforium bemüht, statt. Das nur mit „Wasserfarbe" aufgemalte Dia-gonalkreuz wird als „zu unruhig" verworfen und statt dessen vorgeschlagen, auf den ersten Plan des Dombaumeisters zurückzugreifen und nur die allgemein zugänglichen Raumteile mit Obernkirchner Platten zu pflastern [63]. Allein für das Presbyterium vor dem Hochaltar sei dagegen eine „künstlerische Gestaltung" anzustreben.

Domkapitular Frennen, der diesen Vorschlag macht, schwebte dabei offensichtlich ein bildartiges Mo-saik in der Art von Leonardos „Abendmahl" vor [64]! Dieser zunächst recht exotisch anmutende Vor-schlag ist offensichtlich angeregt von der als Altar-Wand-Bild verwendeten Mosaikkopie des Leonardo-gemäldes u.a. in der Wiener Minoritenkirche [65]. Bemerkenswert erscheint dieser Vorschlag vor allem dadurch, daß er bereits in diesem Planungsstadium und in diesem Kontext das Motiv eines großforma-tigen Mosaikbildes beim Hochaltar anklingen läßt. In Essenweins erstem Beflurungskonzept wird eine Entsprechung im Kaiser-Papst-Mosaik dann Zentrum und Höhepunkt des gesamten Beflurungspro-gramms sein.

---

[61]   DBAK, Lit. X f I/17.

[62]   DBAK, Lit. X f I/18 f., 24. – Vgl. damit auch (Alexander Schnütgen). Der Bodenbelag des Kölner Domes, in: Kölnische Volkszeitung, Nr. 261, 2. Blatt, vom 18. Sept. 1882: „. . . Wenn man durchs Hauptportal in den Dom tritt, wird man links, gleich hinter dem Portal im Nordschiff, ein Viereck durch einen Bretterverschlag abge-trennt sehen . . ."

[63]   DBAK, Lit. X f I/21.

[64]   DBAK, Lit. X f I/21 u. 23.

[65]   Zu den Mosaikkopien nach Leonardos „Abendmahl" vgl. Springer, Mosaik als Metapher, Anm. 16 (mit Lit.). – Ganz entsprechend wurde in den 90er Jahren eine in der Werkstatt von Antonio Salviati in Venedig hergestell-te Mosaik-Kopie nach Cosimo Rosellis Abendmahlfresko in der Sixtinischen Kapelle quasi als Altarretabel hin-ter dem Hochaltar der Memorial Church in Stanford/USA angebracht. – Vgl. Gail Stockholm, Stanford Memori-al Church, hrsg. von Donald T. Carlson, Stanford/Calif. 1980, S. 62, Abb. S. 60, vgl. auch Abb. S. 48 u. 58.

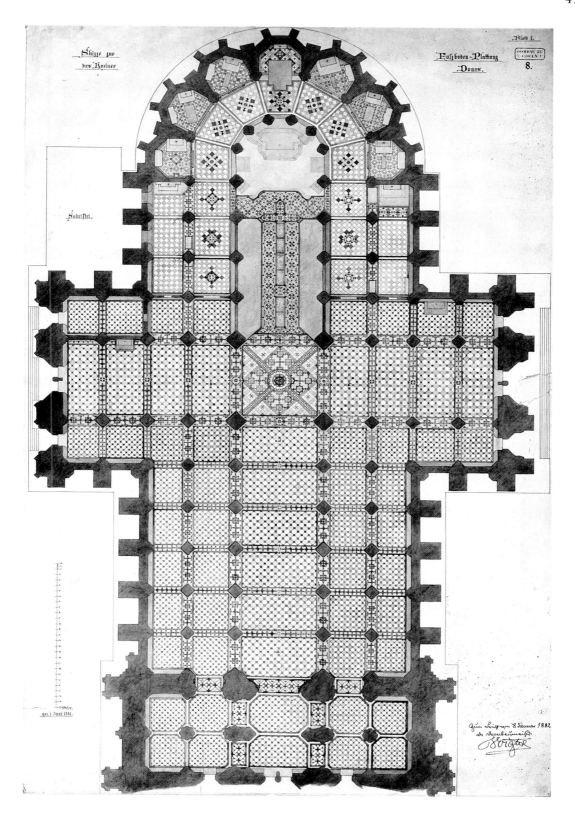

Abb. 14   Richard Voigtel: „Skizze zur Fußboden-Plattung des Kölner Domes", 1882, Köln, Dombauarchiv

Die Kontroverse um Voigtels Entwürfe

Unter der Überschrift „Der Bodenbelag des Kölner Domes" veröffentlicht die „Kölnische Zeitung" am 18.IX.1882 einen anonymen Leserbrief. Nachforschungen Voigtels ergeben, daß Domvikar Alexander Schnütgen der Verfasser ist [66]. Voigtels Bestreben, den Briefschreiber zu identifizieren, ist nur zu verständlich, denn der Artikel enthält massive Kritik an seinen Beflurungsentwürfen: Ausgehend von dem Vorwurf mangelnder Öffentlichkeit bei der Entscheidungsfindung zur Form des neuen Bodenbelags im Dom – zumal „still und insgeheim" bereits ein Probefeld angelegt worden sei, ohne daß vorher Fachleute zu einer Konkurrenz aufgefordert worden wären – ruft der Autor zur Besonnenheit und genauen, allseitigen Prüfung des (Voigtelschen) Planes auf. Rückblickend erinnert Schnütgen daran, daß der Wandel der Romanik zur Gotik mit dem „Verschwinden der großen Mauerflächen" verbunden gewesen sei; damit sei zugleich die Wandmalerei, „wenigstens die große Historienmalerei", verdrängt worden, an deren Stelle die Bildhauerkunst trat: „Mit der Gotik verschwand die Polychromie und mit letzterer die ihr entsprechende und verwandte bunte Mosaik(kunst) mehr und mehr und zuletzt völlig. Hieran ist vor allem bei der Frage des Bodenbelags für den Dom festzuhalten. Das Teppichmuster, so sehr es in einer romanischen Kirche, etwa Groß St. Martin, am Platze wäre, muß aus einer gotischen Kirche verschwinden." [67]

Zweitens sei entscheidend, daß der ganze Bodenbelag eine einheitliche Komposition darstelle: Die „Einheitlichkeit des Gesamtgedankens und die Verschiedenheit und Besonderheit der dem Grundriß entsprechenden Felder zu vereinen", sei die oberste und schwierigste Aufgabe eines Beflurungsentwurfs, der zugleich in den einzelnen Feldern die Rippen der darüber befindlichen Gewölbe widerzuspiegeln habe. Dies solle jedoch nicht in einer rein äußerlichen, formalistischen Weise geschehen (wie es Voigtels Entwürfe teilweise vorsahen), vielmehr müsse „die Widerspiegelung des Gewölbes eine natürliche, innerlich gegebene sein, der Gesamtanlage ohne Zwang entwachsen". Ein durchgehendes symbolisches Programm wäre geeigneter, eine solche Einheitlichkeit der Gesamtanlage herzustellen, indem nach Inhalt und Reichtum der Symbolik sich das Programm vom Eingang und von den Seitenschiffen zum Mittelschiff und von dort zum Chor mit dem Hochaltar als Höhepunkt und Ziel, als Zentrum des ganzes Baues, „steigern und zuspitzen" müsse. „Die größere Heiligkeit des Raumes" wie auch „die ungleich geringere Benutzung und Verschleißung" spreche dafür, hier „die Symbolik walten zu lassen".

Hinsichtlich der Inhalte und Darstellungsformen eines symbolischen Beflurungsprogramms sei vielfach an Bernhard von Clairvaux erinnert worden, der sich gegen die Anbringung religiöser Darstellungen auf dem Fußboden mit dem Argument gewandt habe, es könne nicht angehen, auf ihnen herumzutreten. – Was diesen Aspekt betrifft, warnt Schnütgen jedoch vor „krankhafter Sentimentalität", verwiesen doch die figuralen Glasgemälde „schier gebieterisch" auf die Notwendigkeit, auch den Boden nicht ohne Darstellungen zu belassen. Die Grenzen farbig-figürlicher Darstellungen seien allein dort erreicht, wo ihre Plastizität den Flächencharakter aufhebe.

Hinsichtlich des zu verwendenden Materials schwanke man bisher noch zwischen Marmor, Sand- oder Haustein und Ton. Marmor sei jedoch seiner Meinung nach „aus elementaren ästhetischen Gesichtspuncten auszuschließen". Allein eine an den „Börsianer-Geschmack" erinnernde „Luxussucht" habe bisher das kostbare Material favorisiert, doch gehe es nicht an, unedles Material (die „keusche Rauheit" unpolierter Trachytsäulen) aus dem edleren (dem glänzenden glatten Marmor) aufsteigen zu lassen. Aus demselben Grund kämen auch nicht bunte, glänzende Tonplatten, sondern nur „Haustein oder matter, unglasierter, kleinstückiger Thon, wahrscheinlich aber eine geschickte Vereinigung beider" als Beflurungsmaterialien in Frage.

Nach diesen allgemeinen Erwägungen geht Schnütgen auf Voigtels Entwürfe ein und charakterisiert

---

[66] DBAK, Lit. X f I/23.
[67] DBAK, Lit. X f I/24.

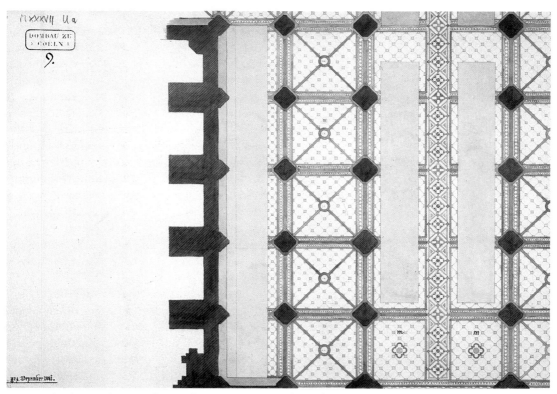

Abb. 15   Richard Voigtel: Entwurf zur Beflurung des Domes (Detail), nördliche Seitenschiffe und Mittelschiff, 1881.

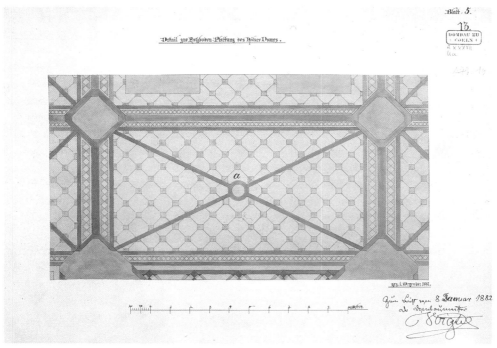

Abb. 16   Richard Voigtel: „Detail zur Fußboden-Plattung des Kölner Domes", 1881/1882, Köln, Dombauarchiv. Beispielhaft wird hier, wie auch in Abb. 15, die „Spiegelung" der Gewölbegrate in der Struktur der Beflurung verdeutlicht.

sie als „Schachbrettmuster", das in der Form eines „Laufteppichs" einseitig die Länge der Schiffe – und nicht auch die Säulenstellungen und Gewölbefolge – berücksichtige: „Nicht einmal für eine Bahnhofshalle und kaum für eine Fleischhalle oder ein modernes Schlachthaus würde man dieses »Muster« verwendenswert finden können." Besonders eines bemängelt der Kritiker: Im ausmündenden „Läufer" des Hauptschiffes sei die Andeutung eines Kreuzes kaum zu erkennen. Dagegen erinnern ihn die unmotiviert von Säule zu Säule gezogenen Diagonalkreuze aus grauem Stein als einzige Veränderungen der Entwürfe vom Dezember gegenüber denen vom Juni 1881 an den „Verschluß von zwei gekreuzten Stabeisen über einer Kellerthür".

Zusammenfassend bezeichnet Schnütgen eine Ausführung der Beflurung nach dem vorliegenden Entwurf als „undenkbar". Die „Wichtigkeit des Gegenstandes" erfordere eine öffentliche Diskussion des Beflurungskonzeptes: „Mit einer vollendeten Thatsache überrasche man die Welt nicht in dieser Frage, *der wichtigsten, die in der Dombau-Angelegenheit überhaupt noch zu erledigen ist.*"

Voigtels (anonyme) Erwiderung auf die Kritik Schnütgens erscheint am 4.X.1882 ebenfalls in der „Kölnischen Zeitung": In einem Artikel „Zur Frage des Bodenbelags im Kölner Dom" äußert er zunächst Zweifel an der Genauigkeit des Berichtes hinsichtlich seiner Mitteilungen zur Geschichte des diskutierten Projektes und dessen Gestalt. Sodann wendet er sich – zu Recht – gegen Schnütgens Behauptung, mit dem Aufkommen der Gotik sei die Polychromierung des Kirchenraumes verschwunden und belegt dies mit dem Hinweis auf die gotischen Wandgemälde im Dom und in anderen Kölner Kirchen. Sollte sich diese Behauptung jedoch nur auf die Beflurung beziehen, so werde sie durch die Fachliteratur, wie entsprechende Feststellungen Viollet-le-Ducs, Jakobs und De Caumonts bestätigten, widerlegt. Scheinbare Gegenbeispiele monotoner, einfarbiger Beflurung in mittelalterlichen Kirchen (z.B. Reims, St. Omer, Chartres, Amiens und Arras) seien denn auch in der Regel das Resultat von Erneuerungen aus der jüngsten Vergangenheit. Zu Recht weist Voigtel darauf hin, daß Schnütgen nicht – wie zu erwarten gewesen wäre – aus seiner (unzutreffenden) Ansicht folgert, die Dombeflurung dürfe nicht polychrom werden.

Wenn der Artikelschreiber die „Einzeichnung von kreuzförmig sich durchschneidenden Streifen zur Darstellung der Gewölbegrate" verwerfe, so sei er durchaus der gleichen Meinung (sic). Selbst Schnütgens damit verwandte Vorstellungen seien unzulässig – wobei offenbleibe, wie der Verfasser sich ihre Ausführungen denke. Grundsätzlich sei ihm nämlich kein Beispiel einer entsprechenden, die Gewölbe spiegelnden, oder frei nachbildenden Beflurung aus einer gotischen Kirche bekannt: „Der alte Belag in der Dom-Sacristei war zwar durch sich durchkreuzende Diagonale(n) in vier Dreiecke, entsprechend den Gewölbekappen, getheilt; aber aus diesem vereinzelten Beispiel folgt nicht, daß man hierbei eine Spiegelung des Gewölbes habe darstellen, und noch weniger, daß man damit ein Princip auch für den Belag der Kirche habe aussprechen wollen." – Grundsätzlich sollte seiner Meinung nach „Der Fußboden . . . kein Spiegel sein, in dem das Gewölbe sich reflectirt . . . Der Fußboden hat vielmehr seine eigene wichtige Function; er ist die Fläche, auf der man steht und geht, er ist der Träger des ganzen Baues . . . Als solcher muß er durchaus den Eindruck des Festen machen; und es ist dadurch auch seine Ausschmückung wesentlich mit bedingt." Um dieser Funktion Rechnung zu tragen, sollte man die Säulen durch breite Bänder verbinden, die zugleich die Rahmung für die Fußbodenfelder aus anderem Material bilden. Dabei gelte es jedoch zu bedenken, daß der durch Entwurfsskizzen vermittelte Überblick die Forderung nach Gleichmäßigkeit in der Wahl der Muster sämtlicher Teile nahelege, während der Betrachter in der Kirche tatsächlich stets nur einen kleinen Ausschnitt überblicken könne. Um einer „ertödtenden Langweiligkeit" vorzubeugen, sei deshalb in den größeren Feldern harmonische Mannigfaltigkeit anzustreben. Dabei sei – entgegen der Meinung des Kritikers – die Verwendung auch von Marmor, z.B. als Füllung der Schmuckbänder zwischen den granitumrahmten Pfeilerbasen durchaus vertretbar, ermöglichten doch auch sie „eine Belebung durch inkrustirte Darstellungen" (wie z.B. in der Kirche St. Quentin zu St. Omer). Auch die vorgeschlagenen Tonfliesen könnten, „mit gothisch stilisirten Thiermustern" versehen, dazu beitragen, eine bloß geometrische Musterung zu überwinden. „Dagegen halten wir musivische Darstellungen heiliger Personen auf dem Fußboden für

Abb. 17 Richard Voigtel: die Vierungsbeflurung mit angrenzendem Mittelschiff und dem Raum zwischen den Chorstühlen (Detail aus Abb. 14)

Abb. 18 Richard Voigtel: teilkolorierter Entwurf eines Beflurungsmusters, Köln, Dombauarchiv

unzulässig. Diese gehören an die Wände und Pfeiler und in die Fenster. Bietet uns ja auch die mittelalterliche Kunst hinreichend andere, *symbolische* Darstellungen für den Fußboden. Solche figurale(n) Darstellungen halten wir jedenfalls für die große Kreuzvierung, sowie für das Innere des Chores und die Stelle vor und um den Hochaltar für geboten."

Voigtels Kritik an der Kritik scheint sich schließlich allein darauf zu reduzieren, „daß wir für die Bänder zur Verbindung der Säulen auch edleres Material als Haustein nicht für ausgeschlossen erachten, und daß wir die einzelnen Felder nur durch jene Bänder und demgemäß in Vierecke, nicht auch durch Spiegelungen der Gewölbegrate in Dreiecke, den einzelnen Gewölbekappen entsprechend, getheilt sehen wollen" – ganz so als hätte Voigtel nicht selber genau derartige Entwürfe angefertigt.

Die Widersprüchlichkeit seiner Argumentation ist möglicherweise ein Indiz dafür, daß Voigtel die genannten Entwürfe nur auf höhere Weisung anfertigte, während er selbst eine eher gegenteilige Position vertrat. Dadurch könnte auch eine Erklärung für die vergleichsweise geringe Qualität dieser „lustlosen" Entwurfszeichnungen gegeben sein [68].

Zumal auch sein Kritiker, so Voigtel weiter, einen mehrfarbigen Belag fordere, sei nicht „die Wahl von Steinen verschiedener Farben, sondern die Herstellung vulgairer und geistloser Muster aus diesen Steinen . . . unpassend". Zur Überwindung dieser Schwierigkeiten bedürfe es eines feinen stilistischen Taktgefühls; erforderlich sei ferner die Kenntnis der Gesetze gotischer Architektur und Dekoration: „. . . allein die großen Fortschritte, welche die Kenntniß der mittelalterlichen Kunst nach allen Richtungen gemacht hat, wird bei Zusammenwirken der geeigneten Sachverständigen diese Schwierigkeit zu überwinden verstehen".

Etwa ein halbes Jahr später, am 2. III. 1884, veröffentlicht die Kölnische Zeitung auf der ersten Seite ihres Dritten Blatts unter der Überschrift „Der Bodenbelag im Dom zu Köln" eine neuerliche Kritik an der bisherigen Planung der Dombeflurung [69].

Als Autor des anonymen Artikels ist unschwer August Reichensperger zu erschließen. Ausgehend von der Tatsache, daß „in den letzten Tagen wieder in kunstgeschichtlichen Vereinigungen wie in verschiedenen Blättern gleichzeitig wie auf einen Wink die Frage des Bodenbelags im Dom in Anregung gebracht worden (sei), und zwar in einer ganz neuen bisher noch nicht berührten Weise", wiederholt und präzisiert er seine Bedenken und Forderungen. So polemisiert er auch jetzt wieder gegen das damalige Beflurungskonzept: „ein beliebiges modernes Stickmuster, worauf die Pfeiler wie Kegel gestanden haben würden". Auch wiederholt er den Grundsatz in der Domausstattung, nicht unedleres aus edlerem Material emporragen zu lassen: „Daß der Fußboden, auf den der Mensch tritt, unbedingt minderwertig erscheinen muß, als die dem Auge gegenüberstehenden Wände, ist so natürlich und einleuchtend, daß es zu dieser Beurteilung keiner hochgehenden Kunstbildung bedarf. Wo das Gegenteil, wenn auch in älterer Zeit, vorkommt, ist es (eine) tadelswerte Verirrung."

Als Grundregel jeder Beflurung habe ihre Orientierung an den konstruktiven Gegebenheiten des Kirchenbaus zu gelten. Ihre Gliederung habe zu berücksichtigen, „daß die Ambulatorien, die Seitenhallen am einfachsten, das Haupt- und Mittelschiff reicher, der Capellenkranz kostbarer und endlich der Boden des Chores am schönsten geschmückt werden muß . . ., obschon keineswegs ein Uebermaß an bildlichen Darstellungen in den letzteren wünschenswert erscheint". Außer den geheiligten Gegenständen, die von einer Darstellung auf dem Fußboden auszuschließen seien, „gibt (es) aber auch weltliche Dinge, die wir unserer Verehrung nicht entziehen dürfen, und deren Anbringung auf dem Fußboden untersagt werden müßte; z.B. das Landeswappen. Es verletzt das Gefühl, auf die Fahne zu treten, deren Verteidigung der Krieger sein Leben weiht."

Er spricht sich ferner gegen die Meinung aus, zu zahlreiche bildliche Darstellungen könnten wie

---

[68] Vgl. damit auch August Reichenspergers kritische Formulierung in seinem Artikel „Der Bodenbelag im Dom zu Köln", in: Kölnische Volkszeitung, Nr. 80, vom 20. März 1884, Drittes Blatt, S. 1: „. . . beständiges Probiren und Einblasen von außen . . ."

[69] Ebd.

Abb. 19   Peter Fuchs: Bronzebüste Richard Voigtels, 1876, Köln, Zentral-Dombauarchiv

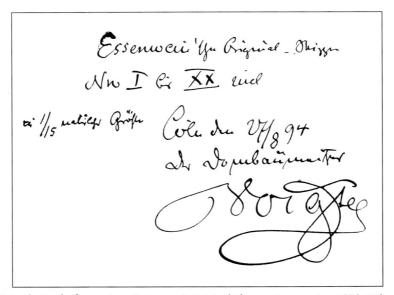

Abb. 20   Richard Voigtel: Beschriftung eines Kartons mit Original-Skizzen Essenweins, 1894, Köln, Dombauarchiv

54

Abb. 21   Richard Voigtel: Beflurungs-Skizze für den Kölner Dom mit Farbproben, um 1881/82, Köln, Dombauarchiv

„riesige Bilderbogen" sowieso nur als eine „Nachlese" in der gottesdienstfreien Zeit studiert werden. Auch sollte man „für solchen musivischen Schmuck . . . endlich auch einmal eine neue selbständige, aber darum nicht minder stilvolle Darstellung ins Auge fassen, nicht immer die auf so dürftiger Grundlage beruhenden Vorstellungen der Alten aus altromanischer Zeit. Verglichen mit dieser ist der Dom eine neue Schöpfung . . . Jene älteren Darstellungen haben übrigens ihre Vertretung in der Kirche St. Martin im Capitol".

Nachdem die prinzipiellen Fragen – im Einklang „mit den hervorragendsten Meistern unserer Zeit, so mit (Friedrich) Schmidt in Wien" – geklärt seien, müßten nun die Einzelheiten in einem Beflurungsentwurf konkretisiert werden. Die bisherigen Ansätze dazu seien völlig unzureichend gewesen: „Wir hegen den Verdacht, daß der Verfertiger des ersten, gänzlich verfehlten Planes (also Voigtel) trotz aller Winke und Belehrungen nicht das Zeug dazu hat, einen geeigneten Entwurf zustande zu bringen, der allseitig befriedigt. Hier ist eine Kunst erforderlich, die aus sich heraus, und nicht durch beständiges Probiren und Einblasen von außen Werke zu schaffen vermag."

Entschieden spricht er sich gegen die in Köln so beliebte Verwendung von Baumberger Kalkstein[70] für die Dombeflurung aus, da er wegen seiner Farbe („butterfarbig") und seiner ungleichmäßigen Strapazierfähigkeit ungeeignet sei. Vielmehr müsse die (natürliche) Lichtführung so unterstrichen werden, daß die Helligkeit von unten nach oben zunehme, der Boden also gegenüber den Wänden und Gewölben als dunkelster Raumteil erscheine. „Ebensowenig vermöchte eine kleinliche in Blei ausgegossene Verzierung die Construktionsteile von Pfeiler zu Pfeiler genügend herzustellen. Möge man, wenn Worte und Probesteine nicht genügen sollten, eine gewisse Fläche durch billige Nachbildung, sogar in gleichfarbig überzogenem Pappdeckel herstellen. Der kostspielige und lichtscheue Circus-

---

[70]) Vgl. damit Schnütgens Vorschlag, eben dieses Material für die Dombeflurung zu wählen (vgl. S. 59 ff).

abschluß im Dom soll keineswegs ein Vorbild sein." Ergänzt wird diese Kritik durch die nachdrückliche Forderung nach öffentlicher Diskussion der Beflurungsprobleme und des vorliegenden Entwurfs: „nicht die geheime Wanderung eines solchen von einem grünen Tisch zum anderen, sondern eine öffentliche, möglicherweise auch eine beschränktere Bewerbung und eine über alle Zweifel erhabene entscheidende Körperschaft (seien erstrebenswert), damit nicht schließlich eine Mehrheit durch diejenigen zustande kommt, die nur über Kunst *reden* können".

*

Zusammenfassend läßt sich sagen, daß die erste Planungsphase als Phase des tastenden Erwägens, Prüfens und Verwerfens durch eine Reihe mehr oder minder ausgearbeiteter Projekte und Vorschläge charakterisiert ist, die zwar alle *nicht* ausgeführt wurden, die aber – verbunden mit der durch sie provozierten Kritik – dazu beitrugen, wesentliche Leitsätze und Richtlinien für eine Beflurung des Domes herauszustellen und z.T. zu klären. Diese betreffen:

1. das historisch Mögliche und Angemessene,
2. das Verhältnis der Beflurung zur Architektur,
3. das zu verwendende Material,
4. die Farbigkeit und Musterung der Beflurung,
5. die Widerspiegelungsforderung,
6. die figürlich-bildlichen Darstellungen,
7. die Auswahl des inhaltlich „Schicklichen" und
8. die Funktion der Beflurung.

Als zwei Maximalprojekte kennzeichnen in diesem Stadium der Entwurf von Bogler/Schneider und das Beflurungskonzept Voigtels die Pole der Diskussion. Das eine Projekt ist durch seine verschachtelten Gliederungsstrukturen mit Einschluß biblisch-erzählender Bildfelder charakterisiert und letztlich auf das Ganze des Kirchen*gebäudes* (also nicht nur des Kirchen*bodens*) ausgerichtet. Es stellt gewissermaßen eine aktive Form der Beflurung dar, die etwas bedeuten will, die führen, hinleiten, belehren und die Funktion und Verklammerung der Gebäudeteile über den jeweiligen Bodensegmenten veranschaulichen will. Sein Verhältnis zur umgebenden Architektur ist grundsätzlich ein einordnendes, zumal auch durch die Beschränkung auf alttestamentarische Darstellungen eine entsprechende neutestamentarische „Fortsetzung" in der übrigen Kirche nahegelegt wird.

Das andere Projekt ist charakterisiert durch seine fast textile Rasterstruktur, die, nur wenig modifiziert, sich auf streng geometrische Formelemente beschränkt, Akzente nur sehr verhalten setzt und figürliche Darstellungen ganz ausschließt. Als eine eher passivische Beflurungsform, die zurückhaltend sich der Architektur dienend ganz unterordnet, will sie primär nur sie selbst sein: eine fast neutrale Bedeckung, ein Teppich.

Schließlich eröffnet die erste Planungsphase dem Vorhaben eine breitere Öffentlichkeit, die im weiteren Verlauf die einzelnen Stadien der Planung und Ausführung bis zur Vollendung verfolgen wird.

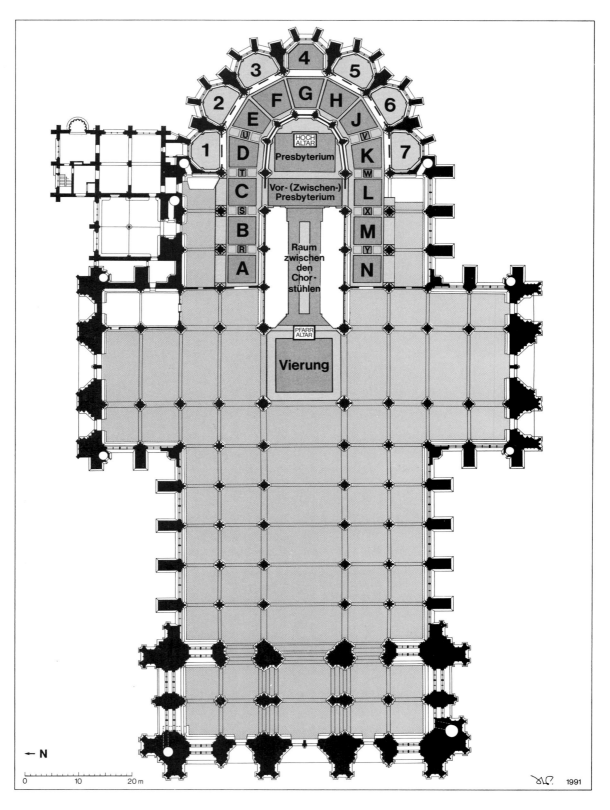

Abb. 22 Zweiteilung der Beflurung: das Dommosaik im Kontext des Domgrundrisses

Die Entscheidung über die Zweiteilung der Dombeflurung

Im November 1880, als Lübkes Besprechung in der „Augsburger Allgemeinen Zeitung" erscheint, und auch Ende Januar des folgenden Jahres, als Bogler seinen Entwurf offiziell dem Dombaumeister schickt [71]), ist *eine* wesentliche Planungsprämisse des auf den *ganzen* Domboden bezogenen Beflurungskonzeptes von Bogler und Schneider eigentlich schon seit mehreren Monaten in Frage gestellt.

Zumindest sprach sich bereits im Juni 1880 ein Gutachten der Technischen Baudeputation, das die Ansichten der Architekten Franz Schmidt (s.o.), August Essenwein, Franz Joseph Ritter von Denzinger (Dombaumeister in Regensburg und später in Frankfurt a.M.) und Gustav François Klotz (Dombaumeister in Straßburg) sowie der Dombauverwaltung berücksichtigte, dafür aus, von einer polychromen Beflurung des Lang- und Querhauses ganz abzusehen [72]).

Vielmehr solle man sich in diesen Teilen auf eine „einfache geometrische Konfiguration" in zwei, möglicherweise auch drei Farbtönen (mit einem „mäßig abstechenen" dritten Ton) von schlichtem Gesamtcharakter beschränken, „wobei . . . figürliche Elemente im engeren Sinne streng auszuschließen wären". Eine farbigere und abwechslungsreichere Beflurung sei allein für den Hochchor und den Kapellenkranz „in mäßiger und zweckentsprechender Weise . . . in Anwendung zu bringen, um so die Steigerung in der architektonischen Durchbildung dieser Bauteile auch im Fußboden zum klaren Ausdruck zu bringen".

Auch solle durch die Gestaltung des Fußbodens – und das ist ein wesentlicher Gesichtspunkt – einer etwaigen künftigen Ausmalung des Dominneren in keiner Weise vorgegriffen werden. Ferner spricht sich die Baudeputation gegen ein diagonales Verlegen der Platten in den Quer- und Längsfriesen aus. Leitlinien der Beflurung sollten vielmehr die rechtwinklig verlaufenden Hauptachsen des Baues sein, was diagonale Gruppierungen innerhalb der Felder jedoch nicht auszuschließen brauche.

Um bei der großen Ausdehnung der Beflurungsfläche Monotonie zu vermeiden, wird außer für Chorumgang und Kapellen – zumindest für einige besondere Stellen („1. die Turmgeschosse und Vorhallen, 2. die Vierung und 3. eventuell die Gänge der Seitenschiffe") – eine reichere Behandlung empfohlen. Auch hier sei jedoch an dem Grundsatz festzuhalten, daß die Art der Beflurung auf keinen Fall zwangsläufig die Polychromierung der Wände und des gesamten Dominneren erforderlich machen und gleichsam als „ästhetische Konsequenz" erzwingen sollte.

Ende 1880 konkurrieren also drei verschiedene Beflurungskonzepte miteinander: die beiden recht gegensätzlichen von Voigtel und von Bogler/Schneider sowie das zweiteilige Konzept des Gutachtens aus Berlin, das bereits eine zwischen beiden vermittelnde Lösung andeutet. Über die interne Diskussion dieser drei Konzepte verstreichen die folgenden anderthalb Jahre. Erst der ungünstige Eindruck, den das Probefeld im September 1882 auf die Fachleute macht (s.o.), scheint dann den Ausschlag gegeben zu haben. Da eine Ausführung des Pojektes von Bogler/Schneider (weil zu wenig ausgereift oder zu teuer muß dahingestellt bleiben) offensichtlich nie ernsthaft erwogen oder gar in Angriff genommen wird, sondern vor allem wohl als ein Gegenpol zu Voigtels Konzept die ganz anderen, bisher vernachlässigten Möglichkeiten einer figürlich-ornamentalen Beflurung in die Diskussion einbringen sollte, scheint nun der Weg frei für die Realisierung einer zweiteiligen Beflurung des Domes.

Erste Verhandlungen mit potentiellen Steinlieferanten und eine Besprechung über die Form der Chorbeflurung am 2. Juni 1883 scheinen das auch zu bestätigen. In dieser durch Kultusminister von Gossler nach Köln einberufenen „kommissarischen Verhandlung", bei der neben Vertretern des Kultusministeriums auch das Domkapitel und der Dombauverein vertreten sind, fällt die definitive Entscheidung über die Form der Dombeflurung. Sie entspricht in wesentlichen Punkten dem bereits drei Jahre zuvor erstellten Gutachten der Technischen Baudeputation: Hinsichtlich der grundsätzlichen Beflurungsdisposition einigt man sich darauf, daß gegen das Langhaus und Querschiff in einfacher, der übrige Dom

---

[71]) DBAK, Lit. X f. I/12.
[72]) DBAK, Lit. X f I/7 (von Puttkamer an von Bardeleben, Abschrift an Voigtel, vom 27. Dez. 1880).

58

Abb. 23 Fragment einer Fußbodenplatte aus St. Nicaise, Reims, mit Rekonstruktion der ganzen Platte, ehem. Köln, Erzbischöfliches Diözesanmuseum

sich in reicherer Beplattung abheben solle. Die Vierung sei als Teil des letzteren Bereichs durch den Stern der Heiligen Drei Könige in ihrem Zentrum zu akzentuieren; von dort nach Osten solle sich die Wirkung des Bodens „mit zunehmendem Reichtum der Beflurung auch durch figurale Darstellungen" zum Hochaltar hin steigern. In den Bereich aufwendigerer Beflurung seien außerdem Chorumgang und Kapellenkranz miteinzuschließen [73].

Obwohl also damals bereits seit Jahren die Weichen für eine Zweiteilung der Dombeflurung gestellt scheinen, kam es noch 1884 zu einer öffentlichen Diskussion, die sich an dem für Lang- und Querschiff in Aussicht genommenen Beflurungs*material* entzündet und damit zugleich noch einmal – und durchaus nicht zum letzten Mal [74] – die Entscheidung für eine Zweiteilung der Dombeflurung mit in Frage stellt. Der Grund dafür ist wohl in der Tatsache zu suchen, daß die offizielle Genehmigung immer noch auf sich warten ließ. Mittelbarer Auslöser dieser Diskussion ist ein kurzer Bericht der Deutschen Bauzeitung über die Grundzüge der Entscheidung für eine einfache Beplattung des Lang- und Querschiffs [75]. Daraufhin spricht sich Fr. W. Rauschenberg, ein Bremer Architekt, in einem Leserbrief ge-

[73] Vgl. (Anonymus), Der Bodenbelag des Kölner Domes, in: Deutsche Bauzeitung, Nr. 34, vom 29. April 1885, S. 206 f. – DBAK, Lit. X g I/2 (Abschrift vom 16. Juni 1884).

[74] Noch 1902 schlägt Friedrich Fischbach eine Revision dieses zweiteiligen Beflurungskonzeptes vor. – Vgl. S. 402.

[75] „Vom Dom zu Köln . . .", in: Deutsche Bauzeitung, Jg. XVIII, Nr. 44, vom 31. Mai 1884, S. 264.

Abb. 24   Die Verleumdung der Gefährten Daniels. Fußbodenplatten (Detail) aus St. Nicaise, Reims, heute: ebd., St. Remi

gen die geplante Verwendung von Obernkirchner Sandstein im Dom aus. Er verweist auf die schlechten Erfahrungen mit „diesem todtfarbenen Material", doch: „Vielleicht gelingt es, trotz der im Prinzip bereits getroffenen Entscheidung . . . den Entschluß noch ins Wanken zu bringen, und für den Kölner Dom die Wahl eines echt monumentalen, die Zeiten überdauernden, künstlerisch bildsamen Fliesenbelags durchzusetzen." [76])

Wenig später sekundiert ihm ein anderer Leser, der vor allem auf die vorauszusehende – und, wie sich herausstellen sollte, auch tatsächlich eingetroffene – ungleichmäßige Abnutzung der in Aussicht genommenen beiden Steinsorten hinweist: „. . . ein Missgriff . . . würde (es sein), zu der Beplattung im Kölner Dom neben dem Obernkirchner Sandstein, *Granit* zur Verwendung zu bringen; denn bei gleicher Inanspruchnahme beider Belags-Materialien auf Verschleißbarkeit, wird die Sandsteinbeplattung längst muldenförmige Vertiefungen zeigen, wenn der Granitbelag kaum Spuren davon aufweist" [77]).

Dieser Kontroverse voraus geht ein Vortrag Alexander Schnütgens vor dem „Kölner Alterthums-Ver-

[76])   Ebd., Nr. 50, vom 21. Juni 1884, S. 299.
[77])   Ebd., Nr. 55, vom 9. Juli 1884, S. 328. – Vertreter der Obernkirchner Sandsteinbrüche versuchten diese Argumente, die sich ähnlich auch bei Rauschenberg finden („dieser Aufsatz hat auch in verschiedenen Zeitungen Platz gefunden") mit dem Hinweis zu entkräften, daß vor Einführung von Maschinen es nur möglich gewesen sei die weicheren Steinsorten zu verarbeiten, „heute jedoch liegt granit-hartes Gestein zur Bearbeitung bereit." (DBAK, Lit. X f I/65).

ein", in dem er statt dessen eine Beflurungsalternative entwickelt, zumal „von gut informierter Seite verlautet, dass die Dombeplattungs-Frage noch immer Gegenstand der Erwägung von Seiten der Ministerien in Berlin ist und dass die Behörden dem Anscheine nach von der Verwendung von Obernkirchener Sandstein Abstand genommen haben" [78]).

In diesem Vortrag stellt Schnütgen zunächst die verschiedenen Beflurungsmaterialien und -techniken, Tonplatten, Gips, Mosaik, Marmor und Sandstein, zur Diskussion, um schließlich Kalkstein (mit farbigen Intarsien und Platten) vorzuschlagen: „Gegen den Obernkirchener Sandstein mit Granitfriesen wird mit vollem Recht das Bedenken geltend gemacht, dass durch die Verschiedenheit in der Härte der beiden Materialien allmählich Unebenheiten sich ergeben werden und bei dem Uebergang von Sandstein, der dem Fuß beim Auftreten und Ausschreiten Sicherheit bietet, zum Granit eine große Vorsicht im Auftreten nothwendig ist. Ferner saugt der Sandstein Feuchtigkeit auf, welche den sich ansammelnden Staub zu einer Schmutzkruste umwandelt, wodurch die ohnehin schmutzige graugelbe Färbung des Steins noch erheblich gesteigert wird. Hinzu tritt der Umstand, dass der Obernkirchener Sandstein infolge seiner Sprödigkeit nicht mit Verzierungen (d.h. mit eingegrabenen und mit Blei oder Kitt wieder ausgefüllten Linien) versehen werden kann, so daß der ganze Belag des Langhauses und der Querschiffe, also in den Theilen des Gotteshauses, welche für das Volk bestimmt sind, nur in großer Einfachheit auszuführen wäre.

Da nun für den Chor eine reiche, farbenprächtige Beflurung beabsichtigt ist, so ergiebt sich eine plötzliche Scheidung der Beläge, welche nicht gerechtfertigt ist. Vielmehr müsste Sorge getragen werden, dass eine allmähliche Steigerung der Pracht vom Eingang zu dem Hauptaltar stattfindet.

Durch ein anderes Haustein-Material, den Kalkstein, glaubt man einen Ausweg in der Lösung der schwierigen Frage gefunden zu haben, da eine weiter unten anzugebende Kalksteinart die erwähnten ungünstigen Eigenschaften des Obernkirchener Sandsteins nicht hat. Es wird darauf hingewiesen, dass in der gothischen Periode in Frankreich die Kalksteine mit Vorliebe zu figurirten Belägen verwendet worden sind, an welchen die Verzierungen aus eingehauenen und mit Blei oder Kitt ausgefüllten Linien bestehen. Proben dieser Technik sind erhalten z.B. in Köln an 2 Grabsteinen in St. Maria im Kapitol und vorzugsweise in Rheims an Flurplatten in einer Kapelle der Kirche St. Rémy. Diese 60 cm im Quadrat großen Platten befanden sich seit dem Ende des 13. Jahrhunderts bis zum Jahre 1757 in dem Chor der Kirche St. Nicais (sic) in Rheims; aus Unverstand wurde der Belag, welcher aus ca. 100 Platten bestand, ausgebrochen und in der Revolutions-Zeit mit der Kirche verschleudert. 48 Platten wurden im Jahre 1812 in den Flur eines Privathauses gerettet und 1846 nach Rheims zurück gebracht. Ein Stück, ungefähr die Hälfte, einer solchen Platte befindet sich im erzbischöflichen Museum zu Köln, durch welchen Umstand die zur Verzierung angewandte Technik genau nachgewiesen werden kann. Jede Platte enthält eine alt-testamentliche Darstellung, im Stil der Zeit der Einweihung des Kölner Domchores (1322) entsprechend, welche durch einen, von einer Borte umgebenen Vierpass oder ein anderes geometrisches Muster eingefasst ist. Als Material ist ein gelblicher, dichter und feiner Kalkstein von geringer Härte verwendet; die Linien sind bis zu 2 1/2 mm breit und 3 mm tief unterschafft eingehauen, damit das eingegossene Blei fester sitzt. Durch diese mit Niello vergleichbare Technik wird die Zeichnung genau und kräftig hervorgehoben und ein feiner Kontrast gegen den milden Ton des Steins erreicht. Die Haltbarkeit des Ornaments und der gleichmäßige Verschleiss mit dem Stein sind an den erhaltenen Proben nachgewiesen.

Aufgrund dieses guten Resultates kann die Verwendung des Kalkstein mit Linien-Verzierung auch für die Beflurung des Kölner Domes empfohlen werden; es kommt nur darauf an, eine brauchbare Kalkstein-Sorte auszuwählen. Gegen die Kehlheimer-, Sohlenhofener- und französischen Kalksteine werden Bedenken erhoben und als vorzüglich geeignet der »Baumberger Kalkstein«, welcher in West-

---

[78]) Deutsche Bauzeitung, Jg. XVIII, Nr. 69, vom 27. August 1884, S. 411. – Bisher konnte der genaue Zeitpunkt des Vortrags von Alexander Schnütgen und auch das Erscheinungsdatum des „nach demselben auszugsweise gebrachten Artikel(s) der Köln. Volksztg." nicht ermittelt werden.

Abb. 25   Fußbodenplatten aus St. Nicaise, Reims, Ende 13. Jh. Reims, St. Remi

falen südwestlich von Münster gebrochen wird, in Vorschlag gebracht. Der Baumberger Stein ist ein Kreidestein von großer Weichheit und schöner Farbe, der, ähnlich dem französischen Stein, schneidbar, an der Luft schnell erhärtet und seit dem Mittelalter viel zu Bildhauer-Arbeiten verwendet wurde. Den verschiedenen Bänken sind besondere Bezeichnungen: Bildhauerstein, Flies, Witte, Pol und unterster Pol beigelegt. Für Beflurungen hat sich der feste und feinkörnige Fliesstein vorzüglich bewährt; auch ist derselbe leicht mit scharfen Kanten zu bearbeiten und frei von Nestern und Höhlungen. Von Wichtigkeit ist das Vorkommen zweier verschieden gefärbter Schichten, aus den gelbliche und graubläuliche Steine von gleicher Festigkeit gewonnen werden, so dass mit einem Material von gleichen Eigenschaften Farbenkontraste erzielt und die vorhin angegebene Unsicherheit bei dem Uebergang von Sandstein auf Granit völlig vermieden wird. Es ist der Vorschlag gemacht worden, die aus gelbem Stein herzustellenden Felder durch Friese aus grau-bläulichem Stein zu trennen; der schwache Farbenkontrast könnte durch verschieden gefärbte Musterung der Felder- und Friesplatten verstärkt werden. Zur Ausfüllung der eingehauenen Linien wäre Blei oder ein schwarzer, bezw. rother Kitt aus zweck-

dienlichen Materialien zu verwenden. Durch Anordnung einer solchen Musterung, welche vom einfachen zum reicheren fortschreitend komponirt werden könnte, hätte man das Mittel an der Hand, die
Pracht von den Haupteingängen an allmählich zu steigern und auf dem Chor die reichste Figuration
anzubringen." [79]

Auf Schnütgens Vortrag – und Argumente – bezieht sich auch ein thematisch eng verwandter Vortrag
über „Steinintarsien", den der Regierungs-Baumeister Carl Elis am 31. März 1884 bei einer Versammlung des „Architekten-Vereins zu Berlin" hält [80]. Da hier jedoch die später in Aussicht genommene
„Intarsientechnik" im Mittelpunkt steht, wird weiter unten darauf zurückzukommen sein.

Die Bedeutung dieser Vorträge erweist sich vor allem darin, daß ihre Argumentation einen Übergang
von der noch auf den gesamten Kirchenboden orientierten Beflurungs*form* des Projektes von Bogler/
Schneider zu der in der zweiten Planungsphase nur für (die Vierung bzw.) den Chorbereich vorgesehenen Beflurungs*technik* andeutet.

Nicht zum letzten Mal eilt jedoch der faktische Stand der Beflurungsplanung in Köln der offiziellen
Genehmigung aus Berlin voraus. Der so lange erwarteten definitiven Entscheidung für die Zweiteilung
der Dombeflurung und der Anordnung zum Beginn der praktischen Arbeiten gehen hinter den Kulissen offensichtlich langwierige Diskussionen und z.T. heftige Kontroversen voraus, Einflüsse werden
geltend gemacht, Verbindungen ausgespielt und Intrigen gesponnen. Zumindest überliefern Aufzeichnungen, die Reichensperger kurz vor seinem Tode am 1. Juli 1895 seinem Biographen Ludwig Pastor
diktierte, ein dramatisches Bild der Entscheidungsfindung.

Danach soll letztlich eine fast bühnenreife Intervention auf höchster Ebene in Berlin die Entscheidung
gegen das triste Konzept Voigtels und für eine – wenigstens teilweise – aufwendigere Beflurung herbeigeführt haben. Angeblich war es Reichensperger selbst, der eine derartige Vermittlung zwischen
den beiden Beflurungsprinzipien vorschlug (vgl. Dokument Nr. 17).

Selbst wenn man die anekdotischen Züge dieser Aufzeichnungen Reichenspergers abstreicht, so bleibt
als Kern die Tatsache, daß die vorausgehende Übereinkunft über eine Zweiteilung die Voraussetzung
für die nun getroffene Entscheidung bildet. Diese ermöglicht nämlich, was jene im Grunde fordert:
eine Kompromißlösung.

Die offizielle Genehmigung der Beplattung von Lang- und Querschiff läßt jedoch noch bis Ende 1884
auf sich warten (s.u.). Ein Vierteljahr früher gibt Berlin „grünes Licht" für die bereits mehr als ein Jahr
zuvor formulierte Absichtserklärung, mit der Ausarbeitung eines detaillierten inhaltlichen und formalen Beflurungskonzeptes für die Vierung und den Chor einen Fachmann zu betrauen: „Behufs Feststellung eines Programms haben wir uns mit Herrn Direktor Dr. Essenwein zu Nürnberg in Verbindung
gesetzt, welcher anerkannter Maßen für derartige Aufgaben eine der ersten Autoritäten in Deutschland
ist, und das nachstehende Programm beruht wesentlich auf seinen Vorschlägen und den mit ihm darüber gepflogenen Verhandlungen." [81]

---

[79]   Ebd. – Vgl. damit auch DBAK, Lit. X f I/73. – Zum Vorbild der Beflurung aus Reims, Saint-Nicaise, vgl. u. a.
       M. Bideault u. C. Lautier, Le pavement de l'ancienne abbatiale Saint-Nicaise de Reims, in: Revue de l'art, Nr.
       31, 1976, S. 9–20. – Xavier Barral I Altet, Les mosaiques de pavement médiévales de la ville de Reims, in: Con-
       grès de Champagne, Société Française d'Archélogie, Paris 1981, bes. S. 101 ff. – Springer, Anschauungs-Stück,
       bes. S. 110ff.

[80]   Elis, Steinintarisien. – Springer, Anschauungs-Stück, bes. S. 108–110. – Vgl. S. 104 u. 107.

[81]   DBAK, Lit. X g I/2. – Im Rahmen der von Bardeleben geleiteten Konferenz über die Beflurung des Domes am
       2. Juni 1883 (vgl. S. 57) wurde im Referat des Dombaumeisters u. a. auch „das Verlangen (nach) einer reiche-
       ren Behandlung des Fußbodens im Gegensatz zu der ursprünglich auf Grund der an Ort und Stelle vorgefun-
       denen mittelalterlichen Anfänge vorgeschlagenen . . . einfarbigen Beplattung . . ." thematisiert. Ferner wurden
       „die Grundzüge (des) vom Dombaumeister ausgearbeiteten Projektes, welches für das Mittelschiff, die Seiten-
       schiffe und Kreuzflügel eine Beplattung in drei abgesetzten Steinfarben, für den hohen Chor, den Chorum-
       gang und die Chorkapellen aber eine farbenreiche, nach Befinden musivische Beplattung (sic) in Aussicht
       nimmt, näher dargelegt und besprochen." (GNM, 2. VI. 1883). – Es zeichnete sich also bereits damals eine
       Annäherung an das (spätere) Beflurungskonzept Essenweins ab.

DIE ZWEITE PLANUNGSPHASE (Entscheidung über Gestaltung u. Ausführung)

Exkurs: August von Essenwein, ein biographischer Überblick

„Das Leben eines Mannes wie Essenwein, vielgestaltig und erfolgreich wie nur wenige Lebenläufe, und die Eigenart seiner nach den verschiedendsten Richtungen begabten und thatkräftig schaffenden Persönlichkeit sind es werth, zum Gegenstande einer ausführlichen Darstellung gemacht zu werden. Es darf wohl auch mit Sicherheit vorausgesetzt werden, dass einer der jüngeren Mitarbeiter und Mitstrebenden, die ihm nahe gestanden haben, es an einem Denkmale dieser Art für ihn nicht wird fehlen lassen." [82])

Diese Hoffnung hat sich leider nicht erfüllt. Zwar wurden in Karlsruhe und Nürnberg Straßen nach ihm benannt, auch wurde August Essenwein im Germanischen Nationalmuseum 1894 ein Denkmal gesetzt: Die heute im Eingangsbereich plazierte Marmorbüste des Bildhauers Heinrich Schwabe (1847–1924) war ursprünglich im ersten Saal des Museums zusammen mit entsprechenden Büsten des Museumsgründers Hans Freiherr von und zu Aufseß und Kaiser Wilhelms I. aufgestellt. Sie gaben dem Raum den Charakter einer Ehrenhalle. Auch das Nürnberger Rathaus barg seit 1897 „ein Denkmal Essenweins in Halbfigur". [83]) Eine monographische Darstellung seiner Persönlichkeit und eine umfassende Würdigung seines Lebenswerkes stehen indes – auch nach der Arbeit von Karin Holzamer – bis heute noch aus: Ein Desiderat und kaum verständliches Versäumnis, das allein durch die einschüchternde Fülle des Materials und die erstaunliche Vielseitigkeit seines Wirkens eine notdürftige Erklärung findet.

Beim derzeitigen Stand der Forschung und im Rahmen dieser Arbeit wollen wir uns mit einem zusammenfassenden biographischen Abriß begnügen, der nur die wichtigsten Stationen und Fakten aufzeigen will, um die Voraussetzungen des Dommosaiks aus dem Kontext des Lebenswerkes seines Schöpfers wenigstens anzudeuten [84]):

August Ottmar Essenwein wurde am 2. November 1831 in Karlsruhe geboren. Sein Vater, Sohn eines Buchhändlers, war Registrator bei der dortigen Großherzoglichen Oberforstdirektion und starb als August noch nicht zwei Jahre alt war. Seine Mutter, die Tochter eines Küfermeisters und Gastwirts, starb 1859.

Nach Besuch des Gymnasiums und des Polytechnikums in Karlsruhe (Lehrer u.a. Heinrich Hübsch [1795–1863] und Friedrich Eisenlohr [1805–1854]) unternimmt Essenwein eine erste Studienreise. 1852 ist er zum ersten Mal in Köln und zeichnet dort u. a. die romanischen Kirchen St. Gereon und Groß St. Martin, deren Ausstattung er Jahre später entwerfen sollte [85]). Anschließend folgen Studien-

[82]) F. (= K. E. O. Fritsch ?), (Nekrolog auf) August Essenwein, in: Deutsche Bauzeitung, XXVI. Jg., Nr. 84, vom 19. Okt, 1892, S. 513–515.

[83]) Vgl. Ausst.–Kat. Köln 1980 (I), S. 379 (Kat.Nr. 25.II). – Vgl. Deneke/Kahsnitz, Das Germanische Nationalmuseum, S. 49 u. 442. – Vgl. auch Th. Hampe, August Essenwein, in: Thieme/Becker, Künstlerlexikon, Bd. XI, Leipzig 1915, S. 45: Seit 1897 befand sich ein Essenwein-Denkmal von Heinrich Schwabe im Erweiterungsbau des Nürnberger Rathauses. – Holzamer, Essenwein, Abb.–S. 1.

[84]) Die folgenden Ausführungen stützen sich vor allem auf die folgenden Biographien, Nekrologe und Materialien: Boesch, Essenwein. – Günther Schiedlausky, Essenwein, in Neue Deutsche Biographie, Bd. IV, Berlin 1959, S. 657. – F. (= K. E. O. Fritsch?), August Essenwein, in: Deutsche Bauzeitung, XXVI. Jg., Nr. 84, vom 19. Okt. 1892, S. 513–515. – Th. Hampe, August Essenwein in: Thieme/Becker, Künstlerlexikon, Bd. XI, Leipzig 1915, S. 44–46. – (Anonymus), Dienstjubiläum. — Bösch, Kgl. Bayer. Geheimrat. – Reichensperger, (Nachruf auf) August von Essenwein. – Schnütgen, (Nachruf auf) August von Essenwein. – Fischbach, Erinnerungen. – Theodor Hampe, Das Museum unter August von Essenwein, in: Das Germanische Nationalmuseum von 1852 bis 1902, Nürnberg 1902, S. 86 ff. – Kress, Erinnerungen. – Essenwein (Jr.), August Ottmar Ritter von Essenwein. – Deneke/Kahsnitz, Das Germanische Nationalmuseum. – Holzamer, Essenwein. – Konvolut: Zeitungsausschnitte zum Tode August Essenweins, Bibliothek des GNM (B Ess 10/1). – Essenweiniania: Sammlungen von Dokumenten und Erinnerungen an August Essenwein 1918, Bibliothek des GNM (Bg 3201 zb).

[85]) Holzamer, Essenwein, S. 11. – Vgl. ebd., Kat.Nr. 995 u. 1060.

aufenthalte in Berlin (1852/53) und Wien (1853–55), wiederholt unterbrochen von Reisen (u.a. durch Norddeutschland), bevor er 1855 in Karlsruhe seine Staatsprüfung im Baufach ablegt. – Schon damals stand der junge Essenwein in Kontakt mit dem Kreis engagierter Förderer mittelalterlicher Kunst um die Zeitschrift „Organ für christliche Kunst" – Johann Kreuser, Heinrich Nagelschmidt, Johann Anton Ramboux, Vincenz Statz, August Reichensperger u. a. – und war mit ihrem Herausgeber Friedrich Baudri (1808–1874), dem jüngeren Bruder des Weihbischofs Johann Anton Baudri, eng befreundet.

„Alsdann unternahm er eine Reise durch Holland, Belgien und Nordfrankreich und machte sich während eines längeren Aufenthaltes in Paris mit den Leistungen der Franzosen auf archäologisch-architektonischem Gebiet bekannt." [86] Bei dieser Gelegenheit besuchte Essenwein u. a. die Weltausstellung in Paris, wo übrigens auch Werkbeispiele aus der Kölner Dombauhütte zu sehen waren.

In der Metropole an der Donau begann Essenwein seine Laufbahn als Architekt im Atelier Ludwig Försters (1797–1863) und knüpfte Kontakte zu Heinrich von Ferstel (1828–1883), der als 27jähriger 1855 die Konkurrenzausschreibung für die Votiv-Kirche gewonnen hatte und „dessen Stern soeben erst aufgegangen war" [86A].

Aus dieser Zeit datieren wohl auch Essenweins freundschaftliche Kontakte zu August Reichensperger, dessen Empfehlungen ihn bei den Wiener – wie zuvor bei den Kölner – Neugotikern einführten, und zu Friedrich (von) Schmidt (1825–1891), dem späteren Erbauer des Wiener Rathauses; er war übrigens ein Schwager des Bildhauers Christian Mohr und Mitglied der Kölner Dombauhütte, ehe er später Dombaumeister von St. Stephan werden sollte. Entsprechendes gilt für Essenweins Freundschaft mit Vincenz Statz (1819–1898), dem späteren Dombaumeister in Linz, mit Joseph Andreas Kranner (1801–1871), dem späteren Dombaumeister von St. Vitus in Prag, ferner mit dem „Ikonographen" Gustav Heider sowie mit den Malern Edward von Steinle, Joseph von Führich, Leopold Kupelwieser, Karl Rösner u. v. a.

1855/56 beteiligt sich Essenwein an der Konkurrenz für die Kathedrale von Lille und vollendet als eine Frucht seiner Studienreisen und als „sein erstes Werk" das Buch „Norddeutschlands Backsteinbau im Mittelalter". Erneute Aufenthalte in Köln (1855) – natürlich mit einem Besuch der Dombaustelle [87] – und Wien schließen sich an. – 1857 bis 1864 übernimmt Essenwein eine Stelle als Hochbauingenieur im Dienste der Österreichischen-Staats-Eisenbahngesellschaft.

Am 2. Juli 1860 heiratet er in Wien seine Kusine Erny von Chézy; aus der Ehe gehen sieben Kinder hervor. – „Die Stellung in Wien benützte Essenwein zum eingehenden Studium der mittelalterlichen Bauten beinahe aller Kronländer des Kaiserstaates; dabei hielt er sich im Banat längere Zeit auf, wo er . . . Kirchen, Amtsgebäude, Coloniehäuser baute. Der Ort Franzdorf wurde von ihm vollständig erbaut. Zahlreiche Abhandlungen in den Mittheilungen der K. K. Central-Commission für Erforschung und Erhaltung der Baudenkmale beweisen seine umfassende Thätigkeit." [88] Seine „Neigung für die mittelalterliche Baukunst" verbindet schon damals praktische Entwurfstätigkeit mit reger theoretisch-schriftstellerischer Reflexion.

Die zahlreichen von ihm in dieser Zeit entworfenen kunstgewerblichen Gegenstände entstanden im Austausch mit dem Kunsthistoriker und Reformator des Kunstgewerbes Rudolf von Eitelberger (1817–1885), dem „Ahnherrn der Wiener Schule" (J. v. Schlosser), seit 1856, gemeinsam mit Gustav Heider (1819–1897), Herausgeber der „Mittelalterliche(n) Kunstdenkmäler des Österreichischen Kaiserstaates" und schließlich, ab 1864, Direktor des Österreichischen Museums für Kunst und Industrie:

[86] F. (Fritsch?), (wie Anm. 82), S. 513. – Springer, Anschauungs-Stück, S. 115.

[86A] Kress, Erinnerungen, S. 138.

[87] Ludwig Gierse, Friedrich Baudri. Zum Kölner Dombau in seinen Tagebüchern, in: KDBl., 38./39. Folge, 1974, S. 13-42, bes. S. 22 f. (unter dem 31. Aug. 1855: „Nachmittags mit Essenwein auf den Dom.", unter dem 12. Sept. 1855: „Mit . . . Essenwein in den Dom, die Wandteppiche besehen." – Vgl. auch Essenwein (Jr.), August Ottmar Ritter von Essenwein, S. 306. – Pastor, Reichensperger, Bd. II, S. 321. – Springer, Anschauungs-Stück, S. 115.

[88] Boesch, Essenwein, S. 432.

Abb. 26   Heinrich Schwabe: Marmorbüste August Essenweins, 1894, Nürnberg, Germanisches Nationalmuseum

„Nach . . . (Essenweins) Entwürfen wurde die gesamte Ausstattung der romanischen Kirchen zu Leiden bei St. Nikolaus in Ungarn, Glasgemälde der Kirche zu Berchtoldsdorf, in St. Antonio zu Padua, im (Schloß und) Dome zu Trient, sowie die Altäre und dergleichen der Kirche Pfaffenhofen bei Innsbruck, der Deckel für das Kaiseralbum der Mechitaristen-Buchdruckerei zur Vermählung des Kaiser Joseph u.a. ausgeführt" [89].

1864 wurde Essenwein zum Stadtbaurat von Graz ernannt; bereits im Jahr darauf erhielt er seine Professur für Hochbau an der dortigen Technischen Hochschule. Im selben Jahr, in dem er dort das Manu-

[89]   Ebd., S. 432. – Vgl. auch Fritz Zink, August Essenwein in Trient, in: Archive und Geschichtsforschung, Studien zur fränkischen und bayerischen Geschichte Fridolin Solleder zum 80. Geburtstag dargebracht, hrsg. von Horst Heldmann, Neustadt a. d. Aisch 1966, S. 341–343. – Vgl. Primerano/Scarrocchia, August Essenwein.

skript seines (erst 1869 erschienenen) Buches „Die mittelalterlichen Kunstdenkmäler der Stadt Krakau" vollendete, erschien auch die erste Auflage seiner Schrift „Die innere Ausstattung der Kirche Groß St. Martin in Köln", die er „seinem hochverehrten Freunde" Gustav Heider widmet.

1866 schließlich wurde ihm die Leitung des Germanischen Nationalmuseums in Nürnberg übertragen. In seiner 26jährigen Amtszeit – und hier fassen wir uns ganz besonders kurz – setzte er dort entscheidende Reformen durch, erweiterte ganz erheblich die Bestände und Baulichkeiten des Museums: „All diese Bauten wurden nach Essenweins Plänen in gothischem Stile ausgeführt" (Boesch) und nach seinen Entwürfen mit Wand- und Glasmalereien ausgestattet. Wohl zu Recht wurde August Essenwein wiederholt als der zweite und – in gewissem Sinne – der eigentliche Gründer des Germanischen Nationalmuseums bezeichnet: „Haben auch andere vor Essenwein den Grund zu dem großen Werk gelegt, hat er auch mancherlei fleißige Mitarbeiter gehabt, so ist das germanische Nationalmuseum . . . doch unbedingt als seine Schöpfung zu betrachten . . ." [90]

Seine rastlosen organisatorischen Bemühungen um den Aufbau des Museums wurden ergänzt durch seine rege schriftstellerische Tätigkeit nicht nur für die Zeitschrift des Museums, den „Anzeiger für Kunde der deutschen Vorzeit" (seit 1884 „Anzeiger des germanischen Nationalmuseums") und für zahlreiche Kataloge dieses Museums, sondern auch in Form selbständiger Buchpublikationen wie z. B. die „Quellen zur Geschichte der Feuerwaffen" (1872–1877), „Die Holzschnitte des 14. und 15. Jahrhunderts im germanischen Museum" (1874), „Die kunst- und kulturgeschichtlichen Denkmale des germanischen Nationalmuseums" (1877), „Das mittelalterliche Hausbuch" (2. Aufl. 1887), „Hans Tirol's Belehnung König Ferdinand's mit den österreichischen Erblanden" (1887) etc. – Der nach Essenweins Plänen errichtete Erweiterungsbau des Nürnberger Rathauses (1884–89) war Anlaß zur Verleihung des Ehrenbürgerrechts an ihn.

Eine vierte Komponente seiner Tätigkeit betraf, neben seinen Aktivitäten als Architekt, Museumsmann und Schriftsteller bereits seit den fünfziger Jahren auch die Restaurierung und Ausstattung kirchlicher Bauten. Zu seinen Werken gehören die Restaurierungen der Frauenkirche in Nürnberg (und des dortigen Schönen Brunnens), der Kirche in Königslutter, des Braunschweiger Domes, in Köln u.a. der Kirchen St. Gereon, Groß St. Martin und St. Maria im Kapitol. Begleitet wurden diese Aufgaben in der Regel von z.T. recht umfangreichen Kommentaren und Erläuterungsberichten: „Schon ein Blick auf das, was er in den Kölner Kirchen von Groß-Martin, Maria im Kapitol, St. Gereon und im Dome, behufs Ausschmückung und Ausstattung ihres Inneren geschaffen hat, würde ihm . . . einen hohen Ehrenplatz sichern, der Zahl aber nach verschwindet dasselbe gegenüber seinen andersweitigen Schöpfungen, ähnlicher oder verwandter Art" [91]. Darüber hinaus entfaltete Essenwein eine unermüdliche Tätigkeit als Gutachter und Ratgeber, so u.a. für die Restaurierungen der Münster in Aachen und Bonn, für Kirchen in Neuß, Konstanz und für die Marienkirche in Zwickau u.v.a.: „Es gab wohl keine Restauration von Bedeutung, bei der er nicht gehört wurde" [92].

Für den Kölner Dom beteiligte er sich zunächst mit Entwürfen an der Konkurrenz um die Domtüren. Auch zum Wettbewerb um die Ausstattung des Dominneren von 1871–73 war er (wie wir sahen) zunächst unter den eingeladenen Konkurrenten, bevor er – bezeichnenderweise – diese Rolle mit der eines Gutachters vertauschte. Schließlich entwickelte er 1883/84 sein Beflurungskonzept: „Seine letzte künstlerische Arbeit war der Entwurf des Fußbodens im Kölner Dome . . ." (Boesch). Verständlich, wenn auch quellenmäßig nicht belegt, erscheint deshalb das von Essenweins jüngstem (?) Sohn überlieferte Angebot: „Seine Entwürfe für Arbeiten am Kölner Dom fanden solchen Beifall, daß man ihm die Stelle des Dombaumeisters anbot; doch konnte er sich von seinem Lebenswerk, dem Museum, nicht trennen" [93].

---

[90]   Zit. nach Deneke/Kahsnitz, Das Germanische Nationalmuseum, S. 48.
[91]   Reichensperger, (Nachruf auf) August von Essenwein, S. 180.
[92]   Boesch, Essenwein, S. 434. – Vgl. Holzamer, Essenwein, S. 105.
[93]   Essenwein (Jr.), August Ottmar Ritter von Essenwein, S. 309.

Kein Wunder, daß die Vielfalt seiner Aktivitäten, in denen sein schöpferisches und organisatorisches Wirken, seine außerordentliche Arbeitskraft und Energie ihre Aufgabenfelder fanden, sich zu einer „aufreibende(n) Thätigkeit, die gar kein Maaß kannte" (Schnütgen) summierten, bis schließlich das „Uebermass der geistigen und körperlichen Anstrengungen, die Essenwein mit allen diesen Aufgaben sich zumuthete" [94], zu groß wurde: Am 13. Oktober 1982 erlag Essenwein – „an seinem Arbeitstische" – einem Schlaganfall. Die Stadt Nürnberg stiftete ihm auf dem St.-Johannes-Friedhof nahe den Ruhestätten von Albrecht Dürer, Veit Stoß und Anselm Feuerbach ein Ehrengrab (Nr. 720), das die Inschrift trägt „Inserviendo consumor".

Rückblickend bezeichnete Schnütgen Essenweins Schaffen als ein „geniales" [95]; ein anderer Chronist urteilte entsprechend: „Was Dr. v. Essenwein als Museumsdirektor, als Architekt, als Schriftsteller geleistet hat, würde, jedes dieser Gebiete für sich genommen, ausreichen, ein Menschenleben auszufüllen. Die Vereinigung und gleichzeitige Führung so verschiedenartiger Arbeiten setzt zunächst eine Energie und Arbeitskraft voraus, welche das Mittelmaß menschlichen Vermögens weit überragt, sie erfordert aber weiterhin eine Verbindung geistiger Gaben, wie sie sich in der Weise nur ganz selten findet" [96].

Essenweins erstes Beflurungskonzept von 1883

Die Vereinbarung vom 2. VI. 1883 umfaßt, neben der Übereinkunft zur Form der zweigeteilten Beflurung des Domes, sowohl bereits ein erstes Konzept als auch eine Empfehlung zur Person des ausführenden Künstlers: „Da das Gelingen des Werkes wesentlich von der Beschäftigung des ausführenden Künstlers abhängt, so verbinden wir mit der Vorlage dieses Programms den Antrag und den dringenden Wunsch(,) Herr Direktor Dr. Essenwein möge mit dem Entwurf der Zeichnungen zu diesen Theilen des Bodenbelags beauftragt werden. Wir bemerken noch, daß nach der Versicherung des Herrn Direktor Essenwein die in diesem Programm skizzierte Beflurung mit dem hierfür vorläufig in Aussicht genommenen Betrag von M. 133000 sich ausführen lasse" [97].

Essenweins erstes, vierzehn Seiten umfassendes Beflurungskonzept entwirft in dieser am 16. Juni 1884 vom Metropolitankapitel verabschiedeten Form zunächst Leitlinien dessen, was auf dem Fußboden überhaupt darzustellen und was davon grundsätzlich auszuschließen sei. Richtschnur ist ihm dabei einerseits die „Natur der Sache", mithin ein der Kirchenbeflurung immanentes Kriterium, das in ihrer Funktion als begehbare Fläche bzw. in der Hochschätzung und Erhabenheit des Heiligen begründet liege, und andererseits die „Traditionen der christlichen Kunst" als verpflichtender Maßstab und als Orientierung für Auswahl und Anlage des figürlich-ikonographischen Programms. Gemäß diesen Vorgaben sei „als oberster Grundsatz festzuhalten, daß der Fußboden keine eigentlich heiligen Gegenstände wie die göttlichen Personen, das Kreuz, die Heiligen, die Wunder des Erlösers, die hl. Sakramente usw. darstellen darf [98], wohl aber die Gegenstände der natürlichen Ordnung, die als Geschöpfe

---

[94] F. (= K.E.O. Fritsch?), (wie Anm. 82), S. 515.

[95] Schnütgen, (Nachruf auf) August von Essenwein, Sp. 255.

[96] (Anonymus), Dienstjubiläum, S. 100.

[97] DBAK, Lit. X g I/2.

[98] Diese oft wiederholte Forderung orientiert sich zweifellos an entsprechenden mittelalterlichen Grundsätzen. – Vgl. Bernhard von Clairvaux in einem Schreiben an den Abt Wilhelmus (Opp. I, 544): „At quid saltem sanctorum imagines non venerentur, quibus utique hoc ipsum, quod pedibus conculcatur, nitit pavimentum; saepe spuitur in os angeli, saepe alicujus sanctorum facies calcibus tunditur transentium. Et si non sacris imaginibus, cur vel non parcitur pulchris coloribus? Cur decoras, quod mox foedandum est? Cur dipingis, quod necesse est

nicht nur die Zeichen der Allmacht Gottes, sondern auch berufen sind, ihn zu verherrlichen und zu preisen, wozu ja auch das Gotteshaus selbst dient, und wozu die christliche Gemeinde sich in demselben versammelt, zu deren Lobgesänge die Kirche selbst und deren Schmuck, also auch der des Fußbodens harmonisch stimmen soll. Es eignet sich somit zur Ausschmückung des Bodenbelags auch die Darstellung des Menschen, seiner Lebensschicksale, seiner Thätigkeit auf Erden, die Gliederung des Menschen nach Ständen, deren Vereinigung zur großen Gemeinschaft der Christenheit, deren Unterabtheilung in Völker und Stämmen (sic), die Personifikationen der Länder, Städte, Flüsse, Gebirge, endlich die äußere Geschichte sowohl die der Menschheit, als die des Volkes, des Landes, der Diöcese, der Stadt, in denen das Gotteshaus sich befindet, des Bauwerkes selbst".

Nach diesen thematischen Eingrenzungen entwirft Essenwein „aus dem reichen Kreis des Darstellbaren" ein Programm, das, neben der räumlichen Anordnung und ikonographischen Bedeutung der jeweiligen Darstellung, wiederholt auch die Funktion des Materials, in dem sie ausgeführt werden soll, skizziert: „In der Kreuzvierung ist in reichem geometrischem Muster ein Stern anzubringen, welcher im wesentlichen aus denselben herzustellen ist, die zur Beflurung der Schiffe Verwendung finden und somit zu dieser hinüber leiten. In diesem Muster kann der Wechsel der Zeiten durch die Sonne, die Mondphasen, die Zeichen des Thierkreises angedeutet werden, womit die Andeutung des Raumes durch die vier Himmelsgegenden und die vier Hauptwinde sich verbinden läßt, während die vier Zwickel und der Stern Raum für die Darstellung der vier Elemente bieten. Alle diese Darstellungen sind nicht farbig zu halten, sondern in kräftigen Umrissen in den Stein einzuhauen, welcher mit Blei, Asphalt, schwarzem oder rothem Cementkit ausgefüllt werde. Für die vier Himmelsrichtungen kann zwischen die im Schiffe verwendeten Steine je eine oder zwei Platten von weißem Marmor eingelassen werden, in welche die Zeichnungen einzuhauen sind. Daran anschließend sind im Chor vor den Chorstühlen zwei Streifen anzuordnen, so daß ein Mittelgang frei bleibt, welcher die Grabplatten der dort bestatteten Erzbischöfe einschließt und im Uebrigen gleichmäßig mit Marmor zu belegen ist. Die beiden Streifen vor den Chorstühlen erhalten bildliche Darstellungen; die eine Reihe wäre zu eröffnen und zu schließen durch die Erde (terra firma) und das Meer, dazwischen die menschlichen Beschäftigungen und Thätigkeiten, Ackerbau, Handel, Gewerbe, Wissenschaften, Künste, Schiffahrt, Jagd; die zweite Reihe beginnt und schließt mit den Darstellungen von Tag und Nacht, dazwischen ebenfalls sieben Darstellungen menschlichen Lebens von der Wiege bis zum Greisenalter und dem Grabe. Die Anfangs- und Schlußbilder beider Reihen sind in Mosaik auszuführen. Die Zwischenbilder, gleich denen der Vierung, sind in Umrissen einzuhauen und zwar in Platten von weißem Marmor oder gelblichem Solenhofer Stein; die Verbindung der einzelnen Bilder ist durch Ornamente herzustellen, welche aus drei oder vier Farben zu bilden sind.

Der Raum von den Chorstühlen bis zu den Stufen des Hochaltars wird mit der Darstellung der großen christlichen Gemeinde gefüllt. Den Mittelpunkt nehmen die geistliche und die weltliche Gewalt ein, einerseits repräsentiert durch einen Papst, an welchen sich die einzelnen kirchlichen Stände, Welt- und Ordensklerus anschließen, andererseits durch einen Kaiser mit den weltlichen Ständen, Fürsten, Kriegern, Bürgern und Bauern. Selbstverständlich ist nicht das Porträt eines bestimmten Kaisers und Papstes auszudrücken. Diese Darstellung entspricht nicht blos (sic) einem allgemeinen christlichen Gedanken, sondern hat auch noch einen besonderen historischen Hintergrund im Dome, wo die alten

---

conculari?" – Acta Eccles. Mediolanensia Instruct. fabricae eccles., S. 469: „In pavimento neque pictura, neque sculptura, crux exprimatur, nec vero praeterea alia sacra imago, historiave ac ne alia item, quae sacri mysterii typum gerat." – Kreuser, Der christl. Kirchenbau I, S. 145 – Vgl. (Anonymus), Die Bodenbeplattung der Kirchen (I.), in: Organ für christl. Kunst, VIII. Jg., 1858, S. 235 f. (Anm.). – Beißel, Ausstattung (III), Sp. 280 f.; ebd., Sp. 282: „Der Fußboden soll Bilder erhalten, die einerseits nicht durch Betreten entwürdigt werden, andererseits aber nützliche Gedanken wachrufen, also solche, die zum Kreis rein nützlicher Erkenntnis gehören." – Bekking, Fußboden, S. 13–15. – Fischer, Das Mosaik, S. 69. – Vgl. ferner H. Brandenburg, Christussymbole in frühchristlichen Bodenmosaiken, in: Römische Quartalschrift, 64, 1964, S. 74–138.

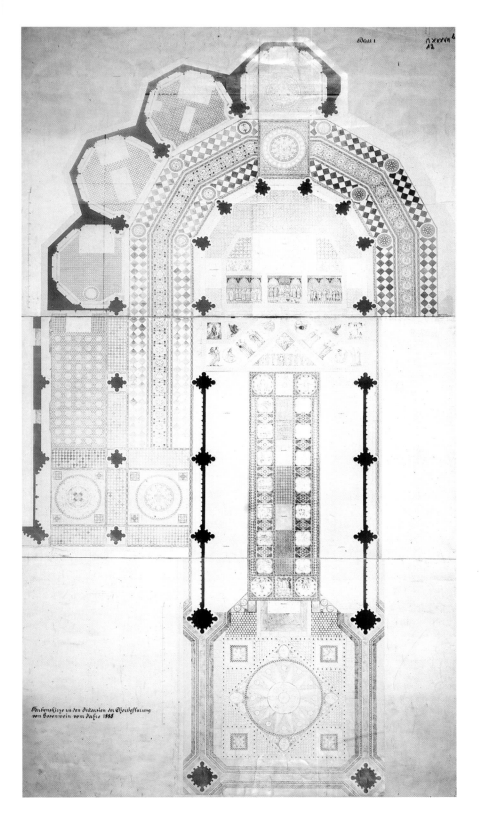

Abb. 27   August Essenwein: „Farbenskizze zu den Intarsien der Chorbeflurung", 1885, Köln, Dombauarchiv

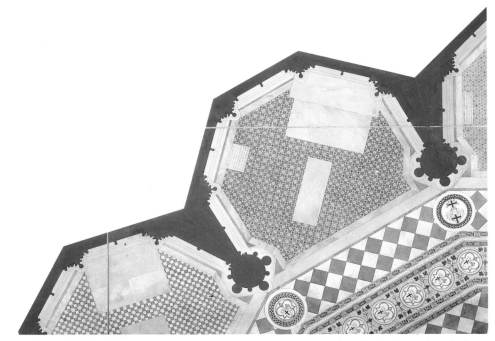

Abb. 28 August Essenwein: Detail aus Abb. 27 mit Johanneskapelle, Maternuskapelle (teilweise) und Chorumgang

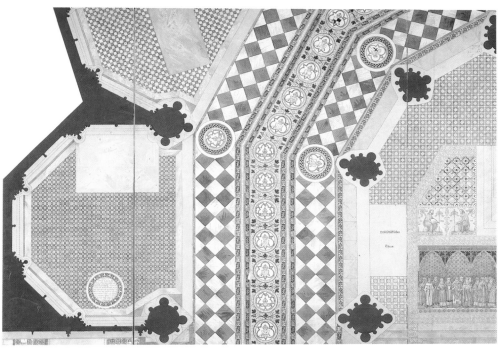

Abb. 29 August Essenwein: Detail aus Abb. 27 mit Engelbertuskapelle, Maternuskapelle (teilweise), Chorumgang und einem Teil des Binnenchores

Abb. 30   August Essenwein: Detail aus Abb. 27 mit Achskapelle und Schmuckfeld im Scheitel des Chorumgangs

Abb. 31   August Essenwein: Detail aus Abb. 27 mit der Beflurung der Hochaltar-Umgebung und des Chorumgangs

72

Abb. 32 August Essenwein: Detail aus Abb. 27 mit dem Beflurungsentwurf für das Zwischenpresbyterium

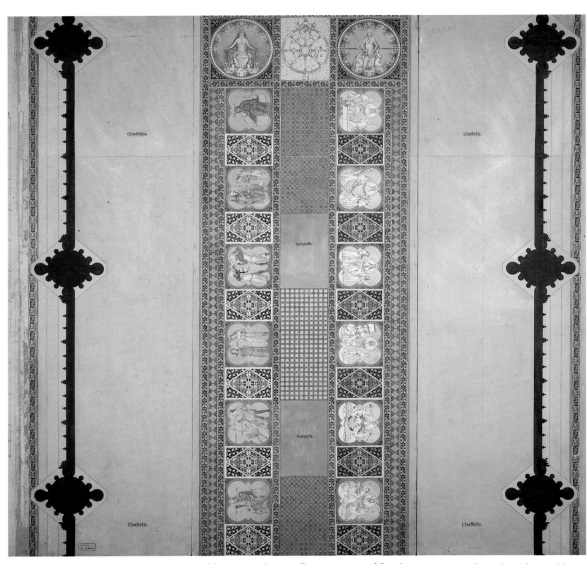

Abb. 33 August Essenwein: Detail aus Abb. 27 mit dem Beflurungsentwurf für den Raum zwischen den Chorstühlen

Abb. 34   August Essenwein: Detail aus Abb. 27 mit der Beflurung der Pfarraltar-Umgebung

Abb. 35   August Essenwein: Detail aus Abb. 27 mit dem Beflurungsentwurf für die Vierung

Abb. 36 August Essenwein: Detail aus Abb. 27 mit dem (nicht ausgeführten) Beflurungsentwurf für das nördliche Chorseitenschiff mit Wappentondi

Inschriften die eine Seite des Chors als l a t u s P a p a e , die andere als l a t u s i m p e r a t o r i s bezeichnen. An diese Darstellungen schließen sich die Personifikationen der einzelnen Nationen und Länder, beginnend mit denen der einzelnen Welttheile (an). Zunächst den Altar umgebend zieht sich von ihm zwischen Kaiser und Papst hindurch um die Nationen zu den Welttheilen hin ein von Fischen belebter Strom, aus dem Hirsche trinken, das bekannte Symbol des von der Kirche ausgehenden Gnadenstroms und der Sehnsucht der Gläubigen nach dem Erlöser. Hinter und neben den Nationen sind die Personifikationen der Hauptflüsse, in dem einrahmenden Fries die einzelnen Städte anzubringen.

Der Maßstab aller figuralen Theile des Fußbodens darf kein großer sein, weil zu einem Gesamtüberblick kein Standpunkt vorhanden ist. Wer auf dem Boden steht, kann höchstens einen Raum von zwei Metern nach jeder Seite soweit übersehen, daß die Linien nicht verschoben und verkürzt erscheinen. Wenn letzteres bei einem rein geometrischen Muster weniger zu sagen hat, so ist es bei figürlichen Darstellungen im höchsten Grade störend. Deshalb darf keine Figur größer werden, als $1^1/_2$ Meter, keine Gruppe größer als 3–4 Meter. Größere Compositionen, wie die der christlichen Gemeinde vor dem Altar, sind deshalb in getrennte Gruppen zu zerlegen, wie hier durch den Strom mit den Fischen geschieht, der deshalb auch hier am Ende erwähnt wird, obgleich er den Mittelpunkt der Gesamtidee bildet.

Der Chorumgang soll die Geschichte des Erzbistums Coeln zur Darstellung bringen, ein Gedanke, der auch dadurch nahegelegt ist, daß in diesem Umgang und den Kapellen soviele Erzbischöfe und andere Personen begraben sind, welche zu dem Erzbisthum in nahen Beziehungen gestanden haben. Den Mittelpunkt der Geschichte und des Churstaates Coeln bilden die Erzbischöfe; deren Reihenfolge ist also durch ihre Namen, Regierungszeit, Wappen, Spruchbänder u.s.w. [99]) anzubringen, sei es in einzelnen Medaillons, sei es in einem fortlaufenden Ornamentfries, unter besonderer Hervorhebung der

Abb. 37   August Essenwein: Detail aus Abb. 27 mit dem (nicht ausgeführten) Beflurungsentwurf mit Wappenschilden für das nördliche Chorseitenschiff

bedeutendsten; in den einfassenden Seitenfriesen sind die Namen und das Todesjahr der anderen in dem Umgange und in den Seitenkapellen begrabenen Personen anzubringen, da deren Grabplatten nicht beibehalten werden können. Zum Anfang, zum Schlusse und in der Mitte sind drei größere Medaillons anzubringen: zum Anfang bei dem Eingange durch das nördliche Gitter der alte Dom, dessen Bild in einer Handschrift der Dombibliothek erhalten ist, unter Hervorhebung der Gründung der Kölnischen Kirche von Rom aus, durch das päpstliche Wappen, das Stiftswappen und das Wappen der Stadt Coeln in der Mitte hinter dem Hochaltar der Grundriss des jetzigen Doms, umgeben von den Wappenschildern (sic) der h. E n g e l b e r t, C o n r a d v o n H o c h s t a d e n, den Namen der alten Dombaumeister zum Schlusse an dem südlichen Eingangsgitter in den Chorumgang, die Facade des vollendeten Doms mit den Wappen F r i e d r i c h W i l h e l m III., F r i e d r i c h W i l h e l m IV., des regierenden Kaisers, der Erzbischöfe, unter welchen der Weiterbau und die Vollendung des Doms stattfand, besondere Wohlthäter, wie König L u d w i g I. von Baiern und mit den Namen der letzten Dombaumeister. Die Kapellen des Chorumgangs sind durch die Altäre, die Hochgräber, die Beichtstühle u.s.w. derartig gefüllt, daß ihre Beplattung nur in geometrischen Mustern erfolgen kann, welche aber in kostbarem Material und in kleinem Maßstabe auszuführen ist"[100].

---

[99] Anfangs hatte Essenwein auch erwogen, sie durch „Idealfiguren" mit ihren Wappen darzustellen, da Porträts nur von wenigen bekannt seien, bzw. „durch Bildnisse oder Wappen oder auch beide" zu repräsentieren. – Vgl. A. Essenwein, vierzehnseitiges erstes Konzeptpapier zur Beflurung des Domes, o. Dat. (vom 17. Dez. 1883?), GNM, Nürnberg. – Vgl. (Anonymus), Der Bodenbelag des Kölner Domes, in: Deutsche Bauzeitung, XIX. Jg., Nr. 34, vom 29. April 1885, S. 207.

[100] A. Essenwein, vierzehnseitiges erstes Konzeptpapier zur Beflurung des Domes, o. Dat. (zit. nach Abschrift vom 16. Juni 1884), GNM, Nürnberg.

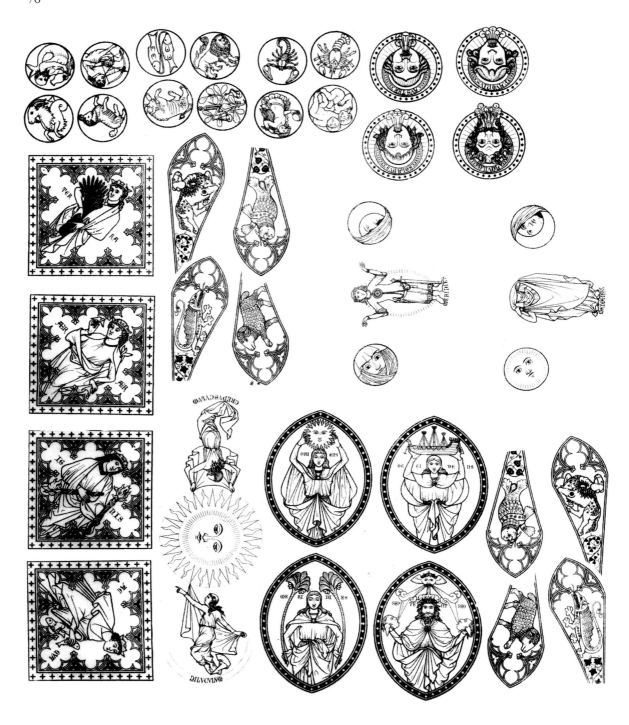

Abb. 38 August Essenwein: Lithographie (Ausschneidebogen) mit Motiven der Vierungsbeflurung, Nürnberg, Germanisches Nationalmuseum

Beschreibung des ersten Beflurungsentwurfs

Essenweins erster Beflurungsentwurf stimmt teilweise mit seinem später ausgeführten, revidierten Beflurungskonzept überein. *Nicht* ausgeführte Komponenten betreffen ausschließlich den Chorumgang und das Presbyterium. Alle anderen Teile des Entwurfs, also insbesondere die Vierung und der Raum zwischen den Chorstühlen, wurden entsprechend in den revidierten Entwurf übernommen, bzw. in die andere Technik übertragen.

Den Chorumgang durchzieht mittig ein läuferähnlicher Fries mit den Wappentondi der Erzbischöfe, umgeben von Inschriften. Schmale Schmuckfriespaare mit einem Inschriftenband in ihrer Mitte (auf der Südseite leer) grenzen ihn zu beiden Seiten gegen die begleitenden Friese ab, deren großflächiges Schachbrettmuster mit der Feinstruktur des Mittelfrieses kontrastiert. In sie einbeschrieben sind große Schmucktondi (auf der Nordseite mit Wappen), die zwischen den Säulen wie Scharniere die „Knickstellen" des östlichen Chorumgangs akzentuieren. Zusätzlich betonen Bildfelder den nördlichen und südlichen Beginn des Chorumgangs sowie seinen Scheitelpunkt vor der Achskapelle.

Im nördlichen Chorseitenschiff sollten (analog zu den Bildtondi) große Kreisfelder mit je zwölf (plus vier) Wappen, im südlichen Chorseitenschiff dagegen eine ornamentale teppichartige Beflurung mit fünf Reihen à zwölf Wappentondi angebracht werden.

Etwa in Höhe dieser Felder, an der Nahtstelle zwischen der Vierung und dem Raum zwischen den Chorstühlen, sieht der Entwurf die Aufstellung des Pfarraltars vor, dergestalt daß dieser mit seiner Mensa zum Bereich zwischen den Chorstühlen, mit seinem dreifach gestuften Unterbau jedoch weitgehend die Mitte eines Übergangsbereichs zur Vierung hin eingenommen hätte. In diesem Bereich hätten kleinere Bildfelder zwischen den verschiedenen großen Beflurungsbereichen vermitteln sollen: Zu seiten der Altarmensa der unfruchtbare Baum, an den schon die Axt gelegt ist, auf der Nord- und der fruchttragende Baum auf der Südseite. Daran angrenzend zwei in der Mitte geteilte Dreiecksfelder mit Kopfmedaillons, welche die vier Temperamente darstellen (SANGVINICVS und COLERICVS auf der Nord-, MELANCOLICVS und PHLEGMATICVS auf der Südseite *Sanguiniker (der Lebensgenießer), Choleriker (der leicht Reizbare), Melancholiker (der Schwermütige), Phlegmatiker (der durch nichts aus der Ruhe zu Bringende)*. Gemeinsam mit den ornamentalen Beflurungspartien bilden sie zwischen Vierung und innerem Chor um den Pfarraltar ein kompliziert verschachteltes Gefüge, das den Charakter einer Verlegenheitslösung besitzt.

Am östlichen Ende dieses Bereichs schließt das Querrechteck des Zwischenpresbyteriums an. Auch hier sollte eine komplizierte Felderteilung zwischen dem Chorgestühl und dem Hochaltarbereich vermitteln. Im Zentrum thront Europa, aus einem Buche dozierend (ARTES · DOCET · EVROPA – ET · MORES · CHRISTIANOS *Europa lehrt die Künste und die christlichen Sitten.*), zu ihren Füßen in symmetrischen Dreieckfeldern je drei weibliche Personifikationen der Wissenschaften (mit Astrolabium, Buch, Fiole: EVROPA · ARTES – LAVDANT · DEVM *Europa: Die Künste loben Gott.*) und Künste (mit Pinseln/Stift, Orgel, Säule/Zirkel: FILII · JAPHET HABITANT – EVROPAM ARTIBVS · PLENAM *Die Söhne Japhets bewohnen das von den Künsten erfüllte Europa.*). Darunter, die Fläche zu einem großem Dreieck ergänzend, die sieben Freien Künste als Ganzfiguren, in ihrer Mitte thront die Philosophie mit LOGICA ETHICA PHYSICA über ihrem Haupt (PHILOSOPHIA · ET · SEPTEM · FILIE · ARTES · LIBERALES *Logik, Ethik, Physik – Philosophie und die sieben Freien Künste*).

In den angrenzenden friesartigen Feldern sollten rechts und links jeweils drei Paare Platz finden: Personifikationen der christlichen Nationen mit ihren Hauptkirchen. („Dem Papste und Kaiser . . . sich . . . [nahend mit den] als Opfergaben dargebrachten Modellen ihrer . . . Kirchen, wie man sie die Stifter von Kirchen auf ihren Grabdenkmälern tragen sieht, an ihrer Spitze Deutschland und Italien . . ."[101].) Zwischen

---

[101] (Anonymus), Bodenbelag (wie Anm. 99), S. 207. – Essenwein (DBAK, Lit. X g I/50) hatte offensichtlich zeitweilig auch erwogen, anstelle von Papst und Kaiser eine Personifikation der *Ecclesia* darzustellen, „zu der sich die Nationen vereinen".

Abb. 39   August Essenwein: Die vier Elemente aus der Vierung, Detail aus Abb. 27 u. 35

ihnen sind in großen Medaillons die Personifikationen der vier „Hauptströme" der christlichen Welt dargestellt. Ihre begleitenden Inschriften wurden in die später ausgeführten, entsprechenden Mosaikfelder übernommen.

(v.l.n.r. auf der Nordseite:)

1. VENERANTVR · IN · CAMPO · STELLE · RELIQUIE · OMNIBVS · HISPANIS · CARE
HISPANIA · FIDEI · PROPVGNATRIX
MONASTERIVM · S(ANC)TI · JACOBI · M(AIORIS) · AP(OSTO)L(I)
In Compostela werden die Reliquien verehrt, die allen Spaniern teuer sind.
Spanien ist die Vorkämpferin des Glaubens.
Das Kloster des heiligen Apostels Jakobus des Älteren.

2. IN · ECCLESIA · REMENSI · CORONANTVR · REGES · FRANCIE

Abb. 40   August Essenwein: Detail aus Abb. 27 (gedreht), die Sonne umgeben von den Personifikationen der Tageszeiten und Mondphasen im Zentrum der Vierung

GALLIA · CHRISTIANISSIMA

REMORVM CIVITAS ·

In der Kirche der Reimser werden die Könige von Frankreich gekrönt.

Das Allerchristlichste Gallien.

Die Stadt der Reimser.

3. ROMA · CAPVT · MVNDI · REGIT · ORBIS · FRENA · ROTVNDI

FERREAM · PREBET · ITALIA · CORONAM (und auf ihrem Schriftband:)

FVLGET · IN · MONTE · VATICANO · DOMVS · S · PETRI

AVREAM DONAT AVREA ROMA

Rom, das Haupt der Welt, regiert die Zügel des Erdkreises.

Italien bietet die eiserne Krone dar.

Auf dem Vatikanischen Hügel erglänzt das Haus des heiligen Petrus.

Goldenes schenkt das goldene Rom.

Abb. 41 August Essenwein: Detail aus Abb. 27, Solarius (Ostwind) mit Oriens und Symboltieren in der Vierung

Abb. 42 August Essenwein: Detail aus Abb. 27, Auster (Südwind) mit Meridies und Symboltieren in der Vierung

Abb. 43   August Essenwein: Detail aus Abb. 27, Favonius (Westwind) mit Occidens und Symboltieren in der Vierung

Abb. 44   August Essenwein: Detail aus Abb. 27, Aquilo (Nordwind) mit Septentrio und Symboltieren in der Vierung

Abb. 45 August Essen-
wein: Detail aus Abb. 27
mit dem fruchtbaren Baum
und zwei Personifikationen
der Temperamente für die Beflurung zu seiten des Pfarraltars

(Auf der Südhälfte:)

1. FILII · MEI · IN · GENTES · DIVISI · VNITI · ERVNT · IN · ECCLESIA
SCLAVINIA · FIDELISSIMA · ECCLESIE · FILIA
CZENSTOCHAVIA · REFVGIVM · AFFLICTORVM
Meine Söhne, unter die Völker verstreut, werden vereint sein in der Kirche.
Das Volk der Slaven ist die treueste Tochter der Kirche.
Czenstochau ist die Zuflucht der Bedrängten.

2. HVNGARIA · PROPVGNACLVM · CHRISTIANE · COM(M)VNIT(I)S · CONTRA · INFIDOS
HVNGARIE · REGNVM · APOSTOLICVM
STRIGONIVM · SEDES · PRIMATIALIS
Ungarn ist ein Bollwerk der Christenheit gegen die Ungläubigen.
Ungarn, Apostolisches Königreich.
Strigonien (Esztergom, Gran), Sitz des Primas (von Ungarn).

3. NITENT · PROPE · TRIVM · REGVM · EDEM · PRISCA · MARTYRVM · COLON(IA)M · TEMPLA
ARGENTEAM · OFFERT · GERMANIA · CORONAM
SACRA · COLONIA · ROME · FILIA · GERMANIE · ROMA
In der Nähe des Hauses der Drei Könige erglänzen die altehrwürdigen Tempel der Märtyrer.
Germanien bietet die silberne Krone dar. / Heiliges Köln, Tochter Roms, Rom Germaniens.

Seitlich darüber folgen als kniend anbetende Personifikationen Istambul und HIERVSALEM mit ihren Kirchen. Die zugehörigen Inschriften lauten: XPISTIANIS · VNIRI · PETO · ECCLESIE · ET · IMPE-RIO *Ich strebe danach, daß Kirche und Reich mit der Christenheit vereinigt werden.* – QVIS · MIHI · TVTOR · QVIS · SALVATORIS · DEFENDAT · SEPVLCRVM *Wer beschützt mich, wer verteidigt das Grab des Heilands?* In dem anschließenden Hochrechteckfeld (auf der Nordseite) die vor einem Räu-chergefäß thronende Personifikation „Asien", auf einen Hundekopf in der Hand hinweisend; zu ihren Füßen Götzen anbetende Heiden mit Spitzhut und Turban. – Die umlaufende Inschrift:

Abb. 46 August Essenwein: Detail aus Abb. 27 mit dem un-fruchtbaren Baum und zwei Per-sonifikationen der Temperamente für die Beflurung zu seiten des Pfarraltars

QVE · CHRISTVM · NOBIS · DARE · DIGNATA · EST · ASIA · CHRISTVM · DERELIQVIT · IDOLATRIX
QVI · DEOS · ADORANT · IMBECILLOS · ET · ADVOCANT · FALSOS · PROFETAS · FILII · SEM ·
REVERTENTVR · AD · CHRISTVM

Asien, das gewürdigt wurde, uns Christus zu schenken, schwört dem Götzenkult ab. / Die Söhne des Sem, die kraftlose Götter anbeten und falsche Propheten anrufen, bekehren sich zu Christus.

Auf der Südseite thront entsprechend „Afrika", einen Papagei auf der Hand. Zu ihren Füßen Tiere und Früchte; Neger mit Pfeil und Bogen und Keule; ein dritter trägt einen Elefantenzahn:

ABVNDAT · AFRICA · AVRO · ET · EBORE · ET · AVIBVS · RARIS
IRRISORIS · CHAM · FILII QVI · NEC · DEVM · NOVERVNT · NEC · MORES · CHRISTIANOS · VO-
CATI · SVNT · IN · COMMVNIONEM · CHRISTIANAM

Afrika hat Überfluß an Gold, Elfenbein und seltenen Vögeln. / Die Söhne des verspotteten Cham, die weder Gott kannten noch die christlichen Sitten, werden in die / christliche Gemeinschaft gerufen.

Jenseits der Chortreppe sollte sich unmittelbar vor dem Hochaltar ein großes tryptichonartiges Fußbo-denbild anschließen. Auf den Flügeln, flankiert von den Vertretern der geistlichen und weltlichen Stände, vor reichornamentiertem Hintergrund und unter spitzbogigem Maßwerk, sieht der Entwurf für den mittleren Teil des Bildes eine baldachinbekrönte Thronbank vor, auf der Papst und Kaiser neben-einander sitzen. Zusätzlich hervorgehoben ist dieses Mittelbild durch einen bühnenähnlichen Basis-und einen gestuft vorspringenden Thronsockel. Darauf sind die Symbole und Wappen der beiden Ge-walten dargestellt, zuunterst die Inschrift:

DVOS · POSVIT · DOMINVS · IN · TERRA · GLADIOS · AD · REGENDOS · HOMINES VERBVM ·
ET · FERRVM · SACERDOTIS · MANV · ILLVM · HVNC · VERO · MILITIS

Zwei Schwerter hat Gott auf Erden eingesetzt zur Regierung der Menschen: das Wort und das Eisen, dieses in der Hand des Priesters, jenes aber in der des Soldaten (der weltlichen Macht).

84

(links:) SEPTVAGINTA · CARDINALES · ELIGVNT · SANCTO / SPIRITV · ADIVVANTE · REPLETI · DOMINVM · PAPAM

Siebzig Kardinäle wählen, erfüllt vom helfenden Heiligen Geist, den Herrn Papst.

(rechts:) SEPTEM · ELECTORES · ELIGVNT · DOM(I)NVM · IMPERATOREM COLONIENSIS · MOGVNTINVS · TREVERENSIS

(und unter ihren sieben Wappen:) BOEMIE · REX · PALATINVS · SAXONICVS · BRANDE(N)B(VR)G(EN)S(I)S

Sieben Kurfürsten wählen den (Herrn) Kaiser: der Kölner, der Mainzer, der Trierer, der König von Böhmen, der Pfälzer, der Sachse, der Brandenburger.

Zu seiten des Hochaltars zwischen diesem und dem erzbischöflichen Thron (bzw. „Sedilien") schließen sich Darstellungen der gegenständig angeordneten Paradiesesflüsse an das große Fußbodenbild an. In der Tiefe der Mensa vermitteln ornamentierte und mit Tiermotiven geschmückte Platten zwischen der figürlichen Beflurung vor und der ornamentalen Flächenbeflurung hinter dem Altar. Diese beiden Felder sind von Inschriftenfriesen gerahmt: (auf der Nordseite) CVMQVE · LVPIS · AGNI · PER · MONTES · GRAMINA · CARPENT · PERMIXTIQVE · SIMVL · PASCENTVR · PARDI · ET · HEDI · CVM · VITVLIS · VRSI · DEGENT · ARMENTA · SEQVENTES · CARNIVORVSQVE · LEO · PRESEPIA · CARPET · VTI · BOS. – (Auf der Südseite:) NASCERE · LVX · MVNDI · NOX · OCCI · DE · TETRA · PROFVNDI · PAX · ERIT · IN · TERRIS · QVE · TVNC · DESCENDIT · AB · ASTRIS · BOS · NON · DRACONEM · METVET · NEC · AGNA · LEONEM · AGNIS · ATQVE · LVPIS · CANIBVS · CONCORDIA · CERVIS · TVNC · ERIT · ET · NVLLVM · SERPENS · SPVET · ILLE · VENENVM · IN · CAPVT · ANTIQVI · CALCABIS · TV · PVER · ANGVIS.

Zusammen mit den Wölfen genießen die Schafe das Gras in den Bergen, gleichermaßen vermischt weiden Leoparden und Ziegenböcke; mit den Jungen des Bären leben die Rinderherden, und der fleischfressende Löwe freut sich am Heu wie der Ochse.

Licht der Welt, gehe auf, Nacht, töte den Fürsten der Unterwelt, der Friede, der einst vom Himmel steigt, wird auf Erden sein. Das Rind wird den Drachen nicht fürchten, noch die Lämmer den Löwen. Dann wird Einigkeit sein der Schafe mit den Wölfen wie der Hunde mit den Hirschen, und keine Schlange wird ihr Gift speien; du Knabe wirst den Kopf der alten Natter zertreten.

Abb. 47 August Essenwein: Detail der projektierten Beflurung zu seiten des Hochaltars, Nürnberg, Germanisches Nationalmuseum

Abb. 48   August Essenwein: Detail aus Abb. 27 mit Papst und Kaiser sowie den Kardinälen und Kurfürsten als Repräsentanten der zwei Gewalten

Abb. 49   August Essenwein: Detail aus Abb. 27 mit den Repräsentanten der weltlichen Stände

Abb. 50   August Essenwein: Originalgroßer Karton zu architektonischen Details der Papst-Kaiser-Darstellung vor dem Hochaltar, Nürnberg, Germanisches Nationalmuseum

Abb. 51   August Essenwein: Originalgroßer Karton zu architektonischen und ornamentalen Details der Papst-Kaiser-Darstellung vor dem Hochaltar, Nürnberg, Germanisches Nationalmuseum

Abb. 52   August Essenwein: Originalgroßer Karton zu Papst und Kaiser, Nürnberg, Germanisches Nationalmuseum

Abb. 53-56 August Essenwein: Vier originalgroße Kartons zu den Vertretern der geistlichen Stände, Nürnberg, Germanisches Nationalmuseum

Abb. 57-60 August Essenwein: Vier originalgroße Kartons zu den Vertretern der weltlichen Stände, Nürnberg, Germanisches Nationalmuseum

Abb. 61-64   August Essenwein: Vier originalgroße Kartons zu den Paradiesesflüssen Euphrat, Tigris, Geon und Phison, Nürnberg, Germanisches Nationalmuseum

Abb. 65-70   August Essenwein: Sechs originalgroße Kartons zu den Personifikationen der europäischen Nationen und der ihnen zugeordneten Kirchen, Nürnberg, Germanisches Nationalmuseum

Für den ganzen Hochchor bis zu den Chorstühlen – und nur für diesen Bereich – haben sich die originalgroßen Kartons erhalten, 48 Teilvorlagen, auf denen Essenwein alle Motive in streng graphischer Manier mit schwarzer Tusche bereits bis ins kleinste Detail für die Umsetzung in Zement/Blei-Intarsien ausgearbeitet hatte [102]).

---

[102]) GNM, Zugangsregister 1954, Nr. 5585, C 1-48 („48 monumentale Tuschzeichnungen für Kirchenmalerei" (sic)). – Vgl. auch Ausst.Kat. Köln 1980 (I), Kat. Nr. 25.5. – Holzamer, Essenwein, Kat. Nr. 942–992. – Siehe Plankatalog.

GRAMMATICA   DIALECTICA

Abb. 71 August Essenwein: Originalgroßer Karton zu den artes liberales Grammatik und Dialektik, Nürnberg, Germanisches Nationalmuseum

LOGICA·ETICA·PHYSICA

RHETORICA   PHILOSOPHIA·ET·SEPTEM·FILIE
ARTES·LIBERALES

Abb. 72 August Essenwein: Originalgroßer Karton zur Rhetorik (die Gruppe der
artes liberales in Abb. 71 nach rechts fort-
setzend) und zur thronenden Philosophie
mit Logik, Ethik und Physik, Nürnberg,
Germanisches Nationalmuseum

ASTRONOMIA   GEOMETRIA

Abb. 73   August Essenwein: Originalgroßer Karton zu den artes liberales Astronomie und Geometrie, Nürnberg, Germanisches Nationalmuseum

ARITHMETICA   MVSICA

Abb. 74   August Essenwein: Originalgroßer Karton zu den artes liberales Arithmetik und Musik (Abb. 72 nach rechts fortset-
zend, gefolgt von Abb. 73), Nürnberg, Germanisches Nationalmuseum

Abb. 75 August Essenwein: Originalgroßer Karton zu den Personifikationen dreier Künste, Nürnberg, Germanisches Nationalmuseum

Abb. 76 August Essenwein: Originalgroßer Karton zur Personifikation Istanbuls, Nürnberg, Germanisches Nationalmuseum

Abb. 77 August Essenwein: Originalgroßer Karton zu den Personifikationen dreier Künste, Nürnberg, Germanisches Nationalmuseum

Abb. 78 August Essenwein: Originalgroßer Karton zur Personifikation Jerusalems, Nürnberg, Germanisches Nationalmuseum

ARTES·DOCET·EVROPA   ET·MORES·XPISTIANOS

Abb. 79 August Essenwein: Originalgroßer Karton zur Personifikation Europas, Nürnberg, Germanisches Nationalmuseum

Charakterisierung des 1. Essenweinschen Beflurungsentwurfs

Essenweins erster Beflurungsentwurf zeichnet sich durch seine lokale und thematische Begrenzung aus. Gegenüber den Vorgängerprojekten bedeutet dies die Aufgabe aller grundsätzlich auf das *Ganze* des Dombodens gerichteten ästhetischen und symbolischen Intentionen. Die wesentliche Konsequenz des neuen Konzeptes besteht in der deutlichen Scheidung zweier Raumteile durch die Art ihrer Beflurungsform. Bereits bei der Festlegung dieser Lösung war man sich offensichtlich der darin verborgenen Problematik bewußt. Wie anders sonst könnte der ausdrückliche Hinweis zu verstehen sein, daß der Vierungsstern im wesentlichen aus denselben „Mustern" herzustellen sei, die zur Beflurung der

---

[103]) „In der Kreuzvierung ist in reichem geometrischem Muster ein Stern anzubringen, welcher im Wesentlichen

Abb. 80-83 August Essenwein: Originalgroße Kartons zu den Personifikationen der vier Hauptflüsse Europas, Tiber, Donau, Seine und Rhein, Nürnberg, Germanisches Nationalmuseum

Schiffe Verwendung finden und somit zu diesen hinüberleiten sollten [103]). Mit diesen „Mustern" waren offensichtlich die Maschaschen Platten (s. u.) gemeint, deren Verwendung das Essenweinsche Konzept in großem Umfange vorsah.

Der lokalen entspricht im Vorspann zum Essenweinschen Entwurf die thematische Eingrenzung des auf dem Fußboden Darstellbaren. Der Grundsatz, nur Motive des irdisch-menschlichen Bereichs, nicht aber Heilige oder z.B. die Wunder des Erlösers dort wiederzugeben, richtet sich deutlich gegen biblisch-bildliche Darstellungen, wie sie der Beflurungsentwurf von Bogler und Schneider vorschlug: An die Stelle einer vom Westportal auf den Hochaltar im Chor hinleitenden Bilderfolge tritt eine eher

aus denselben Steinen herzustellen ist, die zur Beflurung der Schiffe Verwendung finden und somit zu dieser hinüberleiten." (aus: Programm für die Beflurung des Domchores vom 16. VI. 1884, betr. Verhandlung vom 2. VI. 1883, DBAK, Lit. X g III/142; fast identisch ist DBAK, Lit. X g I/2). – Vgl. auch Anm. 133.

Abb. 84 August Essenwein: Originalgroßer Karton mit der Personifikation Asiens, Nürnberg, Germanisches Nationalmuseum

historisch-enzyklopädische Staffelung mehrerer Bildergruppen, die sich zu einem Programm verbinden, das in seiner Gesamtheit „der Verherrlichung Gottes" dienen soll. Das Prinzip der inhaltlichen und formalen Steigerung zum Hochaltar hin wird, wenngleich weniger didaktisch leitend und den Betrachter gleichsam an die Hand nehmend als bisher, beibehalten. Im Aufwand und Umfang der figürlichen Darstellungen auf dem Fußboden vom weitgehend ornamentalen „Teppich" im Chorumgang bis zum Höhepunkt des großen Tryptichons vor dem Hochaltar sollte sich dieses Prinzip realisieren. Der von Essenwein vorgelegte Entwurf bedeutet daher auch keinen radikalen Bruch mit den früheren Projekten, vielmehr bewegt auch er sich weitgehend in dem durch sie abgesteckten Rahmen, vermittelt z.T. zwischen den einzelnen Positionen und ist ihnen partiell verpflichtet: In modifizierter Form werden wesentliche Elemente früherer Planung wie z.B. der Grundsatz, den Bereich des Chores und der Vierung aufwendiger zu gestalten, bewahrt und weiterentwickelt. Auch der Gedanke einer raum- und bedeutungsadäquaten Differenzierung der Fußbodenteile, die sich auch in der Verwendung verschiedener Beflurungsmaterialien spiegeln soll, wird von Essenwein aufgegriffen: Der inhaltlich- thematischen Gliederung entspricht also auch eine Gliederung durch das jeweils zu verwendende Material, wobei die differenzierte Ausführung der figürlichen Darstellungen in Marmorintarsien und Stiftmosaiken, d.h. in primär grafischen und eher malerischen Techniken, eine zusätzliche Bereicherung der unterschiedlichen Beplattungsweisen darstellt.

Essenweins erster Beflurungsentwurf sah nämlich offensichtlich neben den bereits genannten Techniken und Materialien die Verwendung einer Vielzahl anderer Beflurungsformen vor, die in wechselnder Kombination für ein abwechslungs- und z.T. sehr kontrastreiches (vgl. Chorumgang) Erscheinungsbild

Abb. 85 August Essenwein: Originalgroßer Karton mit der Personifikation Afrikas, Nürnberg, Germanisches Nationalmuseum

Abb. 85 August Essenwein: Originalgroßer Karton mit der Personifikation Afrikas, Nürnberg, Germanisches Nationalmuseum

gesorgt hätten: „Bei der Ausführung der Arbeiten sollen außer der im Mittelalter bei der Ausschmükkung der Gotteshäuser vielfach angewandten Mosaik- auch alle anderen Techniken in Betracht kommen, die in der damaligen Zeit für Fußbodenschmuck Verwendung fanden. Gemusterte Plättchen aus gebranntem Thon mit vertieften (sic) und Reliefverzierungen, einfarbig und bunt, sollen mit Estrich und verschiedenfarbigem Marmor wechseln, der theils in Streifen und einfachen geometrischen Mustern, theils zu reich geschmückten Einlagen verbunden zur Verwendung gelangt. Neben großen Flächen kommen reiche zierliche Friese, Feldereintheilungen mit Figuren zwischen geometrischem und vegetabilischem Ornament vor; alles aber wird in strenger Stilisierung ausgeführt, so dass der ganze Fußboden zu einem monumentalen Teppich ohne plastische Wirkung wird." [104])

Aus der ersten Planungsphase übernommen werden außer der grundsätzlichen Konzeption einer architekturadäquaten, geometrisch gegliederten, figürlich und farblich gestalteten Bilderfolge auch Einzelmotive wie z. B. der große Vierungsstern mit den Zeichen des Tierkreises. Neu und für das ganze

---

[104]) (Anonymus), Der Fußboden des Kölner Domes. Zuerst publiziert in: Fränkischer Kurier, Nr. 181, vom 10. April 1885, und dann als modifizierende Zusammenfassung unter der Überschrift: „Der Bodenbelag des Kölner Domes", in: Kölnische Volkszeitung, Nr. 101, vom 13. Juni 1885, Zweites Blatt. – (Anonymus), Der Bodenbelag des Kölner Domes, in: Deutsche Bauzeitung, XIX. Jg., Nr. 34, vom 29. April 1885, S. 207. – Vgl. entsprechend auch Wochenblatt für Baukunde, Jg. VII, Nr. 35, vom 1. Mai 1885, S. 178. – Boesch, Essenwein, S. 434. – Helmken, Dom (5. Aufl. 1905), S. 153 u. a. – Vgl. zum „Glaubenssatz" dreidimensionale Gegenständlichkeit beim Schmuck von Fußböden zu vermeiden u. a. Ernst Gombrich, Ornament und Kunst, Stuttgart 1982, S. 46–48.

Projekt von zentraler Bedeutung sind demgegenüber die auf die zeitliche Ordnung und die Stufen des menschlichen Lebens bzw. die verschiedenen Tätigkeiten begrenzte Thematik des inneren Chores wie auch die auf die Geschichte des Erzbistums Köln und des Domes bezogenen Darstellungen, Symbole und Inschriften im Chorumgang. Obgleich ein gesonderter Raumteil des Chores, erweitert der Chorumgang die Thematik des inneren Chores ins Chronikal-Historische. Eine Erweiterung des allgemeinen Themenkreises bedeutet schließlich auch das Motiv des Lebensstroms, das als Ornamentband sowohl gliedernde als auch inhaltlich verbindende Funktionen besitzt und daher zu Recht als „Mittelpunkt der Gesamtidee" bezeichnet werden konnte [105]. Neu ist gegenüber den früheren Entwürfen ferner die Verbindung heilsgeschichtlicher (Fische, Wasser etc.) und historisch-politischer (Ständevertreter, Kaiser, Papst etc.) Komponenten, deren Bedeutungsverknüpfung noch zu interpretieren sein wird [106].

Generell wiederholt und präzisiert Essenwein in seinem Beflurungsprogramm Vorstellungen, die er bereits anläßlich seiner Tätigkeit als Juror zur Ausschreibung von 1871 skizziert hatte (s. o.). Dazu gehört vor allem das Grundkonzept eines figural gestalteten Fußbodens, dessen einzelne, in verschiedenfarbigem Marmor eingetiefte Umrißlinien bildlicher Darstellungen mit Blei und Asphalt auszugießen seien und im Hochchor noch eine Steigerung erfahren sollten, während die Kapellen als selbständige Einheiten aufzufassen seien und eine entsprechende Beflurung zu erhalten hätten.

Der Vertragsabschluß

Während der Verhandlungen zwischen der Dombauverwaltung und Essenwein, welche den Vertragsabschluß vorbereiten, geht man noch Ende 1884 davon aus, daß Essenwein eine generelle Farbenskizze bis zum 1. VII. 1885 und sämtliche Kartons in natürlicher Größe bis zum 1. VII. 1886 liefern könne; sein Honorar, 1800,- M. für den Generalplan und 8200,- M. für die Kartons, sei angesichts der Schwierigkeit des Unternehmens „mäßig und angemessen" [107]. Essenwein, der sich mit dem von Voigtel verfaßten Vertragsentwurf in allen Teilen einverstanden erklärt, beginnt bereits vor der offiziellen Vertragsunterzeichnung mit den Arbeiten [108]. Voigtel drängt von Bardeleben zum offiziellen Vertragsabschluß: eine weitere Verschleppung könne dazu führen, daß Essenwein eine Verlängerung der Vertragszeiten verlange und die Ausführungsarbeiten dadurch in die ungünstige Winterzeit fielen [109]. Am 18. II. 1885 haben schließlich alle Beteiligten den Vertrag unterzeichnet [110].

Damit scheint die Planungsphase abgeschlossen und die Voraussetzungen für eine zügige Realisierung des Essenweinschen Beflurungskonzeptes gegeben. Doch schon bald sind neue Probleme zu bewältigen, die sich vor allem aus den von Essenwein vorgesehenen Beflurungsmaterialien und -techniken ergeben. Charakteristisch für sie ist der Konflikt zwischen der Verbindlichkeit historischer Vorbilder und dem in der Gegenwart Möglichen, zwischen Handarbeit und Maschinenprodukt – insgesamt also ein für das 19. Jahrhundert sehr charakteristischer Konflikt.

---

[105]) DBAK, Lit. X g I/2 u. g III/142.
[106]) Vgl. Kapitel „Mosaik und Geschichte".
[107]) DBAK, Lit. X f I/84.
[108]) DBAK, Lit. X f I/88.
[109]) DBAK, Lit. X f I/87.
[110]) DOKUMENT Nr. 8. – DBAK, Lit. X g I/103.

Gutachten zum ersten Essenweinschen Beflurungsentwurf

Bereits 1882 hatte der Kultusminister Gustav von Goßler in einem Schreiben an von Bardeleben angekündigt, daß nach Besichtigung des von ihm in Auftrag gegebenen Probefeldes im Dom durch die Ministerial-Kommissare aus Berlin unter andern auch zur projektierten Domfußbodenbeplattung ein Gutachten der Akademie des Bauwesens eingeholt werden sollte [111]). – Gut vier Jahre später erst und fast zwei Jahre nach der Unterzeichnung des Arbeitsvertrages durch Essenwein Mitte Dezember 1886 realisiert von Goßler seine Ankündigung – nun freilich bezogen auf Essenweins Beflurungskonzept [112]).

Erhalten haben sich in den Akten des Kölner Dombauarchivs ein „gez. Schneider" und ein durch Anton von Werner unterzeichnetes Gutachten der Akademie des Bauwesens. Beide Gutachten sind nach Umfang und Inhalt recht unterschiedlich angelegt, stimmen jedoch in den von beiden behandelten Punkten weitgehend überein [113]).

Die Begutachtung des Essenweinschen Entwurfs durch Schneider bzw. die Akademie des Bauwesens berücksichtigt vor allem zwei Aspekte; das zu verwendende Material und die Art der projektierten Darstellungen, deren differenzierte Abwägungen auf sechs allgemeinen Grundsätzen basieren. Diese Grundsätze als Richtschnur begründen die bedingte Ablehnung des Essenweinschen Entwurfs in beiden Punkten, ohne daß indes die zusammengestellten Leitsätze und ihre Auswahl selbst begründet oder ihre Bedingtheit aus ihrer Ableitung deutlich gemacht würden. Vielmehr werden „einige allgemeine Sätze" aufgestellt, die nach Ansicht der Akademie des Bauwesens in achsiomatischer Unbedingtheit und gesetzmäßiger Verbindlichkeit grundsätzlich für die Anlage des Fußbodens und für sein Verhältnis zum architektonischen Aufbau „in *jedem* monumentalen Raum maßgebend" zu sein hätten.

Die aus den sechs Grundsätzen abgeleiteten „schwerwiegenden Bedenken" gegen formale und inhaltliche Aspekte des Essenweinschen Entwurfs reflektieren größtenteils Forderungen, die – mit oft nur geringen Modifikationen – bereits in der Kritik Schnütgens an den Vorgängerprojekten anklangen. Sie betreffen das Verhältnis von Fußboden und Architektur hinsichtlich des Grades, Umfangs und der Helligkeit ihrer farblichen Gestaltung, ferner die Verwendung bunter und glänzender Materialien, sowie die Bevorzugung (bessere Eignung) von Natursteinen und hartgebrannten Preßsteinplatten. Ähnliches gilt für die Forderung nach stilistischer Einpassung des Fußbodens in den architektonischen Kontext und nach einem für den gesamten Entwurf einheitlichen, der Architektur angemessenen Maßstab nicht nur für die figürlichen Darstellungen.

Bereits in der ersten Planungsphase und dann wieder bei Schnütgen begegnet – wie auch hier – ein Grundsatz, der von besonderer Bedeutung für die Diskussion des ikonographischen Konzeptes ist. Er besagt, daß bestimmte Dinge und Personen, sowie bestimmte Formen ihrer Darstellung auf dem Fußboden unbedingt auszuschließen seien. Im Gutachten Anton von Werners, das diesen Aspekt in den Mittelpunkt stellt, heißt es dazu konkretisierend, daß Lebewesen und menschlich-figürliche Darstellungen nur als ornamentale Elemente mit symbolischer Bedeutung im Fußbodenbelag ihren Platz finden könnten. Der Beflurung angemessen sei nämlich allein ein Teppichcharakter. Der angemessene Platz für bildliche Darstellungen des Menschen in seiner Individualität und in „Thätigkeitsbeziehungen zu Anderen" sei – aus ästhetischen Gründen – naturgemäß die Wandfläche.

Auch der kunstgeschichtlich-legitimistische Einwand gegen den Gesamtcharakter des figürlich gestalteten Fußbodens, innerhalb der „nordisch-gotischen Bauweise" sei eine solche Form der Beflurung ohne Vorgänger (bzw. Vorbilder), kehrt im Gutachen Schneiders wieder.

Fragt man nun, angesichts der gutachterlichen Ablehnung des Entwurfs, nach den Konsequenzen für das Essenweinsche Beflurungskonzept und für seine Realisierung, so muß vor allem der relativ gerin-

---

[111]) DBAK, Lit. X f I/19.
[112]) DBAK, Lit. X g I/23.
[113]) DOKUMENT Nr. 10 u. 11.

ge Umfang allein formaler und inhaltlicher Konsequenzen erstaunen: Einen gänzlich neuen Entwurf anzufertigen oder gar den entwerfenden Künstler auszuwechseln, ist offensichtlich nie erwogen worden.

Entscheidende Konsequenzen aus dem Gutachten betreffen primär das zu verwendende Material. Mit Nachdruck spricht sich das Gutachten *gegen* die von Essenwein in größerem Umfang vorgesehenen sogn. Maschaschen Platten und *für* die Verwendung des „Mettlacher Fabrikats" aus.

Auffällig ist indessen, daß das Gutachten kein Urteil über die projektierten Felder in Intarsien-Technik enthält, ja sie nicht einmal erwähnt. Möglicherweise ist dies als Hinweis darauf zu verstehen, daß die Ausführung der Beflurung in dieser Technik, unabhängig vom Gutachten der Akademie des Bauwesens, vom Ergebnis einiger Verschleißproben durch die technische Prüfungsanstalt in Berlin abhängig gemacht wurde.

Abb. 86-89 August Essenwein: Originalgroße Kartons zu vier der zwölf Tierkreiszeichen für die Vierung, Köln, Dombauarchiv

Die projektierte Intarsientechnik

Bereits anläßlich der Ausschreibung von 1871 sprach sich Essenwein als Gutachter für eine teilweise figurale Beflurung des Domes in verschiedenfarbigem Mamor „mit eingerissener und mit Blei oder Asphalt ausgegossener Couleurzeichnung" aus [114]. Im Entwurf von 1884 präzisiert er seine Vorstellungen: Die figürlichen Darstellungen des Vierungsbodens und der beiden Bilderfriese zwischen den Chorstühlen seien – mit Ausnahme der Anfangs- und Schlußbilder in Mosaiktechnik – in ihren Umrissen aus Platten weißen Marmors oder gelblichen Solenhofener Steins zu hauen und mit Blei, Asphalt, schwarzem oder rotem Zementkitt auszufüllen. Die Bevorzugung der „Metall- resp. Kittintarsien" bedeute gegenüber den „reicheren", d. h. formal akzentuierenden Mosaikfeldern mit ihrer nach malerischen Prinzipien gestuften Farbigkeit eine Dominanz grafisch-linearer Gestaltungsprinzipien, die durch ihre sehr begrenzte Farbigkeit und durch den Verzicht auf plastische Modellierung charakterisiert seien.

Hinter der Propagierung und Verwendung dieser Intarsientechnik durch Essenwein stehen zweifellos – z. T. recht prominente – französische Vorbilder, die Essenwein wenigstens teilweise auch aus eigener Anschauung gekannt haben dürfte: Bereits 1855, etwa zur gleichen Zeit als Essenwein in Paris die „Leistungen der Franzosen auf archäologisch-architektonischem Gebiet" (Kress) studierte, erschien in der „Zeitschrift für Bauwesen" ein mehrseitiger illustrierter Artikel über die „Verwendung des Asphalts zu Paris": „Man hat . . . in neuerer Zeit in Paris mit glücklichem Erfolge versucht, Mosaik-Fußböden von farbigem Asphalt herzustellen, und es sind dergleichen Ausführungen bereits in ziemlich großem Maaßstabe unternommen worden . . . Außer den geringeren Kosten, im Vergleich mit einem Fußboden von farbigen Marmortafeln oder andern Steinen, gewährt der Asphalt-Fußboden noch verschiedene Vortheile vor diesem . . . (So) kann man Zeichnung und Farbe der Mosaiken willkürlich bestimmen und ändern. – In Paris findet man ausgeführte Arbeiten dieser Art . . . z.B. in der Kirche St. Etienne- du-Mont . . ."; entsprechende Intarsien-Beflurungen finden sich u. a. im Hochchor der Abteikirche von Saint-Denis und auch die Beflurung der Sainte-Chapelle wurde – worauf bereits W. Lübke (s. o.) hinwies – in eben dieser Technik ausgeführt [115].

Stand einer umfassenden Anwendung dieser Technik auch für Inschriften, Wappen und bildmäßige figürliche Darstellungen im Rahmen der Dombefluhrung vor allem – wie betont wurde – der Mangel an Erfahrung mit derartigen „Intarsien" entgegen, so konnte man sich andererseits jedoch sowohl auf zahlreiche mittelalterliche Vorbilder begrenzten Umfanges (Grabplatten z. B.) als auch auf Anregungen wie etwa Jan van Eycks Gemälde „Die Verkündigung Mariä" (Washington, National Gallery of Art, Slg. Mellon) berufen, wo offensichtlich ganz entsprechende Fußboden-„Zeichnungen" zu erkennen

---

[114] Vgl. DOKUMENT Nr. 5.

[115] G. Borstell u. Fr. Koch, Verwendung des Asphalts zu Paris, in: Zschr. f. Bauwesen, V. Jg., 1855, bes. S. 38 u. Abb. D. – Der Hinweis auf St.-Etienne du Mont bezieht sich wohl auf die Beflurung der „Chapelle de Ste. Geneviève". Sie ist in ihrer prächtigen neugotischen Ausstattung samt der Signatur R. P. Arthurius Martin S. J. 1855 erhalten. Vor dem Altar maßwerkartige und vegetabile Motive sowie zwei Pfauen als grüne, hellblaue, rote, schwarze und sogar gelbe Asphalt-Intarsien. – In einigen Kapellen, vor allem aber im inneren Hochchor von Saint-Denis sind die teils ornamentalen, teils figürlichen Asphalt-Intarsien besonders gut erhalten. – Qualitativ vergleichbar ist die Intarsien-Beflurung in der oberen Kapelle der Sainte-Chapelle: Heraldische Motive, Lilien und Burgen, wechseln mit Pflanzen und Tieren; zu seiten des Altars Medaillons mit den Paradiesesflüssen (Gegenstücke auf der Südseite z. Z. überdeckt). Der vor allem im Umkreis des Westportals sehr desolate Erhaltungszustand läßt die Herstellungsweise gut erkennen: In die etwa 3 mm starken, zur besseren Haftung noch gebohrten Eintiefungen wurde die schwarz, rot, grün, blau und rotbraun gefärbte Masse gestrichen und nach dem Erstarren offensichtlich noch geschliffen. Teilweise herausgebrochen, teilweise bis zur Unkenntlichkeit – zudem ungleichmäßig – abgetreten, erinnert diese Beflurung nicht nur an entsprechende Vorbilder in Siena, sondern auch an deren Erhaltungszustand. Wie diese Beispiele zeigen, sind derartige „Intarsien" hinsichtlich ihrer Strapazierfähigkeit Stiftmosaiken aus Mettlach um ein Vielfaches unterlegen. – Vgl. Springer, Anschauungs-Stück, bes. S. 112f.

SODOMA

Abb. 90   Die Zerstörung von Sodom. Fußbodenplatte aus St. Nicaise, Reims, mit nur teilweise erhaltener Konturierung durch Bleifüllungen, Reims. Musée St. Remi

sind. Ja, es läßt sich sogar nachweisen, daß ein Fragment der ganz entsprechenden Beflurung aus Saint-Nicaise in Reims durch Essenwein in den Besitz des Kölner Diözesanmuseums gelangte. Gelegentlich erschienen auch in den einschlägigen Architekturzeitschriften Berichte über historische Vorbilder; durch sie und durch die aktuelle „Wiederentdeckung" dürften auch Essenweins Versuche mit dieser Technik angeregt worden sein [116]).

In direktem Zusammenhang mit dieser für die Dombeflurung in Aussicht genommenen Technik steht ein Vortrag, den der Architekt und „Regierungsbaumeister" Carl Elis am 31. März 1884 vor dem Berliner Architektenverein über „Steinintarsien" hielt [117]).

[116]) Vgl. z. B. Anonymus, Marmor-Intarsien, in: Wochenblatt für Architekten und Ingenieure, V. Jg., Nr. 31, vom 17. April 1883, S. 158. – Vgl. zusammenfassend: Springer, Anschauungs-Stück, bes. S. 113.

[117]) Vgl. Wochenblatt für Architekten und Ingenieure, VI. Jg., Nr. 28, vom 8. April 1884, S. 145. – Deutsche Bauzeitung, 18. Jg., Nr. 29, vom 9. April 1884, S. 171. – Vgl. ferner Elis, Steinintarsien. – Springer, Anschauungs-Stück.

Abb. 91   Jan van Eyck, Verkündigung. Detail mit Beflurung, ca. 1434/36, National Gallery of Art, Washington D.C.

Da er offensichtlich die Materialdiskussion um die Dombeflurung reflektiert, soll er hier ausführlicher zitiert werden: „Bei Restaurationen und Neubauten von Kirchen mittelalterlichen Stils gehört die Frage der Beschaffung eines gediegenen, künstlerisch ausgeführten Fussbodenbelages nicht zu den kleinsten Sorgen des Architekten, obgleich in neuerer Zeit die Technik . . . mit den mannigfachsten Producten hilfreich entgegenkommt. Die nach mittelalterlicher Behandlungsweise gepressten und glasirten Thonplatten, die Mettlacher farbigen Fliesen, die imitirten Mosaikplatten(,) alle derartigen auf mechanischem Wege erzeugten Fabrikate (erlauben jedoch nur selten) . . . lediglich mit den in der Fabrik vorhandenen Mustern eine harmonische Gesamtwirkung (zu) erzielen . . ., ein anderer Gesichtspunkt lässt die Verwendung von (echtem) Mosaik bedenklich erscheinen. – Da der Beschauer nicht, wie bei der Betrachtung eines aufrechtstehenden Gemäldes, einen näheren oder entfernteren, günstigen Standpunkt einnehmen kann, das Auge vielmehr den Fußboden aus einer ganz bestimmten, aus der Körpergrösse resultirenden Nähe zu betrachten gezwungen ist, so wirken, da die einzelnen Würfel des Kostenpunktes halber nicht zu klein gewählt werden dürfen, die Conturen bei ornamentalen Musterungen höchst schwerfällig und lassen figürliche Darstellungen fast roh erscheinen. (Auch Estrich von Terrazzo, Gips und die Beplattung mit kostbaren Steinarten, aber auch mit Sand- oder Kalksteinen kämen nur bedingt in Frage.)

Es ist deshalb erklärlich, dass man mit dem Erwachen des Interesses für die mittelalterliche Kunst den Fussböden der alten Kirchen die Aufmerksamkeit zugewendet und hierbei eine Technik wieder begrüsst hat, welche diesseits der Alpen seit Jahrhunderten fast in Vergessenheit gerathen war, wogegen sie in Italien sich noch lebhaft während der Renaissance bethätigte.

Es besteht diese Technik darin, natürliche Steinplatten mittelst ausgravirter und mit gefärbtem Kitt oder Blei ausgefüllter Zeichnungen zu verzieren. Umfangreichere, in gravirten Kalksteinplatten ausgeführte Fussbödenbeläge sind bis jetzt vorzugsweise in Frankreich aufgefunden worden . . . Haupterforderniss dabei war die Möglichkeit der Herstellung äusserst scharfer Contourlinien. . . . Die Erhaltung der Platten (z. B. in der Kathedrale von St. Omer) ist eine sehr verschiedene . . ." Während Partien mit Konturlinien-Zeichnung sehr gut erhalten seien („ein Verfahren, welches auch unbedingt als das richtige zu bezeichnen ist . . ."), seien große zusammenhängende Flächen duchweg zerstört. „Ein Bruchstück einer Platte . . . (des Fußbodens aus St. Remi, bzw. St. Nicaise in Reims) befindet sich im erzbischöflichen Museum in Köln: dieselbe ist gut erhalten und zeigt eine Linienführung von fast antiker Schönheit. Die Zeichnungen stellen Scenen aus dem alten Testament vor . . . Auch hier ist der französische Kalkstein und statt der bituminösen Ausfüllung Blei benutzt. Der Fussboden stammt aus dem Ende des XIII. bis Anfang XIV. Jahrhunderts. Die Zeichnung abstrahirt von breitem Grunde, bewegt sich vielmehr lediglich in Linienmanier und ist diesem richtigen Princip wohl die, trotz aller Unbilden gute Erhaltung der Platten zu verdanken. Hinsichtlich der Bleiausfüllung ist zu bemerken, dass die rasch eintretende schwarze Färbung desselben mit dem hellen Stein wirklungsvoll contrastirt und die Zähigkeit dasselbe als Füllmasse wohl geeignet erscheinen lässt . . . In Deutschland sind es vorzugsweise grosse Grabsteine, welche in dieser Technik ausgeführt auf uns gekommen sind: es befinden sich solche u. a. in der Kirche St. Maria im Kapitol zu Köln . . . In Italien ist die gleiche Technik bei den Fussböden in Marmor zur Ausführung gebracht: wir wollen hier u. a. den reichen Belag des Domes zu Siena erwähnen, welcher auch durch gute Photographien der Kenntniss weiterer Kreise zugänglich gemacht ist. [118] . . . Durch Anlehnung an die alte Behandlungsweise, den Fussboden mit Linienmustern oder einer Zeichnung in alter Holzschnittmanier zu belegen, wird von vornherein die Composition eine ruhige, teppichartige werden, ohne grell vor- oder rückspringende Farben. Auch bewirkt die feine Farbenvertheilung durch Linien eine leichtere harmonische Stimmung. Nach den zu Gebote stehenden Mitteln lässt sich für den Belag in ein und demselben Material und Raum eine Steigerung des Effectes von den einfachsten bis zu den reichsten Compositionen erzielen. Die im Allgemeinen anzuwendende Handarbeit zur Herstellung der Musterung schliesst auch keineswegs die mechanische aus. Durch Fräsen, Bohren, Sandblasverfahren u. dergl. sind häufig wiederkehrende Muster leichter schablonenartig herzustellen. – Der Versuch, diese alte (für Boden- und Wandverzierungen gleichermaßen geeignete) Technik wieder neu zu beleben, ist vor etwa 15 Jahren in Frankreich gemacht (worden . . .). Neuerdings ist diese Technik von einem deutschen Werke aufgegriffen worden . . ." [119]. Der Redner demonstrierte seine Ausführungen an Probestücken aus Baumberger Steinmaterial, „bei welchen die ornamentalen Theile u. a. aus farbigem Kitt und aus Blei sind, deren Ausführung besonders dadurch interessant ist, dass das Intarsien-Material von der Rückseite der Platten aus in die der besseren Haltbarkeit wegen schwalbenschwanzartig eingeschnittenen Vertiefungen der Oberfläche derselben eingegossen ist" [120].

---

[118]) Vgl. damit auch DBAK, Lit. X f I/1. – Am 22. Nov. 1880 sendet Lucanus 18 Fotos nach Marmorintarsien im Dom zu Siena an Voigtel, die dieser am 18. Dez. 1880 wieder zurückschickt (DBAK, Lit. X f I/5).
[119]) Elis, Steinintarsien, S. 241.
[120]) Deutsche Bauzeitung, 18. Jg., Nr. 29, vom 9. April 1884, S. 171.119)

Abb. 92 Paris, Sainte-Chapelle: Beflurungsdetail mit der Darstellung zweier Paradiesesflüsse in „Intarsientechnik"

Auffallend ist, wie weit sich dieser Vortrag nicht nur mit Schnütgens Vortrag vor dem „Kölner Alter-thums-Verein" (s.o.) überschneidet, sondern auch wie weit er – etwa hinsichtlich der Steigerbarkeit „von den einfachsten bis zu den reichsten Compositionen" – z.T. bis in Einzelheiten dem Beflurungs-konzept des ersten Essenweinschen Entwurfs entspricht.

In einem merkwürdigen Gegensatz dazu steht, wie beiläufig im Anschluß an Elis' Vortrag darauf hinge-wiesen wird, daß für den Kölner Dom ein ähnliches Beflurungsverfahren in Aussicht genommen sei und daß Essenwein in der Nürnberger Frauenkirche bereits „einen Versuch mit Intarsien aus Blei in Solnhofener Steinen gemacht habe" [121]. So erweckt der Vortrag Elis' (wie auch der Schnütgens) den Eindruck einer freundschaftlich-unterstützenden, „flankierenden Maßnahme" für das Essenweinsche Projekt, ja einer fachlichen Verteidigung seiner Materialwahl. Es überrascht deshalb auch nicht, wenn ergänzt wird, Essenwein habe bei der Restaurierung der Nürnberger Frauenkirche bereits einen ent-sprechenden Versuch gemacht. – Voigtel reist Ende Oktober 1884 selbst für zwei Tage nach Nürnberg, um die Ergebnisse dieses Versuchs aus eigener Anschauung beurteilen zu können und berichtet dar-über von Bardeleben [122].

Der im Zweiten Weltkrieg bzw. später völlig zerstörte Intarsienboden der Frauenkirche in Nürnberg [123] bestand teilweise aus in Solnhofener Kalkstein eingearbeiteten Marmorplatten, in die Eintiefungen von 1 cm Stärke angebracht und mit Asphalt ausgegossen worden waren. Ähnlich wie bei Goldschmiedearbeiten mit Tauschierungen traten nach dem Schleifen der Oberfläche die Um-

---

[121]) Wochenblatt für Architekten und Ingenieure, VI. Jg., Nr. 28, vom 8. April 1884, S. 145.
[122]) DBAK, Lit. X f I/78 f. u. 84 (Bericht Voigtels).
[123]) Vgl. S. 367 ff.

rißlinien der Darstellungen „sehr wirksam" hervor. An ihnen seien – so Voigtel – in der Frauenkirche keine durch Begehen bedingte Abnutzungsspuren festzustellen gewesen – und das, obwohl ihre Fertigstellung bereits zwei Jahre zurückliege. Die Intarsientechnik schien sich also auch für Fußböden bewährt zu haben. Essenweins Entwurf sähe jedoch über diese mit Asphalt ausgegossenen Intarsien hinaus, für die Dombeflurung auch solche mit farbigem Zementkitt oder Blei als Füllmaterial vor (gelegentlich wurde auch farbiger Marmor erwogen). Für diese Technik böten jedoch die Intarsien in der Nürnberger Frauenkirche und ähnliche Arbeiten anderenorts, mit Ausnahme weniger Beispiele in französischen Kirchen, keinen Anhalt [124]).

Um diesem Mangel abzuhelfen, wird, nachdem der Kultusminister das Essenweinsche Projekt grundsätzlich gutgeheißen hat, zwischen Voigtel und Essenwein zunächst die Herstellung einiger Probeplatten in der in Aussicht genommenen Technik vereinbart: „Während für die in den Stein eingehauenen und mit Asphalt ausgefüllten Umrisse der bildlichen Darstellungen sich die bei Ausführungen des Fußbodens der Frauenkirche zu Nürnberg angewandte Technik als zweckentsprechend und solide erwiesen hat, fehlen für die beabsichtigte Anwendung von Blei und farbigem Cementkitt als Ausfüllungsmaterial bis jetzt die nöthigen Erfahrungen und übernimmt daher Herr Direktor Essenwein gleichzeitig mit Übergabe der Farbenskizzen und des Kostenanschlages und gegen Erstattung der Herstellungskosten die Anfertigung einer Anzahl von Probeplatten, auf denen die Intarsien mittels Ausfüllung der Umrisse durch Blei resp. farbigen Cementkitt hergestellt wird, um einen sicheren Anhalt über die malerische Wirkung, wie über die Haltbarkeit dieser Ausführungsmaterialien vor Inangriffnahme der Beflurungsarbeiten zu gewinnen [125])." Aus dieser Passage des Arbeitsvertrages mit Essenwein von 1885 wird deutlich, inwieweit die erwogene Verwendung von sogenannten Marmor-Intarsien auf den flächenmäßig sehr viel bescheideneren Darstellungen in Nürnberg aufbaut. Warum allerdings nun statt der in Nürnberg gewählten Asphaltfüllung, die sich „als zweckentsprechend und solide" erwiesen hatte, Blei oder Cementkitt in verschiedenen Farben, mit denen man keine Erfahrungen besaß, gewählt wurden, geht aus den Unterlagen nicht hervor.

Bei den Probeplatten mit Bleiintarsien erweist sich, daß auch Blei als Füllmasse wenig geeignet ist. Seine begrenzte Haltbarkeit führe dazu, daß „bei jedem Tritt etwas an den Füßen sich fängt und beim nächsten Tritt die Platte beschmutzt" [126]). Bei Zement als Füllmasse, liege das besondere Problem darin, sie zu mischen und einzufärben. Schließlich sei Obernkirchner Sandstein nicht glatt genug für solche ausgegossenen Eintiefungen, denn er ermögliche keine scharfe Konturierung; auch setze sich beim Abschleifen der Zementschaum in den Steinporen ab und verfärbe dadurch die Oberfläche der Steinplatten.

Angesichts der technisch unbefriedigenden Resultate bei unverhältnismäßig hohen Kosten wird das Projekt im September 1887 offiziell aufgegeben [127]): „Die Versuche, welche gemacht wurden, um Anhaltspunkte für die Ausführung jener Theile des Essenwein'schen Fußbodenprojektes zu gewinnen, die aus Marmorplatten hergestellt werden sollten, in welche theilweise lineare Zeichnungen einzutiefen und mit einer farbigen Masse auszufüllen waren, oder in welche Einlagen von andersfarbigem Marmor in reichem Muster gebracht werden sollten, haben in sofern zu nicht ganz befriedigenden Resultaten geführt, als der Preis sich im Verhältnis gegen Mosaiktechnik sehr hoch stellt. Zudem würden in Bezug auf das anzuwendende Füllmaterial noch eine Reihe weiterer Versuche zu machen sein, bevor eine Garantie gegeben sein würde, daß gerade in den gewünschten Farben ein in jeder Beziehung zuverlässiges Material gefunden würde. Es wurde deshalb der Wunsch ausgeprochen, daß Direktor Essenwein auf die Absicht verzichten möge, einen Theil des Fußbodens in dieser Technik zur Ausführung zu bringen [128])."

---

[124]) DBAK, Lit. X f I/78 f. u. 84.
[125]) DBAK, Lit. X g II/3. – Vgl. auch DBAK, Lit. X f I/75 f.
[126]) DBAK, Lit. X g I/38.
[127]) DBAK, Lit. X g I/43 u. 48.
[128]) DBAK, Lit. X g I/48.

Die Verwendung Maschascher Platten

Wirtschaftliche Überlegungen spielten auch eine wichtige Rolle in der Diskussion über Vor- und Nachteile „moderner" Beflurungsmaterialien. Dabei handelt es sich in der Regel um maschinell gefertigte und rationell verlegbare Platten, durch deren Verwendung man sich eine Dämpfung der Kosten versprach. Finanzielle Erwägungen, die allen Ernstes u.a. den Einsatz einer dampfgetriebenen „Schrifthau-Maschine" nahelegen konnten [129]), standen auch hinter Überlegungen, Teile der neuen Dombeflurung mit „Maschaschen Platten" auszuführen.

Im Mai 1883 empfahl der Fabrikant C.H. Mascha dem Dombaumeister seine in Dresden und Prag gefertigten „Terazzoplatten" und schickte Proben des Materials; seitdem wurde ihre Verwendung diskutiert. Diese, auch als „Marmor-Mosaik", „Pando-Mosaik" oder „Maschasche-Masse" bezeichneten Platten bestanden aus unregelmäßig großen, in Zement gebetteten und polierten Marmorstückchen. Sie besaßen also lediglich in ihrer additiven Zusammensetzung aus gleichen und ähnlichen Platten und Plättchen verschiedener Form, Größe, Zeichnung und Färbung eine gewisse Verwandtschaft mit (Platten-)Mosaiken [130]).

Als am 22. Dezember 1884 die „allerhöchste Genehmigung" zur Beflurung des Lang- und Querschiffes erteilt wird, nimmt diese jedoch ausdrücklich die Verwendung Maschascher Platten von der Genehmigung aus. Die ursprüngliche Planung sah nämlich eine recht ausgedehnte Verwendung dieser Platten vor. Ihr entspricht im ersten Vertrag zur Dombeflurung vom 4. II. 1885 die zu diesem Zeitpunkt freilich schon überholte Regelung: „Insofern für die Beflurung des Lang- und Querschiffs im Cölner Dome, für welche die Pläne bisher nicht definitiv genehmigt sind(,) eine Ausfüllung der Flächen zwischen den Granitplatten mittelst ornamentierter Friese vorgeschrieben werden sollte, erklärt Herr D. Essenwein sich bereit, geeignete stylgerechte Ornamentmuster in natürlicher Größe und in wechselnden Formen unentgeltlich für diese eventl. in Marmor-Mosaik von C. H. Mascha in Dresden auszuführenden Friesfüllungen zu fertigen, um eine Übereinstimmung der Ornamentik zwischen Langschiff und Chor zu erzielen." [131])

Im Gutachten der Akademie des Bauwesens vom 15. II. 1887 heißt es dazu ergänzend (während die definitive Beflurung des Langhauses bereits ausgeführt wurde), daß Essenweins Entwurf für die Vierung und den Chor teilweise „Zeichnungen ornamentaler und figürlicher Art" vorsah, welche aus „mosaikartig zusammengefügten Platten und Plättchen ... hergestellt werden sollen ... Zur Wahl der Maschaschen Platten veranlaßten den Verfasser vorzugsweise Ersparnisrücksichten ...." [132]).

---

[129]) Die Experimentier- und Fortschrittsfreudigkeit dieser Phase, die auch zeitgenössische Erfindungen für die kostengünstige Herstellung der Chorbeflurung nutzbar machen will, wird u. a. illustriert durch ein Angebot der Firma F. Hofmeister in Frankfurt a. M. („erste Steinschrift-Gravier-Anstalt mit Dampfbetrieb"). Ihre Graviermaschinen sollten sich angeblich hervorragend zur Ausführung des von Hofmeister geplanten, jedoch offensichtlich nicht erhaltenen Entwurfs zur Geschichte des Dombaus auf den Platten der Dombeflurung eignen. Die Hofmeistersche „Schrifthau-Maschine" zeichne sich vor allem durch Präzision und Schnelligkeit aus, die maschinell hergestellte Reliefschrift sei der handgearbeiteten durch ihre feine Schleiftechnik überlegen, auch sei sie exakter und billiger als diese (DBAK, Lit. X g I/10–13. – Vgl. auch g V/10 ff.). Voigtel scheint den Einsatz dieser Maschine ernstlich erwogen zu haben, zumindest läßt Hofmeister wissen, daß er sich zur Herstellung einer dauerhaften Kittmasse (ihre Festigkeit habe der von Marmor zu entsprechen, wenn nicht gar sie zu übertreffen) für die Eintiefungen mit einem Chemiker in Verbindung gesetzt hat. Die Farben der Kittmasse – schwarz und rot bzw. nach Voigtel, drei Töne – sind in diesem Planungsstadium ebenfalls noch nicht festgelegt (DBAK, Lit. X g I/15). Bevor sich die Spuren dieses Projektes verlieren, berichtet Hofmeister von Schwierigkeiten mit der Herstellung einer geeigneten Kittmasse, die bei Probeplatten aufgetreten seien (DBAK, Lit. X g I/17). Danach ist die Benutzung der Hofmeisterschen Schrifthaumaschine offensichtlich nie mehr erwogen worden.

[130]) Vgl. auch DBAK, Lit. X g I/24.

[131]) DBAK, Lit. X g I/3.

[132]) DBAK, Lit. X g I/24.

Demnach war also die Verwendung Maschascher Platten zunächst sowohl für Teile des Lang- und Querhauses, wie auch von Essenwein für solche der Chorbeflurung vorgesehen gewesen. Und zwar nicht nur aus Kostengründen, sondern auch um durch die Wahl des Beflurungsmaterials den Zusammenhang der Schiffe mit dem Chor anzudeuten. Die Maschaschen Platten hätten also die Funktion einer optischen Überleitung erfüllt und so verbindende Kontinuität in den ansonsten ganz unterschiedlich gestalteten Raumteilen gewährleistet. Damit klingt bereits die Argumentation an, die nach dem Entschluß zur Zweiteilung der Dombeflurung für eine farbliche Angleichung beider Bereiche plädiert [133]).

Als Indiz für die von Essenwein beabsichtigte Verwendung solcher und ähnlicher Platten auch im Chor könnte die Tatsache gewertet werden, daß im ersten Essenweinschen Generalentwurf alle schmalen Friese – einschließlich des Lebensstroms [134]) – lediglich als farbig gedruckte Ornamentstreifen aufgeklebt wurden. Der durch dieses Verfahren gegenüber der handkolorierten Federzeichnung erzielten Rationalisierung hätte demnach die maschinelle Herstellung der Platten gegenüber dem arbeitsintensiven Stiftmosaik entsprochen. Bereits während der Ausführungsphase wurden für diese und entsprechende Beflurungspartien dann auch Mettlacher Mosaikimitationsplatten ins Gespräch gebracht [135]).

Ähnliches war offensichtlich von Essenwein auch für die Beflurungsteile zu seiten des Hochaltars geplant gewesen: Auch in diesen Bereichen ist nämlich die vorgesehene Beplattung als (hier zwar handkolorierte) Lithos aufgeklebt worden. Sie besteht in ihrer Grundstruktur aus vierpaßartigen Platten mit drollerieähnlichen Tierdarstellungen. Ein begrenztes Repertoire sollte hier, auf jeder Seite bis zu fünfmal wiederholt, mit rein ornamentalen Mustern abwechseln. (Möglicherweise waren hier auch, wenngleich in diesem Zusammenhang nicht ausdrücklich erwähnt, doch in der vorausgehenden Diskussion oft genannt, glasierte Tonfliesen nach gotischen Vorbildern, maschinell gefertigt, vorgesehen gewesen.)

Es hat den Anschein, als sei zumindest in kleinen Detailflächen des Kopffeldes am südlichen Chorausgang ein recht verwandtes „modernes" Beflurungsverfahren tatsächlich doch noch angewendet worden. Auffallend ist hier zumindest der sehr schlechte Erhaltungszustand zweier „Sonderflächen" [136]). In ihrem ruinösen Erscheinungsbild verweisen diese Stellen geradezu auf das Hauptargument gegen die Verwendung Maschascher Platten. Das Argument einer Kostensenkung durch Verwendung dieser Platten wird nämlich (auch hier) aufgehoben durch die geringe Erfahrung mit diesem Material, ein Aspekt, der bei einem Gebäude von der Bedeutung des Kölner Domes natürlich besonders ins Gewicht fallen mußte: „Von künstlich gefertigten Stoffen sind nur solche Fabrikate hier zulässig, die sich schon in längerer Anwendung als nach jeder Richtung hin sicher und dauerhaft als »monumental« bewährt haben und gleichfalls eine stumpfgetönte, höchstens mattglänzende Schaufläche zeigen. Der »Mascha'schen« Masse, deren Verwendung der Entwurf in weitem Umfang vorsieht (es sei denn, daß sich für den gleichen Preis ein anderes besser geeignetes Material findet), kann man diese Eigenschaften nicht zusprechen, schon deshalb nicht, weil sie erst seit zu kurzer Zeit in Anwendung sind. Dagegen kann mit gutem Recht auf das bekannte Mettlacher Fabrikat hingewiesen werden . . ." [137])

Bereits am 31. XII. 1881 begegnet der Name der Mettlacher Fabrik von Villeroy & Boch zum ersten Mal in den Akten – bezeichnenderweise im Zusammenhang einer Lieferung farbig gemusterter Platten für die Turmbeflurungen [138]).

---

[133]) Vgl. damit: „Die figürlichen Darstellungen im Boden der Vierung sind grau in grau auszuführen, etwa mit Hereinziehung von zwei weiteren Farbtönen, so daß die Vierung einen naturgemäßen Übergang von der einfachen Plattung der Schiffe zu den farbenreichen Mosaikdarstellungen des Chores bildet." – (DBAK, Lit. X g I/48. – Vgl. ebd., g I/43). – Vgl. ferner Anm. 103.

[134]) Der Lebensstrom wird in der frühen Planungsphase noch als vegetabiler, rein ornamental geplanter Schmuckfries angedeutet. Erst im revidierten Generalplan von 1887 erscheint er in der ausgeführten Form als ornamentale und symbolische Komponente. Vgl. damit auch den Vorschlag der Mosaikfabrik, den Lebensstrom-Fries in Mosaikimitationsplatten auszuführen (S. 302).

[135]) Vgl. S. 300 u. 302.

[136]) Vgl. Kapitel „Allgemeine Schäden und Verschleiß", bes. S. 344.

[137]) DBAK, Lit. X g I/24.

[138]) DBAK, Lit. X f I/16. – Vgl. auch ebd., f I/39. – Vgl. Kapitel „Exkurs: Die Turmbeflurungen".

DIE DRITTE PLANUNGSPHASE

Die Entscheidung für eine Mosaikbeflurung

Das Gutachten der Akademie für das Bauwesen hatte – z. T. recht massive – Einwände gegen das von Essenwein vorgelegte Projekt formuliert. Daraufhin wurde am 21. September 1887 in einer von der Dombauverwaltung einberufenen Konferenz der Versuch unternommen, diese Einwände soweit als möglich zu berücksichtigen, ohne jedoch Essenweins Plan grundsätzlich in Frage zu stellen: Gliedernd seien Friese aus Marmor einzuschalten, welche die architekturanaloge Struktur der Langhaus- und Querschiffbeflurung in den Chor hinein fortführen sollten. Das bedeutete gegenüber der zunächst friesartigen Beflurungsstruktur vor allem im Chorumgang eine stärkere Akzentuierung der Joche auch in der Abfolge der Fußbodenfelder. Demgegenüber sollte die projektierte Beflurung der Kapellen in geometrischen Mustern aus buntem Marmor beibehalten werden. Beschlossen wurde schließlich, die figürlichen und ornamentalen Teile des gesamten Chorfußbodens und der Vierung in Mettlacher Stiftmosaik auszuführen.

An dieser Stelle drängt sich die Frage auf, wer und was eigentlich den Ausschlag gaben bei dieser grundlegenden Entscheidung für das definitive Beflurungsmaterial und warum man eigentlich die fast anachronistische, zumindest aber untypische und „ungotische" *Mosaik*beflurung für eine „gotische" Kathedrale wählte.

Schon die Zeitgenossen hatten nämlich wiederholt ihr Befremden angesichts der Tatsache geäußert, daß eine als „gotische" Kathedrale nach den Vorgaben des im wesentlichen um 1300 erbauten Domchores vollendete Kirche nicht eine Platten- oder Tonfliesenbeflurung erhalten sollte, die zu dieser Zeit allgemein die vorgotischen Mosaikfußböden abgelöst hatten [139]): Erinnern wir uns des Beflurungsentwurfs von Bogler/Schneider, der u. a. deutlich macht, daß „es nach Umfang, Zeit und Styl in unserm Vaterlande kein einziges Beispiel (gibt,) das hier als Anhalt oder Vorbild dienen könnte; die farbenreichen Mosaikböden, wie sie im letzten Jahrzehnt in Cöln in *romanischen* Kirchen mit großem Kunstverständniss zur Ausführung gekommen sind, eignen sich desshalb aber nicht in gleicher Weise für einen *gothischen* Dom . . . Soweit sich die Fussböden der Kirchen des XIV. Jahrhunderts und der Folgezeit untersuchen lassen, finden sich nirgends Spuren dafür, dass eine ähnliche Technik wie die von *Bogler* vorgeschlagene beabsichtigt worden sei; vielmehr deutet alles darauf hin, dass der einfache Plattenbelag, wie wir ihn überall finden, von vornherein intendirt gewesen sein muss . . . Eine *Notwendigkeit* also liegt aus der Tradition nicht vor . . ." [140])

Obwohl die Akten darüber schweigen, scheint die Entscheidung auch über dieses Beflurungsmaterial hinter den Kulissen doch heftig umstritten gewesen zu sein; dafür sprechen zumindest Indizien: Nach dem Scheitern des 1. Essenweinschen Beflurungskonzeptes war offensichtlich auch eine (Total?-)Beflurung durch Tonfliesen im Gespräch. Am 30. September 1881 berichtet das „Wochenblatt für Architekten und Ingenieure", daß die Geheimräte Adler und Spiecker sowie der „Conservator der Baudenkmäler" (der Nachfolger von Quasts) sich nach Köln begeben werden, um dort über die geplante Neubeflurung zu beraten: „Es handelt sich darum, ob ein farbiger Belag aus Thonfliesen gewählt werden soll, für den sich eine sehr einflussreiche Partei lebhaft zu interessiren scheint, während auf der anderen Seite viele angesehene Freunde und Kenner kirchlicher Baukunst energisch ihre Stimme dagegen erhoben haben [141]).

Zu letzteren dürfte jedenfalls August Reichensperger nicht gehört haben. Noch bemerkenswerter als die Berufung auf die historische Entwicklung als Begründung, auf ausländische Autoritäten als fach-

---

[139]) Vgl. Kier, Schmuckfußboden, S. 13. – Vgl. in diesem Sinne auch Anm. 321.

[140]) Wochenblatt für Architekten und Ingenieure, II. Jg., Nr. 46, vom 12. Nov. 1880, S. 412. – Vgl. auch Kapitel „Das Projekt von Bogler und Schneider".

[141]) Wochenblatt für Architekten und Ingenieure, II. Jg., Nr. 78, vom 30. Sept. 1881, S. 404 („Der Bodenbelag des Kölner Domes").

liche Schützenhilfe und auf zeitgenössische Vorbilder erscheint in seiner Äußerung von 1881 zu diesem Thema die Betonung der Farbigkeit: „Der gegnerischerseits vorzugsweise angerufene Umstand, daß die gothischen Dome eine künstlerische Ausstattung der Fußböden aufweisen, ist nur hinsichtlich der großen Mehrzahl dieser Bauten thatsächlich begründet und findet derselbe in Betreff dieser Mehrzahl darin eine Erklärung, daß zufolge des Hereinbrechens der »Renaissance« in das christlich-germanische Kunstleben fast alle Dome, insbesondere Deutschlands und Frankreichs, unvollendet geblieben sind. Die hervorragendsten französischen Kenner der monumentalen Kunst des Mittelalters, wie Viollet-Le-Duc, Didron, Amé, Cahier u. s. w., erklären die fragliche Ausstattung für erforderlich und waltet, meines Wissens, unter den Restauratoren der Kathedralen Englands in dieser Hinsicht ebensowenig ein Zweifel ob. So wurde u.A. die dort allgemein als Musterbau anerkannte, mit unserem Dome ungefähr gleichzeitige Kathedrale von Salisbury (1220–1258) bei ihrer, im Jahre 1863 begonnenen Restauration durch den angesehendsten Architekten Englands, Sir Gilbert Scott, im Anschluß an das ursprünglich vorhanden Gewesene, mit einem farbenstrahlenden Bodenbelag aus verschiedenfarbigem Marmor und figurirten Fliesen versehen. Es steht zu hoffen, daß unser Dom auch in dieser Beziehung hinter keinem andern zurückbleibt." [142])

Auffallend sind bei dieser Entscheidung für eine Mosaik(teil)beflurung des gotischen Domes die Entsprechungen zur Entscheidungsfindung für die Form der Domtüren: Während bei der ersten Konkurrenz von 1879/80 fünf Entwürfe für die Bronzetüren favorisiert wurden, die in besonderem Maße „im Geiste und Stile des 14. Jahrhunderts geschaffen waren" [143]), eine Ausführungsentscheidung jedoch nicht getroffen (oder verhindert) wurde, ist der 2. Wettbewerb von 1886/87, an dem übrigens auch Essenwein teilnahm, durch eine differenziertere Argumentation charakterisiert, die allgemein auf eine labile Stilwahl und problematisierte Stilentscheidung verweist. Bemerkenswert erscheint insbesondere die definitive Entscheidung für *Bronze*türen mit z. T. deutlichen Anklängen an romanische Vorbilder analog zur Wahl der atavistischen Mosaiktechnik.

Zwar schließe der gotische Stil im allgemeinen Bronzetüren aus, ein Monumentalbau wie der Kölner Dom verlange jedoch Erztüren [144]). Alexander Schnütgen zu der am Nordquerschiff ausgeführten Bronzetür von Wilhelm Mengelberg: „Hier athmet alles im vollendeten Maße den so realistischen und doch wiederum so phantasievollen Formengeist des XIV. Jahrhunderts der rheinischen Plastik . . . (Die Tür) ist . . . bis zu dem Maße (dem Dome würdig), daß die Behauptung nicht gewagt erscheint, selbst in der Ursprungszeit des Domes würde die Plastik auch in *stilistischer* Beziehung vielleicht wohl ein strengeres, aber kaum ein anmuthigeres und befriedigenderes Gebilde zu Stande gebracht haben. Ein eigentlicher Vergleich ist freilich in dieser Hinsicht nicht möglich; denn die gothische Periode hat in Deutschland, mit Ausnahme der Grabfiguren, kein größeres Bronzegußwerk geschaffen, zumal keine Thüren (wie in Italien, A. Sch.)." Darüber hinaus lege die „primitive Holzstreben-Konstruktion auf der Rückseite" die Frage nahe, „ob denn nicht Holzthüren mit reichen Eisenbeschlägen und polychromer Ausstattung (!) für den Dom passender gewesen wären . . ." [145]) – „Nachdem man sich für die Ausführung in Erzguß entschieden hat, ist zu wünschen, daß man zur Hebung der Wirkung dieser Thüren auf die Mitwirkung von Vergoldung und Farbe nicht verzichten möge." [146])

---

[142]) Reichensperger, Geschichte, S. 62.

[143]) Kölnische Zeitung vom 11. III. 1880 (zit. nach Walter Geis, Portale. Die Entwürfe für die Bronzetüren am Kölner Dom, in: Ausst.Kat. Köln 1980 (I), S. 360).

[144]) Nach ebd., S. 362. – Geis legt den Schluß nahe, daß die Entscheidung für Bronzetüren auf Schnütgen zurückzuführen sei oder doch zumindest von ihm unterstützt wurde. Eher im Sinne einer notgedrungenen Anerkennung der unwiderruflichen Entscheidung: (Alexander) Schnütgen, Die neue Bronzethüre an der Nordseite des Kölner Domes, in: Zschr. für christl. Kunst, Bd. IV, 1891, Sp. 234 f.

[145]) Ebd. (Schnütgen). – Vgl. damit auch Reichenspergers Plädoyer, die Seitenportale „aus geschichtlichen und ästhetischen Gründen . . . nicht in Bronceguß, sondern in Eichenholz mit reichen schmiedeeisernen Bändern herzustellen." (Centralblatt der Bauverwaltung, Bd. VII, vom 3. Dez. 1887, S. 479).

[146]) S. (Alexander Schnütgen ?), Entwurf zu Thürflügeln für den Kölner Dom, in: Centralblatt der Bauverwaltung, VII. Jg., Nr. 52, vom 24. Dez. 1887, S. 507.

Abb. 93 Hugo Schneider: Bronzetür (Detail) des Dreikönigenportals am Kölner Dom (1887-89)

Es hat also ganz den Anschein, als sei die Partei der dogmatischen Stilpuristen um Reichensperger und Schnütgen bei der Konkurrenz-Entscheidung von 1886/87 überstimmt worden: Gewählt wurden monumentale aber „ungotische" Bronzetüren, wo polychrome „gotische" Beschlagtüren mehr der Zielvorstellung einer farblich geleiteten Harmonie des Dominneren im Sinne des angestrebten Gesamtkunstwerks entsprochen hätten. Eine wesentliche Rolle dürfte bei dieser Entscheidung sicher auch die traditionelle Symbolkraft der Bronze gespielt haben. Das Erz mit seiner Härte und Dauerhaftigkeit konnte wie kein anderes Material auf die vornehme Abstammung der „Sacra Colonia, Romae filia" – so eine Inschrift des Mosaiks (s. u.) – verweisen [146a].

[146a]) Vgl. Norberto Gramaccini, Zur Ikonographie der Bronze im Mittelalter, in: Städel Jahrbuch, N.F. Bd. II, 1987, bes. S. 158 u. 161f. – Vgl. auch Klaus Militzer, Collen, eyn kroyn boven allen steden schoyn. Zum Selbstverständnis einer Stadt, in: Colonia Romanica, Bd. I, 1986, S. 15–32.

114

Nicht auszuschließen ist, daß auch die Entscheidung für die äußerst dauerhafte Mosaiktechnik letztlich von ganz ähnlichen materialikonographischen Überlegungen geleitet wurde, die in den – wie es Voigtel nannte – „der altrömischen Mosaiktechnik nachgebildeten Arbeiten zur Beflurung des Domchores" einen Verweis auf die „romanità" sahen[147a]. Dies würde bedeuten: eine Materialwahl im Einklang mit der Geschichte der Stadt und der Bedeutung des Doms, doch zugleich auch Solidität und „atmosphärische" Harmonie gewährleistend. Aus diesem Kontext erklärt sich schließlich noch ein weiteres Argument gegen die Verwendung der vor allem graphisch geprägten Fußbodenintarsien und für die Verwendung farbig-malerischer Stiftmosaiken. Der gerade auch an die Beflurung geknüpften Zielvorstellung farblich geprägter Harmonie dürfte zumindest die anpassungsfähigere Mosaiktechnik stärker entgegengekommen sein und schließlich dürfte die Wahl des extrem dauerhaften keramischen Mosaikmaterials die Gegner eines glänzenden [147] und die Befürworter eines farbigen Beflurungsmaterials miteinander versöhnt haben.

Den Ausschlag zu diesem Teilkompromiß soll angeblich ein Gutachten des Münchener Architekten Gabriel von Seidl (1848–1913) gegeben haben: „Als vor 35 Jahren die Frage der Verwendung von Mosaik für kirchlich-dekorative Zwecke (deren Herstellung erstmals Villeroy & Boch auf neuzeitliche, fabrikatorische Grundlage gestellt haben [sic]) vor einem fachwissenschaftlichen Forum zur Diskussion stand, hat der Altmeister kirchlicher Baukunst: Gabriel Seidl (sic), sein Urteil dahin abgegeben, daß er die Verwendung von Glasmosaik verwirft. Weil es ihm fremdartig erschiene und gerade das zu viel übertöne, was in unseren deutschen Domen durch schlichte Größe und Einfachheit in Linie und Ornament so überwältigend wirkt. Er gab dem Mettlacher Tonstift-Mosaik den Vorzug." [148] „. . . auf Grund dieses Gutachtens (wurde) uns damals die Ausführung der großen Mosaikarbeiten im Dom zu Köln übertragen . . ." [149].

---

[147] Zum Problem der „glänzenden" Farbigkeit bzw. zur „glänzenden" farbigen Beflurung vgl. auch Architekt St..f. (sic), Beiträge zur Polychromie im christlichen Kirchenbau (Fortsetzung), in: Organ für christl. Kunst, 17. Jg., 1867, bes. S. 57. – Vgl. ferner aus einem Gutachten der Bauakademie: „Außer der Farbe ist auch der größere oder geringere Glanz der Fläche von Bedeutung und zwar in dem Sinne, daß auf dem Fußboden stets eine stumpfere Tönung vorherrsche als am Aufbau. Es ist deshalb sehr wohl möglich, über einem ein- und stumpffarbigen Fußboden einen bis zu gewissem Grade reich gefärbten Aufbau anzuordnen, nicht aber einen Raum, dessen Aufbau im Wesentlichen nur einen stumpfen Farbton zeigt mit einem reichfarbigen und einem glänzenden Fußboden auszustatten." (DBAK, Lit. X g I/24). – Vgl. damit auch Stummel (Mosaiktechnik, Sp. 56) zu den Mettlacher Platten bzw. Tonstiftmosaiken: „Der Vorzug dieser Platten besteht darin, daß die Muster in der Masse gefärbt und von einer erstaunlichen Härte sind. Weniger vortheilhaft für ihre Erscheinung ist das matte, staubgraue Aussehen; durch die nothwendige Beimischung des Thones werden die Farben stumpf und reizlos." – Vgl. Sternberger, Panorama, S. 151 ff. – Vgl. auch Anm. 244.

[147a] DBAK, Lit. X g II/59. – Vgl. auch ebd., g II/22. – Vgl. Arturo Carlo Quintavalle, L'officina della Riforma, in: Barral I Altet (Hrsg.), Artistes, artisans et production artistique au moyen age. Colloque international, vol. II, Paris 1987, S. 149 u. 155.

[148] (Firmenschrift), Mettlach. Eine Stätte christlicher Kunst, o. O. 1935, S. 31 f. – Fast identisch auch in: (Firmenschrift) Mosaikfabrik Villeroy & Boch, Mettlach, o. O. o. J., o. Pag.

[149] (Firmenschrift), Mettlacher Tonstift-Mosaiken, Villeroy & Boch. o. O. o. J. (ca. 1936), o. Pag. – Als DBAK Lit. X g VI/41 findet sich in den Akten eine im Mai 1897 (möglicherweise als Reaktion auf wachsende Bedeutung von Puhl & Wagner in Berlin ?) veröffentlichte kleine Werbeschrift „Die Mettlacher Thonstift-Mosaik in der Monumental-Dekoration". Auch darin beruft man sich offensichtlich auf das Gutachten Seidls: „Wenn nun neuestens ein hervorragender Fachmann auf dem Gebiete monumentaler und insbesondere kirchlicher Kunst, der kgl. Professor, Herr Gabriel Seidl in München, Mitglied der Akademie zu Berlin und München, sich in der Frage der Verwendung von Mosaik zu Gunsten der Mettlacher Thonstift-Mosaik ausgesprochen hat, so verzeichnen wir gerne diese Thatsache. – In der jüngsten Zeit war nämlich Herr Professor Gabriel Seidl über die dekorative Ausstattung eines unserer romanischen Dome des Mittel-Rheins (also *nicht* des *Kölner* Domes, P.S.) beraten worden, wobei die Frage zur Verhandlung stand, in welcher Weise der malerische Schmuck von Gewölben und Wandflächen herzustellen sei. Man war geneigt, der Glas-Mosaik den Vorzug zu geben. Bezüglich der Haltbarkeit pflichtete zwar der Experte dieser Technik bei; er glaubte jedoch der Mettlacher Thonstift-Mosaik unbedingt den Vorzug einräumen zu sollen. Er widerrieth der Anwendung von Glas-Mosaik in Verbindung mit Gold-Grund mit der Begründung, dass sie in unseren Domen . . . fremdartig erscheine . . . Die Mett-

Wenngleich sich in den Dokumenten des Dombauarchivs und auch anderweitig merkwürdigerweise keinerlei Hinweis mehr auf eine gutachterliche Tätigkeit von Seidls zu Fragen der Dombeflurung finden lassen, so könnte dieser in mehreren Ausgaben der Firmenschriften von Villeroy & Boch wiederholte Hinweis sich doch möglicherweise auf heute verlorene Quellen berufen. Die folgend skizzierten Zusammenhänge machen dies sogar recht wahrscheinlich: Für die Konsultation des vielbeschäftigten Architekten u. a. des Bayerischen Nationalmuseums und des Deutschen Museums in München, der St.-Anna-Kirche [150]) und der St.-Rupertus-Kirche ebendort spricht außer der Verbindung Museum – Kirche und ihrer Entsprechung zu den Tätigkeitsschwerpunkten Essenweins auch noch eine direkte fachliche Verbindung zwischen beiden Architekten: Gabriel von Seidl gründete 1878 zusammen mit dem Maler und Innenarchitekten Rudolf von Seitz (1842–1910) ein Atelier für Innendekoration. Von Seitz führte u. a. Malereien im Nürnberger Rathaus und auf der Nürnberger Burg aus. Beide Bauten sind auch mit den Tätigkeiten Essenweins verbunden.

Dafür, daß die besonderen farblichen Qualitäten des Stiftmosaiks einen wesentlichen Faktor bei der Materialentscheidung bildeten, daß ferner nach der Leitidee eines Innenraumes als harmonische Einheit die farbige Ausstattung den farbigen Boden und/oder umgekehrt nach sich ziehen mußte, das eine also stets mit dem anderen zusammen gesehen werden muß, dafür bietet auch ein Artikel des Mainzer Abendblattes zur „Kunst- und Industrie-Ausstellung zu Trier" ein weiteres Indiz. Reichenspergers Sprachrohr, das „Organ für christliche Kunst", druckte diesen Artikel nach: „Die farbigen Bodenbelege von Villeroy & Boch zu Mettlach boten eine reiche Auswahl. Es ist im höchsten Grade wünschenswerth, dass diesem Gegenstand bei Kirchenbauten die volle Aufmersamkeit zugewendet werde, da bisher auf künstlerische Ausschmückung des Fußbodens vielfach zu wenig Bedacht genommen wurde. Nur durch eine stylvolle Beplattung mit farbigen Mustern ist der untere Teil der Kirche mit den oft reich decorirten Obertheilen in einheitliche Verbindung zu setzen. Neben der Schönheit dieser Bodenbelege kommt die verhältnismässige Wohlfeilheit und grosse Dauerhaftigkeit ebenfalls noch mit in Betracht." [151]) Dies bereits 1865 – zu einer Zeit also, als Villeroy & Boch vor allem Platten, jedoch noch nicht im großen Stil Mosaiken herstellte [152]). Offiziell wird vor allem die günstige Relation von Haltbarkeit und Kosten als ausschlaggebend für die Entscheidung zugunsten einer Mosaikbeflurung genannt.

---

lacher Thonstift-Mosaik überschreite in ihren farbigen Werthen und ihrer Gesamt-Erscheinung nicht der Wirkung von Wand-Malereien ... Kurz: in ihr liege heute eigentlich das richtige und absolut beständige Ausdrucksmittel für die malerische Ausstattung unserer Kirchen und namentlich der romanischen Monumental-Bauten. Durch geeignete Farbenwahl, durch energische Conturirung und die reichliche Verwendung von Weiss liessen die farbenprächtigsten und zugleich wahrhaft monumentalen Wirkung sich erzielen." – Dies und u.a. die Restaurierungs-Erfahrungen von Groß St. Martin aber auch traditionsreiche Verbindungen mögen Argumente für die Auftragsvergabe an Villeroy & Boch gewesen sein. – Vgl. dazu A. Wolff, Zeittafel, S. 21 zum 12. März 1842: „Hilfs-Dombauverein Merzig/Saar gegründet, bestand bis 1849. Initiator dieses Vereins waren die Mitglieder der Familie Boch in Mettlach (Villeroy & Boch), die mit König Friedrich Wilhelm IV. freundschaftlich verbunden waren." – Vgl. zur traditionsreichen Verbindung der Familie Boch bzw. der Mettlacher Fabrik zum Kölner Dom auch Arnold Wolff, Der Mettlacher Dombecher von 1845 und seine Nachfolger, in: KDBl., 31./32. Folge, 1970, bes. S. 34 f. – Eugen Boch wurde für seine Verdienste mehrfach ausgezeichnet; u. a. wurde er 1868 zum Commerzienrath, 1883 zum geheimen Commerzienrath ernannt und schließlich 1892 von Kaiser Wilhelm II. in den erblichen Adelsstand erhoben. – Vgl. Merten, Eugen von Boch (1988), S. 61.

[150]) Dem widerspricht nicht, daß an dieser Kirche – wie auch an verschiedenen anderen Bauten von Seidls auch – glänzende – Glasmosaiken verwendet wurden.

[151]) Wiederabdruck unter dem Titel „Die Kunst- und Industrie-Ausstellung zu Trier", in: Organ für christl. Kunst, 15. Jg., 1865, S. 236.

[152]) Vgl. Kapitel „Das Dommosaik im Kontext der zeitgenössischen Mosaikproduktion", bes. S. 285.

Der revidierte Entwurf Essenweins (Konsequenzen der Planänderung)

Nachdem die Entscheidung für Stiftmosaik gefallen ist, wird Essenwein beauftragt, innerhalb von drei Monaten seinen ersten Beflurungsentwurf zu überarbeiten und „in einer leichten Skizze" die Veränderungen zu berücksichtigen, die sich aus der nun vorgesehenen umfassenden Anwendung der Stiftmosaiktechnik ergäben. Dabei ging man davon aus, daß sich durch diese Umstellung die zuvor für die Intarsientechnik kalkulierten Kosten nur unwesentlich erhöhen dürften. Mehrkosten sollen dadurch aufgefangen werden, daß man in den Chorseitenschiffen nur einfache Sandsteinplatten verlegt, zumal diese Raumteile ohnehin weitgehend mit Bänken bedeckt sein dürften [153].

Gegen Ende 1887 legt Essenwein sein revidiertes Beflurungskonzept vor und fügt ihm ein Schreiben bei, in dem er die fünf wichtigsten Veränderungen erklärt. Sie betreffen, außer der „beschränkten Skala" in der Farbgebung des gesamten Mosaikbodens (reines Blau sei – als Farbe des Himmels – auf dem Fußboden zu vermeiden) [154], vor allem inhaltliche und formale Straffungen des Beflurungskonzeptes:

– Statt in einer lange Reihe, sollen nun je fünf der erzbischöflichen Wappen im Chorumgang in einem großen Medaillon zusammengefaßt werden. Dadurch, daß einzelne Wappen auch in die trennenden Friesstreifen plaziert und die beiden Vorgänger Konrads von Hochstaden zu seiten desselben angeordnet werden, ist es nun auch in der veränderten Anordnung möglich, die Wappen aller Erzbischöfe unterzubringen.

– Im Sinne der für alle figürlichen Darstellungen angestrebten Vereinheitlichung ihrer Ausrichtung sind nun – auftragsgemäß – die Gruppen zwischen den Chorstühlen in West-Ost-Richtung gedreht worden, obwohl er (mit Rücksicht auf die Insassen des Chorgestühls) der ursprünglichen, diesen zugewandten Orientierung auch jetzt noch den Vorzug gibt.

– Gemäß der Empfehlung der Konferenz betont der revidierte Entwurf nun die Trennung des Chores von der Vierung stärker als bisher und grenzt dagegen den Bereich zwischen den Chorstühlen weniger scharf gegen den östlich anschließenden Beflurungsteil ab. Auch wird zu diesem Zwecke der von den Paradiesesflüssen ausgehende Strom des Lebens zwischen den Chorstühlen hindurch verlängert.

– Das ikonographische Programm des Presbyteriums wurde „unter Beschränkung auf allegorische Einzelfiguren in geometrischer Eintheilung" umgearbeitet und dabei „von jeder dramatisch beengten Darstellung Abstand genommen" [155].

Die Neuordnung der Presbyteriumsbeflurung erscheint inhaltlich konsequenter, vor allem aber formal überzeugender: Durch den weitgehenden Verzicht auf die schräggeführten Rahmenfriese wird eine ruhigere Gliederung und Anordnung der Teilfelder erreicht. Außerdem fällt mit der Beschränkung vornehmlich auf rechtwinklige Flächenteilungen das – in der Tat recht unausgewogene und unvermittelte – Nebeneinander quadratischer, dreieckiger, kreisförmiger und friesartiger, wie auch sehr kleiner und sehr großer Bildfelder fort.

---

[153]) Ursprünglich hatte Essenwein geplant, die Fußböden beider Chorseitenschiffe mit Wappen zu schmücken. Auf diese Weise sollten repräsentiert werden: die von Köln abhängigen Suffraganbistümer, Stifte und Abteien, die Pfarreien der Stadt Köln, die geistlichen Bruderschaften, die Stände des Kurstaates, die Adelsfamilien desselben und „vielleicht" auch die Gewerbe, die in demselben blühten (Der Wortlaut folgt Essenweins Vorschlägen zum Beflurungsprogramm des Domes vom 17. XII. 1883 (?), GNM). – Ebenfalls nicht ausgeführt wurde eine noch 1889 erwogene Ausnahme von der einfachen Beflurung der Chorseitenschiffe: „... das Domkapitel (wünscht ...) vor der Kommunionbank des Sakraments-Altars im südlichen Chorseitenschiffe an Stelle der Sandsteinplattung das heilige Sakrament ... die Trauung darstellend ..." (DBAK, Lit. X g II/40). – Essenwein weist diesen Wunsch jedoch zurück, da die Sakramente nicht auf dem Fußboden dargestellt werden sollten und da sie auf den Ramboux-Teppichen, also ganz in der Nähe, bereits dargestellt seien. (Ebd., g II/56).

[154]) DBAK, Lit. X g I/74 unter Anspielung wohl auf ebd., g I/48: „Die Farbskala wird sich mit möglichster Vermeidung von reinem Blau, auf Schwarz, Braun, Grau und Weiß, auf röthliche, gelbliche und grünliche Töne begründen." – Vgl. damit auch Anm. 719: Die Beflurung von Burg Dankwarderode in Braunschweig übersetzt ganz offensichtlich Charakteristika der Intarsientechnik in Stiftmosaiktechnik.

[155]) DBAK, Lit. X g I/74.

Abb. 94   August Essenwein: Farbiger Generalentwurf zum revidierten Beflurungskonzept (ohne die Chorkapellen und die Vierung), modifiziert ausgeführt

Insgesamt ein Gewinn, wird diese inhaltliche und formale Klärung jedoch durch den Verzicht auf einige Motive erkauft: Nicht in den revidierten Entwurf übernommen werden die thronende „Philosophie" inmitten der ganzfigurig stehenden Artes Liberales sowie die „Europa" zugeordneten kleineren sechs Personifikationen von Wissenschaften und Künsten. Die bekrönte „Europa" sollte nach Ausweis des skizzierten Beflurungsentwurfs DBAK, XXXVII b/11 zwischenzeitlich die Stelle der später ausgeführten Darstellung des Kaisers, umgeben von sieben Medaillons der Artes Liberales, einnehmen. In diesem Entwurfsstadium sollten in die Reihen der nicht länger als Paare oder Kniende dargestellten, sondern auf Thronen sitzenden weiblichen Personifikationen der christlichen Nationen mit ihren Hauptkirchen auch noch „Asien" und „Afrika" aus dem ersten Plan übernommen werden. Ausgeführt wurden jedoch an Stelle von „Asien" „Byzanz" und statt „Afrika" „Jerusalem". Offensichtlich war in diesem Zwischenstadium der Planung statt des Papstes noch eine weibliche Personifikation mit Tiara und Kreuzstab (?) – gemeint war wohl Ecclesia – vorgesehen. Durch diese schließlich nicht oder nur modifiziert in die Ausführung übernommenen Details bekommt diese Skizze des revidierten Beflurungskonzeptes den Charakter einer kurzfristigen Übergangslösung auf dem Weg zur finalen Beflurungsform.

Die zeitliche und räumliche Planung der Beflurungsarbeiten

Nach wiederholtem Drängen um die Genehmigung des revidierten Essenweinschen Generalentwurfs kann Voigtel schließlich am 27. XII. 1888 Essenwein schreiben, „daß heute endlich die amtliche Mittheilung zugegangen ist, daß seine Majestät der Kaiser Ihren zweiten Plan zur Chorbeflurung mit geringen Modifikationen in Bezug auf das Presbyterium Allerhöchst genehmigt haben." [156] In einem Brief an von Bardeleben konkretisiert von Goßler: „Bei dem meinerseits zur Sache erstatteten Vortrage bestimmten jedoch seine Majestät, daß 1. diejenigen Darstellungen . . . zwischen den Chorstühlen . . . gemäß dem Wunsche des Direktor Dr. Essenwein, durch eine Vierteldrehung nach außen den Chorstühlen zugewendet werden, und 2. daß in der . . . Reihe von Medaillons die Symbolisierung der slavischen Nation durch die einer anderen Nation ersetzt oder, falls sich dies nicht als thunlich erweisen sollte, wenigstens an Stelle des Hinweises auf die Kirche zu Czenstochau innerhalb des betreffenden Medaillons die Andeutung eines anderen Heiligtums zu treten habe." [157]
Die Korrekturen des Kaisers stellen also Essenweins ursprüngliche Orientierung der Mosaiken zwischen den Chorstühlen wieder her; gleichfalls geht die Darstellung der Kirche von Welehrad (an Stelle der Kirche von Czenstochau) als „Attribut" der Slaven-Personifikation auf diese persönliche Intervention Wilhelms II. zurück.
Damit schienen ein zweites Mal die Vorbedingungen geklärt, die Planung abgeschlossen und der Weg zur Ausführung und Vollendung der Dombeflurung frei. Doch bereits 1883 hatte Weihbischof Baudri in einem Brief an von Bardeleben die – fast prophetische – Befürchtung geäußert, daß die mit der Beflurung des Domchores verbundenen Schwierigkeiten auch für diesen „wichtigste(n) Teil des Dombelags" zu langwierigen Erörterungen führen könnten, wie sie den Bau des Domes selbst jahrelang aufgehalten hätten; dies könnte auch hier dazu führen, daß kein Ende der Arbeiten in Sicht komme [158].
Der Vertrag von 1885 versuchte offensichtlich derartigen Befürchtungen damit zu begegnen, daß er – reichlich unrealistisch angesichts der besonderen personellen Gegebenheiten und organisatorischen Schwierigkeiten eines so großen Projektes – eine Frist von weniger als einem halben Jahr (bis zum 1. Juli 1885) für die Anfertigung der Generalfarbenskizze und von anderthalb bzw. nur einem Jahr, rechnet man

---

[156] DBAK, Lit. X g I/164.
[157] DBAK, Lit. X g I/169.
[158] DBAK, Lit. X f I/41.

vom Vertragstermin für die Skizze ab, für die Ablieferung aller Kartons in natürlicher Größe ansetzt. Die Jahresfrist gilt laut Vertrag auch für den Fall, daß Abänderungen der Symbolik oder Technik notwendig werden sollten, wie sie nach dem Gutachten der Bauakademie dann tatsächlich erforderlich wurden. Einschränkend ist zu ergänzen, daß Essenwein – wie bereits bemerkt – schon vor dem offiziellen Vertragsabschluß mit den (Vor-)Arbeiten begann [159].

Bald nach der offiziellen Genehmigung des revidierten Gesamtplanes dämpft Essenwein allzu optimistische zeitliche Dispositionen: Im Sinne einer sorgfältigen Ausführung halte er die von Bingler geplante Fertigstellung der Arbeiten in einem halben (sic) Jahr nicht für wünschenswert [160]. Voigtel bestärkt ihn in der Überzeugung, daß, entgegen der Behauptung Mettlachs, es sei ihnen möglich, das gesamte Mosaik in einem (sic) Jahr zu vollenden, „eine so schnelle Ausführung nicht thunlich sei". Überhaupt sei die Beflurung, da der Gottesdienst nicht unterbrochen werden könne, nur stückweise auszuführen. Nach Meinung Voigtels „dürfte für die Ausführung und Verlegung der Mosaiken . . . eine Zeit von 3 Jahren in Aussicht zu nehmen sein". [161]

Der zeitlichen Disposition entsprach eine zeitlich-räumliche, die die Reihenfolge der auszuführenden und zu verlegenden Mosaikfelder regeln sollte: Anordnungen Voigtels [162] zufolge, sollten nach Abschluß der Kapellenbeflurungen zunächst der Chorumgang und erst nach dessen Vollendung die Beflurung des inneren Chorraums und des Presbyteriums in Angriff genommen werden, um so zu verhindern, daß die benötigten Baumaterialien über den bereits fertig verlegten Boden transportiert werden müßten.

Die Ausführung des Chorumgangs sollte vor Kapelle V beginnen und dann nach Westen bis zum Gitterabschluß des südlichen Chorumgangs fortgesetzt werden. Danach würden die Mosaikböden vor der Achskapelle verlegt und im weiteren Verlauf dann die Räume vor den Kapellen III, II und I bis zum westlichen Gitterabschluß des nördlichen Querschiffs.

DIE AUSFÜHRUNG

Der zeitlich-räumliche Verlauf der Verlegearbeiten im Domchor scheint keinem erkennbaren einheitlichen Prinzip zu folgen. Zunächst war jedoch, wie bereits angedeutet, eine konsequent von Ost nach West fortschreitende Arbeitsführung geplant, um ein sukzessives Verlegen der Beflurungssegmente zu gewährleisten. Dies konnte zwar für den Chorumgang im großen und ganzen auch eingehalten werden, doch folgt der Arbeitsverlauf unter dem Zwang verschiedenster Hindernisse und Schwierigkeiten insgesamt eher pragmatisch dem jeweils arbeitsorganisatorisch Möglichen.

Einem kontinuierlichen Arbeitsverlauf stehen vor allem Schwierigkeiten organisatorischer und personeller Art entgegen, deren Häufung die auf ein Zusammenspiel verschiedenster Kräfte gerichtete Planung zuweilen völlig umwirft. Sie umfaßt nicht nur die vorbereitende Anlage der Grundierungen, das Inganghalten und Abstimmen eines kontinuierlichen Produktionsflusses für die Kartonlieferung des entwerfenden Künstlers und für die Mosaiklieferung der Mettlacher Fabrik samt vorausgehender Maß-, Farb- und Inschriften-Kontrollen.

---

[159] DBAK, Lit. X g I/84.160)
[160] DBAK, Lit. X g I/174.
[161] DBAK, Lit. X g II/1. – Vgl. damit auch St. Beißel (Ausstattung III, Sp. 282): „Nur durch gutes Bezahlen und langsames Arbeiten kommt man zu etwas Ordentlichem. Man entwerfe große Pläne, aber man überlasse der Zeit die Ausführung. Wer in kurzer Zeit alles fertig stellen will, wird theils aus Mangel an Geld, theils durch Fehlen tüchtiger Kräfte, theils durch überstürztes Voraneilen nicht zu einem auf die Dauer erfreulichen Abschluß kommen. Die Alten haben weitaussehende Pläne gefaßt, diese aber in einer vernünftigen Allgemeinheit gelassen. Sie haben nicht mit vielem Geld detaillierte Zeichnungen entwerfen lassen, die erst nach Jahrzehnten zur Ausführung kommen konnten . . . Lassen wir also das Beste machen, was heute zu leisten ist."
[162] DBAK, Lit. X g I/164.

120

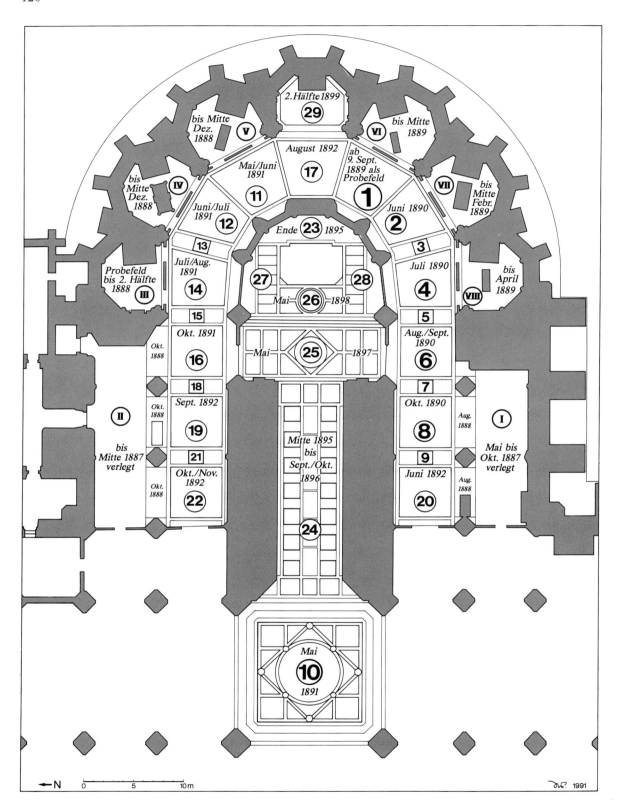

Abb. 95   Die Ausführung des Dommosaiks in der Reihenfolge der vollendeten Mosaikfelder

Hinzu kam die Terminierung baulicher und gottesdienstlicher Entscheidungen, die bei Beginn der Arbeiten noch nicht getroffen waren. Zu den retardierenden Momenten gehörten vor allem der Streit um die Gestaltung der Chortreppe, das Problem des Dreikönigen-Mausoleums, aber auch die Rücksichtnahme auf kirchliche Feiertage, die mit Arbeitsunterbrechungen und teilweise mit Räumungen der Baustelle verbunden waren. Hinzu kamen schließlich die regelmäßigen winterlichen Zwangspausen. So gleicht die Geschichte der Herstellung des Domchormosaiks einer nicht enden wollenden Kette von Verzögerungen und Unterbrechungen.

Am Ende ist erstaunlich, daß, wenn auch mit mehrjähriger Verspätung, die Mosaiken dennoch fertiggestellt werden konnten: Die eigentlichen Verlegearbeiten, die zunächst auf *ein* Jahr, dann auf *drei* Jahre terminiert wurden, zogen sich in Wirklichkeit länger als ein Jahrzehnt (1887–1899) hin!

Die Ausführung unter Essenwein

Langhaus und Querschiff

Nicht zu Essenweins Kompetenzbereich gehörend und nur mittelbar von ihm beeinflußt (s. o.), aber doch in der Zeit seines Wirkens ausgeführt, wurde die Beflurung im Langhaus und Querschiff.

Im Juni 1883 fällt die Entscheidung für die Zweiteilung der Dombeflurung. Doch erst anderthalb Jahre später, am 22. XII. 1884, erfolgt „mittels allerhöchsten Erlasses" auch die offizielle Genehmigung zur Ausführung der projektierten Beflurung im Langhaus und Querschiff [163]. Am 10. II. 1885 ergehen die offiziellen Konkurrenzaufforderungen an die Firmen Gebr. Hergenhahn in Frankfurt a.M. und Benzheim, Nütten & Co. in Düsseldorf, Kessel & Röhl in Berlin, Erhardt Ackermann in Weißenstadt (Fichtelgebirge) und M. L. Schleicher in Berlin. Akzeptiert werden nur zwei der Konkurrenzangebote (Hergenhahn 71,090 M/m² und Nütten & Co. 80,730 M/m²).

Vorgesehen ist die Verwendung von unpoliertem, dunkelrotem (schwedischem) Granit und unpoliertem, dunkelgrünem Syenit [164] mit einer Plattenbreite von 30–50 cm, einer Länge von 50–60 cm und einer Dicke von 8–10 cm. Benötigt werden an Syenit 248,18 m² für das Langschiff, 234,86 m² für das Querschiff und Transept sowie 151,70 m² für die Turmhallen, insgesamt also über 630 m² [165]; an Granit sind für das Langschiff 281,02 m², für das Querschiff 214,88 m² und für das Transept 20,24 m² sowie 87,25 m² für die Turmhallen, mithin über 600 m² erforderlich [166]. – Muster der verschiedenen Beplattungsarten werden probeweise in der nördlichen Turmhalle verlegt [167].

Die Verwendung von Syenit- und Granitplatten betrifft lediglich die Friesrahmung der Fußbodenfelder um die Pfeiler und Verbindungsstreifen zwischen ihnen analog zum Verlauf der Jochbögen. Der größte Teil der einfachen Beflurung wird dagegen in rechtwinklig bzw. parallel zur Längsachse des Domes zu verlegenden geschliffenen Obernkirchener Sandsteinplatten ausgeführt. Ihre Fläche berechnet Voigtel mit 2555,98 m². Vom 19. III. 1885 datiert der Vertrag über die Lieferung und Verlegung dieser Platten [168].

Nach Auftragsvergabe geht die Arbeit zunächst zügig voran: „Mit dem Verlegen der neuen Dombeflurung wurde zu Ende des Jahres 1885 an der Westseite begonnen und sind das Mittelschiff wie die zwei

[163] DBAK, Lit. X f I/90.

[164] Vgl. dagegen DBAK, Lit. X f I/30, wo auch grünlicher und grauer Granit bzw. Syenit erwogen werden.

[165] Nach DBAK, Lit. X f I/108 u. 138 genau 634,74 m².

[166] Nach DBAK, Lit. X f I/108 genau 603,39 m² gegenüber 615,82 m² nach ebd., f I/138. – Hier, wie so häufig, schwanken die Größen- und Mengenangaben; wiederholt wurde mit einer Summe von „ca. 1250 m²" kalkuliert.

[167] Vgl. unbez. Ausschnitt der „Düsseldorfer Zeitung", unter „Verschiedenes, Köln 26. März" (1885), in: DBAK, Lit. X, f I/122.

[168] DBAK, Lit. X f I/139 f.

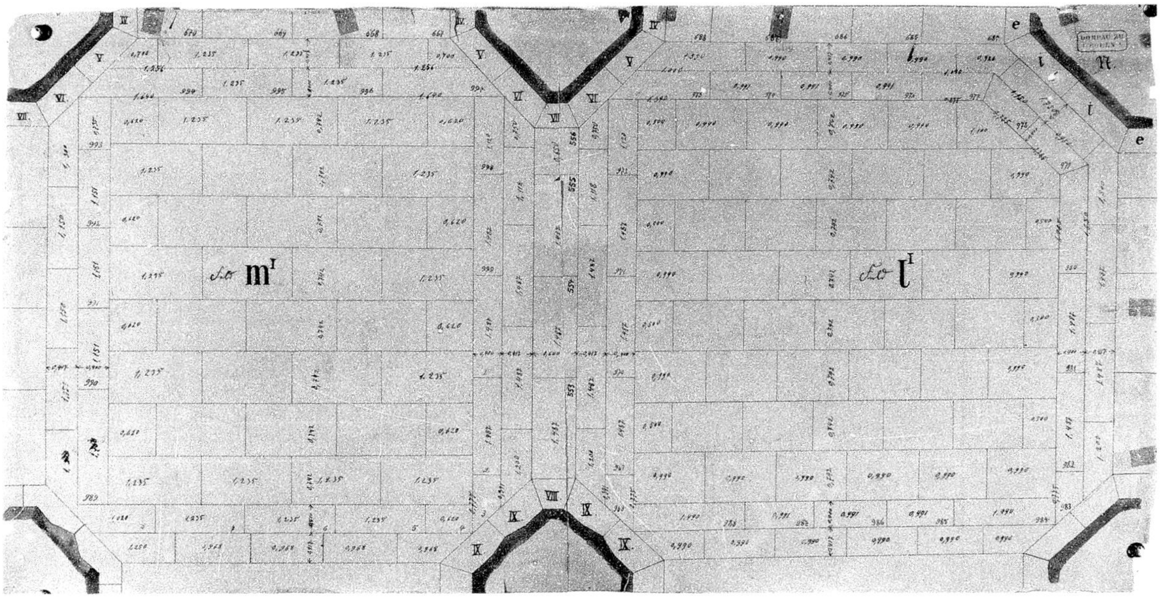

122

Abb. 96   Einer der Verlegepläne für die Beplattung der Seitenschiffe mit Größenangaben und Maßen

Abb. 97   Blick aus dem Mittelschiff in die südlichen Seitenschiffe mit der die Pfeiler verbindenden Beplattungsstruktur

südlichen Seitenschiffe bereits fertiggestellt. Im Laufe der Monate Juni und Juli werden nunmehr die zwei nördlichen Seitenschiffe des Langschiffes mit der neuen Plattung versehen werden, so daß für den Herbst des Jahres 1886 die Vollendung der gesamten Beflurungs-Arbeiten im Bereiche des Langschiffes und der beiden Querschiffe in Aussicht zu nehmen ist." [169]

Doch bereits hier macht sich ein für die ganze Ausführungsphase charakteristisches Phänomen bemerkbar: Die Ausführung hinkt hinter der Planung her. Nachdem Ende August die gesamte Neubeflurung des Langschiffes einschließlich der vier Seitenschiffe planmäßig abgeschlossen werden kann und im Oktober 1886 mit der „Fortnahme des mittelalterlichen Plattenbodens im südlichen Querschiffe" [170] begonnen wurde, stößt man nämlich auf Reste einer Wasserleitung: „Die Aufdeckung der römischen Wasserleitung daselbst in einer Tiefe von ca. $2^1/_2$ m unter dem Plattenboden der Kirche . . . unmittelbar neben dem zweiten Pfeiler des Hochschiffes auf der Westseite des südlichen Querschiffes gelegen, hemmte den Fortgang der Beflurungsarbeiten durch die Anordnung ausgedehnter Aufgrabungen zur Feststellung der Construction der römischen Wasserleitungs-Anlage . . . Nachdem für die Erhaltung der römischen Canal-Anlage durch Abdeckung mit großen Steinplatten Sorge getragen war, begann im November 1886 die Beplattung des südlichen Querschiffes, desgleichen im Januar 1887 die Neubeflurung im nördlichen Querschiff." [171]

Tatsächlich wird die Beplattung der Lang- und Querschiffe erst Ende März 1887 vollendet: Rund vier Jahre waren seit der grundsätzlichen Einigung über diesen Teil der Beflurung vergangen.

Die Chorseitenschiffe

Der revidierte Entwurf Essenweins zur Chorbeflurung vom 14. X. 1887 sah auch für die Chorseitenschiffe die einfache Sandstein-Beplattung vor. Ihre Ausführung unmittelbar im Anschluß an die Arbeiten zum Querschiffboden und, wie die Arbeiten für die Chorkapellen, getrennt von der übrigen Chorbeflurung, bot sich an. – Ausschlaggebendes Argument für diesen Entschluß war die bereits früher [172] von Voigtel geäußerte, im Gutachten der Bauakademie aufgegriffene Überlegung, daß für diese Bereiche eine einfache Beplattung vorzuziehen sei, da sie ohnehin größtenteils von Bänken verdeckt sein würden.

„Um einer Arbeitslosigkeit der Leger (, die die Beflurung der Schiffe so gut wie vollendet hatten,) zuvorzukommen" [173], bittet Voigtel am 30. III. 1887 von Bardeleben dringend um Genehmigung der Projekte für die Kapellen und die Chorseitenschiffe. Als die jedoch weiter auf sich warten läßt, ist Voigtel gezwungen, Mitte Mai sieben „Domwerkleute" zu entlassen.

Erst zwei Monate später erfolgt endlich die offizielle Genehmigung zur Ausführung (lediglich) der einfachen Chorseitenschiffbeflurung [174]. Die Arbeiten beginnen in der Marienkapelle, es folgt die Beflurung vor dem Eingang der Sakristei. Mitte Oktober 1887 ist die neue Beplattung in den Chorseitenschiffen vollendet.

---

[169] 75. Baubericht über den Fortbau des Domes zu Köln, in: KDBl., Nr. 331, 1886, S. 5.

[170] 76. Baubericht über den Fortbau des Domes zu Köln, in: KDBl., Nr. 331, 1887, S. 8.

[171] Ebd. – Die Wasserleitung ist jedoch keineswegs römisch, wie man lange glaubte, sondern mittelalterlich. – Vgl. Arnold Wolff, 22. Dombaubericht von September 1979 bis September 1981, in: KDBl. 46. Folge, 1981, S. 114. – Gerta Wolff, Das Römisch-Germanische Köln, Führer zu Museum und Stadt, 2., verb. Aufl. Köln 1984, S. 241.

[172] Vgl. S. 115 f. u. Anm. 153.

[173] DBAK, Lit. X g I/26. – Vgl. ebd., g I/28.

[174] DBAK, Lit. X g I/30.

Abb. 98   Engelbertuskapelle: Platten-Mosaik (Detail) nach Entwürfen August Essenweins

Die Chorkapellen

Angesichts dieser Verzögerungen gehen die Bestrebungen des Dombaumeisters dahin, die Beplattung der sieben Chorkapellen „getrennt und vorweg vor der des Chores"[175]) auszuführen, da sie nicht solche Schwierigkeiten bereiten dürften, wie sie die Chormosaiken erwarten ließen.

Die Absicht entsprach nicht nur dem Charakter dieser Bodenflächen, die sich in ihrer Beschränkung auf Plattenmosaiken mit geometrischer Musterung als relativ selbständige Erweiterungen des Chorumgangsbereiches deutlich von der eigentlichen Chorbeflurung in Stiftmosaik abhoben, sondern auch arbeitsorganisatorischen Erfordernissen. Bereits am 13. X. 1887 kann Essenwein dem Dombaumeister

---

[175]) DBAK, Lit. X g I/26.

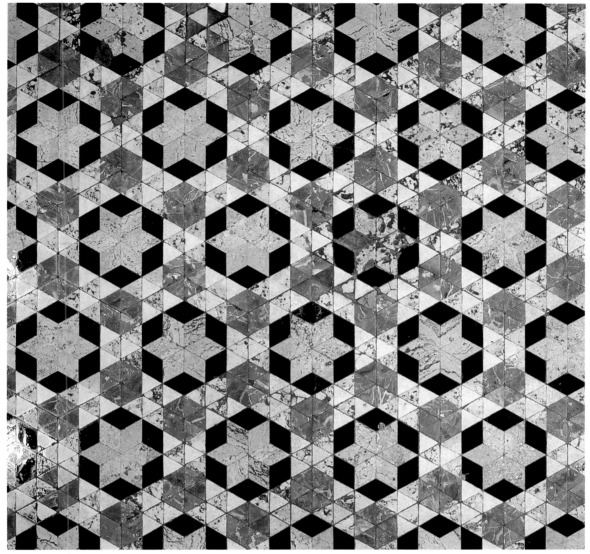

Abb. 99   Maternuskapelle: Platten-Mosaik (Detail) nach Entwürfen August Essenweins

die Entwurfszeichnungen für sechs der Chorkapellenböden übersenden. (Die Achskapelle wird zunächst ausgeklammert, da über die Zukunft des dortigen Dreikönigen-Mausoleums noch nicht entschieden ist.)

Ihnen fügt er, neben sehr detaillierten „Instruction(en) für die Arbeiter" [176]) auch Grundsatzäußerungen bei, in denen er u. a. die Wahl und Form der Beflurungsmuster rechtfertigt: So habe er auf Wunsch Voigtels – wie er sagt – keine gekrümmten Linien verwendet, obwohl doch gerade Kreisschläge für einen gotischen Marmorboden charakteristisch seien. Die von ihm statt dessen gezeichneten Muster entsprächen eher denen der romanischen Kunst und seien über diese hinaus später nur noch in Ausnahmefällen zu finden. Eher pragmatisch denn korrekt, schlägt er vor, die ursprünglich finanziell

---

[176]) Vgl. Dokument Nr. 13.

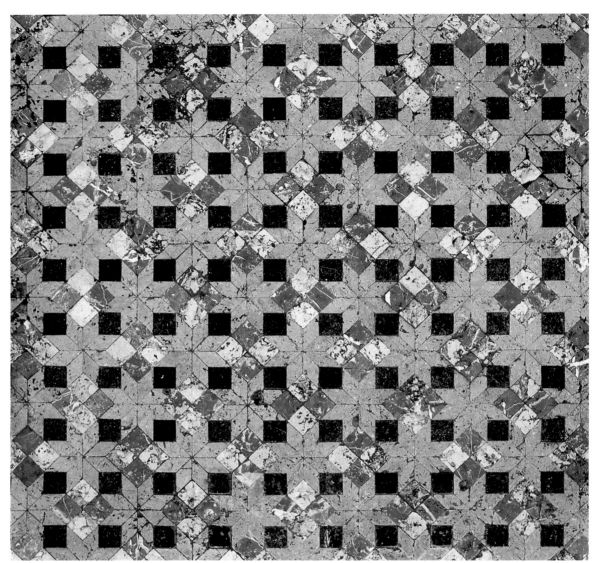

Abb. 100   Johanneskapelle: Platten-Mosaik (Detail) nach Entwürfen August Essenweins

bedingte Beschränkung auf geradlinige, geometrische Muster bauhistorisch zu begründen: „Wir müssen eben sagen, daß wir in den Kapellen als den ältesten Theilen solche Anklänge an die ältere Zeit entsprechend hielten." [177]) Auf die Kritik der Bauakademie an der ursprünglich vorgesehenen Beflurung der Chorseitenschiffe anspielend, die von Essenwein gewählte Musterung sei im Verhältnis zur umgebenden Architektur zu klein angelegt, verweist er darauf, daß er bereits in seinen früheren Entwürfen zum Boden der Chorkapellen einen Maßstab gewählt habe, der hinsichtlich der Größe der Elemente bei weitem das übertreffe, was „die Alten" als opus alexandrinum bezeichneten.
Die Firma Nütten & Co. wird die Anfertigung der sechs von schwarzen Marmorfriesen gerahmten

---

[177]) . . . wohl vor allem aus ökonomischen Überlegungen: rundgeschnittene Marmorstücke hätten höhere Kosten verursacht. – Vgl. DBAK, Lit. X g I/52 u. ebd., g I/105.

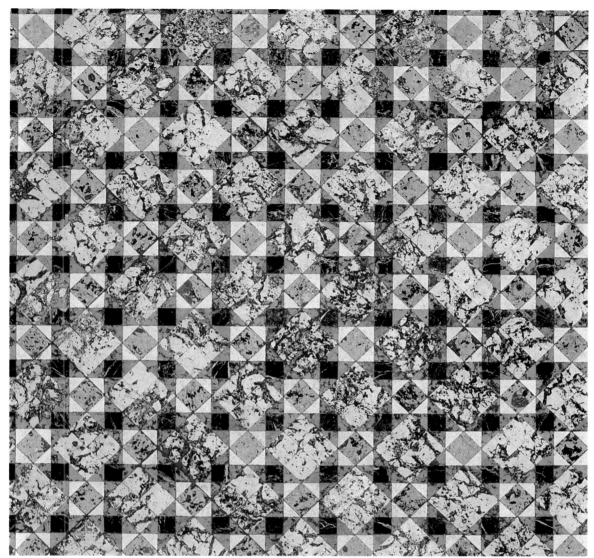

Abb. 101   Agneskapelle: Platten-Mosaik (Detail) nach Entwürfen August Essenweins

Marmormosaiken zwischen Chorumgang und Chorseitenschiffen übertragen sowie die bis Anfang Juni 1888 „zur Probe" fertiggestellte Beflurung der Engelbertus-Kapelle. Bei der anschließenden Ausschreibung zur Beflurung der übrigen Kapellen und Chorumgangs-Zwischenfelder wird Nütten jedoch von der Kölner Firma Melchior Porzelt unterboten, worauf sie den Zuschlag erhält [177]). Am 19. X. 1888 sind die Grundierungsarbeiten für die übrigen Kapellen abgeschlossen, so daß auch hier mit dem eigentlichen Verlegen begonnen werden kann.

Die vertragliche Regelung staffelt die Fertigstellungstermine so, daß die Marmormosaikböden in Kapelle II und III bis zum 15.XII.1888, in Kapelle V und VI bis zum 15.II.1889 und in Kapelle IV und VII bis zum 1.IV.1889 verlegt sein müssen.

[177A]) Vgl. DBAK, Lit. X g I/63, 93, 98, 103, 120 u. a.

128

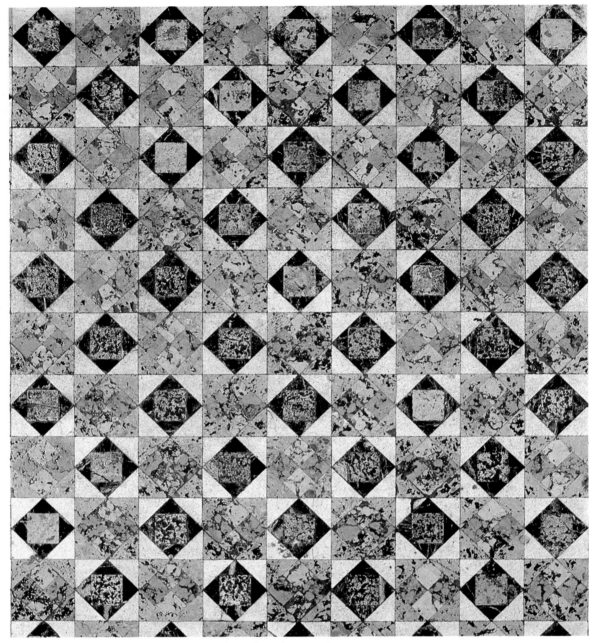

Abb. 102   Michaelskapelle: Platten-Mosaik (Detail) nach Entwürfen August Essenweins

Abb. 103   Stephanskapelle: Platten-Mosaik (Detail) nach Entwürfen August Essenweins

Abb. 104   August Essenwein: Entwurf für das Plattenmosaik in der Engelbertuskapelle, Gesamtansicht mit Maßangaben

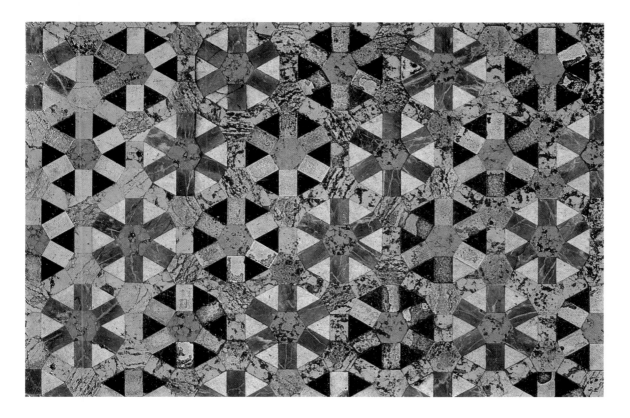

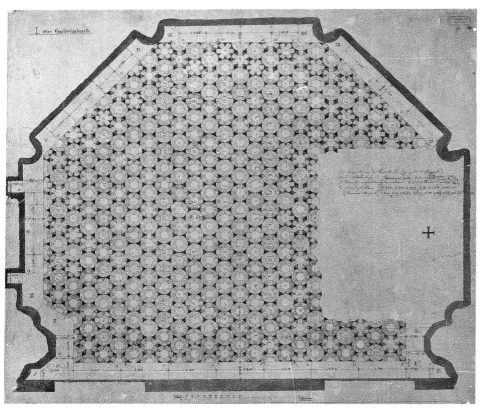

130

Abb. 105 Blick vom Gewölbe in die Maternuskapelle mit dem angrenzenden Chorumgang, in der Mitte der Kapelle das Hochgrab des Erzbischofs Philipp von Heinsberg († 1192)

Abb. 106   Platten-Mosaik (Detail) aus dem Seitenfeld neben Hauptfeld A im nördlichen Chorumgang

Abb. 107   Platten-Mosaik (Detail) aus dem Seitenfeld neben Hauptfeld B im nördlichen Chorumgang

Abb. 108   Platten-Mosaik (Detail) aus dem Seitenfeld neben Hauptfeld C im nördlichen Chorumgang

Abb. 109   Platten-Mosaik (Detail) im Chorumgang: eines der inneren Randfelder zwischen zwei Pfeilern (vgl. Abb. 105). In Analogie zu den Entwürfen Essenweins 1964/65 von A. Wolff

Abb. 110   Platten-Mosaik (Detail) aus dem Seitenfeld neben Hauptfeld M im südlichen Chorumgang

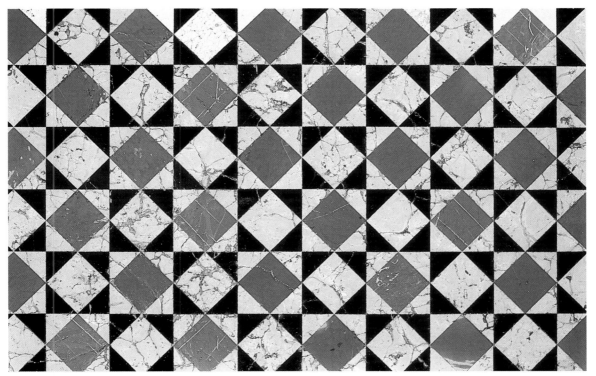

Abb. 111   Platten-Mosaik (Detail) aus dem Seitenfeld neben Hauptfeld N im südlichen Chorumgang

134

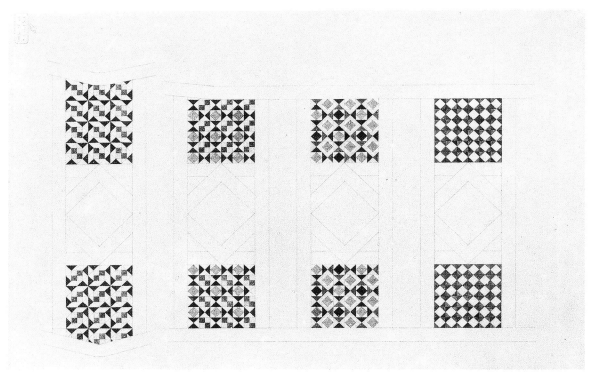

Abb. 112   Entwurf für die Platten-Mosaiken von vier Zwischenfeldern des Chorumgangs

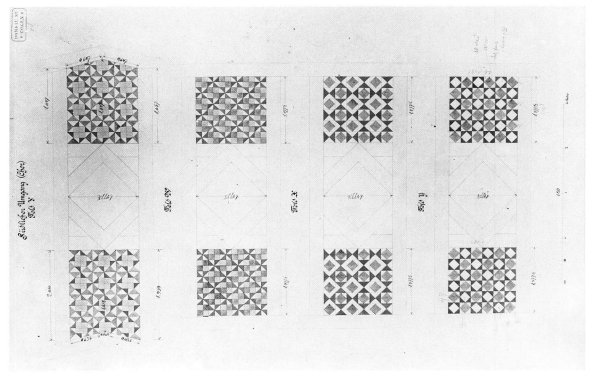

Abb. 113   Entwurf für die Platten-Mosaiken der Zwischenfelder W bis Y des Chorumgangs

Der Chorumgang

Bereits Ende 1888 wird durch Voigtel festgelegt, daß nach Abschluß der Beplattungsarbeiten in den Chorseitenschiffen und Chorkapellen im Chorumgang fortgefahren und dort mit Feld H vor Kapelle V (Agneskapelle) begonnen werden soll [178]. Der Grund für diese, der ursprünglichen Disposition des Ausführungsverlaufs in ost-westlicher Richtung widersprechende Anordnung ist darin zu sehen, daß auch bis Anfang des folgenden Jahres noch keine definitive Entscheidung des Domkapitels über den Abbruch des Drei-Königen-„Chörchens" vorliegt.

Die Anfertigung des Mosaikfeldes H im Chorumgang gilt, ähnlich dem Plattenmosaik in Kapelle I, als vorvertragliche „Probe-Ausführung". Die Erfahrungen, die man bei diesem ersten Stiftmosaikfeld gewinnt, sollten im Vertragsentwurf zwischen Köln und Mettlach berücksichtigt werden [179]. Nach der Fertigstellung der Betongrundierung und Rahmenfriese beginnt am 9. September 1889 die Arbeit an dem Probefeld.

Wie aus späteren Äußerungen zum Vierungsmosaik hervorgeht, muß es dabei zu Beschädigungen des Mosaiks gekommen sein, die sich daraus ergeben haben dürften, daß man das ganze Mosaikfeld H oder doch zumindest sein Mittelmedaillon bereits in Mettlach fest verlegte und als Einheit in den Dom übertrug. Solche Anfangsspannen wollte man bei den noch ausstehenden Mosaiksegmenten vermeiden [180]. Anfang Juni 1890 werden die Verlegearbeiten mit einem zweiten großen Feld (I) vor der Michaelskapelle fortgesetzt. Da die Mettlacher Fabrik es jedoch zu groß herstellt, sollen alle Felder zukünftig eher zu klein als zu groß angefertigt werden, zumal die Anschlüsse an den rahmenden Solnhofener Fries sowieso im Dom ergänzt und überarbeitet werden müssen. Mitte Juli 1890 folgen – zügig nach Westen fortschreitend – die Kartons für Zwischenfeld V und Feld K, dann bis Ende des Jahres die Kartons für M und N sowie für die zwischen ihnen liegenden Felder W, X, Y.

Als im Winter die Arbeiten im Dom für das Jahr 1890 eingestellt werden müssen, sind vier der großen Felder (H-L) im südlichen Chorumgang fertig verlegt; im Frühjahr des folgenden Jahres soll dann der nördliche Teil des Chorganges in Angriff genommen werden [181]. Davon abweichend wird jedoch 1891 zunächst das Vierungsmosaik vollendet. – Da die sehr arbeitsintensiven Kartons für die Felder A und G zu dieser Zeit von Essenwein noch nicht abgeschlossen sind, muß Feld G vor der Achskapelle zunächst offen bleiben, als man mit dem Verlegen der Felder F und E Ende Mai 1891 im Anschluß an das Vierungsmosaik die Arbeiten im Chorumgang wieder aufnimmt [182].

Offensichtlich wurde zeitweilig parallel zum Vierungsmosaik an diesen beiden Feldern gearbeitet, so daß sie bereits in der ersten Augusthälfte fertig sind. Unmittelbar darauf wird Feld D in Angriff genommen und noch im selben Monat, gefolgt von Feld C, im Oktober abgeschlossen [183]. Erst im folgenden Jahr können auch die restlichen Felder des Chorumganges verlegt werden. Von Juli bis September 1892 erfolgt ihre Ausführung in der Reihenfolge N, G, S, B, R [184].

[178] DBAK, Lit. X g I/164 u. ebd., g. II/1.
[179] DBAK, Lit. X g II/1. – Vgl. damit ebd., g II/65, § 2.
[180] Vgl. DBAK, Lit. X g II/43.
[181] Kölner Lokalanzeiger, Nr. 307, vom 9. Nov. 1890: „Im Kapellenkranz des Domchores sind bisher vier Mosaik-Felder fertiggestellt worden, und zwar im südlichen Theile desselben. . . . Für diesen Winter sind die Arbeiten eingestellt. Im Frühjahr 1891 soll der nördliche Theil des Kapellenkranzes in Angriff genommen werden."
[182] Bereits am 27. Juni 1891 berichtet das Kölner Tageblatt (Nr. 145): „An der Nordseite des Chorumganges im Dome sind zwei Felder des Mosaik-Fußbodens nahezu vollendet." – Vgl. im gleichen Sinne auch Kölnische Volkszeitung, Nr. 340, vom 18. Juni 1891. – Wann Feld M im südlichen Chorumgang verlegt wurde, geht aus den Dokumenten nicht hervor. Am 29. Mai 1891 bestätigt jedoch Voigtel Bingler den Empfang der Originalkartons für die Felder H bis M und für die Vierung (DBAK, Lit. X g III/24).
[183] Zunächst war der Beginn der Verlegearbeiten für die Felder C, D, E sowie für T und U von Mettlach bereits für unmittelbar nach Pfingsten angekündigt worden (DBAK, Lit. X g III/15)
[184] Nach DBAK, Lit. X III/96. – Nach ebd., g III/94 jedoch in der Reihenfolge R, B, S, N, G, A. – Man hätte eher die Reihenfolge S, B, R, N, G, A erwartet.

136

Abb. 114 August Essenwein: Mosaik-Entwurf für das Wappenmedaillon von Dombaumeister K. F. Ahlert

Abb. 115 August Essenwein: Mosaik-Entwurf für das Wappenmedaillon Bischof Maternus'

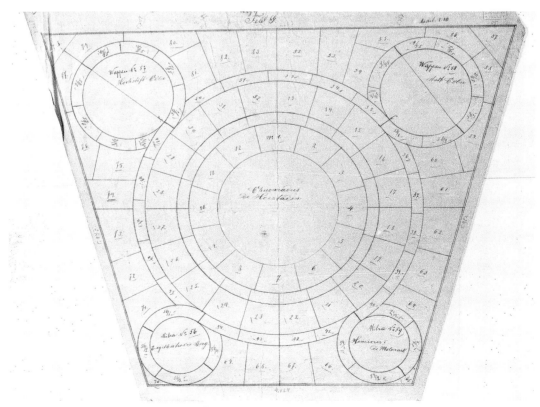

Abb. 116 Verlegeplan für das Mosaikfeld G (Konrad von Hochstaden) im Scheitel des Chorumgangs

Abb. 117 August Essenwein: Entwurf für das Mosaik mit Wappenfeld Kardinal Geißels, mit handschriftlichen Eintragungen und einer angeklebten Skizze (vgl. Abb. 118)

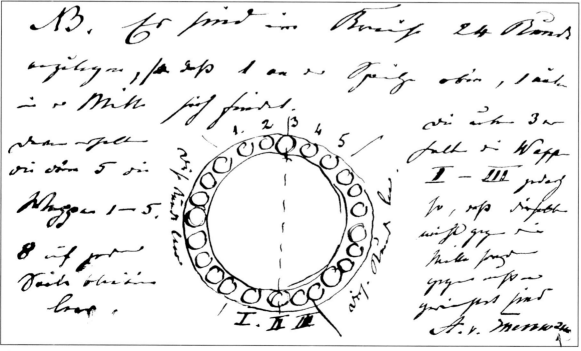

Abb. 118 August Essenwein: Handschriftliche Anweisungen und Skizzen auf einer Karte zum Entwurf Abb. 117

Abb. 119   August Essenwein: Detail aus einem Entwurf für das Mosaik des Hildebold-Feldes im Chorumgang

Abb. 120   August Essenwein: Nicht ausgeführter Entwurf für ein halbkreisförmiges Mosaikfeld mit stilisiertem Weinlaub

Abb. 121   August Essenwein: Entwurfsdetail aus Abb. 94 mit der Darstellung einer weiblichen Personifikation (Germania?) als Beschützerin des Domes

Abb. 122   August Essenwein: Entwurfsdetail aus Abb. 94, Beflurung um den Hochchor, anstelle des Papstes eine weibliche Personifikation (Ecclesia?) mit Tiara

Als letztes Feld des Chorumganges wird Anfang November – also bereits nach dem Tode Essenweins –
das Hildebold-Mosaik (A) vollendet [185].

Zu den Feldern des Chorumganges hatte Essenwein noch die kolorierten Kartons für die Mosaikfabrik
herstellen können. Eine Sonderstellung nehmen indes die Felder A, G und N ein. Zu ihnen liegt bei
seinem Tode nur für N ein von Essenwein farbig ausgearbeiteter Karton vor. Er und die kleinen Farbenskizzen von der Hand Essenweins dienen dann Fritz Geiges (s. u.) als Anhalt für die Polychromierung
der beiden anderen, in ihren figürlichen Teilen bereits bis zum Stadium von schwarz-weißen Umrißzeichnungen gediehenen Kartons.

Die Vierung

Um nach der einheitlichen Beplattung des Langhauses und Querschiffes die räumliche Kontinuität der
neugestalteten Bereiche herzustellen und möglichst bald einen geschlossenen Teilabschnitt des
Domes liturgisch nutzen zu können, wird, nachdem die technisch einfacheren Beflurungsteile in den
Chorseitenschiffen und Kapellen verlegt waren, teilweise den Arbeiten im Chorumgang parallel lau-
fend, das Vierungsmosaik in Angriff genommen. Noch im April 1889 ging Voigtel von einem anderen
Arbeitsverlauf aus: „Erst wenn der Chorumgang ganz fertig ist, möchte ich den Bodenbelag der Vierung
im Zusammenhang mit dem Chorinneren und dem Presbyterium beginnen, da diese Arbeiten hauptsächlich störend auf den täglichen Gottesdienst einwirken und ich die Unterbrechung des Dienstes
gerne auf den möglichst kürzesten Zeitraum beschränken möchte. Wenn die Vorarbeiten zur Vierung
aber bereits vollendet sind, so bin ich auch damit einverstanden, daß nach Beendigung der Felder H, I,
K, L, M, N (des Chorumgangs, d. Verf.) dann zunächst die Vierung in Angriff genommen wird." [186]
Pragmatisch paßt er nun die Arbeitsführung der Reihenfolge der vollendeten Kartons an.

Am 12. IX. 1889 kann Essenwein Voigtel mitteilen, daß seine Arbeiten für die Vierung abgeschlossen
und die Zeichnungen nach Mettlach abgeschickt seien. Gut ein Jahr später sind auch die Vorarbeiten in
der Mosaikfabrik weitgehend beendet: Voigtel kann in Mettlach die Teile des Vierungsfeldes auf ihre
Farbintensität hin prüfen.

Nach der Winterzwangspause wird erst Anfang April 1891 mit der Betonierung des Untergrundes
begonnen. Jetzt ist Eile geboten: „Da der Kaiser zu Anfang Mai den Dom besuchen wird, so wäre es
erwünscht, wenn bis dahin ein Theil der Vierung fertig gestellt wäre." [187] Trotz der besonderen, mit
der Größe des Mosaikfeldes verbundenen Schwierigkeiten kann die Kölnische Volkszeitung am
20.V.1891 von der Fertigstellung des Vierungsmosaiks berichten [188]. Voigtel, der diesen Zeitungsarti-
kel wenige Tage später an Essenwein schickt, schreibt u. a. dazu: „Der Mosaikboden der Vierung ist
soeben fertig gelegt und ist der Gesamteindruck ein überraschend schöner und harmonischer." [189]
Wohl bedingt durch die besondere Situation des Projektes – Essenwein sollte von der Absicht seine
Mitarbeit aufzukündigen (s. u.) abgebracht werden – dürften diese „Erfolgsmeldungen" der tatsächlichen Fertigstellung des Vierungsmosaiks vorgegriffen haben. Sie beziehen sich wahrscheinlich auf das
Verlegen der großen Mosaiksegmente, nicht jedoch auf den Abschluß der Feinarbeiten (Ausstiftung,
Schleifen etc.). Noch zwei Monate später drängt Voigtel nämlich auf eine baldige Vollendung der

---

[185] Feld A wird von Villeroy & Boch (nach dem 18. Juni 1892) mit Genehmigung der Dombauverwaltung in Mainz
ausgestellt (DBAK, Lit. X g III/96). – Vgl. Kapitel „Das Mosaik als Exponat", bes. S. 351.

[186] DBAK, Lit. X g II/12.

[187] DBAK, Lit. X g III/2. – Voigtel wird bei Gelegenheit des Kaiserbesuches im Dom der Adlerorden dritter Klasse
mit Schleife verliehen, (DBAK, Lit. X g III/14).

[188] Vgl. dazu die weitgehend gleichlautenden Artikel in: Kölner Tageblatt vom 6. Juni 1891 (DBAK, Lit. X g
III/25), Kölner Lokalanzeiger, Nr. 134, vom 6. Juni 1891 (DBAK, Lit. X g II/148) und Kölnische Volkszeitung
vom 20. Mai 1891 (DBAK, Lit. X g III/13).

[189] DBAK, Lit. X g II/148.

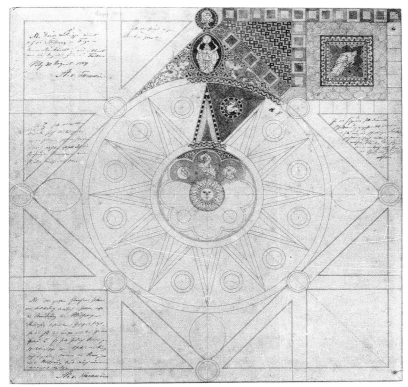

Abb. 123 August Essenwein: Entwurfsskizze für die Beflurung der Vierung mit zahlreichen handschriftlichen Anweisungen Essenweins

Abb. 124 August Essenwein: Detail aus der Entwurfsskizze Abb. 123 zur Beflurung der Vierung

Arbeiten am Vierungsfeld, weil das Metropolitan-Kapitel wegen eines Kirchenfestes dies wünsche. Er weist daher „die drei Mädchen" (Legerinnen) an, nur noch am Vierungsmosaik zu arbeiten. Da sie jedoch für die völlige Fertigstellung noch weitere drei bis vier Wochen benötigt hätten, schickt Villeroy & Boch zwei zusätzliche Legerinnen [190]).

Zur Anfertigung des neuen Mosaikbelages in der Vierung wird der Pfarraltar für ca. zwei Monate provisorisch nach Osten zwischen die Chorstühle verlegt. Ursprünglich sollte sein neuer Standort im mittleren Feld des westlichen Chorabschlusses auf den dort vorgesehenen figürlichen Mosaiken sein, doch setzten sich Bedenken durch, diese „Kunstarbeiten" zu überdecken. Schließlich akzeptiert das Metropolitankapitel den Vorschlag Voigtels, der eine Anordnung vorsieht, bei der die Kommunionbank nur einen sehr geringen Teil des Mosaiks bedeckt, den großen Kreis der symbolischen Darstellungen ganz freiläßt und geradlinig das große Vierungsmedaillon tangiert, während der Pfarraltar auf dem vierfach gestaffelten Rahmungsfries an der Ostseite des großen Mosaikfeldes wieder seinen alten Platz einnimmt [191]).

Der innere Chor

Unmittelbar nach der Fertigstellung der Kartons für den Chorumgang sollte Essenwein die Felder des Raumes zwischen den Chorstühlen in Angriff nehmen: Zunächst in den ersten Monaten des Jahres 1890, dann, als seine Erkrankung eine Unterbrechung erzwingt, Ende 1890. In Gries bei Bozen, wo Essenwein den Winter zu verbringen gedenkt, will er nun die Kartons für diesen Teil der Chorbeflurung fertigstellen. Von den Kartons habe er bereits so viele „vorgearbeitet" bzw. begonnen und vorbereitet, versichert er Voigtel, daß die Zeichnungen, lange bevor die Mettlacher Fabrik sie benötigen werde, fertig sein dürften, wenn nicht ein Rückfall eintrete. Im März 1891 noch bekräftigt Essenwein: „Ich habe . . . schon . . . den größten Teil der Cartons für das Chorinnere fertig und es bedarf nur weniger Wochen um alles fertig zu stellen." [192]) – Bei der kurz vor seinem Tode von Voigtel vorgenommenen Überprüfung sämtlicher Kartons mit dem am 26. XI. 1888 genehmigten, revidierten Generalentwurf zum Chorboden ergibt der Vergleich, daß Essenwein eigenmächtig einige Änderungen vorgenommen hat [193]).

---

[190]) DBAK, Lit. X g III/33 f.

[191]) Verworfen wurden Projekte Voigtels, den auf der Längsachse des Domes plazierten Pfarraltar durch zwei symmetrisch an die östlichen Vierungspfeiler gelehnte, diagonal zum Mosaik plazierte Altäre zu ersetzen, um so die räumliche Kontinuität von der Vierung zum Bereich zwischen den Chorstühlen möglichst wenig zu beeinträchtigen. Die bei den Vierungspfeilern seitlich des Altares ansetzende Kommunionbank sollte zweifach geknickt zangenförmig verlaufen und in der Mitte, dort, wo sie auf das große Vierungsmedaillon träfe, einen 4,5 m breiten Durchgang freilassen. In ihrem Verlauf hätte die neue Kommunionbank dem der alten entsprochen, die jedoch nur den engeren Altarbereich umgrenzte. – Ein anderes Projekt sieht eine ähnlich enge, jedoch rechteckig geführte und vor dem Altar geöffnete Kommunionbank vor. Dieses Projekt erwägt offensichtlich eine Einbindung des Pfarraltars in eine lettnerartige Schranke zwischen den östlichen Vierungspfeilern, flankiert von 3,23 m breiten „Türöffnungen". – Ein weiteres Projekt verbindet diese Konstruktion mit einer Kommunionbank, die als gerader Riegel in ganzer Breite des Vierungsmosaiks dieses so durchschneiden sollte, daß er das große Vierungsmedaillon tangiert und durch seitlich je eine 2 m breite Öffnung den Zugang zum Altar ermöglicht hätte. – Zu Voigtels Projekten für die Aufstellung des Pfarraltars vgl. die Zeichnungen DBAK, Mappe XXXVII/c 7-15.

[192]) DBAK, Lit. X g II/145.

[193]) DBAK, Lit. X g III/91: „Während die Kartons zu den sechs Schlußfeldern CC des Raumes zwischen den Chorstühlen nach Westen und Osten in ihren Abmessungen von 2 m Quadratseite genau der Farbenskizze auf Blatt II entsprechen, hat von Essenwein abweichend von der Gesamtanordnung auf Blatt II die dazwischenliegen

Abb. 125   Skizze zum Bereich zwischen der Vierung und dem Raum zwischen den Chorstühlen u.a. mit Einzeichnung des Pfarraltars und der Kommunionbank

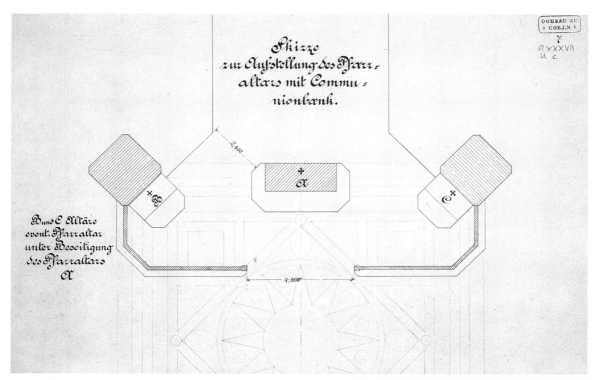

Abb. 126   Skizze zur Aufstellung des Pfarraltars mit Kommunionbank und eines alternativen Altarpaares an den östlichen Vierungspfeilern

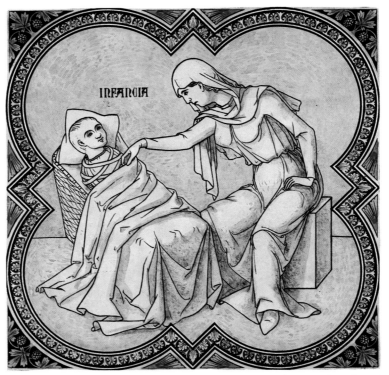

Abb. 127 August Essenwein: Farbige Entwurfsskizze für das Mosaik „Infancia"
(etwa Originalgröße)

Abb. 128 August Essenwein: Farbige Entwurfsskizze für das Mosaik „Juventus" (etwa Originalgröße)

Abb. 129 August Essenwein: Farbige Entwurfsskizze für das Mosaik „Acker-
bau/Saturnus Planeta" (etwa Originalgröße)

Abb. 130 August Essenwein: Farbige Entwurfsskizze für das Mosaik „Jagd/
Jupiter Planeta" (etwa Originalgröße)

Abb. 131   August Essenwein: Farbige Entwurfsskizze
für das Mosaik „Terra"

Abb. 132   August Essenwein: Farbige Entwurfsskizze
für das Mosaik „Dies"

Abb. 133   August Essenwein: Farbige Entwurfsskizze
zum Mosaik der Zeit-Personifikation

Um die Arbeiten in Mettlach ohne Essenweins Unterstützung jedoch nicht zusätzlich zu erschweren und erneut zu verzögern, stimmten alle Verantwortlichen überein, die Mosaiken zwischen den Chorstühlen in der leicht modifizierten Form nach den originalgroßen Kartons Essenweins ausführen zu lassen.

Nach Ausbruch der Differenzen zwischen dem entwerfenden Künstler und der ausführenden Mosaikfabrik (s.u.) hofft Voigtel zunächst, Essenwein doch noch zur Fortführung seiner Arbeiten, wohlmöglich gar „die große Aufgabe bis zur Vollendung in der Hand zu behalten", bewegen zu·können [194]). Schließlich hofft man – als „eine Lösung in letzter Stunde" – durch eine „Zeichenhülfe" unter Anleitung von Essenwein wenigstens die Fertigstellung der Kartons für den Raum zwischen den Chorstühlen zu sichern [195]).

---

den vierzehn Figurenfelder BB rechts und links auf das Maß 1,5 Quadratseite verkleinert und zur Ergänzung der fehlenden Breite beiderseitig einen Mosaikstreifen AA hinzugefügt. Desgleichen sind zwischen die vierzehn Figurenfelder zwölf breite Ornamentfelder DD von je 1,04 m Breite und 1,5 m Länge eingeschoben worden, während auf der Farbenskizze (Blatt II) die Figurenfelder nur durch schmale Friese getrennt werden. Die Anzahl und Reihenfolge der Figurenfelder, wie auch die Symbolik der Darstellungen hat keine Änderung gegen die maßgebende Farbenskizze (Blatt II) erfahren und es beschränkt sich die Abweichung daher allein auf die Änderung der Größe der vierzehn Felder BB (. . .) Wie aus der gleichfalls in Photographie beigefügten Skizze zum Chorboden auf Blatt I ersichtlich, hat Essenwein auf die früher gezeichnete Anordnung der Feldereintheilung zurückgegriffen, da sich auf Blatt I sowohl die Friese AA, wie die breiten Ornamentfelder DD vorfinden, welche die Figuren trennen". (DBAK, Lit. X g III/91).

[194]) Vgl. DBAK, Lit. X g II/124.
[195]) Vgl. u. a. DBAK, Lit. X g II/123 u. ebd., 165.

Abb. 134   Blick in den Raum zwischen den Chorstühlen nach Osten: rechts der Pfarraltar, links vor den Stufen zum Chorgestühl das heute verdeckte dreieckige Mosaikfeld (vgl. Abb. 136)

Das Presbyterium

Im Zusammenhang mit der Endabrechnung für die Tätigkeit Essenweins erwähnt Voigtel, daß unter den aus Bozen nach Köln geschickten Zeichnungen die erste große Farbskizze zum Chormosaik fehle. „Diese im großen Maßstabe sehr sorgfältig ausgezeichnete und polychromierte Farbenskizze gibt dem Maler bei Anfertigung der Kartons zum Presbyterium einen kaum zu entbehrenden Anhalt in bezug auf Stilisierung der Figuren und die allgemeine Farbenstimmung und erleichtert dem ausführenden Künstler die Fertigstellung der großen Cartons, für welche kein anderer Anhalt gegeben ist, als die sehr flüchtigen Andeutungen auf der Skizze Blatt II in dem gewählten sehr kleinen Maßstab." [196]) Diese Äußerungen Voigtels scheinen sich auf den Generalentwurf von 1885 zu beziehen, dessen Konzept für das Vorpresbyterium jedoch nicht ausgeführt, sondern durch den revidierten Essenweinschen Entwurf von 1888 ersetzt wurde. Entscheidend ist die hier anklingende und auch sonst bestätigte Tatsache, daß noch keine detaillierteren Zeichnungen zum Presbyterium vorliegen, als Essenwein die Arbeiten aus den Händen geben muß.

Die Übergangsphase: Von der Malhilfe zur Nachfolge

Bereits 1889 machen sich Anzeichen einer schweren Krankheit bei Essenwein bemerkbar, die ihn von da ab in immer kürzeren Schüben über immer längere Zeit daran hindern, an den Kartons zum Chormosaik weiterzuarbeiten. Als schließlich die Gefahr, die Ausführung des Beflurungsprojektes könnte sich dadurch unabsehbar lange verzögern oder ganz in Frage gestellt werden, immer bedrohlicher wird, gibt es erste Vorschläge, Essenwein zu entlasten. So schreibt Carl Bingler aus Mettlach am

---

[196]) DBAK, Lit. X g III/78.

Abb. 135   August Essenwein: Nicht ausgeführter Entwurf für den Rand und das ornamentale Fondmuster der Hauptfelder im Chorumgang, 1889

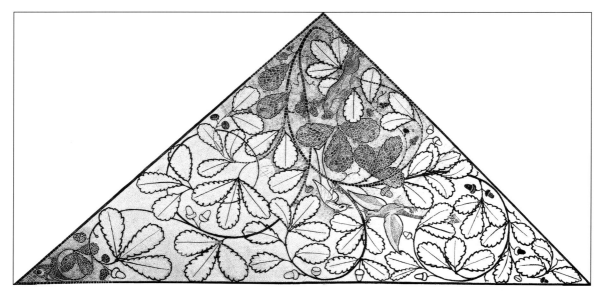

Abb. 136   August Essenwein: Teilweise kolorierter Entwurf für ein dreieckiges Mosaikfeld mit stilisiertem Eichenlaub und Tieren (vgl. Abb. 134)

Abb. 137   August Essenwein: Detail aus Mosaikentwurf Abb. 136 mit Schmetterling

Abb. 138   August Essenwein: Detail aus Mosaikentwurf Abb. 136 mit Vögeln

Abb. 139   August Essenwein: Detail aus Mosaikentwurf Abb. 136 mit Schnecke und eichelfressendem Getier

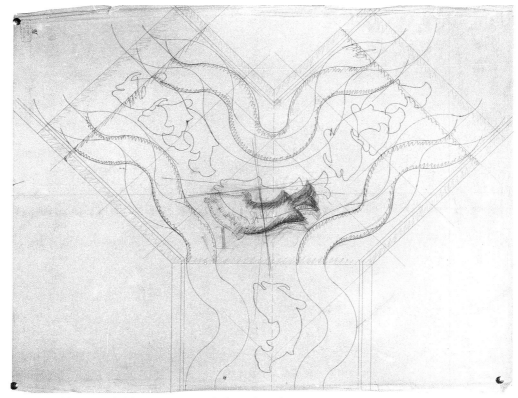

Abb. 140   Entwurf für die Schablone zu einer Gabelung des Lebensstrom-Frieses

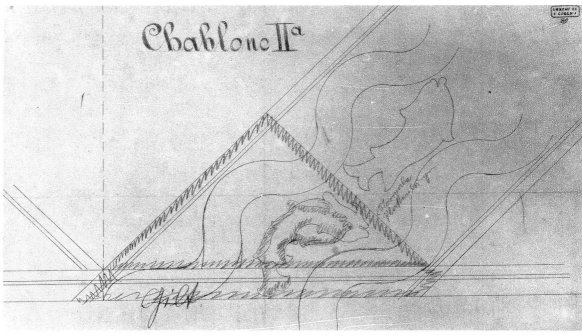

Abb. 141   Entwurf für die Schablone zu einem dreieckigen Endstück des Lebensstrom-Frieses

Abb. 142   Nicht ausgeführter alternativer Entwurf für den Mosaikfries des Lebensstroms

Abb. 143   Kolorierter Entwurf für den Mosaikfries des Lebensstroms

17.XII.1889 an Voigtel: „Wenn Herr von Essenwein noch länger unwohl bleibt, so erlaube ich mir den Vorschlag, den Herrn Geheimen/Geistlichen Rath Dr. (Friedrich) Schneider zur Unterstützung zu empfehlen." [197]) Gegen die Hilfe Schneiders, der die Kontrolle der Inschriften und Wappen übernehmen soll, wie von Villeroy & Boch vorgeschlagen wird, hat Voigtel nichts einzuwenden.

Über diese Ansätze hinaus, werden im Mai 1890, als sich abzeichnet, daß sich der Zustand Essenweins nur teilweise und vorübergehend bessert, Überlegungen angestellt, die auf eine auch ausführende Entlastung, ja auf eine praktische Ersetzung Essenweins zielen. Voigtel notiert auf der Rückseite eines Briefes vom 3.V.1890: „Maler zu empfehlen für event. Fertigstellung der Kartons Maler Kleinertz Köln. Aachener Str. 61 – Maler Geiges Freiburg (Baden) empfohlen durch Camruten (?). – Maler Martin Kiederich (?) (Eltville), Schneider und Bingler empfohlen." [198]) Essenwein, von Voigtel auf die Möglichkeit einer Entlastung durch eine Hilfskraft angesprochen, lehnt zunächst ab. Angesichts der fortgesetzten Stagnation der Arbeiten durch die Erkrankung Essenweins drängt jedoch auch Bingler, nach Abschluß der Chorumgangsmosaiken einem anderen Künstler unter der Aufsicht Essenweins die Ausführung des inneren Chores zu übertragen: „Für die weitere Bearbeitung des inneren Chorbelages kämen dann die Maler Kleinertz und Geiges in Betracht unter Mitwirkung des Herrn Doktor Schneider; Kleinertz ist in der Technik von früher her genau bewandert und Geiges ließ ich im Laufe des Winters eine figürliche Darstellung – die heilige Katharina – für das Münster in Constanz zeichnen, damit er sich in die Technik einführte. Dieses Bild ist nun momentan hier ausgestellt und wohl gelungen. Die Zeichnung war so klar und deutlich, daß wir nicht eine Frage zu tun hatten." [199]) Voigtel schlägt Essenwein wenig später vor, doch Matthias Goebbels als einen von ihm zu „beaufsichtigenden Künstler" ein-

Abb. 144   Entwurf für die ornamentalen Zwischenfelder im Raum zwischen den Chorstühlen (Detail)

[197]) DBAK, Lit. X g II/51.
[198]) DBAK, Lit. X g II/68.
[199]) DBAK, Lit. X g II/123.

Abb. 145 Entwurf für die ornamentalen Zwischenfelder im Raum zwischen den Chorstühlen (Detail)

zustellen, da er ja unter seiner Leitung, nach seinen Kartons und Angaben zahlreiche Arbeiten ausgeführt habe, folglich mit Essenweins Intentionen genau vertraut sei, und daher für die vorwiegend handwerkliche Tätigkeit sowie als Vermittler zwischen Essenwein und der Mettlacher Fabrik besonders
geeignet sei. Goebbels lehnt jedoch ab [200]).

Als Essenwein seinerseits einen Mitarbeiter der Tiroler Glasmalerei- und Kathedral-Glashütte in Innsbruck und Wien namens Tacchi vorschlägt, sich diese Lösung jedoch aus verschiedenen Gründen als
nicht realisierbar erweist, kommt es zu einer weiteren Verschärfung der Situation: Essenwein will nun
„unter keiner Bedingung" mehr am Dommosaik mitarbeiten [201]).

Auf diesen Eklat hin bittet Bingler den Dombaumeister, doch Geiges zu akzeptieren, falls Essenwein
ihn vorschlagen sollte. Bald darauf will es so erscheinen, „daß die ganze Angelegenheit über Essenweins Mitwirkung durch Geiges in Fluß kommt und zweifellos auch zu Ende geführt wird: und das ist
es ja auch was wir alle wollen! Geiges wird nun seinen ganzen Stützpunkt für die Ausführung bei mir
suchen, da er in derartiger Arbeit noch mehr oder weniger unerfahren ist, und ich werde (ihn) . . .
natürlich nach jeder Richtung hin unterstützen!" [202])

Nach einer persönlichen Unterredung des Oberpräsidenten der Rheinprovinz von Nassen mit Essenwein in Nürnberg kommt schließlich eine vertragliche Regelung der Tätigkeit Geiges' unter Essenweins Leitung zustande (DOKUMENT Nr. 15). Parallel dazu erfolgt eine Ergänzung des Vertrages von
1885 (DOKUMENT Nr. 16), mit der dieser der neuen Konstellation angepaßt wird. Beide Verträge
regeln zunächst die noch ausstehende Kolorierung der Kartons zu den Feldern A und G des Chorum-

---

[200]) DBAK, Lit. X g II/128 u. ebd., g II/138.
[201]) Vgl. u. a. DBAK, Lit. X g II/141 u. ebd., 143 u. 146 sowie GNM, Briefe vom 3. u. 9. März 1891.
[202]) DBAK, Lit. X g III/44.

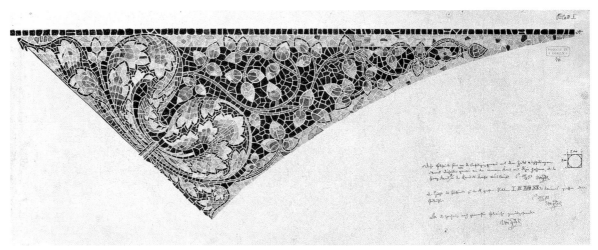

Abb. 146   Kolorierter Entwurf für ein ornamentales Zwickelfeld, mit handschriftlichen Anweisungen Voigtels, nicht ausgeführt

ganges, ferner die der zwanzig als originalgroße Kartons von Essenwein bereits ausgearbeiteten schwarz-weißen Vorlagen zum Raum zwischen den Chorstühlen.

Nachdem jedoch durch die unaufhörliche Verschlechterung seines Gesundheitszustandes selbst eine nur verantwortliche Leitung Essenweins bei der Vollendung der Kartons nicht mehr gewährleistet ist und Essenwein schließlich auch offiziell vom Vertrag zurücktritt, entschließt man sich kurz vor dem Tode Essenweins, die weitere Ausführung der Mosaikvorlagen ganz in die Hände Geiges' zu legen: „Nach langdauernden Verhandlungen mit dem Erzbischöflichen Stuhle, ist es endlich gelungen, die Fortführung der Cartonarbeiten für den Raum zwischen den Chorstühlen zu ermöglichen . . .“ [203])

Ein Vertrag zwischen Geiges und der Dombauverwaltung vom 15.X.1892 modifiziert den Vertrag zwischen Geiges und Essenwein, greift jedoch dessen wesentliche Punkte auf. Von Bedeutung ist vor allem § 5, da aus seinen Formulierungen die Sorge um die Gewährleistung der künstlerischen und qualitativen Kontinuität gegenüber dem in der Mosaiktechnik relativ unerfahrenen und mit der Materie wenig vertrauten Nachfolge-Künstler spricht:

„Sollten die von Herrn Maler Geiges gelieferten 22 originalgroßen farbigen Cartons nach dem Urtheile des Dombaumeisters Geheimen Regierungsrath Voigtel den in § 1 und § 2 des vorstehenden Vertrages festgesetzten Bedingungen, bezüglich der künstlerischen Durchführung wie der für die Ausführung der Mosaikarbeiten nothwendigen Einzeichnung der Farben und der Details der Mosaikzusammensetzung nicht entsprechen, oder dieselben in Bezug auf die Farbengebung und Stylisierung der Figuren wesentlich von den durch Herrn von Essenwein bisher ausgeführten farbigen Cartons abweichen, so verpflichtet sich Herr Maler Geiges nach näherer Rücksprache mit dem Dombaumeister Voigtel und dem Director der Mettlacher Mosaikfabrik Herrn Bingler, die nothwendigen Aenderungen unentgeltlich auszuführen.“ [204])

Lösung des Vertrages durch Essenwein

Wie bereits mehrfach angedeutet, wird die letzte Phase der Tätigkeit Essenweins für das Dommosaik überschattet von dem Konflikt zwischen ihm und Bingler: In dem Stadium des Chormosaik-Projektes

[203]) DBAK, Lit. X g III/111.
[204]) DBAK, Lit. X g III/119.

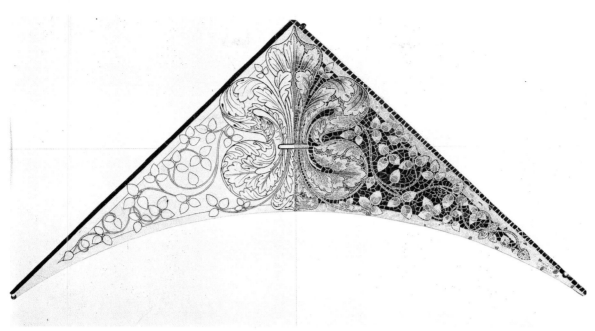

Abb. 147   Teilkolorierter Entwurf für ein ornamentales Zwickelfeld, nicht ausgeführt

vor der Fertigstellung der drei Hauptfelder im Chorumgang – also in der zweiten Hälfte des Jahres 1891 – brechen Differenzen zwischen Essenwein und der Mettlacher Fabrik auf, die schon länger bestanden haben müssen. Sie sind letztlich bedingt durch die Krankheit Essenweins und die darin begründete Unmöglichkeit, die Arbeiten angemessem zu überwachen und ausreichend detaillierte Instruktionen zu geben.

Wegen seines sich rapide verschlechternden Gesundheitszustandes und wegen des Konfliktes mit der Mosaikfabrik schlägt Essenwein wiederholt eine vorzeitige Lösung seines Vertrages vor. Aus der Sicht Binglers stellt sich das Problem etwas anders dar: „. . . Herr von Essenwein ist krank . . . und wird zweifellos von außen noch gereizt." – „Der Verkehr war stets ein sehr schwieriger mit Herrn von Essenwein, da die Angaben und Detailzeichnungen nicht immer so komplett vorlagen, wie dies eigentlich bei einer so großartigen Arbeit sein soll, besonders fühlbar war der Mangel an einer richtig kollorierten Ensemblezeichnung, allein wir nahmen ja die Verhältnisse wie sie lagen, nie war der Verkehr ein freundschaftlicher nach jeder Seite hin bis heute." [205]

Voller Verbitterung bemerkt demgegenüber Essenwein, daß es der Mettlacher Fabrik an einem Künstler mangele, der seine Intentionen adäquat umzusetzen verstehe; auch Bingler sei ja eher Techniker, dem das nötige Kunstverständnis fehle. Daran würden sicher auch die verlangten originalgroßen Detail-Kartons nichts ändern.

Sollte er die Ausführungen überwachen, so müßte er alle sonstigen Tätigkeiten aufgeben. – Bingler im gleichen Zusammenhang: „Auf die infamen Angriffe auf meine Person kam ich nicht mehr zurück; es hat dies gegenüber dem alten und kranken Künstler keinen Werth, und könnte nur einen gehäßigen Eindruck hinterlassen, was ich nicht wünsche!" [206] Um einer weiteren Eskalation vorzubeugen, empfiehlt Voigtel der Mettlacher Fabrik daraufhin vertraulich, vorläufig jede Korrespondenz mit Essenwein einzustellen. Als Voigtel im nördlichen Chorumgang weiterarbeiten läßt, ohne zuvor eine Korrektur

---

[205] DBAK, Lit. X g II/123 u. 125.
[206] DBAK, Lit. X g III/18.

der beanstandeten Details im südlichen Chorumgang [207]) zu klären, ist Essenweins Konzessionsbereit-schaft endgültig erschöpft: „Unter diesen Verhältnissen beabsichtige ich, *unter keiner Bedingung* mich ferner zu bethätigen, und wünsche nur, daß unsere Auseinandersetzung und die Auflösung unse-rer Beziehungen in Ruhe und ohne in der Presse erörtert zu werden vor sich gehen könne, wobei es mir auf ein kleines Geldopfer nicht ankommt." [208]) Trotz der schließlich dann doch noch erfolgten Korrekturen nach seinen Bedingungen besteht Essenwein auf der Kündigung des Vertrages.

Wie Voigtel gegenüber dem Oberpräsidenten der Rheinprovinz besorgt äußert, dürften bei einer Lösung des Vertrages neue Schwierigkeiten aus der Tatsache erwachsen, daß der Erzbischof allein Ent-würfe Essenweins im Voraus genehmigt habe, was er bei einem neu einzustellenden Künstler sicher nicht tun würde. Deshalb „sprechen alle Gründe dafür, selbst mit den größten Geldopfern, Herrn von Essenwein zur Fortführung der Cartonentwürfe zu veranlassen . . ." [209]) Das Oberpräsidium der Rhein-provinz unternimmt daraufhin am 9. IX. 1891 einen letzten „offiziellen" Versuch, Essenwein durch ein großzügig bemessenes Honorar und durch verschiedene Arbeitserleichterungen doch noch zur weite-ren Mitarbeit am Dombeflurungs-Projekt zu bewegen. [210])

Essenwein kann auf dieses „so schmeichelhafte Schreiben" jedoch nur mit einer Absage antworten: „Da ich die Kraft nicht in mir fühle, jene Menge von Details selbst durchzuarbeiten, wie sie eine Anstalt in der That haben muß, die keine künstlerischen dazu geeigneten Kräfte besitzt, so hatte ich mich ent-schlossen, lieber auf die Vollendung zu verzichten, als die Durchführung dadurch zu gefährden, daß ich gebrochen, wie ich bin, sie in der Hand behalte und nur mangelhaft meine Pflicht thue." [211] Zu die-sem Zeitpunkt hat sich seine Krankheit bereits so verschlimmert, daß er gezwungen ist, auch sein Amt als Direktor des Germanischen Nationalmuseums niederzulegen.

Als letzte Entgegnung auf die wiederholten Bitten, seine Mitarbeit trotz allem nicht aufzukündigen, sondern unter modifizierten, erleichterten Bedingungen das Projekt zu Ende zu führen, schreibt Essen-wein am 21. I. 1892 dem Oberpräsidenten der Rheinprovinz: „Ich habe nicht die Kraft mehr, welche dazu gehört, zu arbeiten . . . Indem ich die ausdrückliche Erklärung abgebe, daß es nur dieser Umstand ist, welcher mich dazu veranlaßt, bitte ich ergebenst, mich von dem Abschluß des vorliegenden, oder überhaupt eines Vertrages entbinden zu wollen . . . Ich stelle gerne, was an Zeichnungen und Farben-skizzen vorhanden ist, in dem Zustande, in welchem es sich befindet, zur Verfügung." [212])

Wenig später sendet Frau von Essenwein, die von nun ab die weitere Korrespondenz führt, zwei Kisten mit den bereits oben erwähnten Arbeitsunterlagen von Bozen nach Köln. Die Übersendung der restli-chen noch in Nürnberg verbliebenen Zeichnungen und Unterlagen verzögert sich, denn Essenwein will sie nur nach nochmaliger Überarbeitung der Dombauverwaltung zum Kauf anbieten [213]). Essen-weins Zustand ist auch nach einem Umzug nach Neustadt am Haardt „sehr bedenklich"; er ist „noch immer schwach und angegriffen" heißt es im April 1892. Ob es zu einer Überarbeitung der Unterlagen durch ihn noch gekommen ist, scheint fraglich. Am 13. X. 1892 stirbt Essenwein.

---

[207]) DBAK, Lit. X g II/126: „Nun habe ich stets Gewicht darauf gelegt, daß im Gegensatz zu der sonst dort (d. h. in der Mosaikfabrik, d. Verf.) üblichen glatten geleckten Technik eine etwas belebtere in der Weise angewendet wird, daß kein Ton aus Steinchen (?) von einer einzigen Farbe hergestellt wird, sondern durch eine Mischung von verschiedenen Tönen, daß ferner bei der sehr leichten und wenig markierten Schattenwirkung dies eben-falls durchgeführt wird. Auf Feld N habe ich dies deshalb so eingehend gezeichnet. Ebenso soll eine Linien-führung, sowie die verschiedene Färbung der Fugen (. . . unleserlich) dazu beitragen, die Modellierung zu er-setzen, die ja bei einem Fußboden nicht mit gehen darf". (sic)

[208]) DBAK, Lit. X g II/146.

[209]) DBAK, Lit. X g II/150.

[210]) DBAK, Lit. X g II/164.

[211]) DBAK, Lit. X g II/167.

[212]) DBAK, Lit. X g III/61.

[213]) DBAK, Lit. X g III/88.

Die Ausführung unter Geiges

Exkurs: Fritz Geiges, ein biographischer Überblick

Fritz Geiges wurde am 2. Dezember 1853 in Offenburg geboren. Die „Bürgerschule" besuchte er in Freiburg i. Br., wohin sein Vater als „Stadtbaumeister" berufen worden war. Geiges studierte 1872–74 u. a. bei dem Cornelius-Schüler Bernhard Neher (1806–86) an der Stuttgarter Kunstschule Figuren- und Bildnismalerei; anschließend besuchte er für drei Jahre die Münchener Akademie.

„1878 nach einer schweren Erkrankung heimgekehrt"[214], verdingte er sich zunächst als „Zeichenlehrer an der Höheren Bürgerschule". – Der kaum 20jährige hatte bereits vier Jahre zuvor mit einer kleinen Schar Gleichgesinnter den „Breisgau-Verein Schau-ins-Land" gegründet, dem Zeit seines Lebens ein Teil seiner Aktivitäten galt; bis zu seinem Tode steuerte er der gleichnamigen (noch heute bestehenden) Vereinszeitschrift zahllose Illustrationen und Aufsätze bei. Für seine Laufbahn als Glasmaler und „Kunstschriftsteller" sollte diese Tätigkeit von entscheidender Bedeutung sein: „Daß ich . . . aus dem . . . doch nur höchst widerwillig geübten Broterwerb des Zeichenlehrers rechtzeitig herausgeholt und auf eine Bahn geleitet wurde, die mich mein Lebenswerk schaffen hieß, das verdanke ich der mittelbaren Auswirkung des zur Gründung unseres Vereins führenden Planes . . . Gelangte ich doch in der Folge nicht zuletzt durch meine Beiträge für unsere Zeitschrift in Beziehung zu Männern wie dem kunstsinnigen Mainzer Prälaten *Friedrich Schneider* und dem Direktor des Germanischen Museums *Alexander* (sic!) *von Essenwein,* der mich anläßlich der Ausmalung des Chores von St. Martin mit der Weiterführung der von ihm begonnenen Mosaikbeflurung des Kölner Domes betraute und dabei zur Errichtung einer eigenen Glasmalerwerkstatt anregte."[215]

Wie weit Geiges überlieferte „Jugenderinnerung" in dieser Verknüpfung tatsächlich zutrifft, ist heute kaum mehr nachprüfbar. Entscheidend ist jedoch, daß er, der junge Künstler, Schneider, dem er 1906 seine „Studien aus Kunst und Geschichte" widmen sollte, und Essenwein offensichtlich viel verdankte: Seinen künstlerischen Durchbruch hatte Geiges nämlich mit der Wiederherstellung des neuaufgedeckten Bilderzyklus in der Mainzer St.-Quintin-Kirche (1883) erfahren, ein Auftrag, der durch Friedrich Schneider vermittelt worden war[216]. – In den achtziger Jahren wendet sich Geiges zunehmend der Glasmalerei zu und gründet 1888 eine bald florierende Werkstatt für Glasmalerei in Freiburg, „der Stadt, der als Mittelpunkt seiner Tätigkeit eine Vielzahl seiner Arbeiten galt."[217]

Hier entstanden die zahllosen Glasfenster, die Geiges vor allem für kirchliche Bauten im In- und Ausland herstellte; um nur eine Auswahl der bedeutendsten Aufträge zu nennen: Bonn, Münsterkirche, Zyklus von 31 „romanischen" Fenstern (1888/89); Konstanz, Münster, 7 Fenster (1888–1923); Maria-Laach, Klosterkirche, Zyklus von 38 „romanischen" Fenstern (1890-1908); Hamburg, Marienkirche, Chorfenster (1893); Oberwesel, Stiftskirche, 12 „gotische" Fenster (1894/97); Koblenz, St. Castor, insgesamt 24 Fenster (1894/99); Paderborn, Dom, 5 Fenster (1895); Berlin, Kaiser-Wilhelm-Gedächtniskirche, Zyklus von 27 „romanischen" Fenstern (1895–1904); Eichstätt, Dom, Zyklus von 20 Fenstern (1896/98); Bingen, Rochuskapelle, 14 „gotische" Fenster (1896–1908); Halle, St.-Franziskus- und

---

[214] Geiges, Jugenderinnerungen, S. 26.

[215] Ebd., S. 26. – Die Verläßlichkeit dieser Angaben scheint jedoch nur eine bedingte zu sein. Zumindest spricht gegen die durch Geiges überlieferte Version, daß die Innenausstattung von Groß St. Martin, an der Ausführung nur mittelbar beteiligt war und Geiges offensichtlich überhaupt nicht, bereits 1885 abgeschlossen wurde. (Vgl. Kapitel „Vorgänger- und Parallelprojekte", bes. S. 358) – Außerdem wurde Geiges nach einer Aktennotiz Voigtels (DBAK, Lit. X g II/68) weder von Schneider noch von Essenwein empfohlen. Doch könnte die Bekanntschaft von Essenwein und Geiges über dieses Projekt, das jedoch von anderen ausgeführt wurde, zustande gekommen sein.

[216] Nach: Thieme/Becker, Künstlerlexikon, Bd. XIII, S. 347.

[217] Nach: Das geistige Deutschland am Ende des XIX. Jahrhunderts, Bd. I, Leipzig/Berlin 1898, S. 219, gründete Geiges bereits 1880 seine „Glasmalereianstalt".

Elisabeth-Kirche, 29 Fenster (1896); Magdeburg, Dom, zahlreiche Fenster (1898–1903); Worms, Dom, zahlreiche Fenster (1902/09); Naumburg, Dom, 14 „romanische" Fenster (1903/12); Metz, Kathedrale, zahlreiche Fenster(restaurierungen) (1906/14); Trier, Dom, zahlreiche Fenster (1906–1918); Herford, St.-Johannes-Kirche, 12 Fenster (1910); Wetzlar, Dom, 14 Fenster (1910); Fritzlar, Dom, 2 „romanische" Fenster (1914/15) usw. – Außerdem schuf er Glasgemälde u. a. für den Kaisersaal des Frankfurter Römers, für die Karlsruher Kunsthalle und für das Basler Gewerbemuseum (Kopien mittelalterlicher Fenster) [218].

Sein umfangreichstes Werk auf dem Gebiet der Glasmalerei und sein wohl bedeutendstes Werk überhaupt war indes die Restaurierung der mittelalterlichen Fenster des Freiburger Münsters in den Jahren 1908–27. Mit dieser „Lebensaufgabe" setzte er sich ein bleibendes Denkmal, das ergänzt wird durch die von Geiges verfaßte Dokumentation dieses Unternehmens, die 1931 als ein 392 Seiten mit fast 1000 Abbildungen umfassendes Monumentalwerk erschien: „Der mittelalterliche Fensterschmuck des Freiburger Münsters. Seine Geschichte, die Ursache seines Zerfalls und die Maßnahmen zu seiner Wiederherstellung; zugleich ein Beitrag zur Geschichte des Baues selbst."

Mit diesem Werk zog er nicht nur die Summe seines künstlerisch-restauratorischen Lebenswerkes, sondern – als die „Krone seines literarischen Schaffens" – auch zahlreicher vorausgegangener „Studien" zu diesem Bau: „Autodidakt auf all meinem mit Erfolg gepflegten Arbeitsgebieten, vermag ich . . . *nur einen* wirklichen Lehrmeister anzuerkennen . . ., *Freiburgs unvergleichliches Münster,* dessen Zauber mich auf Lebzeiten in seinen Bann gezogen." [219]

Neben den Arbeiten zur Restaurierung der Fenster des Münsters traten mehr und mehr alle anderen Aufgaben zurück. Ohnehin waren seine Betätigung auf dem Gebiete der Monumentalmalerei – und erst recht seine Mosaikentwürfe – seinen überaus zahlreichen Glasmalereien nachgeordnet: Nach dem künstlerischen Durchbruch in Mainz folgten die Ausmalung des Eichstätter Domes (1884), Wandmalereien in Freiburg (Chor der St.-Martin-Kirche, 1886, Vorhalle des Münsters, 1888, u. a.), Fassadenmalereien für verschiedene Rathäuser (Rottweil, 1884, Freiburg, 1887, Bieberich u. a.) und öffentliche Bauten wie z. B. für das Freiburger Schwabentor, 1903.

Zwischen seinem künstlerischen Schwerpunkt, der Glasmalerei, und der Monumentalmalerei vermittelte gleichsam Geiges' Entwurf für das Apsismosaik des Bonner Münsters (1891). Bereits 1889 hatte er sich mit einem Entwurf an der Konkurrenz zur musivischen Ausschmückung des Aachener Münster-Oktogons beteiligt. Diese und einige weitere Mosaikentwürfe (etwa für Jung St. Peter, Straßburg, 1903) bleiben jedoch eindeutig Nebenwerke seines vor allem der Glas-Malerei gewidmeten Schaffens. Aus diesem Kontext ist auch seine durch zahllose Verzögerungen geprägte über zehnjährige Tätigkeit für das Dommosaik zu bewerten.

Etwa seit der Jahrhundertwende häufen sich einerseits die Auszeichnungen und Ehrungen für den vielbeschäftigten Künstler: 1897 wird er zum Professor ernannt; auf der Pariser Weltausstellung von 1900 erhält er die große goldene Medaille für Kunst und Wissenschaft für seine Freiburger Rathausfenster [220]; 1920 verleiht ihm die Philosophische Fakultät der Universität Freiburg die Ehrendoktorwürde und schließlich ernennt ihn die Stadt Freiburg an seinem 70. Geburtstag zu ihrem Ehrenbürger. Andererseits werden seine Grenzen erkennbar und die Affinität des Restaurierens zum Restaurativen und Reaktionären offenkundig: „. . . Und dann die Kunst. Ich denke dabei nicht an die hirnverbrannten Erzeugnisse modernster Richtungen, die im Kubismus ihren unüberbietbaren Kulminationspunkt haben, wobei man sich stets vor die Frage gestellt sieht, ob es sich um wohlerwogene Spekulationen

[218] Diese Auswahl der wichtigsten von Geiges ausgeführten Glasmalerei-Aufträge stützt sich vor allem auf das von seiner Frau Maja Geiges zusammengestellte „Verzeichnis der Hauptwerke des Künstlers", in: Schau-ins-Land, 63 Jg., 1936 (Geiges-Heft), S. 72–77. – Vgl. Hermann Eric Busse, Der Meister Fritz Geiges, Glasmaler und Erforscher oberrheinischen Kulturlebens, in: Das Bild, Heft 2, Febr. 1937, S. 38–44.

[219] Geiges, Jugenderinnerungen, S. 26.

[220] Vgl. Damit auch die von Geiges auf der Weltausstellung 1900 in Paris sowie 1903 in Karlsruhe ausgestellten Arbeiten. – Vgl. Kapitel „Das Mosaik als Exponat", bes. S. 354.

Abb. 148   Fritz Geiges

auf die geistige Beschränkheit anderer oder hochgradige Gehirnerweichung handelt, und ob diese mehr bei den Schöpfern solch unsterblicher Werke sogenannter Kunst oder bei deren ernsthaften Betrachtern diagnostiziert werden muß." [221])

---

[221]) Geiges, Jugenderinnerungen, S. 25. – Zur im wesentlichen ganz entsprechenden Bewertung des Kubismus durch Adolf Hitler und Adolf Rosenberg vgl. u. a. Wilfried Wiegand, Pablo Picasso in Selbstzeugnissen und Bilddokumenten, (Rowohlts Monographien Bd. 205), Reinbek bei Hamburg 1973, S. 72 u. 74. – Vgl. damit auch die entsprechende Inanspruchnahme Essenweins durch seinen Sohn August (1870–1953): „Daß Essenwein seiner Zeit voraus dem heutigen Nationalsozialismus nahestand . . . Wie würde sich Essenwein über die heutige Zeitentwicklung freuen!" (Essenwein Jr., August Ottmar Ritter von Essenwein, S. 308).

Daß die Diktion solcher Ausfälle an die Aktion „Entartete Kunst" erinnert, ist durchaus keine zufällige Parallele. In den letzten Jahren seines Lebens gibt der „Gaubruder Geiges" seiner weltanschaulichen Ausrichtung u.a. durch zahlreiche völkisch-germanisierende Arbeiten unmißverständlichen Ausdruck: Ein Künstler, der sich in seinem Wirken und Denken überlebt hatte; ein Denkmal seiner selbst. Am 23. Juni 1935 stirbt Fritz Geiges.

Der Raum zwischen den Chorstühlen

Nachdem Rücksicht auf den verdienstvollen, aber todkranken Essenwein es nicht länger gebot, einen lediglich assistierenden, nach seinen Anweisungen arbeitenden Zeichengehilfen einzustellen und Geiges offiziell seine Nachfolge antrat, schien nun der Weg frei für die zügige Ausführung der Chormosaiken.

Die neue vertragliche Regelung der Tätigkeit Geiges' betraf lediglich die Ausarbeitung der zwanzig originalgroßen Kartons für den Raum zwischen den Chorstühlen. Die mit in den Vertrag aufgenommenen Kartons für die Felder A und G des Chorumganges standen zum Zeitpunkt der Vertragsunterzeichnung bereits kurz vor der Vollendung.

Die neue Ausgangssituation scheint das Arbeitstempo zunächst beflügelt zu haben. Nur wenige Tage nach der offiziellen Genehmigung des Vertrages durch den Oberpräsidenten der Rheinprovinz am 27.X.1892 kann Geiges bereits Voigtel mitteilen: „Mit dem ersten Carton (die Nacht) habe ich sofort begonnen und wird derselbe in einigen Tagen vollendet sein." [222]) – Maßgebliche Grundlage und Orientierungshilfe dieser in allen wesentlichen Punkten bereits von Essenwein festgelegten Arbeit sind dessen zwanzig kleine Farbenskizzen sowie die auf den originalgroßen Kartons bereits teilweise von Essenwein selbst vorgenommene Kolorierung. Als 1892 sich der Vertragsrücktritt Essenweins abzeichnete, drängte Voigtel darauf, daß auch der erste große farbige Entwurf nach Köln geschickt wurde, da diese Zeichnung bereits im Juni 1885 mit 1800,- M. vergütet und als Eigentum der Dombauverwaltung inventarisiert worden war: „Diese im großen Maßstabe sehr sorgfältig ausgezeichnete und polichromierte Farbenskizze gibt dem Maler bei Anfertigung der Cartons zum Presbyterium einen kaum zu entbehrenden Anhalt in Bezug auf Stilisierung der Figuren und die allgemeine Farbenbestimmung und erleichtert dem ausführenden Künstler die Fertigstellung der großen Cartons, für welche kein anderer Anhalt gegeben ist, als die sehr flüchtigen Andeutungen auf der Skizze Blatt II in dem gewählten sehr kleinen Maßstab." [223])

Als Voigtel nach dem Tode Essenweins Geiges das Arbeitsmaterial seines Vorgängers zuschickt, nimmt er jedoch die farbige Generalzeichnung davon aus, „da die ganze Anordnung, selbst die Farbe der Hintergründe von Essenwein nachträglich geändert sind, es sind daher die ihnen übersendeten kleinen 20 Farbenskizzen sowie die auf den großen Cartons eingetragenen theilweisen Polichromierungen allein maßgebend." [224])

Über die Entwürfe seines Vorgängers hinaus waren Geiges' erste Arbeiten für den Raum zwischen den Chorstühlen, „Die Nacht" und „Die Zeit", wie auch die noch folgenden durch grundsätzliche Festsetzungen Voigtels bestimmt: „Da der Raum zwischen den Chorstühlen bedeutend schwächer beleuchtet ist als der Chorumgang, so müssen die übersendeten 20 Medaillons etwas kräftiger in den Farben gehalten werden als die Mosaiken im Chorumgang." [225]) Die „gewünschte kräftigere Farbwirkung" erfor-

---

[222]) DBAK, Lit. X g III/127.
[223]) DBAK, Lit. X g III/78.
[224]) DBAK, Lit. X g III/118.
[225]) Ebd.

dere die Verwendung größerer Tesserae; für Geiges ist es „jedoch schwierig, diesem Verlangen vollends gerecht zu werden ohne allzusehr von dem Essenweinschen Original abzuweichen." [226] Die Notwendigkeit, geringfügige formale Abweichungen des „Zeit"-Kartons gegenüber dem Essenweinschen Entwurf zu rechtfertigen – sie seien durch den Brief Essenweins vom 28. X. 1891 (an ihn?) und mündliche Rücksprache mit ihm autorisiert –, illustriert vollends die in mehrfacher Hinsicht abhängige Situation, in der sich Geiges befand. Voigtel äußert denn auch an einer ganzen Reihe von Details Kritik, die sich letztlich auf den Vergleich der Kartons mit Essenweins Farbenskizzen gründet.

Das Dilemma, dem sich Geiges gegenübersieht, will er den vertraglichen Verpflichtungen genügen, steht auch im Mittelpunkt eines Berichtes, den Bingler über seinen Besuch in Freiburg an Voigtel schickt: „Geiges hat sich genau an das Colorit und die in den Kontur-Kartons gegebenen Details des Herrn v. Essenwein gehalten und nur einige Unausstehlichkeiten (wie z. B. zwei rechte Füße an ein und derselben Figur, der Verf.) corrigirt (sic). Fährt Geiges in der bisherigen Weise fort, die Kartons fertig zu stellen, so bin ich . . . überzeugt, daß die Ausführungen weder Ihnen noch den übrigen Berufenen gefallen und zu fortwährenden Bemängelungen Veranlassung geben wird. Wir haben uns deshalb zu folgendem Resümé vereinigt (sic): 1. Geiges führt die Kartons genau nach den von v. Essenwein'schen Entwürfen aus, und müssen dann alle Unschönheiten und Absonderlichkeiten desselben mit in den Kauf genommen werden, oder 2. es wird Geiges eine größere Freiheit gelassen resp. eingeräumt die Kartons zwar im Sinne der v. Essenwein'schen Auffassung jedoch mit Hinweglassung aller Unschönheiten p. p. in zeitgemäßer, schön stilisirter Weise und Form – besonders in Bezug auf die Figuren – zur Ausführung zu bringen." [227]

Obwohl Voigtel einen Probekarton („Infantia") in der modifizierten Weise bis auf einige Kleinigkeiten akzeptiert, scheint solch bedingtes Entgegenkommen vor allem von dem Gedanken geleitet zu sein, dadurch die zügige Herstellung der Kartons zu fördern, denn immer ist es mit Appellen, das Arbeitstempo zu forcieren, verbunden. Bereits einen Monat später sieht Voigtel sich zu der Richtigstellung genötigt, er sei nicht autorisiert, wie Geiges offensichtlich annehme, Umarbeiten und wesentliche Änderungen der Essenweinschen Farbenskizzen und naturgroßen Umrißzeichnungen zuzulassen, da alle Entwürfe Essenweins bereits genehmigt und diese im Vertrag mit Geiges ausdrücklich als Anhalt für die farbigen Kartons bestimmt worden seien. Zulässig seien nur ganz unwesentliche Korrekturen wie z.B. die unschönen Gesichtsbildungen, Hände und Füße einzelner Figuren. Darüber hinaus seien jedoch Änderungen der Essenweinschen Entwürfe, wie die von ihm bereits bemängelten starken Abweichungen in der Faltenführung bei Geiges' Probe-Karton „Infantia" [228], nicht zu verantworten. Voigtel vertröstet Geiges, wenig überzeugend, auf die Ausarbeitung des Raumes vor dem Hauptaltar; dort könnten dann die angestrebten Modifizierungen der Essenweinschen Vorlagen realisiert werden. Bis dahin habe man sich jedoch strikt an die Entwürfe Essenweins zu halten [229].

Nach dem schwungvollen Neubeginn mit den zwei bereits im Februar 1893 vollendeten Kartons zum Raum zwischen den Chorstühlen gerät die Zeichnungslieferung bis zum August erstmals wieder vollkommen ins Stocken. Als Folge dieser Verzögerung muß Villeroy & Boch die speziell für die Kölner Mosaikarbeiten eingerichtete Werkstatt schließen. Damit der Gottesdienst wieder im Domchor stattfinden und der Mosaikboden doch noch vor Beginn des Winterfrostes verlegt werden kann, drängt Voigtel auf die Fortsetzung der Arbeiten. Geiges sendet daraufhin am 2. VIII. 1893 als dritten den überarbeiteten Karton zu „Infantia" – nicht ohne hinzuzufügen, daß die von Mettlach gewünschten möglichst großen Tesserae zur Steigerung der Farbintensität nur teilweise realisiert werden konnten, da er sich vielmehr eng an den Entwurf Essenweins angelehnt habe: „Es ist fast ein Ding der Unmöglichkeit, all die absoluten Unschönheiten in den Essenweinschen Entwürfen, welche erst vollständig bei deren

[226] DBAK, Lit. X g IV/5.
[227] DBAK, Lit. X g IV/11.
[228] DBAK, Lit. X g IV/29.
[229] Ebd.

Ausführung im Großen zur Geltung gelangen, zu beseitigen ohne allzusehr von der Linienführung des Originals abzuweichen und ich bin fest überzeugt, wenn Herr von Essenwein noch am Leben wäre, er würde die vorgenommenen Umgestaltungen auch billigen . . . Alles genau so auszuführen wie in den Originalskizzen angedeutet, vermag ich nicht zu verantworten, da thatsächlich etwaiges Detail, wenn auch zu Unrecht, vorwiegend denjenigen treffen wird, der die Ausführung in der Hand hatte. Man wird stets gleich bei der Hand sein mit der Behauptung Essenwein hätte das jedenfalls besser gemacht. Solange diese Principienfrage nicht entschieden ist vermag ich natürlich nicht weiter zu arbeiten und hatte dasselbe lebhaft bedauert daß ein mündlicher Austausch nicht möglich war . . .“ [230]

Die Ausführung des Mosaikbodens zwischen den Chorstühlen beginnt bereits Anfang Juni 1893 mit dem Strom des Lebens. Bevor indes mit den Verlegearbeiten begonnen werden konnte, waren noch einige Vorentscheidungen zu treffen, deren wichtigste, neben der Erweiterung des Altarraumes nach Westen, die vor der Chortreppe gelegene Gruft betraf: Die beiden projektierten Bildreihen der Mosaiken im Kapitelchor würden nämlich zwei Bischofsgräber flankieren. Die große Gruft, in der die sterblichen Überreste des Erzbischofs Ferdinand August Graf Spiegel († 1813) und Johannes Kardinal von Geissel († 1864) ruhen, sollte unter allen Umständen beibehalten werden. Da in ihrer ursprünglichen Form die zur Gruft hinabführende Treppe den Mosaikboden in seiner projektierten Form jedoch in einer Länge von etwa vier Metern durchschnitten hätte bzw. bei jeder Öffnung der Gruft die figürlichen Mosaiken im Bereich der Zugangstreppe aufzubrechen gewesen wären, schlug Voigtel vor, diese Zugangstreppe ganz zu beseitigen. Statt dessen sollten Voraussetzungen geschaffen werden, die es erlaubten, Särge senkrecht hinabzusenken. Er schlug dazu vor, eine Vorrichtung unter der größten der beiden Metallplatten (Geissel) anzubringen, mit deren Hilfe man sie abheben könne. Eine damit verbundene hinreichend große Öffnung in der Wölbung darunter sollte auf diese Weise hermetisch verschlossen werden. Im Juli 1893 beginnt man mit Ausgrabungsarbeiten zur Erweiterung der Gruft unter dem Hochaltar; den Umbau sollte nämlich eine „Vermehrung der Grüfte“ durch den Anbau dreier zusätzlicher Gewölbe ergänzen.

Angesichts der schleppenden Produktion, einen Monat vor dem vertraglich vereinbarten Abschlußtermin aller 20 Kartons sind erst fünf vollendet, ist Voigtel gezwungen, den Endtermin vom 1. Oktober 1893 auf den 1. März 1894 zu verlängern.

Das neue Jahr beginnt mit einer Verkettung tragischer Ereignisse, die wiederholte Verzögerungen der Arbeiten am Mosaik zur Folge haben: Als Ende Februar vier Monate seit Übersendung des letzten Kartons (VI) verstrichen sind und die Mosaikfabrik die Arbeit erneut aus Mangel an Vorlagen einstellen muß, droht Voigtel mit einer Benachrichtigung des Oberpräsidenten. Erst daraufhin meldet sich Geiges wieder: Nachdem er endlich einen geeigneten Ersatzzeichner für seine verstorbene beste Hilfskraft gefunden habe, sei es ihm erst jetzt möglich, wieder Kartons zu vollenden. Bis April treffen nun in zügiger Folge Mosaikvorlagen in Köln ein, dann wieder sechs Wochen lang keine einzige. Durch den Tod seiner Frau sei er außerstande gewesen zu arbeiten, jetzt aber sollen noch in derselben Woche gleich drei weitere Kartons nach Köln geschickt werden, schreibt Geiges am 19.VI.1894 an Voigtel, doch erst am 24.VIII.1894 meldet er die Fertigstellung auch der letzten drei Kartons (XVIII–XX). Fast ein Jahr also nach dem ursprünglich vereinbarten Fertigstellungstermin liegen endlich alle kolorierten Kartons für den Raum zwischen den Chorstühlen vor.

Mitte Juli 1895 werden die Verlegearbeiten wieder aufgenommen, doch erst in der zweiten Hälfte des Jahres 1896 abgeschlossen. Vor dem Verlegen der Mosaiken im inneren Chor waren nämlich außer den mit dem Umbau der dortigen Grüfte verbundenen Vorarbeiten, ähnlich wie zuvor im Lang- und Querschiff, die Gasleitungen zu erneuern. Darüber hinaus sollten im Bereich der Chorstühle die Gasflammen vermehrt werden. Alexander Schnütgen fertigte ein Gutachten über Art und Umfang der Chorbeleuchtung durch schmiedeeiserne Gaskandelaber an [231].

[230] DBAK, Lit. X g IV/36.
[231] DBAK, Lit. X g V/53 u. 69.

Der Umbau der Chortreppe

Die große Verzögerung der Beflurungsarbeiten im Kapitelchor ist indes nicht allein durch den Umbau der Gruftanlage, durch eine Reihe von Unglücks- und Todesfällen und durch mangelnde Arbeitsdisziplin bedingt. Neben all diesen Gründen war der Streit um die Neugestaltung der Chortreppe wichtigste Ursache für die verzögerte Verlegung der Mosaiken im inneren Chor. – Bereits Anfang 1892 (also nachdem die Beflurung des Chorumgangs fast fertiggestellt war) wird auf Veranlassung des Erzbischofs eine Konferenz einberufen, deren zentrales Thema die künftige Lage und Gestalt der Chortreppe ist. Zur Debatte steht, ob die Chortreppe um ihre seitlichen Ausschwünge begradigt werden, an ihrer Stelle etwa in der Jochmitte den ersten Chorpfeilern des Presbyteriums westlich vorgelagert verbleiben, wo sie beim „Umbau des Chorinneren im Renaissancestil" angelegt worden war, oder ob das Presbyterium erweitert werden soll, indem man die Treppe bis zum Chor der Kanoniker vorverlegt.

Der damalige Erzbischof Kardinal Kremenz tritt vor allem aus *liturgischen Gründen* entschieden für letztere Lösung ein: Das Presbyterium sei – so argumentierte er – in seinem jetzigen Umfang zwar für die einfachen Pontifikalhandlungen ausreichend, erweise sich jedoch bei einer Reihe feierlicher Funktionen, bei Ordinationen, Weihen des hl. Öls, Konsekrationen von Bischöfen etc. als „völlig unzureichend". Auch entspreche es den liturgischen Vorschriften, daß gemäß den zwischen pontifikierendem Bischof und assistierendem Chor bestehenden gottesdienstlichen Wechselbeziehungen das Presbyterium mit dem Chor unmittelbar in Verbindung stehe, wie dies in den meisten Kathedralen auch der

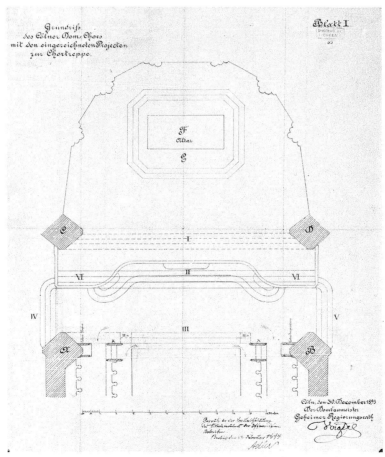

Abb. 149   Richard Voigtel: Plan des Binnenchors mit Einzeichnung verschiedener Projekte zur Chortreppe, 1893

Fall sei. Dies liturgische Zusammenspiel zwischen Bischof und Kanonikern könne im Kölner Dom jedoch z. Z. nur mittels Auf- und Absteigen über mehrere Stufen realisiert werden. Außerdem seien die Umstände, die dazu führten, das Presbyterium, obwohl liturgisch bedeutendster Raumteil, im Größenverhältnis zur übrigen Kathedrale so bescheiden zu proportionieren, nicht länger gegeben. Der zwischen Chor und Presbyterium befindliche, niedriger gelegene Raumteil sei z. Z. seiner Veränderung im 18. Jahrhundert dazu bestimmt gewesen, den Blick auf den Hochaltar zu ermöglichen. Entsprechend sollten die seitlich angelegten Türen dazu dienen, den durch jene Mauer vorne verschlossenen Zu- und Austritt namentlich der liturgischen Prozessionen zu ermöglichen. Mit der Entfernung der westlichen Abschlußmauer im Jahre 1863 sei auch die Ursache für die Trennung des Chores vom Presbyterium nicht mehr gegeben. Die unmittelbare Verbindung von Chor und Presbyterium entspräche wohl auch der ursprünglichen Idee des Baumeisters, wie derzeit auch Essenwein meinte. Seine Entwürfe zum Fußboden des inneren Chores spiegelten diese Überzeugung.

Als im Juni/Juli 1893 im Auftrag des Domkapitels unter der Leitung von Dompropst Berlage bei Gelegenheit der Ausgrabungen zur Erweiterung der Gruft im Chor Untersuchungen zur ursprünglichen Gestaltung des Raumes um den Hochaltar vorgenommen werden, stellt sich heraus, daß der mittelalterliche Fußboden um den Altar auf dem gleichen Niveau wie der damalige Fußboden lag. Auch zeigt sich, daß offensichtlich ursprünglich auf allen vier Seiten Stufen zum Hochaltar emporführten. Bei diesen Untersuchungen [232] stößt man u. a. auf eine die Pfeiler am östlichen Abschluß des Kapitelchores gradlinig verbindende ein Meter tiefe und 0,70 m breite Fundamentmauer aus Tuffsteinen, die vom Dombaumeister als Substruktion der ursprünglichen Chortreppe identifiziert wird. Sie stimmte in ihrer Lage genau mit der der vom Erzbischof gewünschten Treppe überein und schien seine Auffassung zu bestätigen [233]. Um die praktische Durchführbarkeit und Zweckmäßigkeit der Chortreppenverlegung zu erproben, wird daraufhin eine provisorische Holzkonstruktion errichtet. Sie wird jedoch wieder abgebrochen, nachdem sich im Metropolitankapitel keine Mehrheit für das Projekt des Erzbischofs gefunden hatte.

Anhand verschiedener Zeichnungen Voigtels [234] lassen sich die in diesem Stadium der Umgestaltung des Chorinneren erörterten Umbauvorschläge für die Chortreppe verfolgen: Das Metropolitankapitel

[232]) Vgl. dazu den Bericht des Kölner Local-Anzeigers vom 20. Juli 1893: „Im hohen Chor des Domes werden zur Zeit im Auftrage des Domcapitels und unter oberer Leitung des Hrn. Dompropsts (sic) Dr. Berlage Untersuchungen vorgenommen, um die frühere Gestaltung der Umgebung des Hochaltars festzustellen. Es hat sich hierbei zunächst bewahrheitet, daß der alte Fußboden rings um den Altar auf gleichem Niveau liegt, so daß die Sockel der Pfeiler vollständig zu Tage treten. Zu der Altar-Mensa, welche auch an der hintern (sic) Seite unter den Zopfanbauten deutlich zu erkennen ist, führten anscheinend früher nach allen vier Seiten Stufen hinauf. Zwischen den beiden mittlern Chorpfeilern hinter dem Hochaltar befand sich in alter Zeit der erzbischöfliche Thron, da bekanntlich der Erzbischof an dieser Seite, dem Volk das Gesicht zugewandt, celebrirte (sic). Einen Aufbau hatte dieser Altar nicht; es standen auf demselben nur vier Engel aus Bronze, welche Kerzen trugen, und die, wie so manches Schöne, aus dem Dom verschwunden sind. Zwischen dem alten und dem aus dem vorigen Jahrhundert herrührenden Fußboden neben und hinter dem Altar fanden sich im Schutt, theils vergraben und theils eingemauert, viele reich polichromirte (sic) Fragmente von Architekturtheilen aus Drachenfelsengestein gearbeitet, welche zweifellos von der steinernen Chor-Einfassung (Schranken) herrühren. Einzelne Ornamenttheile, aus Baumberger Stein hergestellt, welche im Schutt sich fanden, dürften wohl als Reste des erzbischöflichen Thrones zu bezeichnen sein. Bekanntlich fanden sich auch beim Abbruch der Treppenpfeiler am nördlichen Thurm im Jahre 1856 einzelne Theile der Chorschranken eingemauert. Die Kirchenbehörde hat die gewiß von allen Sachverständigen freudig begrüßte Absicht, vor der Anbringung des Mosaikbodens im Chor die frühern Niveauverhältnisse wieder herzustellen und alle spätern Zutaten aus der Zopfzeit zu beseitigen“. (DBAK, Lit. X g IV/31).

[233]) In der Zeichnung Nr. 54 (M. XXXVII Uc) des DBAK, datiert vom 1. Juli 1893, hat Voigtel im Schnitt und im Aufriß den Verlauf der aufgefundenen Fundamentmauer skizziert. Die Zeichnung wurde als Illustration zu einer Mitteilung an den Erzbischof angefertigt. (DBAK, Lit. X g IV/70).

[234]) Zur Umgestaltung der Chortreppe, die sich in der damaligen Form an den zur Mitte hin beckenförmig eingezogenen Bereich des Presbyteriums anschmiegte, fertigte Voigtel verschiedene Projektzeichnungen: Die in der breiten mittleren Öffnung der Einziehung des Presbyteriumniveaus folgende Treppe schwang über den seitli-

spricht sich in seiner Mehrheit dafür aus, die Lage der Treppe an der beim Umbau von 1769/70 gewählten Stelle beizubehalten und lediglich ihre nach vorne ausschwingenden Seiten zu begradigen. Außerdem bezweifelt es die liturgische Notwendigkeit einer Erweiterung des Presbyteriums nach Westen. Besonderen Wert legt das Metropolitankapitel darauf, daß der ungestörte Durchgang vor der Chortreppe (VI) auf dem Fußbodenniveau des Chorumganges erhalten bleibt. Ein Umbau nach den Vorstellungen des Erzbischofs hätte an dieser Stelle die Errichtung seitlicher Stufen erfordert. Wären demgegenüber die Vorstellungen des Metropolitankapitels realisiert worden, so hätte dies zur Folge gehabt, daß der Raum zwischen den Chorstühlen und dem Presbyterium durch Stufen unterbrochen und die Ausführung der dort vorgesehenen Mosaiken nach dem genehmigten Essenweinschen Generalentwurf undurchführbar geworden wäre: Das ausgedehnte Mosaikfeld, für das Essenweins Programm Personifikationen der wichtigsten christlichen Nationen, gruppiert um das zentrale Medaillon des kaiserlichen Repräsentanten der weltlichen Gewalt, vorsah, wäre von der Treppenanlage durchschnitten worden; ein geändertes ikonographisches Programm und neue Pläne wären erforderlich gewesen. Dies hätte nach dem Tode des Schöpfers dieses Gesamtkonzeptes sicherlich zu weiteren großen Schwierigkeiten geführt.

Daß trotzdem solche Änderungen des Programms für das Presbyterium durchgespielt oder doch zumindest erwogen wurden, scheint Zeichnung DBAK, Nr. XXXVIIc 61 zu belegen, in die über den Grundriß von Voigtel (?) mit Bleistift der Verlauf des Lebensstromes *so* skizziert ist, daß er das Vor- und Hochpresbyterium auf eine den Essenweinschen Entwurf umkehrende Form gliedert. Zugleich macht jedoch dieser Versuch die Unvereinbarkeit einer grundsätzlichen Beibehaltung der Treppenführung des 18. Jahrhunderts mit dem Essenweinschen Entwurf deutlich. Da der Erzbischof sich dem Oberpräsidenten der Rheinprovinz gegenüber nicht weiter hinsichtlich möglicher Bedenken zur projektierten Form des Presbyteriums äußert, sondern lediglich eine diesbezügliche Maßskizze Voigtels zurückschickt, sieht Nassen im September 1894 keine Veranlassung mehr, auf die noch schwebenden Verhandlungen der geistlichen Instanzen über die Gestaltung des Presbyteriums weiterhin Rücksicht zu nehmen. Allein maßgebend für die Dombauverwaltung bleibe der Allerhöchste Erlaß vom 18. III. 1894, bekundet er Voigtel; der damals genehmigten Ausführung der Mosaiken im Chor stehe folglich

---

chen Schmiegen zungenförmig bis über die Jochmitte nach Westen aus, um dort, ohne zu den Seiten weiterzulaufen, in einem kurzen Bogen abzuschließen. Nur auf den seitlichen Treppenzungen und in der Mitte war der doppeltbreiten oberen Stufe jeweils eine dritte aufgesetzt, die so zugleich die Hauptrichtungen auf den Altar und die ihm seitlich vorgelagerten Sedilien andeutete. – Alle Projekte zur Umgestaltung der Chortreppe sahen zunächst eine Begradigung derselben durch den Verzicht auf die seitlich vorspringenden Treppenzungen vor: *Projekt I* sah eine Begradigung des westlichen Presbyteriumabschlusses vor, die sich am mittleren Einzug der Chortreppe orientierte, ansonsten aber die vorgegebene Stufung beibehielt. – *Projekt II* folgt dem gleichen Prinzip, doch sollten hier die Schmiegen durch die rechteckige Einpassung der Treppe ersetzt werden. Die Kandelaber sollten paarweise auf den seitlichen Presbyteriumsvorsprüngen Platz finden. – *Projekt III* sah eine in ganzer Breite gradlinig durchlaufende Chortreppe vor. Wie bei Projekt II sollte das Presbyterium auch nach diesem Entwurf nach Westen durch ein Gitter begrenzt werden, das nur einen mittleren Durchgang freigelassen hätte. Die Kandelaber sollten seitlich hinter dem Altar paarweise Aufstellung finden. – *Projekt IV* ging ebenfalls von einer gradlinigen (vierstufigen?) Treppenführung in der ganzen Breite des inneren Chores aus. Durch vorkragende Podeste für die Kandelaber sollte die Treppe jedoch so gegliedert werden, daß in der Mitte ein Durchgang, so breit wie der Raum zwischen den Chorstühlen, sowie zwei seitliche schmalere Nebenaufgänge entstanden wären. Auch hier ließ das Chorgitter nur in der Mitte einen relativ schmalen Durchgang offen.

Hintergrund der jahrelangen Auseinandersetzungen um den Verlauf der Chortreppe dürfte wohl, wie auch Voigtel bereits andeutete (DBAK, Lit. X g IV/72), ein innerkirchlicher Machtkampf gewesen sein, der von seiten des Metropolitankapitels darum geführt wurde, zu verhindern, daß der Erzbischof Einfluß auf die Gestaltung des inneren Chores erhielt. Eine ähnliche Konstellation hatte bereits anläßlich der Aufstellung des provisorischen Pfarraltars in der Vierung, im Jahre 1863, bestanden, als Kardinal Geißel sich erst nach langen Verhandlungen mit seiner Auffassung durchsetzen konnte. – Die Zustimmung des Kaisers brauchte nun jedoch, angesichts des geringen Eingriffs in das architektonische Gefüge des Domes entsprechend der von Krementz gewünschten Umgestaltung, nicht eingeholt zu werden.

nichts mehr im Wege. Als der Arbeitsbeginn unmittelbar bevorsteht, bittet der Erzbischof jedoch um Aufschub, da eine vom Papst zur Vermittlung eingesetzte Expertenkommission bis zum 6. X. 1894 die Entscheidung treffen wolle. Das Tornov'sche (?) Gutachten räumt der vom Erzbischof vorgeschlagenen Änderung der Presbyteriumsgestaltung aus historischen, ästhetischen, liturgischen und praktischen Bedürfnissen den Vorzug ein [235]). Daraufhin beschließt das Domkapitel am 20.II.1895:

1. Die Chortreppe ist zwischen den beiden vor dem Hochaltar gelegenen Pfeilern zweistufig anzulegen, eine dritte Stufe unmittelbar vor den Chorstühlen.

2. Um den notwendigen Raum für den erzbischöflichen Thron und die gegenüberliegenden Sedilien zu gewinnen, soll beidseitig je eine steinerne Unterlage auf der Treppe bzw. auf dem Boden bis zur Höhe des Presbyteriums angebracht werden. Der Steinfußboden des Presbyteriums soll als über die Treppenstufen hinausgeführt werden, soweit es der Umfang des Thrones und der Sedilien erfordert [236]).

Das bedeutet, daß der Fußboden in den Bereichen A, B, C und D gegenüber dem Raum zwischen den Chorstühlen und gegenüber dem Chorumgang um *eine* Stufe (a) erhöht wird, während das über *zwei* Stufen (a_1 und a_2) zugängliche obere Presbyterium sein bisheriges Höhenniveau unverändert beibehält, jedoch bis zur Linie der Chorpfeiler C-D zurückweicht. Der so umgrenzte mittlere Bereich zwischen dem Kapitelchor und dem oberen Presbyterium soll als „Vorpresbyterium" der Aufstellung der niederen Geistlichkeit dienen. Um für den erzbischöflichen Thron und die Sedilien der Weihbischöfe Raum zu gewinnen, sollen die beiden Stufen b und c optisch nicht bis zu den Pfeilern C und D fortgeführt, sondern seitlich zum Sockel für den Thron und die Sedilien verkürzt werden. Mit dieser neuen Anordnung ist keine Beeinträchtigung der Domchorbeflurung verbunden, vielmehr soll die vorgesehene Mosaikbeflurung wie auch die Treppen selbst unabhängig davon in ganzer Breite des Presbyteriums ausgeführt werden, so daß auf ihnen dann pro tempore eine „trockene Steinunterlage" angebracht werden kann [237]). Der schließlich akzeptierte Kompromißentwurf beeinträchtigt das Essenweinsche Beflurungskonzept für das Presbyterium nur unwesentlich: Die einzige Konsequenz für die Chormosaiken besteht darin, daß ihre Breite geringfügig reduziert werden muß, während ihre ursprüngliche projektierte Länge unverändert bleibt. Die lange Verzögerung der Mosaikausführung steht also in umgekehrtem Verhältnis zu ihren Konsequenzen für die schließlich ausgeführte Beflurung.

Als nach den jahrelangen Verhandlungen mit den geistlichen Behörden endlich eine definitive Entscheidung über die Gestaltung des Presbyteriums, die Lage der Chortreppe und die Einteilung der Felder des Mosaikbodens getroffen war, läßt auch die offizielle Genehmigung des Projektes durch den Kaiser nicht lange auf sich warten: In einem diesbezüglichen Erlaß an den Minister für öffentliche Arbeiten vom 8. V. 1895 heißt es: „Auf Ihren Bericht vom 22. v.M. will Ich in Abänderung Meines Erlasses vom 19. März 1894 unter Wiederbeifügung der Anlagen hiermit genehmigen, daß die Chortreppe und das Presbyterium im Dom zu Köln nach den anliegenden von dem Dombaumeister, Geheimen Regierungsrath Voigtel unter dem 1. März d.J. aufgestellten Grundrißplan angelegt werden . . ." [238])

Anstelle der in komplizierten Schwüngen verlaufenden Treppenführung in der Umgebung des barockisierten Hochaltars sah der Essenweinsche Generalplan (A) einen sockelförmigen Altarunterbau mit drei Stufen auf seiner Vorderseite und auf den Schmalseiten vor. Die Stufen der vorhandenen provisorischen Altartreppe setzten sich demgegenüber auch auf seiner Rückseite fort. Ein geplanter Altaraufsatz hätte, unabhängig von seiner (noch nicht festgelegten) Form, die Stellung des Geistlichen hinter dem Altar nicht zugelassen. Voigtel empfahl deshalb, dem Essenweinschen Entwurf zu folgen und die Altartreppe wie die vormalige, Ende des 18. Jahrhunderts errichtete und bis 1894 benutzte, ebenfalls aus Eichenholz herzustellen. Er vertrat die Meinung, daß sich die Verwendung polierten, schwarzen Marmors wegen seiner „Kälte und Glätte" hier nicht empfehle [239]). Das Metropolitankapitel entschied,

---

[235]) DBAK, Lit. X g IV/131.
[236]) Vgl. DBAK, Lit. X g V/2.
[237]) DBAK, Lit. X g V/1 (auf der Rückseite einer beiliegenden Visitenkarte).
[238]) DBAK, Lit. X g V/10.

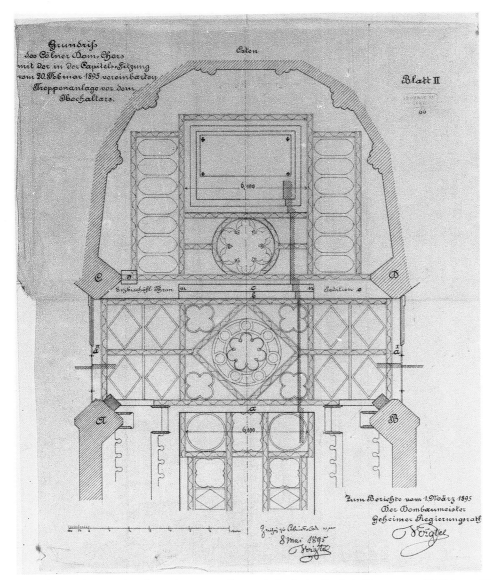

Abb. 150 Richard Voigtel: „Grundriß des Cölner Dom-Chors mit der in der Capitels-Sitzung vom 20. Februar 1895 vereinbarten Treppenanlage vor dem Hochaltare"

daß die alten Holzstufen für den Hochaltar wieder benutzt werden sollten. Ende Oktober wird mit
den Arbeiten zur Umgestaltung der Chortreppe begonnen und das alte Chorgitter demontiert.
Am 11. März 1895 kann der Kölner Lokalanzeiger berichten: „Im Dome sind die Arbeiten zur Umgestaltung der *Chortreppe* und die Vorarbeiten für den *Bodenbelag* des Hochchores beendet . . . Der Aufgang
zum Hochchore ist als zweistufige Treppe dicht an die örtlichen Pfeiler des Durchganges gelegt und in
polirtem schwarzen Marmor hergestellt worden. Die in Stiftmosaik ausgeführten Umrahmungen der
einzelnen Felder des Hochchores sind vollendet. Auch hat die prächtige Mensa des Hochchores einen
neuen mehrstufigen Vorbau erhalten" . . . [240]

[239]) DBAK, Lit. X g V/46.
[240]) Kölner Local-Anzeiger, Nr. 68, vom 11. März 1895. – Vgl. auch DBAK, Lit. X g V/52, 75 u. 76.

170

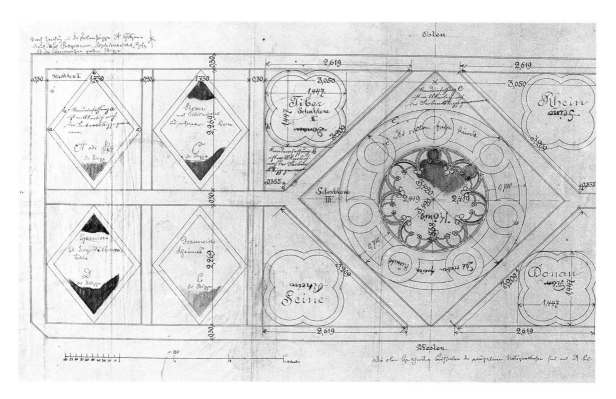

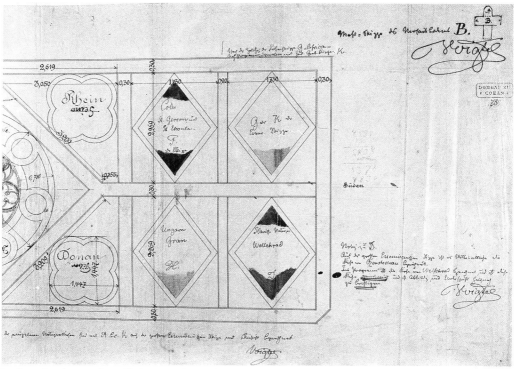

Abb. 151a/b Richard Voigtel: Teilkolorierte Skizze für die Beflurung des Zwischenpresbyteriums mit dem König im Zentrum, flankiert u. a. von den Personifikationen der großen Flüsse und Kirchen, mit zahlreichen handschriftlichen Eintragungen Voigtels. Bemerkenswerterweise wird Köln mit St. Gereon und St. Ursula kombiniert (aus technischen Gründen hier zweigeteilt)

Der Raum vor der Chortreppe

Bei der Vertragsunterzeichnung für die Kartons zum Raum zwischen den Chorstühlen und selbst nach Ablieferung der letzten Kartons dazu stand es noch nicht definitiv fest, ob Geiges auch mit der Ausarbeitung der übrigen Chor-Kartons betraut werden sollte; wohl auf Grund der früheren negativen Erfahrungen und der Ungewißheit darüber, ob sich Geiges bewähren würde, hatte man zunächst nur einen Vertrag mit ihm abgeschlossen, der sich auf den Raum zwischen den Chorstühlen beschränkte. Nachdem die Arbeiten für den Kapitelchor von Geiges fertiggestellt sind, äußert Voigtel jedoch gegenüber dem Oberpräsidenten der Rheinprovinz, daß Geiges der einzige ihm bekannte Maler sei, der eine Lösung der Aufgabe von einem Umfang und einer Bedeutung wie die Herstellung der Kartons für die Presbyteriumsbeflurung im Kölner Dom bewältigen könne. Zudem habe er sich jetzt eingearbeitet und bei der bisherigen Tätigkeit auf den Spuren Essenweins mit der „Mosaikausführung nach den antikrömischen Vorbildern" vertraut gemacht. Eine Weiterbeschäftigung Geiges' hätte den Vorteil, daß für die neue Aufgabe keine Probekartons erforderlich wären. Ferner könne auf die Hilfe von Domkapitular Schneider zurückgegriffen werden, der seine Unterstützung angeboten habe, zumal die Hinzuziehung Schneiders ausdrücklich gewünscht werde [241]. Am 5.VIII.1895 wird Voigtel vom Oberpräsidenten ermächtigt, mit Geiges einen Vertrag zur Herstellung der Presbyterium-Kartons auszuhandeln.

Wichtigste Orientierungshilfe zu den Presbyteriumsmosaiken soll für Geiges der revidierte und kolorierte Generalentwurf Essenweins sein. Daneben sollen die 22 Kartons zum Raum A zwischen den Chorstühlen als Anhalt für die Anfertigung und farbliche Gestaltung dienen. Darüber hinaus wird für

Abb. 152 Fritz Geiges: Aquarellierte Entwurfsskizze zur Personifikation Kölns mit dem Modell von St. Gereon, 1897

---

[241]) DBAK, Lit. X g V/15 f.

die Figuren, Hintergründe und Ornamentik im Felde C um den Hochaltar eine intensivere Farbgebung vereinbart. Sie soll sich an den mittelalterlichen Glasgemälden des Domchores und des nördlichen Querschiffes neben der Orgel orientieren [242]). Diesen Grundsätzen entsprechend sind zuerst für den Bereich B von Süden nach Norden fortschreitend die Kartons in natürlicher Größe zu liefern. Bei Feld C ist zunächst das Mittelfeld mit dem Papst, dann die Personifikationen der sieben weltlichen und endlich die der sieben geistlichen Stände zu fertigen. Geiges verpflichtet sich, die 20 farbigen Kartons für Bereich B bis zum 1. Mai 1896 und die Kartons für Bereich C bis zum 1. Dezember desselben Jahres fertigzustellen. Dabei hat er die Bestimmungen der kirchlichen Liturgie und Symbolik sorgfältig zu beachten, damit die figürlichen Darstellungen, deren Attribute, sowie die Inschriften „allen Anforderungen der hierfür geltenden kirchlichen Vorschriften und den mittelalterlichen Vorbildern allseits entsprechen." [243]) Erst am 21.I.1896 hat Geiges die ersten kleinen Skizzen zum Bereich B fertig; sie umfassen die sieben freien Künste und den Kaiser im Mittelfeld.

Fast einen Monat nach dem vertraglich vereinbarten Fertigstellungstermin für *alle* Kartons dieses Bereiches (1. Mai 1896) trifft auch die Vorlage für das Mittelfeld mit dem Kaiser in Köln ein. An diesem Karton, wie auch bei den zwei Monate später folgenden für die Anschlußfelder, verlangt Voigtel Korrekturen der Kolorierung: Die von Geiges brandrot gemalten Locken des Kaiserkopfes ließen diesen zu breit und zu groß erscheinen; sie seien schmaler und brauner auszuführen. Die grellen Farben der Gewänder bei den vier Flüssen und den acht Kirchenpersonifikationen, die angesichts der relativ großen Farbflächen unangenehm ins Auge stechen, seien in ihrer Intensität zu mildern. Trotz eigener Bedenken rechtfertigt sich Geiges damit, daß er diese „Unschönheit . . . eigentlich nur bestehen ließ, weil . . . (sie) dem Charakter der Zeit am nächsten kam", auch fielen die späteren Mosaiken immer blasser aus als die dazugehörigen Kartons [244]).

Als bis Mitte Oktober seit der letzten Sendung am 16. VII. 1896 trotz mehrfacher Aufforderung wiederum weder Skizzen noch Kartons von Geiges in Köln eintreffen, mithin trotz des weit über den vertraglich vereinbarten Abschlußtermin fortgeschrittenen Zeitpunktes bisher nur ein Drittel der Kartons zum Bereich B vorliegen, entschließt sich Voigtel zu einer Mitteilung an den Oberpräsidenten der Rheinprovinz. Darin erwägt er zwar die Anwendung der vertraglichen Kündigungsklausel durch die Dombauverwaltung, doch: „Leider ist die Zahl der Maler, die im Stande wären, derartige Cartons zu Mosaik-

---

[242]) DBAK, Lit. X g V/50 mit Notiz Voigtels vom 28. Okt. 1895. – In diesem Brief Geiges an Voigtel vom 25. Okt. 1895 erklärt Geiges sich mit dem Vertragsentwurf einverstanden. Unklarheit bestünde nur hinsichtlich § 3, der die Glasgemälde des Domchores als Vorbilder für die Wahl der Farben zu den Presbyteriumsmosaiken nennt. Eine wesentlich kräftigere Farbgebung als bei den figürlichen Medaillons im Chorumgang sei jedoch mit dem Mettlacher Mosaikmaterial kaum zu erzielen. – Voigtel konkretisiert daraufhin, daß namentlich eine intensivere Polychromierung der Hintergründe (anstelle der bisher kaum erkennbaren hellgelben Ranken) gewünscht werde.

[243]) Speziell wird vereinbart, die Inschriften nicht so gedrängt wie bisher zu verfassen, sondern sie weiter auseinander gezogen und gut leserlich auszuführen. – Vgl. damit auch die z. T. sehr starken Kürzel z. B. bei den Inschriften im Feld 78.

[244]) DBAK, Lit. X g V/101 u. 106 – Die Absicht Geiges', eine je näher dem Hochaltar um so kräftigere und prächtigere Farbwirkung in den Mosaiken des Fußbodens anzustreben, folgt der seit den frühesten Planungen (vgl. S. 48) geforderten Steigerung der Beflurung auf den Hochaltar zu. Geiges gibt jedoch zu bedenken (DBAK, Lit. X g V/50), daß die Grenzen diesbezüglicher Möglichkeiten außer durch die Einpassung in den farbigen Kontext vor allem durch das Material selbst vorgegeben seien. Eine kräftigere Farbwirkung als bei den figürlichen Medaillons im Chorumgang lasse sich nur erzielen, wenn man andere Materialien als bisher (z. B. Emailglas-Mosaiken) verwende. Zwar habe (angeblich) auch Essenwein bereits die Absicht gehabt, in bestimmten Bereichen der Chormosaiken Glaswürfel zu verwenden, um auf diese Weise farbliche Akzente zu setzen, doch rät Bingler davon ab. Er verweist auf die geringere Haltbarkeit von Glasmosaik als Beflurungsmaterial und empfiehlt die einheitliche Verwendung von Mettlacher Tonstift-Mosaik; die angestrebte intensivere Farbwirkung soll schließlich durch die Verwendung größerer Mosaiksteine erreicht werden. – Vgl. damit auch die Anweisung Voigtels an Bingler: „. . . es ist darauf zu achten, daß die meisten Steine kein Porzellan oder Glas sein sollen (sic), sondern aus gebranntem Stein, der nicht glänzen soll". (DBAK, Lit. X g V/123). – Tatsächlich finden sich im Mosaikfußboden des Presbyteriums denn auch keine derartigen Glasmosaiksteinchen.

Abb. 153   Fritz Geiges: Aquarellierte Entwurfsskizze zu vier der acht Nationalkirchen

arbeiten kunstgemäß und den liturgischen Vorschriften entsprechend zu fertigen eine sehr sehr geringe und wird es sehr schwierig sein für Herrn Geiges einen gleichwerthigen Ersatz zu finden." [245]) Auf ein entsprechendes Schreiben des Oberpräsidenten an Geiges kommt jedoch die Kartonproduktion mit „Reims" und der Zeichnung für das Flächenmuster hinter dem Altar (Bereich C!) wieder in Gang. Anfang April 1897 liegen endlich alle Kartons zum Bereich B in Mettlach vor; bereits einen Monat später beginnen die Verlegearbeiten im Dom; im Herbst desselben Jahres sind die Mosaiken im Bereich vor der Chortreppe vollendet.

[245]) DBAK, Lit. X g V/112.

174

Abb. 154   Fritz Geiges: Aquarellierte Entwurfsskizze
zur Personifikation der Rhetorik, 1895

Abb. 155   Fritz Geiges: Aquarellierte Entwurfsskizze
zur Personifikation der Astronomie, 1895

Abb. 156   Fritz Geiges: Aquarellierte Entwurfsskizze
zur Personifikation der Musik, 1895

Abb. 157   Fritz Geiges: Aquarellierte Entwurfsskizze
zur Personifikation der Grammatik, 1895

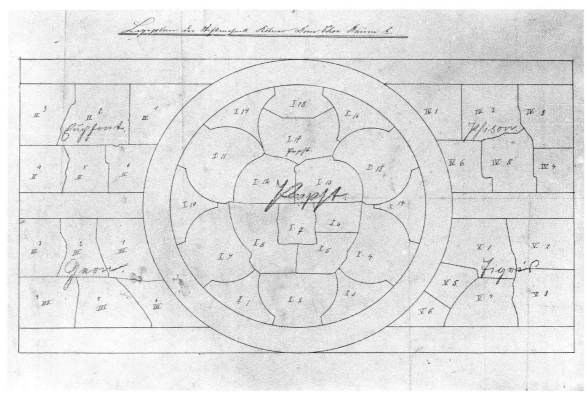

Abb. 158   Verlegeplan für die Segmente zum Mosaikfeld mit Papst und Paradiesesflüssen

Das Presbyterium

Geiges plante noch 1895, die zwanzig Kartons zum Bereich B (Vorpresbyterium) ebenso wie die anschließend auszuführenden neunzehn zum Bereich C (Presbyterium) einschließlich des ornamentalen Beiwerkes in je etwa sechs Monaten zu vollenden, also die Kartons für das gesamte Presbyterium innerhalb Jahresfrist fertigstellen zu können.

Der Vertragsentwurf (§ 6) vom 28.XI.1895 folgt dieser Kalkulation und verpflichtet Geiges zur Vollendung aller Kartons für Bereich C bis zum 1. Dezember 1896. Die Verzögerungen bei den Arbeiten zum Bereich B wirken sich jedoch auf C aus: Zwar begann die praktische Ausführung auch hier – bereits im Jahre 1895 – mit der Anfertigung des rahmenden Stroms des Lebens, doch noch im Oktober 1896 hat Geiges erst ein Drittel der Kartons für Bereich B und noch *gar keinen* für C ausgeführt. Die wenig später von Geiges nach Köln geschickte Zeichnung mit dem Flächenmuster zum Raum hinter dem Hochaltar, mit der verhindert werden soll, daß Mettlach Arbeitskräfte aus Mangel an Vorlagen entlassen muß, kann jedoch nicht ausgeführt werden, da dort bereits früher ein Marmorfußboden verlegt wurde [246].

Als ersten Karton für den Bereich C schickt Geiges entgegen den vertraglichen Vereinbarungen, die zunächst das Mittelfeld mit dem Papst, dann die sieben weltlichen und zuletzt die sieben geistlichen Stände vorsahen, am 4.I.1897 den Karton für das Maßwerk um die Ständepersonifikationen, das insgesamt 28mal wiederholt werden muß. Dann verzögert sich der Arbeitsbeginn zu den figürlichen Mosaiken des Bereichs C abermals: Geiges muß für die neuerbaute Kaiser-Wilhelm-Gedächtniskirche in

---

[246]) Vgl. S. 292 ff.

Abb. 159 Fritz Geiges: Aquarellierter Entwurf zum Papst-Mosaik mit den angrenzenden Personifikationen der Paradiesesflüsse

Berlin bis zur Einweihungsfeier am 100. Geburtstage Kaiser Wilhelms I. noch zwei Fenster fertigstellen [247]. – Erst ab Mitte Februar treffen weitere Arbeiten in Köln ein: Zunächst die Skizzen zum Papst-Feld und zu den Paradiesesflüssen, dann im Mai der Papst-Karton und die sieben Skizzen zu den Personifikationen der geistlichen und wenig später auch der weltlichen Stände. Mitte Juni folgen die Kartons zu den vier Paradiesesflüssen; zwei Monate darauf beginnen bereits die Verlegearbeiten im Bereich unmittelbar vor dem Hochaltar.

Auch wegen verschiedener Änderungswünsche des Erzbischofs zu den Skizzen und dann auch noch zu den unkolorierten Kartons [248] kann er erst Ende November alle Kartons für die Ständevertreter vollenden: Am 22.XI.1897 schickt Geiges die korrigierten Kartons „Mendicus" und „Opifex" als „Schluß meiner Sendungen für den Kölner Dom". [249]

Zwei Kisten mit allen noch in seinem Besitz befindlichen Skizzen, Zeichnungen etc. zum Dommosaik folgen wenig später: „Damit wäre also die nicht kleine Arbeit zu glücklichem Ende gebracht und ergreife um so lieber die Gelegenheit (sic) Ihnen für Ihre freundliche Mithilfe auch meinen Dank auszusprechen als ich mir wohl bewußt bin, daß ich dabei verschiedene Male auch Ihre Geduld in Anspruch nehmen mußte, wie dies eben bei einer so ausgedehnten Arbeit nicht anders möglich ist." [250]

Mit dem Verlegen der noch ausstehenden Mosaiken zum Bereich C, die bereits Mitte Januar in Köln eintreffen, wird unmittelbar nach Ostern begonnen. Anfang Mai 1898 sind sie fertig.

---

[247] Vgl. Frowein-Zirow, Gedächtniskirche, bes. S. 189, Abb. 168–170.

[248] DBAK, Lit. X g VI/54 f. – Bereits früher hatte auch Voigtel auf ähnlichen Änderungen bestanden: DBAK, Lit. X g VI/22, 70,76.

[249] DBAK, Lit. X g VI/83.

[250] DBAK, Lit. X g VI/85.

Abb. 160-162   Fritz Geiges: Federzeichnungen zu den Vertretern der weltlichen Stände Bauer, Künstler und Bettler

Abb. 163-165   Fritz Geiges: Aquarellierte Entwürfe zu den Vertretern der geistigen Stände Kardinal, Papst und Mönch

Abb. 166-168   Fritz Geiges: Aquarellierte Entwürfe für die Vertreter der geistigen Stände Kanoniker, Erzbischof und Presbyter

Abb. 169-171   Fritz Geiges: Aquarellierte Entwürfe zu den Vertretern der weltlichen Stände Fürst, Kaiser und Ritter

Abb. 172   August Essenwein: Entwurf zur Beflurung der Achskapelle (Detail aus Abb. 27), modifiziert ausgeführt

Abb. 173   August Essenwein: Entwurf zur Beflurung der Achskapelle, Detail mit den Wappen-Standarten der Hl. Drei Könige (Detail aus Abb. 27 und 172)

Die Achskapelle [251])

Essenwein klammerte die Achskapelle bei der Anfertigung der Kartons zur Beplattung der Chorkapellen anfangs aus, wohl weil die Genehmigung zum Abriß des Dreikönigenmausoleums noch ausstand und das Mausoleum den größten Teil der Kapelle einnahm. Vorrangig war zunächst die Umarbeitung der anderen Entwürfe in Mosaiktechnik: „Erst nach deren Fertigstellung möchte ich an die Achskapelle denken.“ [252])

Ende Juni 1888 muß Essenwein einen Entwurf (nur) für das (Fond-)Muster der Achskapellenbeflurung nach Köln geschickt haben. Unter den – freilich lückenhaften – Dokumenten und Entwürfen zur Beflurung des Chores im Dombauarchiv befindet sich indes kein Muster von der Hand Essenweins, das sich damit identifizieren ließe [253]). In einem Begleitschreiben bemerkt Essenwein ausdrücklich, daß er, der Bitte Voigtels folgend, auf Muster mit Kreisschlägen (wie sie der erste Generalplan vorsah) aus Kostengründen leider verzichten mußte. Auch sei mit Rücksicht auf das Mosaikmedaillon in der Mitte der Kapelle das Fondmuster nicht so kleinteilig gewählt worden, wie offensichtlich zunächst von ihm geplant [254]).

Aus diesen Erklärungen Essenweins wie auch aus anderen Schreiben [255]) geht hervor, daß in dieser Planungsphase für das Fondmuster um das Medaillon offensichtlich noch Marmormosaik wie in den übrigen Kapellen vorgesehen war. Dies bestätigen auch die folgenden Anweisungen Essenweins für die Farbgestaltung des Musters: Die Farben der kleinen Dreiecke wünschte er weiß, die Rauten rot, die Sechsecke schwarz (bzw. dunkelgrau), so daß in dieser Kombination die kleinen Dreiecke deutlich hervorgetreten wären. – Nach den Vorstellungen Essenweins sollte beim späteren Verlegen des zentralen Mosaikmedaillons darauf geachtet werden, daß die Fugen zwischen den einzelnen Steinchen so weit bemessen werden, daß „der Troß vom Legen“ in seiner natürlichen Mörtelfarbe die Farbwirkung der Mosaiksteine mitbestimme. Das sei nicht nur billiger, vielmehr werde sich durch die hier wie dort vorhandenen Fugen das Stiftmosaik optisch besser mit dem Marmormosaikboden verbinden: „Ich habe in Italien solche Muster gesehen, bei welchen die Mörtelfarbe der Fugen die Wirkung ganz entschieden hob.“ [256]) – Die Verbindung von Marmormosaik und Stiftmosaik hätte also die „Klammer-Funktion“ der Achskapelle auch in den verwendeten Materialien unterstrichen.

Beim Tode Essenweins am 13. X. 1892 waren, außer den sechs Chorkapellen, der Chorumgang und die Vierung fertig verlegt oder zumindest in Mettlach in der Herstellung. Von der Beflurung der Achskapelle war zu diesem Zeitpunkt – soweit überhaupt rekonstruierbar – nur die Rahmenbeplattung ausgeführt oder ausführbar. Über Essenweins revidierten Generalplan (und Fondmusterentwurf) hinausgehende Zeichnungen lagen offenbar nicht vor. Nach diesem Plan sollte der achsensymmetrische Aufbau von Ausstattung und Beflurungsstruktur der Achskapelle zusätzlich noch durch zwei entsprechende rechteckige Inschriftentafeln betont werden:

---

[251]) Das folgende Kapitel stützt sich in weiten Teilen auf Springer, Das „verschollene“ Mosaik.

[252]) DBAK, Lit. X g I/66. – Vgl. auch ebd., g I/104 f. u. 149.

[253]) Die nächsten Parallelen weist ein kolorierter Karton (M. XXXVII Uc, Nr. 98, Fondmuster koloriert) im DBAK auf, dessen geometrische und koloristische Disposition sich nur teilweise mit den weiter unten von Essenwein gemachten Angaben decken.

[254]) Vgl. DBAK, Lit. X g I/103 u. 105. – Vgl. auch ebd., g I/149. – Ursprünglich hatte Essenwein eine ganz andere Beflurungsform erwogen, die sich nicht auf die Heiligen Drei Könige, sondern auf den Marienaltar in der Achskapelle beziehen sollte: ein Fußboden in der Art eines stilisierten, einem Teppich ähnlichen Blumengartens, darin „Tiere lustwandeln“, die, wie z. B. das Einhorn, durch ihre Symbolik mit Maria verbunden sein sollten. – (Nach: Essenweins Konzept vom 17. Dez. 1883 (?), GNM). – Es scheint so, als deute sich in diesem Plan der Einfluß französischer Vorbilder in der Art des Tapisserienzyklus „La Dame à la Licorne“ (Paris, Musée de Cluny) an.

[255]) Vgl. DBAK, Lit. X g I/149.

[256]) DBAK, Lit. X g I/105. – Vgl. ebd., g I/66.

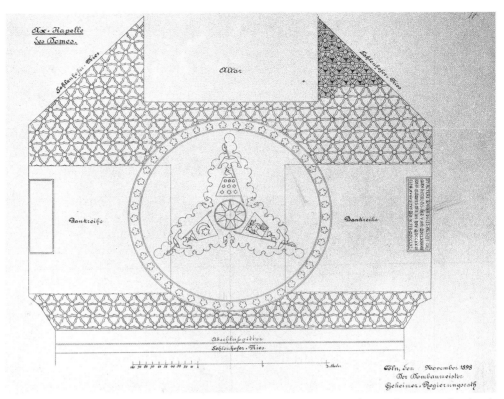

Abb. 174 Richard Voigtel: Die projektierte Beflurung der Achskapelle mit Einzeichnung der von Bankreihen bedeckten Flächen und Inschriftenfelder

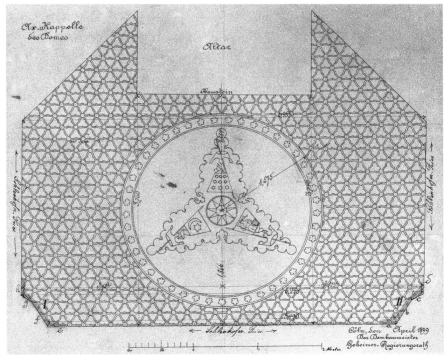

Abb. 175 Richard Voigtel: Die Beflurung der Achskapelle in der ausgeführten Form ohne die seitlichen Inschriftenfelder

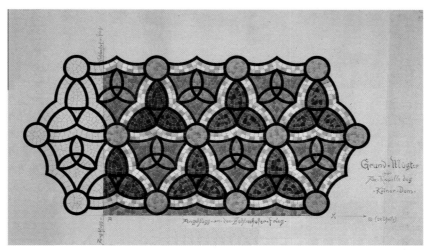

Abb. 176/177   Fritz Geiges: Zwei kolorierte Entwürfe zu den Symbolen der Hl. Drei Könige; unten: ein Entwurf für das Fondmuster des Mosaikfußbodens in der Achskapelle

(auf der Nordseite)
SEPVLTI · SVNT · IN · TRIVM · REGVM · CAPELLA · BAVARIE · DVCES · ET · ARCHIEPISCOPI · COL · ERNESTVS · DENATVS · A · D · VII · FEB · MDCXII · FERDINANDVS · DEN · XIII · SEPT · A · D · MDCL
(auf der Südseite)
ET · ALTARI · BAVAR · DVCES · ARCHEPI · COL · MAX · HENRICVS · DEN · V · IVN · MDCLXXXVIII · IOSEF · CLEMENS · DEN · XII · NOV · MDCCXXIII · CLEM · AVGVSTVS · DEN · VI · FEB · MDCCLXI [257]).
Begraben sind in der Kapelle der Drei Könige die Herzöge von Bayern und Erzbischöfe von Köln: Ernst, gestorben im Jahre des Herrn 7. Februar 1612, Ferdinand, gestorben am 13. September im Jahre des Herrn 1650,
und die anderen Bayernherzöge und Erzbischöfe von Köln: Max Heinrich, gestorben am 5. Juni 1688, Josef Clemens, gestorben am 12. November 1723, Clemens August, gestorben am 6. Februar 1761.

---

[257]) Inschriften nach dem Detail des revidierten Generalplanes von 1887 (DBAK, VIII/4).

Die Inschriften sollten etwa dort in den Boden eingelassen werden, wo darüber an den Wänden noch heute die beiden Barockepitaphien angebracht sind, die sie offensichtlich ersetzen sollten [258]. Vom Chorumgang auf die Achskapelle übertragen, hätten sie auch hier der Absicht entsprochen, „nach Ausweis der (abgeräumten) Grabplatten" durch Inschriften im Fußboden und möglichst in der Nähe der Grabstätten auf die dort Bestatteten hinzuweisen.

In der Achskapelle waren die mit der Neubeflurung verbundenen Umgestaltungsarbeiten besonders umfangreich, da hier als Voraussetzung für die Realisierung der Pläne das „defekte und baufällige" Mausoleum mit dem Schrein der Heiligen Drei Könige erst abgebrochen werden mußte. Das freistehende Tempelchen war im Jahre 1660 auf Veranlassung des Erzbischofs Maximilian Heinrich so in die Achskapelle eingebaut worden, daß es, auf der Mittelachse des Chorabschlusses lokalisiert, mit seiner Front die Linie der westlichen Kapellenbegrenzung überschritt und etwas in den Chorumgang hineinragte. Zugleich dehnte es sich so weit in den Kapellenraum hinein, daß es etwa zwei Drittel seiner Raumtiefe beanspruchte. Das Mausoleum bildete also nicht nur das Bedeutungszentrum der Kapelle, sondern zugleich eine stark plastisch-räumliche Dominante, die zusammen mit dem Altar hinter ihm die Kapelle weitgehend füllte. Der an der Ostwand der Kapelle gelegene Altar konnte, um die erforderliche Bewegungsfreiheit zu gewährleisten, also nur eine relativ geringe Tiefe beanspruchen. Nicht allein das Mausoleum, auch der Altar wurde deshalb in der zweiten Hälfte des Jahres 1889 abgetragen, um den Weg zur Neugestaltung der ganzen Kapelle freizumachen.

Nun konnte die Tiefenerstreckung des Altars vergrößert und durch die gewissermaßen verdoppelnde Podestgröße noch unterstrichen werden. Der Altar war das ganze Mittelalter hindurch, obwohl bereits 1322 der Dreikönigenschrein hierher übertragen wurde, Marienaltar gewesen (deshalb auch Essenweins allererste „mariologische" Beflurungsvorschläge [259]); er wurde 1716 durch einen neuen „ex eleganti lapide marmoreo exstructum" ersetzt [260] und trug bis 1876 das Bronzeepitaph des Jacobus von Croy, heute in der Schatzkammer [261]. Schließlich besaßen die Wände der Achskapelle vor Beginn der Umbauarbeiten eine wohl barocke Marmorverkleidung, die mit „tunlichster Schonung der darunter befindlichen mittelalterlichen Wandgemälde" beseitigt wurde [262].

Nach dieser Purifizierung wurden zunächst allgemeine Vorkehrungen für die Beflurung geschaffen. So wurden etwa die Kanäle für die Gasbeleuchtung nicht einfach in der Betongrundierung angelegt, sondern so, daß bei etwaigen Reparaturen später das Mosaik nicht aufgebrochen werden mußte. Diese Kanäle haben sich bei Ausgrabungsarbeiten nach dem Zweiten Weltkrieg unter dem rahmenden Fries aus Solnhofener Platten gefunden [263].

Nach diesen Vorbereitungen scheinen die Arbeiten am Mosaik der Achskapelle bis zur Fertigstellung

---

[258]) Dafür spricht zumindest ihr vorgesehener Anbringungsort wie auch die andernfalls entstehende Tautologie. – Vgl. dagegen DBAK, Lit. X g I/149. – Zu den ursprünglich im Chorumgang geplanten Inschriften vgl. „Programm für die Beflurung des Domchores" (DBAK, Lit. X g III/142): „... in den einfachen Seitenfriesen (der Chorumgangsbeflurung) sind die Namen und das Todesjahr der anderen (d. h. außer den Erzbischöfen, P.S.) in dem Umgange und in den Seitenkapellen begrabenen Personen anzubringen, da deren Grabplatten nicht beibehalten werden können." – Vgl. damit auch die Kritik Heimanns (Ausstattung, S. 138) an der dann tatsächlich ausgeführten Chorumgangsbeflurung: „Bei Ausführung der Arbeiten (1890–93) wurde daher eine nicht unbedeutende Anzahl Grabplatten, die die Ruhestätte mancher bedeutender Männer deckten, entfernt, ohne daß man es für nötig erachtete, ihre Namen an anderer Stelle dem Gedächtnis dauernd zu behalten." – Vgl. damit auch die ähnliche Kritik noch bei Doppelfeld (Domgrabung I.–III. Teil, S. 20). – Vgl. Anm. 28.

[259]) Vgl. DBAK, Lit. X g II/47. – Vgl. ferner ebd., g II/16, 69 u. 71. – Vgl. auch Anm. 254.

[260]) Zit. nach Torsy, Dreikönigenverehrung, S. 44.

[261]) Clemen, Kölner Dom, S. 246; vgl. ebd., S. 362–364, Fig. 298.

[262]) DBAK, Lit. X g I/149. – Zur anschließenden Regotisierung vgl. Kapitel „Die Achskapelle und die übrigen Chorkapellen", S. 278-280.

[263]) O. Doppelfeld, Die Ausgrabung des karolingischen Domes, in: Der Kölner Dom. Festschrift zur Siebenhundertjahrfeier 1248–1948, hrsg. vom Zentral-Dombau-Verein, Köln 1948, S. 165. – Vgl. dagegen DBAK, Lit. X g I/40.

des Chorumgangs, der Vierung und des inneren Chores geruht zu haben. Trotz einiger Vorstöße des Metropolitankapitels [264]) ändert sich an dieser Situation, auch lange nachdem Geiges die Fortführung des Beflurungsprojektes übernommen hatte, überhaupt nichts.

Unmittelbar nach dem Tode Essenweins hatte sich der Bildhauer F.W. Mengelberg bereit erklärt, eine Farbskizze zum Mosaikboden der Achskapelle zu entwerfen, um die Fertigstellung der Kapelle nicht länger zu blockieren; dazu bedürfe es jedoch zuvor einer definitiven Festsetzung des ikonographischen Programms durch das Metropolitankapitel [265]). Das Angebot Mengelbergs wurde jedoch nicht aufgegriffen, zumindest erscheint sein Name später nur noch im Zusammenhang mit der Gestaltung des Gitters und Altars. — Zwar hatte schon 1892 das Metropolitankapitel bei Voigtel angefragt, ob Essenwein Entwürfe für die Achskapelle hinterlassen habe [266]), doch erst ein Jahr vor der Jahrhundertwende sollte endlich auch der Fußboden der Achskapelle, als letzter Teil der gesamten Dombeflurung, ausgeführt werden. Bereits Ende 1898 hatte das Metropolitankapitel den Entwurf Essenweins mit der Einschränkung akzeptiert, daß auf sämtliche von Essenwein dort vorgesehenen Inschriften (d.h. zugleich: auf die Beseitigung der Barockepitaphien) verzichtet werden solle [267]) – ein symptomatisches Abrücken vom Grundsatz konsequent purifizierender Regotisierung, ein bemerkenswertes Indiz für die gewandelte Auffassung von Denkmalpflege.

Geiges erhält daraufhin den (heute verschollenen) Essenweinschen Karton. Nach einer im November 1898 von Voigtel angefertigten Werkzeichnung [268]) wurde das aus Kreisschlägen konstruierte Fondmuster beibehalten und – unter Verzicht auf zwei symmetrische Bankreihen – auf die ganze nicht vom Medaillon und Altar beanspruchte Bodenfläche erweitert. Wegen des vergleichsweise geringen Umfangs der Arbeiten übernimmt Geiges die Aufgabe ohne einen zusätzlichen Arbeitsvertrag. Die beiden von ihm angefertigten Kartons betreffen Details der Dreikönigensymbole und den Wechsel von heller und dunkler Steinchenfüllung in der Gestaltung des Fondmusters. Um Übereinstimmung im Ton der gotisierenden Maßwerkornamentik um den Dreistern der Könige im Zentralmedaillon zu erzielen, orientiert sich Geiges übrigens an dem Papst-Karton mit verwandter Maßwerkrahmung [269]).

Geiges' Arbeiten verzögern sich jedoch – wie gewohnt – und werden erst in der zweiten Aprilhälfte abgeschlossen [270]). Anfang Mai 1899 beginnt in der Mettlacher Fabrik die Herstellung der Mosaiken für die Achskapelle; Ende Juni hofft man zunächst, sie bereits ausliefern zu können. In den ersten Tagen des August werden endlich die Verlegearbeiten in der Achskapelle des Domes in Angriff genommen [271]); sie dürften etwa gegen Ende August 1899 abgeschlossen worden sein.

Erst jetzt, fast fünfzehn Jahre nach den ersten Skizzen Essenweins, war auch der letzte Teil des Dommosaiks vollendet.

---

[264]) DBAK, Lit. X g II/121.

[265]) DBAK, Lit. X g III/122.

[266]) DBAK, Lit. X g III/132.

[267]) DBAK, Lit. X g VI/(104). – Vgl. ebd., g VI/105), wo Voigtel das von Essenwein entworfene Fondmuster als aus regelmäßigen Sechsecken bestehend charakterisiert. Er dürfte damit wohl die Grundstruktur des Flächenmusters meinen. – Ebenfalls *nicht* ausgeführt wurde ein an der Westseite der Engelbertuskapelle in den Fußboden einzufügendes Medaillon mit der folgenden Inschrift: MAX(IMILIANVS) FRA(NCISCVS) IOS(EPHVS) AB OTTEN CAN(ONICVS) JOH(ANNES) FRI(DERICVS) COM(ES) IN MANDERSCHEIDT BLA(NKENHEIM) E(T) GER(OLSTEIN) DEC(ANV)S DEN(ATVS) XXV MAII MDCCXXXI GODF(RIED) RODANVS CAN(ONICVS) DEN(ATVS) MDLXXXV ADOL(PHVS)SCHVLKEN CAN(ONICVS) DEN(ATVS) XI MART(IVS) MDCXXV IOH(ANNES) TYTZ REG(ENS) GYMN(ASII) MONT(ANORVM) DEN(ATVS) MDCLVIII REI(NH)ARDVS HOM(ES) D(E) LEININGEN DEC(ANVS) DEN(ATVS) IVL MDCLI HIC SEPTVLTI (SVNT). *Maximilian Franz Joseph von Otten, Domherr; Johann Friedrich Graf von Manderscheid, Blankenheim und Gerolstein, Dechant, gestorben am 25. Mai 1731; Gottfried Rodanus, Domherr, gestorben 1585 (richtig: 1575); Adolph Schulken, Domherr, gestorben am 11. März 1625 (richtig: 1626); Johann Tytz, Regens des Montanergymnasiums, gestorben 1658; Reinhard, Graf von Leiningen, gestorben am 6. Juli 1651 (richtig: 16. Juli 1540), sind hier begraben.*

[268]) DBAK, Mappe XXXVII a, Nr. 17. – [269]) DBAK, Lit. X g VI/(107). – [270]) DBAK, Lit. X g VI/(111) u. (114).

[271]) DBAK, Lit. X g VI/(126)-(129).

Abb. 178   Kolorierter Entwurf für die Plattenmuster im 3. Stock des Nordturmes, nur teilweise ausgeführt

Exkurs: Die Turmbeflurungen

Seit 1864 wuchs der Nordturm zügig und 1868 wurde der alte Kran auf dem Südturm abgebrochen: Von nun an wuchsen beide Türme gemeinsam empor. Am 23. Juli 1880 bereits konnte auf dem Nordturm der Schlußstein aufgesetzt werden; der Südturm folgte wenig später.

Bereits vor der architektonischen Vollendung der Türme wurden Überlegungen zur Beflurung ihrer je zwei Stockwerke angestellt und von Voigtel (?) eine Serie von Skizzen und Mustern entworfen [272]. All diese Zeichnungen sind durch ihre Beschränkung auf eine ausschließlich geometrisch-ornamentale *Platten*beflurung charakterisiert: Unterschiedlich breite, rechtwinklig und auch diagonal geführte Plattenfriese gliedern und rahmen, farbig und formal voneinander abgesetzt, die Beflurungsflächen.

Die im Dombauarchiv erhaltenen, für den Nordturm bestimmten Zeichnungen zu den Fußböden des 1. („Bibliothek") und des 2. Obergeschosses („Modellkammer") [273] sehen im 1. Stock eine Aufteilung der annähernd quadratischen Bodenfläche durch ein breites, unterschiedlich strukturiertes Fries-

---

[272]) DBAK, Mappe XXXVII/d, 1-33.

[273]) Die unterschiedliche Zählung der Turmstockwerke in den Bezeichnungen der Entwurfszeichnungen und z.B. in den Dombauberichten begründet entsprechend abweichende Bezeichnungen ein und desselben Geschosses. Wir folgen der heute gebräuchlichen Zählung.

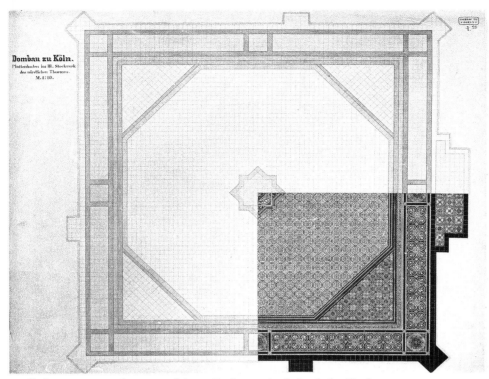

Abb. 179   Teilkolorierter Entwurf zur ausgeführten Beplattung im 3. Stock des Nordturms

Abb. 180   Teilkolorierter Entwurf zur ausgeführten Beplattung im 3. Stock des Nordturms (Detail aus Abb. 179, gedreht)

Abb. 181 Nicht ausgeführter Alternativentwurf zur Turmbeflurung (Detail)

Kreuz um den Zentralpfeiler vor. Viermal identisch wiederholt, wird die Mitte jedes der so entstehenden Teilquadrate um die Schlußsteindeckung durch eine Rosette aus sternähnlich versetzten Quadratfeldern betont.

Ausgeführt wurde ein modifiziertes Beflurungsmuster mit einem zusätzlichen schmalen Binnenfries, dessen achteckige Form gliedernd zwischen Rahmenfries und rasterförmiger Binnenstruktur vermittelt. – Für den Fußboden im 2. Obergeschoß des Nordturms hat sich u.a. auch eine vom 19.I.1879 datierte Skizze erhalten, die ein diagonal verlaufendes Beplattungsmuster entwickelt. Innerhalb eines großen Achteckfeldes unterteilt es die Fläche in kleine quadratische Rahmenfriese, die das aus mehreren Platten zusammengesetzte Binnenmuster umschließen. Ausgeführt wurde jedoch eine mit der Beplattung im 1. Obergeschoß weitgehend übereinstimmende teppichartige Beflurungsstruktur, die entsprechend wie dort die dreieckigen Eckfelder gegen die vegetabil gemusterte Binnenplattung des großen Achteckfeldes abhebt. Die z.T. in reizvollen Aquarellskizzen entwickelte kleinteilige Feinstruktur der Beflurungsmuster kulminiert, auch für das 2. Obergeschoß, in der sternähnlichen Betonung des Zentrums. Die Zeichnungen zum Südturm betreffen allein die Beflurung seines 1. Stocks; für das Glockengeschoß war also keine besondere Beplattung vorgesehen.

Neben den Bleistiftzeichnungen und Aquarellen finden sich in den Entwürfen auch Partien mit aufgeklebten Lithodrucken für die Platten der repetierten Flächenmuster, die jeweils nur sektorenweise ausgearbeitet sind. Die symmetrische Regelmäßigkeit ihrer Muster kam der Ausführung in den rationellen und deshalb preiswerteren Mettlacher Platten entgegen. Neuverlegt, restauriert und gereinigt, entfalten sie heute wieder die Wirkung eines dekorativen Teppichs mit reizvollen Details [274]).

---

[274]) Zwei unterschiedliche Sorten farbiger Mettlacher Ornamentplatten wurden miteinander kombiniert: Für den breiten Rahmenfries und das Zentralmotiv verwendete man Platten mit ebener Oberfläche, einer kräftigen „stumpfen" Farbigkeit und mit stilisierten vegetabilischen Motiven. Die andere Sorte wurde im Bereich des umfangreichen Fondmusters um den Mittenstern verlegt. Diese Platten besitzen eine rillenartige lineare Oberflächenprägung (analog den Mosaikimitationsplatten, s. u.) und sind durch eine nur auf beige und blaugrau reduzierte Farbigkeit charakterisiert. – Zur Neuverlegung dieser Platten in der Plankammer des Nordturms vgl. Arnold Wolff, 28. Dombaubericht von Oktober 1986 bis September 1987, in: KDBl., 52. Folge, 1987, S. 89-91. – Ders., 29. Dombaubericht von Oktober 1987 bis September 1988, in: KDBl., 53. Folge, 1988, S. 23-26.

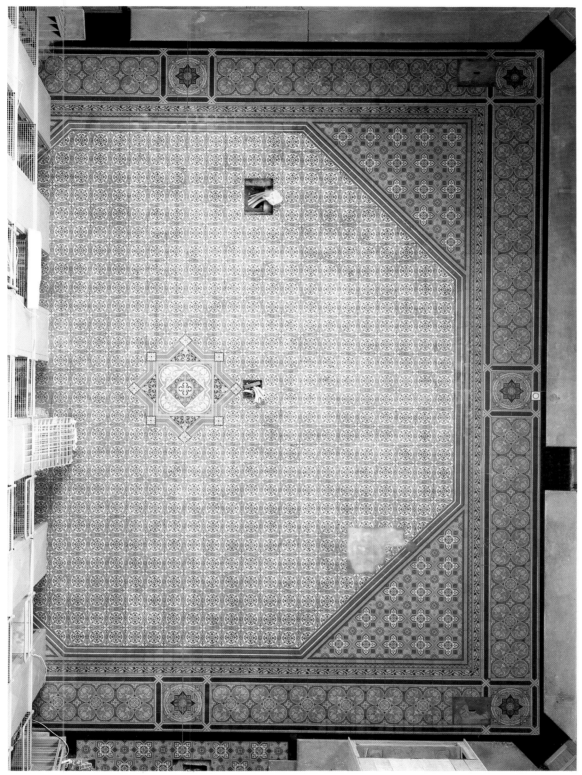

Abb. 182 Beplattung im 2. Obergeschoß des Nordturmes, östliche Hälfte des Fußbodens vor Abschluß der Neuverlegung, Mai 1988

Abb. 183 Beplattung im 2. Obergeschoß des Nordturmes, Mittelmedaillon des Fußbodens aus Mettlacher Platten, Mai 1988

Die Nachrichten zu den „Nebenschauplätzen" der Turmbeflurungen sind nur höchst lückenhaft überliefert: Am 31. Dez. 1881 sendet die mit der Herstellung der Platten beauftragte Fabrik von Villeroy &
Boch den umgeänderten Entwurf zur sternförmigen Mittelrosette im 2. Obergeschoß des Nordturms
nach Köln. Ein mitgesandter Gesamtplan sollte eine bessere Orientierung gewährleisten [275]. – Während von der Rosette bis jetzt noch keine Detailzeichnungen angefertigt worden seien, hätte man
entsprechende Zeichnungen von den übrigen Mustern sowie Schablonen für die Plattenherstellung
bereits fertig. Schon Ende Januar könnte man Probeplatten in verschiedenen Farbvariationen verlegen
und dann möglicherweise noch Änderungen vornehmen. – Der Plattenbelag zum 1. Stock des Nordturms war zu diesem Zeitpunkt bereits fertig zum Transport nach Köln [276].
Erst Jahre später jedoch scheinen diese Platten auch tatsächlich im Nordturm verlegt worden zu sein.
Der 76. Dombaubericht überliefert, daß nach Abschluß der Beflurungsarbeiten in den Lang- und Querschiffen „nunmehr zur Beplattung der Thurmhallen im 1. und 2. Stockwerke des nördlichen Thurmes
geschritten werden (konnte), welche Arbeit Mitte Mai 1887 zum Abschluß gelangt ist." [277] Dem
77. Dombaubericht entnehmen wir, daß „bei Ausführung des neuen Bodenbelags von Mettlacher Platten in den Thurmhallen des ersten und zweiten Stockwerks der Thürme . . . die ausgesparten Aufzugs-
luken in den Kreuzgewölben 1887/88 . . . geschlossen (wurden)." [278]
Während also die beiden Stockwerke des Nordturms eine der übrigen Architektur angepaßte Beflurung
erhielten, verlegte man im Südturm – entgegen den als „ausgeführt" apostrophierten Entwürfen – nur
einfache Sandsteinplatten (möglicherweise, weil man u.a. mit einer späteren Abnahme des Geläuts
rechnete).

---

[275] Diese Bemerkung bezieht sich wohl auf die Entwürfe Plansammlung DBAK, XXXVII/d, 30-32.
[276] DBAK, Lit. X f I/16.
[277] 76. Baubericht über den Fortbau des Domes zu Köln, in: KDBl., Nr. 331, 1888, S. 8.
[278] 77. Baubericht über den Fortbau des Domes zu Köln, in: KDBl., Nr. 331, 1888, S. 12.

Der Anteil Essenweins – der Anteil Geiges'

Voigtel schlägt in einem Schreiben vom 13. V. 1898 an den Oberpräsidenten der Rheinlanden den gesundheitlich angegriffenen und kurz zuvor zusammengebrochenen Direktor der Mosaikfabrik, Carl Bingler, für eine Verleihung des Adlerordens 4. Klasse vor. Bevor dieser Antrag weitergeleitet wird, fragt man aus Koblenz zurück, ob nicht auch für Geiges ein solcher angebracht sei [279].

Voigtels Antwort auf diese Anfrage fällt daraufhin recht unmißverständlich aus: Essenwein habe zwei Drittel der Mosaiken fertigstellen können. Demgegenüber blieb Geiges nur die Polychromierung der Kartons für den Raum zwischen den Chorstühlen. Als „selbständige Kunstschöpfungen" Geiges' seien seiner Meinung nach lediglich die Kartons zu Feld B vor der Chortreppe und zum eigentlichen Presbyterium anzusehen. Jedoch habe er auch für diese Bereiche auf Farbenskizzen Essenweins zurückgreifen können (und zurückgreifen sollen!), vor allem aber habe Geiges die Verzögerung der Mosaikausführung wesentlich mitverursacht [280].

Grundsätzlich war der künstlerische Anteil beider Künstler schon allein dadurch festgelegt, daß Geiges bis zur letzten Entwurfszeichnung für das Dommosaik vertraglich verpflichtet war, Essenweins Entwürfe, insbesondere aber den revidierten Generalplan, als „Grundlage" seiner eigenen Arbeiten zu verwenden [281]. Die Absicht dieser Regelung ist klar und erscheint nur allzu verständlich: Im Sinne einer Kontinuität des Unternehmens auf das Ziel eines Dommosaiks als Werk „aus einem Guß" verpflichtete sie Geiges darauf, das von Essenwein Unvollendete in seinem Geiste zu Ende zu führen und das von ihm nur Skizzierte soweit auszuarbeiten, daß die Kartons der Mosaikfabrik als Vorlagen dienen konnten. Über die Retusche nebensächlicher formaler „Unschönheiten" hinausgehende Änderungen der Essenweinschen Vorlagen werden ihm ausdrücklich untersagt [282]. Deshalb liegt der Anteil Geiges' bis zum Beginn der Arbeiten zum Presbyterium eher im Bereich einer lediglich ausführenden Hilfskraft.

Obwohl für das Presbyterium nur eine Farbenskizze von der Hand Essenweins vorlag [283], steht Geiges auch hier ganz im Schatten seines künstlerischen Vorgängers, legten doch die grundsätzlich verpflichtenden Entwürfe Essenweins bereits die formale Gliederung und das inhaltlich-ikonographische Programm der figürlichen Darstellungen genau fest. Geiges' Aufgabe ist denn auch für diesen Bereich nur graduell eine andere als für den Raum zwischen den Chorstühlen: Jetzt muß er auch noch die Vergrößerungen ins Originalformat herstellen [284].

Voigtel überließ ihm freilich die Entscheidung darüber, wie weit er auch die verworfenen Kartons von Essenweins erstem Entwurf verwenden wolle – und er verwendete sie recht weitgehend! Im konkreten Fall waren ihm vorgegeben: 1. Feldgröße und -gestalt (z.B. Hochrechteck), 2. Inhalt bzw. ikonographische „Füllung" (z.B. Personifikation Frankreichs mit der Nationalkirche), 3. Gestalt (z.B. weibliche Sitzfigur auf gotischem Thron mit Kirchenmodell), 4. Anordnung und Haltung in den Grundzügen. In den engen Grenzen dieser Vorgaben frei disponieren konnte er nur in formalen (z.B. Faltenwurf, Handhaltung) und in farblichen Details. Seine Arbeit ist also eine unfreie, in vielfacher Hinsicht gebundene und abhängige. Es ist denn auch selbst bei den freiesten Partien von der Hand Geiges' stets unschwer das Essenweinsche Vorbild zu erkennen. Geiges' Anteil muß deshalb charakterisiert werden als eine Fortführung – besser: ein Zuendeführen – des durch Essenwein bereits weitgehend ausgearbeiteten und, wo noch nicht, doch zumindest bereits umrissenen, vorgegebenen und vorgeprägten Beflurungskonzeptes. Dem geringen, wenn nicht gar minimalen, eigenschöpferischen Anteil am Zustandekommen des

---

[279] DBAK, Lit. X g VI/94 u. 97.

[280] DBAK, Lit. X g VI/98.

[281] Vgl. DBAK, Lit. X g V/47 § 1. – Selbst die originalgroßen Kartons von Essenwein besaßen bereits zu einem kleinen Teil dort eingetragene Polychromierungsproben und -angaben. – Vgl. u. a. DBAK, Lit. X g III/118.

[282] DBAK, Lit. X g IV/29.

[283] DBAK, Lit. X g IV/35.

[284] DBAK, Lit. X g IV/119 (. . . und dabei die durch das Vorrücken der Chortreppe verbundenen Änderungen des Essenweinschen Entwurfs berücksichtigen).

Dommosaiks steht jedoch – bereits seit den ersten Verhandlungen! – Geiges' Forderung gegenüber, in den Inschriften des Mosaiks namentlich genannt zu werden: „Da jedoch Herr Geiges wünscht, daß seine Mitarbeiterschaft nicht verborgen bleibe, sondern auch öffentlich sichtbar und bekannt werde, so soll dies auch an entsprechender Stelle geschehen." [285]

Welche Bedeutung Geiges diesem Punkt beimißt, zeigt eine Äußerung gegenüber Voigtel zum Vertrag über die Polychromierung der Kartons für den Raum zwischen den Chorstühlen, der nach Essenweins Tod unterzeichnet wurde: „Bezüglich eines mit Herrn von Essenwein vereinbarten Punktes erhält jedoch der Vertrag keinerlei Bestimmung. Ich hatte mir nämlich unter Zustimmung des Herrn v. Essenwein ausbedungen, daß mir gestattet sei auch meinen Namen an geeigneter Stelle im Boden anzubringen wie das mit denjenigen der übrigen Betheiligten geschehen und ich muß diese Forderung auch aufrechterhalten; es genügt mir jedoch(,) wenn Sie mir die Versicherung geben(,) daß dem nichts entgegensteht." [286] Die gleiche Forderung wiederholt er – fast wörtlich – noch einmal drei Jahre später [287].

Als die Kartons für die Ständevertreter Ende 1896 in Angriff genommen werden sollen, schickt Geiges zuallererst, noch ehe überhaupt die erste Skizze von ihm für den Bereich C vorliegt, einen Entwurf für die ihn betreffende lange Inschrift [288]. Festzuhalten bleibt also ein charakteristisches Mißverhältnis: eigenschöpferischer Anteil und Verewigungs-Aufwand scheinen umgekehrt proportional. Während nämlich Essenwein als der eigentliche Schöpfer des Dommosaiks in der Opifex/Geiges-Inschrift sowie an relativ unauffälliger Stelle zusammen mit der Mosaikfabrik genannt wird [289], darüber hinaus außer seiner Kryptosignatur auf dem Buch im PVERICIA-Feld [290]) aber kaum etwas direkt an ihn erinnert, ist es für Geiges eher umgekehrt. Er schlüpft selbstbewußt in die Personifikation des Opifex, die durch ihre formale und farbliche Gestaltung gegenüber den anderen Ständevertretern deutlich hervorgehoben ist. Opifex besitzt die Porträtzüge Geiges'; mehr noch: seine Attribute, Zirkel und Rotulus, lassen ihn als den eigentlichen Urheber des Mosaiks erscheinen [291].

Während Geiges in seinen „Studien" von 1906 Friedrich Schneider, dem er seinen ersten großen Auftrag verdankte (s.o.), ein Denkmal setzt, dürfte er mit der Vollendung des Dommosaiks offensichtlich analog so etwas wie eine „Dankesschuld" an Essenwein abgeleistet haben. Hier scheinen sich mithin tiefere Ursachen für die zahllosen Verzögerungen der Arbeit durch Geiges anzudeuten.

Schließlich muß auch noch berücksichtigt werden, daß – biographisch gesehen – das Dommosaik für Essenwein sein letztes, für Geiges aber einer seiner ersten großen Aufträge, ein Auftrag von erheblichem Prestigewert zudem, bedeutete. Von hier aus betrachtet, wird sein unproportionales Pochen auf „Verewigung" verständlich.

---

[285] DBAK, Lit. X g III/50 § 8. – Vgl. auch ebd., g V/50.

[286] DBAK, Lit. X g III/113. – Vgl. entsprechend auch ebd., g III/118.

[287] DBAK, Lit. X g V/50.

[288] DBAK, Lit. X g V/127 u. 130. – Vgl. die Beschreibung des von dieser Inschrift gerahmten Opifex-Feldes. S. 240. – Nach Geiges' Entwurf lautete die ihn betreffende Inschrift: „NACHDEM WÄHREND DES LEGENS DES MOSAIKBODENS EINGETRETENEN TODES DES . . . VON ESSENWEIN UND IM SINNE DES VERSTORBENEN IST DAS WERK FORTGESETZT UND BEENDET WORDEN NACH ENTWÜRFEN UND ZEICHNUNGEN VON FRITZ GEIGES FREIBURG ANNO 189 . . ." – Schließlich durch Schneider ins Lateinische übertragen und als Rahmung des Opifex/Geiges-Feldes auch ausgeführt, wurde die Inschrift in folgender von Voigtel vorgeschlagenen Modifikation und verkürzten Form: „IN FORTSETZUNG DES VON ESSENWEIN BEGONNENEN WERKES SIND NACH DESSEN TOD DIE ENTWÜRFE SOWIE DIE ZEICHNUNGEN ZU DEN BILDLICHEN DARSTELLUNGEN DES MOSAIKBODENS FORTGEFÜHRT UND VOLLENDET VON FRITZ GEIGES FREIBURG 1897".

[289] Vgl. Beschreibung des Chorumgang-Feldes N, S. 273-276.

[290] An die AE-Initiale im aufgeschlagenen Buch des greisen Mönchs und Lehrers mit der Rute könnte – nicht ohne eine ironische Brechung – eine doppelte Anspielung geknüpft sein: Essenwein als strenger Lehrmeister, der Geiges in der Person des Schülers ermahnt, sich an sein Konzept zu halten . . .

[291] Bemerkenswert ist in diesem Zusammenhang, daß der Entwurfsplan des Dommosaiks in der Hand des Opifex/Geiges die Vierung und die Kapellen *nicht* mitumfaßt. Erst dieses Detail und Studium der umlaufenden Inschriften ermöglicht die Annäherung an den tatsächlichen Sachverhalt . . .

Abb. 184 Detail mit der Kryptosignatur August Essenweins im Buch des Mosaikfeldes PUERICIA aus dem Lebensalter-Zyklus (vgl. Abb. 199)

Abb. 185 Detail mit Signatur Fritz Geiges' als ligiertes Monogramm im Mosaikfeld OPIFEX (vgl. Abb. 250)

194

A. Der Kosmos
1. Sonne; Morgen, Mittag, Abend, Nacht; Mond in vier Phasen – 2. Tierkreis – 3. Norden (Robbe) –
4. Süden (Gürteltier) – 5. Osten (Dromedar) – 6. Westen (Widder) – 7. Feuer – 8. Wasser – 9. Erde –
10. Luft.

B. Das menschliche Leben im Wandel
11. Die Zeit – 12. (Glücksrad) Das Schicksal – 13. Tag – 14. Nacht – 15. Das Meer – 16. Die Erde –
(17 – 23: Das Leben des Menschen) – 17. Säuglingsalter – 18. (Die Kindheit) Schulzeit – 19. Lehrzeit –
20. Jugend und Liebe – 21. Mannesalter – 22. Reifes Alter – 23. Greisenalter – (24 – 30: Die Planeten
und ihre Beziehungen zur menschlichen Tätigkeit) – 24. Saturn / Ackerbau – 25. Jupiter / Jagd –
26. Mars / Kampf – 27. Sonne / Gottesverehrung und Nächstenliebe – 28. Venus / Musik und Tanz –
29. Merkur / Handwerk und Künste – 30. Mond / Fischfang.

C. Die räumlich-weltliche Ordnung der christlichen Welt
31. Der König und die sieben Freien Künste: Dialektik, Rhetorik, Musik, Arithmetik, Grammatik, Geometrie, Astronomie – (34 – 37: Die Flüsse Europas) – 34. Tiber – 35. Rhein – 36. Seine – 37. Donau –
(38 – 45: Die Nationen und ihre Hauptkirchen) – 38. Das Oströmische Reich (Hagia Sophia in
Byzanz) – 39. Italien (St. Peter in Rom) – 40. Deutschland (St. Gereon in Köln) – 41. Das Heilige Land
(Grabeskirche in Jerusalem) – 42. Spanien (St. Jakobus in Santiago de Compostela) – 43. Frankreich
(Kathedrale von Reims) – 44. Ungarn (Gran/Estergom) – 45. Die slawischen Völker (Welebrad).

D. Die geistlich-ständische Ordnung der christlichen Welt
46. Der Papst – (47 – 50: Die Paradiesflüsse) – 47. Euphrat – 48. Phison – 49. Geon – 50. Tigris –
(51 – 57: Die weltlichen Stände) – 51. Bauer – 52. Handwerker, Künstler (hier hat Fritz Geiges sich
selbst mit dem Grundrißplan des Mosaikfußbodens dargestellt) – 53. Fürst – 54. Kaiser – 55. Ritter –
56. Kaufmann – 57. Bettler – (58 – 64: Die geistlichen Stände) – 58. Einsiedler – 59. Priester – 60. Erzbischof – 61. Papst – 62. Kardinal – 63. Kanoniker – 64. Mönch.

E. Die Geschichte des Erzbistums Köln
65. Die Bischöfe von Köln von Maternus (erwähnt 313 n. Chr.) bis Rikulf (gest. um 782). In der Mitte
Erzbischof Hildebold (782–819) mit dem Modell des Alten Domes. – 66. – 74.: Die Erzbischöfe von Köln
von Hadebald (819) bis Heinrich von Molenark (gest. 1238) – 75. Erzbischof Konrad von Hochstaden
(1238–1261) mit dem Grundrißplan des gotischen Domes. – 76. – 84. Die Erzbischöfe und Kurfürsten
von Köln von Engelbert II. von Falkenburg (1261) bis Maximilian Franz von Habsburg (gest. 1801). –
85. Die Erzbischöfe von Köln von Ferdinand August von Spiegel (1825) bis Philipp III. Krementz
(1899). – Die Dombaumeister Ahlert, Zwirner und Voigtel (1823–1902). In der Mitte die Allegorie des
Deutschen Reiches bzw. Wilhelmus Rex als defensor ecclesiae. – 86. Dreikönigen-(Achs-)kapelle,
Mosaik zerstört, ersetzt durch Mettlacher Tonplatten.

Die Kapellen:
I   Engelbertuskapelle
II   Maternuskapelle
III Johanneskapelle
IV   Dreikönigen-/Achskapelle
V   Agneskapelle
VI   Michaelskapelle
VII Stephanuskapelle

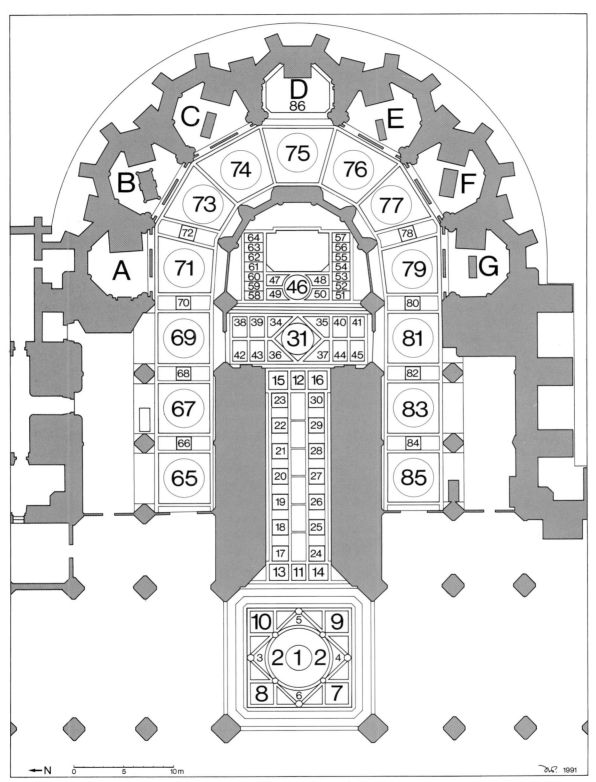

Abb. 186 Das Fußbodenmosaik des Kölner Domes mit einer Übersicht der dargestellten Themen. (Die Felder 1 bis 11 sowie 13 und 14 sind zur Zeit überdeckt.)

Abb. 187 Blick in den nordöstlichen Chorumgang und in den inneren Chor mit dem Hochaltar

KOMMENTIERENDE BESCHREIBUNG

UND

VERZEICHNIS DER INSCHRIFTEN

Das Dommosaik als gegliederte Gesamtfläche

Die Gesamtanlage des Dommosaiks läßt eine klare Gliederung erkennen. Deutlich sind sechs formal und inhaltlich gesonderte Beflurungssektoren zu unterscheiden: die Vierung, der Raum zwischen den Chorstühlen, das Vorpresbyterium, das Presbyterium, der Chorumgang sowie die Chorkapellen (und Sonderflächen). Diese großen Gliederungsbereiche, die grundsätzlich den Vorgaben des architektonischen Rahmens folgen, sind jedoch nicht als einheitliche Flächen gestaltet, sondern wiederum in verschiedene Feldergruppen und diese abermals in eine große Anzahl von Einzelfeldern unterteilt.

Dieses mehrfach gestaffelte Gliederungsprinzip entspricht der Einsicht in die nur begrenzte Überschaubarkeit der Fußbodenfläche für den Betrachter, der auf ihr steht: „Bei den gewaltigen Abmessungen der zu schmückenden Fläche . . . konnte nicht ein oder einige Kolossalbilder in Aussicht genommen, vielmehr musste der ganze symbolische Schmuck in eine große Anzahl Einzelbilder aufgelöst werden, umgeben und getrennt durch ornamentalen Schmuck, von welchen jedes von dem Standpunkt des Beschauers aus vollständig übersehen werden kann." [292]

Die Gesamtanlage wie auch die kleineren Gliederungsbereiche sind nach einheitlichen Prinzipien gestaltet, deren wichtigstes die Symmetrie ist. Das gesamte Dommosaik ist achsensymmetrisch angelegt, was ganz besonders auch durch die Beflurungsform der Achskapelle betont wurde. Darüber hinaus sind auch die einzelnen Feldergruppen in sich und oft sogar die Einzelfelder selbst symmetrisch angelegt.

Auf dieser Grundlage baut die regelmäßige, gleichgewichtige Verteilung der Einzelfelder auf, die jedoch eigentlich nie, auch beim Vierungsfeld nicht, als solche in Erscheinung treten, sondern immer nur als Teile einer übergeordneten Gliederung. Sie lassen sich vielmehr als Elemente einer Ordnung lesen, die dem Gliederungsprinzip einer *parataktischen Reihung* von Einheiten gleicher Größe und Form folgt. Die gleichen Einheiten unterscheiden sich jedoch durch ihre „Füllung". Formale Konstanten und Varianten also wechseln miteinander ab. Erst durch die inhaltliche bzw. bildlich-figürliche Füllung ist es möglich, eine Reihenfolge, Anfang und Ende, auszumachen.

Das zweite Gliederungsprinzip besteht in einer formal und inhaltlich entsprechenden Orientierung auf ein deutliches Bezugszentrum, um das die übrigen Darstellungen gruppiert sind. Nicht selten sind Elemente der *Zentrierung* mit dem Prinzip der gliedernden *Reihung* gekoppelt wie z.B. bei den Ständefiguren (Blickrichtung!) zu seiten des Hochaltars.

Über diese Gegensätze hinaus führt die Gliederung des Zwischenpresbyteriums und des Presbyteriums das gestreckte Rechteck zwischen den Chorstühlen nach Osten fort und bezieht auch den Hochaltar ein. Die Mosaiken zu seiten der Mittelfelder wirken so, nicht nur formal, wie additive Erweiterungen der von der Vierung zum Hochaltar führenden breiten West-Ost-Achse. Bildmäßige und ornamentale Formen halten in diesem Gefüge ein formales Gleichgewicht, dergestalt, daß im inneren Chor figurale Elemente, im Chorumgang (und in den Chorkapellen) ornamentale Elemente vorherrschen. All diese Felderfolgen verbinden sich zur Grundform eines großen Kreuzes über dem Vierungssockel, das vom Bogen des Kreuzumganges überfangen wird.

---

[292] (Anonymus), Der Bodenbelag des Kölner Domes, in: Deutsche Bauzeitung, 19. Jg., Nr. 34, vom 29. April 1885, S. 207. – Vgl. zur Maßstäblichkeit der figürlichen Darstellungen auch das Beflurungskonzept von 1883.

Bedeutung der Inschriften im Beflurungskonzept

Die nach Bedeutung und Zahl ungewöhnlich (wenn man sie mit dem Anteil der Inschriften z.B. an der Beflurung des Doms von Siena vergleicht) umfangreichen Inschriften des Dommosaiks bilden neben den bildlichen Darstellungen, neben den Ornamenten und füllenden, wie auch neben den strukturierenden Elementen eine weitere – besonders wichtige – Komponente des Beflurungskonzeptes.

Dies kommt bereits darin zum Ausdruck, daß Essenwein mit dem Mainzer Dompräbendanten Dr. Friedrich Schneider ausschließlich für die sachgemäße Abfassung der Inschriften ein Fachmann an die Seite gegeben wird. Symptomatisch erscheint, daß im Juli 1889 bei der Besichtigung des ersten in Mettlach fertiggestellten Feldes (H) neben den Vertretern der Mosaikfabrik und dem entwerfenden Künstler auch Schneider zugegen ist [293].

Die Funktion der Inschriften ist eine doppelte: Zunächst einmal besteht ihre Aufgabe darin, die bildlichen Darstellungen und Symbole zu *be*zeichnen und (z.B. beim Opifex-Feld) *aus*zuzeichnen. Nach der ursprünglichen Planung, die man auch in dem Entwurf von Inschriften für die Achskapelle nachvollziehen kann, sollten sie in einem purifizierten Beflurungskonzept im Chorumgang an Stelle und nahe den Stellen der abgeräumten alten Grabplatten angebracht werden, sollten sie also der Erinnerung an das historisch Gewachsene, doch der purifizierenden Regotisierung Geopferte dienen. In der Achskapelle war, wie wir sahen, Entsprechendes geplant. – Diese Bedeutungskomponente der Inschriften könnte man als „dokumentarische" bezeichnen. Sie wurde im revidierten Generalplan für die Anlage einer begehbaren Geschichtschronik des Erzbistums und des Domes aufgegeben. Chronologie bestimmt nun die Abfolge der Inschriften und dekorativ-kompositorische Überlegungen ihre Anordnung.

Darüber hinaus übernehmen die z.T. mitten in das Bild gesetzten Inschriften auch in den bildlichen Darstellungen kompositorisch-künstlerische Aufgaben; sie gliedern, strukturieren, füllen. Die Massierung der Inschriften im Chorumgang und demgegenüber das Zurücktreten der bildlichen Elemente bewirkt eine Annäherung der Inschriften an die kleinteilige ornamentale Binnenstruktur der Felder. Zugleich verbinden sie sich mit dem strukturierenden Element der verschlungenen Friesbänder.

Dazu trägt auch die mittelalterliche Form der Buchstaben mit ihren zahllosen Ligaturen und Kürzeln bei. Nicht zuletzt durch sie ist es dem heutigen Betrachter möglich, die lateinischen Inschriften auch gleichsam wie ein Ornament zu „lesen". Auch unter diesem Aspekt also wird die Notwendigkeit eines schriftlichen Kommentars verständlich, nämlich als – wie weiter unten gezeigt werden soll – konstitutiver Bestandteil einer in ihren bildlichen wie schriftlichen Komponenten gleichermaßen auf „Lesbarkeit" orientierten Kunst.

Dabei wurden die Inschriften nicht in einem stilreinen klassischen, sondern in einem „verdorbenen" und in strengem Sinne oft fehlerhaften – „mittelalterlichen" – Latein abgefaßt. Auch für dieses Charakteristikum darf wohl eine bewußte Stilisierungsabsicht vorausgesetzt werden. Bild und Schrift, Mosaiken und Inschriften sollten nämlich gleichermaßen dem Ideal eines Gesamtkunstwerks „ganz im Sinne der Alten" entsprechen und sich gegenseitig ergänzen. Auch bei den lateinischen Inschriften war, gemäß dem Grundsatz des doktrinären Historismus eine „Verbesserung" vermeintlicher Mängel, Unschönheiten, Fehler etc. nicht statthaft (s.u.).

Für die lateinischen Inschriften, das sei hier bereits vorweggenommen, gilt deshalb Entsprechendes wie für die zuweilen merkwürdigen Unbeholfenheiten und formalen Ungeschicklichkeiten: Was als ein Mangel an formaler Vollendung befremdlich erscheinen kann, ist tatsächlich Resultat bemühten Einfühlens in den alten Stil und in die Kunst des Mittelalters.

---

[293] Vgl. handschr. Protokoll (wie Anm. 294), Heft I, S. 24 f.

Beschreibungen und Inschriftenverzeichnis

Die Vierung

Das Feld des heute durch das gestufte Holzpodest für den Pfarraltar völlig verdeckten [294]) Vierungsmosaiks wird umgrenzt durch die breitgestaffelte Rahmung des Vierungsquadrates. Sie entspricht der Rahmung der angrenzenden Beflurungsfelder im Lang- und Querschiff. Wie dort sind auch hier die Ecken des Fußbodenfeldes mit Rücksicht auf die massiven Pfeiler abgeschrägt. Durch die nach innen folgende breite Plattenrahmung wird dies jedoch wieder aufgehoben, so daß das Quadrat der eigentlichen Vierungsbeplattung voll zur Wirkung kommen kann. Seine breiten Begrenzungslinien wie auch die des ihm einbeschriebenen, diagonal versetzten Quadrates und der Quadratfelder in den Zwickeln werden jeweils durch eine Friesfolge vegetabil gemusterter, gerahmter Quadratfelder betont. In diesem Grundgefüge aus quadratisch-winkligen Gliederungselementen umschließt das zentrale Quadrat tangential einen großen durch eine schmalere Lamellenrahmung begrenzten Kreis. Konzentrisch sind zwei weitere Kreise eingefügt; vom äußeren der beiden, ebenfalls mit Lamellenrahmung, gehen Strahlen aus, die als dreifach unterteilte, spitzwinklige Dreiecke das Sonnen-Motiv des innersten Kreises in geometrisierter Form zu einem großen Stern abwandeln. Der dem gegenüber relativ kleine Zentrumskreis wird als Mittelpunkt der ganzen Vierungskomposition vom doppelten Strahlenkranz des nach Süden blickenden Gesichts der Sonne eingenommen.

Der sich nach außen anschließende Kreisring zeigt in seinen acht Sektoren abwechselnd eine ganzfigurige Personifikation und ein Kreismedaillon mit dem Gesicht des Mondes. Ihre Abfolge im umgekehrten Uhrzeigersinn: *Vollmond* – Mondgesicht analog dem der Sonne im Zentrum, jedoch ohne dessen Strahlenzungen; *abnehmender Mond* – Mondsichel ein Dreiviertelprofil umschließend, rechtes Drittel verhüllt; *Neumond* – das ganze Medaillon ausfüllend ein frontal gesehenes nonnenartig umhülltes Frauengesicht; *zunehmender Mond* – Mondsichel mit Profilgesicht, linkes Drittel verhüllt.

Die im Uhrzeigersinn zu betrachtenden vier Personifikationen der Tageszeiten zwischen den Zeichen der Mondphasen sind inschriftlich zu ihren Füßen bezeichnet als:

DILVCVLVM: Die Morgendämmerung wird verkörpert durch eine schwebende weibliche Personifikation in Dreiviertel-Rückenansicht, bekleidet mit einem langen, die Füße verhüllenden Gewand, das über der Hüfte gerafft ist. Sie hält die Arme diagonal ausgebreitet und ist im Begriff, das Dunkel der Nacht als Schleier von ihrem Gesicht bzw. von der Sonne zu nehmen. Dabei weist sie mit ihrer Linken auf die Personifikation des MERIDIES: Der Mittag erscheint in Gestalt eines strahlenden Jünglings mit bekränztem Haupt, inmitten einer Lichtgloriole. Er hält beide Arme gleichförmig angewinkelt seitlich empor. Über dem glatt herabfallenden mantelartigen Übergewand trägt der Jüngling vor der Brust eine

---

[294]) Das Vierungsfeld ist – wahrscheinlich (genaue Angaben fehlen merkwürdigerweise) seit der Wiedereröffnung des Domes zum Katholikentag 1956 – bis heute dauerhaft durch das Holzpodest bedeckt und wurde später so erweitert, daß heute auch die drei unmittelbar östlich angrenzenden Mosaikfelder dem Blick entzogen sind. – G. Wolff (Dom IV, Kommentar zu Dia IV/8, o. Pag.): „1960 wurde die gesamte Vierung mit einem Holzpodest überbaut . . . Dadurch sind weitere 150 qm Mosaikfläche nicht mehr sichtbar." – Alle Angaben sind deshalb auch nur vorbehaltlich einer derzeit nicht möglichen Nachprüfung am tatsächlich ausgeführten Mosaik zu verstehen. Merkwürdigerweise gibt es auch keine brauchbaren Photographien des Vierungsmosaiks und der unmittelbar östlich angrenzenden Mosaiken. – Alle Zitate nach dem allerdings nicht immer verläßlichen handschriftlichen Protokoll über die ausgeführten Mosaikfelder. Die eine der beiden Protokoll-Kladden ist „Heft I, Johann Peter Hein, Besseringen, Hügelstr. 19" bezeichnet und umfaßt 61 Seiten. Auf Seite 1 der Titel: „Der Mosaikboden im Dome zu Cöln in musivischer Ausführung". Die andere Kladde ist „Heft II, Johann Peter Hein, Besseringen, Hügelstr. 19" bezeichnet und trägt auf der ersten (wie alle folgenden unpaginierten) Seiten den Titel „Fortsetzung der Beschreibung des Bodenbelags im Dome zu Cöln" und umfaßt außerdem neben einigen eingeklebten Zeitungsausschnitten zu Mosaiken in Kölner Kirchen auch eine ca. 37 x 30 cm große Entwurfszeichnung von Alexius Kleinertz zu den Fußbodenmosaiken im Hochchor des Bonner Münsters. Das Pergamentblatt ist unten rechts bez. „Alex. Kleinertz. Cöln." – Die Originale der beiden Kladden befinden sich im DBAK.

Abb. 188   Blick von Osten auf die Vierung mit Altarpodest. An den Ecken und im Vordergrund sind die durch das später auf die gesamte Vierungsfläche und die östlich anschließenden Felder ausgedehnte hölzerne Podest gänzlich überdeckten Mosaiken noch zu erkennen. (Photo ca. 1960)

übergroße Schmuckagraffe, die mit einem Dolch und einem langen Schwert an einem locker um die Hüfte geschlungenen Gürtel durch Gurte verbunden ist.

CREPVSCVLVM: Ähnlich Diluculum schwebt auch die Personifikation der Abenddämmerung engelartig und mit einem lang ausflatternden Gewand bekleidet. Sie verhüllt, schräg von hinten gesehen, ihr Gesicht bzw. die Sonne über ihr mit dem Schleier (der Dunkelheit) der Nacht.

MEDIANOX: Meridies gegenüber und wie diese streng frontal stehend ist die Personifikation der (Mitter-)Nacht im Begriff, ihr Gesicht zu verhüllen, indem sie einen auf der rechten Schulter durch eine Brosche gehaltenen Schleier über ihren Kopf zieht. Der Umhang gibt den Blick frei auf ein weites, bis auf die Füße fallendes Gewand. – Zwischen die Strahlen des großen Sonnensterns sind vor kreisgeschupptem Fondmuster die Medaillons mit den Tierkreiszeichen eingefügt (im Uhrzeigersinn, beginnend im Norden): Steinbock (Dezember), Wassermann (Januar), Fische (Februar), Widder (März), Stier (April), Zwillinge (Mai), Krebs (Juni), Löwe (Juli), Jungfrau (August), Waage (September), Skorpion (Oktober) und Schütze (November).

In den Zwickelfeldern zwischen innerem Vierungsquadrat und einbeschriebenem Sonnenkreis erscheinen als Dreiviertelfiguren die Personifikationen der Himmelsrichtungen mit ihren Symboltieren und den Winden: im Norden streng frontal SEPTENTRIO, der, in ein weites Übergewand gehüllt, die geflügelten Häupter zweier Nebenwinde in den Händen hält, während über seinem Kopf ein dritter auf ihn niederbläst. Zu seiten dieses mandorlaartigen Mittelbildes schließen sich maßwerkgefüllte Zungenfelder mit Seehunden an, die in kleinere Zwickelfelder mit vegetabilen Mustern übergehen. Im Schnittpunkt der äußeren Vierungsrahmung mit der des versetzten inneren Vierungsquadrates erscheint über dieser Dreiergruppe ein Kreismedaillon mit dem maskenartigen Gesicht eines energisch blasenden bärtigen Mannes: AQUILO (Nordwind). – In entsprechender Gruppierung folgen im Uhrzeigersinn: SOLARIVS (Ostwind) mit dem Gesicht eines jungen Mannes, darunter ORIENS als junge Frau mit dekorativ vom Winde aufgeblähtem Umhang, unter dem hervor sie mit beiden Händen die Sonne über ihrem Kopf emporhält. Zwei auf ihren Vorderläufen niederkniende Kamele füllen die seitlichen Zungenfelder. – Das nächste Wind-Medaillon zeigt einen jungen Mann, der aus vollen Wangen bläst: AVSTER (Südwind). – Darunter eine junge Frau ähnlich Oriens, die streng symmetrisch zwei stilisierte Dattelpalmen (?) zu seiten ihres Körpers hält: MERIDIES. In den Zungenfeldern zwei Krokodile. – Schließlich im Westen der Wind FAVONIVS (Westwind), der auf die Personifikation des OCCIDENS niederbläst. Diese hält ein dreimastiges Schiff über ihrem Kopf empor. Ihr zu seiten zwei Widder, die jeweils eine Vorderpfote ihr entgegenhalten.

Das kosmologische Programm wird in den Feldern der Zwickelquadrate durch die bekrönten Personifikationen der vier Elemente, ebenfalls als Dreiviertelfiguren, ergänzt: (im Nordosten) ACQVA als junger Mann, bekleidet mit Gewand und Umhang. Unter seinem Umhang hervor hält er zwei Fische (den einen nach oben, den anderen nach unten) in den Händen. – Es folgt, im Uhrzeigersinn, TERRA, in den Armen ein breitgefächertes Ährenbündel. – Im dritten Feld IGNIS, mit zwei umwundenen Fackeln (die eine gesenkt, die andere emporgehalten). Im Nordwesten schließlich ein junger Mann mit einem Vogel auf der rechten Hand und einem zweiten auf der Schulter: AER – AER. Die Personifikationen sind so angeordnet, daß die beiden auf der östlichen und westlichen Seite der Vierung sich jeweils zur Längsachse des Domes wenden. Alle vier Darstellungen sind auf die gleiche Art von Maßwerk sowie einem wolkenartigen Lamellenfries umgeben, der auch den äußeren Sonnenkreis umgrenzt.

Wo sich die äußere Plattenrahmung dieser Eckfelder mit der entsprechenden Rahmung des großen Mittenquadrates berührt, sind diese Stellen durch Kopfmedaillons der vier Temperamente betont: mit fröhlichem Gesicht SANGVINVS (S.O.), mit traurigem Gesicht MELANCOLICVS (S.W.), mit schläfrigem Gesicht PHLEGMATICVS (N.W.) und mit zornigem Gesicht COLERICVS (N.O.) [295].

---

[295] Die Kopfmedaillons der vier Temperamente sind im großen Generalplan von 1885 nicht vorgesehen. Erst in den vorbereitenden Skizzen und Verlegeplänen wie schließlich auch im zuvor genannten Protokoll (Heft I, S. 4) finden sie sich.

202

Abb. 189   Blick aus dem Hochchor nach Westen. Eine der seltenen Aufnahmen, auf denen das noch nicht durch ein Holzpodest überdeckte Vierungsmosaik zu erkennen ist: teilweise durchschnitten von der Kommunionbank vor dem am Eingang zum Raum zwischen den Chorstühlen plazierten Pfarraltar.

Der Raum zwischen den Chorstühlen

Die westlichen Zwickelfelder [294])

An das Vierungsquadrat schließt sich nach Osten das schmalere hochrechteckige Beflurungsfeld des Kanonikerchores an. Zwischen beiden vermitteln zwei dreieckige Mosaikfelder. Ihre Hypothenusen entsprechen den Abschrägungen des Chorgestühles an seinen westlichen Enden. Vom Strom-des-Lebens-Fries umrahmt, besteht ihre Füllung aus ornamental gebogenen Zweigen mit großen Eichenblättern und Eicheln, zwischen denen sich Tiere – Schmetterlinge, Vögel, Schnecken und Vierfüßler – bewegen.

Grundsätzlicher Aufbau des Mosaiks zwischen den Chorstühlen

Das hochrechteckige Mosaikfeld zwischen den Chorstühlen ist durch zwei Gliederungspaare strukturiert, die so miteinander kombiniert sind, daß sie einander ergänzen. Es sind dies die beiden parallellaufenden Mosaikstreifen auf der nördlichen und südlichen Seite dieses Chorteils und die je drei Felder im Westen und Osten, durch welche diese/jene wie durch einen Riegel miteinander verbunden und zugleich abgeschlossen werden. Hinzu kommt der vom Mosaik ausgesparte mittlere Streifen, der in seiner Breite den Mittelfeldern, in seiner Länge den seitlich begleitenden Mosaikzyklen entspricht.
Heute ist er durch sechs dort eingelassene metallene Grabplatten ausgefüllt. Die Streifen der seitlichen Mosaikzyklen beherrschen die je sechs einander gegenüberliegenden, leicht querrechteckigen Bildfelder in einbeschriebener Kartuschenrahmung. Je sechs schmalere hochrechteckige Ornamentfelder mit vegetabilen und zoomorphen Füllmustern in den rautenförmigen Binnenfeldern sind im A-B-A-Wechsel zwischen sie geschaltet. Im gleichen Rhythmus alternieren dort – und zwar in den einander gegenüberliegenden Bildfeldern beider Zyklen jeweils entsprechend – grünliche und beige Mosaikfonds.
Während die beiden Zyklen vor den Chorstühlen vom Lebensstrom und einem plattenähnlich strukturierten – jedoch mosaizierten – Doppelfries gerahmt werden, entfällt letzterer bei den Kopffeldern. Dafür sind sie deutlich größer als die Bildfelder der Zyklen, die sie formal und inhaltlich nur bedingt fortsetzen.
Dies zeigt sich nicht allein in ihrer Größe, sondern auch in ihrer formalen Gliederung und inhaltlichen Füllung: Die beiden äußeren annähernd quadratischen Kopffelder beherrscht je ein großes Kreismedaillon. Zum Bildzentrum hin leitet Maßwerk in regelmäßigen Bogenschlägen von den vegetabilen Zwickelfüllungen des Quadratfeldes zur figürlichen Darstellung des Medaillonkreises über. Sein Fond ist durch Ton in Ton gehaltene kurvige Ranken strukturiert.
Da das mittlere Feld zwar mit den seitlichen Kopffeldern gleich hoch ist, ansonsten aber gewissermaßen Fortsetzung und Abschluß des Mittelstreifens mit den Grabplatten bildet, ist es hochrechteckig. – Wie die Bilderzyklen, so sind auch die zwei Dreiergruppen nach „innen" orientiert, d.h. die östlichen drei Felder nach Westen und die westlichen nach Osten. Jedes der sechs Kopffelder sowie die beiden Mosaikzyklen als Ganzes werden vom Fries des Lebensstromes eingefaßt.

Kopffeld A im Südwesten (Der Tag) [294]

Die Personifikation der DIES verkörpert eine junge Frau mit locker herabfallendem Haar. Unter ihrem weiten Umhang wird ein einfach gegürtetes, hochgeschlossenes Kleid sichtbar. Mit der rechten Hand hält sie seitlich die Sonnenscheibe empor, auf die sie mit der linken hindeutet. Darunter kniet, sich von ihr abwendend, eine maßstäblich sehr viel kleinere Gestalt und betet. Dieser entspricht auf der anderen Seite der Personifikationen ein junger Mann, bekleidet mit einem geschürzten Kittel, der eine Hacke schwingt. In der Diagonalen darüber: ORA ET LABORA. *Bete und arbeite.*

Kopffeld B im Nordwesten (Die Nacht) [294]

Auf einem Kastensockel thront streng frontal und mit geschlossenen Augen NOX, auf dem Haupt die Lunula. Ihr langes Haar fällt weit in den Rücken hinab. Sie ist bekleidet mit einem den Oberkörper eng umschließenden langen Kleid, das im Schoß große Falten wirft. Ihren Kopf bedeckt ein dichter, umhangartiger Schleier, den sie mit seitlich ausgebreiteten Armen wie schützend über zwei Kinder(?) hält. Diese sitzen seitlich zu ihren Füßen und schlafen auf ihre Oberschenkel gestützt. Zu ihren Füßen die Inschrift: SOMNVS IVSTI LEVIS. *Der Schlaf des Gerechten ist leicht.*

Mittelfeld C im Westen (Die Zeit) [294]

Gegen die schmale Rahmung durch das Muster des Rechteckfeldes hebt sich das spitzovale Bildfeld ab, das zu den Ecken des hochrechteckigen Umfeldes hin jeweils durch halbkreisförmige Ausbuchtungen erweitert wird. Vom schlicht gemusterten Rahmungsstreifen leitet vermittelnd ein zartes, in kleinen Bogenschwüngen geformtes Maßwerk zu den figürlichen Darstellungen über. In der Mitte des bühnenähnlichen Bildraumes mit der kulissenartigen Andeutung einer großquadratischen, fensterlosen und zinnenbewehrten Architektur, die den Raum von den Seiten her zentralperspektivisch verengt, steht frontal die bis zur Gebälkhöhe hinaufragende Personifikation der Zeit. Sie ist bekleidet mit einem einfachen, nur über der Hüfte gegürteten und bis auf die nackten Füße herabfallenden Gewand. Der schachbrettartig gemusterte Fliesenboden des Bildraumes kontrastiert mit der kurvig-vegetabilen Hintergrundstruktur des Fondmusters.

Die Personifikation besitzt zwei Gesichter, die im Profil wiedergegeben sind: ein jugendliches auf der rechten und ein altes, bärtiges auf der linken Seite. „Ersteres Gesicht versinnbildlicht die Jugend mit ihrer Zukunft. Das letztere Gesicht dagegen das Alter mit seiner Vergangenheit." Die beiden Gesichter schauen in die Richtungen der unter einem locker über die Schultern gelegten Umhang hervor seitwärts abgespreizten Arme. Die Zeit zieht nämlich rechts und links zugleich Vorhänge zur Seite, die den Blick auf (rundbogige) Türöffnungen freigeben. Aus der rechten tritt „ein nackter Knabe", der wie grüßend eine Hand erhebt. In die linke dunkle Öffnung hinein schreitet ein nackter „Greis" mit gefalteten Händen. „Die erste dieser beiden Darstellungen versinnbildlicht den Eintritt ins Leben, die letztere den Austritt aus dem Leben."

Abb. 190 Blick vom Gewölbe in den Binnenchor. Teile der Mosaikbeflurung vor dem Hochaltar sind durch Teppiche bedeckt. Im Vordergrund der Pfarraltar mit den angrenzenden heute überdeckten Mosaikfeldern

Kopffeld A im Nordosten (Das Meer)

Über einem querrechteckigen Sockel, auf den sie ihre Füße setzt, und einem größeren, offensichtlich räumlich dahinter gedachten, thront streng frontal MARE. Die weibliche Personifikation wird von zwei über dem breiteren Thronsockel nach außen gewendeten Delphinen flankiert, die wie Thronlehnen vom Sockel zur Sitzfigur überleiten. Sie ist bekleidet mit einem eng am Körper anliegenden langärmligen Untergewand, das sich von ihrem weiten Umhang abhebt. Dieser ist unter dem Hals durch eine Agraffe zusammengefaßt, verläuft von dort seitlich weit ausbauschend zum Schoß und von dort bis auf die Füße. Unter dem Umhang hervor hält Mare mit schräg angewinkelten Armen in symmetrischer Entsprechung zwei Fische vor ihren Leib. Seitlich davon, diagonal neben der Sitzfigur folgende Inschrift: OMNIPOT(ENT)IS MAIESTATEM / PREDICAT MARIS VASTITVDO. *Die Weite des Meeres preist die Majestät des Allmächtigen.*

Abb. 191/192   Mosaikmedaillons mit den Personifikationen von MARE und TERRA im östlichen Bereich zwischen den Chorstühlen

Kopffeld B im Südosten (Die Erde)

Mare gegenüber thront – in Haltung und Kleidung ähnlich – TERRA. Die Rücken eines Hirsches und einer Kuh, die sich auf dem Wiesengrund niedergelassen haben, bilden ihren Thron. Terra hält ihre Arme ebenfalls angewinkelt, umarmt jedoch zwei in ihrem Schoß stehende Kinder. Sie stillt sie an ihren Brüsten, welche aus Schlitzen in ihrem Untergewand hervorschauen. Gleichzeitig hält Terra in ihren Händen zwei in symmetrischer Entsprechung nach außen gebogene Füllhörner, aus denen sie Früchte und Blumen streut. Die Diagonalinschrift lautet:
OMNES NVTRIT OMNIVM / VIVENTIVM MATER COMVNIS. *Die gemeinsame Mutter aller Lebenden nährt alle.*

Mittelfeld C im Osten (Das Glücksrad)

Dem Zeit-Mosaik gegenüber befindet sich am östlichen Ende des Raumes zwischen den Chorstühlen die Darstellung des Glücksrades vor schachbrettartigem Hintergrund.

Das Motiv des großen, bis an die seitlichen Grenzen des Feldes reichenden Rades greift modifiziert die Gliederung der angrenzenden Felder durch Kreismedaillons auf, erweitert sie jedoch – dem hochrechteckigen Format des Feldes entsprechend – oben und unten durch figürliche Darstellungen. Von der Nabe mit der Inschrift DEVS · IN · ROTA · EST. *Gott ist im Rade* ausgehend, gliedern die säulenartigen Speichen das Rad-Medaillon, das sich durch seinen helleren, Ton in Ton vegetabil strukturierten Hintergrund vom Fondmuster des Feldes abhebt. – Zwischen den Speichen des Rades erscheint ein junger Mann, der (beginnend links unten) sich kräftig gegen die Speiche stemmt, um das Rad zu drehen, und der dann, auf einer Speiche sitzend, durch eine Drehung des Rades emporgetragen wird. Die zugehörige Inschrift auf dem Rad lautet: MEA · SVNT · BONA · OMNIA · QVIA · IVVENIS. *Mein sind alle Güter, weil ich jung bin.* Schließlich thront er im Zenit des Glücks auf dem Rad und verteilt aus einer großen Geldtasche Münzen an vier zu seinen Seiten und auf zwei seitlichen Verzweigungen der Speichen-Säule unter ihm um Gaben Bittende. Inschrift auf dem Rad: MIHI · OMNES · SERV(IVN)T · QVIA · SVM · DIVES. *Mir dienen alle, weil ich reich bin.* Durch eine weitere Drehung des Rades strauchelt er jedoch, muß sich an eine Speiche klammern und verliert dabei den (jetzt leeren) Geldbeutel. Inschrift: REGNVM · PERDIDI · QVIA · PERIERVNT · DIVITIE. *Ich habe die Herrschaft verloren, weil mein Reichtum verlorenging.* Dann stürzt er nieder, um schließlich, aus dem Rad geworfen, resignierend den Kopf in die Hand gestützt, am Fußpunkt des Rades niederzuknien. Inschrift: ORATE · SANCTI · P(RO) · ME · MISERO · QVIS · ME · SALVET · NI · DEVS. *Ihr Heiligen betet für mich Armen; wer wird mich retten, wenn nicht Gott?*

Abb. 193 Mosaikfeld INFANCIA aus dem Lebensalter-Zyklus im nördlichen Bereich zwischen den Chorstühlen

Abb. 194   Mosaikfeld mit dem Glücksrad im östlichen Bereich zwischen den Chorstühlen

Die Felder 1–7 im Norden (von West nach Ost) (Die Lebensalter)

1. Das Säuglingsalter / Die Kindheit

Die rechte Hälfte des Bildfeldes wird von einer Frau eingenommen, die auf einem schmucklosen Qua-der sitzend sich nach links wendet, um mit ihrer rechten Hand das breite, auf die Korbwiege neben ihr gelegte Tuch zu richten. Über dem Kopf des gewickelten Kindes in der Wiege die Inschrift INFANCIA.

Abb. 195 Der gabenverteilende Glückliche, Detail aus dem Mosaik des Glücksrades

Abb. 196 Detail der Nabe des Glücksrades mit der Inschrift DEVS IN ROTA EST (vgl. Abb. 194)

Abb. 197 Detail aus dem Mosaik des Glücksrades mit dem Strauchelnden. Deutlich zu erkennen ist die virtuose Verwendung verschiedenartiger Tesserae.

Abb. 198 Eines der ornamentalen Zwischenfelder aus dem Bereich zwischen den Chorstühlen (vgl. auch Abb. 144 u. 145)

212

Abb. 199 Mosaikfeld PUER-
ICIA aus dem Lebensalter-
Zyklus im nördlichen Bereich
zwischen den Chorstühlen

2. Die Schulzeit

Im Zentrum des Mosaikfeldes sitzt auf einem dreibeinigen Hocker schräg nach links gewendet ein
Mann, der nach Kleidung und Haartracht einem Mönchen gleicht. Er hat den rechten Fuß auf einen zie-
gelartigen Schemel gestellt und hält mit der Rechten eine große Rute empor. Vor ihm steht ein Kind,
das mit beiden Händen in einem vom Mönch auf seinen Knien gehaltenen Buch zu blättern scheint.
Auf den beiden aufgeschlagenen Seiten sind die Buchstaben A und E zu erkennen. In Kopfhöhe des
Mönchs die Inschrift PVERICIA. – Bemerkenswert ist an dieser Darstellung, außer der Kryptosignatur
August Essenweins, die Tatsache, daß sie offensichtlich dem ikonographischen Typus der „Unterweisung Mariens (Maria lernt lesen)" bzw. einer profanierten Form folgt [296]).

3. Die Lehrzeit

Die Anordnung der im linken oberen Bildviertel ADOLESCENCIA bezeichneten Gruppe staffelt sich
von einem Hund links unten, der seinen Kopf zurückwendet zu einem „Schützenlehrling" und zu dessen „Lehrmeister" neben ihm in der rechten Bildhälfte. Der Mann weist dem Jüngling, der in der Mitte
auf einem Sockel etwas erhöht steht, das Ziel, die Richtung, in die er den Pfeil mit seinem gespannten
Bogen schießen soll. – Beide sind mit eng anliegenden Beinkleidern und einfachen hemdartigen
Übergewändern bekleidet.

4. Jugend und Liebe

In leichter Drehung einander zugewendet, stehen ein Mädchen und ein junger Mann nebeneinander.
Das Mädchen in der rechten Bildhälfte hat blumenbekränztes Haar, das bis weit in den Rücken hinab-
fällt. Ihr Überkleid ist vorn durch einen Gürtel in dekorativen Falten gerafft. In der linken Hand hält sie

---

[296]) Vgl. zur Kryptosignatur u. a. Kapitel „Der Anteil Essenweins – der Anteil Geiges'", bes. S. 192 f. – Vgl. auch
Anm. 290. – Zum ikonographischen Typus des möglichen Vorbildes vgl. u. a. Langner, Erziehung der Maria. –
Ausst. Kat. Monastisches Westfalen, Münster 1982, S. 263 u. 624, Abb. 26 sowie Abb. auf S. 593.

Abb. 200 Mosaikfeld ADO-
LESCENCIA aus dem Lebens-
alter-Zyklus im nördlichen
Bereich zwischen den Chorstühlen

Abb. 201 Mosaikfeld IUVEN-
TVS aus dem Lebensalter-
Zyklus im nördlichen Bereich
zwischen den Chorstühlen

vor der Brust eine Blume (wie im Venus-Mosaik), während sie ihre Rechte in die des Jünglings gelegt hat. Auch er hat langes, auf die Schultern fallendes Haar. Über sein schlichtes, am Oberkörper eng anliegendes Gewand ist lose um die Hüfte ein Gürtel geschlungen, der ein langes Schwert trägt, auf das er seine Linke gelegt hat. Zwischen dem Paar in Schulterhöhe IVVENTVS.

5. Das Mannesalter

Kompositionell ähnlich wie das Iuventus-Mosaik ist auch das folgende angelegt, das zwei kämpfende Ritter, bekleidet mit Helm, Kettenpanzer und Umhang, bewaffnet mit Schwert und Schild, zeigt. Der linke der beiden Kämpfenden ist schräg von vorne dargestellt, so daß ein löwenähnliches Wappentier auf seinem Schild erkennbar ist. Er hat in Ausfallstellung sein Schwert über den Kopf seines schräg von hinten gesehenen Gegners geschwungen. Am Kopf getroffen (Blut) und zurückweichend, versucht dieser, den Schlag mit seinem Schwert zu parieren. – Zwischen den beiden Kämpfenden in Hüfthöhe die Inschrift VERILITAS.

6. Das reife Alter

Die deutlich zweigeteilte Komposition zeigt links auf einer schräg ins Bild gestellten schmucklosen Blockbank eine Frau, die ihre Hände im Schoß verschränkt hat. Sie wird teilweise von dem rechts neben ihr sitzenden bärtigen Mann verdeckt, der seinen mantelartigen Umhang mit der Linken rafft. Mit dem Zeigefinger der anderen Hand weist er wie ermahnend zu den zwei Kindern vor ihnen, die, teilweise von der Bildrahmung überschnitten, miteinander zu raufen scheinen: Eltern, die einen Streit zwischen ihren Kindern schlichten. Zwischen beiden Paaren die senkrecht verlaufende Inschrift ETAS MATVRA.

7. Das Greisenalter

In der Mitte des Feldes sitzt auf einem Kastenthron ein bärtiger Greis, gehüllt in ein weites Gewand. Mit der Linken hält er seinen Krückstock, während er mit der anderen Hand den Deckel eines truhenartigen Sarges anhebt, der, perspektivisch sich verjüngend, die linke Bildhälfte einnimmt. Zu seiten des Kopfes die Inschrift SENECTVS.

Abb. 202 Mosaikfeld VIRILI-TAS aus dem Lebensalter-Zyklus im nördlichen Bereich zwischen den Chorstühlen

Abb. 203 Mosaikfeld ETAS MATVRA aus dem Lebensalter-Zyklus im nördlichen Bereich zwischen den Chorstühlen

Abb. 204 Mosaikfeld SENEC-TVS aus dem Lebensalter-Zyklus im nördlichen Bereich zwischen den Chorstühlen

Die Felder 1–7 im Süden (von West nach Ost)

1. Saturn / Ackerbau

Ein Ochse, der von einem Bauern am Horn geführt wird, zieht mittels eines um die Stirn gelegten Stricks die Pflugschar, die ein ebenfalls barfüßiger junger Mann lenkt. Zwischen beiden steht ein dritter, der im Begriff ist, Samen in die durch wellenförmige Parallelstreifen angedeuteten Furchen zu säen. – Im Medaillon des Feldes als bekrönter alter Mann mit langem Bart und tief herabfallendem Haar, in der Rechten einen Zepter: SATVRNVS PLANETA.

2. Jupiter / Jagd

Zwei Jäger zu Pferde, der erste auf einem Horn blasend, der rechts hinter ihm folgende einen Falken auf der Faust tragend, haben einen Hirschen erlegt, der zusammengekrümmt am linken unteren Bildrand sichtbar wird. Zwei Hunde begleiten die Reiter; im oberen rechten Bildteil zwei aufgeschreckte Vögel. – Im Medaillon – wie im vorigen Feld – als ein wenig jüngerer bärtiger Mann mit Zepter und Krone: IVPITER PLANETA.

3. Mars / Kampf

Zwei gegeneinander anreitende Ritter in Kettenpanzer, Umhang und Helm mit geschlossenem Visier dringen mit zum Schlag erhobenen Schwertern aufeinander ein. Schützend halten die Kämpfenden kleine Wappenschilde mit der jeweils linken Hand, die gleichzeitig die Zügel des Pferdes führt. Das Wappen des linken Ritters weist einen doppelten, spitz nach oben gerichteten Winkel auf und kehrt noch zweimal auf dem Überhang seines Pferdes wieder. Das Wappen des rechten Ritters zeigt ein Hirschgeweih. – Im Medaillon als bartloser, über seinem Kopfschutz bekrönter Mann, der ein Schwert vor sich hält: MARS PLANETA.

Abb. 205 Mosaikfeld Saturn/ Ackerbau aus dem Zyklus der menschlichen Tätigkeiten im südlichen Bereich zwischen den Chorstühlen

Abb. 206 Mosaikfeld Jupiter/ Jagd aus dem Zyklus der menschlichen Tätigkeiten im südlichen Bereich zwischen den Chorstühlen

Abb. 207 Mosaikfeld Mars/ Kampf aus dem Zyklus der menschlichen Tätigkeiten im südlichen Bereich zwischen den Chorstühlen

Abb. 208 Detail aus dem Mosaikmedaillon TERRA (vgl. Abb. 192). Bemerkenswert ist die differenzierte
Handhabung der Tesserae in unterschiedlichen Mosaikstrukturen.

Abb. 209 Detail aus dem Mosaikfeld
Mond/Fischfang (vgl. Abb. 215)

Abb. 210 Detail aus dem Mosaikfeld VIRILITAS (vgl. Abb. 202). Insbesondere die Gestaltung des Kettenpanzers aus sichelförmig geschnittenen Tesserae veranschaulicht die große Anpassungsfähigkeit der Mosaiktechnik.

Abb. 211 Detail aus dem Mosaikfeld Mars/Kampf (vgl. Abb. 207), das vor allem in der Struktur des vegetabilen Grundes die sensible Handhabung der Mosaiktechnik erkennen läßt

220

4. Sonne / Gottesverehrung und Nächstenliebe

Links im deutlich zweigeteilten Bildfeld knien auf angedeutetem Fliesenboden vor einem diagonal gestellten Blockaltar mit Schreinaufbau und zwei Kerzenleuchtern ein Mann und eine Frau. In der rechten Bildhälfte sitzt ein Bettler mit Krückstock und in Lumpen gehüllt auf dem Schollenboden. Von einer rechts vor ihm stehenden reichgekleideten Frau empfängt er eine Gabe. – Im Medaillon als bärtiger König mit Zepter, das bekrönte Haupt von einem Strahlenkranz hinterfangen: SOL PLANETA.

5. Venus / Musik und Tanz

Eine symmetrisch aufgebaute Figurengruppe bestehend aus vier Personen: links steht ein zur Bildmitte gewendeter junger Mann, der auf einer Geige spielt. Ihm entspricht rechts außen ein „Dudelsackspieler". Vor ihm vollführt eine Tänzerin einen akrobatischen Überschlag. Ihr gegenüber sitzt eine Harfinistin. – Im Medaillon mit lang herabfallendem aufgelöstem Haar eine Frau, die vor der Brust eine Blume (wie im Juventus-Mosaik) hält: VENVS PLANETA.

6. Merkur / Handwerk und Künste

Links im Bild stehend ein Bildhauer, der mit Hammer und Meißel an der Skulptur eines Bischofs arbeitet, die auf der schräg gestellten Werkbank liegt; außerdem ist ein teilweise vom Bildrand überschnittenes, bereits fertiggestelltes Hochrelief mit einer über einem Löwen stehenden bekrönten Figur (Maria?) zu erkennen. In der rechten Bildhälfte vorne ein Goldschmied, der über einem Amboß ein kelchartiges Gefäß bearbeitet. Hinter ihm steht in Seitenansicht ein Maler mit Pinsel und Malstock; er arbeitet am oben spitzbogig abschließenden Bilde eines Bischofs auf der Staffelei. – Im Medaillon als Mann mit Hermelin besetztem breitem Kragen und entsprechender Kopfbedeckung: MERCVRIVS PLANETA.

Abb. 212 Mosaikfeld Sonne/ Gottesverehrung und Nächstenliebe aus dem Zyklus der menschlichen Tätigkeiten im südlichen Bereich zwischen den Chorstühlen

221

Abb. 213 Mosaikfeld Venus/
Musik und Tanz aus dem
Zyklus der menschlichen Tätigkeiten im südlichen Bereich
zwischen den Chorstühlen

Abb. 214 Mosaikfeld Merkur/
Handwerk und Künste aus dem
Zyklus der menschlichen Tätigkeiten im südlichen Bereich
zwischen den Chorstühlen

7. Mond / Fischfang

Von rechts ragt ein Fischerkahn weit in die untere Bildhälfte hinein. Ein im Boot stehender kurz-geschorener Mann in Rückenansicht steuert mit einer diagonal vor der Brust geführten langen Stange den Kahn. Ihm entspricht auf der linken Bildseite ein in Seitenansicht dargestellter Fischer, der in ähn-licher Haltung im Wasser watet. Er hält einen entsprechenden Stab und senkt mit der anderen Hand gleichzeitig einen Fangkorb (Reiser) ins Wasser. Zwischen beiden ein bärtiger Mann, der offensicht-lich im Boot kniet, um das an einem Pfosten befestigte Netz auszulegen. – Im Medaillon darüber als Frau mit Schleier und Lunula-Krone: LVNA PLANETA.

Abb. 215 Mosaikfeld Mond/ Fischfang aus dem Zyklus der menschlichen Tätigkeiten im südlichen Bereich zwischen den Chorstühlen

Das Zwischenpresbyterium

Im Gegensatz zum Raum zwischen den Chorstühlen ist das Zwischenpresbyterium, seine Grundform und seine figürlichen Mosaikdarstellungen, auf eine Nord-Süd-Achse hin orientiert. Lesbar ist das Mo-saikfeld von seiner westlichen Kante und von seinem Mittelpunkt, dem Kaiser-Medaillon (für die Flüs-se) aus. Zentrierende und lineare Orientierung werden so miteinander kombiniert. Durch die seitliche Begrenzung des Mittelfeldes, das gleichsam die Dimensionen des Mosaiks zwischen den Chorstühlen fortführt, wird eine Verbindung zwischen beiden angedeutet. Dadurch bedingt ist die erweiterte Drei-eckform der Zwickelfelder mit den Flußpersonifikationen um den Kaiser. Die seitlichen Felder mit den Kirchenpersonifikationen erweitern das Zentrum querschiffartig. Zugleich greifen sie die Rauten-struktur der Ornamentfelder im Kanonikerchor auf. Die Rautenform bedingt ähnliche relativ große Restflächen, die hier wie dort durch vegetabile Füllmuster eingenommen werden. – Die Einbindung der kleineren Medaillons in die Rahmung des zentralen Bildkreis-Medaillons erinnert an die Gestal-tung des Feldes vor der Achskapelle. – Seitlich angefügte Ornamentstreifen überbrücken den Raum zwischen dem mittleren Chor und dem Chorumgang.

Das zentrale Quadratfeld mit dem Kaiser

In das quadratische Zentralfeld ist ein Kreismedaillon einbeschrieben. Die dadurch entstehenden Zwickelstücke sind – ähnlich wie bei den Hauptfeldern im Chorumgang – mit konzentrischen Ringen gezackter Schuppen gefüllt. Der breite Kreisring um das eigentliche Kaisermedaillon ist durch eine Folge wie Kettenglieder locker verschlungener Friesstreifen gerahmt. Sie lassen den Eindruck einer unendlichen, kompliziert geschlauften Rahmung entstehen, die die Kreisringe sowohl innen als auch außen begrenzen und zugleich sieben kleine Medaillons mit den Personifikationen der freien Künste in ihnen. Sich wiederholende Eichenlaub-Muster füllen die Felder zwischen den Medaillons mit den Dreiviertelfiguren der sieben freien Künste, die jeweils auf den Rahmungsstreifen über ihnen bezeichnet sind (im Uhrzeigersinn, beginnend im N.O.):

Abb. 216   Das Mosaikfeld im Zwischenpresbyterium mit dem Kaiser, umgeben von Medaillons mit den Personifikationen der sieben Freien Künste

Abb. 217 Personifikation der Astronomie mit einem Astrolabium aus der Reihe der sieben Freien Künste um die Darstellung des Kaisers (vgl. Abb. 216)

ASTRONOMIA nach rechts gewendet, hält mit der Linken ein Astrolabium empor.

DIALECTICA frontal stehend, vor der Brust „die Finger wie zum Abzählen aneinander gelegt".

RHETORICA nach links gewendet, hat eine Hand vor die Brust erhoben, die andere im Redegestus abgespreizt.

MVSICA nach links gewendet, hält vor der Brust ein Glockenspiel, das sie mit einem Hämmerchen in der Rechten anschlägt.

ARITHMETICA nach links gewendet, den rechten Arm vor dem Leib verschränkt, hält mehrere Kugeln.

GRAMATICA nach links gewendet, hat ihren rechten Arm um die Schultern eines Kindes gelegt. Mit der Linken weist sie auf ein Buch, das der Knabe vor ihr aufgeschlagen hält.

GEOMETRIA nach rechts gewendet; auf einer Tafel, die sie seitlich mit der Linken hält, zirkelt sie eine Demonstrationszeichnung des Pythagoreischen Lehrsatzes nach.

Im zentralen Bildfeld thront vor hellem, vegetabilisch Ton in Ton strukturiertem Hintergrund der Kaiser auf einem gotisierenden Kastenthron.

Auf einem dicken Kissen sitzend, ist er als relativ junger Mann mit Pagenfrisur charakterisiert. Sein um die Schultern gehängter, vorne offener und in Kniehöhe breit aufgefächert herabfallender Mantel gibt den Blick frei auf ein gegürtetes, weitärmeliges Gewand, dessen Halssaum durch eine Brosche in Form eines Adlerschildes betont ist.

Mit der rechten Hand hält der Kaiser das Zepter schräg vor der Brust, in der seitlich abgespreizten linken den kreuzbekrönten Reichsapfel.

Abb. 218   Personifikation der Geometrie

Abb. 219   Personifikation der Grammatik

Abb. 220   Personifikation der Dialektik

Abb. 221   Personifikation der Musik

Abb. 222 Fritz Geiges: Kolorierter Entwurf zur Personifikation der Arithmetik (vgl. Abb. 216)

Abb. 223 Fritz Geiges: Kolorierter Entwurf zur Personifikation der Rhetorik (vgl. Abb. 216)

Abb. 224 Mosaikfeld mit der Personifikation des Rheins

Die Zwickelfelder

In das leicht querrechteckige Feld ist ein um 45° gedrehtes Quadrat so einbeschrieben, daß (nur) seine obere und untere Ecke das umgrenzende Rechteck berühren. So entstehen gleichschenkligen Dreiecken angeglichene Zwickelfelder, die ihrerseits jeweils ein von stilisierten Ranken umgebenes Vierpaßfeld einschließen. Die Begrenzung aller Felder bildet der Fries des Lebensstromes.

Das Vierpaßfeld im Südosten zeigt einen nach links (Osten) halb knienden Ritter im Kettenpanzer: die Personifikation des *Rheins*. Mit der linken Hand hält sie vor sich ein Schwert, mit der anderen ein Adlerschild und dahinter zugleich ein Quellgefäß. Die begleitende Inschrift lautet:

SACRATAS MARTYRVM	*Es wälzt der Rhein seine vom*
SANGVINE VNDAS VOLVIT	*Blut der Märtyrer geheiligten*
RHENVS PER LITORA	*Wellen durch die oft*
SAEPE CONCVPITA.	*umkämpften Gestade.*

Das Vierpaßfeld im Südwesten zeigt wiederum einen nach links (Osten) knienden Mann („ein Slave") mit vollem Haar und Bart: die Personifikation der *Donau*. Sein dunkler Umhang bläht sich wie im Wind und bildet rechts einen großen Bausch. Vor sich hält der Mann mit beiden Händen die Quellurne, aus der in einem breiten Strahl fischreiches Wasser strömt. Links die Inschrift:

ITER MONSTRAT	*Die Donau weist den Weg ins*
DANVBIVS	*Heilige Land.*
IN TERRAM	
SANCTAM.	

Das Vierpaßfeld im Nordwesten zeigt eine nach rechts (Osten) gewendete, kniende Frau: die Personifikation der *Seine*. Über ihr lang herabfallendes Haar hat sie ein Tuch gelegt. Ein dunkler, mantelarti-

Abb. 225   Mosaikfeld mit der Personifikation der Donau

228

Abb. 226   Mosaikfeld mit der Personifikation der Seine

Abb. 227   Mosaikfeld mit der Personifikation des Tibers

ger Umhang verdeckt teilweise ihr langes Gewand. Mit beiden Händen hält sie das auf ihr linkes Knie gestützte Quellgefäß. Die Inschrift zu ihren Seiten:

QVOT REFLECTIS *Wie viele Spiegelbilder von*
SANCTVARIORVM IMAGINES *Heiligtümern in der glück-*
SEQVANA FELIX. *lichen Seine!*

Das Vierpaßfeld im Nordosten zeigt einen knienden alten Mann mit langem Vollbart: die Personifikation des *Tibers.* Nach rechts (Osten) gewendet hält er mit beiden Händen ein großes urnenförmiges Gefäß, aus dem sich ein breiter Wasserstrahl ergießt. Zu seiten des Greises die Inschrift:

SANCTI CIRCVM *Der Tiber umspült die Füße*
(F)LV(I)T TIBERIS *des heiligen Vaticanischen*
VATICANI PEDES. *Hügels.*

Die Seitenfelder mit den acht Hauptkirchen der alten Welt

Die vier Felder auf der Nordseite

1. Das Oströmische Reich (Byzanz) mit Hagia Sophia
Auf dem gotisierenden Thron sitzt die Personifikation von Byzanz, auf dem Kopf die doppelte Mauerkrone, heiligenscheinförmig umgeben von der Inschrift: ECCLESIA · AGIA · SOPIA. *Die Kirche der Heiligen Weisheit* (Die Kirche Hagia Sophia). Ihr Haar fällt in Wellen bis zur Hüfte herab. Mit beiden Händen hält sie das Modell der Sophien-Kirche (Hagia Sophia) vor der Brust, gleichzeitig mit dem Zeigefinger der rechten Hand darauf hinweisend.

2. Italien (Rom) mit Peterskirche
Im Feld rechts neben ihr thront mit dreifacher Mauerkrone über dem Umhang, der vom Kopf bis zu den Füßen reicht, die Personifikation der italienischen Nation: AVREAM · DONAT · AVREA · ROMA. *Goldenes schenkt das goldene Rom.*
Mit ihrer Linken hält sie auf dem rechten Unterarm aufstützend das Modell des Peters-Domes vor sich. In der rechten Hand hält sie die kostbar geschmückte eiserne (lombardische Königs-)Krone und zugleich ein entrolltes, bis zum linken Fuß herabfallendes Schriftband: FVLGET · IN · MONTE · VATICANO · DOMVS · S · PETRI. *Das Haus des heiligen Petrus erglänzt auf dem Vaticanischen Hügel.*

3. Spanien (Compostela) mit St. Jacobus
Unter dem Feld der Hagia Sophia thront die Personifikation der spanischen Nation mit der Zinnenkrone über doppeltem Kronreif auf dem Haupt: MONASTERVM · S(ANC)TI · JACOBI · M(ARTYRIS) AP(OSTO)LI. *Das Kloster des heiligen Märtyrers und Apostels Jakobus.*
Ihr Gewand wird über der Brust durch eine Agraffe zusammengehalten. Mit ihrer Linken hält sie über dem Faltenquirl ihres Übergewandes vor sich das Modell der Kirche St. Jacobus in Compostela. Ihre rechte Hand berührt die gebogene Lehne des gotisierenden Thrones.

4. Frankreich (Reims) mit Kathedrale
Auf einem gotisierenden Thron mit Maskenverzierungen und Filialen sitzt die Personifikation der französischen Nation: REMORVM · CIVITAS. *Die Stadt der Remer (Reims).*
Über ihrem Kopftuch trägt sie eine Mauerkrone mit drei zinnenbewehrten Türmchen. Mit beiden Händen, die linke unter dem faltenreichen Stoff des Umhangs verborgen, hält sie vor sich das Modell der Kathedrale von Reims.

230

Abb. 228   Das Oströmische Reich (Byzanz) mit Hagia Sophia

Abb. 229   Italien (Rom) mit Peterskirche

Abb. 230   Spanien (Compostela) mit St. Jacobus

Abb. 231   Frankreich (Reims) mit Kathedrale

Abb. 232 Deutschland (Köln) mit St. Gereon

Abb. 233 Heiliges Land (Jerusalem) mit Grabeskirche

Abb. 234 Ungarn (Gran/Esztergom) mit Primatialkirche

Abb. 235 Die „Slavische Nation" (Welehrad) mit Kirche

232

Abb. 236-239   Die Attribute der Hauptkirchen der alten Welt: Hagia Sophia, Peterskirche, St. Jacobus, Reimser Kathedrale

Abb. 240-243 Die Attribute der Hauptkirchen der alten Welt: St. Gereon, Grabeskirche, Primatialkirche, Kirche von Welehrad

Die vier Felder auf der Südseite

5. Deutschland (Köln) mit St. Gereon

Über einem Kopftuch trägt die Personifikation der deutschen Nation eine Mauerkrone mit drei Türmen. Die heiligenscheinartig um ihren Kopf geführte Inschrift lautet: SACRA · COLONIA · ROMAE · FILIA. *Heiliges Köln, Tochter Roms.*
Mit der Linken hält sie ein Modell der St.-Gereon-Kirche in Köln; die andere Hand rafft den faltenreichen Umhang mit einer Brosche an der rechten Schulter.

6. Heiliges Land (Jerusalem) mit Grabeskirche

Neben ihr thront eine junge Frau, die als einzige keine Krone trägt: HIERVSALEM · CHRISTI · SEPVLCRVM. *Jerusalem, Grab Christi.*
Um ihren Kopf ist ein Tuch geschlungen, dessen Enden in weitem Bogen über der welligen Haarkaskade seitlich herabfallen. Mit der Rechten hält sie vor sich das Modell der Jerusalemer Grabeskirche; die linke Hand ruht seitlich auf der Sitzfläche des Thrones.

7. Ungarn (Gran/Esztergom) mit Primatialkirche

Die Personifikation der ungarischen Nation thront im Feld unter Germania. Über einem Kopftuch und Umhang trägt sie eine zinnenbewehrte Dreiturm-Krone: STRINGONIVM · SEDIS · PRIMATIALIS. *Strigonien (Esztergom, Gran), Sitz des Primas (von Ungarn).*
Mit der linken Hand hält sie – zugleich den Umhang über dem rechten Knie raffend – das Modell der Primatialkirche in Gran vor der Brust. Die rechte Hand ruht, aus dem Umhang hervor, auf der Kurvung der Thronlehne.

8. „Slavische Nation" (Welehrad) mit Kirche

Mit schlichter dreitürmiger Mauerkrone auf dem Haupt und weit herabfallenden Haaren thront neben ihr die Personifikation der slawischen Nation auf einem ebenfalls gotisierenden Thron. Die Inschrift um ihren Kopf lautet: WELEHRAD · AP(OSTO)LOR(VM) · SLAVOR(VM) · REQVIES. *Welehrad, Ruhestätte der Apostel der Slaven (Kyrillos und Methodios).*
Ihre Linke hält das Modell der den griechischen Slavenaposteln Kyrillos und Methodios geweihten Kirche von Welehrad in Südmähren vor der Brust; darunter die rechte Hand im Zeige-Gestus.

Der Hochchor

Das Mosaikfeld vor dem Hochaltar greift die Grundform des Kaiser-Feldes – ein zentrales Kreismedaillon mit Zwickelfeldern, die zusammen ein Querrechteck ergeben – auf. Es ist jedoch linear lesbar und auf die Chortreppe hin orientiert. Das querrechteckige Mosaikfeld setzt in seiner Breite, welche identisch mit der des Hochaltars auf seinem Sockel ist, den Mosaikstreifen zwischen den Chorstühlen und des zentralen Zwischenpresbyteriums nach Osten fort. So ergibt sich ein von der Vierung bis zum Abschluß hinter dem Hochaltar durchlaufendes Mittelband, das im Bereich des Zwischen- und Hochpresbyteriums zum Querrechteck ergänzt wird: Seitlich des Hochaltars und des ihm vorgelagerten Feldes werden beide von den Rechteckreihen der Ständepersonifikationen flankiert.
Während alle *Teilfelder* vor dem Hochaltar vom Strom des Lebens umgrenzt werden, werden die zu seiten des Altars je sieben Felder der Ständevertreter gemeinsam auf diese Art gerahmt. Die Reihen der Personifikationen sind nach außen, auf den Chorumgang hin, orientiert. Will der Besucher sie angemessen betrachten, so muß er sie seitlich des Hochaltars „abschreiten".

Abb. 244   Mosaikmedaillon mit dem Papst als geistliches Haupt der christlichen Welt

Abb. 245 Die Paradiesesflüsse um das Papst-Medaillon: Euphrat

Abb. 246 Die Paradiesesflüsse um das Papst-Medaillon: Geon

Abb. 247   Die Paradiesesflüsse um das Papst-Medaillon: Phison

Abb. 248   Die Paradiesesflüsse um das Papst-Medaillon: Tigris

Das Papst-Feld

Das querrechteckige Feld vor dem Hochaltar wird, wie auch alle seine Teilfelder, allseitig vom Strom des Lebens umgrenzt. Er gliedert es in das zentrale Kreismedaillon, das in seinem Durchmesser der Höhe des Rechtecks entspricht. Folglich überschneiden sich beider Rahmung durch den Strom des Lebens an zwei Stellen in der Mittelachse. Zu seiten des Medaillons läßt eine waagerechte Verbindung der Lebensfluß-Rahmung zwischen Rechteck und Kreis je zwei gleichgroße Zwickelfelder entstehen. Hier sind die Personifikationen der vier Paradiesesströme EVFRATES, GEON, PHISON, TIGRIS dargestellt: rauschebärtige, greise Männer mit lang herabfallenden Haaren. Unterschiede zwischen den vier Personifikationen betreffen nur Details ihrer Physiognomie, Kleidung, Haltung und des angedeuteten landschaftlichen Umraumes, ansonsten gleichen sie sich: Auf einfachen Kastenthronen sitzend, flankiert von zwei palmartigen Bäumen, wenden sie sich leicht zur Seite, dem von ihnen flankierten Mittelmedaillon zu. Mit beiden Händen halten sie große, urnenartige Gefäße, aus denen in einem breiten Strahl Wasser (mit Fischen) strömt.

Das Wasser speist den rahmenden Lebensstrom und ergießt sich seitlich der schollenartigen, blühenden Rasenlandschaft, mit der jedes Feld unten abschließt. Ihr entspricht an den Seiten und oben ein breiter, teilweise von den „Palmen" und Köpfen überschnittener Streifen, der, heller als der Fond, eine zusätzliche Rahmung der Bildfelder bildet.

Im *Zentralmedaillon*, vor Ton in Ton vegetabil strukturiertem Grund und umgeben von einem flächigen Maßwerkrahmen, sitzt streng frontal die Gestalt des Papstes auf einem gotisierenden Kastenthron, dessen Rückenlehne durch einen kostbaren purpurroten Brokatstoff verhängt scheint. Er thront auf einem großen violetten Kissen sitzend, die Füße auf der teilweise durch die Maßwerkrahmung überdeckten Fußbank. Seine Kleidung besteht aus der spitzen Tiara, der weißen Alba, weiß-gelben Tunika und weißen Dalmatika mit grünem Innenfutter, den Pontifikalhandschuhen, sowie roten Samtschuhen. Seine mit Ringen geschmückte Rechte ist segnend vor der Brust erhoben; mit der im Schoß ruhenden Linken hält er das Doppelkreuz.

Die geistlichen und weltlichen Stände

Die beiden gleichgroßen rechteckigen Mosaikgruppen mit den Ständevertretern flankieren den Hochaltar und das ihm vorgelagerte Papst-Feld in ihrer ganzen Tiefenerstreckung. Das allseitig vom Strom des Lebens umflossene Felderpaar ist durch einen einfachen umlaufenden Rahmungsstreifen jeweils in sieben gleichgroße hochrechteckige Teilfelder untergliedert.

Die Zwickel dieser Teilfelder sind so durch flächige Maßwerkeinsätze gefüllt, daß jeweils oben und unten ein gedrungener Spitzbogen entsteht, durch die das eigentliche Bildfeld eine annähernd elliptische Grundform erhält. Im gegen die Maßwerkrahmung hell abgesetzten Bildfeld erscheint jeweils eine Stände-Personifikation gleichsam schwebend angeordnet.

Die Figuren sind in leichter Drehung jeweils auf den mittleren der sieben Ständevertreter ausgerichtet, der zugleich der ranghöchste von ihnen ist und als einziger frontal steht. Dieses grundsätzlich für beide Stände-Reihen geltende Kompositionsprinzip wird lediglich von der Gestalt des OPIFEX *Schöpfer, Handwerker, Künstler* durchbrochen, welche auch durch seine auffallende Kleidung und die umlaufende Inschrift eine Sonderstellung einnimmt: Er steht ebenfalls frontal und wendet sich als einziger *nicht* der Mittelfigur seiner Ständegruppe zu.

Außer durch ihre Kleidung, Attribute und Gesten sind alle Ständevertreter durch die in Schulterhöhe angebrachte Inschrift der Standesbezeichnung identifizierbar.

Abb. 249 Der Erzbischof aus den Personifikationen der geistlichen Stände

Die geistlichen Stände an der Evangelienseite des Hochaltars

MONACHVS *Mönch*: mit Tonsur und Backenbart in den vor der Brust betend erhobenen Händen ein Rosenkranz; seine Kleidung besteht aus einem ärmellosen, seitlich geschlitzten und durch mehrere Knöpfe geschlossenen Überwurf (Scapularium) mit angesetztem Schulterstück und Kapuze (?).

CANONICVS *Stiftsherr*: mit der Rechten ein dickes Buch haltend, die Linke unter dem Gewand verborgen; bekleidet mit dem Amikt (?) und einem talarähnlichen Untergewand. Darüber ein hermelinbesetztes Habit, dessen Pelzfütterung an den breiten Schlitzen für die Hände sichtbar wird.

CARDINALIS *Kardinal*: hält die gesenkten Hände leicht abgespreizt. Auf dem Kopf den Purpurhut; das lang herabfallende Gewand mit weiten Ärmeln pelzgefüttert.

PONTIFEX MAXIMVS *Papst*: die Rechte segnend erhoben, mit der anderen Hand das Doppelkreuz (ferula) haltend; bekleidet mit der Tiara, einer Art Chormantel, Dalmatik (?) und Albe oder Talar sowie mit Pontifikalschuhen und -handschuhen.

ARCHIEPISCOPVS *Erzbischof*: in ähnlicher Haltung nach links gewendet; bekleidet mit Mitra, dem Amikt (?), eine Art Chormantel, Pallium, Dalmatik und Albe; die Linke hält den Krummstab.

PRESBYTERVS *Priester*: vor der Brust einen Kelch tragend, die Rechte schützend über ihn haltend; bekleidet mit der Kasel, der Stola, der Albe, dem Talar und dem Manipel am linken Handgelenk.

ANACHORETVS *Einsiedler*: ein Greis mit langem Bart, mit beiden Händen auf einen Krückstock gestützt. Barfüßig ist er bekleidet mit einer Kutte, deren Kapuze über den Kopf gezogen ist; am Gürtel hängt ein Rosenkranz.

Die weltlichen Stände an der Epistelseite des Hochaltars

AGRICOLA *Bauer*: den Kopf mit dem von strähnigen Haaren umgebenen „verarbeiteten" Gesicht leicht gesenkt; bekleidet mit einer langärmeligen seitlich geschlitzten Tunika, dazu ein loses Halstuch über die Schultern gezogen; am Gürtel ein Krummesser und ein Beutel. Seinen mit einer langen Feder geschmückten Hut hält er in der rechten Hand, die linke hält eine langstielige Hacke.

OPIFEX *Künstler*: ein bärtiger Mann mittleren Alters, auf dem Kopf ein enganliegendes, schwarzes Käppi, bekleidet mit einem kuttenartigen weitärmeligen Kittel mit der auf den Schultern gerafften Kapuze; das durchgehend geknöpfte Gewand ist (nach Art der Demipart-Mode) auf der rechten Körperhälfte weiß, auf der anderen rot (Malerfarben bzw. die Farben Kölns). Am Gürtel hängt ein Beutel, aus dem seitlich ein Federkiel herausschaut. Die herunterhängende Linke trägt einen Rotulus, auf dem die Mosaikfelder des Domes (ohne die Vierung und Kapellen) eingetragen sind. In der anderen Hand hält er einen Winkel und Zirkel. Etwa in Fußhöhe rechts das Monogramm Fritz Geiges'. Auf der oberen und seitlichen Rahmung die links unten beginnende Inschrift: CONTINVATVM · EST · HOC · OPVS · PAVIMENT(I) · MORTE · AVCTORIS · AVG(VSTI) · EQ(VITIS) DE · ESSENWEIN · INTERCEDENTE · ANNO · MDCCCXCII · / AD · MENTEM · IPSIVS REDACTVM · / NEC · NON · DELINEATVM · A · FRITZONE · GEIGES ·

EQ(VITE) · FREIBVRGENSI AD · FINEM · VERO · PERDVCTVM · FELICITER · AN(N)O · MDCCCXCVII. *Fortgesetzt wurde dieses Fußbodenwerk nach dem im Jahre 1892 eingetretenen Tod des Planschöpfers August Ritter von Essenwein und in seinem Geiste weitergeführt sowie gezeichnet von Fritz Geiges, Ritter aus Freiburg, aber glücklich vollendet im Jahre 1897.*

PRINCEPS *Fürst*: mit fellbesetzter Kappe. Die Rechte greift an die Mantelschnur des roten, locker über die Schultern gelegten Umhangs. Mit der anderen stützt er das fast bis zur Brust reichende Schwert in

Abb. 250   Der Künstler (Fritz Geiges) aus den Personifikationen der weltlichen Stände

Abb. 251-253   Personifikationen der geistlichen Stände: Mönch, Kanoniker, Kardinal

Abb. 254-256   Personifikationen der geistlichen Stände: Papst, Presbyter, Einsiedler

Abb. 257-259   Personifikationen der weltlichen Stände: Bauer, Fürst, Kaiser

Abb. 260-262   Personifikationen der weltlichen Stände: Ritter, Kaufmann, Bettler

der kostbar verzierten Scheide vor sich auf. Das einfache, in Hüfthöhe gegürtete Untergewandt fällt bis auf die Schuhe.

IMPERATOR *Kaiser:* auf dem Haupt die Lilienkrone, ein kostbar gemusterter, in Hüfthöhe geraffter Umhang, darunter ein gegürtetes, bis über die Füße reichendes Untergewand. In der Rechten das gezückte Schwert, in der Linken das Lilienzepter.

EQVES *Ritter:* bekleidet mit Kettenpanzer, Helm und Tunika. Die Linke auf einen Adlerschild gestützt, mit der Rechten eine entsprechende Standarte haltend; bewaffnet mit einem Dolch, am Gürtel ein Schwert.

MERCATOR *Kaufmann:* ein reifer Mann mit in die Stirn gezogenem Hut auf dem Kopf; Schulterüberhang mit Kapuze, langes rockartiges Obergewand, das bis auf die Schuhe fällt, um die Schultern eine Art Pelerine. Am Gürtel hängt eine Handwaage und ein großer (Geld-)Beutel, in den er mit beiden Händen greift.

MENDICVS *Bettler:* ein alter ausgemergelter Mann, dessen strähniges weißes Haar das faltige Gesicht rahmt. Am linken Bein ist der Stumpf einer Holzprothese zu sehen. Er stützt sich auf eine unter den linken Arm geklemmte Krücke. Seine rechte Hand ist wie bettelnd vorgestreckt. Er ist in Lumpen gekleidet; am in zwei Zipfeln herabfallenden Gürteltuch hängt ein Rosenkranz; um den Hals ein breites Band mit kreuzgeschmücktem Medaillon.

Der Chorumgang

Die Beflurung des U-förmigen Chorumgangsbandes setzt sich zusammen aus einer regelmäßigen von im Norden und Süden quadratischen, nach Osten vor dem Kapellenkranz trapezförmig der Chorrundung eingepaßten Folge von dreizehn deutlich gegeneinander abgegrenzten Einzelfeldern. In Größe und Form folgen die Einzelfelder der durch die Architektur vorgegebenen Gliederung. Im Norden und Süden sind zwischen den ersten fünf Jochfeldern trennende längsrechteckige Streifenfelder eingeschoben, die von Pfeiler zu Pfeiler verlaufen und dadurch die einzelnen Jochabschnitte betonen. In der östlichen Rundung des Chorganges fallen sie jedoch weg, da sie, durch den hier geringeren Abstand der inneren Pfeiler, die Jochfelder zu sehr verschmälert hätten.

Beherrschendes Gliederungselement aller Jochfelder (und auch der ursprünglichen Achskapellenbeflurung) ist jeweils ein großer Mittelkreis mit – diesem einbeschrieben – fünf kleineren Kreisen. Außerhalb des großen Kreises füllen, umgeben von schuppenartigem Fondmuster, gesonderte Zierflächen die Ecken der großen Beflurungsfelder. Ihre Fondmuster alternieren im Rhythmus AB-AB hell und dunkel; entsprechend wechseln auch ihre Eckfüllungen.

Ausnahmen bilden in dieser Abfolge lediglich die Kopffelder A und N sowie Feld G; sie folgen diesem Gliederungsschema, wandeln es jedoch zugleich auf markante Weise ab. Während bei den Kopffeldern an die Stelle der fünf in einem großen Kreis miteinander verschlungenen Medaillons das von einem Kranz kleiner Kreismedaillons gerahmte Bildfeld tritt, durchdringen sich im Scheitelfeld G in ausgetüftelter Weise sowohl diese Modifikation des Grundschemas mit dem Motiv der durch ihre Schling-Rahmung miteinander verbundenen fünf Medaillons (jedoch gleichsam mit umgekehrtem Vorzeichen), als auch die bildlich-heraldischen Motive des südlichen und nördlichen Chorumgangs, die Zeichen der geistlichen und weltlichen Macht.

Insgesamt erweist sich also das Gliederungskonzept der Chorumgangsbeflurung als eine kettenähnliche Ordnung parataktisch gereihter und klar begrenzter, doch auch miteinander verbundener Komponenten. Durch formale Analogien und Rhythmisierung entsteht so ein kunstvoll verschachteltes Gefüge, dessen Einzelglieder sich den architektonischen Gegebenheiten geschickt einpassen, ganz entsprechend wie es sich auch in seiner Gesamtheit dem architektonischen Umraum einfügt. Insofern ist die von Essenwein entwickelte Beflurung Echo und Fortsetzung der Architektur mit anderen Mitteln.

Hauptfeld A (Kopffeld)

Ein in konzentrischen Kreisen gefächertes Muster aus zickzackförmigen weißgelblichen Schuppen-lamellen bildet den Grunddekor des quadratischen Feldes. Zu seinen Ecken hin sind jeweils kleine, mit stilisiertem weißen Eichenlaub auf schwarzem Grund in achsensymmetrischer Regelmäßigkeit ge-füllte Quadratfelder ausgespart. Sie berühren mit der jeweils inneren Ecke ihrer doppelten Rahmung das große Kreismedaillon, welches dominierend die Mitte des Mosaikfeldes einnimmt. Umgrenzt von einem schmalen Lamellenreif folgt nach innen ein Kranz von 25 Medaillons mit den Namen der ersten Kölner Bischöfe:

Abb. 263   Das Hauptfeld A (Kopffeld) am nordwestlichen Ende des Chorumgangs: Erzbischof Hildebold umgeben von 25 Medaillons mit den Namen der ersten Kölner Bischöfe

(Nr. 1) S. · MATERNVS · I · S(ANCTI) · PETRI DISCIPV(LVS)   St. Maternus I., Schüler des heiligen Petrus

(Nr. 2) S. · PAVLINVS EP(ISCOPVS) · COL(ONIENSIS)   St. Paulinus, Bischof von Köln

(Nr. 3) AQVILINVS EP(ISCOPVS) · COL(ONIENSIS)   Aquilinus, Bischof von Köln

(Nr. 4) S. · MATERNVS · II · EP(ISCOPVS) · COL(ONIENSIS)   St. Maternus II., Bischof von Köln

(Nr. 5) EVPHRATES EP(ISCOPVS) · COL(ONIENSIS)   Euphrates, Bischof von Köln

(Nr. 6) S. · SEVERIN(VS) · EP(ISCOPVS) COL(ONIENSIS)   St. Severin, Bischof von Köln

(Nr. 7) S. · EVERGISILVS EP(ISCOPVS) · COL(ONIENSIS)   St. Evergisilus, Bischof von Köln

(Nr. 8) SOLATIVS EP(ISCOPVS) · COL(ONIENSIS)   Solatius, Bischof von Köln

(Nr. 9) SVNNOVEVS EP(ISCOPVS) · COL(ONIENSIS)   Sunnoveus, Bischof von Köln

(Nr. 10) DOMITIAN(VS) · EP(ISCOPVS) · COL(ONIENSIS)   Domitianus, Bischof von Köln

(Nr. 11) CHARENTINVS EP(ISCOPVS) · COL(ONIENSIS)   Carentinus, Bischof von Köln

(Nr. 12) S. · EBREGISIL(VS) EP(ISCOPVS) · COL(ONIENSIS)   St. Ebergisil, Bischof von Köln

(Nr. 13) REMEDIVS EP(ISCOPVS) · COL(ONIENSIS)   Remedius, Bischof von Köln

(Nr. 14) S. · CVNIBERTVS A(RCHI)E(PISCOPVS) · COL(ONIENSIS)   St. Kunibert, Erzbischof von Köln

(Nr. 15) BOTADVS EP(ISCOPVS) COL(ONIENSIS)   Botadus, Bischof von Köln

(Nr. 16) STEPHANVS EP(ISCOPVS) · COL(ONIENSIS)   Stephanus, Bischof von Köln

(Nr. 17) ALDWINVS EP(ISCOPVS) · COL(ONIENSIS)   Aldwinus, Bischof von Köln

(Nr. 18) GISO EP(ISCOPVS) · COL(ONIENSIS)   Giso, Bischof von Köln

(Nr. 19) ANNO · I · EP(ISCOPVS) · COL(ONIENSIS)   Anno I., Bischof von Köln

(Nr. 20) FARAMVND(VS) EP(ISCOPVS) · COL(ONIENSIS)   Faramund, Bischof von Köln

(Nr. 21) REGINFRID EP(ISCOPVS) · COL(ONIENSIS)   Reginfried, Bischof von Köln

(Nr. 22) S. · AGILOLF(VS) EP(ISCOPVS) · COL(ONIENSIS)   St. Agilolf, Bischof von Köln

(Nr. 23) HILDEGAR(VS) EP(ISCOPVS) · COL(ONIENSIS)   Hildegar, Bischof von Köln

(Nr. 24) BERETHELM(VS) EP(ISCOPVS) · COL(ONIENSIS)   Berethelm, Bischof von Köln

(Nr. 25) RIKVLF(VS) EP(ISCOPVS) · COL(ONIENSIS)   Rikulf, Bischof von Köln

Abb. 264   Erzbischof Hildebold mit dem Alten Dom

Zusammenfassend sind alle Bischofs-Medaillons durch eine flächig stilisierte Stadtmauer hinterlegt: Spitzbedachte Türme akzentuieren an der Mauer die Berührungsstellen der Medaillons, die außerdem durch rahmende Mäanderschlingen miteinander zu einer Medaillon-Kette verbunden sind. Eine Bischofskrümme durchschneidet in allen Feldern gleichförmig die begleitenden Inschriften in der Mitte. Zum Zentrum des Kreisfeldes hin entspricht der Stadtmauer ein mit sprießenden Pflanzen gefüllter Ring. Ein schlichtes, umlaufendes Inschriftenband begrenzt diesen nach innen (beginnend in der Mitte oben):

NEC · SCRIPTA · NOBIS · RELIQVIT · HISTORIA · COMPLET(VM) · EP(ISCO)PORVM · COLONIEN(SIVM) · CATALOGV(M) · SED · ET · TRADITIO · MVLTORV(M) · SAECVLORV(M) · ANTIQVITATE · SACRATA · COMPLVRES · NOMINAT · ILLIVS · PASTORES · ECCL(ESI)AE · QVAE · SE · A · S(ANCTO) · MATERNO · S(ANCTI) · PETRI · DISC(I)P(V)LO · CONDITAM · SPECIALEM · GLORIATVR · ROM(ANAE) · ECCL(ESI)AE · FILIAM · SIC · DIOECESANI · EX · PLVS · MILLE · ANNORV(M) · SPATIO · VENERANTVR · XXV · EP(ISCO)POS · INTER · EOS · MVLTOS · SANCTOS · ET · MARTYRES · QVORV(M) · IN · HOC · CIRCVLO · SPLENDENTIA · VIDES · DEPICTA · NOMINA +

Die geschriebene Geschichte hat uns keinen vollständigen Katalog der Bischöfe von Köln hinterlassen, doch die durch das Alter geheiligte Überlieferung nennt viele Hirten dieser Kirche, die vom heiligen Maternus, dem Schüler des heiligen Petrus, gegründet, als besondere Tochter der römischen Kirche gerühmt wird. – So verehren die Gläubigen der Diözese über einen Zeitraum von mehr als tausend Jahren hinweg 25 Bischöfe, unter ihnen viele Heilige und Märtyrer, deren glanzvolle Namen Du in diesem Kreis geschrieben siehst.

Dieses Inschriftenband umschließt, gefolgt von einem locker geschwungenen Schmuckstreifen, das eigentliche Bildfeld des Medaillons. Seine regelmäßige, auf das Zentrum hin sich öffnende Maßwerkrahmung reicht tief in das Bildfeld, z.T. bis unmittelbar an die figürliche Darstellung: Bischof Hildebold flankiert von zwei maßstäblich kleineren, knienden Mönchen[296]) zu seinen Seiten. Gemeinsam halten sie vor ihm das Modell des unter seiner Leitung begonnenen alten Domes empor, auf dem seine rechte Hand ruht, während die andere den Bischofsstab hält. Ein konzentrisch in das Bildfeld gesetzter Inschriftenkreis umspannt die Figurengruppe zu Dreivierteln:

(Nr. 26)

D(OMI)N(V)S · HILDEBOLDVS · ARCH(I)EP(I)S(COPVS) · COL(ONIENSIS) · CAROLI · M(A)GNI · ARCH(I)CAPEL(LANVS) · REXIT · ECCL(ESIAM) · COL(ONIENSEM) · DE · A(NN)O · DCCLXXXV · AD · A(NNV)M · DCCCXIX · ANTIQVAM · PREPARAVIT · CATHEDRALEM +

Herr Hildebold, Erzbischof von Köln, Erzkaplan Karls des Großen, regierte die Kirche von Köln vom Jahre 785 bis zum Jahre 819. Er begann den Alten Dom.

Exemplarische Beschreibung eines Zwischenfeldes

Die insgesamt acht querrechteckigen Zwischenfelder der Chorumgangsbeflurung werden – wie die dortigen Hauptfelder – auf allen Seiten durch breite Rahmenfriese aus hellem Solenhofer Marmor begrenzt. Darüber hinaus gliedern diese Friese jedes Zwischenfeld in drei annähernd gleichgroße Teilfelder. Dabei entspricht die Größe der Marmormosaik-Felder *ohne* etwa der des mittleren Teilfeldes *mit* Friesrahmung. Letzteres umschließt seinerseits ein ebenso gerahmtes, doch um 45° gedrehtes Quadratfeld, so daß dreieckige Zwickel entstehen. In sie sind als Stiftmosaiken helle Blumen auf dunklem Grund eingefügt. Jedes Quadratfeld umschließt wiederum ein mosaiziertes Kreismedaillon. Diese zentralen Medaillons zeigen im nördlichen Chorumgang jeweils Mitra und Krummstab umgeben von einem Zierstreifen, im südlichen Chorumgang dagegen Wappen mit Helmzier, Mitra, Kurhut und Krummstab, entsprechen also ganz den Mosaikmedaillons der jeweiligen Hauptfelder.

Abb. 265 Zwischenfeld R im nördlichen Chorumgang

Zwischenfeld R

„. . . hat in der Mitte ein Wappenfeld, worin aber durch Ermangelung eines Wappenschildes nur eine Mitra mit Bischofsstab sich befinden, dessen Mittelfeld umgibt eine Inschrift“:
(Nr. 27)
HADEBALDVS · ARCHIEPISCOPVS · REXIT · ECCL(ESI)AM · COLONIENSEM · AB · A(NN)O · DCCCXIX · AD · A(NN)VM · DCCCXXXXII · SEDES · VACABAT · DCCCXXXXII · AD · DCCCL ✝
Erzbischof Hadebald regierte die Kirche von Köln vom Jahre 819 bis zum Jahre 842. Der Bischofsstuhl blieb unbesetzt von 842 bis 850.

Exemplarische Beschreibung eines Hauptfeldes

Die je fünf Hauptfelder der Chorumgangsbeflurung zwischen den besonders hervorgehobenen Kopffeldern und dem Scheitelfeld vor der Achskapelle sind grundsätzlich gleich gestaltet, so daß ihre formalen Komponenten regelmäßig bzw. in regelmäßigem Wechsel wiederkehren.

Sie bestehen in jedem Hauptfeld aus einem großen zentralen Kreismedaillon, das zu den Ecken des Feldes hin von vier quadratischen (in den quadratischen Feldern) bzw. von vier kreisrunden Medaillons (in den trapezförmigen Feldern) begleitet wird. Sie besitzen eine vegetabilische, kaleidoskopähnlich stilisierte Füllung, die, wie bei den zuvor beschriebenen Zwischenfeldern, im nördlichen und südlichen Chorumgang differiert. Das verbindende Fondmuster zwischen diesen fünf Grundkomponenten besteht aus schuppenartigen, in konzentrischen Ringen angeordneten Lamellen.

Der breite, vegetabilische Kranzrahmen des großen Mittelmedaillons umschließt seinerseits fünf gleichgroße Kreismedaillons, die untereinander durch ein unendliches Ornamentband verbunden sind.

Als breiter Schmuckfries in regelmäßig geschlungener Kurvung berührt es die äußere Rahmung des großen Kreises an vier Stellen, während es das mittlere der fünf Medaillons in fast räumlich wirkenden Über- und Unterschneidungen umgibt. Stilisierte Pflanzenmotive füllen die Zwickel zwischen diesen Medaillons so, daß dunkle Blätter auf hellem Grund, zentraler Kranzrahmen auf dunklem Grund und Rundschuppen des Fondmusters im ersten Feld, mit hellen Blättern auf dunklem Grund, dunklem Kranzrahmen auf hellem Grund und Dreieckschuppen des Fondmusters im nächsten Feld alternieren. Die regelmäßige Verbindung konstanter und alternierender Komponenten, der rhythmische Wechsel farblicher (und formaler) Elemente wird allein vom falsch erneuerten Hauptfeld L unterbrochen.

Abb. 266 Hauptfeld B im nördlichen Chorumgang

Hauptfeld B

(Nr. 28)
GVNTHARVS · ARCHIEPISCOPVS · R(E)X(I)T · ECCL(ESI)AM · COLON(IENSEM) · AB · A(NN)O
· DCCCL · AD · A(NNV)M · DCCCLXIV · SEDES · VACABAT · DCCCLXIV · AD · DCCCLXX +
Erzbischof Gunthar regierte die Kirche von Köln vom Jahre 850 bis zum Jahre 864. Der Bischofsstuhl
blieb unbesetzt von 864 bis 870.
(Nr. 29)
WILLIBERTVS · ARCHIEPISCOPVS · REXIT · ECCLESIAM · COLONIENSEM · AB · ANNO ·
DCCCLXX · AD ANNVM · DOMINI · DCCCLXXXIX +
Erzbischof Willibert regierte die Kirche von Köln vom Jahre 870 bis zum Jahre des Herrn 889.

(Nr. 30)

HERIMANVS · I · PIVS · ARCHIEPISCOPVS · REXIT · ECCLESIAM · COLON(IENSEM) · AB · ANNO · DOMINI · DCCCLXXXX · VSQVE · AD · ANNVM · DCCCCXXV +

Erzbischof Hermann I., der Fromme, regierte die Kirche von Köln vom Jahre des Herrn 890 bis zum Jahre 925.

(Nr. 31)

WIKFRIDVS · ARCHIEPISCOPVS · REXIT · ECCLESIAM · COLONIENSEM · AB · ANNO · DOMINI · DCCCCXXV · VSQVE · AD · A(NNV)M · DCCCCLIII +

Erzbischof Wichfried regierte die Kirche von Köln vom Jahre des Herrn 925 bis zum Jahre 953.

(Nr. 32)

S. BRVNO · I · D(VX) · SAXONIE · OTTONIS · IMPERATORIS · FRATER · ARCHIEPIS(COPVS) · R(E)X(I)T · ECCL(ESIAM) · COL(ONIENSEM) · AB · A(NN)O · DCCCCLIII · AD · A(NNV)M · DCCCCLXV +

Der heilige Bruno I., Herzog von Sachsen, Bruder des Kaisers Otto, regierte die Kirche von Köln als Erzbischof vom Jahre 953 bis zum Jahre 965.

Zwischenfeld S

(Nr. 33)

FOLKMARVS · ARCHIEPISCOPVS · REXIT · ECCLESIAM · COLONIENSEM · AB · ANNO · DOMINI · DCCCCLXV · VSQVE · AD · ANNVM · DCCCCLXIX +

Erzbischof Folkmar regierte die Kirche von Köln vom Jahre des Herrn 965 bis zum Jahre 969.

Abb. 267   Zwischenfeld S im nördlichen Chorumgang

Hauptfeld C

(Nr. 34)

GEROMARCHIS · LVSATIE · ARCHIEPISCOPVS · REXIT · ECCLESIAM · COLONIENSEM · AB ·· A(NN)O · DOMINI · DCCCCLXIX · VSQ(VE) · AD · A(NNV)M · DCCCCLXXVI +

Erzbischof Gero, Markgraf der Lausitz, regierte die Kirche von Köln vom Jahre des Herrn 969 bis zum Jahre 976.

(Nr. 35)

WARINVS · ARCHIEPISCOPVS · REXIT · ECCLESIAM · COLONIENSEM · AB · ANNO · DOMINI · DCCCCLXXVI · VSQVE · AD · ANNVM · DCCCCLXXXIV +

Erzbischof Warin regierte die Kirche von Köln vom Jahre des Herrn 976 bis zum Jahre 984.

(Nr. 36)

EVERGERVS · ARCHIEPISCOPVS · REXIT · ECCLESIAM · COLONIENSEM · AB · A(NN)O · DOMINI · DCCCCLXXIV · VSQVE · AD · ANNVM · DCCCCLXXXXIX +

Erzbischof Eveger regierte die Kirche von Köln vom Jahre des Herrn 984 bis zum Jahre 999.

Abb. 268   Hauptfeld C im nördlichen Chorumgang

(Nr. 37)
S. HERIBERTVS · COM(ES) · D(E) · ROTENBVRG · ARCHIEPISCOPVS · REXIT · ECCLESIAM ·
COLONIENSEM · AB · A(NN)O · D(OMI)NI · DCCCCLXXXXIX · VSQ(VE) · AD · A(NNV)M ·
MXXI +
Der heilige Heribert, Graf von Rotenburg, Erzbischof, regierte die Kirche von Köln vom Jahre des Herrn
999 bis zum Jahre 1021.
(Nr. 38)
PILGRIMVS · A(RCHI)EP(ISCOPV)S · COLONIENSIS · S(ACRI) · ROM(ANI) · IMP(ERII) · PER ·
ITALIAM · ARCHICANC(ELLARIVS) · REXIT · ECCLESIAM · COLONIENS(EM) · AB · A(NN)O ·
D(OMI)NI · MXXI · AD · A(NNV)M · MXXXVI +
Erzbischof Pilgrim von Köln, des Heiligen Römischen Reiches Erzkanzler für Italien, regierte die
Kirche von Köln vom Jahre des Herrn 1021 bis zum Jahre 1036.

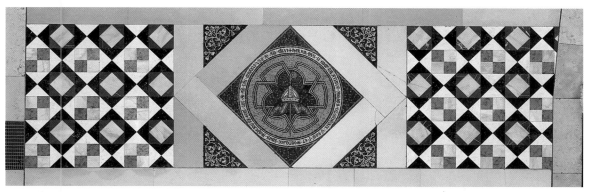

Abb. 269   Zwischenfeld T im nördlichen Chorumgang

Zwischenfeld T

(Nr. 39)

HERMANVS · II COM(ES) · PALATINVS · ARCHIEP(ISCOPV)S · COLONIENSIS · S(ACRI) · ROM(ANI) · I(MPERII) · ET · APOSTOLICE · SEDIS · ARCHICANC(ELLARIVS) · R(E)X(IT) · ECCL(ESIAM) · COL(ONIENSEM) · AB · A(NN)O · D(OMI)NI · MXXXVI · VSQ(VE) · AD · A(NNV)M · MLVI +

Hermann II., Pfalzgraf, Erzbischof von Köln, des Heiligen Römischen Reiches und des Apostolischen Stuhles Erzkanzler, regierte die Kirche von Köln vom Jahre des Herrn 1036 bis zum Jahre 1056.

Hauptfeld D

(Nr. 40)

S. ANNO · II · COM(ES) · D(E) · SONNENBERG · ARCHIEP(ISCOPV)S · COLONIENSIS · S(ACRI) · ROM(ANI) · I(MPERII) · ET · APOSTOLICE · SEDIS · A(RCHI)C(ANCELLARIVS) · R(E)X(IT) · ECCL(ESIAM) · COL(ONIENSEM) · AB · A(NN)O · D(OMI)NI · MLVI · VSQ(VE) · AD · A(NN)VM · MLXXV +

Der heilige Anno II., Graf von Sonnenberg, Erzbischof von Köln, des Heiligen Römischen Reiches und des Apostolischen Stuhles Erzkanzler, regierte die Kirche von Köln vom Jahre des Herrn 1056 bis zum Jahre 1075.

(Nr. 41)

HILDOLFVS · ARCHIEPISCOPVS · HENRICI · IV · IMPERATORIS · CAPELLANVS · REXIT · ECCLE-SIAM · COLONIENSEM · AB · A(NN)O · D(OMI)NI · MLXXVI · VSQ(VE) · AD · A(NNV)M · MLXXIX +

Erzbischof Hildolf, Kaplan Kaiser Heinrichs IV., regierte die Kirche von Köln vom Jahre des Herrn 1076 bis zum Jahre 1079.

(Nr. 42)

SIGEWINVS · ARCHIEPISCOPVS · REXIT · ECCLESIAM · COLONIENSEM · AB · ANNO · DOMINI · MLXXIX · VSQVE · AD · ANNVM · MLXXXIX +

Erzbischof Sigewin regierte die Kirche von Köln vom Jahre des Herrn 1079 bis zum Jahre 1089.

(Nr. 43)

HERMANVS · III · DIVES · COMES · DE · NORDHEIM · ARCHIEP(ISCOPV)S · REXIT · ECCLESI-AM · COLONIENSEM · AB · A(NN)O · D(OMI)NI · MLXXXIX · VSQVE · AD · AN(N)VM · MLXXXXIX +

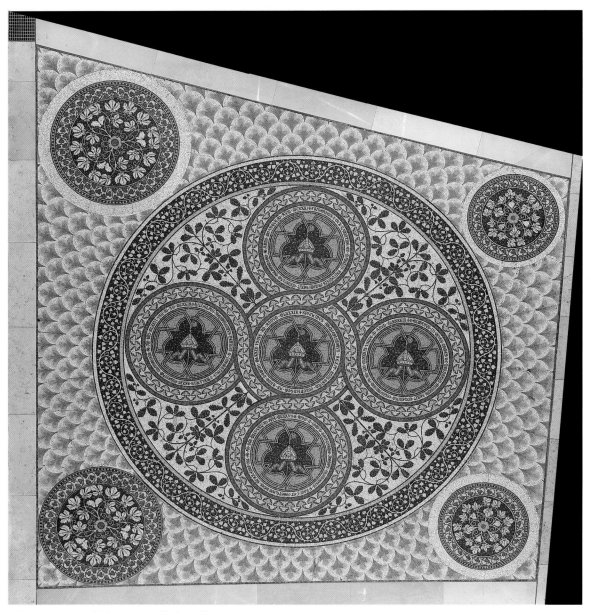

Abb. 270   Hauptfeld D im nördlichen Chorumgang

Erzbischof Hermann III., der Reiche, Graf von Nordheim, regierte die Kirche von Köln vom Jahre des Herrn 1089 bis zum Jahre 1099.

(Nr. 44)

FRIDERICVS · I · DVX · CARINTHIE · ET · MARCHIO · FRIVLENSIS · ARCHIEP(ISCOPV)S · REXIT · ECCLESIAM · COLONIENSEM · AB · ANNO · MC · VSQVE · AD · A(NN)VM · MCXXXI +

Erzbischof Friedrich I., Herzog von Kärnten und Markgraf von Friaul, regierte die Kirche von Köln vom Jahre 1100 bis zum Jahre 1131.

Abb. 271   Zwischenfeld U im nördlichen Chorumgang

Zwischenfeld U

(Nr. 45)

BRVNO · II · COMES · DE · MONTE · ARCHIEPISCOPVS · REXIT · ECCLESIAM · COLONIENSEM · AB · ANNO · MCXXXI · VSQVE · AD · ANNVM · MCXXXVII +

Erzbischof Bruno II., Graf von Berg, regierte die Kirche von Köln vom Jahre 1131 bis zum Jahre 1137.

Hauptfeld E

(Nr. 46)

HVGO · COMES · A · SPONHEIM · ARCHIEPISCOPVS · REXIT · ECCLESIAM · COLONIENSEM · PER · PAVCAS · SEPTIMA(NA)S · ANNO · DOMINI · MCXXXVII +

Erzbischof Hugo, Graf von Sponheim, regierte die Kirche von Köln für wenige Wochen im Jahre 1137.

(Nr. 47)

ARNOLDVS · I · DE · RANDERATH · ARCHIEPISCOPVS · REXIT · ECCLESIAM · COLONIENSEM · AB · ANNO · MCXXXVII · VSQVE · AD · ANNVM · MCLI +

Erzbischof Arnold I. von Randerath regierte die Kirche von Köln vom Jahre 1137 bis zum Jahre 1151.

(Nr. 48)

ARNOLDVS · II · COM(ES) · D(E) · WIED · ARCHIEP(ISCOPV)S · COLONIENSIS · ITALICI · REGNI · ARCHICANC(ELLARIVS) · R(E)X(I)T · ECCL(ESI)AM · COLON(IENSEM) · AB · A(NN)O · D(OMI)NI · MCLI · AD · A(NNV)M · MCLVI +

Arnold II., Graf von Wied, Erzbischof von Köln, Erzkanzler des Königreiches Italien, regierte die Kirche von Köln vom Jahre des Herrn 1151 bis zum Jahre 1156.

(Nr. 49)

FREDERICVS · II · COM(ES) · D(E) · MONTE · ARCHIEP(ISCOPV)S · ET · ITALICI · REGNI · ARCHICANC(ELLARIVS) · R(E)X(I)T · ECCL(ESI)AM · COLON(IENSEM) · AB · A(NN)O · D(OMI)NI · MCLVI · VSQ(VE) · AD · A(NNV)M · MCLVIII +

Friedrich II., Graf von Berg, Erzbischof und Erzkanzler des Königreiches Italien, regierte die Kirche von Köln vom Jahre des Herrn 1156 bis zum Jahre 1158.

(Nr. 50)

RAINALD(VS) · COM(ES) · D(E) · DASSEL · A(RCHI)EP(ISCOPV)S · R(E)X(IT) · ECCL(ESIAM) · COL(ONIENSEM) · MCLIX · AD · MCLXVII · POST · DESTRVCT(VM) · MEDIOLANVM · RELI-QVI-AS · S(AN)C(TORV)M · TRIVM · REGVM · COLONIAM · TRADVXIT +

Erzbischof Rainald, Graf von Dassel, regierte die Kirche von Köln 1159 bis 1167. Nach der Zerstörung von Mailand überführte er die Reliquien der Heiligen Drei Könige nach Köln.

Abb. 272   Hauptfeld E im nordöstlichen Chorumgang

Abb. 273   Hauptfeld F im nordöstlichen Chorumgang

Hauptfeld F

(Nr. 51)

PHILIPPVS (I.) · D(E) · HEINSBERG · ARCHIEPISCOPVS · D(VX) · WESTFAL(IAE) · R(E)X(I)T · ECCL(ESI)AM · COLONIENSEM · AB · ANNO · DOMINI · MCLXVII · AD · ANNVM · MCLXXXXI +

Erzbischof Philipp I. von Heinsberg, Herzog von Westfalen, regierte die Kirche von Köln vom Jahre des Herrn 1167 bis zum Jahre 1191.

(Nr. 52)

BRVNO · III · COMES · DE · MONTE · ARCHIEP(ISCOPV)S · D(VX) · WESTFAL(IAE) · R(E)X(I)T · ECCL(ESIAM) · COLON(IENSEM) · ANNIS · MCLXXXXII · ET · MCLXXXXIII +

Erzbischof Bruno III., Graf von Berg, Herzog von Westfalen, regierte die Kirche von Köln in den Jahren 1192 und 1193.

(Nr. 53)

ADOLFVS · I · COM(ES) · D(E) · ALTENA · ARCHIEP(ISCOPV)S · D(VX) · WESTF(ALIAE) · R(EXIT) · ECCL(ESIAM) · COL(ONIENSEM) · AB · A(NN)O · MCLXXXXIV · AD · A(NNV)M · MCCV · ET · ITERVM · AB · A(NN)O · MCCXII · AD · A(NNV)M · MCCXV +

Erzbischof Adolf I., Graf von Altena, Herzog von Westfalen, regierte die Kirche von Köln vom Jahre 1194 bis zum Jahre 1205 und wiederum vom Jahre 1212 bis zum Jahre 1215.

(Nr. 54)

BRVNO · IV · COM(ES) · D(E) · SAYN · ARCHIEP(ISCOPV)S · D(VX) · WESTFAL(IAE) · R(E)X(I)T · ECCL(ESI)AM · COL(ONIENSEM) · AB · ANNO · MCCV · AD · ANNVM · MCCVIII +

Erzbischof Bruno IV., Graf von Sayn, Herzog von Westfalen, regierte die Kirche von Köln vom Jahre 1205 bis zum Jahre 1208.

(Nr. 55)

DITERICVS · I · COMES · DE · HENGEBACH · ARCHIEP(ISCOPV)S · REXIT · ECCLESIAM · COLON(IENSEM) · AB · ANNO · MCCVIII · AD · ANNVM · MCCXII +

Erzbischof Dietrich I., Graf von Hengebach, regierte die Kirche von Köln vom Jahre 1208 bis zum Jahre 1212.

Hauptfeld G (Scheitelfeld)

Die Gestaltung des Feldes G entspricht einer formalen Synthese aus Motiven der beiden Kopffelder A und N, der Hauptfelder mit Umschrift, Mitra und Krummstab auf der nördlichen und der mit Wappen, Mitra, Stab und Kurhut auf der südlichen Seite des Chorumganges. Entsprechend kehrt als Hintergrund hier das gezackte Schuppenmuster der Kopffelder wieder. Die charakteristische Anbindung der vier kleineren Medaillons in den Zwickeln des trapezförmigen Feldes entspricht den fünf durch eine verschlungene Rahmung miteinander verbundenen Wappen-Medaillons im Zentrum der Hauptfelder. Die vier mit dem zentralen Bildfeld verbundenen Wappenfelder treten zugleich an die Stelle der selbständigen Zwickelfüllungen bei den Hauptfeldern. Auch das Motiv der Zinnen-Rahmung aus den Kopffeldern kehrt hier beidseitig des breiten äußeren Ringes um das Bildfeld wieder. Sie verbindet sich als reine Schmucklinie mit der breiten vegetabilen Rahmenfüllung aus Eichenlaubvoluten – ein Element aus den Hauptfeldern – und setzt sich in der fortlaufenden Schlaufenrahmung für die eingebundenen Eckmedaillons fort. Im Nord- und Südosten tragen die größeren von diesen die Wappen (mit Helmzier und drapiertem Umhang) des Hochstiftes (N. O.) und der Stadt Köln (drei Kronen mit elf Flammen). Die kleineren Wappenmedaillons im Nord- und Südwesten entsprechen mit Umschrift, Zierband, Mitra und Krummstab dem Typus der Medaillons im nördlichen Chorumgang.

Abb. 274 Erzbischof Konrad von Hochstaden mit dem Grundrißplan des gotischen Domes, flankiert von einem Geistlichen mit den Attributen seiner geistlichen Macht und einem Ritter mit den Attributen seiner weltlichen Macht

260

(Nr. 56)

S. ENGELBERTVS · I · COMES · DE · BERG · ARCHIEPISCOPVS · COLONIENSIS · REXIT · ECCL(ESIAM) · COLON(IENSEM) · AB · A(NN)O · D(OMI)NI · MCCXVI · AD · A(NN)VM · MCCXXV +

Der heilige Engelbert I., Graf von Berg, Erzbischof von Köln, regierte die Kirche von Köln vom Jahre des Herrn 1216 bis zum Jahre 1225.

(Nr. 57)

HENRICVS · I · DE · MOLENARK · ARCHIEPISCOPVS · COLONIENSIS · REXIT · ECCL(ESIAM) · COLONIEN(SEM) · AB · A(NN)O · DOMINI · MCCXXV · AD · A(NN)VM · MCCXXXVIII +

Heinrich I. von Molenark, Erzbischof von Köln, regierte die Kirche von Köln vom Jahre des Herrn 1225 bis zum Jahre 1238.

(Nr. 58)

CHVONRADVS · C(OMES) · D(E) · HOESTADEN · A(RCHI)EP(ISCOPV)S · COL(ONIENSIS) · DVX · WESTF(ALIAE) · ELECT(OR) · R(E)X(I)T · ECCL(ESIAM) · COL(ONIENSEM) · MCCXXXVIII · AD · MCCLXI · FVND(AVIT) · HANC · CATHE(DRALEM) · A(NN)O · MCCXLVIII +

Konrad Graf von Hochstaden, Erzbischof von Köln, Herzog von Westfalen und Kurfürst, regierte die Kirche von Köln von 1238 bis 1261. Er legte den Grundstein zu dieser Kathedrale im Jahre 1248.

(Die Zählungen differieren: Einige bezeichnen die folgende Inschrift als Nr. 59, so daß alle weiteren Zahlen sich um eine erhöhen.)

Abweichend von den beiden Kopffeldern folgt im Scheitelfeld die umlaufende Inschrift den in flachen Schwüngen geführten Bögen des Maßwerkrahmens um die zentrale figürliche Darstellung: NOTA · NOBIS · SVNT · NOVEM · SEQVENTIA · LAPICIDARVM · MAGISTRORVM · NOMINA · QVI · ERANT · SVMMI · FABRICE · RECTORES · GERHARDVS · A(NN)O · MCCLVII · ARNOLDVS · MCCLXXIX · IOHANNES · ARNOLDI · FILIVS · MCCXCVI · ET · MCCCXXI · RVTGERVS · MCCCXXXI · AD · MCCCXXXIII · MICHAEL · MCCCLIII · ANDREAS · MCCCXCV · ET · MCCCCV · NICOLAVS · MCCCCXIII · OBIIT · MCCCCXLVIII · KONRAD(VS) · KVENE · OBIIT · MCCCCLXIX · NICOLAVS (richtig: JOHANNES) · DE · FRANKENBERG +

Es gibt eine Folge von neun Namen von Steinmetzmeistern, die Leiter der Dombauhütte waren: Gerhard im Jahre 1257, Arnold 1279, Johannes, Sohn des Arnold, 1296 und 1321, Rutger 1331 bis 1333, Michael 1353, Andreas 1395 und 1405, Nikolaus 1413, er starb 1448, Konrad Kühn starb 1469, Nikolaus (richtig: JOHANNES) von Frankenberg.

Konrad von Hochstaden sitzt, streng frontal, auf einem Faltthron. Analog zu den begleitenden Personifikationen (s.u.), verbindet sein Ornat geistliche und weltliche Komponenten: das geistliche Amikt und den weltlichen Kurhut, das geistliche Pallium und den weltlichen Hermelin und entsprechend trägt er über der geistlichen Albe einen „neutralen" Mantel.

Vor sich hält der Initiator des Domneubaus einen Plan, auf dem der Grundriß des gotischen Domes zu erkennen ist. Die Rechte ist wie segnend erhoben. Ihm zu seiten und ihm zugewandt, stehen – maßstäblich kleiner – die Personifikation seiner Bischofswürde und seines Kurfürstenamtes: links (im Norden) ein Priester mit Mitra und Bischofsstab, rechts (im Süden) ein Ritter mit dem Kurfürstenschwert sowie mit seinem Wappen-Schild und Helm[296a].

[296a]) Nach Kölnische Volkszeitung, Nr. 562, vom 10. Okt. 1892 knien vor dem Bischof „eine männliche und eine weibliche Figur". – Ursprünglich geplant hatte Essenwein eine Darstellung Konrad von Hochstadens mit Personifikationen des Kurstaates und der Stadt Köln, die das Modell des (gotischen) Domes tragen.

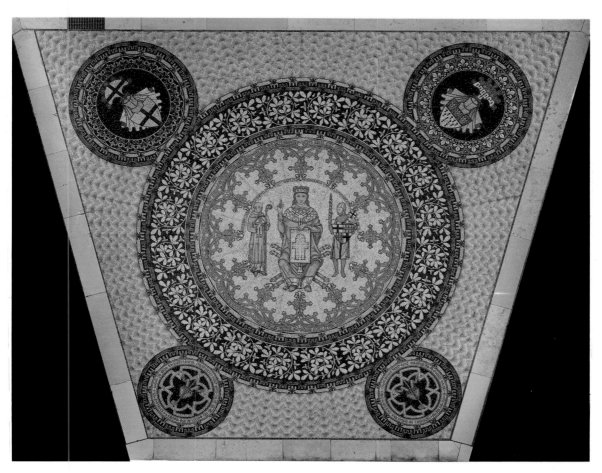

Abb. 275 Hauptfeld G (Scheitelfeld) im östlichen Chorumgang: im Zentralmedaillon Konrad von Hochstaden, seitlich oben Medaillons mit dem Wappen des Hochstiftes (l.) und der Stadt Köln (r.), unten Medaillons zweier Erzbischöfe

Abb. 276 Detail aus Hauptfeld G: Medaillon mit den Wappen Kölns

Abb. 277 Blick von Osten in den südlichen Chorumgang

Hauptfeld H

(Nr. 59)

ENGELBERTVS (II) · COM(ES) · D(E) · FALK(EN)B(VR)G · ARCHIEP(ISCOPV)S · S(ACRI) ·
ROM(ANI) · IMP(ERII) · PER · ITALIAM · ARCHIC(ANCELLARIVS) · ET · EL(ECTOR) · R(E)X(I)T
· ECCL(ESI)AM · COLLON(IENSEM) · AB · A(NN)O · D(OMI)NI · MCCLXI · VSQ(VE) · AD ·
A(NNV)M · MCCLXXIV +

*Erzbischof Engelbert II., Graf von Falkenburg, des Heiligen Römischen Reiches Erzkanzler für Italien
und Kurfürst, regierte die Kirche von Köln vom Jahre des Herrn 1261 bis zum Jahre 1274.*

(Nr. 60)

SIGFRIDVS · COM(ES) · D(E) · WEST(ER)B(VR)G · ARCHIEP(ISCOPV)S · S(ACRI) · ROM(ANI) · IMP(ERII) · PER · ITALIAM · ARCHIE(CANCELLARIVS) · ET · EL(ECTOR) · R(E)X(I)T · EC-CL(ESI)AM · COL(ONIENSEM) · AB · A(NN)O · D(OMI)NI · MCCLXXV · VSQ(VE) · AD · A(NNV)M · MCCLXXXXVII +

Erzbischof Siegfried, Graf von Westerburg, des Heiligen Römischen Reiches Erzkanzler für Italien und Kurfürst, regierte die Kirche von Köln vom Jahre des Herrn 1275 bis zum Jahre 1287.

(Nr. 61)

WIGBOLDVS · D(E) · HOLTE · ARCHIEP(ISCOPV)S · SACRI · ROM(ANI) · IMP(ERII) · PER · ITA-LIAM · ARCHIC(ANCELLARIVS) · ET · EL(ECTOR) · REXIT · ECCL(ESI)AM · COLON(IENSEM) · AB · A(NN)O · D(OMI)NI · MCCLXXXXVII · VSQ(VE) · AD · A(NNV)M · MCCCIV +

Erzbischof Wigbold von Holte, des Heiligen Römischen Reiches Erzkanzler für Italien und Kurfürst, regierte die Kirche von Köln vom Jahre des Herrn 1297 bis zum Jahre 1304.

(Nr. 62)

HENRICVS · COMES · D(E) · VIRNEBVRG · REXIT · ECCL(ESIAM) · COL(ONIENSEM) · AB · A(NN)O · MCCCIV · VSQVE · AD · ANNVM · MCCCXXXII: HVIVS · CATHEDRALIS · CHORVM · CONSECRAVIT +

Heinrich, Graf von Virneburg, regierte die Kirche von Köln vom Jahre 1304 bis zum Jahre 1332. Er weihte den Chor dieser Kathedrale.

(Nr. 63)

WALRAMVS · COM(ES) · IVLIAC(ENSIS) · ARCHIEP(ISCOPV)S · S(ACRI) · ROM(ANI) · IMPERII · PER · ITALIAM · ARCHIC(ANCELLARIVS) · ET · EL(ECTOR) · R(E)X(I)T · ECCL(ESIAM) · COL(ONIENSEM) · AB · A(NN)O · D(OMI)NI · MCCCXXXII · VSQ(VE) · AD ·A(NNV)M · MCCCXXXXIX +

Erzbischof Walram Graf von Jülich, des Heiligen Römischen Reiches Erzkanzler für Italien und Kur-fürst, regierte die Kirche von Köln vom Jahre des Herrn 1332 bis zum Jahre 1349.

Hauptfeld I

(Nr. 64)

WILHELMVS · D(E) · GEN(N)EP · ARCHIEP(ISCOPV)S · S(ACRI) · ROM(ANI) · IMP(ERII) · PER · ITALIM · ARCHIC(ANCELLARIVS) · ET · EL(ECTOR) · R(E)X(I)T · ECCL(ESI)AM · COLON(IEN-SEM) · AB · ANNO · D(OMI)NI · MCCCXXXXIX · VSQ(VE) · AD · A(NNV)M · MCCCLXII +

Erzbischof Wilhelm von Gennep, des Heiligen Römischen Reiches Erzkanzler für Italien und Kurfürst, regierte die Kirche von Köln vom Jahre des Herrn 1349 bis zum Jahre 1362.

(Nr. 65)

ADOLFVS · II · COM(ES) · D(E) · MARCA · ARCHIEP(ISCOPV)S · S(ACRI) · ROMANI · IMP(ERII) · PER · ITALIAM · ARCHICANC(ELLARIVS) · ET · EL(ECTOR) · REXIT · ECCL(ESIAM) · COL(ONIESEM) · AB · A(NN)O · D(OMI)NI · MCCCLXIII · VSQ(VE) · AD · A(NNV)M · MCCCLXIV +

Erzbischof Adolf II., Graf von der Mark, des Heiligen Römischen Reiches Erzkanzler für Italien und Kurfürst, regierte die Kirche von Köln vom Jahre des Herrn 1363 bis zum Jahre 1364.

(Nr. 66)

ENGELBERTVS · III · COM(ES) · D(E) · MARCA · ARCHIEP(ISCOPV)S · S(ACRI) · ROMANI · IMP(ERII) · PER · ITAL(IAM) · ARCHICANC(ELLARIVS) · ET · EL(ECTOR) · R(E)X(IT) · ECCL(ESIAM) · COL(ONIENSEM) · AB · A(NN)O · D(OMI)NI · MCCCLXIV · VSQ(VE) · AD · A(NNV)M · MCCCLXVIII +

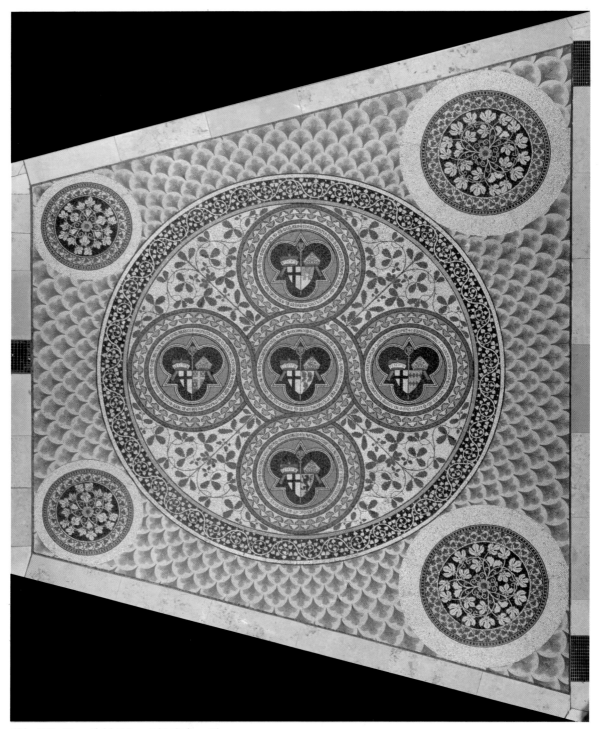

Abb. 278   Hauptfeld H im südöstlichen Chorumgang

Abb. 279   Hauptfeld I im südöstlichen Chorumgang

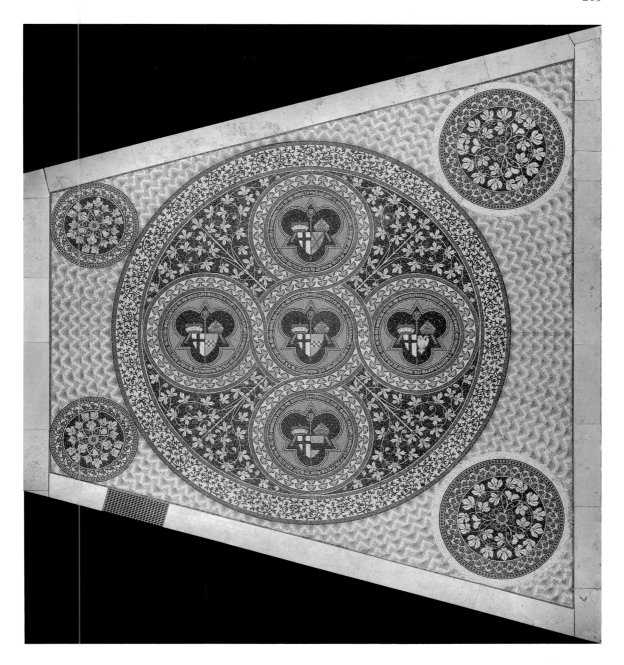

Erzbischof Engelbert III., Graf von der Mark, des Heiligen Römischen Reiches Erzkanzler für Italien und Kurfürst, regierte die Kirche von Köln vom Jahre des Herrn 1364 bis zum Jahre 1368.
(Nr. 67)

FRIDERICVS · III · COM(ES) · D(E) · SAARWERDEN · ARCHIEP(ISCOPV)S · D(VX) · WEST-
F(ALIAE) · S(ACRI) · R(OMANI) · IMP(ERII) · PER · ITAL(IAM) · ARCHIC(ANCELLARIVS) · ET ·
EL(ECTOR) · R(E)X(IT) · ECCL(ESIAM) · COL(ONIENSEM) · AB · A(NN)O · D(OMI)NI ·
MCCCLXX · VSQ(VE) · AD · A(NNV)M · MCCCCXIV +

266

Erzbischof Friedrich III., Graf von Saarwerden, Herzog von Westfalen, des Heiligen Römischen Reiches Erzkanzler für Italien und Kurfürst, regierte die Kirche von Köln vom Jahre des Herrn 1370 bis zum Jahre 1414.

(Nr. 68)

DITERIC(VS) · II · COM(ES) · D(E) · MOERS · ARCHIEP(ISCOPV)S · D(VX) · WESTF(ALIAE) · S(ACRI) · R(OMANI) · I(M)P(ERII) · PER · ITALIAM · ARCHIC(ANCELLARIVS) · ET · ELECT(OR) · REX(IT) · ECCL(ESIAM) · COL(ONIENSEM) · AB · A(NN)O · D(OMI)NI · MCCCCXIV · VSQ(VE) · AD · A(NNV)M · MCCCCLXIII +

Erzbischof Dietrich II., Graf von Moers, Herzog von Westfalen, des Heiligen Römischen Reiches Erzkanzler für Italien und Kurfürst, regierte die Kirche von Köln im Jahre des Herrn 1414 bis zum Jahre 1463.

Zwischenfeld V

(Nr. 69)

(Feld heute ohne Wappen und Inschriften, ursprüngliche Inschrift:)

RVPERTVS · COMES · PALATINVS · RHENI · ARCHIEP(ISCOPV)S · DVX · WESTFAL(IAE) · S(ACRI) · ROM(ANI) · IMP(ERII) · PER · ITAL(IAM) · ARCHICANC(ELLARIVS) · ET · EL(ECTOR) · REXIT · ECCLESIAM · COLONIENSEM · AB · ANNO · D(OMI)NI · MCCCCLXIII · VSQ(VE) · AD · A(NN)VM · MCCCCLXXX +

Erzbischof Ruprecht, Pfalzgraf bei Rhein, Herzog von Westfalen, des Heiligen Römischen Reiches Erzkanzler für Italien und Kurfürst, regierte die Kirche von Köln vom Jahre des Herrn 1463 bis zum Jahre 1480.

Abb. 280   Zwischenfeld V im südlichen Chorumgang

Hauptfeld K

(Nr. 70)

HERMANVS · IV · HASSI(A)E · LANDGRAVIVS · A(RCHI)EP(ISCOPV)S · D(VX) · WESTF(ALIAE) · S(ACRI) · ROM(ANI) · I(M)P(ERII) · PER · ITAL(IAM) · ARCHIC(ANCELLARIVS) · ET · EL(ECTOR) · REXIT · ECCL(ESIAM) · COL(ONIENSEM) · AB · A(NN)O · D(OMI)NI · MCCCCLXXX · VSQ(VE) · AD · A(NNV)M · MDVIII +

Abb. 281   Hauptfeld K im südlichen Chorumgang

Erzbischof Hermann IV., Landgraf von Hessen, Herzog von Westfalen, des Heiligen Römischen Reiches *Erzkanzler für Italien und Kurfürst, regierte die Kirche von Köln vom Jahre des Herrn 1480 bis zum* *Jahre 1508.*
(Nr. 71)
PHILIPPVS · II · COM(ES) · D(E) · DAVNA · ARCHIEP(ISCOPV)S · DVX · WESTFALI(A)E · S(ACRI) · ROM(ANI) · I(M)P(ERII) · PER · ITAL(IAM) · ARCHIC(ANCELLARIVS) · ET · EL(EC- TOR) · R(EXIT) · ECCL(ESIAM) · COL(ONIENSEM) · AB · A(NN)O · D(OMI)NI · MDVIII · VSQVE · AD · ANNVM · MDXV +

Erzbischof Philipp II., Graf von Daun, Herzog von Westfalen, des Heiligen Römischen Reiches Erzkanzler für Italien und Kurfürst, regierte die Kirche von Köln vom Jahre des Herrn 1508 bis zum Jahre 1515.

(Nr. 72)

HERMANVS · V · COM(ES) · D(E) · WIED · A(RCHI)EP(ISCOPV)S · D(VX) · WESTF(ALIAE) · S(ACRI) · ROMANI · I(M)P(ERII) · PER · ITALIAM · ARCHIC(ANCELLARIVS) · ET · EL(ECTOR) · REXIT · ECCL(ESIAM) · COL(ONIENSEM) · AB · A(NN)O · D(OMI)NI · MDXVIII · VSQ(VE) · AD · A(NNV)M · MDXXXXVII +

Erzbischof Hermann V. von Wied, Herzog von Westfalen, des Heiligen Römischen Reiches Erzkanzler für Italien und Kurfürst, regierte die Kirche von Köln vom Jahre des Herrn 1518 bis zum Jahre 1547.

(Nr. 73)

ADOLF(VS) · III · COM(ES) · D(E) · SCHAVENB(VR)G · A(RCHI)EP(ISCOP)I · COAD(IVTOR) · A(NN)O · D(OMI)NI · MDXXXV · A(RCHI)EP(ISCOPV)S · D(VX) · WESTF(ALIAE) · S(ACRI) · R(OMANI) · I(MPERII) · PER · IT(ALIAM) · A(RCHI)C(ANCELLARIVS) · ET · EL(ECTOR) · R(E)X(IT) · ECCL(ESIAM) · COL(ONIENSEM) · AB · A(NN)O · D(OMI)NI · MDXXXXVII · VSQ(VE) · AD · A(NNV)M · D(OMI)NI · MDLVI +

Adolf III., Graf von Schauenburg, Koadjutor des Erzbischofs von Köln 1535, Erzbischof, Herzog von Westfalen, des Heiligen Römischen Reiches Erzkanzler für Italien und Kurfürst, regierte die Kirche von Köln vom Jahre des Herrn 1547 bis zum Jahre 1556.

(Nr. 74)

ANTONIVS · COM(ES) · D(E) · SCHAVENBVRG · ARCHIEP(ISCOPV)S · D(VX) · WESTF(ALIAE) · SACRI · ROM(ANI) · I(M)P(ERII) · PER · ITAL(IAM) · ARCHIC(ANCELLARIVS) · ET · EL(ECTOR) · REXIT · ECCL(ESIAM) · COL(ONIENSEM) · AB · A(NN)O · D(OMI)NI · MDLVI · VSQ(VE) · AD · A(NNV)M · MDLVIII +

Erzbischof Anton, Graf von Schauenburg, Herzog von Westfalen, des Heiligen Römischen Reiches Erzkanzler für Italien und Kurfürst, regierte die Kirche von Köln vom Jahre des Herrn 1556 bis zum Jahre 1558.

Zwischenfeld W

Feld (bereits ursprünglich) ohne Wappen und Inschriften

Abb. 282   Zwischenfeld W im südlichen Chorumgang

Abb. 283 Das erneuerte Hauptfeld L im südlichen Chorumgang

Hauptfeld L

Das ganze Feld nach Kriegs- und Grabungszerstörungen 1959/60 erneuert [297]).
(Nr. 75)
JOHANNES · GEBHARDVS · COM(ES) · A · MANSFELT · A(RCHI)EP(ISCOPV)S · D(VX) ·
WESTF(ALIAE) · S(ACRI) · ROM(ANI) · I(M)P(ERII) · PER · IT(ALIAM) · ARCHIC(ANCELLARIVS)
· ET · EL(ECTOR) · R(E)X(I)T · ECCL(ESIAM) · COLON(IENSEM) · AB · A(NN)O · D(OMI)NI ·
MDLVIII · VSQ(VE) · AD · A(NNV)M · MDLXII +
Erzbischof Johann Gebhard, Graf von Mandfeld, Herzog von Westfalen, des Heiligen Römischen

---

[297]) Vgl. Willy Weyres, Die Wiederherstellungsarbeiten am Dom im Jahre 1961, in: KDBl., 20. Folge, 1961/62,
S. 170. – Vgl. Kapitel „Zerstörungen und Veränderungen nach dem 2. Weltkrieg", bes. S. 333.

270

Reiches Erzkanzler für Italien und Kurfürst, regierte die Kirche von Köln vom Jahre 1558 bis zum Jahre 1562.

(Nr. 76)

FRIDERICVS · IV · COM(ES) · D(E) · WIED · ARCHIEP(ISCOPV)S · D(VX) · WESTF(ALIAE) · S(ACRI) · ROM(ANI) · IMP(ERII) · PER · ITALIAM · ARCHICANC(ELLARIVS) · ET · EL(ECTOR) · R(E)X(I)T · ECCL(ESIAM) · COL(ONIENSEM) · AB · A(NN)O · D(OMI)NI · MDLXII · VSQ(VE) · AD · A(NNV)M · MDLXVII +

Erzbischof Friedrich VI., Graf von Wied, Herzog von Westfalen, des Heiligen Römischen Reiches Erzkanzler für Italien und Kurfürst, regierte die Kirche von Köln vom Jahre des Herrn 1562 bis zum Jahre 1567.

(Nr. 77)

SALENTINVS · COM(ES) · D(E) · ISENBVRG · ARCHIEP(ISCOPV)S · D(VX) · WESTFALI(A)E · S(ACRI) · ROM(ANI) · IMP(ERII) · PER · IT(ALIAM) · ARCHIC(ANCELLARIVS) · ET · EL(ECTOR) · R(E)X(I)T · ECCL(ESIAM) · COL(ONIENSEM) · AB · A(NN)O · D(OMI)NI · MDLXVII · VSQ(VE) · AD · A(NNV)M · MDLXXVII +

Erzbischof Salentin Graf von Isenburg, Herzog von Westfalen, des Heiligen Römischen Reiches Erzkanzler für Italien und Kurfürst, regierte die Kirche von Köln vom Jahre des Herrn 1567 bis zum Jahre 1577.

(Nr. 78)

GEBHARDVS · II · DAP(I)F(ER) · D(E) · WALDB(VR)G · A(RCHI)EP(ISCOPV)S · D(VX) · WESTF(ALIAE) · S(ACRI) · ROM(ANI) · IMP(ERII) · PER · ITAL(IAM) · ARCHIC(ANCELLARIVS) · ET · ELECT(OR) · R(E)X(I)T · ECCL(ESIAM) · COL(ONIENSEM) · AB · A(NN)O · D(OMI)NI · MDLXXVII · VSQ(VE) · AD · A(NNV)M · MDLXXXIII +

Erzbischof Gebhard II., Truchseß von Waldburg, Herzog von Westfalen, des Heiligen Römischen Reiches Erzkanzler für Italien und Kurfürst, regierte die Kirche von Köln vom Jahre des Herrn 1577 bis zum Jahre 1583.

(Nr. 79)

ERNEST(VS) · BAV(ARIAE) · D(VX) · ARCHIEP(ISCOPV)S · D(VX) · WESTF(ALIAE) · S(ACRI) · R(OMANI) · IMP(ERII) · PER · ITALIAM · ARCHIC(ANCELLARIVS) · ET · EL(ECTOR) · EP(IS)COPVS · FRIS(IORVM) · HILD(ESHEIMENSIS) · LEOD(INENSIS) · ET · MON(ASTERIENSIS) · R(E)X(IT) · ECCL(ESIAM) · COL(ONIENSEM) · AB · A(NN)O · MDLXXXIII · VSQ(VE) · AD · A(NNV)M · MDCXII +

Erzbischof Ernst, Herzog von Bayern, Herzog von Westfalen, des Heiligen Römischen Reiches Erzkanzler für Italien und Kurfürst, Bischof von Freising, Hildesheim, Lüttich und Münster, regierte die Kirche von Köln vom Jahre 1583 bis zum Jahre 1612.

Abb. 284   Zwischenfeld X im südlichen Chorumgang

Zwischenfeld X

Feld (bereits ursprünglich) ohne Wappen und Inschriften

Abb. 285 Hauptfeld M im südlichen Chorumgang

Hauptfeld M

(Nr. 80)
FERDINANDVS · BAV(ARIAE) · D(VX) · ARCHIEP(ISCOPV)S · S(ACRI) · ROM(ANI) · IMPERII ·
PER · ITALIAM · ARCHIC(ANCELLARIVS) · ET · EL(ECTOR) · D(VX) · WESTFA(LIAE) · R(E)X(I)T
· ECCL(ESIAM) · COL(ONIENSEM) · AB · A(NN)O · D(OMI)NI · MDCXII · VSQ(VE) · AD ·
A(NNV)M · MDCL +

Erzbischof Ferdinand, Herzog von Bayern, des Heiligen Römischen Reiches Erzkanzler für Italien und Kurfürst, Herzog von Westfalen, regierte die Kirche von Köln vom Jahre des Herrn 1612 bis zum Jahre 1650.

(Nr. 81)

MAXIMILIAN(VS) · HENRICVS · BAV(ARIAE) · D(VX) · ARCHIEP(ISCOPV)S · D(VX) · WEST-F(ALIAE) · S(ACRI) · R(OMANI) · IMPERII · P(ER) · ITALIAM · ARCHIC(ANCELLARIVS) · ET · EL(ECTOR) · R(E)X(IT) · ECCL(ESIAM) · COL(ONIENSEM) · AB · A(NN)O · D(OMI)NI · MDCL · VSQ(VE) · AD · A(NNV)M · MDCLXXXVIII +

Erzbischof Maximilian Heinrich, Herzog von Bayern, Herzog von Westfalen, des Heiligen Römischen Reiches Erzkanzler für Italien und Kurfürst, regierte die Kirche von Köln vom Jahre des Herrn 1650 bis zum Jahre 1688.

(Nr. 82)

JOSEF(VS) · CLEMENS · BAV(ARIAE) · D(VX) · ARCHIEP(ISCOPV)S · D(VX) · WESTF(ALIAE) · S(ACRI) · R(OMANI) · IMP(ERII) · P(ER) · ITALIAM · ARCHIC(ANCELLARIVS) · ET · EL(ECTOR) · REXIT · ECCL(ESIAM) · COL(ONIENSEM) · AB · A(NN)O · D(OMI)NI · MDCLXXXVIII · VSQ(VE) · AD · A(NNV)M · MDCCXXIII +

Erzbischof Joseph Clemens, Herzog von Bayern, Herzog von Westfalen, des Heiligen Römischen Reiches Erzkanzler für Italien und Kurfürst, regierte die Kirche von Köln vom Jahre des Herrn 1688 bis zum Jahre 1723.

(Nr. 83)

CLEMENS · AVG(VSTVS) · (I) · BAV(ARIAE) · D(VX) · ARCHIEP(ISCOPV)S · D(VX) · WESTFA-LI(A)E · S(ACRI) · R(OMANI) · I(M)P(ERII) · PER · ITAL(IAM) · ARCHICANC(ELLARIVS) · ET · EL(ECTOR) · R(E)X(I)T · ECCL(ESIAM) · COL(ONIENSEM) · AB · A(NN)O · D(OMI)NI · MDCCXXVII · VSQ(VE) · AD · A(NNV)M · MDCCLXI +

Erzbischof Clemens August I., Herzog von Bayern, Herzog von Westfalen, des Heiligen Römischen Reiches Erzkanzler für Italien und Kurfürst, regierte die Kirche von Köln vom Jahre des Herrn 1723 bis zum Jahre 1761.

(Nr. 84)

MAXIMILIAN(VS) · FRID(E)RIC(VS) · COM(ES) · D(E) · KOENIGSEGG · ARCHIEP(ISCOPV)S · D(VX) · WESTF(ALIAE) · S(ACRI) · R(OMANI) · I(MPERII) · PER · IT(ALIAM) · A(RCHI)C(AN)CELLARIVS) · ET · EL(ECTOR) · R(E)X(I)T · ECCL(ESIAM) · COL(ONIENSEM) · AB · A(NN)O · D(OMI)NI · MDCCLXI · VSQ(VE) · AD · A(NNV)M · MDCCLXXXIV +

Erzbischof Maximilian Friedrich, Graf von Königsegg, Herzog von Westfalen, des Heiligen Römischen Reiches Erzkanzler für Italien und Kurfürst, regierte die Kirche von Köln vom Jahre des Herrn 1761 bis zum Jahre 1784.

Abb. 286 Zwischenfeld Y im südlichen Chorumgang

Zwischenfeld Y

Inneres Wappenfeld teilweise mit Metall-Einlagen (drei Kronen, Schwert, Zepter und Apfel)
(Nr. 85)
MAX(IMILIANVS) · FRANC(ISCVS) · XAVER(IVS) · IOS(EFVS) · ARCHI(DVX) · AVST(RIAE) ·
A(RCHI)EP(ISCOPV)S · ELECT(ORVM) · ET · DVCVM · WESTF(ALIAE) · VLTIM(VS) · REX(IT) ·
ECCL(ESIAM) · COL(ONIENSEM) · AB · A(NN)O · MDCCLXXXV · VSQ(VE) · AD · MDCCCI ·
SEDES · VACAB(AT) · VSQ(VE) · AD · MDCCCXXIV +
*Erzbischof Maximilian Franz Xaver Joseph, Erzherzog von Österreich, letzter der Kurfürsten und der
Herzöge von Westfalen, regierte die Kirche von Köln vom Jahre 1785 bis zum Jahre 1801. Der Bischofs-
stuhl blieb unbesetzt bis zum Jahre des Herrn 1824 +*

Hauptfeld N (Kopffeld)

Das südliche Kopffeld entspricht in seiner Gliederung, in der Komposition und im Verhältnis der figürlichen zu den ornamentalen Komponenten weitgehend seinem Pendant Feld A. Unterschiede betreffen vor allem die zentrale figürliche Gruppe und untergeordnete Details: Die quadratischen Zwischenfelder sind hier mit vegetabilem löwenzahnartigem Schmuck gefüllt. Jedes dieser Zwickel-Felder wird
von einem doppelten Rahmen gefaßt. – Abweichend reihen sich nicht 25, sondern nur 24 geschlauft
verbunden Medaillons um das Bildzentrum. Sie sind dazu bestimmt, die Wappenschilde der Erzbischöfe seit 1824 aufzunehmen. Während die übrigen 16 Wappenschilde, je acht am nördlichen und
acht am südlichen Rand des Mittelmedaillons, noch mit einem neutralen Flächenmosaik ausgefüllt und
durch einen umschließenden Messingrahmen leicht zu entfernen sind, tragen die oberen Schilde
bereits Wappen und Inschriften der letzten fünf Kölner Erzbischöfe des 19. Jahrhunderts (von links
nach rechts):
(Nr. 86)
FERD(INANDVS) · AVG(VSTVS) · COM(ES) · SPIEGEL · A · DESENBERG · 1824–1835
Ferdinand August Graf Spiegel von Desenberg 1824–1835
(Nr. 87)
CLEM(ENS) · AVG(VSTVS) · II · DROSTE · LIB(ER) · BARO(NVS) · D(E) · VISCHERING ·
1835–1845
Clemens August II. Droste Freiherr von Vischering 1835–1845
(Nr. 88)
IOHAN(NE)S · CARD(INALIS) · D(E) · GE(I)SSEL · 1845–1864
Johannes Kardinal von Geissel 1845–1864
(Nr. 89)
PAVLVS · MELCHERS · 1866–1885
Paulus Melchers 1866–1885
(Nr. 90)
PHILIPP(VS) · III · KREMENTZ · 1885 –
Philipp III. Krementz 1885 –
Um die zu den Wappen gehörigen Namens-Inschriften unterbringen zu können, ist der pflanzliche De-
kor auf einzelne Sprößlinge beschränkt, die, als Zäsuren zwischen den Namen, jeweils die Berührungs-
stellen der einzelnen Medaillons markieren. Den Wappen der Erzbischöfe gegenüber, auf der west-
lichen Seite des Mittelmedaillons befinden sich die Wappen, Namen und Lebensdaten der drei letzten
Dombaumeister (des 19. Jahrhunderts). Abweichend von den übrigen Wappen-Medaillons sind bei
den drei unteren jedoch die Wappen nach außen orientiert, d.h. sie sind dem Betrachter, der den Chorumgang betritt, zugewandt. Die Wappen nehmen das ganze Medaillon ein und überschneiden z. T.

Abb. 287 Hauptfeld N (Kopffeld) am südwestlichen Ende des Chorumgangs: die Allegorie der staatlichen Fürsorge für den Dom, umgeben von den Wappen der Kölner Erzbischöfe und Dombaumeister des 19. Jahrhunderts

seinen Rahmen. Die zugehörigen Inschriften wurden mit in das Medaillon hineingenommen (vom Zentrum des Feldes aus gesehen von links nach rechts):

1. ADOLF(VS) (richtig: Konrad Friedrich) AHLERT FABRIC(A)E RECTOR AN(N)IS MDCCCXXIV AD MDCCCXXXIII

Adolf Ahlert, Leiter der Bauhütte in den Jahren 1824 bis 1833

2. ERNEST(VS) ZWIRNER REX(I)T FABRICAM (A)B ANNO MDCCCXXXIII AD MDCCCLXI

Ernst Zwirner, Leiter der Bauhütte vom Jahre 1833 bis 1861

3. RICHARDVS VOIGTEL FABRIC(A)E RECTOR AB A(NN)O MDCCCLXI COMPLE(VIT) OPVS TVRRIVM A(NN)O MDCCCLXXX

Richard Voigtel, Leiter der Bauhütte vom Jahre 1861 an, vollendete das Werk der Türme im Jahre 1880

Die umlaufende Inschrift, die den Kranz der Medaillons gegen die figürliche Gruppe im Zentrum abgrenzt, lautet:

CONFRACTIS · FRANCORVM · IMPETV · CVM · S(ACRO) · ROM(ANORVM) · IMP(ERIO) · ELEC-

Abb. 288   Die Wappen der Kölner Erzbischöfe des 19. Jahrhunderts

TORATV · COLONIENSI · ET · WESTFALI(A)E · DVCATV · EORVM · TERR(A)E · CONCLVSA ·
PACE · RECEPT(A)E · SVNT · IN · BORVSSI(A)E · REGNVM · ET · VACANS · SEDES · ARCHIEPIS-
COP(ALIS) · A(NN)O · MDCCCXXIV · SINE · PRINCIPATV · SECVLARI · RESTITVTA · SVB ·
BORVSSI(A)E · TVTELA · CONFECTA · EST · DOMVS · CATHEDRALIS · IN · QVA · SEDEBANT ·
ARCHIEPISCOPI · QVOR(VM) · INSIGNIA · HIC · DEPICTA · ET · SEDEANT · ADIVVANTE · DEO
· MVLTI · IN · FVTVRVM [298]).

Nachdem das Kurfürstentum Köln und das Herzogtum Westfalen zusammen mit dem Heiligen Römischen Reich durch den Angriff der Franzosen untergegangen waren, ihre Gebietsteile nach dem Friedensschluß dem Königreich Preußen einverleibt und der verlassene erzbischöfliche Stuhl im Jahre 1824 ohne weltliche Herrschaft unter dem Schutze Preußens wiedererrichtet worden waren, ist die Kathedralkirche, in der die Erzbischöfe, deren Insignien hier abgebildet sind, ihren Sitz hatten, vollendet worden, und mit Gottes Hilfe mögen in Zukunft noch viele hier residieren.

Die Inschrift, die entsprechend wie in Feld A die zentrale figürliche Darstellung in einem Dreiviertelkreis umspannt, lautet: STRATVM · EST · HOC · PAVIMEN(T)VM · AN(N)O · MDCCCLXXXIX · ET ·
SEQ(VENTIBVS) · AD · INVEN(TIO)NEM · ET · DELINEAMENTA · AVG(VSTI) · EQ(VITIS) · DE ·
ESSENWEIN · NORIMB(ERGENSIS) · OPERE · OF(F)ICIN(A)E · MVSIVARI(A)E · MET(T)LACEN-
SIS +

Dieser Fußboden wurde im Jahre 1889 und in den darauf folgenden Jahren nach dem Entwurf und den Ausführungszeichnungen des August Ritter von Essenwein aus Nürnberg durch die Mosaikwerkstatt in Mettlach verlegt.

Sie wird teilweise überschnitten durch den Kopf einer ganzfigurigen Personifikation in Gestalt eines geharnischten Ritters, die mit einem nur das Gesicht freilassenden Kettenpanzer und einem langen weiten Umhang bekleidet ist. Ihre Rechte hält eine Standarte, die den preußischen Adler trägt. Die andere Hand hält diagonal vor der Brust einen Adlerschild wie schützend über das Modell des vollendeten Doms (bzw. seiner Westfassade), das – ähnlich wie in Feld A – zwei seitlich etwas erhöht Kniende vor der Standfigur emporheben.

Zur Bedeutung dieser Darstellung gibt es keine überlieferte Äußerung Essenweins. Nach Carl Bingler „stellt (diese Personifikation) die Borussia dar, welche schirmend Banner und Adlerschild über den

---

Abb. 289   Die Wappen der Kölner Dombaumeister des 19. Jahrhunderts

neuen Dom hält" [299]). Unmittelbar nach Fertigstellung des Mosaikfeldes berichtet die Kölnische Volks-zeitung jedoch: „Das zweite Mosaikfeld am südlichen Eingang zum Chor-Umgang enthält in der Mitte gleichfalls (wie das entsprechende Feld im Osten) in Medaillonform die Figur eines geharnischten, mit dem Gesicht nach Osten zu gekehrten Ritters, welcher ein Fähnchen hält, auf dem ein kleiner Ad-ler abgebildet ist. Unter dem Fähnchen stehen die Anfangsbuchstaben W R, so daß der Ritter offenbar als Stammhalter des Hohenzollernhauses aufzufassen ist." [300])

Mit der Richtigstellung, daß der Ritter nach Westen blicke, wird letztere Deutung in den folgenden Jah-ren wiederholt aufgegriffen [301]), wobei jedesmal in entsprechender Weise die Deutung der Initialen WR für Wilhelmus Rex auf Kaiser Wilhelm I. bzw. II. nahegelegt wird. Man hat darin einen Topos zu sehen, der in verschiedenen Varianten belegt ist: So bezeichnet z. B. Voigtel im 82. Dombaubericht von 1893/94 König Friedrich Wilhelm IV. und Kaiser Wilhelm I. als „Beschützer und Förderer des Dombaues" [302]); anläßlich des 50. Dienstjubiläums Richard Voigtels gedenkt der Kölner Localanzeiger 1901 auch „unseres . . . Schirmherrn, des Kaisers Wilhelm des Großen" [303]).

Tatsächlich sind jedoch die WR-Initialen heute nicht bzw. nicht mehr zu erkennen. Aller Wahrschein-lichkeit nach wurden sie auch nicht durch Unachtsamkeit „wegrestauriert", sondern waren nie vorhan-den. Das Geheimnis um diese „Phantom-Initialen" klärt sich auf, wenn man annimmt, daß ihre Be-schreibung sich ursprünglich auf den Karton bezieht, dieses Detail jedoch tatsächlich nicht ausgeführt wurde [304]).

---

[299]) Handschr. Protokoll, wie Anm. 294 (Heft I, S. 31).

[300]) Kölnische Volkszeitung, Nr. 457, vom 20. August 1892. – Vgl. damit auch die Bezeichnung der Figur als „ein Deutsch-Ordensritter mit preußischer Standarte". (Centralblatt der Bauverwaltung, Nr. 44, vom 4. Nov. 1893, S. 461).

[301]) Vgl. z. B. Helmken, Dom, 5. Aufl. 1905, S. 157 (identisch u. a. auch bereits in der 3. Aufl. von 1894). – Vgl. auch Clemen, Kölner Dom, S. 209.

[302]) R. Voigtel, Bericht über den Fortbau des Domes in Köln im Baujahr 1893/94, in: Centralblatt der Bauverwal-tung, XIV. Jg., Nr. 41, vom 13. Okt. 1894, S. 436. – Vgl. damit auch die traditionelle „Vorstellung vom Kaiser als Patronus, Advocatus et Defensor ecclesiae" (Stubenvoll, Rathaus, S. 432).

[303]) Anonymus, Herr Dombaumeister Geh. Regierungsrath Richard Voigtel . . ., in: Kölner Localanzeiger, Nr. 218, vom 13. Aug. 1801.

[304]) . . . das wäre am originalgroßen Vorlagekarton zu überprüfen. – Möglicherweise wurden die Initialen aber auch bei der Restaurierung des Feldes 1976-1977 versehentlich „wegrestauriert". – Vgl. S. 346.

Abb. 290 Allegorie der garantierten staatlichen Fürsorge: ein geharnischter Ritter als defensor ecclesiae, der seinen Schild schützend über den (vollendeten) Dom hält

Die Achskapelle und die übrigen Chorkapellen

Nach ihrer Lage und Bedeutung, aber auch nach ihrer Ausführung und Ausstattung nimmt die Achskapelle eine Sonderstellung unter den Kapellen im Chor des Domes ein. Dem sollte auch ihre Beflurung entsprechen: Ähnlich wie bereits sein erster Entwurf, plante Essenweins revidierter Generalentwurf eine Beflurung des Chorumgangs, die als eine Art begehbare Chronik die Geschichte des Erzbistums Köln in der Folge der Wappenmedaillons seiner Bischöfe und Erzbischöfe spiegeln sollte. Dieser Planung zufolge sollte die Gestaltung der Achskapelle die Trias der durch figürliche Darstellungen besonders ausgezeichneten Fußbodenfelder an den westlichen Eingängen zum Chorumgang und in seinem Scheitel vor der Dreikönigenkapelle um ein weiteres Feld reicherer Beflurung so erweitern, daß gleichzeitig über diese die Beflurung des Chorumgangs kompositionell und inhaltlich mit der des Kapellenkranzes verklammert würde. Diese Absicht erklärt die von allen anderen Kapellen abweichende Beflurungstechnik (Stiftmosaik) wie auch das bildlich-ikonographische Programm. Der Mosaikboden mit den Wappen und Bannern der Heiligen Drei Könige verweist also in doppelter Hinsicht auf die Beziehung zu Erzstift und Stadt Köln – und damit zur Chorumgangsbeflurung. In diesem zusätzlichen Schmuckfeld fand mithin nicht nur die besondere Lage der Achskapelle im architektonischen Gefüge des gotischen Chorbaus, sondern zugleich auch ihre Schlüsselstellung als Hauptkapelle des Domes, in der über lange Zeit der Schrein der Heiligen Drei Könige bewahrt wurde, ihren angemessenen Ausdruck.

Wegen der Zerstörung des Achskapellenmosaiks im Jahre 1947 (s. u.) sind wir für seine Beschreibung auf Essenweins und Geiges' Entwürfe und auf die 1982 wiedergefundenen Fragmente angewiesen [305]: Der revidierte Generalplan, an dem die noch ausstehenden Arbeiten für einen Verlegekarton sich allein orientieren konnten, sah für die Achskapelle ein regelmäßiges, aus Kreisschlägen konstruiertes Fondmuster vor, das den größten Teil des Bodens um ein Zentralmedaillon ausfüllen und in seinem teppichartigen Charakter die Gesamterscheinung stark mitbestimmen sollte. Die hauptachsenparallele Grundstruktur des Fondmusters überspielte das geometrisch-winklige Raster durch eine Betonung der Diagonalen und durch eine komplizierte Kombination gegenläufiger Zirkelschläge. Aus größerer Entfernung schien sie aus einem regelmäßig geknüpften Netz, aus der Nähe betrachtet jedoch aus einem verschachtelten, doppelt lesbaren Vexier-Muster zu bestehen. Wir haben es bereits an anderer Stelle eingehend analysiert [306].

Der gestufte Unterbau d e s Marienaltars reichte nach dem Umbau des Altars als quadratischer Sockel, der die rechteckige Grundfläche des Altars verdoppelte, in ganzer Breite der östlichen Kapellenwand weit in den Raum hinein. Ihm vorgelagert und von der Stirnkante des Altarsockels wie von der Begrenzung des Fondmusters zum Chorumgang hin gleichweit entfernt, sah der Entwurf Essenweins das große Kreisfeld des Medaillons vor, das in seinem Durchmesser leicht über die Breite der Altarbasis hinausragte. Eingefaßt wurde es durch einen relativ breiten Rahmen, der in lockerer Folge alternierend rote und gelbe Rosetten zwischen rötlichen Kreisstegen einschloß.

Das Innere des zentralen Kreisfeldes war in drei gleichgroße Sektoren gegliedert, die in übereinstimmender Weise durch eine achsensymmetrische Kombination von Maßwerkmotiven eingenommen wurden. Zur Mitte hin sparten sie eine Fläche aus, die der Form eines dreistrahligen Sterns angeglichen war. Sein Zentrum – und damit das des Medaillons – war durch ein kleines Kreisfeld mit einbeschriebenem neunstrahligen Stern akzentuiert. Ihn umgaben Wappenbanner, die sich in der gleichförmig stilisierten Knickung des Fahnenstoffes und in der Schrägstellung der Fahnenstange den drei konischen Sternen-Zacken einpaßten.

---

[305] Zu den 1982 bei Grabungen in der Emundus-Kapelle wiedergefundenen Fragmente des Fußbodenmosaiks aus der Achskapelle vgl. Kapitel „Die Mosaikfunde von 1982", S. 340-342.

[306] Dieses Kapitel folgt, soweit es die Achskapellen-Beflurung betrifft, über weite Strecken den Ausführungen des Verf. in „Das ‚verschollene' Mosaik". Dort auch eine detaillierte Analyse des Mosaikmusters.

Die Fahnen entwuchsen mit ihren Stangen in den Spitzen des Sterns jeweils einer Krone und bildeten ein trapezförmiges, wappenartiges Feld aus. Von den drei Fahnenfeldern zeigte das erste einen nach rechts geöffneten Halbmond, der einen Stern umschloß, das zweite neun Sterne in drei Dreierreihen untereinander [307]) und das dritte einen nach links gewendeten nackten Mohren. Er hielt eine bewimpelte Lanze in der Rechten und stützte sich mit der Linken auf einen vertikal gestreiften Wappenschild. Um den Kopf trug er eine Binde.

Die durchgehend achsensymmetrische Anlage der Achskapelle in ihrer Ausstattung gibt sich jedoch nicht allein in der Ausrichtung des Marienaltares und des großen Zentralmedaillons vor ihm zu erkennen. Auch die Orientierung des Dreisterns im Mittelkreis ordnete sich diesem Prinzip dadurch unter, daß ein Strahl dieses Sterns auf die Mitte der Altarfront wies.

Der neunzackige Stern im Zentrum des Medaillons der Dreikönigenkapelle greift das Grundmotiv des kosmologischen Vierungsmosaiks auf [308]). Es handelt sich dabei jedoch nicht lediglich um eine tautologische Wiederholung in kleinerem Maßstab. Vielmehr wird aus dem Wissen um die jahrhundertelange Verknüpfung der Hl. Drei Könige mit dieser Kapelle das Grundmotiv des Sterns durch die Symbole dieser Heiligen zu einer gleichsam redenden Beflurung erweitert [309]).

Die drei Wappenbanner verdichteten nämlich den im zentralen Stern gegebenen Bezug auf die Hl. Drei Könige zu einem komplexen Signum. Der Entwurf Essenweins folgt in diesen Details einer Tradition, die bereits seit dem Anfang des 15. Jahrhunderts die von ihm gewählte Form der Wappenbanner kennt [310]) und die z.B. auch das Dombild Stephan Lochners zeigt. Den hier bereits ausgeprägten kanonischen Typen mit einem goldenen Halbmond und goldenen Stern auf blauem Grund, fünf bis zehn goldenen Sternen auf blauem Grund sowie dem Bild des Mohren mit Fahnenlanze bzw. Lanze und Schild auf goldenem Grund, folgen in der Regel auch die späteren Darstellungen [311]). Dabei wechselt die Zuteilung der Farben und Wappen an Kaspar, Melchior und Balthasar oft recht willkürlich [312]).

Die Kronen am Fuße der Wappenstandarten sind zunächst Hinweis auf den königlichen Charakter der Wappenträger, daneben sind sie jedoch auch Hinweis auf die Stadt Köln selbst: Seit dem 14. Jahrhundert lassen sich die drei Kronen als pars pro toto und als Symbole der Hl. Drei Könige nachweisen und werden als solche z.B. auch in das obere Feld des Kölner Stadtwappens aufgenommen, wo sie ihren Platz bis heute haben. Bereits im späten Mittelalter konnten die drei Kronen alleine als Symbol-Zeichen für die Stadt Köln erscheinen [313]): also ein weiterer Bezug zur Chorumgangsbeflurung.

Die Umgestaltung der Achskapelle war jedoch mit ihrer weitgehenden Entbarockisierung (1889/90) und mit der Anlage ihrer neuen Beflurung 1899 bezeichnenderweise nicht abgeschlossen. Die Kapelle erhielt vielmehr um die Jahrhundertwende ein völlig verändertes Gesicht: dem farbigen „gotischen" Mosaikfußboden entsprachen die durch Friedrich Stummel bereits 1891 ergänzten und wiederaufge-

[307]) O. Doppelfeld, Der unterirdische Dom. Grabungen im Dom zu Köln, Köln/Krefeld 1949, S. 65 u. 80.

[308]) Die Lokalisierung des Stern-Motivs an dieser Stelle muß zusammengesehen werden mit der ursprünglichen Absicht, in der Vierung den Dreikönigenschrein aufzustellen (vgl. A. Wolff, Der Kölner Dom, S. 35). Sie ist keine „Erfindung" Essenweins. Sein Entwurf entsprach in der Verbindung von Stern und Vierung vielmehr u. a. dem bereits im September 1880 von Bogler und Schneider vorgelegten Beflurungsprojekt für den Kölner Dom (vgl. Kapitel „Das Projekt von Bogler und Schneider (1880)". Ihr Entwurf sah in der Vierung als Zeichen des christologischen Bezugs „. . . jenen geheimnisvollen Stern (vor) . . . welcher der Erscheinung Christi vorausleuchtete und dessen Glanz den Heiligen Drei Königen, „. . . jene(n) ehrwürdigen Vertreter(n) der großen Völkerfamilie der Alten Welt" (DBAK, Lit. X f I/108) den Weg zu Christus wies, wie er als Zeichen Christi das Ziel der Gläubigen im Zentrum des Kirchengebäudes darstellt. Um das „Sternbild" des neugeborenen Messias gruppierten sich auch nach dem Essenweinschen Beflurungsentwurf die Zeichen des Tierkreises.

[309]) DBAK, Lit. X g I/24.

[310]) Vgl. H. Horstmann, Die Wappen der Heiligen Drei Könige, in: KDBl., 30. Folge, 1969, S. 49–66, bes. S. 52 ff.

[311]) Ebd., S. 56.

[312]) Ebd., S. 57.

[313]) Ebd., S. 54 f. – Vgl. ebd., S. 55, Fig. 1. – Vgl. ferner Torsy, Dreikönigenverehrung, bes. S. 74–78.

frischten mittelalterlichen Wandmalereien sowie die farbige Neufassung des Antependiums durch denselben Maler. Darüber hinaus erhielt der gesamte Altar ein dem Charakter und der Bedeutung der Kapelle entsprechendes Aussehen: Wilhelm Mengelberg, der die Entwürfe für das gotisierende Gitter lieferte, das die Kapelle nach dem Abriß des Dreikönigenmausoleums gegen den Chorumgang abgrenzen sollte, schuf auch „einen neuen würdigen Aufsatz . . ., welcher hier dem Kult der Gottesmutter und der hh. Dreikönige g e m e i n s a m e n Ausdruck verleihen sollte . . .“. Alexander Schnütgen „opferte . . . für diesen Zweck das Juwel . . . (seiner) Sammlung, nebst zwei . . . ebenfalls hochgotischen altpoly-chromierten Standfiguren aus einer Dreikönigengruppe. Bildhauer Mengelberg, dem das Domkapitel die Ausführung des (Altar-)Aufsatzes übertrug, komponierte dazu die dritte kniende Figur, der für dessen Mittelschrein bestimmten Madonna ihren . . . Schleier geschickt ergänzend“ [314].

Der an der Thronbank der Muttergottes „von Mengelberg hinzugemalte Engel sollte in der neuen Umgebung die Seitenwirkung der Gruppe noch erhöhen(,) unter der (in der Predella) die hh. Dreikönige stehen, flankiert von je 2 Büstchen aus dem Clarenaltar, der bis 1859 ihrer 12 barg, von denen noch 10 vorhanden“ [315].

All diese heute weitgehend wiederhergestellten Elemente (s.u.) einschließlich des Fußbodens fügten sich im Verständnis der Zeitgenossen zu einer – vor allem durch das Element der Farbe vermittelten – harmonischen Einheit zusammen [316]. Erst 1908 war das Gesamtkunstwerk der Achskapelle vollendet, doch bereits 40 Jahre später sollte es wieder zerstört werden [317].

Abweichend von der Achskapelle, deren Sonderstatus als Fortsetzung der Chorumgangsmosaiken vor allem durch den ursprünglichen, teilweise figuralen Mosaikfußboden zu erkennen war, weisen alle übrigen Chorkapellen eine rein ornamentale Beflurung aus Plattenmosaiken auf. Sie übernehmen jedoch ganz entsprechende Funktionen: Ihre relativ kleinen Marmorplatten – Sechsecke, Rauten, Quadrate und Dreiecke – fügen sich zu einem in jeder Kapelle variierten Flächenmuster zusammen; seine sternförmige Grundstruktur ist so dimensioniert, daß es die verschiedenen Einbauten, Altäre, Tumben etc. wie ein Teppich umspielt, die ornamentale Struktur aber stets erkennbar bleibt.

Die Beflurung betont als durchgehende, verbindende „Folie“ also einerseits die Bodenfläche jeder Kapelle, andererseits verdeutlichen die in Muster und Farbe untereinander ähnlichen, doch nicht identischen Beflurungsformen Eigencharakter und Zusammenhang der sechs Chorkapellen. Darüber hinaus stellen die Kapellenbeflurungen durch ihre Entsprechungen zu den trennenden Zwischenfeldern und seitlichen Begleitfeldern auch über das verwendete Material Verbindungen zur Chorumgangsbeflurung her.

---

[314] (Alexander) Schnütgen, Sitzende hochgotische Holzmadonna in der Dreikönigenkapelle des Kölner Domes, in: Zschr. für christl. Kunst, Bd. XXI, 1908, Sp. 355.

[315] Ebd., Sp. 356. – Vgl. damit Clemen, Kölner Dom, S. 253.

[316] Vgl. damit Kölner Local-Anzeiger, Nr. 41, vom 13. Febr. 1891, S. 3: „Die Achskapelle des Domes wird demnächst würdig ausgestattet, wobei besondere Sorgfalt auf dem Altar verwendet werden soll. Auf dem im besten gotischen Stil nach dem Vorbilde des Altares in St. Ursula hergestellten Altartische wird die sehr schöne Predella als Reliquienbehälter aufgesetzt, deren Mittelstück eine Nische mit alten Figuren der h. drei Könige bildet. Über der Predella erhebt sich ein Baldachin mit einer ganz hervorragenden mittelalterlichen Madonnenstatue, einem Geschenk eines um die Kunst besonders verdienten Mitgliedes des Domcapitels. Die Herstellung der Predella, des Baldachins sowie die Restaurierung der alten Figuren ist dem bewährten Meister Mengelberg in Utrecht anvertraut. Die Wandmalereien am Altare, welche in je einer Figur eines betenden Ritters und einer Rittersfrau nebst Spruchbändern und Wappenschilden bestehen, sollen erneuert werden. Wenn dann noch der Fußboden, das Abschlußgitter der Kapelle und die Fenster entsprechend erneuert werden, dann dürfte die Kapelle eine Zierde des Domes, ja der christlichen Kunst bilden.“

[317] Vgl. Kapitel „Zerstörung und Wiederherstellung der Achskapellenbeflurung“, bes. S. 335 ff.

Abb. 291 Wilhelm Mengelberg: Neugotischer Altar in der Achskapelle mit den von Alexander Schnütgen gestifteten mittelalterlichen Skulpturen

Abb. 292   Blick von Osten in den nördlichen Chorumgang

MATERIAL, VERARBEITUNG UND ERHALTUNGSZUSTAND

Das Dommosaik im Kontext der zeitgenössischen Mosaikproduktion

Will man den Stellenwert des Dommosaiks im Kontext der Mosaikproduktion seiner Zeit bestimmen, so ist zu berücksichtigen, daß die zweite Hälfte des 19. Jahrhunderts für die so stark traditionsorientierte Mosaikkunst eine Zeit des Umbruchs war. Vordergründig sind für diese z.T. gravierenden Veränderungen Ursachen ästhetischer oder produktionstechnischer Art verantwortlich, doch verweisen sie über sich hinaus auf den bedingenden Hintergrund allgemeiner politischer, ökonomischer und kultureller Veränderungen in dieser Zeit.

Bis in die siebziger Jahre des 19. Jahrhunderts war die Mosaikkunst weltweit nahezu ausschließlich eine Domäne italienischer Werkstätten. Symptomatisch dafür erscheint die verbreitete Annahme, Italien sei das „Ursprungsland der Mosaizisten" [318]). Voraussetzung für ein solch identifizierendes Verständnis waren wohl nicht allein die Leistungen der antiken und mittelalterlichen Mosaiktradition des Landes, sondern auch die Überlegenheit des technischen Wissens, die von dieser nie ganz versiegten Tradition zehrte.

Zwar ist auch in Italien die nachmittelalterliche Mosaikproduktion generell durch „den Untergang der traditionellen Mosaikkunst" (F. Rossi) gekennzeichnet – zumindest, wenn man die Hochleistungen der Antike und des Mittelalters als alleinigen Wertmaßstab anlegt und die mehr oder minder ausgeprägte Eigengesetzlichkeit jüngerer Mosaiken geringschätzt. Von wenigen Ausnahmen abgesehen ist dann eine nach Umfang und Bedeutung der nachmittelalterlichen Mosaikkunst insgesamt abfallende Linie zu konstatieren. Während nämlich der Anteil der mosaikadäquaten Eigenschöpfungen, der genuinen Mosaikproduktion also, stark zurückgeht, ja sich zeitweilig völliger Belanglosigkeit zu nähern scheint, und der Anteil der Restaurierungstätigkeit naturgemäß großen Schwankungen unterliegt, gewinnt die Übertragung von Pinselmalerei und das Kopieren von Gemälden in Mosaiktechnik zunehmend an Bedeutung, „was nicht wenig zum Niedergang und zur Erstarrung der Mosaikkunst beitrug." [319])

Auch im 19. Jahrhundert und auch im Zusammenhang der Dombeflurung spielt diese Form der Mosaikmalerei noch eine, jetzt freilich untergeordnete Rolle [320]). Festzuhalten bleibt die wichtige Tatsache, daß die nachmittelalterliche Mosaikproduktion bis ins 19. Jahrhundert fast ausnahmslos Wand- bzw. Bildmosaiken umfaßt, und daß seit dem 13. Jahrhundert Fußböden so gut wie nie mehr als Stiftmosaiken angelegt wurden [321]). Das langlebige Image des Mosaiks als mittelalterlich-kirchliche Kunst, das dafür sicherlich mitverantwortlich ist, war offensichtlich ausgeprägter als der antikisch-heidnische Traditionsstrang. Hier sollte das 19. Jahrhundert anknüpfen: bei der Restaurierung antiker und mittelalterlicher Mosaiken, dann beim „übenden" Kopieren alter Mosaiken und beim historisierenden Rück-

---

[318]) Gerspach, Mosaique (1878), S. 228. – Vgl. auch Rossi, Mosaiken, S. 82.

[319]) Rossi, Mosaiken, S. 80.

[320]) Zu Mosaikkopien nach Gemälden vgl. Anm. 65. – Vgl. damit entsprechende Vorschläge aus der Planungsphase des Dommosaiks, bes. S. 46.

[321]) „Es ist bekannt, daß die Technik des Bodenmosaiks in der ersten Hälfte des 13. Jahrhunderts plötzlich aufgegeben wurde . . . Zu dieser Zeit entwickelte sich die industrielle Anfertigung von glasierten Keramikfliesen mit großer Schnelligkeit. Es kam zu einer Standardisierung, und die Kosten für den Bodenschmuck sanken. Es handelt sich um ein wirtschaftliches Phänomen ohne den geringsten Zusammenhang mit einem etwaigen kirchlichen Verbot. Das Bodenmosaik aus *tesserae* verlor jede Konkurrenzfähigkeit, als die Technik der Serienproduktion die Voraussetzungen für einen bis dahin ungeahnten Aufschwung der Monumentalarchitektur schufen." (Xavier Barral I Altet / François Avril / Danielle Gaborit-Chopin, Romanische Kunst, zweiter Band: Nord- und Westeuropa, 1060–1220, (Universum der Kunst, Bd. XXX), München 1984, S. 154.) – Vgl. auch Kier, Schmuckfußboden, S. 13. – Auch als eine gewisse Parallele zu den wiederholten Ansätzen des 19. Jahrhunderts zur „Modernisierung" der alten Mosaiktechnik verdient diese Entwicklung besondere Beachtung. – Vgl. Springer, Mosaik als Metapher.

griff auf mittelalterliche Vorbilder, aber auch bei der zielstrebigen Erweiterung der traditionellen Anwendungsbereiche – und auch hier waren es zunächst Italiener (und Engländer), die wichtige Impulse gaben.

Wie in anderen Ländern, so sind auch in Deutschland schon früh Versuche zur Überwindung des italienischen Mosaikmonopols, zur Gründung einer Mosaikschule und zur Nationalisierung der Mosaikproduktion nachweisbar und spielen bei der Gründung der Mettlacher Mosaikfabrik, vor allem aber bei der Glasmosaikfabrik von Puhl & Wagner in Berlin, eine wichtige Rolle. Dabei galt es, sich vor allem gegen einen Produzenten zu behaupten, der innerhalb eines Jahrzehnts fast zum Synonym für Mosaik geworden war: Salviati.

Antonio Salviati (1816–1890) gründete 1859 in Murano seine heute aufgelöste Mosaikfabrik, die zur „Mosaiklieferantin der ganzen Welt" werden sollte [322]). Während Herstellung und Verarbeitung von Mosaiken, speziell von Goldsmalten, bis weit ins 19. Jahrhundert vor allem außerhalb Italiens „ein vergessener Kunstzweig" [323]) waren, gelang Salviati eine echte Renaissance der alten Technik – und zwar weltweit. Entscheidende Voraussetzung für den Erfolg Salviatis (und – neben den englischen „Modernisierungen" – wohl auch mächtiges Vorbild für die Mettlacher Mosaikfabrik) waren die organisatorischen Neuerungen, die er einführte. Salviati überwand nämlich den traditionell handwerklichen Rahmen des Gewerbes und hob die Mosaikherstellung auf das produktionstechnische Niveau des 19. Jahrhunderts: „Er scheint in seinen Werkstätten als erster den »indirekten« Satz auf einer Papierunterlage eingeführt zu haben, so daß man die Mosaiken verschicken konnte." [324])

Dabei scheinen die beiden traditionellen Anwendungsbereiche, das genuine Flächenmosaik und die Gemäldereproduktion, in Venedig mit der dritten Komponente, der Restaurierung alter Mosaiken, in einem ausgewogenen Verhältnis gestanden zu haben. Jedenfalls ist auch das Aufblühen der venezianischen Mosaikkunst unter Salviati eng verknüpft mit der Wiederherstellung der mittelalterlichen Mosaiken von San Marco und in der Kathedrale von Torcello [325]). Übrigens, auch mit der Restaurierung eines 1844 von dem – um den Fortbau des Kölner Domes so verdienten – „Romantiker auf dem preußischen Thron", von König Friedrich Wilhelm IV. erworbenen Mosaiks aus San Michele in Affricisco, Ravenna, wurde – natürlich – Salviati betraut [326]).

---

[322]) Fischer, Mosaik, S. 103. – Zu Salviati vgl. u. a. Mundt, Historismus (1973), o. Pag. (Stichwort „Società Salviati e compani, Murano", mit älterer Lit.). – Salviati, Ueber Mosaiken. – Salviati, Mosaiques. – (Salviati), Vetri e mosaici. – Frowein-Ziroff, Kaiser Wilhelm-Gedächtniskirche, bes. S. 303.

[323]) Treeck, Mosaiken, S. 1784.

[324]) Fischer, Mosaik, S. 103. – Vgl. Gerspach, Mosaique (1884), bes. S. 266 ff. – Vgl. Kapitel „Arbeiten in der Mosaikfabrik", bes. S. 320. – Nach Clemen (Romanische Monumentalmalerei, S. 60) wurde „diese bequeme, aber verhängnisvolle Methode" dagegen von Giovanni Moro entwickelt. – Das Verständnis der negativen Setztechnik als einer für das 19. Jahrhundert charakteristischen Erfindung ist nicht unwidersprochen geblieben. Vgl. u.a. Klaus Parlasca, Die römischen Mosaiken in Deutschland, (Röm.-German. Forschungen 23), Berlin 1959, bes. S. 135–140.

[325]) Dazu zuletzt: Ettore Merkel, ‚S. Filippo' at Torcello: Restoration or a rather deplorable example of removing mosaics in the nineteenth century, in: European Cultural Heritage, vol. 2, Nr. 2, Febr. 1988, S. 34–40 (mit Lit.).

[326]) Vgl. Zschr. für Kunst und Gewerbe, 12. Jg., 1878, Nr. 46, S. 367. Illustrirte Zeitung, Nr. 4636, Leipzig 1934, S. 64. – Anthony, History, S. 255. – Treeck, Mosaiken, S. 1785. – Das seit 1904 in der Frühchristlich-Byzantinischen Sammlung des heutigen Bodemuseums in Berlin-Ost befindliche Apsismosaik aus S. Michele in Affricisco in Ravenna (545 geweiht) erwarb der spätere König Friedrich Wilhelm IV. 1843/44, d. h. zwei Jahre nach Beginn des Domfortbaus, für den Klosterhof im Park von Glienicke, 1850 erbaut durch Ferdinand von Achim nach einer Idee des Prinzen (vgl. Wulff, Mosaiken, S. 374–401). – Vgl. damit Fischer, Ravenna, S. 597 f.: „Die Apsisdekoration einer weiteren (Kirche), S. Michele in Affricisco, hat Friedrich IV. für Preußen angekauft, und ihre verkitschte Rekonstruktion im Geschmack der Jahrhundertwende (sic) gibt heute im Ost-Berliner Museum kaum eine Ahnung vom Schimmer aus buntem Glas und Blattgold an den Wänden und Gewölben der Kirchen in Ravenna." – Vgl. damit auch das seit 1847 in der Potsdamer Friedenskirche installierte, vom Kronprinzen bereits zehn Jahre zuvor erworbene Apsismosaik des 11. Jahrhunderts aus der damals abgerissenen Kirche S. Cipriano auf Murano (Badstübner, Friedenskirche, S. 24-28. – Glasberg, Repertoire, S. 30-33). – „Bei-

Die Verbindung von wiederbelebter Tradition, produktionstechnischer Innovation und denkmalpflegerischer Restauration charakterisiert jedoch über den Modellfall Salviati hinaus generell die – hier nur auf einige wichtige Aspekte reduzierte – Renaissance dieser alt-neuen Technik im 19. Jahrhundert: Als man 1852 in Nennig westlich von Mettlach das – bis heute – größte diesseits der Alpen erhaltene römische Fußbodenmosaik entdeckte, mußte das Defizit einer eigenen Mosaikproduktion in der nahegelegenen Keramikfabrik offenkundig werden. So wird heute der Ursprung dieses Produktionszweiges in Mettlach auf eben dieses Jahr zurückgeführt und auf den Anstoß durch eine Besichtigung in Nennig durch Eugen von Boch. Am 20. November 1855 schrieb er an seinen Freund August von Cohausen: „Ich denke daran, in der Art wie die antiken Mosaiken etwas zu produzieren, und zwar auf Fussböden. Ich hoffe, dass wir auf der Spur einer Methode sind, (es) billig und schön zu machen." [327] Zwischen 1852 und 1855 müssen also erste Versuche zur Aufnahme einer eigenen Mosaikproduktion stattgefunden haben.

Schließlich wurde am 15. August 1869 die „Mosaikfabrik" – so ihr Name von Anfang an – offiziell eingeweiht [328]. Hier produzierte man in erster Linie die seit den fünfziger Jahren erprobten und seitdem ständig verbesserten Mettlacher Mosaikimitationsplatten, während die Tonstift-Produktion zunächst von untergeordneter Bedeutung gewesen sein dürfte. Noch 1872 heißt es: „Möchte die altehrwürdige, grossartige Kunst nun recht bald auch in Deutschland allgemeiner beliebt werden . . ." [329]. Ein wichtiger Schritt auf dieses Ziel bedeutete ein Jahr später die Auftragsvergabe an die Mettlacher Mosaikfabrik, um die Beschädigungen des Mosaiks in Nennig mit eben diesen Tonstiften zu restaurieren (1874 beendet). Offensichtlich mit großem Erfolg, denn 1878 ist als Gründungsjahr einer eigenen Stiftmosaikwerkstatt zur Restaurierung der römischen Mosaiken im Saar-Mosel-Raum überliefert [330]. Die Mosaikwerkstatt dürfte allerdings nicht ausschließlich an den römischen Mosaiken gearbeitet haben, denn fast gleichzeitig damit beginnt die Ausweitung des Produktionsbereiches auf Kirchenbeflurungen. Jedenfalls erhält Villeroy & Boch allein im Rahmen der bereits seit Mitte der 60er Jahre eingeleiteten Restaurierungsmaßnahmen an mittelalterlichen Kölner Kirchen Aufträge für mehrere Mosaikfußböden. Dabei

de (Dokumente der schwärmerischen Begeisterung des Kronprinzen für die frühchristlichen und mittelalterlichen Mosaiken Italiens) gelten als die einzigen Originale italienisch-byzantinischer Mosaiken nördlich der Alpen." (Badstübner, a. a a, a. O., S. 25). – Gerd-H. Zuchold, Der „Klosterhof" im Park von Schloß Glienicke in Berlin (noch unveröffentlichtes Manuskript). – Vgl. in diesem Kontext auch die Entscheidung des Königs für die Ausstattung des Aachener Oktogons mit Mosaiken: „Aus dem Jahre 1844 stammt der erste Entwurf für eine Rückrestauration des Oktogons. Der barocke Stuck sollte entfernt werden und in der Kuppel einem Mosaikbild Platz machen. Der neue Königliche Konservator der Kunstdenkmäler, von Quast, legte 1847 einen eigenen Entwurf im engen Anschluß an Ciampinis Zeichnung vor. Noch im selben Jahr bestimmte der König Friedrich Wilhelm IV. die Wiederherstellung des Inneren der Kuppel in Mosaik . . ." (Clemen, Romanische Monumentalmalerei, S. 25). – Der Autor bereitet eine Untersuchung vor über die Mosaik betreffenden Initiativen Friedrich Wilhelms IV., die u.a. auch die Restaurierung des römischen Mosaiks in Nennig und des romanischen Mosaiks in St. Gereon in Köln mit einschließen.

[327] Archiv Villeroy & Boch, Mettlach, Nr. 32 (die Jahreszahl ist nicht gesichert; es könnte auch 1856 sein.). – Vgl. Gruner, Mosaikfabrik, S. 4. – Vgl. damit u. a. auch Merten, Eugen von Boch (1988), S. 31: „Die erste Andeutung seiner Idee (kleine Mosaiksteinchen nach römischem Vorbild herzustellen, P. S.) findet sich in einem Brief an August v. Cohausen vom 19. Jan. 1854." (Archiv Villeroy & Boch, Mettlach, Nr. 32). – Zu A. v. Cohausen vgl. auch Anm. 53.

[328] Gruner, Mosaikfabrik S. 4. – Vgl. damit Michael Weisser, Villeroy & Boch, Keramische Werke AG . . ., in: ders., Jugendstilfliesen. Die künstlerisch gestaltete Wandfliese als Gebrauchsgegenstand und Ornamentträger in Deutschland, Bremen 1978, S. S. 79 f.

[329] Bergau, Mosaik-Malerei, S. 44. – Vgl. ebd. die zugehörige Anmerkung: „Dem Vernehmen nach beabsichtigt die berühmte Fabrik in Mettlach auch die Herstellung von Mosaikgemälden."

[330] Gruner, Mosaikfabrik, S. 9. – Vgl. auch (Anonymus), Die Mettlacher Platten. Deutsche Kunst im deutschen Land an der Saar, in: Frankfurter Volksblatt, Nr. 264, von 27. Sept. 1936, S. 12. – Vgl. ferner Wilmowsky, Die römische Villa. – Ders., Römische Mosaiken. – Weber, Wilmowsky, bes. S. 365. – Ausst. Kat. Die Römer an Mosel und Saar, Bahnhof Rolandseck bei Bonn u. Musée du Luxembourg, Paris, 1983, S. 286 f., Kat. Nr. 250.

handelt es sich bezeichnenderweise in allen Fällen um Kombinationen aus Tonstift-Mosaiken mit (Mosaikimitations-)Platten. Das gilt auch für den größten Auftrag vor dem Dommosaik, den 1884/85 verlegten Fußboden der Wallfahrtskirche von Maria Einsiedeln (Schweiz) in Barockformen – bezeichnend für die vom Historismus besonders geschätzte „Anpassungsfähigkeit an jede Architekturform und Stilart"[331]).

Als 1885 bzw. 1890 der Jahrhundertauftrag für das Dommosaik an die Mosaikfabrik in Mettlach ergeht, kann diese also auf eine erst zwanzigjährige Produktionserfahrung mit keramischem Mosaik zurückblicken. Nur zu verständlich also, daß dieser große Auftrag für die noch relativ junge Abteilung der Keramikfabrik nicht nur wegen seines gewaltigen Umfangs, sondern vor allem auch wegen der Bedeutung seines Objektes von unschätzbarem Prestigewert gewesen sein muß, garantierte er doch „ein gutes Geschäft" und „Ruhm" gleichermaßen: Es ist bis heute das größte von der Mosaikfabrik hergestellte Mosaik überhaupt! Bezeichnend für die Größenordnung des Auftrags erscheint die Tatsache, daß zum Brand der Dommosaiken in Mettlach die Produktionskapazitäten z. T. erst noch geschaffen werden mußten[332]).

Für das Renommé und für die Leistungsfähigkeit der Mosaikfabrik bedeutete das Dommosaik also einen absoluten Höhepunkt – und das, obwohl allein zwischen 1883 und 1928 dort mehr als 645 Bildmosaiken für Auftraggeber in der ganzen Welt hergestellt wurden. In der Geschichte der Mosaikkunst im 19. Jahrhundert ist es als das wohl umfangreichste und aufwendigste Fußbodenmosaik ein entscheidender Beitrag zur Wiederbelebung der Mosaikkunst. Charakteristisch für die nach wie vor ungebrochene Autorität der italienischen Mosaiktradition erscheinen jedoch nicht allein die unübersehbar italienischen Komponenten im formalen Repertoire des Dommosaiks, sondern auch seine Ausführung in matten Tonstiftmosaiken. Glas- und Keramikmosaik, Wand- und Fußbodenmosaiken, müssen nämlich grundsätzlich zusammengesehen werden.

Ausgehend vom Vorbild römischer Naturstein- und Tonstiftmosaiken produzierte die Mettlacher Fabrik – wie bereits erwähnt – in erster Linie Mosaikimitationsplatten und Tonstiftmosaik, wie sie dann auch als Fußbodenbelag in romanischen Kirchen Kölns und im Dom verwendet wurden. Glänzendes Glasmosaik versuchte man zwar von Anfang an ebenfalls herzustellen, doch offensichtlich mit geringem Erfolg: Noch in den 80er Jahren bildet die Herstellung von Goldsteinchen aus Glas ein Problem. Die Glasmosaikproduktion war also damals nach wie vor eine Domäne der Italiener, und das hieß zu dieser Zeit vor allem: eine Domäne Salviatis.

Als – nach verschiedenen früheren Impulsen und Versuchen – Ende der 80er Jahre „drei junge Berliner . . . durch eigene Experimente die Herstellungsrezepte der Smalten, die Venedig eifersüchtig hütete, entdeckten"[333]), konnte 1890 die „Deutsche Glas Mosaik Anstalt Wiegmann, Puhl & Wagner" in Berlin-Rixdorf gegründet werden.

Bezeichnend für die Gründungssituation von Puhl & Wagner erscheint ein „Thronender Christus", ein Mosaik, das noch in der Firmenschrift von 1897 abgebildet wird: „Erstere Arbeit der Rixdorfer Mosaikanstalt; Copie eines im Koenigl. Kunstgewerbe-Museum befindlichen Mosaiks von Salviati, welches wiederum nach einem aelteren Mosaik in S. Marco zu Venedig angefertigt ist."[334]) Bei dem genannten Modellmosaik von Salviati dürfte es sich um eines der 20 Mosaiken gehandelt haben, welche die Kom-

---

[331]) Puhl & Wagner 1909, S. 5. – Nicht erst die besondere Hervorhebung dieses Faktums macht die Mosaiktechnik zur idealen Schmucktechnik des Historismus, dem ja ebenfalls „jede Architekturform und Stilart" zur Verfügung stand. – Vgl. dazu u. a. auch Anton von Werners Besuch 1878 in Mettlach: Anton von Werner, Erlebnisse und Eindrücke 1870–1890, Berlin 1913, S. 72 f., 142 f. u. 238 f.

[332]) Gruner, Mosaikfabrik, S. 8. – DBAK, Lit. X g II/50. – Vgl. Merten, „Mosaikfälschung" S. 305.

[333]) Fischer, Mosaik, S. 103. – Vgl. zu früheren Versuchen der (Glas-)Mosaikherstellung u. a.: Kunstchronik, 20. Jg., Nr. 39, vom 16. Juli 1855, Sp. 653 („Konkurrenzen").

[334]) Puhl & Wagner 1897, S. 11, Taf. 10. – Noch vor Inangriffnahme der Mosaiken für die Kaiser-Wilhelm-Gedächtnis-Kirche reisten ausführende Künstler und auch die Inhaber der Mosaikwerkstatt Puhl & Wagner zu Studienzwecken nach Italien. – Vgl. Frowein-Ziroff, Kaiser-Wilhelm-Gedächtniskirche, S. 226.

mission des preußischen Handelsministeriums 1867 auf der Pariser Weltausstellung als Mustersammlung für das zu gründende Deutsche Gewerbemuseum in Berlin angekauft hatte. Salviati hatte nämlich in Paris als „eine Art Kunstgeschichte des Mosaiks" neben seinen modernen Arbeiten Kopien byzantinischer und mittelalterlicher Wandmosaiken ausgestellt [335]).

Nicht zuletzt dank der Allerhöchsten Protektion mittels großer Aufträge entwickelte sich „Puhl & Wagner" bis zum Zweiten Weltkrieg zur „bedeutendsten Mosaikfabrik in Europa" [336]), ja (angeblich) zur größten Mosaikwerkstatt der Welt [337]). Als Beispiel ihrer in die Tausende gehenden Produktion seien drei der aufwendigsten Arbeiten genannt: Die Mosaikausstattung in der Kapelle des von Schwechten erbauten Kaiserschlosses in Posen nach Entwürfen von August Oetken (im persönlichen Auftrag Wilhelm II. entstand hier eine zweite, 1911 vollendete „Capella Palatina" und zugleich ein östliches Gegenstück zur Aachener Pfalzkapelle Karls des Großen) [338]), die umfangreichen Zyklen in der Berliner Kaiser-Wilhelm-Gedächtniskirche [339]) und die Ausstattung des Aachener Münsters mit Mosaiken [340]). Sind, der Intention des Auftraggebers nach, alle drei Projekte kunstpolitisch eng miteinander verknüpft, so sind die beiden Arbeiten in Berlin und Aachen darüber hinaus durch den entwerfenden Künstler miteinander verbunden: Hermann Schaper (1853–1911).

In seiner rastlosen, vielfältigen Tätigkeit als Architekt, Innenarchitekt, Kunstgewerbler, Dekorations- und Bildnismaler, sowie nicht zuletzt als Kartonzeichner für Mosaiken, erscheint Schaper mit Essenwein vergleichbar. Ein näherer Vergleich beider Arbeiten läßt jedoch schon bald den Generationsunterschied offenkundig werden, der auf eine allgemeine Entwicklungstendenz der Monumentalmalerei und der Mosaikkunst als ein Teil von ihr verweist: dort der stärker denkmalpflegerisch orientierte Essenwein, der die Autorität des mittelalterlichen Vorbildes gewahrt wissen möchte, hier der stärker dekorativ arbeitende Schaper, der als Ausstattungsmaler die mittelalterlichen Vorbilder gleichsam auf die Gegenwart fortzuschreiben (und auch zu „verbessern") bemüht war.

So kennzeichnet die von ihm vertretene Richtung u. a. die Assimilierung zeitgenössischer Elemente vor allem aus der akademischen Historienmalerei. Charakteristika der von Schaper repräsentierten Tendenz wilhelminischer Mosaikkunst sind die ausgeprägte Bildhaftigkeit ihrer Mosaikgemälde, ihre stark plastisch wirkende Lichtmodellierung, ihre psychologisierende Personencharakterisierung und ihre veristischen Elemente bis hin zu einem „autentischen Objektivismus" (Frowein-Ziroff) in Details von Kostüm und Requisiten (vergleichbar den Skulpturen der ehemaligen Siegesallee in Berlin). Zusätzlich erscheinen Elemente aus der „germanischen Frühkunst" als Indizien chauvinistischer Untertöne, wie sie um die Jahrhundertwende vielfältig zu konstatieren sind, auch bei der Gründung von Puhl & Wagner nicht zu überhören waren und nicht erst bei den kaiserlichen Großaufträgen für die Mosaiken der Kaiser-Wilhelm-Gedächtnis-Kirche daran erinnern, daß die von Schaper vertretene Form der Mosaikmalerei Staatskunst war.

Dem Verbund patriotisch-kirchlich-geschichtlicher Themen kommt die von Schaper seit einer Studienreise 1889 bevorzugte Orientierung an byzantinisch-ravennatischen Vorbildern entgegen. Sie prägt

[335]) Mundt, Historismus, (1973), o. Pag. (Stichwort „Società Salviati e compani, Murano"), mit Lit.

[336]) Kerbs, Mosaikfabrik, S. 8 (ohne Erwähnung Salviatis).

[337]) Berliner Local-Anzeiger, Nr. 276, 1. Beiblatt, vom 17. Nov. 1936 (aus Anlaß des 70. Geburtstages von August Wagner): „Das Haus mit dem goldenen Schornstein. Die größte Mosaikfabrik der Welt liegt in Berlin. 15000 Farbtöne." – Vgl. damit Elis, Handbuch, S. 6: „So gebietet das Studio Mosaico im Vatikan über 10000 verschiedene Nuancen, und in gleichem Reichtum finden wir die Palette des Petersburger Ateliers. Auch das Gold und Silber reiht sich den Farben an."

[338]) Puhl & Wagner 1909, S. 4. – Vgl. Zofia Ostrowska-Kebtowska, Die Goldene Kapelle im Dom zu Posen, in: Aachener Kunstblätter, Bd. 47, 1976/77, S. 279–292.

[339]) Vgl. Frowein-Ziroff, Kaiser-Wilhelm-Gedächtniskirche, S. 229 ff.

[340]) Vgl. Heckes, Hermann Schaper (mit der älteren Lit.). – Vgl. bes. (Anonymus), Die Mosaiken im Münster zu Aachen. Mit besonderer Hervorhebung der Leistungen Antonio Salviatis, in: (Aachener) Echo der Gegenwart, 1881, Nr. 195, Bl. I. – Ferner Devliegher, Kuppelmosaik, S. 279 ff. – J. Buchkremer, Dom zu Aachen. Beiträge zur Baugeschichte III, Aachen 1955, S. 78.

schließlich ganz entscheidend nicht nur die von ihm entworfenen Mosaikzyklen in der Kaiser-Wilhelm-Gedächtnis-Kirche, sondern auch seine Mosaikausstattung für die ebenfalls von Franz Schwechten erbaute Erlöserkirche in Gerolstein [341]) und für die gleichfalls von ihm entworfene evangelische Kirche in Bad Homburg v.d. Höhe [342]). Auch in Schapers Mosaikausstattung des Aachener Münsters dominiert Byzantinisch-Ravennatisches. Ergänzt durch die farbige Marmorinkrustation der Wände und Fußböden, durch Decken- und Glasmalereien, sowie durch Bronzearbeiten von seiner Hand, wurden hier zwischen 1901 und 1913 (!) nach seinen Kartons die Mosaiken im Oktogon und in der Kaiserloge ausgeführt [343]).

Die Planung der Ausstattung des Aachener Münsters mit Mosaiken und die Phasen ihrer Ausführung erscheinen typisch für die Entwicklung einer „deutschen" Mosaikkunst in den letzten Jahrzehnten des 19. Jahrhunderts und über die Jahrhundertwende hinaus. Deshalb soll hier näher auf sie eingegangen werden. Zudem bestehen über den entwicklungsgeschichtlichen Aspekt hinaus eine Vielzahl personeller Querverbindungen und allgemeiner Analogien zum Dommosaik, dem wiederholt als Fußbodenmosaik die Wandmosaiken in Aachen gegenübergestellt wurden. In diesem Sinne konnte es fast als charakteristisch für die neuerstandene Bedeutung der Mosaikkunst erscheinen, daß sich in den beiden Bistumskirchen des Rheinlandes auch die bedeutendsten und umfangreichsten Mosaiken der Region befinden [344]).

1869/70 schlug man zu diesem Zweck im Oktogon des Aachener Münsters „die in ihrer Art genialen Stuckdekorationen" (Faymonville) wieder ab, für die man erst 1719 die Reste des karolingischen Kuppelmosaiks beseitigt hatte. Um dem alten Zustand möglichst nahe zu kommen, rekonstruierte Jean-Baptiste Béthune nach historischen Beschreibungen und Zeichnungen das Kuppelmosaik mit einer Darstellung der Huldigung der 24 Ältesten vor Christus.

Obwohl auch bereits Entwürfe von Robert Cremer, Ernst Deger, Hugo Schneider und – bereits aus dem Jahre 1865 – auch ein Mosaizierungsvorschlag von A.Salviati vorlagen, und nachdem die Frage Fresko-Ausmalung oder Mosaizierung der Kuppel lange Jahre heftig umstritten war, beauftragte man 1873 Béthune endlich mit der Ausführung seines Entwurfs zur „Rückrestaurierung des Oktogons" (Clemen). Béthune und Reichensperger gehören, wie auch Essenwein, der als Kommissionsmitglied und Gutachter ebenfalls Anteil an der Restaurierung des Aachener Münsters hat [345]), mit zu den Gutachtern der Konkurrenz von 1871/72 zur Neuausstattung des Dominnern; der Architekt Hugo Schneider, der auch einen Entwurf für die Dombeflurung vorlegte [346]), konkurrierte mit Ferdinand von Quast; Alexander Schnütgen sprach hier wie dort ein gewichtiges Wort mit. Die Kartonvorlagen mußte Béthune noch mehrfach überarbeiten, ehe sie 1880/81 durch Salviati in bemerkenswert kurzer Zeit ausgeführt wurden. Erst in der zweiten Phase der Mosaikausstattung des Aachener Münsters konnten nun Puhl & Wag-

[341]) Vgl. Udo Köhler (Hrsg.), 50 Jahre Erlöserkirche in Gerolstein 1913–1963, Gerolstein 1963. – Vgl. auch Weyres, Kirchenbau, S. 335, Abb. 78. – Rode, Glasmalerei, S. 309.

[342]) Vgl. Rode, Glasmalerei, S. 309.

[343]) Vgl. zuletzt Heckes, Hermann Schaper (mit der älteren Lit.). – Die Restaurierung des Münsters war heftig umstritten; Strygowski etwa sprach von der „Verschaperung" des Münsters (Joseph Strygowski, Der Dom zu Aachen und seine Entstellung. Ein kunstwissenschaftlicher Protest, Leipzig 1904, S. 97). – Vgl. auch den Einfluß ravennatischer Mosaiken auf die Malerei Gustav Klimts, der 1903 zweimal nach Ravenna reiste (Christian M. Nebehay, Gustav Klimt, Sein Leben nach zeitgenössischen Berichten und Quellen (DTV, Nr. 1146), München 1976, S. 171) – Vgl. auch Anm. 353.

[344]) Vgl. Rode, Glasmalerei, S. 308.

[345]) Essenwein und F. X. Kraus führten vor Beginn der Restaurierung gemeinsame Untersuchungen durch (Untersuchungsbericht vom 22. Nov. 1886). – Vgl. Faymonville, Dom zu Achen, S. 428 ff. – Vgl. auch Clemen, Romanische Monumentalmalerei, S. 43 u. 56 Anm. 122. – Heckes, Hermann Schaper, S. 189.

[346]) Vgl. S. 32. – Nach Organ für christl. Kunst, 19. Jg., 1869, S. 144, hatte Schneider „in jüngster Zeit zu Rom, Ravenna und Venedig in den Mosaiken aus den Zeiten Justinians bis auf Karl den Großen tiefe Studien gemacht und zu dem Zwecke der Concurrenz zahlreiche Copien von den älteren Originalen aufgenommen."

ner ihre Konkurrenzfähigkeit auch hier unter Beweis stellen: Nach ravennatischen und römischen Vorbildern [347]) schuf Hermann Schaper die Kartons u. a. zu den Mosaiken der Ober-Kirche.

Der gleichen Generation wie Schaper gehörte Fritz Geiges an, beide wurden 1853 geboren. Geiges unterlag Schaper bei der Konkurrenz zur Ausstattung des Aachener Münsters im Jahre 1888. Charakteristisch für seine jedoch eher vermittelnde Position zwischen der älteren und der jüngeren Richtung erscheint, außer seinen offensichtlichen Schwierigkeiten, die strenge Verpflichtung auf die Essenweinschen Vorgaben einzuhalten [348]), eine seiner Arbeiten für die Kaiser-Wilhelm-Gedächtniskirche: Geiges' Kartonentwurf von 1898 zum Mosaikbild Barbarossas für den Vorraum der Kaiserloge wurde nämlich abgelehnt, weil Geiges, wie für den Kölner Dom, eine Ausführung in mattem Tonmosaik vorgesehen und gotische statt romanische Formen verwendet hatte [349]).

Bereits 1891/92 hatte Geiges für die Apsis des Bonner Münsters ein Deesis-Mosaik entworfen, das ergänzt wurde durch die 1894 von Alexius Kleinertz geschaffenen Fußbodenmosaiken im Hochchor und in der Krypta [350]). Sie lassen deutlich den Einfluß der Kölner Mosaiken von Essenwein erkennen. Von Geiges stammen auch die Entwürfe zu den Mosaiken (in den drei Ostabsiden) der Abteikirche von Maria Laach. Im wesentlichen folgen die dort ebenfalls von Puhl & Wagner ausgeführten Mosaiken jedoch den Kartonentwürfen Beuroner und Laacher Mönche [351]).

Impulse der „Beuroner Kunstschule" zielten seit den 60er Jahren auf eine zeitgemäße Form, Reform, des christlichen Bilderkanons, die gleichermaßen Malerei, Skulptur und Mosaik umfassen sollte. Derartige Bestrebungen bleiben jedoch nicht selten, wie das Hauptwerk der Mosaikkunst dieser Schule in Maria Laach belegt, in Spielarten des Historismus befangen.

„Das Mosaik war vom Industriezeitalter erfaßt worden, nicht aber von den Wandlungen der Kunst . . . Gewiß färbten auch neuere Strömungen auf das Mosaik ab; aber es waren solche wie der ohnehin historisierende Präraffaelismus, . . . oder wie später der Jugendstil wegen seiner Affinität mit den dekorativen Effekten und elongierten Figuren des Mittelalters . . . Thematik und Form bleiben derivativ, konservativ, akademisch, archaisierend. Für das Bewußtsein des 19. Jahrhunderts war das Mosaik nun einmal eine mittelalterliche Gattung, und selbst in der Mitte des 20. Jahrhunderts lebt diese Auffassung fort, namentlich bei kirchlichen Auftraggebern." [352])

Zugleich aber zeigen sich im Jugendstil (Gaudi, Klimt, Forstner u.a.) und im Zuge seiner Überwindung (Thorn-Prikker, Behrens, César Klein, Bruno Paul, Höger, Poelzig u.a.) Erfolge des Bestrebens, auch auf dem Gebiete der Mosaikkunst den Anschluß an progressive zeitgenössische Kunstentwicklungen zu finden – dann bezeichnenderweise jedoch vor allem im außerkirchlichen Raum. – In der kurzen Zeitspanne von nur 80 Jahren, zwischen 1850 und 1930, die in etwa dem Wirken von Essenwein und Geiges entspricht, erlebt das Mosaik eine ungeahnte Renaissance und reiche Blütezeit, deren Gesamtdarstellung noch aussteht [353]).

---

[347]) Zu seinen Arbeiten für das Aachener Münster unternahm auch Schaper ausgedehnte Studienreisen zu den bedeutenden Stätten der alten Mosaikkunst: So u. a. 1904 eine Studienreise über Budapest, Bukarest, Constanza und Saloniki nach Konstantinopel. – Vgl. Bericht des Vorstandes des Karlsvereins zur Restaurierung des Aachener Münsters . . . über das 57. Vereinsjahr 1904, Aachen 1904. – Entsprechende Mosaik-Studienreisen wurden auch von anderen Beteiligten unternommen. – Vgl. Devliegher, Kuppelmosaik, S. 284. – Vgl. ferner Heckes, Hermann Schaper, S. 196, 210 u 225 Anm. 63.

[348]) Vgl. Kapitel „Anteil Essenweins – Anteil Geiges'", S. 191 f.

[349]) Vgl. Frowein-Ziroff, Kaiser-Wilhelm-Gedächtniskirche, bes. S. 232, Abb. 207.

[350]) Walter Dietsch, Der Dom St. Petri zu Bremen, Geschichte und Kunst, Bremen (1978), S. 344 f. – Vgl. Brönner, Wiederherstellung, bes. S. 150, Abb. 4.

[351]) Rode, Glasmalerei, S. 309 u. 311. – Vgl. Siebenmorgen, „Kulturkampfkunst", S. 429, Anm. 51.

[352]) Fischer, Mosaik, S. 103.

[353]) Vgl. u. a. Springer, Mosaik als Metapher. – Ders., Von Berlin nach Ravenna. Anmerkungen zu einem Satz in Alfred Döblins „Berlin Alexanderplatz", in: Berlinische Notizen, Bd. 4, 1987, S. 72–78. – Ders., Modernisierung einer alten Kunst. – Der Autor bereitet eine umfassende Untersuchung dieser Zusammenhänge unter dem Titel „Mosaik und Moderne" vor.

Abb. 293 François Stroobant: Blick vom nördlichen Chorumgang. Grabmal der Hl. Drei Könige im Dom zu Köln. Die
Lithographie zeigt u. a. die ursprüngliche Beflurung mit zahlreichen Grabplatten.

Das Material

Allgemeine Bedeutung des Materials

Entwicklung und Verlauf der Materialplanung, d.h. der Diskussion um Vor- und Nachteile der zu verwendenden Materialien einschließlich der Möglichkeiten und Besonderheiten ihrer Verarbeitung, erlauben über den Rahmen der reinen Planungsgeschichte hinaus Rückschlüsse vielfältigster Art: So verweisen die Stellenwerte von Materialplanung und Materialwahl innerhalb der Gesamtkonzeption einer neuen Dombeflurung wie auch die Argumentation für oder gegen die Verwendung bestimmter Materialien nicht nur auf die materialikonographischen und verarbeitungstechnischen, sondern auch auf die arbeitsorganisatorischen Probleme eines Unternehmens von der Größenordnung und Bedeutung der Dombeflurung.

Geleitet von der Bedeutung des Domes als „erster Kirche Deutschlands" und als „Musterbau" sowie vom Anspruch, in seiner Innenausstattung entsprechend die Bekrönung und „Summe" aller vorausgehenden Restaurierungsbemühungen zu realisieren (s.u.), ist bereits die – später wieder verworfene – Absicht, für seine Beflurung eine Vielzahl von Materialien (und Techniken) zu verwenden.

Die spätere Reduzierung vor allem auf Toustiftmosaik schränkt zwar das Spektrum der Materialien ein,

Abb. 294   Blick aus dem Chorumgang (mit der Vorgängerbeflurung) auf das barocke Dreikönigenmausoleum von 1668, das 1886 abgebrochen wurde. Photo um 1880

Die spätere Reduzierung vor allem auf Toustiftmosaik schränkt zwar das Spektrum der Materialien ein, entspricht aber durchaus ihrer allgemeinen Bedeutungsakzentuierung unter dem Vorzeichen von Anspruch, Dauer und Beständigkeit.

Schließlich sind bestimmte Teile des heutigen Mosaiks in ihrem materiellen Bestand und Erhaltungszustand Dokumente der besonderen Rezeption des Mosaiks nach 1945.

Die Vorgängerbeplattung

In den weitaus größten Bereichen des späteren Chormosaiks tritt die *neue* an die Stelle einer *alten* Beflurung. So besaß, wie auf zahlreichen Innenansichten des Domchores seit dem 18. Jahrhundert und auf verschiedenen Photographien aus der Zeit vor 1887 [354]) gut zu erkennen, der gesamte Bereich des inneren Chores eine einheitliche Beflurung. Sie bestand aus relativ großen, alternierend schwarzen und weißen Marmorplatten, angeordnet in der Art eines diagonalen Schachbrettmusters [355]). Dieser 1770 verlegte Marmorbelag des Hochchores ist auch in verschiedenen Beschreibungen überliefert: „Betritt man das um fünf Staffeln erhöhte Presbyterium, so gelangt man auf einen mit Lütticher Marmorplatten würfelartig ausgelegten Boden zum Hochaltar." [356])

Zunächst scheint man erwogen zu haben, den in den 80er Jahren offensichtlich noch gut erhaltenen Bodenbelag bei der Neubeflurung des Domes – in modifizierter Form – aus Ersparnisgründen wiederzuverwenden: Aus dem Jahre 1884 stammt eine Liste von der Hand Voigtels, in der die ganzen (d. h. quadratischen) und halben (d. h. dreieckigen) Platten (je 56 m²), gesondert nach schwarzen und weißen unter dem Aspekt eventueller Wiederverwendung zusammengestellt sind [357]). Entgegen solchen Erwägungen heißt es jedoch drei Jahre später in einem Protokoll ausdrücklich, daß „... von seiten der Dombau-Verwaltung die Bereitwilligkeit ausgesprochen (worden sei), ... auf die Wiederverwendung der schwarzen und weißen Marmorplatten, welche den jetzigen Chorbelag bilden, nicht ferner zu bestehen". [358]) Zwischen diesen beiden Hinweisen für und gegen eine Wiederverwendung der alten Beflurung aus dem Binnenchor liegt die Revision des ersten Essenweinschen Generalplanes. Dieser sah als Chorumgangsbeflurung einen teppichartigen Mittelfries mit Wappentondi vor, den seitlich zwischen den Pfeilern zwei schachbrettartig strukturierte Friese begleiten sollten.

Die Vermutung liegt nahe, daß die schwarzen und weißen Marmorplatten der Vorgängerbeflurung für dieses flankierende Friespaar wiederverwendet werden sollten, zumal ihre Zahl – 328 bzw. 65 schwarze und 330 bzw. 64 weiße ganze und halbe Platten – nur geringfügig hätte ergänzt werden müssen [359]). Was mit den alten Marmorplatten dann tatsächlich geschah, ob sie in anderem Zusammenhang wiederverwendet oder wenigstens teilweise in die Neubeflurung des Domchores integriert wurden, darüber sagen die erhaltenen Unterlagen nichts aus [360]).

Die vom Grundcharakter des Essenweinschen Beflurungskonzeptes auffällig abweichende Form der Beplattung hinter dem Hochaltar, wo, gerahmt durch einen breiten schwarzen Marmorfries, rautenförmig große Platten aus schwarzem, weißem und rötlich-grau-weiß-gesprenkeltem Marmor so verlegt

---

[354]) Vgl. z. B. Wolff, Dombau, Abb. 76, Taf. 54. – Zur übrigen Dombeflurung ebd., Taf. 13, 29 u. 58.

[355]) DBAK, Lit. X f 9/86.

[356]) Noel, Dom, S. 56. – Vgl. auch weitere Beschreibungen und Erwähnungen bei Heinen, Begleiter, 1. Teil, S. 217. – Heimann, Ausstattung, S. 138. – Kier, Schmuckfußboden, S. 105.– Dies., Fußboden, S. 109.

[357]) DBAK, Lit. X f I/85. – Vgl. ebd., f I/86.

[358]) DBAK, Lit. X g I/48.

[359]) DBAK, Lit. X f I/85.

[360]) Zweifelhaft ist, ob es möglicherweise Entsprechungen gab zu angeblich vom Schmuckfußboden des Alten Domes stammenden Marmorplättchen, die sich bis 1969 im Interkolumnium des dritten und vierten Hochchorpfeilers befanden. Dabei soll es sich tatsächlich um losgetretene Teile der Essenweinschen Beflurung gehandelt haben (frdl. Hinweis von A. Wolff). – Vgl. Kier, Schmuckfußboden, S. 105. – Dies., Fußboden, S. 109 f.

Abb. 295   Blick aus dem Raum zwischen den Chorstühlen mit der barocken Vorgängerbeplattung auf den Hochaltar von 1770. Photo vor 1893

Abb. 296   Ansicht des Binnenchores mit der barocken Vorgängerbeplattung. Photo von J. H. Schönscheidt, vor 1894

wurden, daß die Illusion einer tiefenräumlich gestaffelten Klötzchenstruktur entstehen kann, macht die Verwendung der alten Platten zumindest in diesem Bereich möglich. Der revidierte Essenweinsche Generalplan sah für diesen Bereich, der heute ein Fremdkörper in der ansonsten recht homogenen Chorbeflurung ist, nämlich eine angemessenere kleinteiligere Beflurungsstruktur vor, mit Plattenmosaik wie in den Chorkapellen [361].

Dem Materialbefund nach ist eine zumindest teilweise Wiederverwendung auch im Kontext der Zwischenfelder- und Kapellenbeflurung nicht ganz auszuschließen. Jedoch wurde vor allem die Beflurung der Zwischenfelder verschiedentlich (teil-)erneuert oder ausgebessert. Die Uneinheitlichkeit der Steinsorten bei ähnlichem Farbton, selbst in ein und demselben Feld, macht diesen Tatbestand augenscheinlich.

Ähnliches wie für die Beflurung des Binnenchores gilt auch für die Vorgängerbeplattung des Chorumgangs und der Vierung (sowie der Lang- und Querschiffe). Sie bestand aus grobgefügten Basaltlavaplatten unterschiedlichster Form und Größe sowie – vor allem im Chorumgang – aus „einer nicht un-

---

[361] Vgl. zum Fremdkörper-Charakter dieses Beflurungsteils auch die Tatsache, daß diese Beflurungsform gegen den Grundsatz, auf Plastizität und Räumlichkeit zu verzichten, verstößt: „Zu einem der größten Mißgriffe . . . kann man den Vexierfußboden rechnen, dessen Figur über eckstehende Würfel darstellt, ein Muster, welches leider noch in vielen Musterkarten, auch in denen unserer größten Fabriken, sich breit macht." (Becking, Fußboden, S. 9). – Nach DBAK, Lit. X g V/124 vom 20. XI. 1896 kann ein von Geiges für die Beflurung hinter dem Hochaltar angefertigter Karton nicht ausgeführt werden, da zu diesem Zeitpunkt dort bereits ein Marmorfußboden verlegt ist.

Abb. 297 Die illusionistische Beplattung hinter dem Hochaltar: Detail mit angrenzendem Strom-des-Lebens-Fries

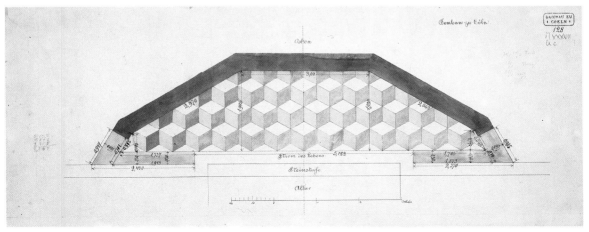

Abb. 298 Beplattungsentwurf für den Bereich hinter dem Hochaltar

bedeutenden Anzahl Grabplatten" [362]). „Die zahlreichen in den Chorboden eingelassenen und meist bis zur Unkenntlichkeit der Wappen und Inschriften abgenützten großen Grabplatten, welche die Gräber der kölnischen Erzbischöfe, Bischöfe und kirchlichen Würdenträger überdecken, mußten behufs sorgfältiger Ueberwölbung der Gräber abgehoben und beseitigt werden. Bei Eröffnung der Grabstellen wurden wenige Reste der Särge gefunden, vielmehr ergab sich, daß die Gräber bereits früher geöffnet und theilweise mit Erde angefüllt waren. Nach Beschluß des Metropolitan-Capitels sollen die gut erhaltenen Grabplatten theils im Aeußeren aufgestellt und vor weiterer Beschädigung geschützt werden." [363])

Als vier Jahre später auch die Neubeflurung des inneren Chores zwischen den Chorstühlen in Angriff genommen wurde, verfuhr man hier ganz entsprechend: 1893 wurde zunächst der schwarz-weiße Marmorbelag abgeräumt, in den die Grabplatten der Erzbischöfe Graf Spiegel und Kardinal von Geissel „eingebettet" waren. Die Vorbereitungsarbeiten für die Neubeflurung umfaßten nämlich in diesem Bereich – wie wir sahen – auch eine Erweiterung der erzbischöflichen Gruftanlage. So wurden ihre beiden Zugangstreppen vor den barocken Altarstufen abgebrochen, da man sonst bei jeder späteren Beisetzung die Mosaiken in diesem Bereich hätte aufbrechen müssen. Die einzelnen Grabgewölbe wurden vielmehr durch Türen miteinander verbunden, so daß nunmehr Beisetzungen von nur einem Einstieg aus möglich waren. Nach der Neugestaltung kennzeichneten zunächst zwei gravierte Bronzeplatten diesen von der eigentlichen Beflurung ausgesparten mittleren Bereich des Binnenchores; bis 1915 kamen vier weitere Bronzeplatten hinzu, so daß sie heute in dichter Abfolge eine Einheit bilden [364]).

Nach der Überwölbung aller Grabstellen konnte schließlich im Sommer 1893 eine hier 17 cm starke Betonschicht als gleichmäßige Grundlage für die vorgesehene Mosaikbeflurung geschaffen werden. Hier, wie im ganzen Chor, bildet die Betongrundierung Voraussetzung und Basis für die geplante Neubeflurung, aber sie bildet auch – nivellierend und definitiv – einen nur schwer zu überwindenden Abschluß des historisch gewachsenen Domgrundes: „Was den älteren Fußboden betrifft, so kann über ihn nur Sicheres bei den Teilen ausgesagt werden, wo er bei den Grabungen untersucht werden konnte. Nach Mitteilung der Grabungsleitung ist dieser ältere Boden z.T. noch unter dem jetzigen erhalten. Er besteht aus größeren Schiefer- und kleineren Trachytplatten, zwischen denen noch völlig abgetretene Grabsteine seit dem 16. Jahrhundert liegen (gotische Grabsteine wurden bisher nicht gefunden)." [365])

Mosaik-Imitationsplatten

Anders als die Maschaschen Platten [366]) waren die „Mettlacher Mosaikplatten" oder kurz „Mettlacher Platten" genannten Fabrikate der Oberflächenstruktur und dem farblichen Erscheinungsbild von Stiftmosaiken nachempfunden, ja in der Substanz mit ihnen identisch. In den Domakten meist präziser als „Mosaik-Imitationsplatten" bezeichnet, übertragen sie die altehrwürdige, aber arbeitsaufwendige Stiftmosaiktechnik auf die Höhe des im späten 19. Jahrhundert technisch Möglichen, indem sie die ökono-

---

[362]) Heimann, Ausstattung, S. 138. – DBAK, Lit. X g II/129 (vgl. ebd., g II/115–117) spricht dagegen nur von 11 Grabplatten. – Die Lithographie des Brüsseler Malers François Stroobant (1819–1916) zeigt neben dem barocken Schrein der Heiligen Drei Könige in der Achskapelle auch einen Blick von Nordwesten in den Chorumgang. Dabei sind die sehr unregelmäßigen und ungleichmäßig großen Grabplatten als Bestandteile der alten Chorumgangsbeflurung deutlich zu erkennen. (Abb. 294)

[363]) Voigtel, Amtlicher Bericht (1890), S. 277.

[364]) Vgl. Voigtel Bericht (1894), S. 434 (zum Umbau der Gruftanlage).

[365]) H. Rode (?), Der ansteigende Fußboden des Domes, in: KDBl., 6./7. Folge, 1952, S. 146.

[366]) Vgl. Kapitel „Die Verwendung Maschascher Platten", S. 109 f.

Abb. 299   Mosaik-Imitationsplatte der Mettlacher Firma Villeroy & Boch (aus Groß St. Martin, Köln)

mischere Verlegbarkeit von Platten mit der Feinstruktur von Stiftmosaiken verbinden: quadratische, mehrschichtige und unter hohem Druck gepreßte Platten von 1,5–2,0 cm Stärke und 16,6 cm Kantenlänge, die durch eine regelmäßig-unregelmäßige Rillenprägung nur auf ihrer Oberfläche die Struktur kleiner Mosaiksteinchen vortäuschen. Zudem sind sie aus der gleichen Masse wie die „echten" Mettlacher Stiftmosaiken hergestellt, besitzen also wie sie den großen Vorzug fast unbegrenzter Strapazierfähigkeit: Die Abriebfestigkeit der Mettlacher Platten entspricht der von Granit! [367]

---

[367]   Gruner, Mosaikfabrik, 8 f.: „Ein . . . Gutachten des mechanischen Laboratoriums der Königlichen Technischen Hochschule München aus dem . . . Jahre (1879) besagt, daß die Abriebsfestigkeit der Mettlacher Mosaikplatten größer als die von natürlichen Gesteinen, wie Granit, . . . (sei)." – Eine 1989/90 erfolgte Untersuchung des Verschleißverhaltens durch das Materialprüfungsamt Würzburg der Landesgewerbeanstalt Bayern (M.-Nr. B 2079/89) bestätigte diesen Befund: Die ermittelten Schleifverlust-Werte lagen für Proben des Dommosaiks bei 6,85–8,17 und für festen Granit bei 5–8 cm³ je 50 cm².

298

Abb. 300 Nahtstelle vorgefertigter Mosaikkomponenten: Die unterschiedlichen Abstände dokumentieren die Anpassungsfähigkeit des Mosaiks auch beim Ausgleich von Maßdifferenzen

Unterstützt durch entsprechend differenzierte Einfärbungen, verbinden sie die Illusion eines ornamental strukturierten Stiftmosaiks mit der Möglichkeit unendlicher Repetierbarkeit, sind also im Vergleich zu echten Stiftmosaiken viel rationeller herstellbar und verwendbar, vor allem aber waren sie sehr viel billiger. So scheint in ihnen die Industrialisierung des Mosaiks am weitesten fortgeschritten und am perfektesten gelungen.

Eine zeitgenössische Beschreibung des Verfahrens zur Herstellung solcher Platten datiert aus dem Jahre 1878 und stammt von A. v. Cohausen: „Die farbige Masse ist nur 3 bis 5 mm dick. Die Muster werden dadurch hervorgebracht, daß ihre Konturen, aus gebogenen und verlöteten Blechstreifen vorgebildet, in die quadratische Form eingesetzt und ihre einzelnen Felder mittels eines Schippchens mit dem Pulver von der entsprechenden Farbe gefüllt werden. Ist dies geschehen, so wird die Blechschablone vorsichtig herausgezogen und auf das nun den ganzen Boden bedeckende gefärbte Pulver eine gröbere, billigere Masse geschüttet und ausgeglichen, worauf dann die Pressung mit dem eisernen Stempel geschieht. Durch eigene Zeichner oder durch Architekten, welche größere Bestellungen machen, ist die Fabrik mit einer großen Auswahl stilgerechter Proben versehen." [368])

---

[368]) Ebd., S. 7; dort auch ein Beispiel eines Inserates aus der Deutschen Bauzeitung von 1877 abgebildet.

Abb. 301　Die ornamentale Handhabung des vorgefertigten Lebensstrom-Mosaikfrieses in spiegelbildlicher bzw. achsensymmetrischer Entsprechung der Motive

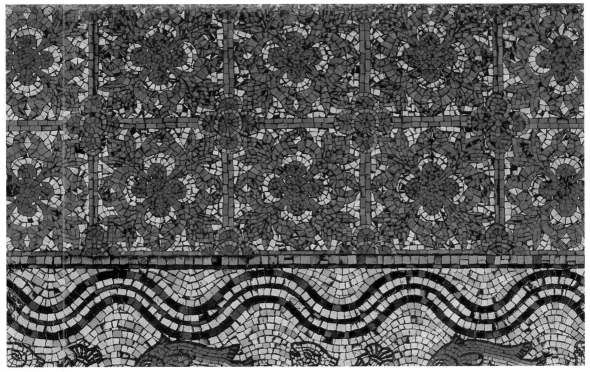

Abb. 302　Stiftmosaiken in plattenähnlicher Ausführung: Mosaik-Imitationsplatten (vgl. Abb. 299) und Stiftmosaiken werden einander angeglichen.

Die große Beliebtheit der Mettlacher Mosaikplatten ließ jedoch die Konkurrenz nicht ruhen: In zeitgenössischen Fachzeitschriften finden sich recht zahlreiche Hinweise auf ähnliche Mosaikimitationen. Schließlich sah sich Villeroy & Boch gezwungen, mit Inseraten gegen die mißbräuchliche Benutzung der Bezeichnung „Mettlacher Platten" einzuschreiten. Die Verwendung der Mettlacher Mosaik-Imitationsplatten insbesondere zur Beflurung kirchlicher Räume wurde schließlich so beliebt, daß sich die synonyme Bezeichnung „Kirchenplatten" einbürgerte [369].

All diese nach ähnlichen Verfahren produzierten Neuentwicklungen zielten generell – wie auch diejenigen Maschas – auf ein rationelleres Verlegen großer Mosaikflächen mit Hilfe industriell gefertigter Surrogate. Erst aus diesen Zusammenhängen erhält Binglers Behauptung, das ganze Dommosaik in einem einzigen Jahr vollenden zu können, einen realistischen Anstrich [370].

Die maschinelle Produktion der Mosaikplatten von gleichmäßiger Qualität trotz unbegrenzt hoher Stückzahl machte sie eben auch aus arbeitsökonomischen Gründen besonders geeignet für die kostengünstige Herstellung dekorativer Friese, flächenfüllender Fondmuster und teppichartiger Beflurungsformen mit einem begrenzten repetierbaren Repertoire ornamentaler Motive. Dagegen waren sie für individuelle oder figürliche Darstellungen, Inschriften oder gar szenische Darstellungen weniger oder gar nicht geeignet. Zur Dämpfung der Kosten hätte sich also eine gemischte Verwendung von Platten- und Stiftmosaiken angeboten, wie sie z.B. bei der weitgehend nach Essenweins Plänen ausgeführten Beflurung in Groß St. Martin (s.u.) denn auch tatsächlich praktiziert wurde [371].

Nach der Genehmigung des revidierten Essenweinschen Entwurfes 1888 wird die Verwendung von Mosaik-Imitationsplatten auch im Zusammenhang mit der Dombeflurung erwogen, jedoch weniger aus Kosten- denn aus arbeitsökonomischen Gründen: Die Mettlacher Fabrik beabsichtigte nämlich zunächst, sich wiederholende Elemente – etwa beim Strom des Lebens – als Mosaikimitationen auszuführen, um dadurch, wie betont wurde, die genaue Wiederholung der wiederkehrenden Motive zu gewährleisten [372].

Ausgeführt wurde der gesamte Lebensstrom-Fries schließlich in Stiftmosaiken, die jedoch durch ihre besondere Herstellungsweise den vorgeschlagenen Mosaik-Imitationsplatten stark angeglichen erscheinen: Als 0,80 m lange Teilstücke in Mettlach serienmäßig vorgearbeitet, wurden sie im Dom zu einem Fries zusammengesetzt. Abweichend von ihrer Sinngebung handhabt die Herstellung sie wie ein rein ornamentales Musterband. Charakteristisch dafür erscheint die Beliebigkeit ihrer Anfänge und Enden: Wo zwei Ströme aufeinandertreffen, aber auch an „Knickstellen", bricht der Fries unvermittelt ab. Abgeschnittene Fischköpfe und -schwänze bezeichnen drastisch die produktionsbedingten, künstlerisch ungelösten, ästhetisch unbefriedigenden und inhaltlich widersinnigen Problemstellen [373].

In den gleichen Zusammenhang gehören ferner die Reihen rötlicher Mosaikfriese aus identischen quadratischen Grundkomponenten, die offensichtlich nach dem Vorbild eines Plattenfrieses geschaffen wurden. Für diese Ableitung spricht nicht zuletzt auch ihre untergeordnete bzw. rahmende Funktion unmittelbar vor den Chorstühlen.

Wie weit sich Essenwein in seinem ersten Entwurf bei der geplanten umfassenden Verwendung Maschascher Platten den finanziellen Zwängen gebeugt hatte, zeigt nun seine heftige Reaktion auf Erwägungen, in den revidierten Entwurf aus „Ersparnisrücksichten" ähnliche moderne Materialien auf-

---

[369]) Ebd., S. 8 (zur Bezeichnung „Kirchenplatten").
[370]) DBAK, Lit. X g II/1.
[371]) Vgl. S. 358 ff.
[372]) Vgl. DBAK, Lit. X g II/1.
[373]) Vgl. Kapitel „Material, Verarbeitung und Erhaltungszustand", bes. S. 322. – Vermittelnde Ecklösungen wurden beim Lebensstrom offensichtlich nur an den Ecken der Beflurung des Zwischenpresbyteriums ausgearbeitet: Die Ecken sind abgeschrägt, und die „Wellen" des Lebensstroms reagieren in ihrem Verlauf darauf. Ansonsten ist ein hartes, unvermitteltes Aufeinandertreffen nicht zusammengehöriger Details für die Ecklösungen des Lebensstrom-Frieses charakteristisch. Besonders deutlich ist diese übergangslose Verwendung der vorfabrizierten „Meterware" Lebensstrom hinter dem Hochaltar zu sehen.

Abb. 303/304   Der in der Mettlacher Mosaikfabrik „am laufenden Meter" vorgefertigte Fries des Lebensstromes ist in seiner additiven Struktur dort besonders gut zu erkennen, wo heute die retuschierenden „Ausstiftungen" herausgebrochen sind.

Abb. 305/306   Am Rande des Zwischenpresbyteriums wurden offensichtlich gänzlich unvermittelt „Reste" verwendet. In den deutlich erkennbaren ligierten Buchstaben könnte sich u. U. ein Mosaizist verewigt haben.

zunehmen. (Darüber hinaus verweisen seine Äußerungen auf einen Interessenkonflikt zwischen Künstler und Produzent.): „Es würde dies eine Degradation des Kölner Domes bedeuten, bloß dazu vorgenommen, um der Mettlacher Fabrik Gelegenheit zu bieten, für ihre Imitationen eine hervorragende Reklame zu machen. Dazu scheint mir doch der Kölner Dom zu gut. Der Preisunterschied kann hier nicht ausschlaggebend sein . . . Wir sind nicht dazu da, um der Fabrik bei der Reklame zu helfen; sie möchte zeigen: 1. wie rasch sie arbeiten kann, 2. gut genug ist, wo man für prima meist die Mittel hat, oder verwenden will . . .“ [374])

Essenwein konnte sich offensichtlich mit dieser Meinung gegen Bingler und Voigtel durchsetzen. Nur Mitte 1896 wird dieses Material noch einmal kurz ins Gespräch gebracht – bezeichnenderweise von seiten der Mosaikfabrik. Bingler fragt nämlich bei Voigtel an, ob für das Fondmuster zu seiten und hinter dem Altar Mosaikimitationen oder Würfelmosaiken verwendet werden sollen; Essenwein habe seinerzeit angeblich auch von ersterer Möglichkeit gesprochen [375]).

Auch bei der Beflurung der Nordturmgeschosse wurden schließlich keine Mosaikimitationsplatten verlegt, sondern zwei dem Material nach entsprechende Arten farbiger Mettlacher Schmuckplatten, von denen eine prinzipiell entsprechende rillenartige Prägungen aufweist wie die Mosaikimitationsplatten [376]).

Marmormosaiken

Essenweins Konzept sah für den ganzen Kapellenkranz – mit Ausnahme der Chorkapelle – eine einheitliche Beflurung aus unterschiedlich gemusterten „Marmormosaiken“ vor. Darunter hat man eine aus regelmäßig zugeschnittenen Marmorplatten und -plättchen unterschiedlicher Farbe, Form und Größe zusammengesetzte Beflurung mit geometrischem Flächenmuster nach Art der Kosmaten zu verstehen.

Diese Beflurungsform empfahl sich – wie bereits erwähnt –, da die „Kapellen des Chorumgangs (. . .) durch die Altäre, die Hochgräber, die Beichtstühle usw. derart gefüllt sind, daß ihre Beplattung nur in geometrischen Mustern erfolgen kann, welche aber in kostbarem Material und in kleinem Maßstabe auszuführen ist.“ [377])

Detaillierte Instruktionen an die Fliesenleger [378]) sollen die sensible Verwendung der ungleichmäßig gefärbten Marmorplatten nach Essenweins Vorstellungen, insbesondere einen Wechsel von Regelmäßigkeit und Unregelmäßigkeit in der Auswahl der Marmorfarben, gewährleisten; dabei seien reines Schwarz und Weiß möglichst zu vermeiden.

Die genau kalkulierte Farbenwirkung der Marmormosaiken war grundsätzlich auf das Kolorit der Chorumgangsbeflurung abgestimmt. Vor dem Verlegen der, ohne die Achskapelle, 151,481 bzw. 199,370 m² umfassenden Kapellenbeflurungen und entsprechend auch vor dem Verlegen der ähnlichen Seitenfriese im Chorumgang, denen ebenfalls Entwürfe Essenweins zugrunde liegen [379]), wurde der Platten-

[374]) DBAK, Lit. X g I/174. – Die Reaktion Essenweins scheint dafür zu sprechen, daß die Verwendung von Mosaikimitationsplatten etwa in Groß St. Martin, wo sie in großem Umfange verlegt wurden, auf die „verbilligende“ Überarbeitung seines Ausstattungsentwurfs durch Kleinertz zurückgeht.

[375]) DBAK, Lit. X g V/105.– Vgl. auch Kapitel „Sonstige Materialien“.

[376]) Vgl. Kapitel „Exkurs: Die Turmbeflurungen“, S. 186–190 u. Anm. 274.

[377]) DBAK, Lit. X g g I/2. – Als Anhaltspunkt für die Gestaltung der Kapellenböden sollte u. a. auch ein Stück „Kosmatenmosaik“ auf der Tumba des Erzbischofs Gero (969–976), jetzt in der Stephanus-Kapelle, dienen. – Vgl. Essenwein (Vorschläge zum Fußbodenprogramm), ohne Dat. (17. Dez. 1883?), GNM. – Vgl. die Beschreibung bei Clemen (Kölner Dom, S. 259): „In die Platte ist ein Mosaikmuster aus rotem und grünem Porphyr, Marmor, Verde antico eingelassen, aus viereckigen Marmorstückchen bestehend, die von weißen Marmorstäben schräg durchkreuzt sind. Das Material ist römischen Fußbodenmosaiken entnommen.“ – Wolff (Hrsg.), Dom (1986), S. 34 f., Abb. F 25.

[378]) DBAK, Lit. X g I/58.

[379]) DBAK, Lit. X g I/109 f.

belag in der Steinmetzwerkstatt fertiggestellt, dort lose zusammengesetzt und erst dann „mit einem Möbelwagen", da der Transport per Bahn zu riskant erschien, nach Köln gebracht [380]). Nach dem Verlegen auf dem vorbereiteten Betongrund und dem Abbinden der Marmorstückchen wurde die Oberfläche noch geschliffen, bis eine gleichmäßige Politur hergestellt war [381]).

Stiftmosaiken

Bereits im ersten Generalentwurf Essenweins von 1885 waren großflächige Stiftmosaikdarstellungen vorgesehen. Im Sinne einer Steigerung des materiellen und künstlerischen Aufwandes von West nach Ost und von den Kapellen über den Chorumgang zum Hochaltar beschränkten sich die Mosaikdarstellungen in dieser Planungsphase allein auf den inneren Chor, um im tryptichonartigen Mosaikbild unmittelbar vor dem Hochaltar ihren Höhepunkt zu erreichen.

Das revidierte Beflurungskonzept geht dagegen von ganz anderen Voraussetzungen aus. Nicht mehr durch eine Vielzahl von Techniken und Materialien sollte eine Bedeutungsdifferenzierung der unterschiedlichen Raumteile erreicht werden, sondern durch die modifizierende Handhabung *einer* Technik (Mosaik) und *eines* Materials (Tonstifte) wurde nun Entsprechendes angestrebt.

Nachdem man die zunächst favorisierte Intarsientechnik aufgegeben hatte, „erklärte sich (Essenwein) bereit, . . . mit Rücksicht auf die Vorteile, welche die Technik des Stiftenmosaik bietet, eine umfassende Anwendung dieser Technik in Aussicht zu nehmen. Man kam daher überein, den gesamten Chorfußboden in allen figürlichen und ornamentalen Theilen in Mettlacher Stiftmosaik einheitlich herzustellen", und zwar „zwischen Friestheilungen aus Marmor, welche an die in der Beflurung des Langhauses und Querschiffes angewendete Eintheilung anschließen." [382])

Im letzten Passus klingt – ähnlich wie bereits im Zusammenhang mit der Diskussion der Maschaschen Platten – die Absicht an, den Chor und die Schiffe bei aller Unterschiedlichkeit ihrer Beflurung durch leitmotivische Elemente gleichsam miteinander zu verklammern. Diese Funktion sollte nun beim Stiftmosaik, zusätzlich zu den „Friestheilungen", dessen farbliche Differenzierung erfüllen [383]).

Mit der differenzierten Farbigkeit ist schon ein wesentlicher Vorzug der Stiftmosaiktechnik benannt, weitere bestanden darin, daß sie ästhetischen (farbig, aber matt), materialtechnischen (erprobt und widerstandsfähig) und künstlerischen (vielseitig verwendbar) Erfordernissen gleichermaßen entsprach. Ein weiterer Vorteil bestand schließlich, wie sich in der Folgezeit bei der praktischen Verlegearbeit häufig bestätigen sollte, darin, daß sich etwaig auftretende Maßdifferenzen durch Ausgleich des Steinchen-Abstandes, durch Ergänzungen oder Reduktionen leicht korrigieren ließen [384]).

Sonstige Materialien

Wies das grobe Beflurungskonzept den Lang- und Querschiffen Sandstein, den Kapellen Marmormosaik, Vierung und Chor aber Stiftmosaik zu, so gibt es in letzterem Bereich einige – freilich sehr begrenzte – Ausnahmen von dieser generellen Regelung: Es hat fast den Anschein, als habe man in dem auf die eigene Gegenwart des 19. Jahrhunderts bezogenen Feld (N) des Dommosaiks alle Register der

---

[380]) DBAK, Lit. X g I/116. – So wird verständlich, daß eine Kölner Firma den Preis leicht unterbieten konnte.

[381]) DBAK, Lit. X g I/137.

[382]) DBAK, Lit. X g I/48.

[383]) DBAK, Lit. X g I/48: „Die figürlichen Darstellungen im Boden der Vierung sind grau in grau auszuführen, etwa mit Hereinziehung von zwei weiteren Farbtönen, so daß die Vierung einen natürlichen Übergang von der einfachen Plattung der Schiffe zu den farbenreichen Mosaikdarstellungen des Chores bildet."

[384]) Vgl. Abb. 300.

Mosaikkunst ziehen und insbesondere die Leistungsfähigkeit des Materials (und der Mosaikfabrik) unter Beweis stellen wollen, ja selbst Experimente nicht gescheut.

In merkwürdiger, aus der Planung sonst nicht begründbarer Beschränkung auf das erste Fußbodenfeld des südlichen Chorumgangs, sind nämlich im Wappenschild Paulus Melchers der obere Teil mit der Anbetung der Hl. Drei Könige und die untere Hälfte des kleinen Wappens mit elf Flämmchen aus dem gleichen beigefarbenen Plattenmaterial hergestellt. Entsprechendes gilt für das von zwei Gehilfen emporgehaltene Modell des vollendeten Domes im Zentrum des Feldes: Es handelt sich um „in der Steingutfabrik Mettlach angefertigte . . . Steinzeugplatte(n)" [385]. Bei diesen drei Beflurungsdetails, ferner bei den drei Kronen im oberen Sektor des letztgenannten Wappenfeldes und beim Lamm im rechten unteren Quadranten des Wappenschildes von Philipp Krementz (hier bei unterschiedlicher Härte und Zusammensetzung der verwendeten Materialien) sind die Motivkonturen und Binnenstrukturen graphisch wirksam in die durchgehenden Platten eingepreßt (oder eingraviert) worden. Diese Beflurungsdetails wirken fast wie Relikte aus der frühen Phase der Materialdiskussion. Von besonderem Interesse ist ihr unterschiedlicher Erhaltungszustand [386].

Fast experimentellen Charakter besitzt schließlich auch noch ein Detail im Zwischenfeld Y. Hier – und nur hier – sind nämlich im Wappen Erzbischof Maximilian Franz Xavers die drei Kronen, Zepter und Schwert sowie der Reichsapfel in Messing ausgeführt worden, die bei Seitenlicht deutlich zwischen den stumpfen Tonstiften aufscheinen.

Für die Restflächen „zu Füßen" der Ständevertreter neben dem Hochaltar verwendete man (abweichend von der ursprünglichen Planung) einfache große Sandsteinplatten. – Auf die „Sonderfläche" hinter dem Hochaltar wurde bereits hingewiesen [387].

Abb. 307 Wappen Erzbischof Maximilian Franz Xavers aus Zwischenfeld Y: Bei entsprechender Beleuchtung treten die glänzenden Messingeinlagen im Mosaik deutlich hervor.

---

[385] Handschriftliches Protokoll (Anm. 294), Heft I, S. 31 zu Feld N. Danach wurde das Dombild entworfen durch „den Künstler Giese aus Keuchingen" und „ausgemalt" durch „H. Zimmer (aus) Saarlouis".

[386] Vgl. Kapitel „Allgemeine Schäden und Verschleiß".

[387] Vgl. Anm. 361.

Abb. 308 Wappen Paulus Melchers aus Hauptfeld H (Kopffeld): Deutlich zu unterscheiden sind mehrere Materialien und ihr unterschiedlicher Erhaltungszustand.

Konsequenzen der Umstellung von Material und Technik

Der grundsätzlich andere Charakter der Stiftmosaiktechnik gegenüber den zunächst vorgesehenen Marmorintarsien und Sgraffiti bedingte eine ganze Reihe von Detailänderungen vor allem bei den figürlichen Darstellungen. Von unvergleichlich größerer Konsequenz für das spätere Gesamterscheinungsbild der Chormosaiken als die zahlreichen Detailänderungen, die wegen ihrer großen Zahl hier nicht im einzelnen aufgeführt werden können, sind die mit der anderen Technik verbundenen Ver-

Abb. 309 Wappen Philipp Krementz aus Hauptfeld H (Kopffeld): Im Detailfeld mit dem Lamm ist die fortgeschrittene Zerstörung des Materials deutlich zu erkennen.

änderungen [388]) des Grundcharakters weiter Teile der Beflurung. Sie spiegeln sich vor allem auch im geänderten farblichen Erscheinungsbild. Hierin vor allem zeigt sich die Differenz von linearer Gravierung und flächig-malerischen Stiftmosaiken am deutlichsten.

Sollten zunächst vor allem die Sgraffito-Zeichnungen sich „klar und scharf" vom Steinmaterial des Bodens abheben, so galt es jetzt gerade die Mosaikbilder mit dem Grund „innig" zu verbinden: Bei den Mosaikdarstellungen des Chores „wird durch die einheitliche Technik eine innigere Verbindung zwischen den figürlichen und ornamentalen Theilen sich von selbst ergeben und die im Projecte mehrfach angestrebte Hinneigung zu malerischer Behandlung einzelner Darstellungen für die Gesamtentwicklung überflüssig werden, und die Verbindung mit dem Grunde eine strengere stilistische Auffassung einzelner Figuren mit sich bringen. Darauf wird auch die Tatsache hinführen, daß durch die Beschränkung der Farben des natürlichen Steines und die umfassende Verwendung des Mosaiks für letzteres eine andere Farbenskala zur Anwendung kommen muß, als wenn dasselbe, wie dies bei der bisherigen Annahme der Fall war, auf wenige Einzeldarstellungen konzentriert würde . . ." [389])

Entsprechend dem primär malerischen Charakter der Darstellungen in Stiftmosaiken kommt jetzt also der *Farbe* zentrale Bedeutung zu. Eine generelle Erweiterung der Farbenskala entspricht dieser Tatsache. An die Stelle einer in weiten Bereichen schwarz-weißen linearen oder rötlich-braunen graphischen

---

[388]) DBAK, Lit. X g I/144 u. ebd., g I/83. – Essenwein sollte eigentlich innerhalb von drei Monaten, d. h. bis Ende 1887, eine „Skizze" anfertigen, die einen Eindruck des geänderten Gesamtbildes der Chorbeflurung vermitteln sollte. (DBAK, Lit. X g I/48 – Essenwein nahm die Umarbeitung des Beflurungsplanes am 21. Sept. 1887 in Angriff. Durch seinen schlechten Gesundheitszustand bedingt, kann er jedoch erst am 16. Sept. 1888 an Voigtel schreiben: „Ich . . . bin so ziemlich mit allem fertig, was in Folge der neuen Technik an den Zeichnungen zu ändern war." (DBAK, Lit. X g I/144).

[389]) DBAK, Lit. X g I/48.

Abb. 310   Der vollendete Dom: Detail aus Hauptfeld H (Kopffeld) mit der aus mehreren Keramikplatten zusammengefügten, in das Mosaik eingesetzten Darstellung

Struktur tritt jetzt eine in ihrer Wirkung genau kalkulierte Skala von Mosaikfarben: Vorwiegend sollen Farben wie Rot, Gelb, Schwarz, Braun, Weiß, Grau und Grün verwendet werden.

Besondere Bedeutung kommt, nach der Umstellung auf farbige Stiftmosaiken, der Beflurung in der Vierung zu. Ihre Funktion als räumlich-optische Klammer, durch die der Chor mit Langhaus und Querschiff, die einfache Beplattung mit der aufwendigen Mosaizierung, verbunden werden, soll nun nicht mehr die Verwendung „überleitender" Materialien, sondern die *farbliche* Differenzierung ihrer Beflurung entsprechen. Als vermittelnde *farbliche* Überleitung sollen die figürlichen Darstellungen der

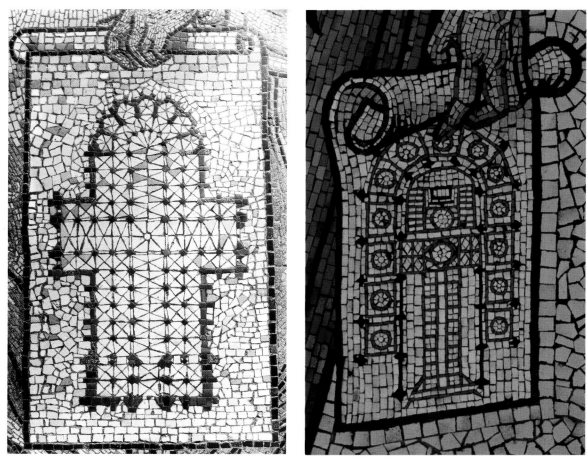

Abb. 311   Der Grundriß des gotischen Domes. Detail aus Hauptfeld G (Scheitelfeld)

Abb. 312   Plan mit dem Dommosaik (ohne Vierung und Kapellen). Detail aus dem Mosaikfeld OPIFEX (Abb. 250)

Vierung grisaillenartig grau in grau gehalten werden mit nur sparsamer Hinzufügung von zwei bis drei Farbtönen in den Flächen [390]). In vergleichbarer Weise sind Kapellen- und Chorumgangsbeflurung zwar hinsichtlich der verwendeten Materialien verschieden, in ihrer Farblichkeit jedoch aufeinander abgestimmt.

Die klare, doch farblich gemilderte Scheidung der Bereiche unterschiedlicher Beflurungsmaterialien ist mit der jetzt nachdrücklicheren Betonung der einzelnen Raumteile verbunden. Trotz der Akzentuierung der architektonisch vorgegebenen Bereiche – jedem Joch entspricht nun ein Fußbodenfeld – verliert man die ganzheitliche Wirkung der gesamten Dombeflurung jedoch nicht aus den Augen. Insofern genügen Farbigkeit und Gliederung nun pointiert sowohl der allgemeinen Absicht, die Intensität der Beflurung zum Hochaltar hin zu steigern als auch der farblichen Harmonisierung aller Beflurungsbereiche über die Grenzen unterschiedlicher Materialien hinweg. Dadurch und mehr noch durch die konsequente Koordinierung von Architektur- und Fußbodengliederung erscheint das revidierte Beflurungskonzept weniger mittelalterlich [391]).

---

[390]) DBAK, Lit. X g I/43.

[391]) Zur Bedeutung der Beflurung im Dom zu Siena als Vorbild für diese Konsequenz der Plan-Revision vgl. Kier, Schmuckfußböden, S. 44.

Abb. 313/314   Fritz Geiges: Der originalgroße Karton und das danach ausgeführte Mosaikmedaillon mit der Darstellung des Kaisers. Im Entwurf sind die sich identisch wiederholenden Teile nur einmal ausgeführt.

Abb. 315   Fritz Geiges: Kolorierter originalgroßer Vorlagekarton für die Ausführung des Mosaiks der Zeit (Detail)

Die Verarbeitung: Von der ersten Skizze zur vollendeten Beflurung

Aufgaben des entwerfenden Künstlers

Die Aufgabe des entwerfenden Künstlers bestand grundsätzlich darin, der Mosaikfabrik Arbeitsvorlagen zu liefern, die es ihr erlaubten, diese durch Fachkräfte in Stiftmosaiken umsetzen zu lassen. Über die Ausarbeitung des Generalentwurfs hinaus, der ja allein von Essenwein stammt, bestand die Hauptaufgabe des entwerfenden Künstlers, also sowohl Essenweins als auch Geiges', darin, die originalgroßen Kartons so weit auszuarbeiten, daß nach diesen Vorlagen eine Umsetzung in Stiftmosaiken vorgenommen werden konnte. Das bedeutete im Einzelfall, daß zwar die Umrißlinien der verschiedenen Darstellungen vollständig ausgeführt werden mußten, die Einzeichnung der einzelnen Mosaiksteinchen und deren detaillierte Kolorierung sich jedoch lediglich auf Segmente beschränken konnte. Sie brauchten dann in Verlauf und Gruppierung nur repetierend fortgeführt, spiegelbildlich „verdoppelt" oder vervielfacht zu werden.

Zwischen dem Generalentwurf, der in seiner revidierten Form recht skizzenhaft angelegt ist, und den Vorlagenkartons gibt es in der Regel noch verschiedene Zwischenstufen, so u.a. miniaturhafte Entwürfe zu einzelnen Mosaikzyklen, sorgsam kolorierte Entwürfe zu größeren Teilbereichen im Maßstab 1:10, farblich differenzierte Entwürfe zu figürlichen Darstellungen und ornamentalen Details, wie auch Zeichnungen zu Wappen und Inschriften. Da sie oft sehr sorgfältig ausgeführt sind und auch signiert wurden, darf man in ihnen wohl meist Originalarbeiten von Essenwein bzw. Geiges sehen, während die Vorlagenkartons mit ihren beachtlichen Formaten in der Regel wohl Werkstattarbeiten sind.

Die Übertragung der vom Künstler im Karton angelegten Farbnuancen in die Farben der Stiftmosaiken war jedoch nicht immer problemlos; grundsätzlich weichen deshalb die Mosaikfarben mehr oder weniger geringfügig von den Farbnuancen der Vorlagenkartons ab. Um diese Diskrepanz in tolerablen Grenzen zu halten und allgemein eine möglichst vorlagenentsprechende Ausführung zu gewährleisten, war der „Dreieckskontakt" zwischen Künstler, Mosaikfabrik und Dombaumeister zentraler Bestandteil der vertraglichen Regelungen: Der entwerfende Künstler verpflichtete sich, in unregelmäßigen Abständen die Mosaikfabrik aufzusuchen und die Umsetzung seiner Zeichnungen in Stiftmosaiken „anleitend und helfend zu fördern". Daß mit diesen technisch und vermittlungsbedingten Differenzen ein Konfliktpotential gegeben war, liegt auf der Hand. Um Differenzen, wie sie vor Essenweins Tod zwischen dem entwerfenden Künstler und der ausführenden Mosaikfabrik die Arbeiten belasteten, vorzubeugen, werden im Vertrag seines Nachfolgers Geiges Umfang und Art der von ihm vorzunehmenden „Detaillierung" der originalgroßen Vorlagenkartons bis in Einzelheiten genauestens festgelegt [392].

Zur Klärung inhaltlicher Probleme konnten schließlich Spezialisten hinzugezogen werden. So wurde – ganz offiziell – der Mainzer Theologe Dr. Friedrich Schneider als Fachmann für Symbolik, Heraldik und lateinische Inschriften Geiges zur Seite gestellt.

Außer dem helfenden Fachmann für Spezialfragen gab es noch weitere „Instanzen", die zwischen Künstler und Mosaikfabrik Einfluß auf die definitive Form der schließlich auszuführenden Vorlagenentwürfe hatten: das Metropolitankapitel mit dem Erzbischof an seiner Spitze und der Dombaumeister. Sie trugen dazu bei, unklare oder unkorrekte Details, unschöne Verzeichnungen und Übertreibungen vor der Ausführung zu korrigieren. So übermittelt Voigtel an Geiges, der beteuert, nur „mittelalterliche Treue im Auge" gehabt zu haben, beispielsweise zu seinen Entwürfen der weltlichen Ständevertreter folgende detaillierte Änderungswünsche des Erzbischofs: (Zum OPIFEX) Statt des Vierecks, den er mit seiner Rechten etwas verrenkt an den Leib drücke, wünsche der Kardinal einen freigehaltenen, halb gerollten Plan mit „künstlerisch gezeichnetem Entwurf". Ein solcher sei für einen Künstler angemessener als das ursprünglich vorgesehene Winkel-Attribut. Der mit der linken Hand gehaltene Zirkel

---

[392] DBAK, Lit. X g III/50, § 2 ff. (DOKUMENT Nr. 15).

Abb. 316 Fritz Geiges: Kolorierter originalgroßer Vorlagekarton für die Ausführung des Mosaiks DIES (Detail)

Abb. 317   Fritz Geiges: Kolorierter originalgroßer Vorlagekarton für die Ausführung des Mosaiks NOX (Detail)

würde sich besser abheben, wenn er nicht vor dem Arm läge etc. – (Zum AGRICOLA) Der Kardinal glaube in dem Entwurf einen vor seinem Herren zitternden Leibeigenen zu erkennen, nicht aber „den Repräsentanten des kräftigen selbstbewußten Nährstandes". Mit ihren abgemagerten Füßen sei die Figur ein Bild des Elends. Das verhärmte Gesicht drücke Hunger und Kummer aus, „während der Herr Kardinal den Ausdruck der Zufriedenheit und des Wohlergehens für angemessener hält". So würde ein bis an die Wade reichendes Gewand einer gewissen Wohlhabenheit entsprechen etc. – (Zum MEN-DICVS) Der Kardinal glaube, daß der ausgemergelte Oberkörper, das in Lumpen gehüllte rechte Bein und der Stelzfuß mit Krücken „eine zu abstoßende Anhäufung menschlichen Elends" darstelle. Der Kardinal wünsche eine Verhüllung des Oberkörpers und eine angemessene Bekleidung des rechten Fußes. Die milde Gaben heischend ausgestreckte rechte Hand und eventuell der Stelzfuß mit Krücke betonten hinreichend die Armut . . . Der Kopf des Bettlers habe dem Kardinal sehr gefallen etc. [393]).

Wenig später moniert Voigtel ganz entsprechend, die Figur des ANACORETVS erscheine ihm nach Geiges' Entwurf „zu dünn und schmal"; Bingler sekundiert: „Natürlich ist ein Anachoretus gewöhnlich nicht dick, allein so mager und eckig braucht er auch nicht zu sein." [394])

Auch „das schwierigste Feld Köln" (Bingler) unter den Personifikationen der Nationalkirchen wirft in den Augen Voigtels ganz ähnliche Probleme auf – freilich mit umgekehrtem Vorzeichen: „Hierbei bemerke ich, daß die Brust der weiblichen Figur etwas zu voll erscheint, und kann durch eine geringe Abflachung der Stiftreihen, welche das Mieder bilden, die zu üppige Rundung der Brüste leicht gemildert werden." [395])

Schließlich nehmen auch der Kaiser und seine Fachberater Einfluß auf die vom Künstler geschaffenen Beflurungsentwürfe: So wurde beispielsweise durch Ministerialerlaß angeordnet, daß statt der polnischen Nationalkirche Czenstochau die Personifikation der slavischen Nation mit der Kirche von Welehrad als der Begräbnisstätte der Slavenapostel Kyrillos und Methodios darzustellen sei [396]).

Arbeiten in der Mosaikfabrik

In der Mosaikfabrik von Villeroy & Boch in Mettlach wird die Grundsubstanz der Mosaikstifte zunächst als in der Masse gefärbte Steinzeugplatten aus Ton mit einem Zusatz von Feldspat gepreßt und dann bei sehr hohen Temperaturen (1200–1300°) gebrannt. Um abrieb-, frost- und farbbeständig zu sein, müssen sie aus vollständig gesintertem feinkeramischem Material bestehen und alle gleichmäßig dichtgebrannt werden. (Die Mettlacher Mosaikfabrik legte eigens für die Herstellung der Dommosaiken eine neue Brennerei an [397]).

Die tausend und abertausend kleinen Mosaikstifte werden in den verschiedenen Formen teils vor dem Brand gepreßt, teils nach dem Brand – je nach Bedarf – Stück für Stück zurechtgeschnitten, -geschlagen oder -gebrochen. Als Werkzeuge dienen dazu, neben einer kleinen „Handmaschine", Schneidrad, Zange, Meißelamboß, Hammer und Schleifbock. Daneben war es auch üblich, die Grundmasse bereits vor dem Brand in Teilstücke unterschiedlicher Größe und Form – z.B. lange Stangen – zu pressen und diese im gebrannten Zustand dann zu brechen. Entsprechend unterschiedliche Formen lassen sich bei genauer Betrachtung am Dommosaik deutlich unterscheiden.

Die Größe der Stifte bestimmt entscheidend Struktur und Wirkung der Mosaiken, andererseits ist sie ein kostenträchtiger Faktor. Deshalb wird auch die Stiftgröße vertraglich so genau wie möglich fest-

---

[393]) DBAK, Lit. X g VI/54 u. 55. – Bereits früher hatte Voigtel auf ähnlichen Änderungen bestanden: DBAK, Lit. X g VI/22; vgl. auch ebd. g VI/70 u. 76. – Vgl. ferner S. 191 f.

[394]) DBAK, Lit. X g VI/70 u. 76.

[395]) DBAK, Lit. X g VI/22 u. 32.

[396]) DBAK, Lit. X g VI/5.

[397]) DBAK, Lit. X g II/59.

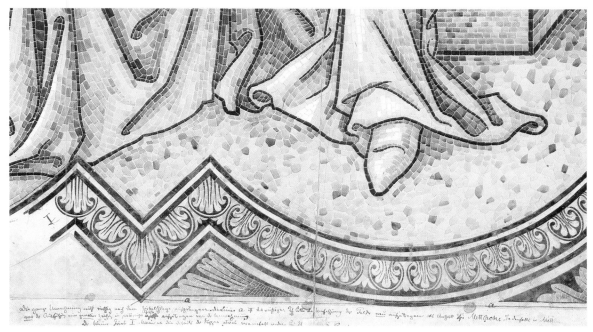

Abb. 318 August Essenwein: Kolorierter originalgroßer Vorlagekarton für das Mosaik INFANCIA (vgl. Abb. 193), Detail mit handschriftlichen Ausführungs-Anweisungen Essenweins

gelegt: Die Normalstifte sollen etwa die Maße 1 x 1 x 1 cm bzw. 1,5 x 1 x 1 cm besitzen [398]). Beide Varianten werden bei der Mosaikausführung möglichst abwechselnd verwendet, um den Verbund der Steinchen mit dem Untergrund zu erhöhen. In der Praxis der verlegten Mosaiken bilden Steine mit solchen „idealen" Abmessungen jedoch eher die Ausnahme als die Regel. Vielmehr werden die Mosaikstrukturen durch die unterschiedlichsten, meist *nicht* quadratischen, sondern eher rechteckigen, z.T. auch dreieckigen und oft ganz unregelmäßigen Steinformen geprägt, selbst kreisrunde und sichelförmige Steinchenformen kommen vor.

Tatsächlich schwanken Größe und Form der verarbeiteten Mosaiksteinchen bei ähnlicher Farbe innerhalb eines Feldes, ja bei ein und demselben Detail, oft ganz erheblich. Regelmäßige oder „gebaute" Formen wie z.B. Maßwerkrahmen, selbst Gesichter und Hände werden in der Regel durch kettenartige Steinchenreihen gebildet. Entsprechende Steinchenketten werden meist gleich einer Konturierung um Gegenstandsdetails gelegt, während für die so umschriebenen Binnenflächen dagegen meist deutlich größere und grobere, unregelmäßig geformte Steinchen wie eine Füllmasse verwendet werden. Demgegenüber finden sich bei entsprechend detailfreudigen Partien (z.B. in den Zwickeln der Lebensalter-Felder) auch winzige, nur wenige Millimeter große Steinchen, die wohl mit einer Pinzette verlegt wurden.

Dabei entsprechen die gewollte formale Unregelmäßigkeit und die bewußte farbliche Mischung der Tesserae in der Regel dem „malerischen" Grundprinzip Essenweins: „. . . ich (habe) stets Gewicht darauf gelegt, daß im Gegensatz zu der sonst dort (in der Mettlacher Fabrik, d.Verf.) üblichen glatten, geleckten Technik eine etwas belebtere in der Weise angewendet wird, daß kein (Farb-)Ton aus Steinchen von einer einzigen Farbe hergestellt wird, sondern durch eine Mischung von verschiedenen Tönen, daß ferner bei der sehr leichten und wenig markierten Schattenwirkung dies ebenfalls durch- geführt wird." [399])

---

[398]) DBAK, Lit. X f II/69. – Nach ebd., g II/36 u. 65 § 2 darf jedoch die Dicke der Mosaiksteinchen bei unterschiedlicher Länge und Breite zwischen 6 und 10 mm schwanken.

[399]) DBAK, Lit. X g II/126.

Außerdem entspricht diesem Prinzip ein Charakteristikum der Mosaiken, das sich erst näherem Hinsehen erschließt: ihre besondere farbliche Feinstruktur. Sie ist nämlich durch die Mischung einer Unzahl verschiedener Farbabstufungen charakterisiert. Während wirklich einfarbige Tesserae nur vergleichsweise selten verwendet wurden, dominieren unregelmäßig-nuancierte, gemischte und gebrochene Töne mit einer sandartig gekörnten, gesprenkelten oder gefleckten Struktur, die zwei, drei oder mehr Farbtöne miteinander kombinieren. Hinzu kommt, daß offensichtlich – wo eben möglich – vermieden wurde, zwei farblich identische Steinchen nebeneinander zu verlegen.

Diese ebenso virtuose und koloristisch „raffinierte" wie handwerklich aufwendige Handhabung der alten Mosaiktechnik auf der Basis des *heute* technisch Möglichen erinnert an Parallelen in der (fast) zeitgenössischen Glasmalerei. So schrieb Ernst Weyden über die 1854 von König Ludwig I. gestifteten Fenster im südlichen Seitenschiff des Domes: „Die Technik in der Farbenbehandlung ist die vollendetste, so daß die (Münchener) Anstalt jetzt nicht nur alle in der Glanzperiode der Glasmalerei vorkommenden Farben ebenso schön klar und kräftig erzeugt, sondern noch reicher an Abstufungen der Tinten und an feinen Mitteltönen, welche die Maler der besten Periode dieser Kunst im Mittelalter nicht gekannt haben . . ." [399A]

Ähnlich wie in Glasgemälden der Schwesterkunst prägen diese Charakteristika nicht nur ganz wesentlich Kolorit und Oberflächenstruktur des Mosaikbodens, ergänzt die farbliche Feinstruktur nicht nur die formale Differenzierung, vielmehr stehen formale Handhabung und farbliches Erscheinungsbild, Struktur und Tönung auch in einem bedingenden Abhängigkeitsverhältnis.

Nahe liegt, daß für die Mettlacher Fabrik aus arbeitsökonomischen Gründen die Verarbeitung großer Mosaiksteinchen in möglichst weiten Teilen der Felder am vorteilhaftesten war [400]. Tatsächlich weisen ganz entsprechende Mosaikbilder z.T. erhebliche Unterschiede in der Sorgfalt ihrer Ausführung auf. Nicht allein durch die Arbeit mehr oder weniger geübter Kräfte, sondern wesentlich auch durch die Wahl mehr oder weniger angemessen großer Mosaiksteine ist also die Qualität der Detailgestaltung bedingt. Jedoch dürfte diese Tatsache wenigstens teilweise auch durch die Überlegung mitgeprägt worden sein, zum Hochaltar hin eine Steigerung der farblichen Intensität zu erzielen – und zwar auch durch die Verwendung größerer Steine. So wurden z.B. auf ausdrückliche Anweisung Geiges' im Presbyterium größere Mosaiksteine verarbeitet [401].

Nach den kolorierten Detailkartons von Essenwein und Geiges, die im Maßstab 1:1 Steinchen um Steinchen nach Größe, Farbe und Anordnung genau festlegen, werden in der Mosaikfabrik die einzelnen Würfel mit ihrer späteren Ansichtsseite auf eine Kopie des Kartons geklebt. Die aus Transport- und Platzgründen auf ca. 30 x 70 x 80 cm Seitenlänge begrenzten Mosaiksegmente sind, je nach Art der Mosaikdarstellung, von regelmäßig-unregelmäßiger Form, die sich nach den geeignetsten Parzellierungslinien des jeweiligen Motivs richtet. Bei den Ständevertretern beispielsweise verlaufen die Nähte – heute gut erkennbar – jeweils als seitliche Viertelkreise oberhalb des Kopfes und unterhalb der Füße sowie als horizontale Streifen in Knie- und Taillenhöhe; bei den großen Bildmedaillons dagegen verlaufen sie radial zur Mitte, bei anderen Mosaikfeldern gänzlich unregelmäßig.

Ist das Mosaikdetail in mühseliger Handarbeit Steinchen für Steinchen zusammengesetzt, dann wird es von der späteren Unterseite her mit einer dünnflüssigen Zementmilch so ausgegossen, daß die Fugen zwischen den einzelnen Steinchen ausgefüllt werden und sich das ganze mit einer 2 bis 3 cm dicken Schicht Beton (aus einem Teil Zement und drei Teilen Kies, Ziegelschlag oder Tuff) zu einer Platte von ca. 3 bis 5 cm Dicke verbindet. Dabei muß beachtet werden, daß die Zementmilch beim Ausgießen die Fugen auseinandertreibt; 1–4 mm dehnen sich nämlich die Mosaiksteinchen aus, wenn man den Zement hinzugibt; läßt man keinen Spielraum, so wölben sie sich entsprechend hoch [402]. Ist der

[399A] Ernst Weyden, Die neuen Glasgemälde im Dom zu Köln, Köln 1854, S. 20 (zit. nach Rode, Sulpiz Boisserée, S. 286).

[400] DBAK, Lit. X g II/36.

[401] Vgl. DBAK, Lit. g V/108 u. 105.

[402] DBAK, Lit. X g II/80 u. 86.

Abb. 319   Detail des Dommosaiks in Originalgröße

318

Abb. 320-323   Ein Vergleich ähnlicher Details aus unterschiedlichen Teilen des Mosaiks vermittelt beispielhaft eine Vorstellung vom qualitativen Spektrum in der mehr oder weniger sensiblen Handhabung der Stiftmosaik-Technik.

Abb. 324-327 Die teilweise erheblichen Differenzen verweisen darauf, daß an der Herstellung des Dommosaiks zahlreiche Mosaizisten beteiligt waren, deren individuelle „Handschriften" nur bedingt zu einem homogenen Ganzen verschmelzen.

Abb. 328 Eines der ornamentalen Zwickelstücke um das Mosaikmedaillon TERRA (vgl. Abb. 192): Auch in solchen mehrfach wiederholten Details zeigt sich die handwerkliche Qualität der Arbeit.

Zementmörtel abgebunden und hart, dreht man das Mosaiksegment um, säubert es, zieht dann auf der Schauseite die Zementfugen zwischen den Steinchen nach, schleift und poliert schließlich die gesamte Oberfläche, bevor man die verschiedenen Teil-Platten probeweise zusammenfügt und numeriert. Erst dann werden sie wohlverpackt mit der Eisenbahn oder dem „Möbelwagen" zum Verlegeort nach Köln transportiert.

Das noch heute gebräuchliche umgekehrte Setzverfahren, bei dem die Steinchen Stück für Stück mit ihrer späteren Schauseite auf die spiegelbildlich auf festes Papier übertragene Entwurfsvorlage geklebt zum Verlegeort transportiert werden, um dort gemeinsam in den noch verformbaren Mörtel eingedrückt zu werden, wurde also für die Fußbodenmosaiken des Domes offensichtlich in einer modifizierten Form angewendet. Dagegen war dieses Verfahren auch bei Wand- und Deckenmosaiken, wie z.B. im Aachener Münster, im späten 19. Jahrhundert das allgemein übliche [403].

Zur Herstellung der Mosaiken in Mettlach bis zu ihrer Auslieferung war eine Vielzahl von Arbeitskräf-

[403] Vgl. u. a. Heckes, Hermann Schaper, S. 212 f.

Abb. 329   Detail aus dem Mosaikmedaillon TERRA (vgl. Abb. 192): Beispielhaft belegt die differenzierte Handhabung der je nach Darstellungsgegenstand anders geformten Tesserae die virtuose Handhabung der Mosaiktechnik.

ten erforderlich; deren Tätigkeiten, wie auch die der Verlegearbeiter/-innen, koordinierte Carl Bingler in seiner Eigenschaft als Direktor der Mosaikfabrik. Er war neben den ausführenden Künstlern und dem Dombaumeister das wichtigste Verbindungsglied zwischen Mettlach und Köln. Seinem starken persönlichen Engagement für den Jahrhundert-Auftrag des Dommosaiks verdankt das Projekt zu einem Gutteil sicher auch, daß es trotz zahlloser Schwierigkeiten dennoch vollendet werden konnte. So gab er bezeichnenderweise die Leitung der Arbeiten am Mosaik in Mettlach selbst dann nicht aus der Hand, als er sich 1897 einer Kur unterziehen mußte. Kurz vor Vollendung der Chormosaiken starb er am 5. Februar 1899 im Alter von nur 55 Jahren. Wenige Wochen zuvor war ihm auf Vorschlag Voigtels für seine Verdienste um das Dommosaik der rote Adlerorden 4. Klasse verliehen worden [404].

---

[404] Carl Bingler (1844–1899) war der in Trier gebürtige Sohn eines Architekten („Stadtbaumeisters"). Als Direktor der Mettlacher Mosaikfabrik wurde er 1883 Nachfolger René von Boch-Galhau, des ersten Direktors der Mosaikfabrik. – Zur Ordensverleihung vgl. DBAK, Lit. X g VI/94, 97, (103) u. S. 191 – Zum Tode Binglers vgl. DBAK, Lit. X g VI/(108).

Abb. 330   Mosaik-Bruchstück (aus Groß St. Martin, Köln), an dem deutlich die verschiedenen Schichten der Grundierung zu unterscheiden sind.

Arbeiten am Verlegeort

Am Verlegeort waren z. T. umfangreiche Vorarbeiten erforderlich, ehe die in der Mosaikfabrik vorgefertigten Mosaiksegmente im Dom endgültig verlegt werden konnten. Dabei war die Herstellung eines geeigneten Untergrundes Aufgabe der Dombauverwaltung, während die Mettlacher Arbeiter auf dieser um eine Kalkmörtelschicht ergänzten Fundamentierung nur die eigentlichen Verlegearbeiten vornehmen mußten.

Zunächst entfernte man zu diesem Zweck natürlich die Vorgängerbeplattung und die Grabplatten, dann wurden die Grabstellen und anderen Unebenheiten aufgefüllt, um ein möglichst gleichmäßiges Bodenniveau zu erreichen: „Der neue Fußboden wurde z.T. so angelegt, daß man die Unebenheiten des alten Bodens durch Überziehen mit einer dünnen festen Erdschicht ausglich, jedoch nicht an allen Stellen, da wieder teilweise der frühere Bodenbelag ganz abgeräumt ist. Dann wurde ein etwa 10 cm starker Mörtelgrund aufgetragen und in reinem Zement das Mosaik verlegt. Im Langhaus hat der neue Fußboden z.T. die gleiche Höhe wie der ältere, z.T. liegt er 10 cm, im südlichen Chorumgang sogar über 25 cm höher." [405]

Abweichend von dieser vor gut fünfunddreißig Jahren verfaßten Beschreibung wurde in der Regel eine durchgehende *Beton*grundierung von rd. 5–7 cm Dicke verlegt, die nur stellenweise stärker ausfiel [406]. Sie sollte verhindern, daß partielle Absenkungen, Spannungen oder Hohlräume auf das Mosaik durchschlagen. Ohne diese solide Grundlage hätte das Mosaik sicherlich die gewaltigen Erschütterungen des Krieges nicht so relativ gut überstanden [407]. In den verschiedenen Berichten über die Domgrabungen

[405] (Herbert Rod)e, Der ansteigende Fußboden des Domes, in: KDBl., 6./7. Folge, 1952, S. 146.
[406] Nach DBAK, Lit. X Suppl. f II/69 (Bingler an Voigtel, vom 5. VII. 1885).
[407] Vgl. Kapitel „Material, Verarbeitung und Erhaltungszustand", bes. S. 329.

Abb. 331   Mosaik-Bruchstück (aus der Achskapelle des Domes) mit Grundierung

der Nachkriegszeit wird immer wieder die Härte und Dicke des Betons hervorgehoben [408]. Aus der Sicht des Archäologen, der sich am Bild einer vertikalen Kontinuität orientiert, muß diese Betonschicht natürlich ein lästiges Hindernis darstellen und wie eine Art hermetischer Deckel erscheinen. Darin aber entsprach sie – recht wörtlich – dem definitiven Charakter der neuen Chorbeflurung als Vereinheitlichung und Abschluß der Vollendung des Domes in seinem Inneren.

Auf die jochweise geschaffene Grundierung aus gestampftem Beton wurden die Mosaik-Teilplatten auf einer vermittelnden, durch Zement verlängerten ca. 2 cm dicken Kalkmörtelschicht (aus einem Teil langsam bindendem Zement und drei bis vier Teilen „scharfem" Grobsand) einzeln verlegt. Wo die Betongrundierung irrtümlicherweise nicht hoch genug angelegt worden war, konnte zwischen Beton- und Kalkmörtelgrundierung noch eine Sandschicht aufgefüllt werden [409]. Gemeinsam besitzen Mosaik und Grundierung also eine Stärke von annähernd 15 cm.

Die Verlegearbeiten im Dom waren stark witterungsabhängig; wegen der schädlichen Einwirkungen des Frostes auf den nur langsam bindenden Zement und verlängerten Kalkmörtel wurden die Verlegearbeiten in der Regel zwischen dem 15. Oktober und dem 1. März unterbrochen [410]. Für das Verlegen der z.T. recht schweren Teil-Platten war ein „Monteur" zuständig, den gelegentlich ein Maurer mit Gehilfe vertreten konnte; in besonders schwierigen Fällen wie z.B. beim Verlegen der Vierung leitete „der Vorsteher des hiesigen (Mosaik-)Ateliers" das Anlegen und Zusammensetzen der Teilstücke [411]. Um Verwechslungen zu vermeiden und die korrekte Zusammensetzung des puzzleartigen Gefüges zu

---

[408] Vgl. u. a. S. 31, Anm. 28. – Vgl. Springer, Das verschollene Mosaik, S. 202.
[409] DBAK, Lit. X g II/4. – Bruchstücke des Mosaikfußbodens aus Groß St. Martin weisen eine vergleichbare Proportionierung der einzelnen Grundierungsschichten auf. – Vgl. Abb. 331.
[410] DBAK, Lit. X g II/65 § 3.
[411] DBAK, Lit. X g III/5.

Abb. 332   Detail aus Hauptfeld N (vgl. Abb. 287 u. 290). Je nach Beleuchtung und Blickwinkel sind die „ausgestifteten" radialen Verlegenähte heute recht gut zu erkennen.

gewährleisten, wurde diese Arbeit nach Verlegeplänen vorgenommen, in denen Nummer und Umriß, in schwierigen Fällen auch der jeweilige Darstellungsgegenstand, jedes Teilstücks eingetragen waren [412]). Nach diesen relativ groben Vorarbeiten galt es, den Einheitscharakter des jeweiligen Mosaikbildes erst dadurch herzustellen, daß man die Nahtstellen zwischen den einzelnen Segmenten in mühsamer Feinarbeit „ausstiftete". Zu diesem Zweck lösten mehrere Arbeiterinnen die Würfelreihen an den Stoßkanten der Mosaik-Teilplatten teilweise wieder. Dann füllten sie diese unregelmäßigen Nahtstellen so geschickt wieder aus, daß schließlich das ganze Mosaikfeld wie aus einem Guß erscheint. Erst jetzt entspricht es dem „monumentalen Charakter . . ., welcher dem musivischen Boden eigen ist" [413]).

Da das Mosaik an seinen so retuschierten Nahtstellen jedoch eine vom übrigen etwas abweichende Konsistenz besitzt, haben sich im Laufe der Zeit geringfügige Absenkungen, differierende Einfärbungen oder Auswaschungen ergeben. Sie erlauben heute den Verlauf der Nähte und den Umfang der Teilplatten meist mühelos abzulesen. An besonders gut erhaltenen Stellen muß man dazu schon sehr genau hinsehen. Hier zeugt noch heute die Illusion eines fast nahtlosen Mosaiks von der vorzüglichen Arbeit der „Legerinnen".

In der Regel wurde die Plattenrahmung der Mosaikfelder bzw. der einfassende Fries des Lebensstromes zuerst verlegt und dann erst – z.T. erheblich später – das eigentliche Mosaik. Eine Ausnahme bildete lediglich das Vierungsfeld, wo wegen der ungewöhnlich großen Flächen nach Verlegung der Rahmenfriese vom Zentrum aus gearbeitet wurde, um nicht die empfindlichen frisch verlegten Mosaiksegmente betreten zu müssen. – Abschließend wurden hier, wie bei allen anderen Mosaikfeldern auch, die Zementfugen zwischen den Segmenten nachgeschliffen und die Mosaikoberfläche noch gereinigt und poliert.

---

[412]) DBAK, Lit. X g III/11.
[413]) DBAK, Lit. X Suppl. f II/69 (Bingler an Voigtel, vom 5. VII. 1885).

Die Kosten

Neben den materialtechnischen, ästhetischen und inhaltlichen Komponenten kommt auch dem Kostenfaktor bei Planung und Ausführung der neuen Dombeflurung entscheidende Bedeutung zu. Über den rein finanziellen Aspekt hinaus sind nämlich die zu erwartenden Kosten teilweise Argumente bei Entscheidungen für oder gegen bestimmte Beflurungsmaterialien (z. B. Maschasche Platten) aber auch Beflurungsformen. Beispielhaft belegt dies die Entscheidung *gegen* die Verwendung gekrümmter Beplattungsstrukturen und *für* eine geometrisch-geradlinige Gestaltung des Fondmusters in der Achskapelle [414].

Erste konkrete Angaben über die Höhe der voraussichtlichen Kosten für die geplante neue Beflurung finden sich in demselben Protokoll, das auch zum ersten Mal das ikonographische Programm umreißt [415]. Damit ist zugleich auf den Konnex von Kostenfaktor und inhaltlich-formalem Erscheinungsbild verwiesen. Beide Aspekte der Beflurung verbindet ein wechselseitiges mittelbares Abhängigkeitsverhältnis. Zum Kostenfaktor heißt es im Protokoll vom 16. Juni 1884 abschließend: „Wir bemerken noch, daß nach der Versicherung des Herrn Direktor Essenwein die in diesem Programm skizzierte Beflurung mit dem hierfür vorläufig in Aussicht genommenen Betrag von M. 133.000 sich ausführen lasse." [416]

Der offizielle Arbeitsvertrag vom 4. Februar 1885 erwähnt neben dem kalkulatorischen Anhaltspunkt des zunächst als „vorläufig" charakterisierten Betrags auch die planerischen Konsequenzen für den Fall, daß ein noch ausstehender genauer Kostenvoranschlag Essenweins zum Beflurungsprogramm einen höheren Betrag ergeben sollte: Gleichzeitig mit dem Generalentwurf soll Essenwein eine Kalkulation der Gesamtkosten für die Ausführung der Farbenskizzen, Kartons und Marmorintarsien zu Chor und Vierung vorlegen, die sich an den Ausgaben zur Beflurung der Nürnberger Frauenkirche orientiert [417].

Sollte nach diesem Kostenvoranschlag ein Betrag von mehr als 123.000 M. [418] zu erwarten sein, dann sei namentlich im Chorumgang durch die Vereinfachung der Ornamentierung sowie durch die Verwendung einer weniger kostbaren Steinsorte als Marmor dieser finanzielle Rahmen dennoch zu wahren.

Ein halbes Jahr später entnehmen wir einem Bericht Voigtels an von Bardeleben [419], daß Essenwein jetzt – offensichtlich nach genauer Kalkulation – die zunächst angesetzte Ausgabensumme von 123.000 M. für zu gering veranschlagt hält: Die Ausführung seines Beflurungskonzeptes werde wenigstens 200.000 M. erfordern. Der bisher genannte Betrag sei nur realistisch, wenn davon nicht auch die erforderlichen Umbauten im Hochchor bezahlt werden müßten. Ihre Kosten seien aus dem Fond zur Ausgestaltung des Dominneren, nicht aber aus dem Neubaufond zu bestreiten. Leider scheint sich Essenweins genaue Kostenkalkulation nicht erhalten zu haben, doch dürfte sie entscheidend die Änderung des Beflurungskonzeptes mitbestimmt haben.

Im Verzicht auf die zunächst von Essenwein vorgesehene Beflurungsform mit Marmorintarsien zugunsten von Stiftmosaiken zeigt sich wohl am deutlichsten der Zusammenhang von Kosten und Erscheinungsbild (einschließlich der inhaltlichen Konsequenzen). Die endgültige Entscheidung für Mettlacher Stiftmosaiken wird nämlich in erster Linie aufgrund der günstigen Relation von Widerstandsfähigkeit und Kostenaufwand getroffen.

---

[414] DBAK, Lit. X g I/52. – Vgl. auch Anm. 177.

[415] DBAK, Lit. X g I/2.

[416] Ebd.

[417] DBAK, Lit. X g I/3 § 2.

[418] Ebd. – Die Differenz von 10.000,– M. scheint als „Puffer"-Betrag eingeplant gewesen zu sein: „Jedenfalls darf der aus dem Dombaufond einschließlich der Kosten für Farbenskizzen und Anfertigung der Cartons in natürlicher Größe zu gewährende Kostenbetrag die Summe von 133,– Mark überschreiten." (Ebd.)

[419] DBAK, Lit. X g I/9.

Die kalkulatorische Folge dieser Materialentscheidung war eine spürbare Veränderung – jedoch keineswegs, wie man erwarten könnte, eine Verringerung des Kostenfaktors. Eine Kostensenkung wird nämlich erst durch die Reduzierung des Beflurungs*umfangs* erreicht. Bei unverändertem Umfang des Programms hätte sich durch die größere Dauerhaftigkeit des Mosaikmaterials allenfalls langfristig eine günstigere Relation ergeben. Zunächst jedoch bedeutete die Wahl der Stiftmosaiktechnik eine *Erhöhung* des Quadratmeter-Preises. Deshalb sollten die absehbaren Mehrkosten für eine ausgedehnte Verwendung von Stiftmosaiken, wie sie die neue Planung vorsah, durch eine Reduzierung der Beflurungsfläche aufgefangen werden. In diesem Sinne erweiterte das revidierte Beflurungskonzept Essenweins die einfache Beplattung der Lang- und Querschiffe bis in die Chorseitenschiffe hinein [420]: „Bei dem beträchtlichen Kostenaufwande, welcher für die Intarsien in Rechnung zu bringen wäre, wird die Durchführung des Gesamtfußbodens in Stiftmosaik sehr wesentliche Mehrkosten nicht veranlassen. Dieselben werden aber sich noch dadurch wesentlich mindern, daß auf die Ausführung jenes Theiles des Projektes vollständig verzichtet wird, der für die Chorseitenschiffe in Aussicht genommen war, weil diese Chorseitenschiffe doch dem größten Theile nach dauernd mit Holzfußboden (d. h. unter den Bänken, d. Verf.) bedeckt bleiben werden, so daß hier einfacher Fußboden gleich wie im Schiffe leicht zur Anwendung gelangen kann." [421]

Essenweins revidierter Generalentwurf von 1887 bildete die Grundlage für die rechnerische Bestimmung der Gesamtfläche, die in Stiftmosaiktechnik ausgeführt werden soll. Während man 1890 den Umfang dieser Fläche mit ca. 852 m² angibt [422], geht man bei früheren Berechnungen wiederholt von ca. 583 m² aus [423]. Den Grund dafür in einem Schreib- oder Übertragungsfehler zu suchen, liegt nahe, zumal Voigtels „Bericht über den Fortbau des Domes in Köln im Baujahre 1897/98" den Umfang der Stiftmosaikflächen mit 834,234 m² angibt [424]. Nach anderen Quellen ist die Mosaikfläche noch größer [425]. Von der Gesamtfläche entfallen ca. 214 m² auf figürliche Darstellungen, Inschriften und Wappen, für die als aufwendigste Teile des Mosaiks 80,- M./m², während für Ornamente 60,- M./m² veranschlagt werden. Für den Umfang der einfachen Füllmuster, ornamentalen Partien und des Fondmusters werden 279 m² zu je 45,- Mark errechnet [426]. Frühere Berechnungen gehen von 80,- und 45,- Mark aus und berechnen 24,-Mark/m² für die Plattenfriese [427].

Wegen der viel kleineren Gesamtfläche und der unterschiedlichen Differenzierung des Mosaikpreises ergeben sich in älteren Berechnungen allein für die Herstellung der Mosaiken kalkulatorische Summen von 36.875,- M., d. h. 63,25 M./m² bzw. 31.835,- M., d. h. 54,61 M./m² [428]. Tatsächlich lagen die Ausgaben deutlich höher: Im Dombaubericht für 1897/98 erwähnt Voigtel die Zahlung von 55.198,10 M. an die Mosaikfabrik [429]. Das entspräche bei 834,234 m² bis dahin verlegter Mosaikfläche einem Durchschnittspreis von 66,17 Mark. Außerdem sind zu den unmittelbaren Herstellungskosten für die Mosaiken noch die Ausgaben für die Anfertigung der Skizzen und originalgroßen Kartons zu addieren. Im gesamten Zeitraum seiner Mitarbeit am Dommosaik erhält Essenwein für entsprechende Leistungen genau 10.300,- Mark in unterschiedlich hohen Teilbeträgen; Geiges bekommt insgesamt 14.263,10 Mark (incl. 300,- M. für seine Entwürfe zur Achskapelle). Die Kartonvorlagen für die Mosaikfabrik

---

[420] DBAK, Lit. X g I/43. – Vgl. damit auch ebd., g I/30.

[421] DBAK, Lit. X g I/48.

[422] DBAK, Lit. X g II/65 § 1.

[423] DBAK, Lit. X g II/122.

[424] R. Voigtel, Bericht über den Fortbau des Domes in Köln im Baujahre 1897/98, in: Centralblatt der Bauverwaltung, XVIII. Jg., 1898, S. 347.

[425] DBAK, Lit. X f III/134.

[426] DBAK, Lit. X g I/122. – Vgl. ebd., f III/134.

[427] DBAK, Lit. X f III/134.

[428] Nach Helmken (Dom, S. 154) betragen die entsprechenden Gesamtkosten nur 24.263,– M., da er die Ausgaben für die Beflurung der Achskapelle nicht mitberücksichtigt.

[429] R. Voigtel, Bericht über den Fortbau des Domes in Köln im Baujahre 1897/98, in: Centralblatt der Bauverwaltung, XVIII. Jg., 1898, S. 347.

kosten also insgesamt 24.563,10 Mark [430]): Addiert man den Betrag für die Mosaikfabrik (55.198,10 M.) und ergänzt noch die entsprechenden Ausgaben für die Beflurung der Achskapelle (1.622,28 M.), so kommt man auf ein Gesamt-Kostenvolumen von 81.383,48 Mark.

Tatsächlich lagen auch hierfür die Kosten viel höher, denn der letztgenannte Betrag bezieht sich nur auf die direkten Herstellungskosten allein für die Partien in Stiftmosaiktechnik. Die Kapellenbeflurungen und die rahmenden bzw. trennenden Felder mit Marmormosaiken, die Stufen und Einfassungen, wie überhaupt die Kosten für die Arbeitsmaterialien Zement, Kies, Sand etc. wie und schließlich auch die Beraterkosten sind darin *nicht* eingeschlossen. (Die Frachtkosten für den Transport der Mosaiken von Mettlach nach Köln gingen zu Lasten der Mosaik-Fabrik.)

Die genaue Berechnung dieses Kostensektors gestaltet sich indes äußerst schwierig und ist teilweise wohl nicht mehr möglich, da entsprechende Ausgaben in den jährlichen Revisionsprotokollen meist nur summarisch oder so aufgeführt sind, daß ihre definitive Verwendung (ausschließlich) für die Chorbeflurung nicht immer eindeutig belegt erscheint. Anhand der Angaben in den Revisionsprotokollen lassen sich deshalb nur pauschal die Ausgaben für „Renovationsarbeiten" im Inneren des Chores und der übrigen Kirche ermitteln; beide zusammen ergeben die Kostensumme für die gesamte Dombeflurung: Im Zeitraum von 1884/1885 bis 1899/1900 wurden für alle Arbeiten im Zusammenhang mit der Chorbeflurung insgesamt 122.181,73 Mark ausgegeben, für die übrige Beflurung 133.676,31 Mark. Also kostete die gesamte Dombeflurung einschließlich aller Nebenkosten und Ergänzungsarbeiten 255.858,04 M. Noch knapp 5.000,- M. (4.664,13 M.) wären für die Beflurung im nördlichen Turm zu ergänzen.

Entfallen von diesen rd. 260.000,- M. noch nicht einmal 25.000,- M. auf die Anteile von Essenwein und Geiges, so entspricht das weniger als 10 Prozent der Gesamtkosten bzw. etwa $^1/_5$ der Ausgaben für die Herrichtung des Chores [431]).

Die genannten Beträge enthalten allein die „Renovationsarbeiten" soweit sie „Mauermaterialien" betreffen. Wie weit die z.T. nicht unerheblichen Ausgaben für Erd-, Steinhauer-, Zimmer-, Tischler-, Anstreicher-, Schlosser-, Schmiede-, Seiler- und Stellmacherarbeiten wie auch für die Bauführung und Bauaufsicht im Zusammenhang mit den Beflurungsarbeiten standen oder wegen dieser erforderlich wurden, kann nur vermutet werden. Deshalb sollen sie hier unberücksichtigt bleiben. Von daher gesehen dürften die genannten Zwischen- und Endsummen wohl eher auf- als abzurunden sein. Auf jeden Fall aber sind die Unsicherheitsfaktoren relativ zahlreich und in ihrer Gewichtung schwer abschätzbar. Alle Endsummen dürfen deshalb nur als Anhaltspunkte für die Größenordnungen der einzelnen Kostenfaktoren, nicht aber als buchhalterisch exakte Angaben gewertet werden.

Die Größe des Dommosaiks

Die Weitläufigkeit der Mosaikfläche und die quantitative Unvergleichlichkeit der Aufgabe sind seit der Planungsphase Problem und Herausforderung zugleich. Sie gestalterisch zu bewältigen, war eines der zentralen Anliegen des entwerfenden Künstlers, sie technisch zu meistern, das Ziel der Mosaikfabrik; sie heute als Betrachter zu überblicken, erscheint fast noch schwieriger. Verständlich also, daß die gewaltige Ausdehnung des Dommosaiks, seine stets sukzessive, nie totale Wahrnehmbarkeit Superlativen provoziert: „. . . das größte und letzte Ausstattungswerk des 19. Jahrhunderts im Dom" [432]) ist zugleich

---

[430]) Vgl. ebd., S. 347.
[431]) Zahlreiche Vergleichsangaben bei Wilfried Feldenkirchen, Staatliche Kunstfinanzierung im 19. Jahrhundert, in: Mai/Pohl/Waetzoldt, Kunstpolitik, S. 35-54. – Vgl. zur Problematik einer Umrechnung auf ein aktuelles Preisniveau mittelbar auch A. Wolff, Dombau, S. 42.
[432]) Wolff, Dom, S. 38. – Vgl. entsprechend Springer, Das Fußbodenmosaik des Domchores, S. 117.

eines der größten Mosaiken überhaupt, sicherlich aber das größte Fußbodenmosaik des 19. Jahrhunderts [433]) – doch wie groß ist das Dommosaik eigentlich?

Die Angaben zu Umfang und Ausdehnung des Dommosaiks weisen, vergleicht man Dokumente und Publikationen über den Dom, z.T. erhebliche Unterschiede auf. Helmken etwa beziffert in seinem in zahlreichen Auflagen erschienenen Domführer den Umfang der Stiftmosaikfläche (auf Grund eines fehlenden Kommas?) mit sage und schreibe „87 424 Quadratmeter" [434]). Der Vertrag zwischen der Dombauverwaltung und der Mosaikfabrik von 1890 spricht dagegen nur von einer „ca. 852 m²" umfassenden Mosaikfläche [435]).

Realistischer dürften die Angaben sein, welche die Beflurungsfläche der einzelnen Raumteile auflisten; sie ergeben als Fläche einfacher Beflurung, also *ohne* Vierung und Chor, 3 806,54 m² [436]). Für Vierung und Chor (incl. Kapellen?!) werden „ca. 1 620 m²" errechnet [437]); jüngste Kalkulationen des Dombaumeisters kommen dagegen für den Bereich des Dommosaiks auf über 1 300 m².

Entscheidend für die Höhe dieser Angaben wie für ihre Differenzen dürfte sein, in welchem Umfang sie sich nur auf die reine Stiftmosaik-Fläche beziehen oder Plattenmosaiken, Randbeplattungen und Turmbeplattungen miteinbeziehen und wie weit auch die Beflurung der Kapellen berücksichtigt wird. Alle diese Flächen sind nämlich gleichfalls wesentliche Bestandteile des Dommosaiks im weitesten Sinne. Nur die Stiftmosaikfläche zu berücksichtigen, wäre ein unangemessener Purismus und entspräche einem Mosaik ohne seine Gliederungs-, Rahmungs- und Ergänzungsflächen.

Größenvergleiche veranschaulichen den quantitativen Stellenwert des Kölner Dommosaiks: Die Mosaiken des Markusdoms in Venedig sollen „reichlich 4 200" m² [438]), die in der Berliner Kaiser-Wilhelm-Gedächtniskirche ca. 3 000 m² [439]) und das Fußbodenmosaik in Otranto gut 1 600 m² [440]) umfassen. Mit Sicherheit nicht länger haltbar ist die superlativische Ergänzung zum Hinweis auf César Kleins Fußbodenmosaik im Foyer der Siemens & Halske-Hauptverwaltung in Berlin als „dem größten in Deutschland", denn tatsächlich mißt dieses Mosaik wohl gerade 800 m² [441]).

[433]) Vgl. entsprechend (Anonymus), Der Fußboden: „Der Schmuck des Kölner Domfußbodens wird die großartigste, umfangreichste Fußbodendekoration bilden, welche in der neueren Zeit zur Ausführung gelangte."

[434]) Helmken, Dom (1905), S. 154 (Kommafehler ?).

[435]) DBAK, Lit. X g II/65 § 1.

[436]) DBAK, Lit. X f I/28. – Nach ebd., f I/47: Turmhalle (17 Felder) 651,59 m²; Langschiff (26 Felder) 1623,09 m²; Querschiffe (22 Felder) 153,76 m²; Summe: 3.806,54 m². – Der 75. Dombaubericht (1886) nennt ca. 3750 m².

[437]) DBAK, Lit. X f I/84.

[438]) Foehring, Mosaik, S. 8.

[439]) Nach: Die Kaiser-Wilhelm-Gedächtniskirche. Zum Tage der Silbernen Hochzeit des Kaiserpaares, dem 27. Februar 1906. Hrsg. von dem Kuratorium der . . . Kirche . . . (zit. nach Reprint Berlin 1986), S. 66 (der Umfang der Mosaiken in Monreale wird hier mit 6300 m² angegeben). Vgl. auch Puhl & Wagner 1904, S. 9. – Nach Frowein-Ziroff, Kaiser-Wilhelm-Gedächtniskirche, S. 303, wird diese Kirche mit 2740 m² mosaizierter Fläche darin nur von S. Marco in Venedig und der Capella Palatina in Palermo (gemeint wohl: Dom in Monreale) übertroffen.

[440]) Vgl. Walter Haug, Das Mosaik von Otranto, Darstellung, Deutung und Bilddokumentation, Wiesbaden (1977), S. 19. – Frank Nicolaus, Predigt aus Millionen Steinen. Das Wunderwerk des Mönchs Pantaleone, in: ART, Nr. 6/Juni 1985, S. 36 u. 40.

[441]) J. Müller, Klein, César, in: Thieme/Becker, Künstlerlexikon, Bd. XXX, S. 435. – Das Fußbodenmosaik ist „nur" ca. 21 x 41 m, d. h. abzüglich von Säulen-etc.-Flächen eher unter 800 m² groß und besteht aus recht großen (ca. 1,5 x 1,5 cm) großen Tesserae.

[442]) DBAK, Lit. X g V/57. – Nach ebd., g II/43 waren bereits beim Probefeld H Beschädigungen vorgekommen. – Zu weiteren Schäden vgl. ebd., g V/100 u. 128. – Nach den Vorstellungen Essenweins sollten sogar die bereits ausgeführten Mosaiken bis zur Vollendung aller anderen Felder bedeckt bleiben (ebd., g II/93). – In Ausnahmefällen wurden auch provisorische Randstreifen verlegt, wenn das ganze Mosaikfeld nicht zusammenhängend verlegt werden konnte, die Wiederaufnahme des Gottesdienstes aber die Benutzbarkeit des betreffenden Raumes erforderte (ebd., g V/32).

Der Erhaltungszustand

Fehler und Schäden

Vor allem in der Planungsphase war die Frage der Widerstandsfähigkeit und Haltbarkeit des für die neue Dombeflurung vorgesehenen Materials von zentraler Bedeutung. An ihrer negativen Beantwortung scheiterte schließlich das erste Beflurungskonzept Essenweins. Sein revidierter, zweiter Entwurf impliziert deshalb nicht nur ein nach Aufbau und Inhalt modifiziertes Beflurungskonzept, sondern in erster Linie eine neue Planung auf der Basis eines *anderen und haltbaren Materials.*

Daß dem Kriterium der Widerstandsfähigkeit des Beflurungsmaterials eine letztlich das gesamte Erscheinungsbild der Beflurung prägende Bedeutung zukam, hatte seine Voraussetzungen in der zu erwartenden steten Strapazierung. Ihr stand die Tatsache gegenüber, daß man – ganz abgesehen von der finanziellen Belastung – die figürlichen Darstellungen, Inschriften etc. nicht etwa jederzeit problemlos würde erneuern können. Die große Bedeutung der Komponente „Belastbarkeit" für die Wahl des Beflurungsmaterials liegt also im Widerstreit zwischen notwendiger Benutzbarkeit und dem Anspruch größtmöglicher Dauerhaftigkeit begründet. Er bestimmt als generelles Problem aller künstlerisch gestalteten Fußböden letztlich bis heute die konservatorische Einschätzung auch der Chormosaiken im Kölner Dom.

Gemessen an ihrem fast 100jährigen Alter und den vielfältigen, z. T. extremen Belastungen sind die Mosaiken im Chor des Domes recht gut erhalten. Jedoch ist – selbst für den Laien – heute eine Vielzahl von Schäden und Reparaturen erkennbar. Art und Umfang der Schäden differieren dabei je nach Lage des betreffenden Mosaikfeldes: Im Chorumgang sind sie am größten und vielfältigsten, im inneren Chor und in den Kapellen deutlich geringfügiger – zumal dort, wo die Mosaiken durch Teppiche etc. geschützt sind. In den Vierungen ist der Umfang möglicher Schäden wegen des dortigen Altarpodestes nicht nachprüfbar.

Wenn von Schäden die Rede ist, so gleichen sie sich zwar in ihrer Konsequenz, nach ihren Ursachen (und Erscheinungsformen) muß jedoch unterschieden werden zwischen:
– Schäden, die schon während oder kurz nach der Fertigstellung erkennbar wurden,
– Schäden durch Kriegseinwirkungen (und deren unsachgemäße Erneuerungen),
– Schäden durch Grabungen,
– Schäden durch extreme Strapazierung (Verschleiß durch Abrieb und Schmirgelwirkung) und
– Schäden durch Materialermüdung an Stellen geringerer Belastbarkeit (Rändern, Nähten, Flickstellen etc.).

Erste Schäden am frischverlegten Fußbodenmosaik des Domes treten bereits bei „Probefeld" H auf, und erste Reparaturen werden bereits erforderlich, noch bevor das Dommosaik vollständig verlegt ist: Als man 1895 im Zentrum des neuverlegten Vierungsmosaiks Schäden feststellt – eine Anzahl Tonstifte hatte sich gelöst –, wird dies von Bingler darauf zurückgeführt, daß das Vierungsmosaik im März 1891 verlegt worden sei. Damals könnte die frostige und zudem feuchte Luft ein normales Abbinden des Zements erschwert haben.

Dafür spreche auch die Tatsache, daß Schäden an den später ausgeführten Rändern nicht aufgetreten seien. Möglicherweise habe man auch nicht beachtet, daß die Mosaiken 3–4 Wochen nach Verlegen nicht betreten werden sollten und durch darübergelegte Bretter zu schützen seien. Auch sollten die Mosaiken ein halbes Jahr nach dem Verlegen nicht „geschrubbt" werden; so sei der Gefahr, daß der Zement vor dem völligen Abbinden aus den Fugen gekratzt werde und sich Steine lockern könnten, am besten vorzubeugen [442]).

Mit der Frage nach den Ursachen von Schäden am Mosaik ist die nach ihrer Beseitigung eng verbunden: Auf die Mosaikarbeiten gewährte die Mettlacher Fabrik eine Garantie von drei Jahren. – Für die folgenden rund fünfzig Jahre sind dann jedoch keine Schäden belegt.

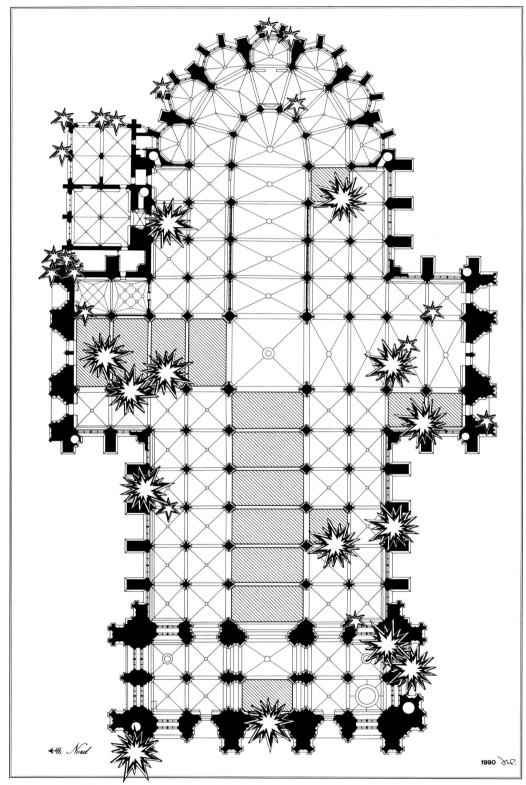

Abb. 333 Bombentreffer und Granateinschläge während des Zweiten Weltkrieges sowie eingestürzte Gewölbefelder, durch die teilweise die Beflurung beschädigt wurde.

Kriegsbedingte Zerstörungen und Beschädigungen

Unvergleichlich ernster und die Substanz des Dommosaiks insgesamt gefährdend waren die durch den Zweiten Weltkrieg verursachten Schäden und Zerstörungen: Als am 27. November 1944 bei einem alliierten Bombenangriff auf Köln eine Sprengbombe über dem östlichen Joch des inneren südlichen Chorseitenschiffes (Joch-Feld 55) in das Strebewerk des Domes einschlug, zerstörte sie dort das Dach und das Gewölbe [443]. Durch die herunterstürzenden Gewölbeteile wurde das darunter liegende Mosaikfeld allem Anschein nach so stark in Mitleidenschaft gezogen, daß Brüche im Betonfundament und begrenzte Löcher im Mosaik entstanden. Wie das Vorgehen in der Achskapelle belegt (von dem weiter unten berichtet werden soll) werden die Absicht, vor der Beseitigung der Kriegsschäden im Dom die Gelegenheit zu archäologischen Grabungen zu nutzen, wie auch die geschmacksgeschichtlich bedingte Geringschätzung der künstlerischen Leistungen des späten 19. Jahrhunderts den Entschluß erleichtert haben, das zwar erheblich beschädigte, aber keineswegs zerstörte Mosaikfeld nicht wieder herzustellen, sondern gleich völlig abzuräumen. Erst dadurch wird nämlich die zweifellos gegebene Beschädigung der Mosaiken zur manifesten Zerstörung.

Obwohl man bereits am 23. April 1945 mit den Instandsetzungsarbeiten im und am Dom begann, wurden die Mosaikschäden angesichts des Umfangs bedrohlicher Zerstörungen in der baulichen Substanz des Domes auch nach Abschluß der sich über Jahre hinziehenden Ausgrabungen zunächst noch aufgeschoben bzw. teilweise durch provisorische Maßnahmen überbrückt: „Die durch Kriegseinwirkung und Grabungsarbeiten(!) beschädigten und z.T. durch Zementestrich ersetzten Marmorteile des Fußbodens im südlichen Chorumgang wurden (1959/60) durch die Firma Wings und Iltgen in der alten Form des 19. Jahrhunderts erneuert." [444] Nicht erwähnt werden bezeichnenderweise die sehr viel problematischeren Mosaikschäden.

Zerstörungen und Veränderungen nach dem Zweiten Weltkrieg

Überblickt man die gut ein Jahrhundert während Geschichte des Dommosaiks seit Beginn der Arbeiten, so muß man feststellen, daß dem Mosaik in den rund fünfzehn Jahren zwischen 1943 und 1959 die gravierendsten Schäden und nachhaltigsten Veränderungen zugefügt wurden. Sie waren jedoch größtenteils nur mittelbare Folgen des Krieges; unmittelbar sind sie Folgen der zeittypischen Bewertung des Mosaiks. Generell läßt sich wohl sagen, daß das Dommosaik *nach* dem Zweiten Weltkrieg mindestens ebenso gelitten hat wie *durch* den Zweiten Weltkrieg.

Entsprechendes gilt, zumindest wenn man von der allgemeinen Präsenz des Mosaiks ausgeht, in gewissem Sinne heute auch für das auf absehbare Zeit unzugängliche, weil von einem Altarpodest völlig verdeckte Vierungsmosaik.

---

[443] Wilhelm Kleff (u. Toni Diederich), Der Dom im Kriege, in: Wolff/Diederich, Jubiläumsbuch, S. 75.

[444] Willy Weyres, Die Wiederherstellungsarbeiten am Dom im Jahre 1961, in: KDBl., 20. Folge, 1962, S. 170. – Nach A. Wolff (23. Dombaubericht vom September 1981 bis September 1982, in: KDBl., 47. Folge, 1982, S. 108) war Mosaikfeld 55 „durch den Absturz des Gewölbes im Kriege zerstört worden." – Dagegen spricht W. Weyres (Die Wiederherstellungsarbeiten im Dom in den Jahren 1959–60, in: KDBl., 18./19. Folge, 1960, S. 138) davon, daß damals „der bei den Grabungen beschädigte" Mosaikfußboden im südlichen Chorumgang wiederhergestellt worden sei. Wann die Grabungen mit den Mosaikbrocken ausgefüllt wurden, läßt sich nicht genau rekonstruieren. Höchstwahrscheinlich geschah dies jedoch Anfang der 50er Jahre, denn im Bericht über die Wiederherstellungsarbeiten am Dom in den Jahren 1952–54 ist davon die Rede, daß die Decke der Emundus-Kapelle fertiggestellt wurde (Willy Weyres, Die Wiederherstellungsarbeiten am Dome in den Jahren 1952-1954, in: KDBl., 8./9. Folge, 1954, S. 130: „Ein Gang im südlichen Chorumgang, vom Chorgitter bis in die Nähe der Achskapelle und die Decke über dem nördlichen Querschiffarm und der Emunduskapelle des karolingischen Domes wurden fertig.")

Abb. 334   Domgrabung K 14, 3 (11): Chorumgang von S, Grabungen an der Stelle des abgeräumten Zwischenfeldes W, rechts das intakte Hauptfeld L und links das teilzerstörte Hauptfeld M

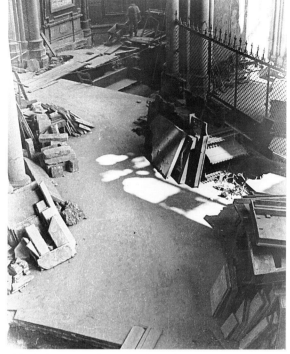

Abb. 335   Domgrabung K 14, 1: Chorumgang von SW, im Vordergrund das abgeräumte Zwischenfeld V, im Hintergrund Grabungen in der Achskapelle

Abb. 336   Domgrabung K 17,26: Chorumgang mit der aufgedeckten Gruft Schönheim, links die Abbrüche des durch den Gewölbeabsturz teilzerstörten Mosaikfelds I./55, im Hintergrund, jenseits des abgeräumten Zwischenfeldes W, die intakte Mosaikbeflurung

Abb. 337   Domgrabung K 11, 5: Grabung in der Achskapelle nach Abräumung des Mosaiks, links die angrenzende Mosaikbeflurung des Chorumgangs

Zerstörungen und Veränderungen im Chorumgang

In den Jahren 1959/60 erneuerte man das gesamte Mosaikfeld (Hauptfeld L) im Joch 55: „Im südlichen Chorumgang wurde der bei Grabungen(!) beschädigte Mosaikfußboden nach den bei der Dombauverwaltung aufbewahrten Kartons von A. Essenwein durch die Firma W. Derix in Kaiserswerth wiederhergestellt." [445])

Dieser lapidare Satz umschreibt die Tatsache, daß man nach der endgültigen Zerstörung und Abräumung dieses Mosaikfeldes und nach Abschluß der dortigen Grabungsarbeiten die inhaltliche und räumliche Kontinuität der Chorumgangsbeflurung wiederherzustellen bestrebt war. Zu diesem Zweck fertigte man nach den erhaltenen originalgroßen Kartons ein gänzlich neues Mosaik an.

Dabei machte man jedoch einen gravierenden Fehler, der sicher nicht unterlaufen wäre, hätte man das ursprüngliche Mosaikfeld im Kontext der gesamten Chorbeflurung gesehen und nicht als isoliertes Beflurungssegment. Diese, heute kaum noch verständliche, uns so merkwürdig erscheinende Verengung der Perspektive bestätigt eine bereits zuvor erwähnte Problematik dieses gewaltigen Flächenmosaiks, nämlich nur immer in Ausschnitten, nie aber als ganzes – es sei denn auf dem Papier – wahrnehmbar zu sein.

Da man weder das beschädigte Mosaikfeld photographisch dokumentierte noch beabsichtigte zumindest Teile davon wiederzuverwenden, übersah man nämlich, daß die Fond-Tönung von Feld zu Feld hell/dunkel wechselt – eine Tatsache, die aus den einzelnen Vorlagekartons selbst nicht, wohl aber aus dem Generalplan, ablesbar ist. Die Orientierung offensichtlich nur an den beiden begrenzten Nachbarfeldern, die selbstverständlich die gleiche dunkle Hintergrundfärbung aufweisen, mußte zu diesem Trugschluß führen. Erst nachdem das Mosaikfeld längst verlegt war, bemerkte man den Fehler. So kommt es, daß heute eine dreifache Folge dunkler Felder die ursprünglich alternierende Farbfolge der Chor- umgangsmosaiken unterbricht. In der Regel wird sich jedoch der Betrachter – angesichts der Größe der Felder – dieses Lapsus kaum bewußt.

Das Mosaikfeld Nr. 55/L fällt jedoch nicht nur durch seine „Fehlfarbe" aus dem Rahmen der Gesamtbeflurung, sondern es unterscheidet sich auch durch seine abweichende Verlegetechnik von den älteren Feldern. Seine Mosaiksteinchen besitzen nämlich eine abweichende Normalform und sind härter konturiert; sie weisen zudem eine ungleichmäßige Oberflächenstruktur auf, die durch die unebene Verlegungsart noch verstärkt wird. Diese Charakteristika verleihen dem erneuerten Mosaikfeld ein vergleichsweise unruhiges und – vor allem bei Seitenlicht – unebenes Erscheinungsbild, das sich deutlich von dem der angrenzenden Mosaiken abhebt.

Eine entscheidende Ursache für diese Besonderheiten dürfte wohl in der abweichenden Verlegetechnik (Verlegen am Ort, statt Vorfertigung des segmentierten Feldes in der Mosaikfabrik) zu suchen sein. Zumindest teilweise sind diese Besonderheiten auch Ausdruck geringerer Qualität: Die Herstellungsumstände und verlegetechnischen Unzulänglichkeiten dürften sicher mit dafür verantwortlich sein, daß bereits dreizehn Jahre nach der Neuverlegung dieses Mosaikfeldes die ersten Reparaturen erforderlich wurden [446]).

Auch Zwischenfeld V (mit Inschrift Nr. 69), das den Krieg offensichtlich völlig unbeschädigt überstanden hatte, wurde – wie wahrscheinlich alle Zwischenfelder des südlichen Chorumgangs außer Feld Y – aufgebrochen und abgeräumt, um dort Grabungen durchführen zu können. Heute besitzt es zwar wieder eine Beflurung wie die entsprechenden Zwischenfelder, jedoch fehlen das mosaizierte Wappen Ruprechts von der Pfalz und die zugehörige Inschrift. So konnte fraglich werden, ob sie überhaupt ausgeführt worden waren und ob das Feld, wie W und X, nicht bereits ursprünglich leer geblieben war.

---

[445]) Willy Weyres, Die Wiederherstellungsarbeiten am Dom in den Jahren 1959/60, in: KDBl., 18./19. Folge, 1960, S. 138.

[446]) Arnold Wolff, 15. Dombaubericht von Herbst 1971 bis Ende Sept. 1973, in: KDBl., 36./37. Folge, 1973, S. 49. – Vgl. S. 345.

Abb. 338   Ansicht des teilweise kriegszerstörten, 1959/60 falsch erneuerten Hauptfeldes im südlichen Chorumgang (Detail). Im Streiflicht ist deutlich die unebene Verlegetechnik zu erkennen.

Nachweislich wurde das Mosaik jedoch im Sommer 1890 fertig; Entwürfe dazu haben sich erhalten. Seine Wiederherstellung wäre also problemlos möglich, eine Schließung der Lücke in der Folge der Kölner Erzbischöfe wünschenswert [447].

---

[447]   Zur Herstellung von Feld V vgl. DBAK, Lit. X g II/80 u. 85 (vom 10. u. 26. Juli 1890). – Nach den handschr. Eintragungen in der Kladde von Johann Peter Hein „Heft I" (Kopie im DBAK), S. 26, wurde Feld V mit der Rupertus-Inschrift am 1. Mai 1890 angefertigt und am 21. Juli 1890 nach Köln abgeschickt.

Abb. 339 Bruchstück vom Mosaik des Hauptfeldes L: Detail aus dem Wappen des Erzbischofs Johann Gebhard (vgl. Abb. 283)

Zerstörung und Wiederherstellung der Achskapellenbeflurung

Wenn es zu dieser, für die Zeit und ihre defizitäre Kunstwahrnehmung so charakteristischen Zerstörung und falschen Erneuerung eines nur teilweise im Krieg beschädigten Kunstwerkes des späten 19. Jahrhunderts noch eine Steigerung gibt, dann stellt es sicher das Nachkriegsschicksal des Fußbodenmosaiks in der Achskapelle dar. Eine besondere Pointe mag man auch darin erblicken, daß dieses fast 25 m² große Mosaik ganz *zuletzt* – gewissermaßen als i-Tüpfelchen der gesamten Dombeflurung – verlegt wurde und, nachdem es die Bomben des Zweiten Weltkriegs offensichtlich völlig unversehrt überstanden hatte, als *erstes* ganz bewußt zerstört wurde. Über das Nachkriegsschicksal des Mosaiks in der Achskapelle und über die z.T. recht merkwürdigen Umstände, unter denen es erst 1947 beseitigt wurde, sind wir recht genau unterrichtet [448].

Die teilweise schwere Beschädigung des Domes im Kriege und die darauffolgenden, sich über mehrere Jahre hinziehenden Instandsetzungsarbeiten gaben den äußeren Anlaß für die am 22. Oktober 1945 vom Metropolitankapitel beschlossenen und im Mai 1946 begonnenen Ausgrabungen im Dom. Die Gelegenheit zu Bodenuntersuchungen war günstig, da sie teilweise parallel zu den Aufbauarbeiten im Dom vonstatten gehen konnten [449]. Hauptanliegen der Domgrabungen war die Klärung der Fragen

---

[448] Die folgenden Ausführungen folgen, bearbeitet und gekürzt, meinem Aufsatz „Das ›verschollene‹ Mosaik . . .“

[449] Vgl. damit die Formulierung Otto Doppelfelds (More romano – die beiden karolingischen Domgrundrisse von Köln. VII. Bericht über die Domgrabung, in: KDBl., 8./9. Folge, 1954, S. 33) „. . . das Jahr 1946/47 mit seinen schier ungehemmten Grabungsmöglichkeiten . . .“, die angesichts des zerstörten Mosaiks nicht nur in der Achskapelle des Domes sehr wörtlich zu nehmen ist.

nach Lage und Gestalt des „Alten Domes", der Vorgängerbauten aus römischer Zeit und – damit eng verknüpft – der baulichen Kontinuität von der Antike zum Mittelalter bzw. zum vollendeten Dom des 19./20. Jahrhunderts. Zu diesem Zweck wurden verschiedene Grabungsschächte angelegt, die schon bald das Westende des Alten Domes ans Licht brachten. Da bekannt war, daß man 1248 Teile des Alten Domes abgerissen hatte, um den Neubau mit dem Kapellenkranz beginnen zu können, war zu folgern, daß der Alte Dom bis unter den gotischen Chor gereicht haben mußte. Diese Vermutung bestätigte sich, als man 1947 eine Grabung zunächst nur unter der Stufe der Achskapelle zum Chorumgang vornahm und dort die Ostapsis des Alten Domes teilweise freilegte [450].

Um die Apsis ganz aufdecken, ihr Alter und ihr Verhältnis zu den früher auf der Domterrasse gefundenen Mauerresten bestimmen zu können, mußte man jedoch, da die Grabungen von oben geführt werden sollten, das Mosaik entfernen, das fast den gesamten Achskapellenboden bedeckte [451].

Mit der Leitung des Grabungsunternehmens war Otto Doppelfeld, damals Kustos am Römisch-Germanischen Museum der Stadt Köln, beauftragt worden. Er führte auch das Grabungstagebuch. Durch seine Aufzeichnungen sind wir in der Lage, den Fortgang der Grabungen in der Achskapelle zu verfolgen. Unter dem 14. Juni 1947 lesen wir im Grabungstagebuch [452]: „Der geplante Schacht in ganzer Ausdehnung der Achskapelle (256) kommt zur Ausführung. Heute das Mosaik an der SO-Seite freigelegt und untersucht. Herr Bonato (Mosaikleger) bestimmt darauf, daß das große runde Mittelmedaillon zuerst freigehauen und entfernt wird. Morgen steht zu diesem Zweck eine der Siegburger Kolonnen (12 Mann) bis auf weiteres zur Verfügung. Die Schmiede sollen das Gitter entfernen."

Unter dem 15. Juli 1947: „Die Gefangenen arbeiten heute nicht auf der Grabung. Die Museumsarbeiter beginnen mit der Hebung des Mosaiks in der Achskapelle und zwar, wie Herr Bonato jetzt doch vorzieht, von den Rändern her beginnend." (Hier waren die rahmenden Steinplatten relativ leicht zu entfernen, so daß man auch unter die Grundierung des Mosaiks gelangen konnte, ohne es direkt anzugreifen.) Da das Mosaik insgesamt zu groß und zu schwer war, um abtransportiert werden zu können, mußte man es segmentieren. Dieses Vorgehen kam bei der festen Zementbettung der Mosaiksteinchen einer Teilzerstörung gleich.

Es folgt in den Aufzeichnungen Doppelfelds unter dem 16. Juli 1947: „Die beiden Männer schlagen weiter Fugen in das Mosaik der Achskapelle. Morgen sollen nun endlich 12 Gefangene zur Verfügung stehen." – Unter dem 17. Juli 1947 lesen wir: „. . . 3 Museumsarbeiter und 12 Gefangene . . . arbeiten auf dem kleinen Raum der Achskapelle. Bis auf das Mittelmedaillon ist jetzt der ganze Mosaikboden abgetragen, die Stufen vor dem Altare sind entfernt und ein Teil des Mörtel(Beton)Bodens ist abgeschlagen. Das Gitter konnte leider noch nicht entfernt werden."

Man zerlegte also offensichtlich zunächst das Mosaik des Fondmusters um das Mittelmedaillon in mehrere Teile, die relativ klein gewesen sein dürften, da man diese Teile durch das Tor des Gitters, das ja zu dieser Zeit noch stand, zum Chorumgang abtransportieren mußte. Erst für das Medaillon war auch die Beseitigung des Gitters unumgänglich, zumal offenbar zunächst beabsichtigt war, das Mittelmedaillon als Ganzes, d.h. unsegmentiert, fortzuschaffen.

Unter dem 18. Juli 1947 berichtet das Grabungstagebuch weiter: „Das Gewimmel in der Achskapelle geht weiter; das Gitter wird entfernt. Vom Mosaik steht nur noch das große Mittelfeld. Der Mosaik-Fachmann Bonato riet, es auch in 4 Stücke zu schneiden. Große Vorkehrungen erscheinen ihm und den Bauleuten in Anbetracht des Mangels an Gips und Holz nicht ratsam, zumal es noch fraglich erscheint, ob man das zwar technisch gute, aber künstlerisch wertlose Mosaik je wieder legen werde. Wir wollen aber versuchen, das ganze Medaillon herunterzuschieben; Brüche sind immerhin leichter

[450] Otto Doppelfeld, Die Domgrabung IV. Der Schacht in der Dreikönigenkapelle, in: Der wiedererstandene Dom (KDBl., 2./3. Folge, 1949), S. 118.

[451] Otto Doppelfeld, Die Ausgrabung des Kölner Doms, in: Der Kölner Dom, Festschrift zur Siebenhundertjahrfeier 1248–1948, hrsg. vom Zentral-Dombau-Verein, Köln 1948, S. 164.

[452] Alle Zitate nach dem handschriftlichen, von Otto Doppelfeld geführten Grabungstagebuch im Grabungsbüro bzw. im DBAK.

Abb. 340 Strafgefangene bei den Grabungsarbeiten in der Achskapelle (1947): im Zentrum das herausgelöste, noch un-
zerstörte Medaillon der Mosaikbeflurung

zu heilen als die mindestens 5 cm breiten Fugen, die durch Auseinanderschlagen entstehen." – Es folgt
unter dem 19. Juli 1947: „. . .Vorbereitung für den Abtransport des Mittelfeldes des Mosaiks dort."
Mit dieser Eintragung verliert sich die Spur des Mosaiks aus der Achskapelle. Weder wissen wir, ob es
gelungen ist, das Mittelmedaillon – ohne Brüche oder ohne es in (vier) Teile zu zerschlagen – abzu-
transportieren, noch wurde überliefert, wohin man das Mosaik brachte. Dies erscheint um so bedauer-
licher, als man doch, trotz der geringen Meinung von seinem künstlerischen Wert, zumindest das Mittelmedaillon weitgehend zu erhalten trachtete.
Später schloß man den großen Grabungsschacht in der ganzen Ausdehnung der Kapelle durch eine Betondecke mit Stahlträgern, um darunter den durch die Grabung erschlossenen Raum offenzuhalten. In diesem Zustand blieb die rohe Betondecke – ohne die Mosaikverkleidung – die folgenden dreißig Jahre.
Anfang 1977 wurde diese Betondecke abgetragen, da ihre minderwertigen Stahlträger durchrosteten, und
durch eine neue ersetzt [453]). Anstelle des „verschollenen" Mosaikfußbodens wurden nun in der Achskapelle keramische Fliesen verlegt, die aus der ehem. Dominikanerkirche St. Joseph in Düsseldorf (Herzog-
straße 17) kurz vor deren Abbruch im Januar 1974 gerettet worden waren [454]). Die Platten stammen ebenfalls aus der Fabrik von Villeroy & Boch in Mettlach. Das ursprüngliche Verlegemuster wurde genau über-

[453]) Arnold Wolff, 19. Dombaubericht von September 1976 bis September 1977, in: KDBl., 42. Folge, 1977, S. 126.
[454]) Ebd., S. 128.

Abb. 341   Grabungen in der Achskapelle 1947: Die Mosaikbeflurung ist einschließlich des zentralen Medaillons gänzlich abgeräumt worden.

nommen. Nur in den Randstreifen mußte einiges geändert werden. In der Mitte der Kapelle wurde eine Inschriftenplatte aus rotem Marmor eingelassen, die sowohl an den Dreikönigenschrein erinnert, der hier von 1322 bis 1846 gestanden hat, als auch an die 1642 gestorbene Königin von Frankreich, Maria von Medici, deren Herz kurze Zeit hier beigesetzt war. Eine weitere Inschrift erinnert an die Herkunft der Keramikplatten [455].

„Der Fußboden der Achskapelle wurde nicht, wie bei den übrigen Kapellen, eine Stufe höher gelegt als der Umgang, sondern auf dessen Niveau belassen. Dies war ursprünglich in allen Kapellen der Fall, ehe im 15. oder 16. Jahrhundert im Zusammenhang mit der Errichtung der Steinschranken und der Eisengitter die umlaufende Wandstufe beseitigt und der Boden höher gelegt wurde [456]. Da in der Achskapelle alle Spuren früherer Böden verlorengegangen waren, wurde der Erstzustand rekonstruiert, einschließlich der umlaufenden Stufe. Sie wurde aus abgebauten Quadern von Stenzelberger Trachyt aus den oberen Teilen der Nordfassade gefertigt. Die Achskapelle ist somit die einzige, die stufenlos in den Chorumgang übergeht.

Der Übergang vom Umgangsboden mit seinen Einfassungen aus Solnhofener Platten wurde durch ein Band aus rotem Marmor (Rosso Porfirico) erreicht, das die Linie der Stufen vor den benachbarten Kapellen aufnimmt. Aus dem gleichen Material wurde ein zweistufiges Podest vor dem Altar ausgeführt.

An den beiden Wandepitaphien für die fünf Erzbischöfe aus dem Hause Wittelsbach bestand die jeweils unterste Lage aus verschiedenartigen, mehrfach reparierten und teils stark beschädigten Natursteinen. Sie wurden entfernt und durch einen 2 cm vorspringenden Sockel aus schwarzem Marmor ersetzt." [457]

---

[455] Ebd., S. 129 (mit Wortlaut der Inschrift). – Vgl. auch Arnold Wolff, 20. Dombaubericht von September 1977 bis September 1978, in: KDBl., 43. Folge, 1978, S. 94-96.

[456] Arnold Wolff, 19. Dombaubericht von September 1976 bis September 1977, in: KDBl., 42. Folge, 1977, S. 129.

Abb. 342   Die neue Beflurung der Achskapelle (Detail) durch Fliesen aus der 1974 abgebrochenen Dominikanerkirche St. Joseph in Düsseldorf. In der Mitte der Gedenkstein

Außer der Neubeplattung dieses Fußbodens umfaßten die Wiederherstellungsarbeiten in der Achskapelle 1977/78 die Restaurierung der beiden barocken Wandepitaphien sowie die Konservierung der Malereien an den Wänden und an (der Vorderseite) der Altarmensa. Darüber hinaus wurde der neugotische Altaraufsatz mit den von Alexander Schnütgen gestifteten Büsten und Figuren in der Anordnung Wilhelm Mengelbergs wiederhergestellt. Auch die im Krieg stark beschädigte Tür des Wandschranks, 1907 in der Werkstatt Wilhelm Mengelbergs entstanden, konnte 1979 restauriert werden. Schließlich ergänzte eine Vergitterung nach dem Vorbild der übrigen Kapellen 1980 die Wiederherstellungsarbeiten in der Achskapelle des Domes [458].

[457]) Ebd., S. 129. – Vgl. ebd. auch zu den Fliesen aus der ehem. Domenikanerkirche St. Joseph in Düsseldorf.
[458]) Arnold Wolff, 22. Dombaubericht von September 1979 bis September 1981, in: KDBl., 46. Folge, 1981, S. 106.

Abb. 343 Bruchstück vom Mosaik des Hauptfeldes L im südlichen Chorumgang. Distel aus den Eckquadraten des Mosaikfeldes (vgl. Abb. 283)

Die Mosaikfunde von 1982

Als man im Februar 1982 nördlich der Emunduskapelle (Feld 17/21) eine Nachgrabung vornahm, von der man sich eine Klärung der Fragen erhoffte, welche die erste Freilegung 1946 unbeantwortet gelassen hatte, machte man eine überraschende Entdeckung. Als nämlich der Grabungsschutt wieder entfernt werden sollte, stieß man auf zahlreiche Brocken mit Mosaiksteinchen samt ihrer Betongrundierung. Leicht ließ sich erkennen, daß es sich bei diesen Stücken um Fragmente der ursprünglichen Fußbodenmosaiken aus Feld 55/L und 70 (Achskapelle) handelt.

Nach der geringen Größe der meisten Teile (maximal etwa 6 x 30 x 30 cm) und nach Motivfragmenten zu schließen, wurde nicht nur das Fondmuster, also der umfangreichste Teil des Fußbodenmosaiks in der Achskapelle, sondern auch das sorgsam herauspräparierte Mittelmedaillon in handliche Brocken zerschlagen. Während jedoch das Fond-Mosaik (teilweise) schon zu Beginn der dortigen Grabungsvorbereitungen im Juli 1947 abgeräumt (d.h. zerstört) wurde, dürfte das Medaillon wohl zu einem späteren Zeitpunkt bewußt zerschlagen worden sein.

Möglicherweise entschloß man sich um so leichter auch dieses Feld zu zerstören, als knapp zwei Monate später zum „Mosaik-Schutt" des Fondmusters noch die Mosaikbrocken aus Feld 55 hinzukamen. Um nämlich auch hier Grabungen durchführen zu können, wurde das durch den Sturz des Gewölbes beschädigte Mosaik gänzlich abgetragen und zudem in handliche Brocken zerkleinert [459]).

---

[459]) Arnold Wolff, 23. Dombaubericht von September 1981 bis September 1982, in: KDBl., 47. Folge, 1982, S. 107 f.

Abb. 344 Die in der „Bibliothek" des Nordturms geborgenen Fragmente der Mosaikbeflurung aus der Achskapelle und des Hauptfeldes L. Photo 1982

Abb. 345 Bruchstück mit Fondmuster der Mosaikbeflurung aus der Achskapelle (vgl. Abb. 172 u. 177)

Abb. 346 Bruchstück mit Teilen einer Wappen-Standarte der Hl. Drei Könige (vgl. Abb. 173 u. 176)

Alle 1982 wiederaufgefundenen Mosaikfragmente wurden sorgfältig zusammengetragen und im nördlichen Turm sichergestellt. Die Fragmente bieten eine gute Gelegenheit, Feinstruktur und Technik des
Dommosaiks einschließlich seiner Grundierung zu studieren. Teilweise ist das Mosaik – wie an den
glatten, zementverschmierten Seitenflächen zu erkennen – entsprechend seinen Montagenähten
gebrochen. An den Bruchstellen sind Abfolge und Stärke der einzelnen Schichtungen zu erkennen. Bei
Feinstrukturen, etwa Gesichtern, Inschriften und beim Pferd-Fragment von einem der Wappenschilde,
wird die durchschnittliche Steinchengröße von ca. 1,2 cm auf weniger als 0,5 cm Seitenlänge reduziert.
Wie weit die Fragmente vollständig sind und es möglich sein dürfte, dieses Mosaikpuzzle wieder
zusammenzusetzen, läßt sich z.Z. noch nicht verläßlich feststellen; über eine mögliche Wiederverwendung wurde bisher nicht entschieden. Sie dürfte indes nicht ganz unproblematisch werden, da inzwischen ja bereits beide Felder eine neue Beflurung erhalten haben.

Allgemeine Schäden und Verschleiß

Weniger spektakulär als die beiden Flächenzerstörungen in der Achskapelle und im Chorumgang,
doch langfristig nicht weniger bedrohlich für die Substanz des Dommosaiks, sind die zahlreichen z. T.
gut sichtbaren Risse in fast allen Bereichen des Mosaiks. Zum weitaus überwiegenden Teil dürften sie
auf die vielfachen starken Erschütterungen zurückzuführen sein, die dem Dom durch Sprengbomben
und Granaten, aber sicher auch – nach Kriegsende – durch die Sprengungen der Rheinbrücken-Trüm-
mer zugefügt wurden. Auf diese Erschütterungsrisse in den Mosaiksteinen und ihre äußerst harten und
soliden, bis zu 17 cm dicken Betongrundierung, die in vielen Fällen durch spätere Materialsetzungen
noch vergrößert worden sein dürften, sind wohl die meisten der heutigen Schäden am Mosaik zurückzuführen. Dort, wo diese Risse nämlich der Dauerbelastung durch das Schuhwerk der jährlich Millionen von Besuchern ausgesetzt sind, verbinden sich beide Faktoren, historische Schäden und mechani-
scher Verschleiß in besonders zerstörungswirksamer Weise.
Spezielle Formen der Schuhmode sollten diese Wirkung sogar noch verstärken: „Essenweins Mosaikboden im Chorumgang weist mit der Zeit immer größere Schäden auf. Durch Kriegseinwirkungen sind
an vielen Stellen einzelne Steine gerissen. Die intensive Bearbeitung mit Pfennigsabsätzen zermürbt
sie allmählich, und die benachbarten Steinchen werden in die entstehende Höhlung hineingetreten.
Die Erhaltung des Bodens, der zu den besten Erzeugnissen des 19. Jahrhunderts gehört, ist nur möglich, wenn die Oberfläche absolut fugenlos ist. Wir haben deshalb angefangen, den Boden durch die
Firma W. Derix in Kaiserswerth instandsetzen zu lassen. Die Arbeiten wurden im September 1967 begonnen und in der Zeit des geringsten Fremdenverkehrs fortgesetzt. Sie sind noch nicht abgeschlossen. Der Zentral-Dombauverein stellte hierfür Sondermittel zur Verfügung." [460]
Wie weit wirklich die kurzlebige Mode der Pfennigabsätze die Zerstörung der Fußbodenmosaiken im
Chorumgang beschleunigt hat, wird sich wohl kaum präzisieren lassen. Tatsache ist indessen, daß an
zahlreichen Stellen verminderter Belastbarkeit, also z. B. an Verlegenähten und Rändern, zuseiten von
Brüchen und Rissen, aber auch in der Umgebung älterer und neuerer Flickstellen Steinchen abbrechen
oder sich in ihrer Zementbettung lockern, bevor sie schließlich herausfallen. Dadurch sind wiederum
die angrenzenden Mosaiksteinchen gefährdet, und es ist abzusehen, daß auch sie sich bei der starken
Strapazierung der Chorumgangsbeflurung in kürzester Zeit lösen werden.
Über diese allgemeine Gefährdung lassen die wenigen Stellen des Mosaiks im südwestlichen Chorumgang, an denen man vom Grundsatz ausschließlicher Verwendung der bewährten Mettlacher Stiftmo-

---

[460]) Willy Weyres, Die Wiederherstellungsarbeiten am Dom in den Jahren 1967–1969 (Herbst), in: KDBl., 30. Folge, 1969, S. 117.

Abb. 347 Schäden am Mosaik

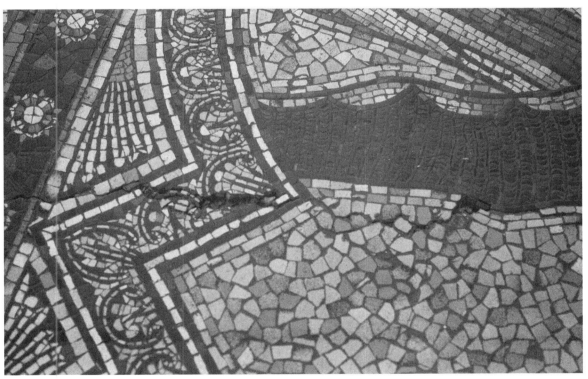

Abb. 348 Schäden am Mosaikfeld VIRILITAS bedingt durch Riß in der Beton-Grundierung. Photo 1990

saiken abwich [461]), teilweise Anzeichen geringerer Widerstandsfähigkeit und Farbbeständigkeit erkennen. Wegen der bereits fortgeschrittenen Zerstörung der Beflurungsdetails sollen ihre Besonderheiten und Schäden hier ausführlicher dargestellt werden: Drei „Sonderflächen" sind zu unterscheiden. (Das bedeckte Vierungsfeld und das zerstörte Mosaik in der Achskapelle erlauben keine Angaben über etwaige Entsprechungen auch hier.)

1) Das von zwei knienden Assistenzfiguren getragene Modell der vollendeten Westfassade des Domes, über den ein Ritter schützend den Schild hält, täuscht offensichtlich eine in den Boden eingelassene gravierte Messingplatte vor. Tatsächlich jedoch besteht es aus einer aus drei gleich großen Teilen zusammengesetzten (die Türme vom dritten Obergeschoß ab separat) beigefarbenen Steinzeugplatten, deren Oberfläche (heute) eine Art Schrumpfungskrakelee aufweist. Die sehr feinen strukturierenden „Gravierungen" der Binnenzeichnungen wurden mit schwarzen und weißen Pasten ausgefüllt, die sich weitgehend erhalten haben. Im Portalbereich ist zusätzlich eine weißliche Übertönung erkennbar, die nach oben unregelmäßig ausläuft (bzw. abgetreten ist). Ihr entspricht in den Turmspitzen eine bräunliche Übertönung. Insgesamt ist der Erhaltungszustand dieses Details erstaunlich gut.

2) Der Wappenschild Paulus Melchers ebendort zeigt in seinem oberen Drittel eine aus drei gleichgroßen quadratischen Keramikplatten zusammengesetzte Darstellung der Anbetung des Kindes durch die Heiligen Drei Könige. Die Technik ist eine ähnliche wie beim zuvor beschriebenen Dommodell, nur weniger subtil, so daß sie fast an einen Linolschnitt erinnert. Die heute dunklen eingetieften Linien heben sich deutlich von den beigefarbenen glatten Keramikplatten ab. Eine Füllung durch Pasten (falls sie je existierte) ist heute nicht mehr nachweisbar. Der Erhaltungszustand ist ein ausgezeichneter.

Das gleiche läßt sich leider nicht von dem kleinen Wappen im unteren Drittel des Melchers-Schildes sagen. Oben erkennt man hier noch drei beigefarbene Kronen vor dunkelrotem Hintergrund. Dieser Teil des Wappens war wohl aus einem Stück gefertigt, in dem rillenförmig Kerbungen mosaikartig die Binnenstruktur der Kronen andeuteten. Die beiden Farben wurden hier jedoch offensichtlich nicht durchgehend in der Masse angelegt, sondern nur in einer Deckschicht. Diese Farbschicht ist heute im roten Bereich weitgehend zerstört, das Beige der Kronen teilweise bereits abgetreten. Demgegenüber ist der darunter anschließende Teil des kleinen Wappens wiederum ausgezeichnet erhalten: elf gravierte Lilien auf beigefarbenem glatten Keramikgrund.

3) Der Wappenschild Philipp Krementz' ebendort zeigt im unteren rechten Viertel das Lamm mit der geschulterten Kreuzfahne. Diese Sonderfläche ist dagegen in sehr schlechtem Zustand: Der hellblaue Hintergrund ist weitgehend zerstört. Seine wohl ursprünglich mosaikartige Strukturierung (durch Rillen?) ist heute nur noch aus den unregelmäßigen hellblauen Farbinseln rekonstruierbar (am linken und oberen Rand restauriert). Die weißgraue Tönung des Lamms ist teilweise bereits abgetreten. Sein beigefarbener (Kreuz-?)Nimbus ist heute zu 3/4 zerstört. Der Stab seiner Kreuzfahne war ursprünglich ebenfalls beigefarben, ist heute jedoch nur noch in Resten andeutungsweise zu erkennen. Ähnliches gilt für die zu 2/3 zerstörte Kreuzfahne selbst. Sie zeigte ursprünglich auf weißem Hintergrund ein rotbraunes Kreuz.

Generell läßt sich von diesen Sonderflächen sagen, daß in ihrer subtilen handwerklichen Anlage (man vergleiche z. B. nur die in Stiftmosaiktechnik hergestellten Hände/Finger der Assistenzfiguren aus dem feinstrukturierten Dommodell) ganz besonders das auch bei vielen Details der Mosaikfelder erkennbare Bestreben deutlich wird, das Äußerste des technisch Möglichen zu leisten, gleichsam alle Register zu ziehen. Diese Absicht, deren Wirkung man in der Vielfalt der Materialkontraste nicht anders als raffiniert bezeichen kann, stößt jedoch da an ihre Grenzen, wo die Subtilität der Details der Notwendigkeit extremer Strapazierbarkeit nicht mehr entspricht. Erscheinen diese Sonderflächen teilweise wie inselhafte Rudimente des 1. Essenweinschen Generalentwurfs, so bestätigt ihr sehr unterschiedlicher Erhaltungszustand die Richtigkeit der Entscheidung für Mettlacher Stiftmosaiken.

---

[461]) Vgl. Kapitel „Sonstige Materialien", bes. S. 303 f.

Chronik der Reparaturen

Seit 1967 (s. o.) wurden (mit Unterbrechungen bis heute) abschnittsweise Schadstellen im Mosaik restauriert. Die Summe der entsprechenden Passagen aus den Berichten des Dombaumeisters ist denn auch zugleich Zustandsbericht und Chronik der Reparaturen der Dommosaiken in den letzten fünfzehn Jahren:

1971–1973: „Im Chorumgang wurden durch die Firma W. Derix, Kaiserswerth, die Fußbodenfelder 54 und 55 durchrepariert. Besonders das erst 1959/60 nach den Essenweinschen Originalkartons neugeschaffene Feld 55 (neben dem Saarwerden-Grabmal) mußte an vielen Stellen ergänzt und mit einer Kunststoffmasse hintergossen werden. Die Kosten trug der Zentral-Domverein." [462])

1973–1974: „Nach wie vor gibt es viel Arbeit am Fußbodenbelag des Domes. Herr Wirbal von der Firma Derix, Kaiserswerth, reparierte im Oktober 1973 mit einigen Helfern das Mosaikfeld 50 und im Januar 1974 das Mosaikfeld 46 im Chorumgang. Letzteres zeigt den Erzbischof Hildebold mit dem Alten Dom. Es hatte besonders viele Schadenstellen, die jedoch glücklicherweise nicht die Figuren berührten. Nur der Name „Hildebold" war völlig zerstört. Für die Mosaizisten wurde eine Rekonstruktionszeichnung im Maßstab 1:1 angefertigt, die es erlaubte, die Inschrift genau im Duktus der übrigen Texte zu erneuern.

Die Steinmetzen der Dombauhütte ersetzten im Februar 1974 die alten Sandsteinplatten der Felder 39 und 40 (unter der Orgelempore) durch einen dauerhaften Belag aus grauem KG-Granit. Die roten Granitplatten der Randstreifen wurden wiederverwendet. Bei der Gelegenheit wurden auch die das Feld 40 diagonal durchlaufende Wasserleitung und das Auslaufventil am Pfeiler D 10 erneuert.

Im März wurde das Feld 71 zwischen den Türmen in gleicher Weise mit einem neuen Granit-Belag versehen. In den beiden Türdurchgängen des mittleren Westportals wurden die stark ausgetretenen Schwellen aus Mayener Basaltlava ausgebrochen und durch große, einteilige Platten aus dem gleichen Material ersetzt. Ebenso wurden die beiden folgenden Plattenreihen erneuert." [463])

1974–1975: „Der Mosaikfußboden des Chorumganges ist auf den jeweiligen Pfeilerachsen durch breite Streifen unterteilt, die ihrerseits wieder aus je einem kleinen Mosaik-Medaillon und zwei Marmor-Schmuckfeldern bestehen, eingebettet in Bänder aus Solnhofener Juraplatten. Diese etwa 1,50 x 1,50 m großen Marmorquadrate hatten im Laufe der Zeit schwer gelitten. Viele Plättchen waren zerbrochen, stark abgelaufen, durch Lochfraß infolge zu scharfer Pflegemittel angegriffen oder im Unterboden, einem weichen Anhydrit-Mörtelbett, versunken. Durch viele Reparaturen hatte das einst klar ablesbare, reizvolle Bild sehr gelitten; die unangenehme Unfallquelle war aber nicht befriedigend beseitigt worden.

Die Felder der Südseite hatte Dombaumeister Weyres bereits 1961 erneuern lassen [464]). Für die acht Felder der Nordseite wurden zusammen mit Herrn Höle von der Fa. Engelbert Müller in Vilmar die Marmorsorten sorgfältig ausgewählt, um das ursprüngliche, ganz auf die Bildmosaiken abgestimmte Kolorit möglichst genau wiederzugewinnen. Die Marmorfelder wurden sodann von der o. g. Firma zugeschnitten, auf etwa 50 x 50 cm große Platten vormontiert und fein geschliffen. Die Steinmetzen der Hütte verlegten diese Felder in den Monaten April und Mai 1975 und erneuerten bei der Gelegenheit auch etwa die Hälfte der

[462]) Arnold Wolff, 15. Dombaubericht von Herbst 1971 bis Ende September 1973, in: KDBl., 36./37. Folge 1973, S. 49.

[463]) Arnold Wolff, 16. Dombaubericht von September 1973 bis September 1974, in: KDBl., 38./39. Folge, 1974, S. 80.

[464]) Vgl. Willy Weyres, Die Wiederherstellungsarbeiten am Dom im Jahre 1961, in: KDBl., 20. Folge, 1962, S. 170.

30 cm breiten Bänder aus Solnhofener Material. Die freiliegenden Kanten der Mosaikflächen faßten sie mit kräftigen Winkelprofilen aus Messing ein." [465]

1975–1976: „Im September und Oktober 1975 hat der Mosaizist Wirbal von der Firma Derix, Kaiserswerth, mit drei Mitarbeitern wieder Restaurierungsarbeiten am Mosaik des Chorumganges ausgeführt. Auf der Nordseite wurden die Medaillons und die Zwickeln in den Bändern zwischen den großen Feldern auf den Achsen D/E 12, 13, 14 und 15 durchrepariert ... Hier waren leider besonders große Fehlstellen. Besser erhalten war das Feld 51 auf der Südseite, das im April und Mai gründlich überholt wurde. Nun fehlt nur noch das Endfeld 47 auf der Südseite, das im nächsten Jahr restauriert werden soll." [466]

1976–1977: „Vom 18. Januar bis zum 13. März 1977 wurde durch Herrn Wirbal von der Fa. Derix, Kaiserswerth, das letzte Mosaikbild im Chorumgang ..., der Ritter, der seinen Schild über den Dom hält, repariert. Damit fanden die jahrelangen Bemühungen um die Erhaltung dieses monumentalen Werkes ihren vorläufigen Abschluß. Die weniger oft begangenen Flächen im Binnenchor sind noch gut erhalten. Es bleibt zu hoffen, daß nicht durch törichte Schuhmoden neue Gefahren für den kostbaren, in dieser Form einmaligen Mosaikfußboden entstehen. Mit normalen Schuhen kann nämlich das sehr solide keramische Material auch nach längerer Benutzung kaum ernstlich beschädigt werden." [467]

1977–1978: „Gegenüber dem Fußboden des Chorumganges, der in den vergangenen Jahren Feld für Feld sorgfältig durchrepariert wurde, sind die Bildmosaiken im Binnenchor relativ gut erhalten. Doch auch hier machten sich Schäden, vor allem solche aus der Kriegszeit bemerkbar, die eine Konservierungsmaßnahme nahelegten.

Ein wesentlicher Unterschied zum Umgang besteht darin, daß der Chorboden weniger begangen und folglich auch weniger geputzt wurde. So war hier die Verschmutzung sehr viel stärker. Um bei den Reparaturen nun nicht in den Farbton der verschmutzten Steine zu verfallen, mußten die vorgesehenen Flächen zuvor gründlich gereinigt werden. Herr Wirbal von der Fa. Derix in Kaiserwerth entfernte dann in bewährter Weise zerstörte Steinchen und ersetzte sie durch keramisches Material gleicher Beschaffenheit.

Im Felde des Paradiesflusses Phison war im Kriege ein größerer Schaden entstanden, der später in zwar bemühter, doch etwas einfältiger Weise repariert worden war. Glücklicherweise ist der Original-Karton von Geiges noch vorhanden, auf dem jedes einzelne Steinchen genauestens mit Farbangabe eingetragen ist. Herr Wirbal legte die etwa 15 x 20 cm große Fläche völlig frei und setzte sie exakt nach Plan neu. Wegen der ingesamt geringeren Schäden konnte in der Zeit vom 28. Februar bis Mitte Mai die gesamte Altarpodestfläche östlich der schwarzen Stufen (Feld 92) restauriert werden." [468]

1978–1979: „Der Mosaizist Wirbal von der Fa. Derix begann am 17. 4. 1979 mit der Restaurierung des Mosaikfußbodens im Hochchor, Feld 91. Er ergänzte fehlende und zermürbte Steinchen in den Feldern der Kirchen von Köln und Jerusalem. Im Mai mußten die Arbeiten unterbrochen werden, wurden aber im August/September mit der Kirche von Estergom fortgesetzt. Die Frauengestalt, die das Modell der Hauptkirche Ungarns hält, erhielt eine neue Hand, die Wirbal mit Hilfe des noch vorhandenen Kartons genau nach dem Originalentwurf von Fritz Geiges ausführte." [469]

1979–1981: „Wie in allen Jahren zuvor wurde auch im Berichtszeitraum die Konservierung des Mosaikfußbodens im Chor weitergeführt. Die für 1980 und 1981 vorgesehenen Kampagnen wur-

[465] Arnold Wolff, 17. Dombaubericht von September 1974 bis September 1975, in: KDBl., 40. Folge, 1975, S. 63 f.
[466] Arnold Wolff, 18. Dombaubericht von September 1975 bis September 1976, in: KDBl., 41. Folge, 1976, S. 156 f.
[467] Arnold Wolff, 19. Dombaubericht von September 1976 bis September 1977, in: KDBl., 42. Folge, 1977, S. 135.
[468] Arnold Wolff, 20. Dombaubericht von September 1977 bis September 1978, in: KDBl., 43. Folge, 1978, S. 97.
[469] Arnold Wolff, 21. Dombaubericht von September 1978 bis September 1979, in: KDBl., 44./45. Folge, 1979/80, S. 393.

Abb. 349   Streiflicht läßt Brüche des Mosaiks und ihre mehr oder weniger gelungenen Reparaturen deutlich hervortreten.

Abb. 350/351   Unbefriedigende Restaurierung schadhafter Verlege-Nähte

348

Abb. 352 a-f   Das Dommosaik bedarf der ständigen Wartung und Pflege, damit Schäden und Fehlstellen möglichst schon im Frühstadium behoben werden können: Manfred Wirbal restauriert das Mosaik „Kathedrale von Reims". Photo 1981

den im Dezember 1980 angefangen, so daß sie zu einer einzigen zusammengefaßt werden konnten, was gewisse Vorteile mit sich brachte. Wieder war Herr Wirbal von der Fa. Derix in Kaiserswerth der Ausführende. Repariert und gesichert wurden die Bilder im Gewölbefeld 91, und zwar die Darstellungen Nr. 31 (Der König und die sieben Freien Künste), 34 (Tiber), 35 (Rhein), 36 (Seine), 37 (Donau), 38 (Byzanz), 39. (St. Peter in Rom), 42 (Santiago de Compostela) und 43 (Kathedrale von Reims). Anfang März 1981 waren die vorgesehenen Mittel verbraucht, so daß die Arbeit vorerst eingestellt werden mußte." [470])

Auch nach diesen, seit Jahren immer wieder aufgegriffenen Restaurierungsarbeiten am Dommosaik gibt es heute immer noch zahlreiche nur provisorisch ausgefüllte und durch die starke Strapazierung vor allem im Chorumgang erneut ausbesserungsbedürftige Stellen. – Allgemein sind die jüngeren Ausbesserungen durch ihre mehr oder weniger geglückte Angleichung der Steinformen, die schärfere Konturierung der einzelnen Mosaiksteinchen und vor allem durch ihre in der Regel intensivere Färbung meist leicht zu erkennen. Diese Charakteristika unterscheiden die in schwieriger und langwieriger Arbeit mühsam restaurierten Stellen – bei näherem Hinsehen – auch deutlich von den alten Füllungen der Verlegenähte, die auf ähnliche Weise an Ort und Stelle im Dom hergestellt wurden.

Eine Behandlung der Verschleißschäden, als der neben den Schäden durch Krieg und Ausgrabungseifer dritten zerstörungswirksamen Komponente, muß auch die Veränderungen der Oberflächenstruktur berücksichtigen. Durch die Schmirgelwirkung feiner Sandkörner und Schmutzpartikel unter den Sohlen der Millionen von Dombesuchern kommt es mit der Zeit nämlich unausbleiblich zu Abnutzungserscheinungen. Im Gegensatz jedoch zu den Zwischenfeldern mit Marmorintarsien, für die Essenweins Bemerkung „Ein stark benützter Fußboden ist einmal nicht von ewiger Dauer . . . Aber man restauriert eben immer, wo es zu arg wird." [471]) zutrifft, und für die Sandsteinplatten des 19. Jahrhunderts im Lang- und Querschiff, die nach hundert Jahren z. T. erheblich abgetreten waren und durch Reinersreuther Granitplatten ersetzt wurden, fallen die Verschleißerscheinungen bei den Mettlacher Stiftmosaiken noch kaum ins Auge. Die Ursachen dafür liegen in der großen Härte der Mosaiksteinchen und darin, daß diese durchgehend in der Masse gefärbt sind.

Um einer schleichenden Zerstörung vorzubeugen, bedarf das Dommosaik der ständigen Wartung und Pflege, denn nur so lassen sich Schäden und Fehlstellen möglichst schon im Frühstadium beheben [471a]).

[470]) Arnold Wolff, 22. Dombaubericht von September 1979 bis September 1981, in: KDBl., 46. Folge, 1981, S. 106.

[471]) DBAK, Lit. X g I/66 (von Essenwein bezogen auf Fußböden, die er sich „jüngst in Italien... wieder angesehen" hatte).

[471a]) Vgl. damit erst jüngst wieder: Arnold Wolff, 31. Dombaubericht von Oktober 1989 bis September 1990, in: KDBl., 55. Folge, 1990, S. 54 f.

Mosaik und Öffentlichkeit

Zwar ist die ungewöhnliche Strapazierbarkeit der Mettlacher Stiftmosaiken ein werbender Topos seit ihrer Erfindung und als Argument auch für ihre Verwendung zur Beflurung des Domes von zentraler Bedeutung gewesen; das heutige Ausmaß ihrer Belastung dürfte jedoch kaum vorausgesehen worden sein. Ist aber die Dauerbelastung des Dommosaiks durch die jährlich Millionen und Abermillionen Füße der Besucher des Chores erst einmal in ihrer langfristig zerstörerischen Konsequenz erkannt, dann liegt es nahe, sich Gedanken über den Schutz der Mosaiken zu machen – oder zu resignieren.

Möglich wäre und erwogen wurde ihr indirekter Schutz durch eine weitgehende Ausgrenzung der Öffentlichkeit, wie dies heute im inneren Chor und in den Kapellen der Fall ist. Der Bereich des Chormosaiks wäre dann also nur zu bestimmten Gelegenheiten oder für begrenzte Gruppen, z. B. bei Messen und Führungen, zugänglich.

Eine zweite Möglichkeit bestünde darin, vor allem die stark strapazierten Mosaiken des Chorumgangs durch Teppiche oder Läufer abzudecken, um so wenigstens hier den Verschleiß zu reduzieren. Die Konsequenz einer solchen Schutzmaßnahme kann man im inneren Chor studieren, wo schon seit Jahren in weiten Bereichen rote Läufer die Mosaiken dem Blick entziehen. Eine Steigerung bildet gewissermaßen die Abdeckung der Vierungsmosaiken durch ein hölzernes Altarpodest. Hier wird vollends das Dilemma deutlich, daß nämlich der Umfang ihres Schutzes, im Extrem also die völlige Abdeckung der Mosaiken, zugleich ihre Wirkung und Funktion tangiert und letztlich ad absurdum führt: Totaler Schutz würde totalen Verzicht auf ihre optische Präsenz und Wirksamkeit bedeuten. Wirksamkeit aber war erklärtermaßen mit der Anlage des Dommosaiks intendiert [472].

Schließlich wäre noch eine Schutzmöglichkeit zu erwähnen, die z. B. beim Schmuckfußboden im Dom von Siena praktiziert wird. Dort ist ein großer Teil der Felder dauerhaft (oder alternierend) mit Holz oder Pappe abgedeckt, andere waren zeitweilig nur auf Stegen zu besichtigen oder sind wie waagerechte Bilder oder Blumenbeete ausgegrenzt bzw. eingezäunt. Ganz abgesehen, daß diese Praxis als Indiz einer fortgeschrittenen Musealisierung des Kirchenraumes gewertet werden muß, erscheint diese Lösung wegen der weniger bildmäßigen, d. h. nicht einansichtigen Mosaikfelder des Chorumgangs und in Anbetracht des gewaltigen Besucherstromes, den ein schmaler Steg wohl kaum fassen würde, nicht übertragbar.

In Anbetracht all dieser Möglichkeiten und ihrer nicht zu übersehenden Nachteile beschränkt man sich im Kölner Dom darauf, die akuten Schäden durch kontinuierliche Reparaturen möglichst schon im

---

[472]) Vgl. Kapitel „Einfühlung und Wirkung", bes. S. 437.

Anfangsstadium zu beheben. – Während für die recht begrenzten Bereiche geringer Belastbarkeit des Materials (s. o.) ihre baldige völlige Zerstörung abzusehen ist, muß man den vergleichsweise sehr langsamen Abrieb der robusten Stiftmosaiken (bis auf weiteres) als unvermeidliches Übel wohl in Kauf nehmen.

Übrigens: kaum vorstellbar, wie der Domfußboden heute aussähe, hätte man sich vor hundert Jahren für Marmorintarsientechnik und nicht für Mettlacher Tonstift-Mosaik entschieden . . .

Das Mosaik als Exponat

Bereits anläßlich der Konkurrenz zur Innenausstattung des Domes hatte man 1873 gefordert, die eingereichten Entwürfe doch im „Museum Wallraf-Richartz" auszustellen, „um auch dem größeren Publikum Gelegenheit zu geben, dieselben zu sehen und zu beurteilen . . ., (da der) Dom gewissermaßen als Gemeingut der Nation zu betrachten ist." [473] Im folgenden Jahr werden die Entwurfszeichnungen tatsächlich in der Öffentlichkeit präsentiert [474]. 1880 wird auch der farbige Beflurungsentwurf von Bogler/Schneider in Köln „im hiesigen Museum zur Schau ausgestellt" [475].

Bereits 1882, im Frühstadium der konkreten Planung also, überträgt Alexander Schnütgen die Forderung nach öffentlicher Diskussion aller die Innenausstattung des Domes betreffenden Projekte auch auf die Entwürfe zur Dombeflurung [476]. Überliefert ist, daß, nachdem bereits 1885 der 1. Generalentwurf im Germanischen Nationalmuseum in Nürnberg gezeigt worden war, im August/September 1888 Essenweins revidierter Entwurf drei Wochen lang in Köln ausgestellt wurde und „daß derselbe gelegentlich der öffentlichen Ausstellung im Museum eine günstige Beurteilung in den öffentlichen Blättern wie beim Publikum gefunden" hat [477]. Diese Bemerkung Voigtels in einem Schreiben an von

[473] „KÖLN. Die von dem hiesigen Metropolitan-Domkapitel ausgeschriebene Konkurrenz für Entwürfe zur inneren Ausschmückung des Domes hat ein sehr beschränktes Resultat geliefert. Es haben nur vier Bewerber ihre Arbeiten eingereicht: Der Diözesan-Baumeister v. Statz und der Architekt Franz Schmitz in Köln, Schneider in Aachen und Rincklake in Düsseldorf (Schüler des Ober-Baurathes und Dom-Baumeisters in Wien). Die Erwartung, daß die Entwürfe im Museum Wallraf-Richartz würden ausgestellt werden, um auch dem größeren Publikum Gelegenheit zu geben, dieselben zu sehen und zu beurtheilen – was unseres Bedünkens um so angemessener gewesen wäre, als der aus Beisteuern der ganzen Nation seiner Vollendung entgegengeführte Dom gewissermaßen als Gemeingut der Nation zu betrachten ist –, diese berechtigte Erwartung ist unerfüllt geblieben. Das Domkapitel hat beliebt, die Entwürfe im erzbischöflichen Museum auszustellen, wo sie unter sorgfältiger Obhut gehalten und nur einem sehr beschränkten Kreise sichtbar sein werden." (in: Dioskuren, 18. Jg., 1873, S. 79).

[474] „KÖLN. In unserem städtischen Museum sind die Pläne ausgestellt, welche in Folge einer vom Domkapitel angeordneten Preisbewerbung von vier sehr tüchtigen Meistern des gothischen Baustyls entworfen sind ..." (in: Dioskuren, 19. Jg., 1884, S. 147)

[475] A.(ugust) R.(eichensberger), Die Ausstattung des Kölner Domes betreffend; nicht näher identifizierter, „Köln. Volkszeitung 1880" bez. Zeitungsausschnitt in der Ausschnittsammlung der Kölner Stadt- und Universitätsbibliothek. – Vgl. auch S. 44.

[476] Vgl. „Der Bodenbelag des Kölner Domes", unbez. Leserbrief („Man schreibt uns...") in: Kölnische Zeitung, Nr. 261, 2. Blatt, vom 18. IX. 1882 (DBAK, Lit. X f I/24). Voigtel bezeichnet A. Schnütgen als den Autor (ebd., f I/23): „Wir plaidiren bei der Wichtigkeit des Gegenstandes... für Vorlegung des Planes, für Zugänglichmachung desselben, für Befragung der öffentlichen Meinung. Mit einer vollendeten Thatsache überrascht man die Welt nicht in dieser Frage, *der wichtigsten, die in der Dombau-Angelegenheit überhaupt noch zu erledigen ist.* Wir haben ja Ausstellungsräume und wir haben in Deutschland Künstler genug, die sich gern an der Lösung dieser schwierigen, aber gewiß lockenden und dankbaren Aufgabe beteiligen werden." (Hervorhebungen P.S.)

[477] DBAK, Lit. X g I/147. – Vgl. Anonymus, Der Entwurf für den Fußboden des Kölner Domes, in: Kunstchronik, 20. Jg., Nr. 39, vom 16. Juli 1885, Sp. 654. – Im September 1887 stellte man ebd. auch die Konkurrenzentwürfe zu den Bronzetüren für den Kölner Dom aus. – Vgl. u.a. Centralblatt der Bauverwaltung, Bd. VII, vom 3. Dez. 1887, S. 478.

Bardeleben bezieht sich offensichtlich auf eine Ausstellung anläßlich der „8. Wander-Versammlung des Verbandes Deutscher Architekten- und Ingenieur-Vereine" vom 12. bis 16. August 1888 in Köln. Im Juni 1892 erbittet Bingler bei Voigtel die Genehmigung, das gerade in Arbeit befindliche Mosaikfeld A des Chorumgangs (Hildebold) in Mainz ausstellen zu dürfen [478].

Anlaß dazu bot die 39. Generalversammlung der Katholiken Deutschlands in Mainz mit einer „Ausstellung für christliche Kunst", die in den Räumen des ehemaligen kurfürstlichen Schlosses veranstaltet wurde: „. . . Das Lokalkomite . . . (hatte) es sich angelegen sein lassen, eine Ausstellung für christliche Kunst zu veranstalten und war dabei – was besonders hervorzuheben ist – von dem Grundsatz ausgegangen, nur Werke selbständig schaffender Künstler und Kunsthandwerker anzunehmen, unter Ausschluß aller Waaren der Fabrik- und Massenproduktion. Gewiß kann es keinem Zweifel unterliegen, daß dieser auch von der Zeitschrift (für christliche Kunst) stets und wiederholt vertretene Grundsatz des Komites, ein durchaus empfehlenswerther und richtiger ist, dessen Aufstellung um so mehr Anerkennung verdient, je schwieriger es, wie allen Näherstehenden bekannt sein wird, unter allen Umständen ist, ihn zur Geltung zu bringen und mit Fertigkeit und Entschiedenheit durchzuführen." [479] Ganz in diesem Sinne hatte man zur Nobilitierung zeitgenössische Schöpfungen – neben Entwürfen der Beuroner Kunstschule auch Goldschmiedearbeiten, Paramente, Stickereien, Schnitzaltäre und Gemälde – diese „mit werthvollen alten Kunstwerk(en)" und „Kirchengeräthe(n)" zusammen ausgestellt [480].

1896 schickt Voigtel der Mettlacher Fabrik zwei Fotos des Essenweinschen Generalentwurfs, das eine für Bingler persönlich, das andere „fürs Geschäft" [481]. Nach dem Tode Binglers fragt man Anfang 1899 aus Mettlach an, ob die Mosaikfabrik von den derzeit geschenkten Aufnahmen des Dommosaiks bzw. von vergrößerten Ausschnitten daraus für die bevorstehende Weltausstellung in Paris „zum Zwecke der Werbung" Kopien anfertigen dürfe. Versichert wird ausdrücklich, daß man keine Bestellungen nach diesen Aufnahmen annehmen werde [482]. Die Genehmigung aus Köln ist verbunden mit dem nachdrücklichen Hinweis darauf, daß alle Entwürfe „geistiges Eigentum der Künstler" seien und nur sie allein das Recht auf Vervielfältigung besäßen [483].

Auf Anregung des Reichskommissars für die Präsentation des Deutschen Reiches auf der Weltausstellung in Paris soll in einem eigens für eine Leistungsschau (zeitgenössischer) kirchlicher Kunst errichteten Gebäude auch ein geeigneter Platz für einen Fußbodenbelag aus Stiftmosaiken reserviert werden. Prälat Franz Schneider schlägt dafür die Zweitanfertigung eines Motivs aus dem Kölner Dommosaik vor. Man entscheidet sich schließlich gegen die beiden Kopffelder des Chorumgangs für das dortige Scheitelfeld G mit Conrad von Hochstaden [484].

Dieses Mosaikfeld soll „mit entsprechender Feldrahmung wie im Dom" in den Fußboden des „Kapellenraums" eingepaßt werden [485]. Voigtel verbindet seine Zustimmung zu diesen Plänen ausdrücklich mit dem Hinweis, daß Mißbrauch und kommerzielle Verwertung dieser Zweitanfertigung wohl auszu-

---

[478] DBAK, Lit. X g III/96.

[479] Cl. Frhr. v. Heereman, (Nachrichten:) Die XXXIX. Generalversammlung der Katholiken Deutschlands in Mainz, in: Zschr. für christl. Kunst, 5. Jg., Nr. 7, 1892, Sp. 219.

[480] Die Gleichbewertung von Restaurierung und Neubau, Alt und Neu (vgl. u. a. S. 432) besaß also eine gewisse Entsprechung im Ausstellungswesen. Die Geschichte und Motive dieses Ausstellungsprinzips zwischen Konfrontation und Dialog hätte eine gesonderte Untersuchung verdient, zumal ihre Tradition weiter zurückreicht und zugleich bis in die unmittelbare Gegenwart praktiziert wird. – Vgl. u. a. Ekkehard Mai, Expositionen. Geschichte und Kritik des Ausstellungswesens, München/Berlin 1986, S. 25, 46.

[481] DBAK, Lit. X g V/94.

[482] DBAK, Lit. X g VI/(109).

[483] DBAK, Lit. X g VI/(110).

[484] DBAK, Lit. X g VI/(116), (123), (125) f.

[485] DBAK, Lit. X g VI/(125) u. (128). Ersterem Schreiben lag ein Grundriß der deutschen Abteilung bei, aus dem ersichtlich wurde, wo das Mosaik seinen Platz finden sollte. Dieser Plan ist heute jedoch nicht mehr bei den Akten.

Abb. 353   PRESBYTER (Detail) aus der Reihe der Repräsentanten der geistlichen Stände (vgl. Abb. 255)

Abb. 354   Faksimile des PRESBYTER-Mosaiks (Detail) mit den originalen Schleiflackrahmen, Villeroy & Boch, Mettlach

schließen seien; vielmehr werde die Ausstellung des Mosaikfeldes durch „die anerkannt tüchtigen künstlerischen Leistungen der Mettlacher Mosaikfabrik" sicher dazu beitragen, das Ansehen der deutschen Kunst-Industrie im Ausland zu verbessern [486]).

Ganz in diesem Sinne wird im amtlichen „Katalog der Ausstellung des Deutschen Reiches" die Konkurrenzfähigkeit und Autonomie der deutschen (Glas-)Mosaikproduktion besonders herausgestrichen: „Glasmosaik wird jetzt genau in der Art des altrömischen und des venezianischen Mosaiks gefertigt (Berlin, Mettlach), so daß selbst für monumentale Aufgaben großen Umfangs die Hülfe von Venedig entbehrt werden kann. Auch die nöthigen Glasflüsse werden in Deutschland gefertigt." [487])

Die Mosaikfabrik von Villeroy & Boch war übrigens auf der Weltausstellung gleich mit mehreren

---

[486])   DBAK, Lit. X g VI/(118).

[487])   Ausst. Kat. Paris 1900, S. 322. – Vgl. damit auch Kapitel „Das Dommosaik im Kontext der zeitgenössischen Mosaikproduktion", bes. S. 283 ff.

Mosaikfußböden vertreten: „. . . im Prunkraum Emanuel Seidl, im Lichthof der deutschen Kunstgewerbe-Abtheilung und im Kapellenbau (Quinconces) . . ." [488]). „Die schmucke Kapelle, welche die Kirchenkunst birgt", war einer der kleinen Zusatzbauten, die auf dem Place des Invalides hinter den repräsentativen Hauptgebäuden mehrerer Nationen errichtet werden mußten. Villeroy & Boch hatte in dem „deutschen Annexbau" die „Nachbildung eines Plattenbelages (sic!) vom Kölner Dom als Fussbodenbelag geliefert. Ausserdem hatte diese Firma den grössten Teil der Platten zu den Belägen in den deutschen Maschinenabteilungen geliefert." [489]) Schlaglichtartig illustriert diese Konfrontation von „Mittelalter" und Industriezeitalter nicht nur die enorme Anpassungsfähigkeit des Mettlacher Materials, sondern auch den janusköpfigen Charakter der Wilhelminischen Epoche zwischen Restauration und Fortschrittsenthusiasmus.

Das eigens für die werbende Präsentation auf der Pariser Weltausstellung angefertigte Mosaik-Refact sollte nach dem Abbau der Ausstellung nicht verkauft, sondern im Mettlacher Museum seinen Platz finden – oder aber, falls die Dombauverwaltung dies ausdrücklich wünsche, wieder vernichtet werden [490]). Die Tatsache, daß dieses Mosaik heute in Mettlach nicht (mehr) nachweisbar ist, scheint eher für die letztere Möglichkeit zu sprechen. Gleichfalls ungeklärt ist der Verbleib einer bereits 1891 von Bingler dem Dombaumeister als Geschenk der Mosaikfabrik überreichten Zweitanfertigung des Medaillons aus Feld N: „Ich habe mir erlaubt ein zweites Exemplar gleichzeitig für Sie herstellen zu lassen, welches wohl von Interesse für Sie sein dürfte, und welches in Ihrem Bureau eine geeignete Aufstellung finden kann." [491])

Schließlich stellt Geiges in der 1903 vom Badischen Kunstgewerbe-Verein veranstalteten „Glasmalerei-Ausstellung" in Karlsruhe – neben einer größeren Anzahl von Glasfenstern aus seiner Werkstatt und dem Mosaikentwurf „Barbarossas Erwachen" für die Kaiser-Wilhelm-Gedächtniskirche in Berlin – auch seinen Karton zum Kaiser-Feld des Dommosaiks aus [492]).

Noch heute hängt in den Arbeitsräumen der Mettlacher Mosaikfabrik als 46,5 x 45,5 cm großes Mosaik-Bild (nur) das Porträt des PRESBYTERVS aus der Reihe der geistlichen Ständevertreter – in einem schwarzen Schleiflackrahmen.

VORGÄNGER- UND PARALLELPROJEKTE

Die Zeitgenossen, Befürworter wie Gegner der Essenweinschen Restaurierungs- und Ausstattungsprojekte, haben stets einen Zusammenhang gesehen zwischen den Vorgängerprojekten und dem Dommosaik, der über die Person des maßgeblichen Künstlers hinaus auch Stilistisches und Inhaltliches miteinschloß. Vorgängerprojekte und Dommosaik, dort Ausgeführtes und hier Geplantes müssen also stets zusammengesehen werden, will man nicht nur Erscheinungsbild und Zustand, sondern auch Voraussetzungen und Zielvorstellungen des Dommosaiks gerecht werden. Neben den antiken und mittelalterlichen Vorbildern (quasi als Vergangenheit der Vergangenheit) repräsentieren sie nämlich als Gegenwart der Vergangenheit die zeitgenössische Form der Vorbilder, der die Vollendung des Dominneren als Zukunft der Vergangenheit, als Krönung und konkrete Utopie entspricht [493]).

[488]) Ausst.Kat. Paris 1900, S. 331, Kat.Nr. 4025 (vgl. ebd., Kat.Nr. 4054; Glasgemälde von Fritz Geiges).

[489]) Anonymus, Die Thonwaren-Industrie Deutschlands, Oesterreichs und der Schweiz auf der Weltausstellung in Paris 1900 (1. Teil), in: Keramische Monatshefte, Bd. I, 1901, Heft 5, S. 70.

[490]) DBAK, Lit. X g VI/(116).

[491]) DBAK, Lit. X g II/34.

[492]) Meyer, Glasmalerei-Ausstellung, Kat.Nr. 76 (Königs-Mosaik); Geiges ist der auf der Ausstellung am häufigsten vertretene Künstler.

[493]) Vgl. auch Anm. 36. – Vgl. zu den häufig betonten Zusammenhängen zwischen den Vorgänger- und Parallelprojekten und dem Dommosaik z.B.: „Die Darstellungen (des Dommosaiks) bewegen sich in ähnlichen Gedan-

Die Vorgängerprojekte wurden in der Regel als Vorstufen, Vorbilder und Modelle besonders dort verstanden, wo sie über die Gestaltung nur des Fußbodens hinaus auch auf weiterführende Pläne zur Ausstattung und Ausmalung des Domes verwiesen. Charakteristisch ist für diese Zusammenhänge, daß die Impulse, die ursprünglich vom Fortbau des Domes ausgingen, zum Ende des Jahrhunderts hin, als es darum ging, auch das Innere des Domes zu vollenden, gleichsam wieder auf ihn zurückwirken: „Schon vielfach ist darauf hingewiesen worden, wie unser Dombau so zu sagen befruchtend auf die monumentale Kunst einwirkt und wie dies vor Allem in der Stadt Köln sich kund gibt. Fast keine ihrer bedeutenden Kirchen hat sich solcher Einwirkungen entzogen; hier mit mehr, dort mit weniger Geschick und Erfolg wurden und werden dieselben baulich wieder hergestellt und neu geschmückt, grossentheils mittels freiwillig dargebrachter Opfergaben." [494]) Selbst die schon bald versiegenden Aktivitäten lokaler Hilfsvereine zum Fortbau des Domes sollten – als eine historische Ironie – ihre Ursache gerade im Vorbildcharakter dieses Baues haben und wurden damit begründet, daß „das Dombau-Unternehmen den Anstoß zur Restaurierung und Ausschmückung dortiger historischer Bauwerke gab." [495]) – Betrachtet man daraufhin einmal die Baugeschichte Kölner Kirchen, so ergibt sich für die zweite Jahrhunderthälfte, vor allem aber seit Ende der sechziger Jahre des 19. Jahrhunderts, in der Tat eine erstaunliche Fülle umfassender Restaurierungsmaßnahmen, denen ähnliche Unternehmungen in anderen Städten entsprachen. Zusammenhänge mit der allgemeinen konjunkturellen Entwicklung nach 1866 drängen sich auf [496]).

Bereits 1861 hatte Wilhelm Lübke „das Restaurationsfieber" diagnostiziert [497]); 1894 spricht Stephan Beißel sogar von „dem krankhaften Restaurationsfieber unserer Tage". [498])

Schließlich mehrten sich die Stimmen, die sich gegen „ein Übermaß an Wiederherstellung" aussprachen [499]). Etwas von dieser Entwicklung, von der Restaurationseuphorie des letzten Jahrhundertdrittels zu den wachsenden Widerständen einer eher zunehmend erhaltenden als ergänzenden Denkmalpflege um die Jahrhundertwende, spiegeln auch die Häufung der Restaurierungsprojekte Essenweins mit

---

kenkreisen, wie die Dekorationen des Fußbodens zu Groß St. Martin in Köln, welche 1864 entworfen und wie diejenigen des Bodens zu St. Maria im Kapitol, welche 1870 nach Essenweins Entwürfen in Mosaik ausgeführt wurden; es kommen jedoch für die erste Kirche Deutschlands viel weiter gehende, ihrer hohen Bedeutung entsprechende Gesichtspunkte in Betracht." (Anonymus, Der Fußbodenbelag des Kölner Domes, in: Deutsche Bauzeitung, 19. Jg., Nr. 43, vom 29. April 1885, S. 207). – Vgl. in diesem Sinne auch die „Bedenken . . . vorgebracht, um zu verhüten, daß dem Autor der Wiederherstellung des Innern von St. Gereon . . . die Entwürfe für die Ausmalung des Kölner Domes übertragen werden." (Wochenblatt für Baukunde/Wochenblatt für Architekten und Ingenieure, Jg. VII, Nr. 73, vom 11. Sept. 1885, S. 367). – Vgl. Anm. 554 u. 592.

[494]) Reichensperger, Restauration St. Maria im Capitol, S. 116. – Vgl. damit auch ders., Kunsthandwerk, S. 14: „Unser Dom . . . hauptsächlich den Impuls zu ähnlichen Restaurations-Unternehmungen draußen im Lande gegeben."

[495]) Reichensperger, Geschichte, S. 17. – Vgl. auch Anonymus, „Kirchen-Restauration (Cöln) I.", in: Organ für christl. Kunst, 1. Jg., 1851, S. 21. – Vgl. zum Verständnis des Kölner Domes als „Musterbau" u.a. Kölnische Volkszeitung, Nr. 87, vom 29. III. 1879, 3. Blatt. – Rode, Boisserée, S. 286. – Verbeek, Vollendung, S. 102 (A. Reichensperger). – Springer, Rückkehr, bes. S. 37 f. – Anm. 643.

[496]) Gemeint sind Zusammenhänge mit der sogenannten ersten Gründerzeit, einer Phase rascher Industrialisierung und industrieller Hochkonjunktur nach der Niederwerfung Österreichs, und der Gründung des Norddeutschen Bundes 1866. – Vgl. auch Springer, Rückkehr, S. 38 f.

[497]) Wilhelm Lübke, Das Restaurationsfieber (zit. nach: Huse, Denkmalpflege, S. 100 ff.).

[498]) Beißel, Ausstattung III, Sp. 281. – Bereits 1843 findet sich in Försters „Allgemeiner Deutscher Bauzeitung" die entsprechende Bezeichnung: „die Sucht der Restaurazion" (sic). Zit. nach Weyres, Denkmalpflege, S. 396. – 1882 spricht C. v. Fabriczy (Kunstchronik, 17. Jg., Nr. 37, vom 29. Juni 1882, Sp. 591 ff.) von „der Restaurationswut" in Italien.

[499]) Vgl. gegen „ein Übermaß an Wiederherstellung" u.a. Ulrich Scheuner, Die Kunst als Staatsaufgabe im 19. Jahrhundert, in: Mai/Waetzoldt, Kunstverwaltung, S. 31. – Vgl. damit ferner die am 27. 1. 1905 von Georg Dehio gehaltene Rede „Denkmalschutz und Denkmalpflege im neunzehnten Jahrhundert". Wiederabgedruckt in: Ders., Kunsthistorische Aufsätze, München/Berlin 1914, S. 261 ff. – Dehio u. Riegl, Konservieren, nicht restaurieren. – Vgl. auch Belting, Aachener Münster, S. 278.

ihrem „verspäteten" Schlußpunkt in der Vollendung der Achskapelle: Nur hier noch sollte die Dombeflurung ihre Komplettierung zum Gesamtkunstwerk erfahren. Dabei nimmt, unter den zahlreichen Restaurierungsprojekten Essenweins, das Dommosaik scheinbar eine Sonderstellung ein,
– da es sich nur auf einen begrenzten Bereich des Kirchengebäudes beschränkt,
– da es als Beflurungsaufgabe die Größenordnung aller Vorgängerprojekte übertrifft und auch
– weil es Essenweins letztes Werk ist.

Als solches darf es jedoch nicht isoliert betrachtet werden, setzt es doch in vielfältiger Hinsicht die Erfahrung der Vorgängerprojekte voraus und kann letzten Endes auch nur verstanden werden, wenn man es mit ihnen zusammensieht. Das gilt vor allem für die übergreifenden Charakteristika der Argumentation und Planung, Ausführung und Erklärung, die erst durch eine gemeinsame sowohl das Dommosaik als auch seine Vorgängerprojekte umfassende Perspektive erkennbar werden. Darüber hinaus läßt die Summe der Vorgängerprojekte nicht nur einzelne Leitmotive und Grundsätze seines Arbeitens und seiner Zielvorstellungen erkennen, sondern überhaupt Essenweins Methode. Besondere Bedeutung kommt in diesem Zusammenhang den von ihm selbst verfaßten Kommentaren zu. Durch die enge Verwandtschaft der Restaurierungsprojekte untereinander sind die Kommentare der Vorgängerprojekte nämlich über weite Strecken zugleich Kommentare des Dommosaiks, das – wie zu vermuten ist – nur durch Essenweins Tod ohne eine erklärende Begleitschrift seines Urhebers blieb [500]).

Im Rahmen dieser Arbeit soll die Bezeichnung „Vorgängerprojekte" sowohl die vor dem Dommosaik als auch teilweise gleichzeitig mit ihm entstandenen Werke und Projekte samt den zugehörigen Kommentaren umfassen; selbst Essenweins Gutachten zu durch Dritte realisierten Arbeiten sollen exemplarisch berücksichtigt werden – und zwar in annähernd chronologischer Folge („annähernd", weil sich die verschiedenen Projekte z.T. zeitlich überlappen, teilweise parallel laufen und weil nicht selten zwischen der ersten Planung und der schließlichen Ausführung mehrere Jahre, zuweilen auch Jahrzehnte liegen). Vollständigkeit war dabei nicht intendiert, vielmehr beschränken wir uns auf die Teilcharakterisierung der wichtigsten Vorgängerprojekte und bei diesen im wesentlichen auch nur auf solche Aspekte, die durch ihre argumentativen, inhaltlichen oder technischen Parallelen für das Dommosaik von unmittelbarer Bedeutung sind.

Die dem Dommosaik und seinen Vorgängerprojekten gemeinsamen Komponenten und Motive stellen das Dommosaik einerseits in den größeren Kontext der denkmalpflegerischen und künstlerischen Tätigkeit Essenweins, lassen seinen Stellenwert und seine Bedingtheiten erkennen, aber sie machen andererseits auch deutlich, in welchem Umfang das Dommosaik aller Wahrscheinlichkeit nach nur Teil eines wesentlich umfassenderen Gestaltungs- und Ausstattungskonzeptes ist. In seinem Fragmentcharakter weist das Dommosaik nämlich über sich hinaus auf die Vorstellung eines letztlich durch Farbe konstituierten Gesamtkunstwerks. Für dieses Ziel lieferte die architektonische Domvollendung von 1880 als Voraussetzung gleichsam nur die Trägersubstanz, war Rahmen und Herausforderung zugleich. Denn, wie bei den Vorgängerprojekten mit geradezu ostinatohafter Eindringlichkeit immer wieder betont, so ist *Harmonie* die auch an das Dommosaik geknüpfte Zielvorstellung. Harmonie der Gesamterscheinung von Architektur und Ausstattung ist Schlüsselbegriff aller Erwägungen und Planungen. Dabei ist der mit den Mitteln der Farbe bzw. des gedämpften farbigen Lichtes erzielten Harmonie das Ideal „Stileinheit in Stilreinheit" nachgeordnet und kann zurücktreten, wo Pietätgründe seiner rigorosen Verwirklichung entgegenstehen oder wo sich ein harmonisches Gesamt-„Bild" trotz stilistischer Disparität einstellt.

Die Zusammenschau von Vorgängerprojekten und Dommosaik bewirkt über Analogien, daß sich schließlich die Umrisse eines Gesamtkunstwerkes Kölner Dom qua Farbe abzeichnen: die völlig homogen ausgestattete und total ausgemalte Kathedrale – den einen als Ideal, den anderen als Alptraum.

---

[500]) Vgl. in diesem Sinne auch Reichenspergers Wunsch, Essenwein möge im Hinblick auf die Dombeflurung gleichsam eine summa seiner Kommentarschriften verfassen (Reichensperger, Geschichte, S. 63, Anmerkung). – Vgl. ferner Springer, Geschichtsbewußtsein, S. 360 f. – Ders., Rückkehr, S. 50 f.

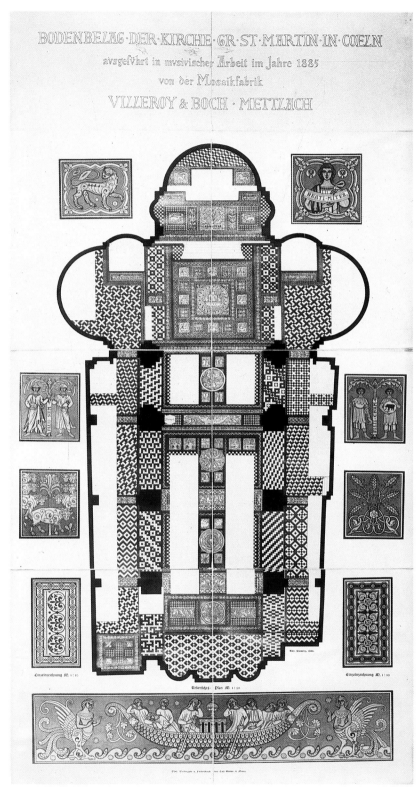

Abb. 355   Gedruckter Übersichtsplan der Beflurung von Groß St. Martin, Köln, nach dem durch A. Kleinertz vereinfachten Konzept Essenweins, 1885. Firmenarchiv Villeroy & Boch, Mettlach

Groß St. Martin in Köln

Essenweins Ausstattungskonzept für das Innere der Kirche von Groß St. Martin in Köln ist nach Umfang, inhaltlicher Vielschichtigkeit und nicht zuletzt auch wegen seiner zahlreichen Parallelen zum Dommosaik [501]) wohl das bedeutendste aller Vorgängerprojekte. Welch besonderen Stellenwert ihm Essenwein selber beimaß, wird darin deutlich, daß seine „Denkschrift" zur inneren Ausschmückung der Kirche bereits Jahre vor Beginn der praktischen Arbeiten nicht weniger als viermal publiziert wurde, zweimal davon – wie zu vermuten – auf Essenweins eigene Kosten [502]). Diese Erläuterungs- und Rechtfertigungsschrift zusammen mit Essenweins Entwürfen sowie der 1885 veröffentlichte Kommentar des Kaplans von Groß St. Martin, A. Ditges, der Essenweins Konzept auf das tatsächlich Ausgeführte hin modifizierte, bilden die wichtigsten Quellen zur heute bis auf Fragmente weitgehend verlorenen Innenausstattung der Martinskirche.

Vorausgegangen war der Restaurierung von Groß St. Martin 1789–1798 eine komplette Neuausstattung „in klassizistischem Geiste". Aus der Sicht der Nachgeborenen trug sie entscheidend dazu bei, „der Martinskirche im Inneren ihren alten ehrwürdigen Charakter zu nehmen." Essenwein sagte gar, die Kirche sei durch die „geschmacklose neue Ausstattung verunstaltet" [503].) So nahm man, noch bevor die 1864–1875 unter Leitung von Heinrich Nagelschmiedt durchgeführte „stilgerechte Erneuerung" der baulichen Substanz beendet war, bereits 1868 auch die Neugestaltung des Kircheninnern in Angriff. Erst 1885 sollte sie abgeschlossen werden.

Essenwein verstand sein Ausstattungskonzept als „ein geistliches Gedicht zur Ehre Gottes, zur Belehrung und Erbauung der Menschen componirt . . ." [504]) – „Es stellt, dem Zwecke des Gotteshauses entsprechend, dar, wie der Mensch, der von Gott ausgeht, durch die Kirche geheiligt und zu Gott geführt werden soll." [505]) In diesem Sinne begann das Ausstattungsprogramm, dessen Grobgliederung den drei Hauptteilen des Baus – Vorhalle, Langhaus, Presbyterium – folgen sollte, über dem Türsturz in der Vorhalle (nur) mit dem Agnus Dei. Hier war nämlich das von Essenwein ursprünglich vorgesehene sehr viel aufwendigere Programm nicht ausgeführt worden, wie überhaupt das gesamte Konzept vor Ausführung durch den Kölner Kirchenmaler Alexius Kleinertz (1831–1903) zur großen Verbitterung Essenweins ohne seine Mitwirkung unter erheblichen Kürzungen „den Verhältnissen angepaßt worden war." [506])

---

[501]) Wegen des besonderen Umfangs des Essenweinschen Ausstattungskonzeptes für Groß St. Martin müssen wir uns im Rahmen dieser Arbeit im wesentlichen auf die ikonographischen und argumentativen Parallelen zum Dommosaik beschränken. – Vgl. darüber hinausführend Springer, Geschichtsbewußtsein.

[502]) Zu den verschiedenen Ausgaben des Essenweinschen Ausstattungsprogramms für Groß St. Martin vgl. LITERA- TUR. – Außerdem erschien 1888 ein Übersichtsplan des neuen Fußbodens der Martinskirche als Farbdruck im Maßstab 1:50 im Verlag Karl Wallau in Mainz. – Im Anschluß an einen Bericht der Kölnischen Volkszeitung (Nr. 106, vom 1. Aug. 1888) über die neue Beflurung der Martinskirche und den Farbdruck erschien ebd. in der folgenden Ausgabe die Notiz: „Hr. A. Kleinertz ersucht uns, mit Bezug auf unsere Notiz über eine neu er- schienene Abbildung des Bodenbelags von St. Martin um Mittheilung der genauen Angabe, daß er Ideen aus Essenwein's Plan benutzte, aber Plan und Zeichnung des Bodenbelags selbständig entworfen habe. – Nach Ab- schluß der Innenausstattungsarbeiten erschien 1885 die Schrift von A. Ditges.

[503]) Vgl. Anonymus, Die Abteikirche von St. Martin zu Köln und ihre neueste Restauration, in: Kunst-Chronik, Bei- blatt zur Zschr. für bildende Kunst, 7. Jg., 1872, S. 152.

[504]) Essenwein, Ausschmückung, S. 6.

[505]) Ditges, Bilderkreis, S. 5.

[506]) Ditges, Bilderkreis, S. 4. – Vgl. auch den Nekrolog „Geheimrath Ritter Dr. August v. Essenwein", in: Kölnische Volkszeitung, Nr. 574, vom 16. Okt. 1892: „Schon 1864 entwarf er die Pläne für die innere Ausschmückung der Kirche Groß-St. Martin in Köln, und die gedruckte . . . Abhandlung, mit der er sie begleitete, ist ein glänzender Beweis für seine sehr eingehenden, namentlich ikonographischen und liturgischen Studien auf dem so schwierigen, nur ganz wenigen Archäologen geläufigen Gebiete der mittelalterlichen Kirchen-Ausstattung. Daß diese mit ebenso seltener Uneigennützigkeit und Sachkenntnis bis in die kleinsten Einzelheiten angefer- tigten Pläne nach mehr als einem Jahrzehnte (sic) ohne seine Mitwirkung mit wesentlichen Abschwächungen ausgeführt wurden, bereitete ihm große Bitterkeit."

Abb. 356   August Essenwein: Entwurf für die Ausmalung und Ausstattung von Groß St. Martin in Köln, 1866, Trikonchos nach Norden

Essenwein hatte geplant, die traditionelle Bedeutung der Vorhalle als „Paradies" durch einen Bilder-zyklus aus acht Bild-Medaillons von der Schöpfungsgeschichte bis zum Sündenfall zu betonen.
„Der Boden wäre in entsprechender Beplattung zu halten und könnte darin durch das Labyrinth darge-stellt werden, das seine Bedeutung weniger für den Gottesdienst als für die Privat-Andacht hat", zumal die Vorhalle auch dann geöffnet bliebe, wenn die Kirche geschlossen wäre [507]. Aus dem großen mit-telalterlichen Bilderkreis sollten auf dem Vorhallen-Fußboden nur solche Themen dargestellt werden, die allgemein „die Wunder der Schöpfung" veranschaulichen. Tiere aus aller Herren Länder etwa, auch phantastische Wesen und Phantasiegestalten, wie sie das Mittelalter kannte. Über dem Weihwasserbek-ken sah Essenwein „eine große Figur des heiligen Christoph" vor. – Allgemein fühlt man sich an den Beflurungsvorschlag für den Dom erinnert, der 1880 von Bogler und Schneider vorgelegt wurde [508].
Anschließend an diesen ersten sollte ein zweiter Teil im Langhaus den Zyklus vom Sündenfall bis zur Erlösung fortführen. Hier sollten die verschiedenen Erscheinungsformen und Komponenten des menschlichen Lebens so angeordnet werden, daß sich Decke und Fußboden inhaltlich ergänzten: „Zu-nächst ist daher am ersten Gewölbe des Mittelschiffes die Zeit und der Wechsel der Zeiten dargestellt. In der Mitte die Zeit selbst, in ihrer Eigenschaft als Vergangenheit, Gegenwart und Zukunft. Sie ist dar-gestellt als Mensch mit zwei Köpfen, einem Greisenkopfe, der in die Vergangenheit schaut, und einem Jünglingskopfe, der in die Zukunft sieht. Handelnd ist die Figur als Gegenwart gedacht, indem sie

---

[507]) Essenwein, Ausschmückung, S. 10. – Vgl. auch Reichensperger, Restauration Groß St. Martin, S. 128.
[508]) Vgl. Kapitel „Projekt von Bogler und Schneider (1880)", bes. S. 36 ff.

360

Abb. 357   Erhaltenes Detail des Fußbodenmosaiks in Groß St. Martin (vgl. Abb. 355)

einen Menschen in die Vergangenheit einschließt, einem anderen die Pforte öffnet." [509]) Diese Darstellung, die Essenwein u.a. im Braunschweiger Dom und im Dommosaik wiederholen sollte, fiel hier
jedoch ebenfalls den Kürzungen zum Opfer; zumindest spricht Ditges nur von einer Darstellung der
Zeit „als Sanduhr (im Schlußstein des Gewölbes), unablässig verrinnend, und mit gekreuzten Sensen,
Alles zerstörend". [510])

Um das zentrale Bild der Zeit gruppierten sich im Kreise Darstellungen der zwölf Monate und – ihnen
entsprechend – der menschlichen Tätigkeiten, ferner der vier Jahreszeiten (der Frühling als Kind mit
Blumen, der Sommer als Jüngling mit Feldfrüchten, der Herbst als reifer Mann mit Obst und Wein, der
Winter als Greis sich wärmend) und schließlich der vier Tageszeiten (der Morgen, der den Vorhang
von der Sonne zieht, der Tag mit Schaufel und Ähren, der Abend, der die Sonne mit dem Vorhang
bedeckt, die Nacht mit Eule und Fackel unterm Mond).

Auf dem zweiten Langhausgewölbe folgten Darstellungen der Erde, der Elemente und des Wechsels
ihrer Erscheinungen: In der Mitte, statt der von Essenwein vorgesehenen „Erde, die am Busen ein Kind
nährt mit einem Füllhorn, aus dem Pflanzen wachsen" [511]), als Zeichen „im Schlußstein das Kreuz im
Kreise". Darum gruppierten sich, von einem Regenbogen umschlossen, Wolken, aus denen Regen,
Blitz, Schnee und Hagel hervorstürmten. Es schlossen sich an: die vier Hauptwinde („jeder zwei Köpfe
haltend, aus deren Mund der Strom des Windes hervordringt"), gefolgt von geflügelten Personifikationen der vier Elemente, der Erde mit Garben, dem Wasser mit einem Fisch auf dem Dreizack, der Luft
mit Sonne und Mond, dem Feuer mit einer Fackel. Die Symboltiere Löwe, Fisch (Delphin), Vögel
(Adler), Salamander und Drache waren verbunden mit Spruchbändern, auf denen der Gesang der drei
Jünglinge im Feuerofen eine Art Kommentar dieser Darstellungen bildete.

[509]) Essenwein, Ausschmückung, S. 13.   [510]) Ditges, Bilderkreis, S. 7.   [511]) Essenwein, Ausschmückung, S. 14.

Abb. 358 Groß St. Martin, Köln. Ansicht des Mittelschiffs nach NO: (farbige) Beflurung, Ausmalung und Ausstattung bilden ein Gesamtkunstwerk

Das dritte Gewölbe des Langschiffs umfaßte die Darstellung des Himmels mit seinen Gestirnen. In der Mitte erschien auf dem Schlußstein (statt des von Essenwein geplanten Phöbus-Sol auf dem Sonnenwagen) die Sonne, umgeben von vier Mondphasen, den 12 Tierkreiszeichen und den vier Himmelsrichtungen (Osten mit Sonne, Süden mit Palme, Westen mit Schiff, Norden mit Wind); in den Zwickeln sah man die großen Sternbilder.

Für den Fußboden hatte Essenweins Ausstattungskonzept statt der Tonstiftmosaiken und Fliesen von Villeroy & Boch ursprünglich eine abweichende, seinem ersten Beflurungskonzept für den Dom sehr ähnliche Kombination verschiedener Beflurungstechniken vorgesehen: „Es sollen nämlich alle die Darstellungen im Fussboden des Mittelschiffes aus Steinplatten zusammengefügt werden, in welche die Contouren der Zeichnung vertieft eingehauen und diese Vertiefungen sodann mit Blei ausgegossen werden. Die Darstellungen der Vierung sollen in Mosaik aus verschiedenen kleinen Steinwürfeln dargestellt werden . . . Der Raum im Presbyterium, der von den Füssen weniger in Anspruch genommen ist, soll mit farbigem Estrich belegt werden, während die ornamentalen Darstellungen im Seitenschiffe, die verschiedenen Borduren, Friese usw., theils aus gepressten einfarbigen, theils aus bunt glasirten Fliessen bestehen." [512])

Auf dem Fußboden begannen die Darstellungen, die, wie die Malereien auch, in ihrem Programm wesentliche Komponenten des Dommosaiks vorwegnahmen, im Westen unter dem „Zeitkreis" des Gewölbes. Radförmig waren hier die Stationen des menschlichen Lebens in Quadratfeldern dargestellt: (INFANCIA) das Kind in der Wiege, (PUERICIA) „der Knabe lernend bei dem Meister, einem Mönchen", (ADOLESCENCIA) der Jüngling mit der Geliebten, (JUVENTUS) der Mann gewappnet im Kampfe, (VIRILITAS) „der Hausvater mit seinen Kindern", (SENECTUS) ein „Greis, der mit dem Bahrtuche, auf eine Krücke gestützt, neben dem Sarge sitzt." [513]) Sie wurden ergänzt durch Darstellungen der vier Temperamente in den Zwickeln.

Friesartige Rechteckfelder zu beiden Seiten dieses sowie unter- und oberhalb des folgenden Feldes zeigten verschiedene Formen des Kampfes, den Kampf mit der rohen Naturgewalt (wilde Tiere), den Kampf mit den Leidenschaften (Kentauren) und den Kampf mit anderen Menschen.

Im Zentrum des zweiten Fußbodenabschnitts (unter der Darstellung der Erde etc. am Gewölbe) sah man das Glücksrad mit der Beischrift EST DEUS IN ROTA. Entsprechend dem Gewölbe, wo der „Witterungswechsel" dargestellt war, zeigt der Fußboden den Wechsel des menschlichen Glücks: „Der Jüngling auf halber Höhe greift nach der Krone und sagt: regnabo. Der oben sitzt auf dem Throne mit Krone, Scepter und Reichsapfel, sagt: regno. Auf der anderen Seite führt das Rad die Menschen wieder hinab, dem Manne, der in der Mitte ist, fällt die Krone vom Haupte, er sagt: regnavi; zu unterst liegt der Greis am Boden, hat Krone und Scepter verloren, das Rad geht über ihn weg und er sagt: sum sine regno." [514]) Thematisch daran anschließend folgten in den zwickelartigen Erweiterungen des Rechteckfeldes Darstellungen der vollen und dürren Ähren, fetten und mageren Kühe, entsprechend 1. Mos. 37 ff.

„Der dritte Kreis enthält . . . (unter der Sonne etc. am Gewölbe) das menschliche Leben in seiner Gliederung nach Ständen, einerseits die Geistlichen, andererseits die Laien; aufsteigend vom Diakon zum Priester, zum Bischof, Cardinal und Papst; so wie vom Bauer zum Handwerker, Edelmann, Fürst und Kaiser. Die Ecken sind ausgefüllt vom dürren Baum, der keine Früchte bringt, an dessen Wurzeln die Axt gelegt ist, und vom grünen Baum, der reiche Früchte trägt . . .", durch die Darstellung des Frommen und des weltlich Gesinnten, der Tugenden und Laster. Thematisch daran anschließend folgte zu Füßen der Kanzel ein querrechteckiges Mosaikfeld: Acht Personen in „einem leichten Schiff" erliegen dem Gesang der Sirenen, d.h. „den Lockungen böser Sinnlichkeit" [515]).

---

512) Ebd., S. 50.
513) Ebd., S. 17 f.
514) Ebd., S. 18 f.
515) Ditges, Bilderkreis, S. 12 f.

Abb. 359   Die fetten Kühe nach 1. Mos., 41, 2: Detail aus dem Beflu-
rungs-Plan von Groß St. Martin in Köln (vgl. Abb. 355)

Abb. 360   Die fetten Kühe nach 1. Mos., 41, 2: Detail der Beflurung in
Groß St. Martin nach der Zerstörung der Kirche im Zweiten Weltkrieg.
Noch erkennbar ist die Kombination von Stiftmosaik und Mosaikimitationsplatten. Bei der Wiederherstellung der Kirche ist die Darstellung
wie eine Spolie als Fragment in die neue Beflurung integriert worden.

Während am Gewölbe des Zwischenjochs vor der Vierung das Lamm, umgeben von den Evangelisten-
symbolen und den vier Strömen des Paradieses, und auf der Stirnwand die Genealogie Marias mit
zwölf Königen, Vertretern des Alten Bundes, zu sehen waren, zeigte der Fußboden, umgeben von den
Söhnen Noahs, die drei Weltteile als Segmente des Weltkreises. Von ihnen trug Europa „die Krone der
Weltherrschaft . . . Als Kennzeichen ist beigegeben der Vater Rhein und das Panorama von Köln mit
dem Martinsthurme." [516]

[516]   Ditges, Bilderkreis, S. 13. – Essenwein hatte geplant: „Europa zeigt einerseits die urbs Roma, andererseits die
urbs Colonia, in welch letzterer wieder der Thurm der Martinskirche hervorgehoben erscheint." (Ausschmükkung, S. 26).

Die Vierungskuppel zeigte die Trinität, umgeben von neun Engeln, Vertretern der Chöre der himmlischen Hierarchie und, in den Zwickeln, Personifikationen der vier Kardinaltugenden. Auf dem Fußboden sah man in der Mitte des Vierungsfeldes „die Kirche in Gestalt der rettenden Arche" [517] umgeben von der „Quelle der Seligkeit" sowie von trinkenden Hirschen in den Zwickeln. Rahmenartig darum gruppierten sich weibliche Halbfiguren, die acht Seligkeiten, alternierend mit Schmuckfeldern. Seitlich vor dem Hochaltar waren „zwei größere Bilder" angebracht, „welche die beiden Gewalten darstellen, die Gott gesetzt hat, die Welt zu regieren, die zwei Schwerter, die Kirche und den Staat, welche die himmlische Hierarchie auf Erden fortsetzen . . ." [518]. In modifizierter Weise zwar und bildmäßiger dargestellt klang damit ein weiteres Thema an, das auch im Kontext des Dommosaiks in unmittelbarer Nähe des Hochaltars dargestellt werden sollte. Abweichend von der dortigen Beflurung zeigte „Der Fußboden des hohen Chores . . . vor dem Altar den Baum des Lebens . . . Daneben laben sich zwei Hirsche an den Wasserquellen, die von Oben kommen. Neben dem Altar sind zwei Löwen, die Zeichen der furchtbaren Majestät Gottes, wie solche am Throne Salomon's standen." [519] Als Abschluß des ganzen Ausstattungsprogramms in der Hauptapsis erschien über dem Hochaltar die Majestas Domini mit Maria und Johannes d.T., umgeben von Engeln mit den Arma Christi und den Posaunen des Jüngsten Gerichtes.

Wie die anderen Ausstattungsprojekte Essenweins, so umfaßt auch die Innenausstattung von Groß St. Martin außerdem neben einem umfangreichen Zyklus von Glasmalereien (des Wiener Malers und Führich-Schülers Johann Klein [1823–1883]) eine Reihe „möblierender" Ausstattungsstücke, die im Sinne einer homogenen Stileinheit Malereien und Mosaiken zum Gesamtkunstwerk ergänzten.

St. Maria im Kapitol in Köln

Durch eine Stiftung konnte in den 60er Jahren, gleichfalls unter der Leitung Heinrich Nagelschmiedts, die bauliche Wiederherstellung von St. Maria im Kapitol in Angriff genommen werden. Noch vor Abschluß dieser Arbeiten 1869 begann die Erneuerung des Inneren 1866 mit der Ausmalung des Chores nach Kartons Edward von Steinles. Mit dem Entwurf des weiteren Ausstattungskonzeptes wurde Essenwein betraut.

Nach Essenweins Entwürfen schuf Johann Klein, der auch an der Restaurierung Groß St. Martins beteiligt war (s.o.), die Kartonvorlagen für den figürlichen Teil der Ausmalung, während der Dekorationsmaler Schüller den ornamentalen Teil übernahm; er assistierte dem damaligen Kaplan der Kirche, Matthias Göbbels (1836–1911) – „ein Autodidakt im besten Sinne des Wortes" [520] –, in dessen Händen die Ausführung lag. Zahlreiche Kirchenmöbel, eine Orgel, neoromanische Altäre und ein Triumphkreuz ergänzten die innere Ausschmückung der Kirche.

---

[517] Essenwein, Ausschmückung, S. 26. – Vgl. damit auch die Kritik gerade an dieser Darstellung als „der Darstellung . . . solcher Personen . . ., welche durchaus nicht auf den Fußboden gehören. (Solche Darstellungen halten der) strenge(n) Kritik des guten Geschmacks (nicht stand:) Auf dem Boden im Vorchor einer Kirche im Rheinland ist das Schiff der Kirche in folgender Darstellung zur Anschauung gebracht: Das Schiff wird durch vier Ruder, auf welche die Namen der vier Evangelisten geschrieben stehen, fortbewegt, am Bugspriet sehen wir in vollem Ornat einen Erzbischof und, wie die am Mastbaum befindliche Inschrift sagt, den Archiepiscopus Melchers. Am Steuerruder steht der Hl. Vater, geschmückt mit Tiara und Patriarchenkranz. Die Inschrift Leo XIII. Papa besagt uns, wer dargestellt werden soll." (Becking, Fussboden, S. 12 f.). – Vgl. damit auch den ausdrücklichen Hinweis Essenweins, daß Papst und Kaiser im Dommosaik keine bestimmten historischen Personen darstellen sollen, sondern lediglich allgemeine Repräsentanten der zwei Gewalten (DBAK, Lit. X g I/2).

[518] Essenwein, Ausschmückung, S. 32.

[519] Ditges, Bilderkreis, S. 27.

[520] Endert, Bemalung, S. 105.

Abb. 361   F. Stegemann: St. Maria im Kapitol. Ansicht des Mittelschiffs nach Osten mit der Beflurung und Ausmalung nach dem Konzept Essenweins; Aquarell, 1888; Köln, Privatbesitz

Essenweins Programm für die Ausmalung bzw. Ausstattung von St. Maria im Kapitol besaß – anders als in Groß St. Martin – nur punktuelle Entsprechungen zum Dommosaik. Sie sollte nämlich ein „Hymnus auf die heilige Jungfrau" sein, „dessen erste Strophe der Sündenfall und die dadurch gegebene Notwendigkeit der Erlösung, nebst der Reihe von Männern und Frauen, die im h. Stamme auf die h. Jungfrau hinweisen (umfaßt).

Die zweite Strophe des Hymnus preist sie als *Reparatrix mundi,* die dritte als *Consolatrix afflictorum,* die vierte als *Refugium peccatorum;* die Schlussstrophe hat sie als *Regina coeli* zu preisen und in der Krönung zu gipfeln." [521]) Entsprechend begann der Gemäldezyklus in der Vorhalle mit Darstellungen der Schöpfung, des Sündenfalls und der Vertreibung aus dem Paradies. Daran anknüpfend waren im Langhaus und in den Kreuzschiffarmen Sünde und Erlösung bzw. Betrübnis und Freude einander gegenübergestellt.

In diesem Sinne gipfelt die Essenweinsche Ausmalung der Marienkirche im Bild des Vierungsgewölbes, das Maria mit dem Christuskind auf dem salomonischen Thron zeigte. Ihm waren sechs Tugendpersonifikationen, die vier Elemente (und die vier Paradiesesflüsse) zugeordnet (die Erde als „eine weibliche Figur mit einer Garbe von Feldfrüchten . . .", das Wasser als „eine Figur, welche Wasser mit Fischen aus einer Urne fliessen lässt . . .", die Luft als „eine allegorische Figur mit Wetterfahne und Vogel, umgeben vom Regenbogen" und das Feuer als „Figur mit einer Fackel") [522]).

Vier Jahre nach Abschluß der Innenausmalung von St. Maria im Kapitol (1868–1871) begann man dort – ebenfalls nach Entwürfen Essenweins – mit der Ausführung einer neuen Beflurung. Drei Jahre später, am 24. Juni 1878, kann der Kölner Stadtanzeiger berichten: „Nach mehrjähriger, unausgesetzter Thätigkeit ist der Marmorbelag in den Seitenschiffen und, soweit derselbe als Einfassung der (Mosaik) Medaillons im Langschiff dient, vollendet. Diese Medaillons stellen das menschliche Leben dar: das Kind, den lernenden Knaben, den Jüngling, die Braut (sic), den Mann im Ringen und Kämpfen und den altersschwachen Greis. Sachkenner sprechen sich günstig über die dem Stile der Kirche angepaßte Ausführung aus . . ." [523])

Das Ausstattungsprogramm umfaßte in der Vorhalle der Kirche u.a. „eine auf die Geschichte der Kirche selbst bezügliche Figurengruppe". Hier fanden schließlich auch die Künstler in den Bogenlaibungen der drei Durchgänge zum Hauptschiff ihren Platz im Ausstattungsprogramm. – 1876 erschien auch zu diesem Projekt ein ausführlicher Kommentar, der sich offensichtlich ganz wesentlich auf Essenweins Konzept stützt [524]).

---

[521]) (August Essenwein?) Innere Ausschmückung der Kirche St. Maria im Capitol, in: Organ für christl. Kunst, XVIII. Jg., Nr. 16, 15. Aug. 1868, S. 181 (danach, S. 181–183, wenn nicht anders bezeichnet, alle weiteren Zitate).

[522]) (Anonymus) Erläuterung (wie Anm. 524), S. 21 f.

[523]) Kölner Stadtanzeiger, Nr. 174, vom 24. Juni 1878. – Vgl. damit auch (Kölner) Local-Anzeiger, Nr. 325, vom 27. Nov. 1890. – Springer, Kontinuität, bes. S. 115–117. – Nicht überliefert ist, wie weit sich Essenwein für das ikonographische Programm – und auch stilistisch – an Resten mittelalterlicher Malerei orientiert hat. – Clemen (Romanische Monumentalmalerei, S. 245) überliefert: „Hierbei fanden sich an verschiedenen Stellen, sowohl im Ostbau wie an der Stirnseite des Westbaues, alte figürliche Malereien in ziemlich zerstörtem Zustande – sie wurden aber (nach einer Mitteilung Göbbels) auf Veranlassung von Essenwein hier ebenso wie in Groß-St.-Martin beseitigt, ohne daß auch nur eine Kopie oder Photographie angefertigt worden wäre." – Vgl. damit entsprechend auch ebd., S. 537, zur Ausmalung des Dekagons von St. Gereon durch Essenwein.

[524]) (Anonymus) Erläuterung der inneren Ausschmückung der Hauptpfarrkirche St. Maria im Capitol in ihren bildlichen Darstellungen, Cöln (1876).

Frauenkirche in Nürnberg

In einem populären Kunstführer zur Nürnberger Frauenkirche aus der Mitte der 50er Jahre findet sich der Satz: „Entstellungen Essenweins wurden beseitigt." [525]) Wenig später heißt es noch lapidarer: „Die neugotische Ausstattung Essenweins beseitigt." [526]) Von dem, was hier im Rahmen einer „als Musterleistung einer verantwortungsbewußten, modernen Denkmalpflege" [527]) charakterisierten Wiederherstellung getilgt wurde, sind heute in der Tat nur noch minimale Spuren übriggeblieben, soweit sie den Fußboden und die in unserem Zusammenhang relevanten Ausstattungsstücke betreffen, jedoch nicht einmal mehr Spuren. Doch wo sich heute eine indifferente grau-triste Sandsteinbeplattung präsentiert, lag vor dem Zweiten Weltkrieg eine aufwendigere Beflurung, die Bestandteil eines umfassenden Bilderzyklus war. Durch die Bombenangriffe vom 2. Januar und 11. April 1945 offensichtlich stark beschädigt, wurde sie bei den folgenden Enttrümmerungsarbeiten abgeräumt.

Essenweins Restaurierung der Frauenkirche waren in der ersten Hälfte des 19. Jahrhunderts partielle Instandsetzungsarbeiten unter Leitung Alexander Heideloffs vorausgegangen. Der desolate Gesamtzustand erforderte jedoch eine durchgreifende Restaurierung der gesamten Kirche. Die Wiederaufdeckung der ursprünglichen Polychromie und verschiedener Wandgemälde bot Anhaltspunkte zur umfassenden Neuausstattung des Kircheninneren, für die Essenwein ein detailliertes Programm entwickelte, das er zwischen 1879 und 1881 ausführte und das er, zusammen mit Erläuterungen und Rechtfertigungen, auch publizierte. Aus dieser Schrift und aus historischen Photographien geht hervor, daß Essenweins Vorgängerprogramm für Nürnberg seinen Entwürfen für den Kölner Dom stellenweise recht ähnlich gewesen sein muß.

Das gilt vor allem für die Beflurung der Frauenkirche, auf deren Charakterisierung wir uns hier weitgehend beschränken wollen: „Nach Auffassung der alten Zeit", so Essenwein, stellte der Fußboden die irdische Welt dar: „Diese setzt sich zusammen aus den Elementen, warum am Fußboden die Darstellung der Elemente mit Geschöpfen, die zu den Elementen in Beziehung stehen, zugleich mit Inschriften, die das Lob des Herrn verkünden", angebracht wurden [528]). Vier unverbundene, quadratische Bildfelder gliederten in regelmäßigen Abständen den Mittelgang des Hauptschiffs. Alle Felder waren gleichermaßen durch Kreismedaillons mit umlaufenden Inschriften und ergänzenden Zwickelfeldern strukturiert, alle Personifikationen als Dreiviertelfiguren streng frontal mit symmetrisch gehaltenen Attributen dargestellt: 1. die Erde (als junge Frau mit zwei Füllhörnern?), in den Zwickeln Löwen, 2. das Wasser (als Figur mit zwei Krügen?), in den Zwickeln Fische, 3. die Luft (als Figur mit zwei Adlern?), in den Zwickeln Vögel. Unmittelbar vor der Chorschranke schließlich 4. das Feuer als gelockter Jüngling mit zwei lodernden Fackeln, in den Zwickeln ornamental stilisierte Drachenpaare.

Diese Bildfolge verlief im Langhaus von West nach Ost und wurde im Chorbereich auf den Hochaltar zu weitergeführt [529]). Abschluß und Ausgangspunkt bildeten auf der Westseite des Altarsockels die altväterlich-bärtigen Personifikationen der Paradiesesflüsse mit ihren Quellurnen. Ihre Bildplatten grenzten unmittelbar aneinander. Das Wasser von Euphrat, Tigris, Geon und Phison verband sich zum Gnadenstrom. Die Fische in seinen Wellen sollten die Gläubigen verkörpern, die dem Altar zustrebten. Als ornamentaler Rahmen durchzog der Gnadenstrom den ganzen Chor und verband als verschlungener Fries zugleich fünf Bildmedaillons miteinander (von West nach Ost):

---

[525]) E. Eichhorn, Frauenkirche Nürnberg (Schnell & Steiner-Kunstführer, Nr. 618), München 1955, S. 4.

[526]) Ebd., S. 14.

[527]) Ebd., S. 4. – Von den Zeitgenossen waren auch Essenweins Restaurierungen teilweise als „Musterleistung" gelobt worden (s. u.).

[528]) Essenwein, Liebfrauenkirche (1906), S. 10.

[529]) Vgl. dagegen Essenwein, Liebfrauenkirche (1906), S. 14, wo dagegen vom Chorfußboden die Rede ist, „der vom Altar ausgehend" die Paradiesesflüsse bzw. den Gnadenstrom mit umfaßt.

Abb. 362 Frauenkirche, Nürnberg: Teilansicht der ehemaligen Beflurung im Chor mit dem vierteiligen Lebensalter-Zyklus nach Entwürfen Essenweins

Abb. 363 Frauenkirche, Nürnberg: Blick aus dem Chor nach Westen. Zwei der vom Strom des Lebens umgebenen Medaillons der ehem. Beflurung mit der Darstellung des Kindes in der Wiege und des (Braut-)Paares

Abb. 364   Frauenkirche, Nürnberg: Detail der ehem. Beflurung mit den Personifikationen der Luft und des Feuers (oben) nach Entwürfen Essenweins

Abb. 365   Frauenkirche, Nürnberg: die Personifikationen der vier Paradiesesflüsse vor dem Hochaltar, im Zweiten Weltkrieg zerstört

370

Das Kind in der Wiege, von der Mutter umsorgt.

Der Jüngling als Bräutigam, die Braut begrüßend.

Der reife Mann im Kreise seiner Familie.

Der Greis, der „mahnreich" den Deckel des Sarges hebt.

„Von der Wiege bis zur Bahre leitet die Kirche ihre Gnadenfülle, aber nicht alle bringen gleiche Früchte, daran mahnen uns die beiden Bäume im 5. Medaillon, deren einer grün mit Früchten beladen, der andere verdorrt ist, so dass an dessen Wurzel das Beil gelegt ist, den unfruchtbaren zu fällen." [530]

Die figürlichen Darstellungen im Mittelstreifen der Beflurung wurden in der Werkstatt des Nürnberger Bildhauers Jacob Rotermundt hergestellt. Rotermundt meißelte aus Marmorplatten die Konturen und Binnenstrukturen heraus, die dann mit farbigem Asphalt(?) ausgegossen wurden. Als Ergänzungen dieser grafisch-linearen Bildfelder wurden Mosaiken durch „einzelne unserer Steinhauer" ausgeführt [531].

Die besondere Bedeutung der Frauenkirchen-Beflurung resultiert aus dem Umfang der Vorwegnahmen inhaltlicher und formaler Komponenten, die später identisch oder nur wenig modifiziert in das Programm des Dommosaiks übernommen werden [532]. Darüber hinaus lenken sie als Konstanten, die mit einer wechselnden Anzahl von Variablen kombiniert werden, die Aufmerksamkeit auf Leitmotive der denkmalpflegerischen Arbeit Essenweins:

1) Die beschriebene Fußbodengestaltung mittels Marmorintarsientechnik dient gleichsam als Modell für die technische Disposition des ersten Essenweinschen Generalentwurfs. In der entsprechenden Planungsphase wird expressis verbis auf die Erfahrungen mit dieser Technik in Nürnberg verwiesen; hier nämlich war bereits in kleinem Maßstab realisiert, was Essenwein für die Dombeflurung vorschwebte [533].

2) Der Modellcharakter der Nürnberger Beflurung reicht, wie das Beispiel der Lebensalterdarstellungen zeigt, über die bloß ausführungstechnische Seite hinaus auch in den Bereich inhaltlicher Analogien – und zwar unabhängig von ihrer Gebundenheit an eine bestimmte Ausführungstechnik. Entsprechendes gilt für das Motiv des fruchtbaren und unfruchtbaren Baumpaares, das sowohl im ersten Generalplan Essenweins (Zeichnung zum Bericht vom 30. Oktober 1893) in den vom Raum zwischen dem Chorgestühl und dem Raum vor dem Pfarraltar gebildeten Zwickeln sowie in einer Planvariante in den Restflächen zu seiten des Pfarraltars zwischen der Vierung und dem Raum zwischen den Chorstühlen begegnet [534] als auch bereits in Essenweins Entwurf für Groß St. Martin. Die ungleichen Bäume wurden jedoch im Dom nicht ausgeführt. – Nahe Verwandte der Personifikationen der vier Elemente mit ihren Symboltieren finden sich auch im Beflurungsprogramm der Domvierung.

Das Fußbodenprogramm der Nürnberger Frauenkirche ist nur Teil eines Gesamtprogramms, das u. a. auch die Chorfenster einschloß. Hier zeigte das mittlere „die hl. Kirche als Gemeinschaft der Gläubigen. – Zur linken Seite des Altars . . . sitzt der Kaiser, zur rechten der Papst, die Repräsentanten der

[530] Ebd., S. 14 f.

[531] Essenwein, Bildschmuck, S. VII.

[532] Voraussetzung dafür ist u.a. die Tatsache, daß Voigtel am 17. Okt. 1884 in einem Brief an von Bardeleben erwähnt, daß er den von Essenwein in der Nürnberger Frauenkirche ausgeführten Metallintarsienboden (sic), in dem dieser die im Dom angestrebte Technik, wenn auch in geringerem Umfange, bereits realisiert habe, besichtigen wolle. Bardelebens Antwort: „Auf den gefälligen Bericht vom 17. d. Mts. Nr. 567 erkläre ich mich damit einverstanden, daß Ew. Hochgeboren Ende dieses Monats auf zwei Tage nach Nürnberg gehen, um mit Herrn Dr. Essenwein auf Grund der vorzunehmenden Besichtigung der Intarsien in der Frauenkirche die erforderlichen Vereinbarungen wegen der Ausführung der Fußbodenbeplattung resp. im Cölner Dom zu treffen." (DBAK, Lit. X f I/78 f.).

[533] Vgl. damit auch die Tatsache, daß man sich bei der Kalkulation des ersten Essenweinschen Beflurungsprojektes für den Kölner Dom auf die „bei der Plattung der Frauenkirche zu Nürnberg ermittelten Einheitspreise" berief (DBAK, Lit. X g I/3).

[534] Vgl. die Entwürfe Abb. 44 u. 45. – Sie wurden wahrscheinlich nicht in diesem Bereich zwischen Vierung und Raum zwischen den Chorstühlen verlegt, was jedoch mit Gewißheit z. Z. nicht nachzuweisen ist, da dieser Bereich vom Holzpodest der Vierung dauerhaft verdeckt ist.

Abb. 366 Frauenkirche, Nürnberg: Beflurung, Ausmalung und Ausstattung als Komponenten eines von A. Essenwein konzipierten Gesamtkunstwerks

Abb. 367 Frauenkirche, Nürnberg: die ehem. Beflurung mit der Personifikation des Feuers, umgeben von stilisierten Drachen, im Hintergrund der Lebensalter-Zyklus. „Intarsientechnik", kombiniert mit ornamentalen Fliesen

geistl. und weltl. Obrigkeit, darunter die Gliederung nach Ständen: Geistliche (Bischof, Chorherr, Mönch) auf seiten des Papstes; Laien (Fürst, Ritter, Bauer) auf seiten des Kaisers . . ." [535]) Die Stände-vertreter wie die anderen erwähnten Komponenten des ikonographischen Programms kehren in mehr oder minder modifizierter und – charakteristischerweise – erweiterter Form im Dommosaik wieder. Essenweins harmonisierende Restaurierung der Nürnberger Frauenkirche fand bereits bei ihrer Voll-endung auch in der Fachwelt Resonanz und Anerkennung als „eine Musterleistung": „In Nürnberg wurde am 18. Oktober 1881 die wiederhergestellte Frauen-Kirche . . . aufs neue dem . . . Gottesdienste überge-ben. Die durch Hrn. Direktor *Essenwein* erfolgte Restaurierung zählt wohl zu den umfassenderen und gediegendsten, welche in neuester Zeit an deutschen Kirchen vorgenommen wurden, und kann in jeder Hinsicht als eine Musterleistung bezeichnet werden . . . Mit der Ausmalung des schönen Innenraumes wurde im Frühjahr des vorigen Jahres begonnen; die Polychromie, welche getreu nach den alten, meist recht deutlichen Resten, die unter mehrfachen Tünchlagen hervortraten, erfolgte, ist eine *vollständige*. Die Säulen, Gewölbe, die Wandflächen, alle Skulpturen und endlich der Fußboden tragen reichsten Schmuck der Farbe. Die farbigen Fenster vollenden das stimmungsvolle Gesamtbild." [536])

[535]) Essenwein, Liebfrauenkirche (1906), 15. – Vgl. ders., Bildschmuck, S. 16.
[536]) Deutsche Bauzeitung, Jg. XVI, Nr. 37, vom 10. Mai 1882, S. 216.

Braunschweiger Dom

Als man 1937 daranging, den Braunschweiger Dom zum „Staatsdom" umzugestalten, beseitigte man sowohl die Übermalungen des 19. Jahrhunderts im Chor und in der Vierung als auch die Malereien im Langhaus. Dies war die dritte Restaurierung in kaum 100 Jahren und sollte nicht die letzte bleiben. Anlaß zur ersten Restaurierung waren Spuren mittelalterlicher Malerei, die man 1845 unter der Kalktünche des Chores aufdeckte. Mit der Freilegung und Wiederherstellung der Wandgemälde wurde der Braunschweiger Galerie-Inspektor und Landschaftsmaler Hans Heinrich Brandes (1803–1868) betraut. Brandes' erst 1860 abgeschlossene Restaurierung (und Ergänzung) der Malereien beschränkte sich auf den Chor, die Vierung und das Querschiff; dagegen wurde das Langhaus wieder übertüncht, doch äußerte Brandes bereits damals die Vermutung, daß wahrscheinlich die Wände der *ganzen* Kirche im Mittelalter mit Malereien bedeckt gewesen seien, strebten doch seiner Meinung nach Baumeister und Maler gemeinsam eine „Totaleinheit" an [537]).

Als man in den späten 70er Jahren auch an den Pfeilern des Langhauses und anderen Stellen weitere Malereien unter der Tünche aufdeckte, schien sich diese Vermutung zu bestätigen. Man erwog deshalb, die Innenausstattung durch Malereien, ergänzt um die erst Anfang des 19. Jahrhunderts zerstörte Triumphkreuzgruppe, um eine Kanzel, eine Orgelempore, Altäre und um „stilgerechte Glasgemälde" (Essenwein: „unerläßlich") im Sinne einer konsequenten Re-Romanisierung als Gesamtkunstwerk wiederherzustellen. Der Fußboden blieb merkwürdigerweise – vorerst – ausgespart.

Die 1891 unter Leitung des Braunschweiger Baurates Ernst Wiehe (1842–1894) vollendete Restaurierung des Langhauses war Voraussetzung für „die Vermalung auch dieses Bauteils, zu dessen Überleitung auf Wiehe's Antrieb eine Autorität auf dem Felde, der Director des germanischen Museum zu Nürnberg v. Essenwein, hinzugezogen wurde, der die Cartons zu den Gemälden entwarf und eine besondere Schrift über die Wandgemälde im Dome zu Braunschweig . . . herausgab." [538])

In dieser 36seitigen Schrift, die sich streckenweise wie ein analoger Kommentar zur Kölner Dombeflurung liest, erläutert Essenwein ausführlich Intention, Programm und Ausführung seines Ausstattungskonzeptes. Ähnlich wie bereits für Brandes, beweisen auch für ihn die aufgedeckten Malereien, daß im 13. Jahrhundert „eine dekorative Bemalung des *ganzen* Domes stattgefunden" habe; auch sei nicht zu bezweifeln, „daß ehemals ein *einheitlicher* Gedanke dem Gesamtzyklus zu Grunde lag". Im Sinne einer nicht nur farblichen Angleichung des Langhauses an die übrige Kirche genüge jedoch nicht allein ornamentaler Schmuck, wie erwogen wurde, vielmehr sei ein figürliches Bildprogramm erforderlich, um die ursprüngliche Einheit – auch inhaltlich – wieder herzustellen.

Ziel der malerischen Ausstattung sollte in diesem Sinne (und ganz entsprechend wie bei den bereits genannten Vorgängerprojekten) „eine höhere, harmonische Uebereinstimmung aller Theile" sein. Reservoir für die ergänzende Ausmalung, die das Übriggebliebene wieder zu einem Ganzen abrunden solle, sei das umfassende „ikonographische System" und „große Lehrmittel" des mittelalterlichen Bilderkreises: „Er ist in der That groß und weit, denn er umschließt alles, was der Sinn des Menschen fassen könnte; es ist die ganze Lebens- und Weltanschauung, das Diesseits und Jenseits, Gott, die Welt und die Menschen darin enthalten." Es gebe nämlich für das vom gegenwärtigen Bewußtsein so verschiedene theozentrische Weltbild des Mittelalters nichts Profanes. Auch „die Welt in ihrer Gliederung der menschlichen Stände", das Menschenleben, die verschiedenen Tätigkeiten, die Geschichte etc., ebenso wie Tugend und Laster, Kirche und Staat seien Bestandteile dieses Bilderkreises.

Dabei müsse – so Essenwein – der Verbindlichkeit der inhaltlichen Vorbilder auch eine Verbindlichkeit der formalen und stilistischen Mittel entsprechen. So sei z. B. der Flächencharakter unbedingt zu wahren [539]), wie allgemein die Malereien den architektonischen Gedanken hervorheben, nicht aber

---

[537]) Vgl. Brandes, Braunschweigs Dom, S. 2 f.

[538]) P. Zimmermann, Wiehe, Ernst, in: Allgemeine Deutsche Biographie, Bd. XXIV, Leipzig 1898, S. 494. – Essenwein, Wandgemälde, S. 2 f. (alle folgenden Zitate, wenn nicht anders vermerkt, ebenfalls danach).

Abb. 368 Braunschweiger Dom: Ausmalung und Ausstattung des Innenraumes als Gesamtkunstwerk nach dem Konzept Essenweins

verwischen dürften. Darüber hinaus sollten keinesfalls, etwa „durch Einführung eines Naturalismus", die typischen Darstellungsweisen des 12./13. Jahrhunderts „verbessert" werden, vielmehr sei im „Streben nach Stil-Reinheit" die „Autorität eines Stiles" zu wahren, denn: „Eine Verbesserung würde nichts anderes sein, als eine Veränderung." Primäres Anliegen mittelalterlicher Darstellungen sei es nämlich, nicht illusionistisch zu täuschen, sondern gleichsam zu sprechen: „Die Figuren waren . . . nichts als ornamentale Schriftzeichen" zur Belehrung der Gläubigen. Als „ein aufgeschlagenes Buch" und „eine Predigt in Bildern" hatte schon Brandes die Wandmalereien verstanden [540]). Der Sprachvergleich prägt auch Essenweins Vorstellung vom Gesamtcharakter des komplettierten Bilderzyklus, in dem das Neuzuschaffende aus dem Vorhandenen abzuleiten sei. – Am 10. Juni 1879 erhielt Essenwein den Auftrag

---

[539]) Vgl. damit bereits Brandes (Braunschweigs Dom, S. 29): „Plastisches Hervortreten oder Zurückweichen ist (bei den mittelalterlichen Malereien, d. Verf.) durchaus nicht zu erkennen; wie groß der Reichtum und die Pracht der Bildwerke ist, der Eindruck der Wandfläche ist immer gewahrt." – Vgl. Anm. 104.

[540]) Brandes, Braunschweiger Dom, S. 2.

Abb. 369   Braunschweiger Dom: Detail der Ausmalung der Mittelschiffwände nach dem Konzept Essenweins

Abb. 370 Braunschweiger Dom: Detail der Ausmalung des Gewölbes mit Darstellung des ANNUS (bzw. der Zeit) mit den Tierkreiszeichen und Tageszeiten (vgl. Abb. 133 u. 394)

zur Ausführung seines Entwurfs, wobei ihn der Kölner Dekorationsmaler J. G. Loosen unterstützen sollte [541].

Essenweins Ausmalungsprogramm begann am Gewölbe zwischen den Westtürmen mit einer Darstellung des „Herrn in seiner Herrlichkeit". Michaels Kampf mit dem Drachen und der Engelsturz schlossen sich auf dem Schildbogen thematisch an. Der erste Gewölbeabschnitt zeigte Gottvater, umgeben von Medaillondarstellungen der sechs Schöpfungstage, ergänzt um Sündenfall und Vertreibung aus dem Paradies.

In der Mitte des zweiten Gewölbeabschnittes thronte, umgeben von den 12 Tierkreiszeichen, die doppelgesichtige Personifikation der Zeit; „. . . sie entläßt einen Menschen vom Schauplatz und versperrt hinter ihm die Pforte; einen anderen läßt sie durch den geöffneten Vorhang eintreten, wie Generation um Generation sich im Laufe der Zeit ablöst". In die vier Segmente der Felder teilten sich Allegorien

---

[541] Essenwein (Wandgemälde, S. 3 f.) betont, daß der „Dekorationsmaler J. G. Loosen aus Köln . . . schon in anderen Fällen mein treuer Mitarbeiter war." – Vgl. damit auch die Tatsache, daß Essenweins Entwürfe für die Glasmalereien der Langhausfenster „unter steter direkter Leitung stehend" vom Nürnberger Glasmaler Klaus ausgeführt wurden.

Abb. 371 Braunschweiger Dom: Detail der ehem. Ausmalung der Gewölbe mit Darstellung der VIRILITAS (aus dem Lebensalter-Zyklus) und des Glücksrads (rechts angeschnitten)

der vier Tageszeiten sowie Personifikationen von Sol und Luna: „. . . die erste bezeichnet als TEMPUS MATUTINUM (Morgen), wie sie die Sonne aus der Fluth hebt, die zweite DIES (der Tag) mit den Arbeitsgeräthen, (die) Sonne hochhaltend, die dritte VESPER (der Abend), die Sonne versteckend, und die vierte NOX (die Nacht), die Zeit der Ruhe, schlafend.“

Im dritten Gewölbefeld folgte in der Mitte „die Erde mit Blumen und Früchten, welche die Menschen an ihrem Busen nährt“, umgeben von den Personifikationen der vier Elemente. Nach außen schlossen sich Personifikationen der vier Weltgegenden mit ihren Attributen an: der Osten mit der Sonne, Süden mit Palme, Westen mit Schiff, Norden mit Wind und Sturm. Analog zu den vier Elementen fanden sich „an den Gräthen des Gewölbes“ die vier Symboltiere Löwe, Adler, Fisch und Drache. „In einem Kreis, der dies gesammte Bild einschließt, ist die Inschrift nach dem Gesang der Jünglinge im Feuerofen angebracht.“

Die vierte Abteilung des Darstellungszyklus sollte den Betrachter von der Schöpfung über die Darstellung des göttlichen Waltens „zu Gott hinführen“. In acht Medaillonbildern waren hier die Altersstufen der Menschen von der Wiege bis zum Grab dargestellt: Infantia („das Kind in der Wiege, von der Mutter gepflegt“), Pueritia („der Knabe, lernend beim Lehrer“), Adolescentia („der Jüngling, angeleitet zur

Abb. 372   Braunschweiger Dom: Detail der ehem. Ausmalung der Gewölbe nach dem Konzept Essenweins

Jagd und Waffenübung"), Juventus („der Bräutigam mit der Geliebten"), Verilitas („der Mann im Kampf"), Aetas consiliaria („der Mann unter Jünglingen Frieden stiftend"), Senectus („der Greis, am Sarge sitzend, dessen Deckel er selbst sehnsüchtig öffnet"). Ergänzt wurden diese Medaillons durch das Bild eines früchtetragenden und eines verdorrten Baumes, an den schon die Axt gelegt war. In der Mitte all dieser Darstellungen erschien – EST DEUS IN ROTA – das Glücksrad: „Einerseits steigt ein Jüngling in die Höhe, der im Umgestüme der Jugend eine Krone zu erhaschen sucht und in Siegesgewißheit ausruft: REGNABO . . . Oben sitzt der Mann in der Kraft seines Alters, in Blüthe und Herrlichkeit auf dem Throne; als ob es immer so dauern würde, spricht er: REGNO . . . Aber das Rad dreht sich abwärts, das nahende Alter läßt ihm Scepter und Krone entfallen, und er ruft erschreckt aus: REGNAVI . . ., um als Greis weinend auf ein Leben voll Täuschung zurückzublicken und verzweifelt zu sehen, daß er nun doch ein Nichts ist: SUM SINE REGNO."

Die Malereien der Mittelschiffwände sollten „die Sehnsucht nach Gott" im Alten Bund durch die Darstellung der verschlossenen Mauern des Paradieses ausdrücken, über die hinweg Palmen, Engel, Kuppeln u.a. zu sehen waren. In den 16 Feldern zwischen den Mittelschiffenstern erschienen die vier großen und die zwölf kleinen Propheten.

Geradezu programmatisch geht Essenweins Beschreibung (und Ausführung) seines durch zahlreiche Inschriften ergänzten Langhaus-Zyklus bruchlos in eine Beschreibung der von Brandes erneuerten mittelalterlichen Wandgemälde über. Anders verhält es sich jedoch bei den Teilen, die (wie das nördliche Seitenschiff) bereits von Brandes *ohne* mittelalterliche Vorlagen neu ausgemalt worden waren. Als Anhang seiner Ausführungen zitiert Essenwein aus dem 1863 von Brandes publizierten Kommentar zu seinen Ergänzungen, die er glaubte – so Essenwein mit vorwurfsvollem Unterton – „nicht nur in modernen Formen, sondern auch nach eigenem Gedankengang . . . ausmalen zu sollen". Im thematischen Kontext der Bildzyklen hatte Essenwein jedoch wenige Seiten zuvor korrigierend eine Alternative zu Brandes' Malereien und ihrem Programm entwickelt: „Durch das Leiden des Herrn ist die Kirche auf Erden begründet, und deshalb war ohne Zweifel auch unter demselben die Gemeinschaft der Menschen auf Erden im nördlichen Querschiffe dort zur Darstellung gebracht, wo der Sitz des Herzogs war, der in Verbindung mit dem Palaste desselben stand. Die Kirche als solche mag auf dem Bilde der Kreuzigung neben dem Kreuze, das Blut aus der Seitenwunde auffangend, gestanden haben, als der neue Bund, nebst der Synagoge, dem alten Bunde mit dem auserwählten Volke . . . Darunter mag, daran anschließend, die Gliederung der Menschen auf Erden, der Geistlichkeit und Laien, nach Ständen geordnet dargestellt worden sein, mit Papst und Kaiser in der Mitte, an sie sich anschließend, abwärts steigend vom Bischof bis zum Mönche und vom Herzoge bis zum Bauer. Es mögen die Tugenden dargestellt worden sein, vielleicht triumphierend über die Laster; Künste und Wissenschaften und jede menschliche Thätigkeit mögen hier ihre Stelle gehabt haben." [542]

Schließlich ergänzte Essenwein auch die Heiligendarstellungen auf den Pfeilern des Langhauses: „Auf Wunsch des Herrn Abtes Thi(e)le habe ich . . . an zwei Stellen, wo von den ursprünglichen Figuren nichts zu sehen war, die Heiligen Ludgerus und Ansgarius dargestellt." [543] Ausgerechnet diese im Gesamtkontext eher marginalen Malereien auf den Langhauspfeilern sind heute die einzigen erhaltenen Zeugnisse der Essenweinschen Ausmalung und durch eine „Signatur" besonders hervorgehoben: VON ESSENWEIN ERGÄNZT 1880.

Essenweins Malereien im Braunschweiger Dom wurden von den Zeitgenossen allgemein als vorbildlich bewertet: „. . . großartig wirkt die durch Essenwein durchgeführte innere Restauration des Domes in Braunschweig. Die Lösung dieser Aufgabe wurde allerdings wesentlich erleichtert; die Gesamt-Darstellung gewährt in ihrer Form-Vollendung ein mustergültiges Abbild jenes erhabenen Lehrmittels, dessen die Kirche sich bediente, um ihren mächtigen Einfluss auf die Gemüther der Massen auszuüben." [544]

Heute ist man wieder geneigt, die Leistungen Essenweins anzuerkennen, wenn nicht gar ihnen aus dem Bewußtsein des Verlustes erneut eine gewisse Vorbildlichkeit zuzusprechen: „Essenwein hatte sich die Ausmalung der Gewölbe (des Braunschweiger Domes) mit großmaßstäblichen Schmuckformen zugetraut, seitdem niemand mehr . . . Sollte unsere Epoche den Mut haben, die Einheit dieser Architektur mit Mitteln der Malerei wiederherzustellen? Wozu es freilich eines bedeutenden Künstlers bedürfte." [545]

---

[542] Essenwein, Wandgemälde, S. 25 f. – Vgl. zum Programm der Wandmalereien auch Grube, Führer, S. (12–18).

[543] Ebd., S. 31 (auf S. 3 dagegen: Thiele).

[544] (Anonymus) „Mittheilungen aus Vereinen" (über einen Vortrag von Johannes Otzen zum Thema „Über monumentale Malerei"), in: Deutsche Bauzeitung, 18. Jg., Nr. 84, vom 18. Okt. 1884, S. 504. – Vgl. in gleichem Sinne auch (Anonymus), Ueber monumentale Malerei, in: Wochenblatt für Architekten und Ingenieure, VI. Jg., Nr. 83, vom 17. Okt. 1884, S. 422. – Vgl. in diesem Sinne bereits Wessely, Restaurierung, der (Sp. 566 f.) folgendes betont: Essenwein „hat sich ganz in die kirchliche Anschauungsweise des 12. und 13. Jahrhunderts vertieft und das Ergebnis ist ein sehr glückliches. Daß es keine leichte Arbeit war, Gedanken, Augen und Hände fünf Jahrhunderte zurückzustellen, wird jeder Sachverständige einsehen. Die Kritik des modernen Alltagsmenschen ist hier nicht maßgebend... sicher (ist), daß die Restauration vollkommen im Geiste jener Zeit gehalten... und nichts enthält, was nicht bereits damals Eigentum der künstlerischen Denk- und Ausdrucksweise gewesen ist.

[545] Gosebruch, Braunschweiger Dom, S. 8. – Vgl. ebd., S. 4 ff., zur ansonsten recht problematischen Charakterisierung und Bewertung der zwei Restaurierungen des 19. und der Re-Restaurierungen des 20. Jahrhunderts. – Dabei spricht Gosebruch mißverständlicherweise von Essenwein als einem „gebildeten Kirchenmaler".

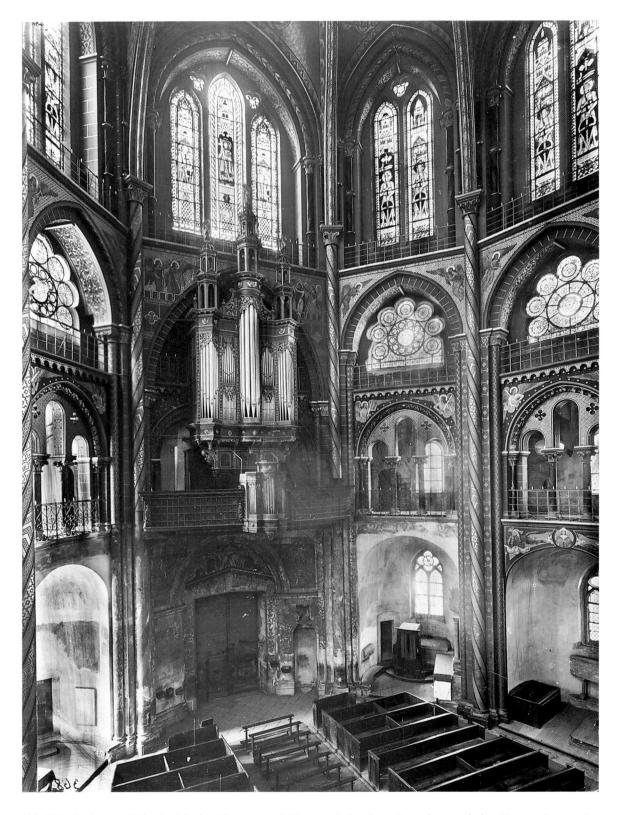

Abb. 373   St. Gereon, Köln: Ansicht des Oktogons nach Westen mit der ehem. Ausmalung nach dem Konzept Essenweins

St. Gereon in Köln

Essenweins Arbeiten für St. Gereon gehören nur mittelbar in den Zusammenhang der für die Dombeflurung relevanten Vorgängerprojekte, doch gibt es eine Reihe allgemeiner und grundsätzlicher Aspekte, durch die auch dieses Projekt, wie die übrigen, mit dem Dommosaik verbunden ist. Sie erhalten ihre Bedeutung nicht zuletzt dadurch, daß sie sich in analoger Weise von der Wand- und Glasmalerei auch auf die Beflurung übertragen lassen.

Bemerkenswert ist zunächst, daß Essenwein 1891 zu diesem Projekt einen Kommentar verfaßt, der schon durch sein ungewöhnliches Format den besonderen Stellenwert des Unternehmens andeutet [546]. Hinzu kommt, daß Essenwein mit diesem Werk nicht nur wie in seinen vergleichbaren Publikationen eine historische Einführung in die Geschichte dieses Kirchenbaus, nicht nur eine Erklärung seines ikonographischen Programms, eine Rechtfertigung seiner inhaltlichen Auswahl und stilistischen Ausführungen, nicht nur eine Verlaufsschilderung der durchgeführten Arbeiten liefert, sondern erstmals auch eine Auswahl aus den eigenen Entwürfen – z.T. sogar in Originalgröße! – publiziert. Damit mag er zugleich den Zwang kompensiert haben, nur selten und dann, bedingt durch seine fortschreitende Krankheit, überhaupt nicht mehr den Fortschritt der Arbeiten in Köln selbst überwachen und nur noch aus der Ferne über Matthias Göbbels indirekten Einfluß nehmen zu können. So beschreibt Essenwein teilweise Details der Ausmalung und Verglasung, die er, wie er bedauert, selbst noch nicht in ausgeführtem Zustand sehen konnte. Auch unter diesem Aspekt berühren sich also Essenweins Tätigkeit für St. Gereon und für den Dom.

Zur Ausführung seines ikonographischen Programms, das mit der Darstellung zahlreicher Heiliger und Märtyrer der legendären Tradition der Kirche entsprach, orientierte sich Essenwein – vor allem auch bei der Ornamentik – an den z.T. umfangreichen Resten mittelalterlicher Malerei; einzelne Partien wurden ganz erhalten und restauriert, in anderen mußten die Übermalungen von 1823 erneuert werden [547]. Für die formale und vor allem für die farbliche Anlage der übrigen Darstellungen boten sie jedoch nur bedingt Orientierung: „Für die Palette des Kuppelgewölbes hatten wir kein direktes Vorbild in Wandmalerei aus dem XIII. Jahrhundert; aber neben den Mosaiken der früheren Periode diente uns der Emailschmuck an den Goldschmiedearbeiten des XII. und XIII. Jahrhunderts als Vorbild . . . (Essenwein und Göbbels) studierten zusammen die Färbung der Mosaiken der Markuskirche zu Venedig und der Emaillen des XII.-XIII. Jahrhunderts." [548] In den verschiedenen Schritten der Herstellung vollzog sich die definitive Gestaltfindung z.T. experimentierend und erprobend: „. . . an manchen Stellen sind zum Teile mehrmalige Übermalungen nötig geworden, bis die richtige Stimmung sich ergeben hatte." [549]

---

[546]) Essenweins Prachtwerk besitzt das beeindruckende Format „Imperi-Folio". – Vgl. dazu die Rezension von W. Lübke (Ausmalung, S. 5): „. . . einem der vornehmsten Prachtwerke . . ., deren unsere Literatur sich rühmen kann. In einem Format von 82 x 65 cm sind nicht bloß die riesigen 36 Tafeln, sondern auch der ausführliche Text erschienen, der freilich durch dieses Format dem eingehenden Studium ungewöhnliche Schwierigkeiten bereitet . . ., so daß wir zu dem heroischen Mittel greifen müssen, in unserm Exemplar die einzelnen Blätter auseinander zu schneiden, um uns des Inhalts bemächtigen zu können." – Auf den Denkmalcharakter dieses Prachtwerkes spielt auch Schnütgen (Ausstattung, Sp. 293) an: „. . . möge es dem Meister gefallen und gelingen, seine zahlreichen Kirchen-Ausstattungs-Entwürfe in Werken zu veröffentlichen, die weder in bezug auf die Größe des Formats, noch in bezug auf den Reichtum und Glanz der Illustrationen auch nur entfernt heranzureichen brauchen an das vorliegende Prachtwerk!"

[547]) Vgl. Essenwein, Ausstattung, S. 11. – (Ebd., S. 14: „Die alten Farbreste freilich sind allenthalben vollständig überdeckt, und es konnte nirgends der Versuch gemacht werden, sie unberührt zu erhalten.") – Vgl. dagegen Clemen (Romanische Monumentalmalerei, S. 537): „Als dann 1883 eine Neuausmalung des ganzen Dekagons nach Plänen von August Essenwein bevorstand, hat man allzueifrig die sämtlichen Architekturglieder von den späte(re)n Überstrichen gereinigt und sich nicht um die vorgefundenen Reste gekümmert, vor allem über das dekorative System keine Aufzeichnungen gemacht."

[548]) Essenwein, Ausstattung, S. 13.

[549]) Ebd., S. 13.

382

Insbesondere die wirkungsorientierte Umsetzung der für die ursprüngliche Kuppelausstattung des 6. Jahrhunderts vermuteten Mosaiktechnik mit ihrem gebrochenen Goldfond in das matte Ölgold gestaltete sich schwierig: „Bei der Mosaiktechnik entsteht (nämlich) durch die Fugen zwischen den einzelnen Würfelchen eine Zeichnung, welche das Gold mindert; bei glatter Vergoldung fehlt diese und es erscheint kalt und hart. Durch die mit der Schablone aufgetragene braune Zeichnung tritt aber eine ähnliche Milderung ein, wie sie die Mosaik (sic) von selbst bietet." [550] – Ganz ähnlich erwies sich das Problem stimmungsvoller Ausstattung auch bei der Herstellung der Fenster, ging es doch darum, das durch natürliche Alterung, technische Unvollkommenheit und ungleichmäßige Trübung des Glases erzielte diffuse Licht alter Glasmalereien annäherungsweise zu erzeugen: „Wir hatten nicht die Absicht, die Fenster alt erscheinen zu lassen; so wenig als bei der Dekorationsmalerei ähnliches beabsichtigt war, sollte man meinen, daß die Fenster Jahrhunderte alt seien; aber sie sollten jene Harmonie und Kraft haben, welche die alten ebenfalls von Anfang an hatten ... Was Wirkung der Zeit ist, wollten auch wir der Zeit überlassen." [551]

Leitendes Prinzip der formalen Gestaltung war dabei – und zwar gleichermaßen für Ornamentik wie für Figürliches – sich „so genau als es geht, an alte Vorbilder an(zulehnen), ohne geradezu einzelne direkt zu kopieren." [552] Dieser Grundsatz schloß die Bereitschaft mit ein, auch Unvollkommenheiten der Vorbilder gelten zu lassen und sogar zu übernehmen. In diesem Zusammenhang wiederholt Essenwein – z.T. wörtlich – seine bereits aus den anderen Erläuterungsschriften sattsam bekannten Grundprinzipien, um schließlich die funktionale Bindung der bildlichen Darstellungen zu betonen. Der Betrachter solle durch sie „erhoben und gebessert, nicht aber getäuscht werden"; auch wollte „die Kirche (sie) den Gläubigen zur Belehrung vorführen und will dies heute noch. Es darf also nicht befremden, wenn heute eine Scheidung eintritt zwischen der kirchlichen Lehrmalerei und der akademisch realistischen Naturdarstellung." [553]

Heftig angegriffen wurde Essenweins Ausmalung von St. Gereon 1885 durch einen anonymen Kritiker. Seine massiven Bedenken sollten „verhüten, dass dem Autor der Wiederherstellung des Innern von St. Gereon ... die Entwürfe für die Ausmalung des Kölner Domes übertragen werden." [554]

---

[550] Ebd., S. 15.

[551] Ebd., S. 14.

[552] Ebd., S. 13. – Vgl. damit auch Essenwein in einem Brief vom 6. Dez. 1865 aus Graz an Reichensperger (zit. nach Reichensperger, [Nachruf . . .], S. 183): „Ich habe Restaurationsprojekte für zwei hiesige gothische Kirchen in Arbeit. Ich fühle und kenne wohl die Klippen der Gotik; allein da ich mich stets in tiefem Fahrwasser halte und möglichst auf Originalität verzichte, so hoffe ich, daß die Klippen mir nicht gefährlich werden . . ." – Vgl. damit auch bes. Kapitel „Die Individualitätsproblematik", S. 433 ff., und „Vorbilder und Nachbilder", S. 404 ff.

[553] Essenwein, Ausstattung, S. 12 f.

[554] (Anonymus), Die Wiederherstellung der Gereonkirche zu Köln, Wochenblatt für Baukunde (PI160 Wochenblatt für Architekten und Ingenieure), VII. Jg., Nr. 73, vom 11. Sept. 1885, S. 367, der sich auf den Wiederabdruck eines Artikels aus der Kölnischen Zeitung in der Kunstchronik, 20. Jg., Nr. 41, vom 13. Aug. 1885, Sp. 677-683 mit dem Titel: „Die Wiederherstellung der Kirche St. Gereon" bezieht: „Die Wiederherstellung der Gereonkirche zu Köln hat einen unbekannt gebliebenen Kritiker veranlasst, in der „Köln. Zeitung" einige Bedenken zu äussern, die inzwischen auch ihren Weg in die „Kunstchronik" gefunden haben, ohne aber deren Redaction zu irgend einer Stellungnahme zu veranlassen. Die Frage selbst . . . würde schon in baulicher Hinsicht interessant genug sein, um die Aufmerksamkeit der Architekten zu erregen, wenn sich auch die Spitze jener Ausführungen nicht, wie sie es thut gegen einen Lehrer und Architekten in so hervorragender Stellung, wie sie Essenwein einnimmt, richtete. Die Bedenken selbst, und zwar solche schwerwiegendster Natur, werden angeblich deshalb vorgebracht, um zu verhüten, dass dem Autor der Wiederherstellung des Innern von St. Gereon . . . die Entwürfe für die Ausmalung des Kölner Domes übertragen werden . . . Dass Professor Essenwein von hoher Seite mit Entwürfen beauftragt war, ist bekannt. Wir erwähnen deshalb kurz die Einwände der „Köln. Ztg." gegen die Arbeiten in St. Gereon in der Hoffnung, von zuständiger Seite so bald als thunlich Klarstellung zu gewinnen. Betreffs des Inneren der Kuppel klagt jener Kritiker, dass der Eindruck desselben früher ein einheitlicherer gewesen sei. „Zum ersten erscheinen Gestalten in den Gewölbekappen fast doppelt so gross, als sie sein dürften; sie bewirken dadurch, wie bekannt, eine Höhenverminderung und es nützt Nichts, dass dieselben in grauer anspruchsloser Farbe hergestellt sind. Dieser Farbe gegenüber erscheinen durchaus

Die ehemalige Stiftskirche in Königslutter

„War das Aeußere der Stiftskirche zu Königslutter im Laufe der Zeit durch Ausbesserungen und Her-
stellungs-Arbeiten nach und nach in einen vorzüglichen und stylreinen Zustand versetzt, so zeigte das
Innere noch bis vor wenigen Jahren die Verfassung, in welche es durch die Vernüchterungen und Entstellungen der letztverflossenen Jahrhunderte gebracht worden war. Wohl wirkten, wie im Aeußeren,
so auch hier die vornehmen und großartigen Verhältnisse, im Uebrigen aber war der Eindruck denkbar
kahl und nüchtern." [555] Mit diesen Worten beginnt der Architekt Ernst Wiehe seine Beschreibung der
Ausmalung, die vor allem in der Betonung des, trotz aller architektonischen Qualitäten, wenig stim-
mungsvollen Kirchenraumes an die Enttäuschung über die Wirkung des Dominneren nach dem Fall
der Chormauer 1863 erinnert.

Auf Anregung Prinz Albrechts von Preußen wurde deshalb 1892 „die Ausführung einer vollständigen
Instandsetzung des Innern, insbesondere einer stylentsprechenden Ausmalung und Verglasung" in Angriff genommen [556]. „Der Plan zu der Ausmalung entstammt der genialen und erfahrenen Hand Dr.

---

architekturfeindlich die zunächst stehenden Säulen, quer durchschnitten, halb grellroth, halb pechschwarz mit
kaum sichtbaren Unterbrechungen, während die bisher blau und golden, in den Farben des Kirchenpatrons (?)
geschlängelt, mässig gehalten und die Seitensäulen durch feine Lorbeerzweige vor der Eintönigkeit der Farbe
geschützt, heute noch sichtbar sind." Das „Figuralische" steht nicht im rechten Verhältnis zur Architektur, während doch gute Vorbilder dafür da sind. Der Heiland in der Kuppel wird besonders getadelt: „Man fragt sich sofort, darf das Gesicht des Herrn mit so groben nichtssagenden Zügen auch nur gedacht werden? Ist es gestattet,
sich so die segnende Hand des Heilands vorzustellen, die, abgesehen von ihrer Formlosigkeit, fast so lang ist,
wie der ganze verzeichnete mumienhafte Vorderarm?" . . . „Gehen wir nunmehr zu der neuen Glasmalerei
über, da zeigen sich die Missgestalten womöglich noch weit schlimmer. Dem Eintretenden gegenüber in dem
dreitheiligen Fenster des Zehnecks erscheinen drei grämliche, vollkommen zwerghafte Gestalten, denn sie
sind um eine Kopfeslänge zu kurz und dazu durch eine Ueberfülle von Gewände(r)n unmässig breit . . . Die
erbärmlichen Gestalten in den übrigen acht Fenstern sind schematisch, d. h. die eine, wie die andere. In der
plumpen, rechten Hand halten sie die Lanze, mit der linken, die zerbrochener (!) nicht sein kann, und mit
gichtigen Fingern den Schild." Schliesslich wird gesagt, dass die heutigen Künstler Handwerker geworden sei-
en . . ., „Eine Menge Leute, die für hohe Kunst nur geringe Begabung zeigen, oder zu träge sind, den mühseligen Pfad zur höheren Ausbildung zu wandeln, werden in dem sogenannten Kunsthandwerk untergebracht und
bilden einen neuen Berufsstand, der vorzugsweise von Architekten, die für billig und schlecht schwärmen, be-
günstigt wird." – Diese Auszüge geben Proben von der Heftigkeit der gegen die Innen-Renovirung von St. Gereon gerichteten Angriffe, deren Prüfung Sache des Cultusministeriums ist, deren Widerlegung dem ausführenden Künstler gehören wird. Eine objektive Aeusserung aus Kölner Fachkreisen würde Vielen gewiss recht
willkommen sein." – Vgl. auch Anm. 493 u. 592.

Ob eine solche Entgegnung erfolgte, konnte nicht geklärt werden. Doch wenn man Essenweins „Prachtwerk"
(vgl. Anm. 546) mit dieser Polemik zusammensieht, dann bekommen dessen Aufwandt und z. T. originalgroßen (!) Abbildungen etwas Demonstratives und erscheinen auch als Reaktion auf solche Angriffe wie zugleich
als ein einziges massives Argument *für* die Ausmalung auch des Kölner Domes.

[555] Wiehe, Ausmalung, S. 1.
[556] Ebd., S. 1 f. – Nach einer Kopie (copia copiae) im Archiv des Instituts für Denkmalpflege in Hannover, die auf
drei Seiten ein Konzept der Innenausstattung und Prinzipien einer Polychromierung der Kirche von Königslutter entwirft, setzte die Planung dieses Projektes schon mindestens fünf Jahre früher ein: Das „gez. A. Essenwein" unterzeichnete, „Nürnberg, den 22. Januar 1887" datierte und von Wiehe um eine Kostenkalkulation ergänzte Schreiben an einen nicht genannten Adressaten lautet: „So unentbehrlich die polychrome Ausstattung,
mindestens der Innenräume, monumentaler Bauwerke während der Epoche der romanischen Baukunst gehalten wurde, folgte man doch nicht einem einzigen, unabänderlichen Schema, vielmehr war insbesondere der
Grad des Reichtums bei dieser Ausstattung ein sehr verschiedener und neben Werken, welche den höchsten
Glanz des Goldes und der Farben aus reichen, figürlichen Darstellungen strahlen lassen, finden sich solche,
bei denen einfach der Tüncher einige Töne aufgetragen hatte, die aus Kalkweis, gelbem und rothem Oker,
grüner Erde und Ruß bestanden, welche rein oder gemischt aufgetragen wurden und die man so oft erneuerte,
als eben der Reinlichkeitssinn frischen Tünchauftrag erforderte. Mitunter geschah die Erneuerung in bestimmten Zeitfristen nach altem Herkommen noch lange nach Ablauf der Herrschaft des romanische Styles, zum
Theile wohl noch weit über das Mittelalter hinaus.
So fanden sich auch in der Kirche zu Königslutter Reste ähnlicher Tüncherarbeiten in den Seitenschiffen vor,

A.. v. Essenwein's . . . (Er) hatte auf Grund seiner generellen Skizze auch die vollständige Ausführung übernommen . . . Für die gesamte Ausstattung hat die Essenwein'sche Skizze als Grundlage gedient . . . Die Inschriften sind sämtlich diesseits zugefügt." [557])

Die Ausmalung der Kirche als „der wichtigste und schwierigste Theil der Arbeiten" verband mit dem Bemühen um „Stylgemäßheit" die Zielvorstellung „soweit als thunlich und soweit als die verfügbaren Geldmittel erlaubten, die Wiederherstellung der ursprünglichen Ausstattung anzustreben." [558]) – Das Ergebnis ist im Gegensatz zu anderen Vorgängerprojekten weniger durch motivische und inhaltliche Übereinstimmungen für das Dommosaik von Bedeutung. Vielmehr kann die noch erhaltene Ausmalung der Wände und Gewölbe eine anschauliche Vorstellung davon vermitteln, wie man sich eine Ausmalung des Dominnern als Komplementär des Dommosaiks in etwa vorzustellen hat.

Leitmotivisch ist auch hier die Absicht, Komponenten ganz unterschiedlicher Herkunft, Zeiten (und Stilstufen) zu einer harmonischen Einheit zusammenzufassen. Zum Teil wurden die Malereien „. . . unter Benutzung der aufgefundenen Umrißlinie möglichst getreu wiederhergestellt und vervollständigt" [559]). Bei Beseitigung der Tünche hatte man nämlich Teile der mittelalterlichen Ausmalung aufgedeckt, so vor allem die „fast vollständige alte Ausmalung der Hauptapside, sowie die Bemalung der

---

die zwar späterer Zeit angehören mögen, aber gewiß nur Erneuerungen altromanischer Tüncherarbeit sind. Es fanden sich aber auch in der Apsis Reste, die weit über den Tüncherarbeiten des Mittelalters stehend, als Reste wirklicher Malereien anzusehen sind. Da nun aber diese gerade an den hervorragendsten Stellen des Bauwerkes sich befanden, die Tüncherarbeiten aber an den untergeordnetsten, so zeigt sich, daß in Königslutter eine Steigerung der Farbeneffecte stattgefunden haben muß, dessen untere und obere Grenze durch die gefundenen Reste bestimmt sind. Wir erhalten somit auch durch die Reste die wichtigsten Andeutungen für die Frage, wie wir heute die Stiftskirche wieder ausstatten sollen. Auf diesen Fingerzeigen beruht das Project, welches ich mir gestatte hier vorzulegen. Bei dem selben ist angenommen, daß die Seitenschiffe auf das einfachste getüncht werden sollen. Als Tüncherarbeit ist auch noch die Behandlung der Pfeiler und Wände des Mittelschiffes anzusehen. Die stylisierte Quadrierung in verschiedenen Farben und die einzelnen Ornamente in Gestalt stylisierter Bäume gehen kaum über den Begriff der Tüncherarbeit hinaus. Im Chore dagegen ist wirkliche Decorationsmalerei in Aussicht genommen, die genau an die alten Reste anknüpft. Die Malerei hat aber Gedanken auszudrücken, alle Darstellungen, die sich im Mittelalter in der Apsis und dem Chore der Kirchen befinden, variieren nur ein Thema, es ist die Darstellung der Herrlichkeit des Herrn. Zu diesem größeren Reichthume leitet die einfache Decorationsmalerei hinüber, welche an den Mittelschiffgewölben und in weiterer Steigerung an Gewölben und Wänden des Querschiffes, sowie an der Vierung sich entwickelt.

Was die Darstellungen betrifft, die im Chore und in der Apsis vorgesehen sind, so ergibt sich als selbstverständlich für die Apsis das große Bild des sitzenden Erlösers, der das Buch des Lebens aufgeschlagen in der linken Hand haltend, die rechte segnend erhebt. Über ihm das Siegeszeichen des Kreuzes, zu seinen Füßen, ihn anbetend seine Mutter Maria und sein Vorläufer Johannis der Täufer. Unter diesem Bilde sind zwischen den Fenstern die Reste zweier großer Apostelfiguren sichtbar, die natürlich wieder herzustellen sind und zu denen noch die Figuren der Apostel Petrus und Paulus hinzuzufügen sind. Sollte sich bei genauer Betrachtung zeigen, daß die beiden alten Figuren nicht als Apostel, sondern als Evangelistenfiguren anzusehen sind, und zwar als St. Markus und Lukas, so würden die beiden anderen Evangelisten mit ihrem Zeichen zu Füßen anzubringen sein. Die nächste Umgebung des Herrn bildet sodann eine Reihe Engelfiguren. An dem quadratischen Gewölbe des Chores ist das himmlische Jerusalem dargestellt, aus dessen zwölf Thoren zwölf Propheten hervortreten. In den Ecken sind die Personificationen der vier Paradiesflüsse angebracht, den Quell der Gnaden bezeichnend, der sich nach allen Richtungen hin ergießt. An den beiden Wänden darunter sind einerseits die klugen und thörichten Jungfrauen dargestellt, welche den Herrn erwarten, andererseits der Triumf der Tugenden über die Laster.

In den Querschiffen sollen singende und musizierende Engel dem Herrn lobsingen.

Die drei Fenster der Apsiden sind mit Glasmalerei ausgestattet gedacht, deren jedes in drei Medaillons bildliche Darstellungen enthalten, wird. Das erste die Verkündigung, die Geburt Christi und die Anbetung der drei Könige. Das zweite die Kreuztragung, Kreuzigung und die Kreuzabnahme. Das dritte die Auferstehung, die Himmelfahrt und die Herabkunft des heiligen Geistes . . . Die gothischen Malereien im westlichen Theile sollen unberührt bleiben."

(Die Kenntnis dieses bisher nicht publizierten Dokuments verdanke ich Herrn Otto Kuggel, Königslutter.)

[557]) Wiehe, Ausmalung, S. 13.
[558]) Ebd. S. 2.
[559]) Ebd. S. 11 f.

Abb. 374 Ehem. Stiftskirche, Königslutter: Blick aus dem südlichen Querschiff nach NO. Ausmalung des Innenraumes
nach dem Konzept Essenweins. Die auf Abb. 375-377 noch vorhandene Beflurung ist hier bereits entfernt.

Abb. 375   Ehem. Stiftskirche, Königslutter: Blick ins nördliche Querschiff mit der Ausmalung nach dem Konzept Essenweins

Abb. 376 Ehem. Stiftskirche, Königslutter: Blick aus dem Chor in das Mittelschiff. Die Ausmalung des Langhauses ist
heute stärker als ursprünglich von Essenwein intendiert gegen die der östlichen Raumteile abgesetzt.

Fensterlaibungen, der Arkaden- und Gurtbögen . . . Sie sind sorgfältig wiederhergestellt und das neu Hinzugekommene ist ihnen so gut es ging angepaßt worden." [560]) Aus diesem Grund wurde das ursprüngliche Ausstattungskonzept, „größtentheils mit Dr. v. Essenweins ausdrücklicher Zustimmung", im Anschluß an die vorgefundenen Reste romanischer Malereien abgeändert [561]).

Allgemein war man bemüht, die Überreste der alten Bemalung zu respektieren, sie als Anhaltspunkte für die ergänzende Ausmalung zu nutzen, und zwar selbst dort, wo sie einer stilistisch einheitlichen Reromanisierung entgegenstanden: „Außer den Resten romanischer Wandmalerei fanden sich Reste der ursprünglichen Bemalung der gothischen Gewölbe der beiden Langhaus-Seitenschiffe sowie Reste spätgothischer Bemalung an den Langhauspfeilern . . . und an dem Gewölbe des unteren Geschosses zwischen den Thürmen vor. Jene sind in alter Weise wiederhergestellt, diese sind gänzlich unberührt geblieben." [562]) Sogar das erst Ende des 17. Jahrhunderts anstelle der ursprünglichen Flachdecke in das Mittelschiff eingezogene Gewölbe wurde „mit einer dem Charakter ihrer Zeit entsprechenden Ausmalung versehen." [563])

Hierin zeigt sich, wie pragmatisch Essenwein die Aufgabe löst, mit den Mitteln farblicher Gestaltung die verschiedenen Architekturteile zu strukturieren, zu differenzieren und zugleich – im Sinne eines Gesamtkunstwerks – miteinander zu verbinden. Dabei verrät die Steigerung der Farbintensität von West nach Ost deutlich die Handschrift Essenweins, der schon in seinem Konzept von 1887 aus dem Vorgefundenen geschlossen hatte, „dass in Königslutter eine Steigerung der Farbeneffecte stattgefunden haben muss, dessen (sic) untere und obere Grenzen durch die gefundenen (Malerei-)Reste bestimmt sind." [564]) Tatsächlich ist jedoch die Steigerung des Raumerlebnisses auf den Höhepunkt des Chors zu ein Strukturprinzip *aller* Essenweinschen Ausstattungskonzepte, das als solches auch auf entsprechende Überlegungen zum Dommosaik verweist.

Die Ausmalung der Kirche wird ergänzt durch das christologische Programm der (erhaltenen) Glasmalereien in den drei Apsidenfenstern. Außerdem umfaßte das Ausstattungsprogramm u. a. noch den Hochaltar mit einem Säulenkreuz dahinter, die Kanzel, das Kirchengestühl, einen Sessel, ein Lesepult, die Türen, die Orgel, die Empore und Pendelleuchten wie auch heute zerstörte Ausstattungsdetails [565]). Auffälligerweise beschränkt sich Wiehes Beschreibung auf die Ausmalung und spart den Fußboden, der heute im Chor und in den Querschiffen von einem diagonal geführten, geometrisch strukturierten Plattenbelag bedeckt ist, gänzlich aus.

Ebenso wie das Dommosaik wurde auch die Ausmalung in Königslutter nicht mehr unter Essenweins Leitung zu Ende geführt: „Bald nach Fertigstellung des dreischiffigen Langhauses ereilte ihn leider eine schwere und in ihrem Verlaufe tödtliche Krankheit. Nur kurze Zeit lang vermochte er aus der Ferne

---

[560]) Ebd. S. 3. – (Vgl. damit Königfeld, Burg Dankwarderode, S. 79).

[561]) Ebd. S. 13. – Vgl. damit auch Essenwein, Königslutter (= Anm. 556) – Vgl. zum Verhältnis der Essenweinschen Dekorationsformen zu den aufgefundenen mittelalterlichen Resten und zur Bewertung des Essenweinschen Gesamtkonzeptes: Königfeld, Burg Dankwarderode, S. 79 f., 82 u. 84.

[562]) Wiehe, Ausmalung, S. 3.

[563]) Ebd., S. 3.

[564]) August Essenwein, Königslutter (= Anm. 556, S. 1). – Feststellungen wie etwa „Die Ausmalung der Kirche, 1894 nach Entwürfen von A. v. Essenwein markiert durch die Farbgebung scharf die Trennung zwischen Langhaus und Ostteilen." (Georg Dehio, Bremen/Niedersachsen, Handbuch der deutschen Kunstdenkmäler, Bd. X, bearbeitet von Gottfried Kiesow, Hans Christoph Hoffmann, Roswitha Poppe, Hans Reuther, Walter Wulf u. a., München/Berlin 1977, S. 547) werden der tatsächlichen Situation nicht gerecht, da sie von der 1957 vorgenommenen Teilübermalung der Langhauswände auf den ursprünglichen Zustand schließen. – Vgl. damit Königfeld, Burg Dankwarderode, S. 79.

[565]) Zu den z. T. heute zerstörten Ausstattungsstücken gehören möglicherweise zwei Velen, die die Seitenschiffe (akustisch) gegen das Querschiff abgrenzten, und ein heute nur noch als Fragment erhaltener Teppich. Ob allerdings auch diese Arbeiten auf Entwürfe Essenweins zurückgehen, ist ungeklärt. – Vgl. zu den die Ausmalung ergänzenden Ausstattungsstücken auch Königfeld, Burg Dankwarderode, S. 83–85.

Abb. 377   Ehem. Stiftskirche, Königslutter: Ausmalung der südlichen Chorwand mit der Darstellung der triumphierenden Tugenden

durch seinen Rath noch mitzuwirken." [566]) – „Auf seinen lebhaften Wunsch" übernahm daraufhin der Verfasser der Beschreibung die Leitung der Ausmalungsarbeiten, doch sollte auch er ihre Vollendung nicht mehr erleben: Der Braunschweiger Baurat Ernst Wiehe (1842–1894) hatte sich als Schüler des Wiener Dombaumeisters Friedrich (von) Schmidt vor allem um die Restaurierung – auch Ausmalung – mittelalterlicher Kirchenbauten in Niedersachsen verdient gemacht. Als 1876 das herzogliche Staatsministerium den Entschluß faßte, die Wiederherstellung sämtlicher Klosterkirchen des Landes einheitlich gestalten zu lassen, wurde Wiehe diese Aufgabe übertragen. Bereits vor Königslutter hatte Wiehe

---

[566]) Wiehe, Ausmalung, S. 13.

vor allem bei der Restaurierung des Braunschweiger Domes, dem seine Hauptsorge galt, mit Essenwein zusammengearbeitet [567]).

Verständlich also, daß Wiehes Schrift – teilweise bis in die Diktion – Essenweins Überlegungen spiegelt und seiner Argumentation entspricht. So z.B., wenn er die gliedernde Funktion der Malereien für Wände und Gemälde betont, wenn er sie als vorteilhafte und inhaltlich notwendige Ergänzungen der Architektur charakterisiert: Der Bildschmuck verleihe „der ganzen Innen-Erscheinung eine höhere Bedeutung und Durchgeistigung" und erfülle zugleich den Zweck, „dem Volke biblische Thatsachen vor Augen zu führen. Ein dem christlichen Bilderkreis entnommener fortlaufender Gedanke, meist ein Hymnus auf die Gottheit, bildet immer die Seele der Ausmalung der Kirchen des XII. Jahrhunderts." [568])

Im Dom Heinrichs des Löwen wie in der Stiftskirche Lothars von Süpplingenburg übernahm der Braunschweiger Hofdekorationsmaler Adolf Quensen (1851–1911) die Ausführung der Wandmalereien nach den Entwürfen Essenweins [569]): „Diese Arbeiten sind jetzt beendet, und so steht das Gebäude (in Königslutter) zur Zeit äußerlich, wie innerlich in dem Gewande da, welches es etwa zu Anfang des XIII. Jahrhunderts im Großen und Ganzen gehabt haben kann." [570])

Das Ausmalungsprogramm für die Stiftskirche von Königslutter verweist also auf eine Reihe personeller wie inhaltlicher Entsprechungen und Verbindungen zu den anderen Ausstattungsprogrammen Essenweins und auch zum Kölner Dommosaik. Es ist schließlich auch deshalb von herausragender Bedeutung, weil es – neben dem fast gleichzeitig entstandenen Dommosaik – das einzige weitgehend erhaltene von Essenweins Ausstattungsprojekten für mittelalterliche Kirchen ist. Seine Wiederherstellung und Sicherung, für die sich die Denkmalpflege seit Jahren einsetzt, sind auch unter diesem Aspekt nachdrücklich zu fordern [571]).

---

[567]) Vgl. S. 373 ff. – Zu Leben und Werk Ernst Wiehes vgl. allgemein P. Zimmermann, Wiehe, Ernst, in: Allgemeine Deutsche Biographie, Bd. XXIV, Leipzig 1898, S. 492–495.

[568]) Wiehe, Ausmalung, S. 2. – Essenwein selbst bezeichnete wiederholt seine Ausmalungs- und Ausstattungsprogramme als Hymnen (vgl. z. B. Essenwein, Wandgemälde, S. 7 u. 12). – Auch Essenweins Ausstattung für St. Maria im Kapitol ist von J. van Endert, wiederholt als „Marienhymnus", als „in Figuren und Farben dargestellten Hymnus auf die Heilige Jungfrau" etc. bezeichnet worden (Endert, Bemalung, S. 105 u.a.m.). – Zu den Entsprechungen zwischen Essenwein und Wiehe wie auch zu Essenweins Tätigkeit als Kunstpublizist und Museumsdirektor: „Ein Lieblingsplan . . . (Wiehes) war es ferner, über alle Klosteranlagen . . . eingehende Monographien herauszugeben; fleißige Vorarbeiten hatte er dazu bereits in großer Zahl gemacht, doch zur Verarbeitung ist er leider nicht mehr gekommen . . . er . . . gehört zu den Begründern des vaterländischen Museums in Braunschweig, für das er besonders eine architektonische Abtheilung ins Werk zu setzen suchte." (P. Zimmermann, Wiehe, Ernst, in: Allgemeine Deutsche Biographie, Bd. XXIV, Leipzig 1898, S. 494).

[569]) Vgl. (Nachruf auf) Adolf Quensen, in: Braunschweigisches Magazin, hrsg. von Paul Zimmermann, 1911, Nr. 10, S. 121–124. – „Die Ausführung selbst wurde dem Hof-Decorationsmaler Ad. Quensen zu Braunschweig übertragen, welcher auch das Langhaus nach Dr. v. Essenwein's Anweisungen ausgemalt hat. Von Quensen's Hand sind die sämtlichen Cartons des Figurenwerks etc. im Kreuzschiff und Chor; er hat auch die Kartons zu den von Henning & Andres in Hannover ausgeführten Glasmalereien der Hauptapsis geliefert." (Wiehe, Ausmalung, S. 13).

[570]) Wiehe, Ausmalung, S. 2.

[571]) Bei Sicherungsarbeiten im Bereich der Vierung und des Chores wurden in den letzten Jahren Teile der dortigen Ausmalung z. T. erheblich in Mitleidenschaft gezogen, bisher aber nicht wieder restauriert. – Bereits 1955/56 (nach Königfeld, Burg Dankwarderode, S. 79: erst 1957) wurde eine vereinfachende Teilübermalung der Essenweinschen Malereien an den Langhauswänden vorgenommen (Alte Photographien belegen übrigens eine ganz entsprechende Übermalung der Langhauswände in Groß St. Martin bereits in den 30er Jahren. Vgl. Abb. 359). – Durch polnische Restauratoren wurden diese Übertünchungen 1976/77 lediglich im „Modellfeld" der südlichen Langhauswand, erstes Joch, ansonsten nur an mehreren kleinen Probestellen, wieder entfernt und so die guterhaltene Bemalung des späten 19. Jahrhunderts freigelegt. – Vgl. dazu detailliert Königfeld, a.a.O., S. 78 ff.

Gutachten Essenweins

(Konstanzer Münster)

Neben seiner Tätigkeit als Architekt und Museumsleiter, als Künstler und Theoretiker, Denkmalpfleger und Kunsthistoriker hat Essenwein auch immer wieder bei zahlreichen Restaurierungs- oder Ausstattungsprojekten für Kirchen als Gutachter fungiert. So hatte er als Hauptgutachter bzw. als Mitglied der Gutachterkommission Einfluß auf die Entscheidungsfindung, als es etwa darum ging, Kirchen in Echternach und Freiburg zu restaurieren, St. Quirinus in Neuß zu reromanisieren und das Aachener Münster von den Stukkaturen des 18. Jahrhunderts zu befreien und mit Mosaiken auszukleiden [572]). Auch gehörte Essenwein – wie wir sahen – zu den Gutachtern der Domausstattungs-Konkurrenz von 1872.

Die Äußerungen der Gutachter fanden nicht nur Eingang in Akten und Berichte, sondern wurden gelegentlich auch in gedruckter Form einer breiteren Öffentlichkeit zugänglich gemacht. Besonderes Interesse verdient in diesem Zusammenhang Essenweins 1879 im Druck erschienenes Gutachten „Die Restauration und Ausstattung des Innern des Münsters zu Constanz" [573]), da es in seinem grundsätzlichen Charakter deutlicher noch als die genannten Vorgängerprojekte die Flexibilität und den Pragmatismus seines denkmalpflegerischen Ansatzes erkennen läßt.

Nach Essenwein unterscheidet sich das Konstanzer Münster von den architektonisch mehr oder weniger einheitlichen Kirchen, für die er bis dahin Restaurierungs- oder Ausstattungskonzepte zu entwerfen hatte, durch „eine der Geschichte des Baues entsprechende Mannigfaltigkeit", die entstand, weil viele Jahrhunderte „jeweils änderten und hinzufügten, was sie für besser hielten, als das Bestehende. Jede dieser späteren Zuthaten ist . . . als solche . . . uns ehrwürdig." – „Durch all diese Zuthaten ist die Stileinheit (zwar) gestört, aber es ist theilweise ein malerischer in seiner Weise harmonisch wirkender Gegensatz entstanden, welchen wir nicht aufzuheben brauchen, weil er eben harmonisch wirkt. Freilich ist dies nicht durchgehends der Fall. Es läßt sich der Eindruck der Nüchternheit nicht läugnen, welcher da und dort herrscht, und wo wir uns als Lebende auch das Recht nehmen dürfen, in unserm Sinne zu verbessern." [574])

So spricht sich Essenwein dafür aus, „die ballsaalartige Nüchternheit der Stuckaturen in Chor und Querschiff, welche der Zopf beigefügt hat", zu beseitigen, „wenn ich auch ihren Werth nicht verkenne", „weil sie die Erscheinung so mächtig beeinflussen . . ., den kirchlichen Eindruck . . . stören und die Harmonie eines großen Ganzen" aufheben [575]). An ihrer Stelle sollten spätromanische bzw. gotisierende Malereien nach den Vorbildern erhaltener Reste treten: „Die Dekoration des Chores nach Beseitigung der Stuk(k)aturen wird unter Zugrundelegung der vielen schönen Muster gothischer Wandmalereien, welche der Münster bietet, geschehen können." [576]) Sollte sich herausstellen, daß „manches auf Grund der erhaltenen Reste neu zu malen" sei, so habe „. . . das Vorhandene als Anhaltspunkte (zu) dienen" [577]).

„Am wünschenswerthesten würde es jedenfalls sein, wenn die Möglichkeit gegeben wäre, alles zu Tage Tretende ohne jede Nachhilfe zu belassen, (so) wie es zum Vorschein kommt. Es ist leider bis jetzt nie möglich gewesen, alte Wandmalereien in ähnlicher Weise zu restauriren, wie dies bei Tafelgemälden der Fall ist. Bis jetzt ist jede ähnliche Restauration auf nichts anderes herausgekommen, als auf eine mehr oder minder geschickte Uebermalung mit Benützung der alten Konturen als Grundlage

---

[572]) Vgl. S. 66, 287 ff. – Vgl. auch G. Hoffmann, Restaurierungen, bes. S. 49 u. 55.
[573]) (August Essenwein,) Die Restauration und Ausstattung des Innern des Münsters zu Constanz, Gutachten von Dr. A. Essenwein . . ., Freiburg i. Br. 1879.
[574]) Ebd., S. 4 f.
[575]) Ebd., S. 5.
[576]) Ebd., S. 6.
[577]) Ebd., S. 8.

und Anwendung solcher Farbentöne, wie man sie eben auf Grund der schwachen Reste ursprünglich vorhanden glaubte. Selbst bei den sorgfältigst ausgeführten und gelungensten solcher Restaurationen sind Kopien an Stelle der Originale getreten, Kopien, deren Richtigkeit nicht mehr kontrollirt werden kann, weil die Originale nicht mehr vorhanden sind. Leider kommen nur meistens diese Wandmalereien in einem solchen Zustande zu Tage, daß der Sinn für Ordnung und Anstand sich mit denselben nicht begnügt! Die Leute, welche einen abgeschabenen (sic) und zerrissenen Rock nicht tragen, welche die Tapete oder Tünche ihres Zimmers erneuern lassen, sobald sie beschädigt ist, wollen auch in ihrem Bethause alles blank und rein sehen und für sie ist denn eben doch das Bethaus vorhanden, nicht für den Kunstgelehrten, für welchen jene Malereien nur dann Interesse haben, wenn sie unberührt sind. Indessen ließen sich ja oft bei gutem Willen die Wünsche beider Theile befriedigen. Das Gotteshaus ist kein Privatwohnzimmer, der Raum ist so groß, daß wenn die richtige Gesammtstimmung vorhanden, einzelne kleine Mängel durchaus nicht stören. Diese Gesammtstimmung kann aber auch auf anderem Wege erzielt werden als gerade durch Erneuerungen alter Wandmalereien" [578]): nämlich über die Dämpfung des Lichtes „durch umfassende Verwendung der Glasmalerei" [579]).

Diese Ausführungen erscheinen im Kontext der Vorgängerprojekte und der denkmalpflegerischen Position Essenweins sehr bemerkenswert, revidieren sie doch Paul Clemens Kritik an Essenweins vermeintlich so bedenkenlosem Umgang mit Resten mittelalterlicher Malereien [580]) zugunsten eines zwischen liturgischer Benutzbarkeit, subjektiver Wirksamkeit und kunsthistorischer Wünschbarkeit vermittelnden Position.

Zugleich bestätigen Essenweins Ausführungen auf eigene Weise die vor allem von Wolfgang Brönner herausgearbeiteten Zusammenhänge zwischen den Prinzipien historistischer Wohnraum-Ausstattung und der Ausstattung öffentlicher Gebäude, also auch des Kölner Domes, – und das bezeichnenderweise gerade auch dort, wo Essenwein diese Zusammenhänge negiert: „Das Gotteshaus ist kein Privatwohnzimmer." Beide Formen farbiger Architektur und Dekoration intendieren grundsätzlich eine „Gesammtstimmung" und benutzen dazu in entsprechender Weise auch die „Dämpfung des Lichtes" als wichtiges Hilfsmittel [581]). Vor allem durch die Verwendung von farbigem Glas soll gewissermaßen eine farblich-atmosphärische Firnis erzielt werden, die – wie die Malerfirnis – alles gleichmäßig überzieht: „Anknüpfend an die große Reihe jener mittelalterlichen Darstellungen, welche bald einen engeren, bald einen erweiterten Cyklus desselben Themas geben . . . wird (in den Glasmalereien) . . . für einen berufenen Künstler Gelegenheit gegeben sein, eine Komposition von majestätischer Einfachheit und glänzender Farbenharmonie zu schaffen, die, den ganzen Eindruck der Kirche beherrschend, zugleich alles verschiedenartige in derselben harmonisch verbinden kann." [582])

Einmal mehr betont er die konstituierende Bedeutung der Farbe für die Verwirklichung des zentralen Anliegens: die Herstellung einer trotz aller Brüche und historischen Gewachsenheit dominierenden „Gesamtharmonie". Denn nur als solche kann der Kirchenbau nach Überzeugung Essenweins „als Gebet- und Erbauungsstätte des Volkes . . . auf dessen Gemüth wirken" [583]). Dieser Wirkungsintention sollten in bekannter Weise auch „die Einrichtungsgegenstände und das Mobiliar" genügen.

Essenwein warnt jedoch vor einem doktrinären Purismus und spricht sich – „wie ich ausdrücklich bemerken möchte" [584]) – für die Beibehaltung der mächtigen Barockaltäre an ihrer Stelle im Querschiff aus; auch könnte gerade die Erhaltung der zahlreichen Grabmäler unterschiedlichster Stile und Zeiten „dazu beitragen, daß eine gewisse Nüchternheit der Erscheinung vermieden wird, die sich nur zu

---

[578]) Ebd., S. 8 f.

[579]) Ebd., S. 9.

[580]) Vgl. Anm. 547.

[581]) Essenwein, Restauration. S. 9. – Vgl. auch August Töpfer, Das Wohnliche in der Wohnung, in: Mittheilungen des Gewerbe-Museums zu Bremen, 15. Jg., 1900, Nr. 8, bes. S. 58 f.

[582]) Essenwein, Restauration, S. 10 – Vgl. auch Springer, Geschichtsbewußtsein, bes. S. 381 f.

[583]) Restauration, S. 4.

[584]) Ebd., S. 14.

leicht ergibt, wo absolute Einheit angestrebt wird." [585]) Man fühlt sich an das – freilich erst Jahre nach Essenweins Tod realisierte – Nebeneinander von barocken Grabmonumenten und neugotischer Ausstattung in der Achskapelle des Kölner Domes erinnert.

Während Essenwein einerseits massivste Eingriffe wie den Austausch des Mittelschiffgewölbes aus dem 17. Jahrhundert gegen eine Flachdecke nach den Vorbildern der Decke in der Hildesheimer Michaelskirche vorschlägt, erachtet er andererseits für die Kapellen des Langhauses „keinerlei Einheit für nöthig. Da mag im Gegentheile die Individualität sich in der mannigfaltigsten Weise geltend machen . . . Hier mag . . . jeder Stifter . . . sich in seiner Weise bewegen, wenn er nur alles vorhandene Alte schont." [586]) Auf die Beflurung des Münsters geht Essenwein nicht ein.

Ausgeführt wurde freilich keiner von Essenweins Vorschlägen: „. . . zur Restauration des ganzen Münsters . . . war eine schöne Begeisterung erwacht, die sich leider keinem klaren Plan zuwenden konnte. So wurde im Jahre 1879 ein Gutachten Dr. A. Essenweins, des trefflichen Direktors am Germanischen Nationalmuseum in Nürnberg, einverlangt, das sich wenigstens in manchen Punkten mit dem Restaurationsplan deckte, den der Erzbischöfliche Bauinspektor (Franz) Bär in Freiburg entworfen hatte. Damit nicht zufrieden bat man 1881 auch den berühmten Wiener Dombaumeister Friedrich Schmidt um sein Urteil, welches wesentlich radikaler lautete als das der beiden anderen. Nun hatte man Pläne aber keinen Plan." [587])

Zusammenfassung

Essenweins rastlose Tätigkeit, seine Rolle als Gutachter, Architekt, Denkmalpfleger und entwerfender Künstler bei zahlreichen Projekten, spiegelt die Restaurierungseuphorie dieser Jahre nicht allein durch ihre Häufung in den letzten zwanzig Jahren seines Lebens, sondern auch mit ihrem – neben Nürnberg – zweiten Schwerpunkt in Köln. Dabei kehrt sich – wie bereits betont – das ursprüngliche Wirkungsverhältnis scheinbar um: Der vom Domfortbau ausgehende Impuls wirkt auf ihn zurück. In das Dombeflurungsprojekt als Essenweins letzte große Arbeit vor seinem Tode fließt nämlich eine Vielzahl früherer Erfahrungen ein, es werden Motive verarbeitet und Probleme diskutiert, die bereits im Kontext anderer Projekte eine Rolle spielten. Ohne Berücksichtigung der Vorgängerprojekte ist deshalb das Dommosaik letztlich nicht zu verstehen.

Damit ist die ungewöhnlich große Bedeutung der Vorgängerprojekte für Entstehung, Form und Inhalt des Dommosaiks bezeichnet und zugleich dessen Stellenwert relativiert. Wo man nämlich angesichts der „Jahrhundertaufgabe" der Dombeflurung die Priorität einer genuinen Kunstschöpfung erwartet hätte, erscheint diese tatsächlich nur als letztes Glied in einer Folge ähnlicher Projekte; in seinem Kern wurde das Beflurungskonzept formal und inhaltlich also nicht speziell für den Dom geschaffen. Doch damit nicht genug: Der Charakter des Einmaligen scheint *bewußt nicht intendiert*. Vielmehr charakterisieren Wiederholungen, Variationen und alle Formen des Selbstzitates die vielfältigen Zusammenhänge zwischen dem Dommosaik und seinen Vorgängerprojekten. Sie wollen jedoch nicht als Zeichen künstlerischen Unvermögens gewertet werden; sie sind Prinzip! Wenigstens verteidigt Essenwein sie auch dort, wo sie angesichts seiner gewaltigen Arbeitsbelastung eher dem Gebot rationellen Arbeitens folgen und sich in Wirklichkeit zur repetierenden Variation und modifizierenden Mischung einer begrenzten Vorbilderauswahl verengen, als bewußte Entsprechungen zur mittelalterlichen Praxis, der in selbstverleugnerischer Treue gegenüber Charakter und Geist der alten Vorbilder zu folgen sei.

---

[585]) Ebd., S. 11.

[586]) Ebd., S. 10.

[587]) Konrad Gröber, Das Konstanzer Münster. Seine Geschichte und Beschreibung, (Kunst am Bodensee, Bd. I), 1. Aufl. Lindau o. J., S. 83 (textgleich auch in der 2., neubearbeiteten Aufl. Konstanz 1937, S. 97).

Damit ist zugleich die besondere Bedeutung der Gedenkschriften, Begleittexte und Kommentare für Essenweins (Vorgänger-)Projekte angesprochen, denn sie bilden mit den auszuführenden und ausgeführten Werken eine Symbiose. Analog zu den leitmotivischen Wiederholungen im formalen und inhaltlichen Repertoire seiner Schöpfungen, ob als Malerei, Mosaik oder „Intarsie", ob auf Decke, Wand oder Boden, folgt ihre Argumentation im Grunde dem gleichen Prinzip modifizierender Wiederholung. In ihrer Summe ließen sie sich deshalb leicht zu einem Kommentar des Dommosaiks „verlängern", wie sie andererseits meist über weite Strecken wie Kommentare des Dommosaiks erscheinen. Selbst wo diese Begleittexte, wie im Falle Königslutters, von Dritten im Sinne Essenweins verfaßt wurden, sind sie charakteristischerweise stets Beschreibung und Rechtfertigung zugleich, sowohl Kommentar der Austattungs-*Inhalte* wie auch Verteidigung der Ausstattungs-*Methoden.* So miteinander verknüpft, entsprechen sich Kommentar und Werk in der Stereotypie der Argumentationsmuster hier und der Stereotypie des Inhaltlichen und Formalen dort.

Aus dieser Quelle läßt sich, als eine Art künstlerisches Credo, Essenweins Argumentation auf etwa zehn Leitsätze reduzieren, die allgemein die „drei Dienstbarkeiten der Kunst in der Kirche"[588] bezeichnen, nämlich die Dienstbarkeit an Raum und Stil der Architektur, an Ikonographie und Liturgie, an Betrachter und Gemeinde:

– architekturkonform hat die Ausstattung schmückend den Flächencharakter zu wahren,
– die Autorität des Stils verbietet jede „Verbesserung",
– künstlerische Subjektivität hat sich der genauen Wiedergabe historischer Stilprinzipien unterzuordnen,
– die Ausstattung ist betrachterzentriert und hat belehrende, erhebende und bessernde Funktionen,
– der Sprachcharakter bildlicher Darstellungen bestimmt ihre Zeichenhaftigkeit,
– die Darstellungen haben auf Naturalismen und Illusionismen zu verzichten,
– die Farbigkeit ist sowohl entscheidender Wirkungsfaktor als auch Mittel zur Akzentuierung und Harmonisierung,
– der große „Bilderkreis" des Mittelalters bildet in variierender Auswahl das inhaltlich-ikonographische Reservoir,
– die umfassende Ausstattungskonzeption richtet sich grundsätzlich auf *alle* Ausstattungsstücke,
– ideale Zielvorstellung aller Vorgängerprojekte ist ein Gesamtkunstwerk, das die historisch, technisch und stilistisch bedingten Differenzen und Brüche zugunsten einer alle Komponenten – ob alt, ob neu – umfassenden Harmonie überwindet.

Mehr oder weniger spielen all diese Leitsätze auch in der Entstehungsgeschichte des Dommosaiks eine wichtige Rolle; die Aspekte, die jedoch ausgeklammert sind – Ausmalung, Polychromierung, Möblierung –, da Essenweins Aufgabe für den Dom allein auf die Beflurung beschränkt ist (wie umgekehrt einige Projekte aus finanziellen Überlegungen die Gestaltung des Fußbodens ausklammern), waren im Falle der Ausstattung des Dominneren nicht erst seit Beginn der Tätigkeit Essenweins wiederholt Gegenstand planender Überlegungen[589].

Das Ende fast aller Ausstattungsarbeiten Essenweins war durch die Zerstörung des Zweiten Weltkrieges und das rigorose „Aufräumen" der Nachkriegszeit gegeben. Dadurch scheint für uns das Verhältnis von Vorgängerprojekt und Dommosaik gewandelt; beide ergänzen sich heute auf veränderte Weise: Angesichts der Vernichtung der meisten Essenweinschen Arbeiten will es fast wie eine historische Ironie erscheinen, daß mit der Ausstattung der Stiftskirche von Königslutter ausgerechnet ein Ausstattungsprojekt ohne figürliche Fußbodengestaltung und im Dommosaik eine Bodengestaltung ohne ergänzende Ausstattung erhalten blieben.

---

[588] Steiner, Malerei, S. 73.
[589] Vgl. Kapitel „1. Planungsphase", bes. S. 31 ff.

ÜBERGEORDNETE GESICHTSPUNKTE

Dommosaik und Polychromierung

Lassen sich also enge und vielfältige Verbindungen zwischen dem Dommosaik und seinen Vorgänger-projekten nachweisen, die z.T. bereits von den Zeitgenossen erkannt wurden, so gelten diese Zusammenhänge auch noch in einem umfassenden Sinne, der über die Fußbodengestaltung hinaus auf Pläne zur analogen Vollendung des gesamten Dominnern verweist. Tragendes Element all dieser Überlegungen und Pläne ist die Farbe.

Erkennt man nämlich im Dommosaik das letzte einer Reihe ähnlicher Projekte Essenweins, die übereinstimmend auf die Herstellung eines in all seinen Komponenten homogenen und harmonischen Kirchenraumes zielen, so ist es naheliegend und konsequent, entsprechende weiterreichende Überlegungen auch hinter dem Dommosaik zu vermuten. Tatsächlich will es so scheinen, als rechnete Essenwein selbst – zwar ohne es je offiziell zu erwähnen – wie schon bei den Vorgängerprojekten so auch bei der Dombeflurung mit ihrer Ergänzung durch Möblierung und Malerei, als setzte er wie selbstverständlich im Teilprojekt bereits das Ideal des allumfassenden Gesamtkunstwerks voraus. Das Dommosaik als Teil einer polychrom zusammengestimmten einheitlichen Ausstattung und Ausmalung des gesamten Dominnern: Dies nahezulegen und wahrscheinlich zu machen – auch darin liegt die Bedeutung der Vorgängerprojekte und Kommentarschriften.

Und in der Tat gibt es seit der Konkurrenz von 1872 zur Domausstattung eine Vielzahl von Indizien, die bestätigen, daß das gesamte Innere des Domes ausgemalt werden sollte – oder doch zumindest, daß von einer starken Partei um die Realisierung dieses Konzeptes gekämpft wurde. Bemerkenswert erscheint in diesem Zusammenhang, daß Bedeutung und Funktion der Essenweinschen Kommentarschriften als essentielle Bestandteile seiner Kirchenausstattungen bereits durch Zeitgenossen von den Vorgängerprojekten zwanglos auch auf das Dommosaik übertragen wurden.

In seinem 1881 erschienenen Buch „Zur neueren Geschichte des Dombaues zu Köln" bemerkt August Reichensperger in diesem Sinne: „Eine den wesentlichen Inhalt dieser Monographien (d.h. Essenweins Kommentarschriften zu Braunschweig, Konstanz und Nürnberg) von einem allgemeinern Gesichtspunkte aus zusammenfassende Publication aus der Feder Essenwein's wäre um so mehr zu wünschen, da erstere sich als nur für einen engern Kreis bestimmt zu erkennen geben. Doppelt erwünscht würde solche Publication sein, wenn dieselbe uns zugleich eine gutachterliche Aeußerung in Betreff der Polychromirung des Domes brächte." [590]

Was Reichensperger also offensichtlich vorschwebt, ist ein Kommentar zum Dommosaik als Summe aller Vorgängerkommentare – wie das Dommosaik, so ließe sich ergänzen, die Summe aller Vorgängerprojekte darstellt, da es letztlich nur Teil einer ganz entsprechend das gesamte Kircheninnere umfassenden Ausstattung sein sollte.

Ja, man wird wahrscheinlich noch weitergehen und Essenweins Vorgängerprojekte zusammen als eine Art „Generalprobe" für die Totalausstattung und Totalausmalung des Domes werten dürfen. Zumindest sprechen außer den bereits angedeuteten Zusammenhängen u.a. auch Äußerungen Reichenspergers dafür: Seinem oben zitierten Wunsche voraus geht nämlich seine Befürwortung einer Polychromierung des ganzen Domes „im Geiste der Begründer", also nach Maßgabe der mittelalterlichen Polychromiereste im Domchor. Jedoch besäße, so schränkt Reichensperger ein, die gegenwärtige „Kunstübung" noch nicht die erfolgversprechenden Voraussetzungen und Erfahrungen dafür: „Demnach erscheint es räthlich, erst noch Versuche an ähnlichen Bauten abzuwarten, und von denselben zu lernen . . ." [591]

---

[590] Reichensperger, Geschichte, S. 63 (Anmerkung).
[591] Ebd., S. 63.

Der Zusammenhang, der hier erkennbar wird, erscheint ebenso konsequent wie ungeheuerlich: Die Vorgängerprojekte – Groß St. Martin, St. Gereon, St. Maria im Kapitol, aber auch Kirchen außerhalb Kölns – als Erprobungsstätten und Modellfälle für die bekrönende Vollendung des Dominneren, für die Schaffung der vollendeten Kathedrale.

Für den Schritt von der Erprobung zur Verwirklichung, vom Ideal zum Beginn seiner Realisierung schienen den Befürwortern um 1885 die Voraussetzungen erfüllt. Zugleich war das Vorbild der Vorgängerprojekte zu präsent und der Zusammenhang von Beflurung und Bemalung, Mosaikfußboden und Polychromierung so selbstverständlich, daß die Beauftragung Essenweins mit der Ausarbeitung des Beflurungskonzeptes nur bedeuten konnte, daß er zugleich auch die Ausmalung des Domes übernehmen sollte. – Offensichtlich waren die Vorverhandlungen schon soweit fortgeschritten, daß eine Beauftragung Essenweins auch für Entwürfe zur Ausmalung des Domes unmittelbar bevorzustehen schien. Wie bereits erwähnt, meldete sich 1885 anläßlich der Restaurierung der Gereonskirche durch Essenwein ein anonymer Kritiker zu Wort, „um zu verhüten, dass dem Autor der Wiederherstellung des Innern von St. Gereon . . . die Entwürfe für die Ausmalung des Kölner Domes übertragen werden. Diese letzte Frage hat . . . (uns schon) früher mehrfach beschäftigt; wir sind dabei zu dem Resultat gelangt, dass die Ausführung eines farbigen Fussbodens – wenn sie, entgegen altem Herkommen, stattfinden solle – die Bemalung der Gewölbe und Pfeiler bedingen müsse, dass also am besten für beides ein gemeinsamer Plan vorzulegen sein werde, aber erst, sobald die Mittel dafür als sichergestellt angesehen werden dürfen. Dass Professor Essenwein von hoher Seite mit Entwürfen (nicht nur zur Beflurung?, d. Verf.) beauftragt war, ist bekannt." [592]

In der Tat finden sich in Tageszeitungen und Fachzeitschriften der Zeit wiederholt Artikel und Berichte, die zwischen der in Aussicht genommenen farbigen Beflurungsform und dem Charakter der übrigen Domausstattung nicht nur einen allgemeinen Zusammenhang, sondern eine Art Zwangskonnex erkennen wollen. So heißt es bereits 1880: „Der Fußboden würde . . . eine Disharmonie hervorrufen, welcher in der Zukunft vielleicht nur dann mit Erfolg entgegengetreten werden könnte, wenn man sich entschlösse, dem Boden zu Liebe den ganzen Dom – auszumalen. Freilich wird eine derartige farbige Ausschmückung des Innern schon jetzt von verschiedenen Seiten befürwortet, namentlich von Solchen, welche in der Uebernahme derselben einen angenehmen Auftrag erblicken würden, aber welche ästhetischen Gefahren wir uns damit aussetzen müssten, das ist unschwer zu ahnen." [593]

„Daß (außer den Bronzetüren) die übrigen, nicht die Domkurie, sondern das Domkapitel angehenden inneren Ausstattungsgegenstände des Domes, also Hochaltar, erzbischöflicher Thron, Sedilien, Lettner und Kanzel, für welche die im Jahre 1873 von vier hervorragenden Architekten eingereichten Konkurrenzpläne sehr viel höchst schätzbares Material geliefert haben, noch nicht in Angriff genommen wurden, hat seine guten Gründe. Sie sind überhaupt nur auszuführen in Verbindung mit einem Plane für die malerische Ausstattung des Domes, mit dem bekanntlich schon das vierzehnte Jahrhundert im Chore gleich nach dessen Einweihung den Anfang gemacht hat. Erst nachdem die aus dieser Zeit erhal-

[592] Wochenblatt für Baukunde (= Wochenblatt für Architekten und Ingenieure), VII. Jg., Nr. 73, vom 11. Sept. 1885, S. 367. – Vgl. Anm. 493 u. 554. – In dem entsprechenden Artikel der „Kunstchronik", auf den sich dieser Bericht beruft, heißt es u.a. (Sp. 682 f.): „Wie nun, wenn in ähnlicher Art der Dom ausgemalt würde, da, wie wir hören, derselben leitenden Hand diese Aufgabe zufallen soll!" Er schließt mit dem Satz: „Die Gefahr, daß unserem Dome das Schicksal von St. Gereon bereitet wird, ist keine bloße Vermutung mehr, sie ist vorhanden. Die Presse hat zeitig gewarnt und ihre Schuldigkeit gethan. Wer seine heimatlichen Denkmäler liebt, der helfe das übrige zu thun." – Auffallend ist in der Tat, wie Mitteilungen über Essenweins Beflurungsentwurf geschickt verknüpft werden mit Hinweisen auf „die in letzter Zeit an den Pfeilern und Wänden des Chores unter der Tünche hervorgetretenen Spuren alter Bemalung . . ., deren Erhaltung resp. Wiederherstellung höchst wünschenswert wäre . . ." ((Anonymus), Der Entwurf für den Fußboden des Kölner Domes, in: Kunstchronik, 20. Jg., Nr. 39, vom 16. Juli 1885, Sp. 654).

[593] (Anonymus), Der Bodenbelag für den Dom zu Cöln, in: Wochenblatt für Architekten und Ingenieure, II. Jg., Nr. 46, vom 12. Nov. 1880, S. 412.

tenen Reste hergestellt sein werden, wird die Dekorationsfrage definitiv entschieden werden können." [594] – Verbindendes Element und Voraussetzung aller Ausstattungspläne ist also eine umfassende Polychromierung nach Maßgabe der mittelalterlichen Farbreste. In ihr sollten sich purifizierende Regotisierung und stilkonforme Neuschöpfung durch die vermittelnde Fassung zu einer harmonischen Einheit verbinden (also etwa so, wie es später in der Achskapelle mit Schnütgens Statuenstiftung und Mengelbergs Ergänzungen, mit den mittelalterlichen Malereiresten und Stummels „Dekorationen" tatsächlich geschah.)

Bezeichnenderweise war es ja bekanntlich August Reichensperger, der bereits 1842 auf die mittelalterlichen Chorschrankenmalereien und auf die originale Polychromierung der Chorpfeilerfiguren hingewiesen und sogar farbige Reproduktionen der letzteren publiziert hatte [595]. Die mittelalterliche Farbigkeit zu restaurieren, mußte also appellativen Charakter besitzen, mußte in Analogie zur Bedeutung der Vorgabe des mittelalterlichen Chores für die architektonische Vollendung des Domes in der Forderung nach farblicher Vollendung des *ganzen* Dominnern münden. Hinzu kam die rekonstruierende und komplettierende Restaurierungspraxis der Zeit, wie sie etwa im Braunschweiger Dom von Essenwein mit großem Erfolg praktiziert wurde.

Die kompromißhafte Entscheidung für eine „Halbierung" der Dombeflurung in einen einfachen und einen auch farblich aufwendigen Teil wird aus diesem Zusammenhang als eine geschickte, fast salomonische Entscheidung verständlich, die sich also nicht nur an den zu erwartenden gewaltigen Kosten orientiert, sondern offensichtlich auch bemüht ist, die definitive Entscheidung für oder gegen die Domausmalung etc. weiter offenzuhalten, zumal gewichtige Stimmen vor den damit verbundenen „ästhetischen Gefahren" warnten. So hieß es z.B. in einem Gutachten der Akademie des Bauwesens 1887: „Die vielfarbige Behandlung des Fußbodens bedingt auch eine reiche Färbung des Aufbaues, und zwar muß der Farbenreichtum des Fußbodens stets ein Erhebliches hinter demjenigen des Aufbaues zurückstehen." [596]. Um den „Zwiespalt zwischen Fußboden und Aufbau", wie ihn das Essenweinsche Beflurungskonzept schaffe, aufzuheben, sei also eine noch farbintensivere Bemalung der Wände, Pfeiler etc. erforderlich.

Erscheint also das Verhältnis von Fußbodenmosaik und Ausmalung in den Vergleichsunternehmungen Essenweins so eng, daß das Mosaik generell als Fortsetzung der Malerei mit anderen Mitteln – und umgekehrt – erscheint, mithin ein wechselseitiges Abhängigkeits- und Ergänzungsverhältnis besteht, so wird die „Langlebigkeit" der Polychromierungsforderung verständlich. Ihr entgegen standen freilich, neben den ästhetischen Bedenken, zunächst die widrigen äußeren Voraussetzungen der Kulturkampfzeit und dann, in zunehmendem Maße, gleichsam innere Widerstände aus dem gewandelten Selbstverständnis der Denkmalpflege.

„In der Ausstattung wurde . . . die Politik der kleinen Schritte betrieben." [597] Wenn jedoch im Dom die Innenausstattung und Innenausmalung in Ansätzen steckenblieb und nicht wie bei den Vergleichsunternehmen durch die stilkonforme Beflurung *abgeschlossen* wurde, so scheint es, als ob im kleinen – als eine Art Modell und Anschauungsraum – dennoch versucht wurde, die Vollendung des Dominnern gleichsam in umgekehrter Reihenfolge zu realisieren. *Beginnend,* nicht endend mit der Beflurung, beginnend, nicht endend auch in der Achskapelle. Was jedoch „den Beginn einer großangelegten Neufassung des Dominnern darstellen sollte" [598], was der erste Schritt zur endlichen Verwirklichung der vollendeten Kathedrale hätte sein sollen, war in Wirklichkeit nur – die letzte Maßnahme zu einer Wiederherstellung des Innenraumes im historischen Sinne [599], war nicht Anfang, sondern Abgesang.

---

[594] DBAK, Lit. X f II/3 (nicht näher bezeichneter Zeitungsausschnitt „Lokales" – „Köln, den 10. April" (1885?)).
[595] Vgl. Reichensperger, Wandgemälde, S. 105. – Vgl. auch ders., Standbilder.
[596] DBAK, Lit. X g I/24.
[597] Beines, Mobiliar, S. 354.
[598] Ebd., S. 354.
[599] Ebd., S. 354.

Entsprechendes gilt übrigens auch für die im Anschluß an die Polychromierung der Achskapelle noch 1909 von Wilhelm Mengelberg vorgenommene Ausmalung der Rückwand der Marienkapelle mit der Anbetung des Lammes durch die 24 Ältesten. Wie auch bei der Achskapelle war für die Verwirklichung dieses gesamtkunstwerkhaften Gefüges aus Friedrich Overbecks Gemälde der Himmelfahrt Mariens, Ernst Friedrich Zwirners neugotischem Altar, Christian Mohrs Statuetten und schließlich der glasfensterähnlichen Bemalung durch Wilhelm Mengelberg (1909) nach dem Tode Reichenspergers Alexander Schnütgen die treibende Kraft [600]).

Alle weiteren Versuche, das ideale Ziel dennoch zu erreichen, besitzen etwas Verspätetes und Trotziges, das die gewandelten Voraussetzungen nicht wahrhaben will. Sie erscheinen epigonal und sind spätestens im 20. Jahrhundert, was Kritiker der ganzen Richtung bereits zu Zeiten ihrer Hochblüte vorwarfen: Anachronismen.

Was Essenwein wohl – allem Anschein nach durch seinen sich verschlechternden Gesundheitszustand bedingt – nicht mehr geschafft hat, nämlich einen umfassenden Entwurf zur Ausmalung und Ausstattung des gesamten Dominnern zu entwickeln, legte ein Jahr vor Essenweins Tod ein Künstler in Form eines Gemäldes vor. Doch was an vor rund 60 Jahren entstandene und auch noch 30 Jahre später legitime Idealansichten des Domes erinnert haben dürfte (und wohl auch ganz bewußt erinnern sollte), mußte 1891 schon recht überlebt erscheinen: „Die innere Ausmalung des Kölner Domes ist ein Lieblingsplan mancher Domfreunde, welcher vielfach bekämpft wurde, aber immer von neuem wieder auftaucht. Eine neue Anregung wird derselbe in nächster Zeit durch ein G e m ä l d e finden, welches Hr. Gereon Pape (Köln) in diesen Tagen fertig gestellt und zu der in diesem Jahre in Berlin stattfindenden internationalen Kunst-Ausstellung abgesandt hat. ,Ein Blick in das Innere des Kölner Domes in seiner dereinstigen präsumptiven Ausschmückung' nennt der Künstler sein Werk, welches eine perspektivische Ansicht des Mittelschiffes darstellt. Das Bild wird unstreitig die Kritik herausfordern und bei den Fachleuten eine verschiedene Beurtheilung finden, je nachdem diese Freunde oder Gegner der innern Bemalung des Kölner Domes bezw. einer gothischen Kirche überhaupt sind; aber darin werden wohl Alle übereinstimmen, daß das Bild an sich einen günstigen Eindruck macht. Die architektonischen Formen treten durch die Polychromirung im Einzelnen stärker hervor, die Farben sind glücklich gewählt und stehen unter dem Zauber einer schönen Lichtwirkung. In der Art der Bemalung haben die vorhandenen Malereien im Domchor zum Vorbild gedient, namentlich bezüglich der Consolen, Baldachine und Capitelle. Der Gesammteindruck ist nicht bunt zu nennen, denn die Auswahl in den Farben ist gering. An den Säulenbündeln ist über den graubläulichen, orangefarbigen oder ähnlichen Grundton ein gemusterter Gold-Damast gebreitet, wie überhaupt ein goldiger Schimmer das ganze Innere überzieht. In den dreieckartigen Wandflächen über den Bogenöffnungen sind, ähnlich wie im Chor, Engelsfiguren angebracht, allerdings keine stilisirten wie dort, sondern solche in lebendiger Darstellung. Die Kuppel über der Vierung wie überhaupt die Gewölbe hat sich der Maler mit sinnigen Fresken geziert gedacht; dieselben sind auf dem Bilde nur skizzirt, da es dem Verfertiger vor der Hand nur darauf ankam, die Farbenwirkung nach seiner Anordnung zu veranschaulichen. Nach Beendigung der Berliner Kunst-Ausstellung soll auch den Kölnern Gelegenheit zur Besichtigung des Gemäldes geboten werden." [601])

Was hier im Anschauungs-Bild der konkreten Utopie die Tradition der antizipierenden Vollendungs-Bilder als Forderung und Aufforderung fortzusetzen scheint, tatsächlich jedoch nur im begrenzten Rahmen der Achskapelle modellhaft realisiert wurde, ist die konsequente Umsetzung des Prinzips von „Stileinheit in Stilreinheit". Als historische Rekonstruktion und Adaption verliert es gegen Ende des

[600]) Ausst.Kat. Köln 1980 (I), S. 383–387. – Hilger, Ausstattung, S. 367 ff. – Wolff, Dombau, S. 132 f.

[601]) Kölner Localanzeiger, Nr. 90, vom 4. April 1891. – Gemeint ist offensichtlich die „Internationale Kunst-Ausstellung, veranstaltet vom Verein Berliner Künstler anlässlich seines fünfzigjährigen Bestehens 1841–1891", Berlin 1891. – Nach Ausweis des Kataloges war jedoch ein Gemälde von Georg Pape *nicht* ausgestellt. – Heute ist das Gemälde Georg Papes verschollen. – Auch der Nachweis einer Ausstellung des Gemäldes in Köln konnte bisher nicht erbracht werden.

Abb. 378   Der Marienaltar von Ernst Friedrich Zwirner mit dem Altargemälde von Friedrich Overbeck (1854) als Beispiel einer zwischen den farbigen Glasfenstern und der Architektur vermittelnden Ausstattung und Ausmalung des Domes. Auf Anregung von Alexander Schnütgen hatte Wilhelm Mengelberg 1909 das Blendmaßwerk auf der Rückwand der Kapelle mit der Anbetung des Lammes durch die 24 Ältesten ausgemalt.

Jahrhunderts jedoch rapide an Verbindlichkeit. Als Forderung nach einer harmonisch gestimmten Gegenwirklichkeit bzw. nach totaler ästhetischer Durchdringung (nicht nur) des Alltags sollte es – etwa im Jugendstil – weiterwirken.

Allgemein waren mit den verschiedenen Überlegungen und Maßnahmen zur Schaffung eines stilistisch einheitlichen, in all seinen Komponenten harmonisch zusammengestimmten Erlebnisraumes konkrete Wirkungsintentionen verbunden. Charakteristisch für sie ist „die assoziative Verknüpfung von Stil und Stimmung" [602]). Ganz in diesem Sinne entsprach der Enttäuschung über die Raumwirkung nach dem Fall der Chormauer 1863 für den am mittelalterlichen Chor orientierten Blick ein Mangel an „mittelalterlichen" Stimmungswerten. Von den historischen Vorgaben des regotisierten Chores ausgehend, übertrug man also nicht nur die atmosphärische Stimmung, sondern auch die hier vorgefundene Farbigkeit als ihr wesentliches Medium auf den gesamten Innenraum des Domes, ähnlich wie die Vorgaben der Chorarchitektur Aufforderung und Maßstab für den Domfortbau waren.

Nur im eng umgrenzten Bereich der Achskapelle scheint mithin der Dom wirklich vollendet, denn nur hier werden Charakter und Konsequenzen dieser allumfassenden, Altes und Neues gleichermaßen einschließenden farblichen Inszenierung deutlich. (Das gilt mit Abstrichen auch wieder nach der Re-Restaurierung der Achskapelle 1977.) Dabei handelt es sich bezeichnenderweise um ein von der übrigen Architektur – und erst recht von der „Außenwelt" – abgeschlossenes Raumgebilde, in dem farbige Verglasung nicht nur eine stimmungsvolle Dämpfung des Lichtes bewirkt, sondern sich darüber hinaus mit der ungebrochenen Farbigkeit von Boden, Wand und Ausstattung verbindet – und zwar in einer für den horror vacui des Historismus so typischen „Allgegenwart der Farbe".

Das Streben nach harmonisierender Inszenierung, das sich darin modellhaft manifestiert, verweist allgemein auf den Zusammenhang zwischen kirchlichen und privaten Räumen wie auch darauf, daß die Inszenierung von Straßen-, Stadt- und eben auch von Kirchenräumen letztlich analogen Prinzipien folgt wie die Inszenierung der bürgerlichen Wohnung [603]). Die Raumgestaltung öffentlicher Gebäude und die angestrebte des Dominneren können deshalb „geradezu wie Ableitungen und thematische Variationen des (gleichen) Grundthemas" erscheinen.

„So wird die ‚Behaglichkeit', um nur ein in damaliger Sicht wesentliches Merkmal richtig gestalteter Wohnräume zu nennen, zum allgemeinen Maßstab erhoben und im Ergebnis auch den Räumen öffentlicher Gebäude, selbst großen Sälen, abverlangt." Es korrelieren auf der gleichen Basis ausgleichender Harmonisierung die „behagliche Stimmung" dort mit der „erhabenen Stimmung" hier: „Entscheidend ist, daß auch hier die Ableitung der Innenarchitektur vom Grundthema Wohnung unverkennbar ist. Der Ausgangspunkt ist dabei der Wohngeschmack des Bürgertums . . ." [604]), der sich gleichsam mit der alten Vorstellung vom Gottes-Haus verbindet – was freilich nicht ausschließt, daß für die Achskapelle, stellvertretend für den gesamten Dom und seine Ausstattung als farblich gestimmtes Gesamtkunstwerk, zweifellos die Sainte-Chapelle in Paris das konkrete große Vorbild ist.

Schließlich mag – umgekehrt – in diesen Zusammenhängen auch eine zusätzliche Begründung liegen für den Siegeszug der „kirchlichen" Mosaiktechnik nach der Überwindung ihrer preislichen Exklusivität durch industrielle Herstellung, für die Ausweitung ihrer Anwendungsbereiche und für ihre zunehmende Beliebtheit gerade auch bei öffentlichen Bauten wie auch in der bürgerlichen Privatarchitektur [605]).

Als Indiz für diese zunächst überraschenden Zusammenhänge zwischen der Inszenierung privater und kirchlicher Räume wie für die von Brönner aufgestellte These, daß „die bürgerliche Wohnung zentraler Bestandteil einer Gesamtinszenierung war, die die Schaffung einer Gegenwelt zur Wirklichkeit des

[602]) Brönner, Wohnkultur, S. 370. – Auch für die anschließenden Ausführungen stützen wir uns auf die Ausführungen Brönners.

[603]) Ebd., S. 375.

[604]) Ebd., S. 361.

[605]) Vgl. Kapitel „Das Dommosaik im Kontext der zeitgenössischen Mosaikproduktion", bes. S. 283 f.

Abb. 379   Die Achskapelle des Domes (nach der Wiederherstellung von 1977/78) als „Modell" einer durch die Farbigkeit harmonisierten Einheit aus Architektur, Malerei und Plastik, gotischen und neugotischen Komponenten

Industriezeitalters zum Gegenstand hatte" [606]), mag schließlich auch ein Zitat aus dem Jahre 1930 (!) stehen, das zugleich ein Indiz für die Kontinuität dieser Überlegungen ist: „Daß aber die Probleme (der Domausstattung, d.Verf.) gefühlt werden, beweisen die bis in die letzte Zeit allerdings mit unzulänglichen Mitteln geplanten und versuchten Schritte, dem Dominnern Maßstäbe durch Farbe und Ausstattung – es war auch schon mal eine Ganz-Bemalung, wie es im Chor früher war, geplant – und dadurch mehr Wohnlichkeit und anziehende Stimmung zu geben." [607])

Daß aber das scheinbar Unvollendete des Dominneren nicht nur bis zur allmählichen Aufgabe entsprechender Pläne seit den neunziger Jahren, sondern selbst noch im 20. Jahrhundert als latentes Problem und Aufgabe gegenwärtig war, mag aus der Vielzahl ähnlicher Zitate nur eines belegen, das die Domausstattung noch einmal in den Kontext der Ausstattung anderer Kölner Kirchen stellt: „Ist der Dom vollendet?" – mit dieser rhetorischen Frage ist ein Artikel von Friedrich Fischbach aus Wiesbaden überschrieben, den am 26. Juli 1902 das Kölner Tageblatt veröffentlicht. Man liest und fühlt sich ein weiteres Mal an die Situation erinnert, als 1863 die Scheidewand fiel, Chor und Langschiff jedoch nun eine in ihrer Wirkung enttäuschende Einheit bildeten: „. . . im Innern sagen uns die grauen Steine, daß ihnen der Schmuck der Farbe fehlt . . . Wir bewundern die Ornamente, mit welchen Essenwein den Fußboden des Chores verzierte. Er hatte seine helle Freude an meiner Erläuterung, daß die Ornamentik ihre Sprachwurzel auf Orare = „Beten" zurückführt . . . Der graue Stein bettelt also gleichsam um ein Farbenkleid . . . (auch) die Farbenpracht der Fenster . . . Erst wenn, wie in Sainte-Chapelle in Paris alles in Farben leuchtet, ist unser Dom vollendet."

Er schlägt lineare und Pflanzenornamentik mit Sternen in den Gewölben vor, keine figürlichen Darstellungen, davon seien schon genügend vorhanden, „jedoch muß die christliche Symbolik sehr beachtet werden . . . Schließlich muß auch der Fußboden seinen Mosaik- oder Plattenbelag erhalten. Da ein Zuviel zu vermeiden ist, ferner auch das Schiff minderreich wie der Chor sein muß, dürfte dort nur das geometrische Ornament mit geringer Symbolik und mit Weglassung jeglichen figuralen Bildes genügen. – Weisen wir noch darauf hin, daß die meisten Kirchen Kölns . . . sehr reichen polychromen Wandschmuck haben, so leuchtet ein, daß der Kölner Dom unvollendet ist . . . Es gilt einen Anfang zu machen . . ." [608])

Mit diesem Artikel scheinen sich der Kreis zu schließen und wir (fast) wieder zum Ausgangspunkt des Dombeflurungsprojektes zurückverwiesen. Gut zwanzig Jahre zuvor hatte nämlich derselbe Friedrich Fischbach, der jetzt dafür plädiert, die Totalpolychromierung des Domes nach dem Vorbild in Paris endlich zu vollenden, ein erstes Beflurungskonzept entwickelt [609]. Mit diesem „Postscriptum" dazu wird nachträglich – und ein letztes Mal – die schon damals letztlich auf den *ganzen* Dom gerichtete Ausstattungsintention bestätigt.

---

[606]) Brönner, Wohnkultur, S. 375.
[607]) Lohmann, Dom-Ausstattung, S. 332. – Zur Wiederherstellung der Achskapelle vgl. S. 335 ff.
[608]) Fischbach, Dom. – Fischbach hatte auch einen Nachruf auf Essenwein verfaßt: Erinnerungen an August von Essenwein, in: Didaskalia, Nr. 262, 1892 (?). Nach unbezeichnetem Zeitungsausschnitt im Archiv GNM: „Lokalausschuß 1892–1893, Altregistratur, Karton 746, Bl. 100".
[609]) Vgl. Kapitel „Die 1. Planungsphase", bes. S. 35 f.

Abb. 380 Sainte-Chapelle, Paris: Das berühmte Vorbild für die Ausmalung und Ausstattung des Kölner Domes war zugleich das Ideal einer mittelalterlichen Kirche als Gesamtkunstwerk, das durch die Restaurierung des 19. Jahrhunderts in seiner farbig gestimmten Harmonie wiederhergestellt worden war

Vorbilder und Nachbilder

In der zweiten Hälfte des 19. Jahrhunderts ein Fußbodenmosaik nach der vorgeblichen Art des 13./14. Jahrhunderts zu entwerfen, bedarf der Rechtfertigung. Der Mangel an Selbstverständlichkeit, der allgemein die Projekte Essenweins charakterisiert, verlangt hier speziell nach einer legitimierenden Erklärung. Diesem immanenten Rechtfertigungsdruck angesichts der Gleichzeitigkeit des Ungleichzeitigen genügt Essenwein mit seinen Kommentaren. Sie sind geprägt durch den quasi wissenschaftlichen Umgang mit Vergangenheit, der nicht nur die Berechtigung – ja Notwendigkeit – der gewählten Methode, sondern auch die Wahl der einzelnen formalen, stilistischen und ikonographischen Motive durch Verweise auf historische Vorbilder zu legitimieren bemüht ist. Das Dommosaik scheint deshalb ohne eine Vielzahl von Vorbildern, mittelalterlichen und zeitgenössischen, nicht denkbar; das Verhältnis zu diesen Vor-Bildern prägt in hohem Maße den Charakter dieses Kunstwerks als eine Zusammenstellung vielfältig gebrochener Nach-Bilder.

Dabei wird der zeitgemäßen Freiheit künstlerischer Erfindung in programmatischer Weise die unzeitgemäße Autorität der historischen Vorbilder entgegengestellt. Sie ist die entscheidende Instanz der Gestaltfindung. Nicht unvermögendes Plagiieren, sondern sehr bewußtes Zitieren, gezieltes Reaktivieren und sinngemäßes Adaptieren bestimmen den Umgang mit den historischen Vorbildern. Denn nicht „starre Copieen, sondern selbständige Reproduktionen der . . . Bildweise" wollte man schaffen [610]). Ihnen entspricht der benennende Nachweis, der objektivierende Beleg als Ausweis der quasi-wissenschaftlichen Methode. Deshalb wimmelt es in Essenweins Kommentarschriften von zitathaften Verweisen auf konkrete historische Vorbilder.

Charakteristisch ist, wie vielgestaltig und disparat, wie aus den z.T. entlegensten Bereichen und unterschiedlichsten Kunstgattungen zusammengestellt diese Belege sind. Die Spanne der Vorbilder für das Bildprogramm des 1. Generalentwurfs reicht etwa vom Typus der frühchristlichen Traditio Legis (vgl. Kirchenpersonifikationen) über Windpersonifikationen nach den Vorlagen romanischer Emails und ein höfisch anmutendes Liebespaar bis zur romantisierenden Rittermaskerade in der Wilhelmus-Rex-Personifikation des letzten Chorumgangsfeldes (H). In ihrer Summe bestätigt die große Zahl der Vorbilder die wiederholt mit Essenwein verknüpften Epitheta „gelehrt", „kenntnisreich" und „belesen". Überhaupt dürfte die Bedeutung der literarisch vermittelten Vorbilder – und einer gutbestückten Bibliothek für die praktische Entwurfsarbeit [611]) – nicht hoch genug einzuschätzen sein. Aus ihnen vor allem speist sich ganz offensichtlich das reiche geistige und künstlerische Vokabular: ein Schulbeispiel des wissenschaftlichen Historismus.

Entsprechend ist die Zahl der Belege zu den zitathaften Vorbildern in Essenweins Kommentaren so groß, daß unmöglich für alle dem Grad ihrer Vorbildlichkeit und Verbindlichkeit nachgegangen werden kann. Allein eine Analyse des Verhältnisses von ikonographischem Typus und Eigenanteil würde eine gesonderte Untersuchung sein; zu zahlreich sind die relevanten Motive. Indes dürfte zwar der Nachweis, in welchem Umfang die belegten Vor- und die erwähnten Vergleichs-Bilder tatsächlich in der endgültigen Darstellungsform übernommen wurden, durch simples Vergleichen allgemein relativ leicht zu erbringen sein. Ein Beispiel: Für die sieben Kurfürsten zu seiten von Kaiser und Papst im 1. Generalplan wurde lapidar das Vorbild der bekannten Miniatur aus dem Evangeliar Ottos III. in München (die Nationen des Reiches huldigen dem Kaiser) in Anspruch genommen [612]), ohne daß dieser Vorbildcharakter indes über sehr allgemeine Analogien hinausginge. In entsprechender Weise ließen sich sicher zahllose formale Analogien in fleißiger Sammelarbeit zusammentragen, ohne daß man jedoch einer inhaltlichen Klärung auch nur einen Schritt näher käme. Wir beschränken uns

---

[610]) Endert, Bemalung, S. 105.
[611]) Vgl. damit Geiges' Mitteilung an Voigtel (DBAK, Lit. X g VI/2), es fehle ihm ein Modell der Kirche Welehrad, „die mir (. . .) in meiner keineswegs ganz unbedeutenden Bibliothek nicht zugänglich ist".
[612]) Holzamer, Essenwein, Kat.Nr. 974.

Abb. 381 Albert Wolff: Wilhelm II. „als Kreuzfahrer", ehem. Ölberg-Hospiz in Jerusalem

Abb. 382 Hauptfeld N. (Kopffeld): „ein Deutsch-Ordensritter mit preußischer Standarte" als Allegorie des defensor ecclesiae

deshalb bewußt auf wenige Beispiele. Konkrete Anhaltspunkte, nach welchen – wenn nicht formalen – Gesichtspunkten und Auswahlkriterien Vorbilder aufgegriffen und modifiziert wurden, lassen sich nämlich kaum finden. Zumal dazu die Kommentare schweigen, sind sie allenfalls spekulativ zu erschließen. Nur einige, in gewissem Umfang exemplarische Aspekte des Verhältnisses von Vor- und Nachbildern sollen deshalb in diesem Zusammenhang näher charakterisiert werden.

Da ist zunächst die Gesamtanlage des Dommosaiks, von der wir sagten, daß sie in der revidierten Form „weniger gotisch" erscheine [613]). Zur Erklärung dieser Charakterisierung erscheint nicht unwesentlich, daß Essenwein nachweislich in Italien mittelalterliche Fußböden studiert hat und sich auch für bestimmte Details dezidiert auf italienische Vorbilder beruft. Entsprechungen und Einflüsse legen insbesondere die Kenntnis des berühmten Domfußbodens in Siena nahe [614]); Untersuchungen Essenweins am Original müssen vorausgesetzt werden. Wie gezeigt werden konnte, war ein wesentliches Merkmal seines revidierten Generalentwurfs ja die betontere Einpassung der Beflurung in den vorgegebenen architektonischen Rahmen: „Das besondere Merkmal des mittelalterlichen Fußbodens in sakralen Längsbauten war seine relative Bezugslosigkeit zur umgebenden Architektur ... Im Dom zu Siena, einem Bau des späten Mittelalters, begegnen wir erstmals einem Fußboden, der sich in der formalen Gesamtgestaltung vom bisherigen Schema grundsätzlich unterscheidet ... Das grundsätzlich Neue ist hier die strenge Bezugnahme der Fußbodeneinteilung auf die Raumeinteilung: jedem Joch entspricht (wie im Kölner Dommosaik, d. Verf.) ein Fußbodenfeld, die sechseckige Vierungskuppel kehrt als Sechseckfeld am Fußboden wieder – der Grund des Baues ist im Fußboden klar nachgezeichnet." [615])

---

[613]) Vgl. bes. S. 111.
[614]) Essenwein, Ausschmückung, S. 51: „(...) in Italien, wo der Dom zu Siena einen Fussboden zeigt, der in der Technik an unseren (in Groß St. Martin, P.S.) erinnert." – Vgl. S. 411.
[615]) Kier, Schmuckfußböden, S. 44.

Abb. 383/384 Evangeliar Otto III.: die Personifikationen der vier Teile des Reiches, Slavia, Germania, Gallia und Roma huldigen Otto III., 997-1000, Bayerische Staatsbibliothek, München

Abb. 385 August Essenwein: Papst und Kaiser als Repräsentanten der geistlichen und weltlichen Macht. Detail aus Essenweins erstem – verworfenen – Beflurungskonzept (vgl. Abb. 27 u. 31)

Abb. 386 Edward J. v. Steinle / Peter Becker: Das Heilige Römische Reich Deutscher Nationen. 1855, Aquarell, Frankfurt a.M. , Städt. Galerie im Städelschen Kunstinstitut. – Das in Essenweins erstem Entwurf entwickelte Darstellungsschema ist u.a. in der Malerei der Vorgängergeneration, hier unter Rückgriff auf Albrecht Dürer, bereits vollständig ausgeprägt.

Abb. 387   Giovanni Paciarelli: Plan der Beflurung des Domes von Siena, 1884, Siena, Domschatz

Abb. 388   Dom zu Siena: Die sienesische Wölfin, umgeben von den Wappen verbündeter Städte, Beflurungsdetail aus dem Langhaus. Leopoldo Maccari (1864/65) nach einem Original des 14. Jh.

Mit diesen Worten ist, in fast wörtlicher Entsprechung, zugleich auch eines der Leitprinzipien der Dombeflurung und speziell des Dommosaiks umschrieben. Die Revision des 1. Generalentwurfs bewirkte – wie wir zeigen konnten – außer den stärker architekturbezogenen rechtwinkligen Feldergliederungen in der Beflurung des inneren Chores vor allem eine nachdrückliche Akzentuierung der einzelnen Jochabschnitte im Chorumgang. Gegenüber der zunächst projektierten „durchlaufenden" Beflurungsform bedeutete die architekturanaloge Begrenzung und Abfolge der Mosaikfelder im Chorumgang eine konsequentere Erfüllung der wiederholt gestellten Forderung, das Beflurungsmosaik habe sich der Architektur unter- bzw. einzuordnen. Zugleich aber verweist diese Tatsache darauf, daß Essenweins Brieffloskel „wie ich sie in Italien gesehen habe" [616] nicht nur auf die Vorbildlichkeit italienischer Plattenmosaiken, bzw. Kosmatenarbeiten etwa für die Kapellenbeflurungen zu beziehen,

[616]) Vgl. DBAK, Lit. X g I/66 u. 105.

410

Abb. 389   Dom zu Siena: Das Glücksrad, Beflurungsdetail aus dem Langhaus. Leopoldo Maccari (1864/65) nach einem Original des 14. Jh.

Abb. 390   Sainte-Chapelle, Paris: Detail der Beflurung mit ornamental stilisiertem Pantherpaar in „Intarsientechnik", Mitte 19. Jh.

sondern von weiterreichender Bedeutung ist: Ein besonders augenfälliges Indiz besteht außerdem in der für die revidierte Form der Chorumgangsbeflurung so charakteristischen Wahl der Schlingband-Gliederung nach offensichtlich italienisch-byzantinischen Vorbildern; Hinweise auf römisch-antike Vorbilder bleiben demgegenüber unverbindlich und allgemein [617].

Zuerst erkannt zu haben, daß das prägende „Muster" italienischer Vorbilder über allgemeine und technische Analogien hinaus auch ikonographische Details betrifft, ist der Verdienst von Suse Barth. In ihrer Dissertation über Lebensalter-Darstellungen im 19. und 20. Jahrhundert wies sie darauf hin, daß Essenwein für seine Lebensalter-Zyklen im vierten Gewölbejoch des Braunschweiger Domes und im Kölner Dommosaik nicht etwa die deutsche Tradition der Lebensalter-Tiere aufgriff, sondern die in Italien geläufigere Parallelsetzung von Planeten und Lebensaltern [618]. Zwar werden in den Protokollen und Akten direkte Vorbilder nirgends genannt, doch erwähnt Essenwein in seinem Kommentar zur Braunschweiger Ausmalung neben erhaltenen mittelalterlichen Werken aller Kunstgattungen die Anregung durch Schriften wie der Biblia Pauperum, der Concordantia Caritatis, dem Speculum humanae

[617]   Zum Einfluß antiker Vorbilder: Im Juni 1889 schlägt Essenwein Voigtel vor, mit ihm zusammen zwei römische Mosaiken in Trier zu studieren (DBAK, Lit. X g II/22). Beide scheinen dann auch tatsächlich mit dem Zug nach Trier (und Mettlach) gefahren zu sein. – Möglicherweise entstand in diesem Zusammenhang die Zeichnung Mappe XXXVII/e, 2. – Vgl. damit auch die Formulierung im Begleitschreiben zum Vertrag zwischen dem Dombaumeister und der Mosaikfabrik von 1890 (DOKUMENT, Nr. 14): „(. . .) die der römischen Mosaik-Technik nachgebildeten Arbeiten zur Beflurung des Domchors" (DBAK, Lit. X g II/59). – Dem entspricht auch die Formulierung Voigtels, Geiges habe sich vertraut gemacht mit „(. . .) der Mosaikausführung nach antik-römischen Vorbildern" (ebd., g. V/15). – Vgl. auch Springer, Mosaik als Metapher, S. 56 ff. – Vgl. dagegen Pietro Bellonis im Gegensatz zum „mosaique d'incrustation, dite mosaique florentine" gebrauchte Formulierung „la mosaique, à petits cubes, dite mosaique antique ou façon de Rome" (zit. nach: Lavagne, Ateliers, S. 39).

salvationis und dem Physiologus. Daneben finden sich unter den Belegen fast alle damals verfügbaren Standardwerke der italienisch-, französisch-, englisch- und deutschsprachigen Fachliteratur.

Die im Kölner Dommosaik den Planeten zugeordneten menschlichen Tätigkeiten lassen sich – so Suse Barth – auch in Darstellungen der Planetenkinder nachweisen und stehen wahrscheinlich in dieser alten Tradition: „... die Parallelsetzung der sieben Planeten mit den sieben Lebensaltern (ist) vor allem in der italienischen Kunst heimisch, als Beispiel sei ... an Guarientos Fresken in Padua und das Haus des Doceno in Florenz erinnert. Federighos (sic) Fußbodengraffito in Siena wird im Zusammenhang mit Essenweins Fußbodenmosaik kurz erwähnt in der Kunstchronik 1885 ..., allerdings wird dort nicht das ähnliche Programm verglichen, sondern die Technik [619]. Der Vergleich mit Siena zeigt jedenfalls, daß solche Beispiele eines Fußbodenschmucks bekannt waren. Direkte Vorbilder waren die genannten Zyklen jedoch nicht, sie veranschaulichen auf andere Art und Weise die Parallelsetzung von Planeten und Lebensaltern." [620] In der Tat lassen sich Belege für die Auseinandersetzung mit dem Vorbild des Sieneser Domfußbodens finden, doch fällt ihre geringe Zahl und ihre beiläufige Erwähnung auf. Essenwein zum Fußboden in Groß St. Martin: „... in Italien, wo der Dom zu Siena einen Fußboden zeigt, der in der Technik an unseren erinnert." [621]

[618] Barth, Lebensalter-Darstellungen, S. 133. – Vgl. auch Ausst.Kat. Kleve 1983, S. 88 u. 143–145, Kat.Nr. 48.

[619] Anonymus, Der Entwurf für den Fußboden des Kölner Domes, in: Kunstchronik, 20. Jg., Nr. 39, vom 16. Juli 1885, Sp. 654. – Entsprechend auch Essenwein selber: Essenwein, Ausschmückung, S. 51. – Vgl. Anm. 621.

[620] Barth, Lebensalter-Darstellungen, S. 136 f.

[621] Essenwein, Ausschmückung, S. 12, Anm. 4. – Vgl. auch Essenwein, Wandgemälde, S. 14. – Barth, Lebensalter-Darstellungen, S. 137. – In der Tat finden sich in Siena die nächsten Parallelen, vor allem, wenn man zusätzlich die (heute im dortigen Dom-Museum befindlichen) originalen Beflurungsreste mit der Marmorintarsientechnik des ersten Essenweinschen Generalentwurfes zusammensieht.

412

Noch ausgeprägter gilt dies für das große Vorbild so vieler farbig geprägter (neu-)gotischer Innenräume, für die Ste.-Chapelle. Zwischen 1837 und 1855 von Duban und Lassus unter Mitwirkung von Viollet-le-Duc, später auch von Boeswillwald aufwendig restauriert, war sie durch die Prachtpublikation von Jean-Baptiste-Antoine Lassus (1857) jedem Interessierten gegenwärtig [622]. Im Jahre 1855 besuchte Essenwein selber Paris, wo die in ihrer Farbigkeit wiederhergestellte Kapelle auf den mittelalterbegeisterten, frischgebackenen Architekten einen großen Eindruck gemacht haben dürfte [623]. Aus der Perspektive seiner späteren Restaurierungsprojekte betrachtet, muß es ein Schlüsselerlebnis gewesen sein, denn zweifellos liegt hier die Quelle entscheidender Komponenten der Essenweinschen Planungen auch und gerade für den Kölner Dom:
– das Projekt eines intarsienartigen Fußbodens mit Asphaltfüllungen (in der Ste.-Chapelle ganz entsprechende Beflurungstechnik mit schwarzen, roten, blauen und grünen Füllungen),
– das Projekt einer teppichhaft „durchlaufenden" Beflurung im Chorumgang des Domes (entsprechend der läuferartigen Beflurung in der Längsachse der Ste.-Chapelle),
– die ursprünglich geplanten repetierenden Füllmuster (entsprechend den teppichartig repetierenden Pflanzen- und Tiermotiven zu seiten des „Mittelläufers" in der Ste.-Chapelle),
– schließlich wirkt das farbgestimmte Gesamtkunstwerk der Ste.-Chapelle wie eine modellhafte Vorwegnahme der (Farben-)Harmonie, die, letztlich für den gesamten Dom projektiert, doch nur in der Achskapelle realisiert werden konnte.
Zweifellos war das Vorbild der Ste.-Chapelle für Essenweins ideale Vorstellung eines mittelalterlichen Kirchenraumes von entscheidender Bedeutung. Nur: Es fehlt das Bekenntnis zu diesem großen Vorbild; keine Äußerung Essenweins zu diesem Modellbau ist uns überliefert. Ganze zweimal, durch F. Fischbach und W. Lübke, wurde die Sainte-Chapelle erwähnt und als vorbildlich gerühmt [624]. So läßt sich ihr Einfluß nur indirekt erschließen, und es hat fast den Anschein, als wolle man nach 1871 gerade an die nächstverwandten Parallelen, Vorbilder und Modelle nicht erinnert werden.
Vor der Formulierung des Lebensalter-Zyklus' im Raum zwischen den Chorstühlen des Domes hatte Essenwein das gleiche Thema bereits mindestens dreimal zuvor im Kontext eines umfangreichen ikonographischen Programms dargestellt: in Groß St. Martin, in der Nürnberger Frauenkirche und im Braunschweiger Dom. Vergleicht man nun die vier Zyklen, so erweist sich, daß nicht nur – wie bereits in der ikonographischen Tradition – die Zahl der dargestellten Lebensalter schwankt (Nürnberg 4, Braunschweig 8, Groß St. Martin 6 und Dom 7), sondern auch das Verhältnis von Bezeichnung und Bezeichnetem: Das gleiche Bildmotiv kann unterschiedlichen Altersstufen zugeordnet werden und umgekehrt – ein Zeichen der Verfügbarkeit ikonographischer und bildlicher Elemente, das als Charakteristikum auch in anderem Zusammenhang begegnet. So übernimmt Essenwein wiederholt das Bild der doppelgesichtigen, in die Vergangenheit und Zukunft schauenden Zeit-Personifikation nach einem mittelalterlichen Vorbild am Westportal von St. Denis, das zuvor bereits Didron als „Fabrikmarke für seine Erzeugnisse" benutzt hatte [625].

---

[622] M. de Guilhermy, La Sainte-Chapelle de Paris après les restaurations commencées par M. Duban, architecte, terminées par M. Lassus, architecte, ouvrage exécuté sous la direction de M. V. Calliat, architecte, Paris 1857. – Nach frdl. Mitteilung von A. Wolff soll der Folio-Band erst 27 Jahre nach Erscheinen, also gewissermaßen „antiquarisch", für die Bibliothek des DBAK erworben worden sein, dann nämlich, als die Frage der Domausmalung aktuell wurde. – Vgl. auch Sauerländer, Sainte-Chapelle.

[623] Vgl. u. a. Holzamer, Essenwein, S. 15. – Springer, Anschauungs-Stück, S. 115.

[624] Vgl. S. 35, 402 u. 40 f., 103.

[625] Essenwein, Ausschmückung, S. 12, Anm. 4. – Essenwein, Wandgemälde, S. 14. – Wie historische Aufnahmen (vgl. Abb. 371) belegen, war die im Kommentar als Personifikation der Zeit beschriebene Darstellung nach dem Vorbild Didrons, das dieser seinerseits von einem Relief in St. Denis (rechtes Westportal) als Motiv seiner „Fabrikmarke" übernommen hatte (vgl. Didron, Manuel, S. 219–221), im Braunschweiger Dom ehemals im Zentrum des zweiten Gewölbes als ANNVS bezeichnet. Für das zugrunde gelegte Geschichtsbild des Dommosaiks und für seine Interpretation ist gerade dieses Motiv von zentraler Bedeutung. – Vgl. S. 443.

Abb. 391 Saint Denis: Ianuarius bifrons aus dem Zyklus der Monatsdarstellungen, Gewänderelief am Westportal der Kathedrale, Detail, 12. Jh.

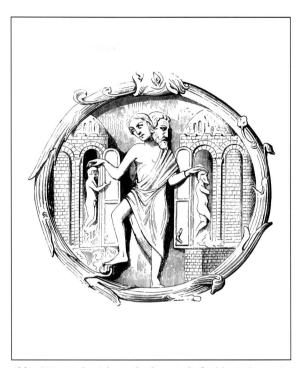

Abb. 392 Holzstich nach dem Relief Abb. 391 aus St. Denis, aus: A.N. Didron aîné, Manuel des œuvres de bronze et d'orfèvrerie du Moyen Age, Paris 1859

Abb. 393 A. N. Didron aîné: „Marque de fabrique" nach dem Relief Abb. 391 aus St. Denis, in: Manuel des œuvres de bronze et d'orfèvrerie du Moyen Age, Paris 1859

Abb. 394 August Essenwein: Entwurf für das Mosaikfeld „die Zeit" (Detail) im Raum zwischen den Chorstühlen

414

Abb. 395 Sainte-Chapelle, Paris: Detail der Beflurung mit ornamental stilisiertem Hirsch in „Intarsientechnik" und strenger Reduktion auf wenige Farben, Mitte 19. Jh.

Im ersten Mosaikfeld am nördlichen Eingang des Chorumgangs sehen wir Erzbischof Hildebold mit dem Modell des in seiner Regentschaft begonnenen karolingischen Domes. Diese Darstellung folgt der bekannten Ansicht des alten Domes aus der Dedikationsminiatur des Hillinus-Codex. Essenwein hatte dieses Detail bereits 1872 im „Anzeiger für Kunde der deutschen Vorzeit" als „ein treues Bild des ... Domes" erkannt und dann 1886 in seinem Beitrag zum Handbuch der Architektur den ersten perspektivischen Rekonstruktionsversuch des Alten Domes publiziert [626]).

Dieses Detail verweist in parallelisierender Gegenüberstellung mit der entsprechenden Darstellung des vollendeten, unter dem Schutz des Kaisers stehenden, „neuen" Domes am südlichen Beginn des Chorumgangs auf die zeitgenössische Adaption historischer Vorbilder im Dienste der monastischen Propaganda, für die es zahlreiche Entsprechungen gibt [627]).

---

[626]) Essenwein, Abbildung, Sp. 209–211. – Essenwein, Ausgänge, S. 134–136. – Essenweins zeichnerische Rekonstruktion des Alten Domes wurde übernommen in G. Dehio u. G. von Bezold, Die kirchliche Baukunst des Abendlandes, 1. Bd., Stuttgart 1892, S. 567. – Differenzen zwischen dieser und der Mosaik-Rekonstruktion sind jedoch nicht zu übersehen.

[627]) Vgl. damit Kapitel „Mosaik und Geschichte", bes. S. 442. – Ein gewisses Äquivalent in der zeitgenössischen Skulptur bildet u. a. Albert Moritz Wolffs Statue Kaiser Wilhelms II. „als Kreuzfahrer und Stifter im Ölberg- Hospiz" in Jerusalem (mit Gegenstück „Statue der Kaiserin als Stifterin im Ölberghospiz mit dem Modell der Stiftung") offensichtlich nach dem Vorbild der Naumburger Stifterdarstellungen. – Vgl. Maximilian Rapsilber, Der Hof Wilhelms des Zweiten, hrsg. vom Seidenhaus Michels & Cie. Berlin, Berlin (1911), o. Pag. (2. Abbn.). – Vgl. Anm. 300. – Abb. 382.

Abb. 396 Hillinus-Codex: Detail des Widmungsbildes mit einer Darstellung des Alten Domes, um 1025, Cod. Metr. Col. 12, Köln, Dombibliothek

Abb. 397 August Essenwein: Rekonstruktion des Alten Domes im „Handbuch der Architektur", 1886 (auch übernommen von G. Dehio u. G. von Bezold, Die kirchliche Baukunst des Abendlandes, Stuttgart 1892, S. 56)

Abb. 398 Hauptfeld A (Kopffeld): Hildebold mit dem Modell des Alten Domes (vgl. Abb. 263 u. 264)

Interdependenz von Ikonographie und Stil

Das „komponierende" und variierende Zusammenstellen ikonographischer Programme durch Essenwein schöpft im wesentlichen aus zwei Quellen. Legitimierend beruft er sich sowohl auf eine Fülle historischer Quellen schriftlicher und bildlicher Art, als auch auf zeitgenössische Arbeiten zur mittelalterlichen Ikonographie. Die Vielzahl disparater Verweise auf literarische und künstlerische Belege aus den unterschiedlichsten Gebieten und Zeiten – von Schedels Weltchronik über Herrad von Landsberg, Durandus, Augustinus, Gregor von Nyssa bis hin zu Zappert (Vita beati Petri Acontanti) u. v. a. wird ergänzt durch zahlreiche Zitate aus den Schriften Bocks, Ottes und vor allem Heiders (Essenwein: „der auf dem Gebiete der christlichen Iconographie wohl am meisten bewanderte Forscher" [628]). Die große Denkmälerkenntnis Essenweins vorausgesetzt, dürfte sich vor allem aus letzteren ganz wesentlich das Repertoire der von ihm zitierten Vergleichs-Kunstwerke speisen.

In dieser nur quasi-wissenschaftlichen Handhabung historischer Vorbilder und Belege erweist sich sein Vorgehen letztlich als ein Kompilieren, ohne freilich darin aufzugehen, scheint doch mit wachsendem Wissen zugleich auch das Bewußtsein einer unüberwindbaren Kluft gewachsen zu sein. Dabei ersetzt die legitimierende Beweiskraft der „Belege" – so nennt sie Essenwein übrigens auch selbst [629]) – die lebendige Selbstverständlichkeit, die diese gleichsam fossilen Bildformen und ihre literarischen Quellen im 19. Jahrhundert nicht mehr besitzen. Kennzeichnend für den pragmatischen Umgang mit den Vorbildern – vergrößern, verkleinern, reduzieren, erweitern, neu-kontextualisieren etc. – ist der hohe Grad an Bewußtheit.

Als wichtiges Charakteristikum der Handhabung ikonographischer Vorbilder schlägt er eine Brücke zu den stilistischen Besonderheiten der Essenweinschen Arbeiten. Die Spezifika seines (und Geiges') Stil lassen sich am offensichtlichsten und unverstelltesten an eher nebensächlichen Aspekten und figürlichen Details der Entwürfe aufzeigen. Hier begegnen uns auch Beispiele merkwürdiger Unbeholfenheit und formaler Ungeschicklichkeit. Sie entsprechen Essenweins Feststellungen, zuweilen könne der Stil der Darstellungen uns „kindlich und unentwickelt" erscheinen; auch habe die Aneignung des mittelalterlichen Stils unbedingt selbst *das* miteinzuschließen, „was uns fremdartig, vielleicht sogar unangenehm berührt" [630]). Was also Indiz einer nur begrenzten Beherrschung darstellerischer Mittel zu sein scheint, der Mangel an formaler Vollendung und eine gewisse „Trockenheit" der figürlichen Zeichnung, ist tatsächlich gezielt eingesetztes Stilmittel. Die irritierenden Charakteristika sind nämlich offensichtlich in hohem Maße bewußt angestrebt und müssen mit dem leitenden Bestreben nach zeichenhafter Reduktion von Farbe und Form zusammengesehen werden.

Um also nicht ein unangemessenes (d.h. einseitig ästhetisches) Urteil zu fällen, ist zu ihrem Verständnis an die von Essenwein immer wieder betonte Zeichenhaftigkeit seiner als dienend apostrophierten Kunst zu erinnern. In einem komplexen Sinne sind nämlich die formale Reduktion und der Farbcharakter wie auch die scheinbare Fehlerhaftigkeit, Ungeschicklichkeit und Gestaltungsschwäche gleichermaßen Resultate bemühten Einfühlens in den alten Stil. Als solche spiegeln sie nicht artistisches Unvermögen, sondern bewußten Verzicht auf das dem Künstler im 19. Jahrhundert eigentlich Mögliche [631]). Sowohl gegenüber akademischer Korrektheit als auch gegenüber den vielfältigen Möglich-

---

[628]) Essenwein, Ausschmückung, S. 14, Anm. 10.

[629]) Ebd., S. 21, Anm. 25 u. S. 35, Anm. 42.

[630]) Essenwein, Wandgemälde, S. 8 f.; vgl. ebd. auch S. 5. – Vgl. entsprechend Geiges' Entgegnung auf die Forderung nach Änderungen an den von ihm geschaffenen Beflurungsvorlagen: „Für meine Skizzen hatte ich mittelalterliche Treue im Auge." (DBAK, Lit. X g VI/55).

[631]) Der Verzicht auf das dem Künstler des 19. Jahrhunderts eigentlich Mögliche ist dabei in erster Linie stilistisch und motivisch, nicht so sehr technisch zu verstehen. Technologische Errungenschaften der Gegenwart werden beim Dommosaik – wie auch bereits bei der architektonischen Domvollendung – vielfältig genutzt. Die Situation Essenweins ist jedoch entscheidend durch die inneren Widersprüche charakterisiert, die immer dort auftreten, wo in seinem Schaffen der (innovative) Fortschritt nach vorn mit dem (historisierenden) Fortschritt nach hinten kollidiert, wo fortschrittsoptimistische Zukunftszuversicht und zunehmend faktengeleitete Ver-

Abb. 399 Detail aus dem Hauptfeld A (Kopffeld): ein Beispiel für die gleichsam „demonstrative" Unbeholfenheit und akademische „Unrichtigkeit" der Darstellung. – Vgl. in diesem Sinne auch Abb. 397 und 398.

Abb. 400 Das „Linkische" und scheinbar „Ungekonnte" versteht sich als Ergebnis der „Einfühlung" in die mittelalterlichen Darstellungsformen und ist bewußt intendiert: demonstrative Ungeschicklichkeit gegen eine letztlich der Renaissanceästhetik verpflichtete perspektivische Richtigkeit.

keiten der Gegenwartskunst sind Essenweins (und Geiges') Entwürfe mit all ihren Primitivismen, Atavismen und Archaismen also mehr oder weniger gelungene Zeugnisse einfühlender Annäherung und Ergebnisse der angestrebten Rekonstruktion eines historischen Stils. In diesem gleichsam asketischen, die Fähigkeiten der eigenen Zeit verleugnenden Grundzug zeigen sich zugleich Analogien zum Latein der Inschriften wie auch zu Wahl und Handhabung der Materialien (s.o.): nicht so gleichmäßig und geleckt, nicht so perfekt, nicht so gekonnt, wie man könnte!

Bezeichnend für diese offensichtlich sehr bewußt eingestreuten (und zuweilen wohl auch übertriebenen) formalen Härten und „Unschönheiten" ist das Dilemma des Nachfolgers und künstlerischen Erfüllungsgehilfen Geiges. Von ihm wird, wie wir sahen, außer der verpflichtenden Einfühlung in die Kunstpraxis des 13. Jahrhunderts zusätzlich noch eine entsprechende Angleichung an deren Rezeption durch seinen Vorgänger verlangt. Aus dem Zwang dieser zweifach gebrochenen Einfühlung wird verständlich, daß Geiges danach drängt, die Übertreibung und das Zuviel der Essenweinschen Adaption so weit als möglich zu tilgen – und damit gleichzeitig eigene Komponenten einzubringen. Dazu paßt nun, daß, bei aller stilistischen Einfühlung und Angleichung, Geiges' – wie entsprechend auch Essenweins – Anteile unschwer zu erkennen sind. Über alle Gemeinsamkeiten hinaus bleiben individuelle stilistische Komponenten also durchaus unterscheidbar.

Wo die individuellen stilistischen Anteile kaum zu trennen und die Angleichung eine nahezu vollständige zu sein scheint (wie z.B. zwischen den Chorstühlen), da muß jedoch die einebnende Vermittlung durch die Übertragung des gezeichneten/gemalten Entwurfs in das Medium Mosaik mit in Rechnung gestellt werden. Wie auf der Ebene des Materials, so läßt sich nämlich auch im Stil, trotz strengster Ver-

---

nach hinten kollidiert, wo fortschrittsoptimistische Zukunftszuversicht und zunehmend faktengeleitete Vergangenheitsaneignung aufeinandertreffen.

Nichts kann Essenwein veranlassen, „auch nur im mindesten vom Stile des Mittelalters . . ., soweit wir ihm nur selbst zu folgen vermochten, abzuweichen, oder zu versuchen, den Stil des Mittelalters unserem heutigen Formengefühle (bewußt) anzupassen, ihn zu „verbessern" . . . (Vielmehr hat es den Anschein), daß eine Verbesserung im Sinne moderner Auffassung unmöglich ist, (und) daß jede Verbesserung hier zu einer Disharmonie führen müßte." – „Eine Verbesserung würde nichts anderes sein, als eine Veränderung . . ." – „. . . diese Verbesserung (würde nämlich) auf das Gebiet der Individualität führen; da wollte der Eine so weit gehen, ein Zweiter noch weiter, ein Dritter weniger weit; der Eine hielte dieß für eine Verbesserung, der Andere jenes, und recht gemacht würde es doch Niemandem." (Essenwein, Ausstattung, S. 12 u. ders., Ausschmückung, S. 49 – vgl. Springer, Geschichtsbewußtsein, S. 378).

In Essenweins ostinater Forderung nach unbedingter, selbstverleugnerischer Stil-Treue klingt noch die Diskussion um die „Fehler der Alten" und um die Zuverlässigkeit von „Verbesserungen" nach. Sie beschäftigte vor allem die erste Hälfte des 19. Jahrhunderts und war eine Generation vor Essenwein *genau umgekehrt entschieden* worden.

Bereits in der Diskussion um den Fortbau des Domes spielte die Frage nach „Verbesserungen", d. h. Abänderungen und Tilgungen von „Unvollkommenheiten" und „Mängeln", wie auch die „Vermeidung von Zeichnungsfehlern", von „Unrichtigkeiten und Mißverhältnissen" eine wichtige Rolle. Sie prägen die mehr oder weniger bindende Verpflichtung auf die mittelalterlichen Vorbilder. Der bedeutendste Fürsprecher so verstandener „Verbesserungen" und Re-Produktionen, ja Fürsprecher einer Weiterentwicklung mittelalterlicher Muster nach den Bedürfnissen der Gegenwart war Sulpiz Boisserée, der „Abänderungen . . . als entscheidende Verbesserungen" wertete und gar das Mittelalter noch übertreffen wollte: „. . . so vernagelt werden wir doch nicht seyn wollen, daß wir da, wo wir nicht zuzusetzen und zu ergänzen, sondern alles neu zu machen haben, die Unvollkommenheiten und Mängel der Bilder aus dem 12.–14. Jahrhundert kopieren möchten." (zit. nach Rode, Boisserée, S. 258. Vgl. dort bes. S. 279 ff.)

Dem entspricht u. a. auch die Vorstellung Friedrich Wilhelm IV., daß die Wiederherstellung der Wandmalereien in den Arkadenzwickeln des Hohen Chores „im Geiste der alten Malerei, jedoch dem Stande der jetzigen Kunstbildung entsprechend, herbeigeführt werde" (zit. nach ebd.).

Die in diesen Beispielen erkennbaren Differenzen zweier theoretischer Positionen verweisen auf die allgemeinen Unterschiede zwischen dem „assoziativen" und dem späten – „wissenschaftlichen" – Historismus wie auch auf eine Entwicklung, die in seiner doktrinären Verfestigung bereits die Argumente für seine Überwindung miteinschließt.

Abb. 401   Über die zahlreichen Farbennuancen der teilweise auch noch in sich gesprenkelten Tesserae hinaus wird die besondere Farbigkeit häufig nach dem Prinzip der optischen Mischung erzeugt.

pflichtung auf die alten Vorbilder, die tendenziell eine völlige Tilgung der individuellen künstlerischen Handschrift bedeutet, ein zeittypischer und individueller Rest – das erkannte auch bereits Essenwein [632]) – nicht vermeiden.

Generell erscheint Essenweins stilistischer Anteil weniger routiniert und elegant (eben betont „kindlich und unentwickelt"), während Geiges' Stil feingliedriger, „gotischer", aber auch brüchiger wirkt. Eine gewisse hölzerne Trockenheit ist beiden gemeinsam. Sie entspricht der Langsamkeit und Trockenheit des nachziehenden Zeichnens – Charakteristika, die zusammen mit Interpolation und Übertreibung gewisse Analogien in Graphologie und Fälschungswesen besitzen. Erinnern wir uns: Essenwein verglich die von ihm geschaffenen Bilder resp. Mosaiken mit Schriftzeichen. Auch in diesem Zusammenhang bestätigt sich also erneut die Affinität des assoziativen Historismus zu Täuschung und Fälschung [633]).

Die inhaltliche Legitimation formaler Entscheidungen mittels ikonographischer Belege und die gleichfalls legitimierende Akzentuierung, ja Überakzentuierung der stilistischen Unterschiede zur

---

[632]) Essenwein, Ausschmückung, S. 46: „. . . das Streben nach Styl-Reinheit (. . .:) Die Unvollkommenheit unserer Auffassungsfähigkeit und der Ausführung werden schon Modificationen genug mit sich bringen; wir brauchen sie nicht absichtlich zu suchen."

[633]) Vgl. Pevsner, Historismus, S. 15. – Vgl. Anm. 668.

420

Abb. 402   Voluten aus der dekorativen Struktur des Hintergrundes, Hauptfeld G (Scheitelfeld)

Abb. 403   Albert Dubois-Pillet: Porträt Mlle M.D., 1885, Öl/Lw. Musée d'Art et d'Industrie, Saint-Etienne

gegenwärtigen Kunstpraxis sind also zu relativieren. Zugleich sind Stil und Ikonographie miteinander verklammert durch den Grad der Bewußtheit, mit dem das eine praktiziert wird, um das andere zu rechtfertigen. Dieser Zusammenhang ist ein wechselseitiger, legitimiert sich doch auch umgekehrt der stilistische Rückgriff aus der „Richtigkeit" der inhaltlich-ikonographischen Belege.

Auf einer anderen Ebene, doch mit ähnlich regenerierenden Intentionen kennt auch die „große Kunst" der zweiten Jahrhunderthälfte eine ganze Reihe letztlich verwandter Beispiele für künstlerische Rückgriffe auf historische Stufen der Kunstentwicklung, auf Ägyptisches, Romanisches, Gotisches etc. Archaismen und Atavismen ziehen sich geradezu leitmotivisch durch die verschiedenen Phasen der Moderne auf dem Weg zum 20. Jahrhundert.

Ist es da erstaunlich, wenn man an Teilen des Dommosaiks Indizien einer gleichsam ungewollten (und wohl auch unbewußten) Zeitgenossenschaft zu erkennen meint? Wenn formale und stilistische Details auf die Gleichzeitigkeit des Ungleichzeitigen zu verweisen scheinen? Bemängelte Essenwein doch, daß die Farbzusammensetzung der Mosaiksteinchen im südlichen Chorumgang nicht nach seinen Anweisungen ausgeführt, daß das Prinzip der optischen Mischung nicht berücksichtigt worden sei [634]).

Daran auch wird man erinnert, wenn man über die allgemeine Affinität zwischen Mosaik und additivem Pointillismus („Farben, die zugleich punktuelle Formzellen des Bildes sind . . . " [635]) hinaus, ganz konkret auf frappierende Entsprechungen etwa zwischen dem Detail der kurvig getüpfelten Ranken-

---

[634]) Vgl. Anm. 207.
[635]) Werner Hofmann, Zeichen und Gestalt, Malerei des 20. Jahrhunderts (Fischer Bücherei 161), Frankfurt a. M. 1957, S. 24.

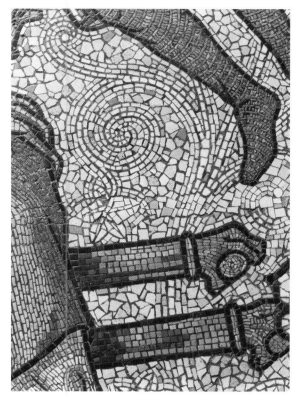

Abb. 404　Volute aus der dekorativen Struktur des Hintergrundes, Hauptfeld G (Scheitelfeld); vgl. u.a. auch Abb. 208

Abb. 405　Victor Horta: Hotel Tassel, Brüssel. Detail des
Mosaikfußbodens mit ornamentalen Voluten, 1893

strukturen im Hintergrund z. B. des Hildebold-Feldes und Gemälden des Seurat-Nachfolgers Albert
Dubois-Pillet (1846–1890) stößt: „Als Hintergrund: Rankenornamente, Blumenzierate, Mosaikmuster
von Teppichen und Tapeten." [636]

In den gleichen Kontext führt auch die Tatsache, daß die charakteristische „Formversteifung" in Seu-
rats Malerei aus akademischer Sicht durchaus bemängelt werden konnte. In einer Zeit rapider Veränderungen und historischer Beschleunigung verband Seurat damit freilich die Ideale von Dauer und
Beständigkeit und verfolgte in der quasi wissenschaftlichen Handhabung seiner Mittel allgemein „die
Idee der großen Harmonie" [637]. – Schließlich will es auch durchaus nicht abwegig erscheinen, daß die
genannten Fondmotive mit verwandten Strukturen in Werken van Goghs assoziiert wurden. [638]

Unmittelbarer noch belegt auch ein anderes Beispiel diese charakteristische, gleichsam unfreiwillige
Zeitgenossenschaft des Dommosaiks: Ab 1893, also nur wenig nach Essenweins Tod, baut Victor Horta
(1861–1947) in Brüssel sein Hotel Tassel, ein Hauptwerk des Jugendstils. Auf genuine Weise setzen
die dortigen Mosaikfußböden die „Kunst der Linie" so in das alte Medium des Stiftmosaiks um, daß sie
wie konsequente Steigerungen der in den Hintergrundstrukturen einiger Dommosaik-Felder gleichfalls angelegten ornamentalen Motive und Tendenzen erscheinen [639].

---

[636] Jean Sutter (Hrsg.), Die Neoimpressionisten, Berlin 1970, S. 98.

[637] Walter Hess, Dokumente zum Verständnis der modernen Malerei, Rowohlts (Deutsche) Enzyklopädie, Bd. 19
(410), Hamburg 1956 (2. Aufl. 1984), S. 15 (bezogen auf Paul Signacs Buch „D'Eugène Delacroix au néo-im-
pressionnisme", Paris 1899).

[638] Bemerkung des Dombaumeisters gegenüber dem Autor.

[639] François Loyer u. Jean Delhaye, Victor Horta. Hotel Tassel 1893–1895, Brüssel 1986.

422

Ornamentale und malerische Komponenten, ebenso wie Historisches und Zeitgenössisches, verschmelzen also im Fußbodenmosaik des Doms. Entsprechend schließt Essenweins Grundsatz, daß ein Schaffen ganz im Sinne der Alten jede „Verbesserung" und absichtliche Modifikation zu vermeiden habe, neben anderem, als Gewißheit auch die Spuren unbewußter, unbeabsichtigter Gegenwärtigkeit mit ein [640]). Trotz aller Unterschiede und ohne daß wir die vermeintlichen Entsprechungen überstrapazieren wollen, drängt sich deshalb ein Vergleich auf, scheint auch die Frage legitim: Handelt es sich nicht nur um die zwei Seiten einer Münze?

Kennt doch eine aus dienenden Zwängen entlassene, autonome Kunst durchaus vergleichbare, bewußte Rückgriffe auf vergangene Stufen der Kunstentwicklung, jedoch keine vergleichbar strenge Verpflichtung auf die alten Vorbilder. Nicht selbstverleugnerische Rekonstruktion, sondern vitaler Austausch und belebende Anregungen bestimmen ihr Verhältnis. Gerade *nicht* die Interdependenz von Ikonographie/Inhalt und Stil prägen diese Rückbesinnungen, vielmehr wird ihr vermeintlicher Zwangskonnex negiert und der historische (oder exotische) Formenvorrat der Neuaneignung – und das bedeutet zunehmend: dem Selbstausdruck der künstlerischen Mittel – erschlossen.

Während in der zeitgenössischen Moderne die kodifizierte Inhaltlichkeit und traditionsgeleitete Ikonographie mehr und mehr zugunsten der autonomen Wirkungsmagie innerkünstlerischer Mittel an Bedeutung verlieren, beharrt der doktrinäre Historismus gerade auf der Untrennbarkeit beider Komponenten. So muß er nicht erst, wo er die Ebene der Kunst verläßt und über Ikonographie und Stil hinaus auch auf eine Rekonstruktion der Lebenswirklichkeit zielt, reaktionär werden (s.u.). Schon hier und auch aus diesem auf Stil und Ikonographie gerichteten Gesichtswinkel zeichnet sich nämlich das Scheitern einer mit ästhetischen Mitteln angestrebten utopischen Vergangenheit ab.

Sieht man aus dieser Perspektive die ikonographische und stilistische Praxis zusammen, so wird hinter dem *Ableitungs*verhältnis der Nach-Bilder zu den Vor-Bildern also ein in seinen Konsequenzen sehr viel weiterreichenderes *Abhängigkeits*verhältnis erkennbar, dessen wichtigstes Charakteristikum die wechselseitige Bedingtheit von Ikonographie und Stil ist.

Alle ikonographischen und stilistischen Bemühungen sind in diesem Sinne gleichermaßen vom Bestreben geleitet, der eigenen Zeit und ihren Bedingungen zu entkommen und die Früchte dieses eskapistischen Bemühens doch wieder der Gegenwart nutzbar zu machen (vgl. Kap. Einfühlung und Wirkung). Insofern ließe sich Essenweins und Geiges' Tätigkeit als ein sehr bewußtes, gleichsam zweigleisiges Re-Produktions-Bemühen kennzeichnen. Deutlich wird ein weiteres Mal der Zwangskonnex von Ikonographie und Stil, der solch re-aktivierender und re-animierender Rück-Versenkung in die „Denkungsweise" des 13./14. Jahrhunderts zugrunde liegt.

Er fordert geradezu eine bestimmte stilistische Form (Zeichencharakter) und eine streng kodifizierte Inhaltlichkeit (ikonographischer Kanon). Denn gerade dort, wo im Stile des 13. Jahrhunderts Inhalte des 19. Jahrhunderts und ikonographische Themen des 13. Jahrhunderts mit den pluralistischen Möglichkeiten des 19. Jahrhunderts (Naturalismus, Realismus, Pleinairismus, Akademismus) behandelt werden, wo überhaupt die Möglichkeiten der Zeit ausgeschöpft werden (vgl. die Diskussion zur Verwendung von Mosaikimitationen und Surrogaten), da zeigen sich nämlich besonders augenfällig die immanenten und unauflösbaren Widersprüche dieses Mittelalters aus der zweiten Hälfte des 19. Jahrhunderts. Nur uneingestanden und auf technischer Ebene als ökonomisch erzwungener Kompromiß bzw. in der uneigentlichen Form der historischen Maskerade (der Kaiser als Schutzherr des Domes) ist dergleichen möglich. Die Gründe für das eine haben wir bereits aufgedeckt; die Motive für das andere sind noch zu charakterisieren.

Wie bereits beim Beispiel der parallelisierenden Gegenüberstellung in den Chorumgangsmosaiken, so führt nämlich auch der Nachweis eines wechselseitigen Abhängigkeitsverhältnisses von Ikonographie und Stil letztlich über die Frage nach dem Verhältnis von Vor- und Nachbild hinaus in die Gegenwart und zu deren historischer Selbstinterpretation.

---

[640]) Vgl. zu dieser Problematik Springer, Geschichtsbewußtsein.

Abb. 406 ▶

1868	J. THORN-PRIKKER		1932	
1866	W. KANDINSKY			1944
1858	L. CORINTH	1925		
1853	F. GEIGES		1935	
1853	H. SCHAPER	1911		
1853	V. van GOGH			
1850	F. A. v. KAULBACH		1920	
1850	F. STUMMEL		1919	
1848	G. v. SEIDL	1913		
1848	F. v. UHDE	1911		
1847	M. LIEBERMANN		1935	
1844	W. LEIBL	1900		
1844	P. JANSEN	1908		
1843	A. SCHNÜTGEN	1918		
1840	A. RODIN	1917		
1838	E. v. GEBHARDT		1925	
1837	H. v. MARÉES	1887		
1834	W. MORRIS	1896		
1832	E. MANET	1883		
1832	P. LENZ		1928	
1831	A. ESSENWEIN	1892		
1829	R. VOIGTEL	1902		
1829	P. G. WÜGER	1892		
1829	A. FEUERBACH 1880			
1827	A. BÖCKLIN	1901		
1825	F. v. SCHMIDT	1891		
1823	J. KLEIN	1883		
1819	V. STATZ	1898		
1815	A v. MENZEL	1905		
1814	VIOLLET-LE-DUC	1879		
1812	A. W. PUGIN 1852			
1808	A. REICHENSPERGER	1895		
1807	F. V. QUAST	1877		
1805	J. H. STRACK	1880		
1803	G. SEMPER	1879		
1802	E. F. ZWIRNER	1861		
1794	J. SCHNORR v. CAROLSFELD	1872		
1783	G. BOISSERÉE	1854		
1781	D. F. SCHINKEL	1841		

PLANUNG UND AUSFÜHRUNG
DES DOM-MOSAIKS

424

Abb. 407   Konfrontation von mittelalterlicher Tradition und technischem Fortschritt: Seit 1859 führt die Eisenbahnlinie über die Rheinbrücke genau auf den Domchor zu. Photo 1879

GESCHICHTSBEWUSSTSEIN UND GESCHICHTSBILD

Methodisches

Mosaik und Geschichte – in den folgenden Zeilen ist trotz dieses Kernthemas wenig von Mosaik die Rede und vergleichsweise häufig von Malerei. Diese scheinbar unangemessene Gewichtung kann sich jedoch nicht nur allgemein auf eine Sicht berufen, die die Farbigkeit des Mosaiks und die Fähigkeit dieser Technik zu feinsten Nuancierungen mit Malerei in Verbindung bringt, ja mit ihr gleichsetzt. Das Verständnis des Mosaiks als einer primär malerischen Technik besitzt eine lange Tradition und erinnert –, vor allem, wenn man es mit seiner für die Dombeflurung so wesentlichen Strapazierfähigkeit zusammensieht, – an das oft zitierte Ghirlandaio-Wort von Mosaik als „Malerei für die Ewigkeit" [641]).

Ganz konkret können wir uns dafür schließlich auch auf das fast synonyme Verständnis von Mosaik und Malerei berufen, soweit sie Gegenstand theoretischer und kommentierender Erläuterungen der Essenweinschen Renovierungs- und Ausstattungsprojekte sind. (Dem entspricht – wie bereits erwähnt – die Verwendung von Mosaik als Fortsetzung der Malerei mit anderen Mitteln und umgekehrt.) Auf diese Kommentare vor allem berufen wir uns nämlich bei den folgenden Überlegungen zum Geschichtsbewußtsein, das dem Dommosaik zugrunde liegt und dem Geschichtsbild, das es zusammen mit den Kommentaren seiner Vorgängerprojekte spiegelt. Die Ideologiehaltigkeit der verschiedenen Argumentationsstränge wird dabei häufig gerade in Nuancen und in der Wortwahl deutlich, weshalb der Anteil an Originalzitaten denn auch ganz bewußt großzügig bemessen ist.

Gemeinsam stützen sie die Ausgangsthese, daß fast alle Äußerungen zur Bedeutung, Anlage und Funktion von Ausmalung und Ausstattung mittelalterlicher Kirchenräume Gültigkeit auch für die Beflurungsform besitzen, daß sie vom selben Geschichtsverständnis getragen werden, ja konkret: auch auf das Fußbodenmosaik des Kölner Domes übertragbar sind, und zwar selbst dort, wo von einer Mosaikbeflurung nicht die Rede ist oder gar die Frage der Fußbodengestaltung ganz ausgeklammert wird.

Kontinuität und Traditionsbruch

Essenwein war ein historischer Künstler; seine Restaurierungs- und Ausstattungsprojekte besitzen alle Wesensmerkmale des reifen Historismus. Getragen von einem ausgeprägten Bewußtsein der eigenen historischen Situation, verweisen sie auf allgemeine Voraussetzungen und übergeordnete Strukturen historistischen Denkens und Bildens.

Grundlegend erscheint auch für Essenweins Arbeiten und Argumentation „ein neuartiges und tiefgreifendes Differenzbewußtsein der Gegenwart zur Vergangenheit" [642]), das sowohl die Tätigkeit des Künstlers als auch die allgemeine historische Erfahrung prägt: „Die zentrale Bedeutung, welche der Beschreibung der Zeitgeschichte als „Revolutionszeitalter" [643]) für die Geschichtsschreiber der historistischen Historiographie zukommt, verweist auf jene grundlegende Erfahrung, welche das Zeit- und

---

[641]) Giorgio Vasari, Leben der ausgezeichneten Maler, Bildhauer und Baumeister . . ., deutsche Ausg. von Ludwig Schorn u. Ernst Förster, neu hrsg. . . . von Julian Kliemann, Worms 1983 (1. Aufl. Stuttgart/Tübingen 1839), Bd. II/2, S. 217. – Vgl. u. a. auch Fischer, Das Mosaik, S. 9. – Springer, Mosaik als Metapher, S. 50.

[642]) Hardtwig, Traditionsbruch, S. 20.

[643]) Vgl. zu Reichenspergers Revolutionsbegriff und seinem entsprechenden Verständnis der „Renaissance": „Wir erwarten auf diesem Wege sogar einen Fortschritt für die Kunst, der ihr bei dem immerwährenden Schwanken subjectiver Einflüsse nie erblühen kann. Kathastrophen, wie die der Renaissance, sind Revolutionen vergleichbar, welche, die organische Fortbildung störend, alles über den Haufen werfen, um eine neue Welt heraufzubeschwören . . ." (A. Reichensperger [?], Malerische Ausschmückung der Kirchen, in: Organ für christl. Kunst,

Geschichtsbewußtsein seit dem Ausbruch der großen Revolution (von 1789) umformt, und das Verhältnis von Gegenwart und Vergangenheit für das Bewußtsein des 19. Jahrhunderts prägt ... Im 17. Jahrhundert aus der Astrologie bzw. Astronomie in die politische Sprache übertragen, bedeutet „Revolution" um die Mitte des 18. Jahrhunderts immer noch den nach Analogie des Sternenumlaufs aufgefaßten *Kreislauf* der Verfassungen, nach dessen Modell seit Aristoteles der politische und soziale Wandel gedacht worden war. Politische Theorie und gesellschaftliche Erfahrung bleiben damit auf ein Ablaufsmodell des Wandels festgelegt, das in allen Vielgestaltigen und unterscheidbaren Formen des Wandels immer nur wieder die *Rückkehr,* die revolutio, zu schon gewußten, *quasi naturhaft vorgegebenen Verfassungsformen* möglich machte. Erst die Aufklärung verbindet mit dem Revolutionsbegriff die Vorstellung eines so grundlegenden Wandels, daß das Kommende die geschichtliche Erfahrung übersteigt ... Und erst seit 1789 artikuliert der Begriff die Erfahrung der Ablaufsbeschleunigung ... und der Permanenz der Veränderung ... In der ... Einsicht wachsender Diskontinuität der gegenwärtigen gesellschaftlichen und politischen Ordnung und der Formen der Kultur gegenüber den vorrevolutionären Zuständen spiegelt sich dieser durchgreifende ... Wandel selbst. In dem Maße, in dem die Unvergleichbarkeit und die Neuheit gegenwärtiger geschichtlicher Erfahrung gegenüber aller Vergangenheit herausgearbeitet wird, tritt der Begriff der Kontinuität in den Vordergrund. Erst wo der zuvor fraglos vorausgesetzte Zusammenhang der Geschichte fraglich geworden ist, muß sich ein Interesse am Zusammenhang artikulieren. Die Zäsur, welche die Französische Revolution dargestellt, verwandelte für das Bewußtsein der Zeitgenossen die Geschichte von einem einheitlichen Kontinuum menschlicher Entfaltungs- und Erfahrungsmöglichkeit in einen Raum der Diskontinuität, in dem die Erinnerung an Zustände und Erzeugnisse, welche dem permanenten Wandel zum Opfer fielen oder zu fallen drohten, bewußt zu bewahren ist." [644]

Diese grundlegenden Zusammenhänge bestimmen weitgehend auch Essenweins Geschichtsbewußtsein, soweit es sich in seinen Argumenten und seinem Geschichtsbild, soweit es sich in seinen Werken spiegelt. Im besonderen Fall des Dommosaiks prägen sie sogar in fast wörtlicher Entsprechung – wie gezeigt werden soll – Struktur und Inhalt dieser Anlage.

In Übereinstimmung mit allgemeinen Formen historistischen Denkens richtet sich Essenweins geschärftes Geschichtsbewußsein grundsätzlich aus der Gegenwart auf die Zukunft, die es durch Anknüpfen an unterbrochene Überlieferungen zu gestalten gilt: „... der Sinn für den grossen ornamentalen Stil und das Verständnis für dessen Erfordernisse, nach dem beides Jahrhunderte hindurch fast gänzlich erloschen war, (hat) nun eben erst wieder aufzudämmern begonnen ..." [645]. So „hat

---

16. Jg., 1866, Nr. 21, S. 247). – A.(ugust) R.(eichensperger), Die Ausstattung des Kölner Domes betreffend, in: Kölnische Volkszeitung, Nr. 87, vom 29. März 1879, 3. Bl.: Die Bodenbeplattung „... diese Aufgabe, ... die um so schwieriger ist, als geeignete Vorbilder aus dem Mittelalter sehr selten sind, da die „Renaissance" fast allerwärts die Dombauten, wie überhaupt alles germanische Kunstleben, in's Stocken gebracht hat." – Reichensperger, Geschichte, S. 62: „Der gegnerischerseits vorzugsweise angerufene Umstand, daß die gothischen Dome eine künstlerische Ausstattung der Fußböden nicht aufweisen, ist nur hinsichtlich der großen Mehrzahl dieser Bauten thatsächlich begründet und findet derselbe in Betreff dieser Mehrzahl darin eine Erklärung, daß zufolge des Hereinbrechens der „Renaissance" in das christlich-germanische Kunstleben fast alle Dome, insbesondere Deutschlands und Frankreichs, unvollendet geblieben sind. Die hervorragendsten französischen Kenner der monumentalen Kunst des Mittelalters, wie Viollet-Le-Duc, Didron, Amé, Cahier usw., erklärten die fragliche Ausstattung für erforderlich und waltet, meines Wissens, unter den Restauratoren der Kathedralen Englands in dieser Hinsicht ebensowenig ein Zweifel ob. So wurde u.a. die dort allgemein als Musterbau anerkannte, mit unserem Dome ungefähr gleichzeitige Kathedrale von Salisbury (1220–1258) bei ihrer, im Jahre 1863 begonnenen Restauration durch den angesehendsten Architekten Englands, Sir Gilbert Scott, im Anschluß an das ursprünglich vorhanden Gewesene, mit einem farbenstrahlenden Bodenbelag aus verschiedenfarbigem Marmor und figurirten Fliesen versehen. Es steht zu hoffen, daß unser Dom auch in dieser Beziehung hinter keinem andern zurückbleibt!" – Vgl. allgemein u.a. Hartwig, Traditionsbruch. – Mohnhaupt (Hrsg.), Revolution, Reform, Restauration.

[644] Hardtwig, Traditionsbruch, S. 22 f. (Hervorhebungen P.S.).

[645] Reichensperger, Restauration Gross-St.-Martin, S. 127.

Abb. 408 a-d Salisbury, Chapter House: die von Sir Gilbert Scott nach dem mittelalterlichen Vorbild wiederhergestellte Beflurung aus farbigen Ton-Fliesen, 1863

man, mit Vorsicht in den neu entdeckten (d. h. wiederentdeckten) Spuren (mittelalterlicher Kunst) wandelnd, für die Zukunft neue Fäden geknüpft". [646]

Die alten Fäden der Tradition sind im 18. Jahrhundert zerrissen; allgegenwärtig ist in den Äußerungen Essenweins das Bewußtsein der Diskontinuität, des Traditionsbruchs angesichts einer so unvergleichlich „neuen" Gegenwart. Als Defizit aber wird die Traditionslosigkeit dieser Gegenwart erfahren; schmerzlich bewußt ist der Verlust der „unreflektierten Selbstverständlichkeit" nicht nur im Denken und Handeln des Künstlers, sondern auch in seiner Erkenntnis, auf sich selbst verwiesen nicht länger Anteil zu haben an einem umfassenden traditionsgeleiteten Ordnungsgefüge. Aus dem Bewußtsein

---

[646] Endert, Bemalung, S. 104. – Vgl. auch Essenwein, Ausschmückung, S. 4: „Wenn auch heutzutage der Faden der Tradition abgerissen . . ." – Vgl. zur Notwendigkeit „wieder an(zu)knüpfen", da „der Faden wachsender Vervollkommnung wie abgerissen ist": (August Reichensperger ?), Malerische Ausschmückung der Kirchen, in: Organ für christl. Kunst, 16. Jg., 1866, Nr. 21, S. 248; zur Notwendigkeit des „Anschließen(s) an die Vergangenheit" vgl. ebd., S. 246. – Vgl. damit u. a. (Alexander) Schnütgen, Die neue Bronzethüre an der Nordseite des

der Entwertung traditioneller Normen und dem Verlust an Orientierung sowie der Instabilität aller Werte und Verhältnisse resultiert gleichermaßen eine allgemeine tiefsitzende Verunsicherung wie auch das Bestreben, neue Normen zu entwickeln. Die aber sind zunächst die alten. Zumindest wird nun Vergangenheit gezielt aktiviert, um im Rückgriff auf Werte und Formen der *Vergangenheit* die Krise der *Gegenwart* im Hinblick auf eine ideale *Zukunft* zu überwinden, ja zu revidieren. Doch Vergangenheit wird im Gewand der Tradition nicht länger gelebt und geglaubt, „Vergangenheit wird zitiert und nicht mehr tradiert." [647])

Mit der Entmachtung der Tradition als selbstverständlichem und allgemeinverbindlichem Leitfaktor verlagert sich nämlich die allgemeine Gestaltfindung (nicht nur) im künstlerischen Bereich vom kollektiven Konsens zum Individiuum, wird im besonderen Fall als bewußte Entscheidung Gegenstand der Kompetenz des individuellen Künstlers. Durch die Verlagerung von der traditionsgeleiteten Einheitlichkeit zur entgrenzten Vielfalt individueller Möglichkeiten und subjektiver Lösungen ist nun der Künstler und Denkmalpfleger in seiner alltäglichen Arbeit vor die Entscheidung gestellt, was aus der Fülle des Überkommenen, was aus den Formen und Inhalten der Vergangenheit in die Kunst der Gegenwart als bewahrenswert für die Zukunft eingehen soll: „Wenn frühere Generationen von dem Recht des Lebenden, (Kunstwerke) zu beseitigen und zu verändern, was ihm nicht gefällt, umfassenden Gebrauch machten, so war alles, was sie fühlten und was sie schufen, der ganzen Generation gemeinsam. Heute haben wir nicht nur keinen eigenen Stil, um Eigenes an die Stelle dessen zu setzen, was wir etwa beseitigen werden; wir haben auch keine Gemeinsamkeit der Empfindung und eben gerade das, was etwa der Eine verachtet und entfernen würde, wird vom Andern geschätzt und seine Entfernung würde lebhaft bedauert und betrauert werden. Deßhalb ist ernste Prüfung dringend nöthig. Wohl haben *wir* das Recht, das Haus Gottes so einzurichten, daß *wir* erbaut werden, daß *wir* es als würdige Opferstätte erkennen, auch *wir* haben die Pflicht, dem Buch der Geschichte, welches die früheren Generationen aneinander gereiht haben, ein Blatt beizufügen, welches den Nachkommen von uns erzählen wird, aber wir sind verpflichtet, wenn wir nicht blos hinzufügen, sondern auch beseitigen, sorgfältig zu prüfen, ob dies unbedingt nöthig sei." [648])

Essenweins Tätigkeit als Künstler und Restaurator ist, wo er nicht die vermeintlichen „Verunstaltungen" des 18. Jahrhunderts beseitigt, ein Hinzufügen, das sich über bloß stimmiges Ergänzen hinaus als bewahrendes Wiederherstellen, ja als Wiedergutmachung alter „Sünden" versteht. Solchermaßen moralisch aufgeladen, ist dieses Tun sich doch stets des Abstandes bewußt, weiß auch dort, wo es gleichsam die Rückführung eines mittelalterlichen Bauwerks auf seine wissenschaftlich ermittelte Idealgestalt unternimmt und vorgibt, einen früheren Zustand wiederherzustellen, um die verändernde Distanz des Nachgeborenen: „Die Kunstproduktion bezieht sich selbst in eine Entwicklung ein. In ihr verbinden sich bewußte Veränderung und bewußte Bewahrung durch Kontinuität." [649])

Die Erfahrung der exponentiellen Beschleunigung des Wandels auf allen Gebieten, des Neuen und des Fortschritts, von Industrialisierung und Verstädterung, wie überhaupt die Dynamisierung aller Lebensumstände bedingen einen „Traditionsgeltungsschwund", dem als Komplementär ein „Zukunftsgewißheitsschwund" (H. Lübbe) entspricht. Ihre Konsequenz ist u.a. eine Desorientierung weiter

---

Kölner Domes, in: Zschr. für christl. Kunst, Bd. IV, 1891, Nr. 8, Sp. 239 f.: „So stellt sich die ganze Thüre . . . als ein glänzender Beweis, daß es möglich ist, im engsten Anschlusse an die alten Formen und doch in neuer freier Schöpfung etwas den höchsten Ansprüchen der Gegenwart Genügendes hervorzubringen. Diese Fähigkeit setzt aber eine durchaus selbstlose und beharrliche Versenkung in die Schöpfungen der früheren Jahrhunderte voraus, wie sie mit dem jetzigen kunstgewerblichen Betriebe in Schule und Werkstatt, mit dem bornierten Anspruch, auf Grund endloser Vorlagen und aus der Ueberfülle der Vorbildersammlungen heraus in allen Stilen zu arbeiten, kaum vereinbar ist. Aus den Ateliers muß die Erneuerung der Kunst herauswachsen in der Beschränkung auf *einen* Stil, in dem stillen, aber unermüdlichen Streben nach dem klar erfaßten, tiefempfundenen Ideale."

[647]) Schlaffer, Historismus, S. 23.
[648]) Essenwein, Restauration, S. 4 f.
[649]) Hardtwig, Traditionsbruch, S. 24.

Bevölkerungskreise, ihre Folge das verbreitete Bedürfnis nach Kompensation, die Sehnsucht nach Dauer und Bestand, wie, angesichts der wachsenden Komplexität und Aufsplitterung der Welt, der Wunsch nach Zusammenhalt, Einheitlichkeit und Harmonie. Bezeichnend ist dabei, daß die konkreten Versuche zur Herstellung derartiger allumfassender Harmonien (Gesamtkunstwerk) und damit all das, was sich die Überwindung der Autonomie des Ästhetischen zur Aufgabe stellt (Essenwein: dienende Kunst), groteskerweise nur in der ästhetischen Enklave zum Ausdruck kommt, inselhaften Räumen der Harmonie, Rückzugsräumen:

„. . . die Schönheit des Vergangenen . . . und die Schönheit einer idealen Zukunft fallen zusammen im erinnernden und erlebenden Genuß der Schönheit in der Gegenwart. Es hat deshalb der Historismus seine Vollendung vielleicht weniger in der Geschichtswissenschaft als in den ästhetischen Reproduktionen, in den Bauten und Inneneinrichtungen des 19. Jahrhunderts gefunden. Hier hat das Vergangene den gegenständlichen Schein zeitgenössischer und zeitenthobener Wirklichkeit angenommen." [650] Die Absicht, das allgegenwärtige Bewußtsein historischer Distanz durch die Stimmigkeit des Scheins und des Dafürhaltens zu überwinden – zu überlisten! – kann jedoch nur so lange gelingen, wie sie sich nicht gleichermaßen auf formalstilistische und inhaltliche Aspekte mittelalterlicher Kunst bezieht. Da nach Verlust des Führungsanspruchs der Tradition über Mentalität und Handeln die Bilder ihre Selbstverständlichkeit verloren haben und die Kunstwerke zu den Völkern „nicht mehr sprechen", bedürfen sie der Interpretation, des Kommentars, ja der Rechtfertigung, um verstanden zu werden. Auch aus dieser Perspektive bestätigt sich also der besondere Stellenwert und das symbiotische Verhältnis der Essenweinschen Begleitschriften zu seinen Projekten. Gegen den Vorwurf potentieller Beliebigkeit und subjektiver Willkür des künstlerischen Rückgriffs auf historische Vorbilder und für das Recht „aus der grossen Mannigfaltigkeit auszuwählen" [651] verteidigen sie die überzeitliche Gültigkeit auch in einer so ganz anderen Gegenwart und selbst über sie hinaus: „Wenn auch heutzutage der Faden der Tradition abgerissen und ein Commentar für die Erklärung (der Malereien und Mosaiken) nöthig ist, so darf doch nicht Willkür des Einzelnen an die Stelle kirchlicher Tradition treten, da natürlich in Gegenwart und Zukunft (wie in der Vergangenheit) nur Ein Gedanke lebendig und darum allgemein verständlich werden kann . . . Die künstlerische Individualität muss hier zurücktreten." Besonders gilt das für die Wiederherstellung einer mittelalterlichen Kirche, „die einer Zeit entstammt, wo diese Unterordnung stets factisch Statt hatte." [652]

Einheit und Vielheit

Mit der Betonung des Einen und Einheitlichen aber entwickelt diese Kunst ein Gegenbild zur Vielfalt des Neuen und Niedagewesenen, zur allgemeinen Explosion des Möglichen und der Möglichkeiten, wie auch zur Gleichzeitigkeit des Unvereinbaren und Disparaten. Mit ihr wird einer desintegrierten Lebenswirklichkeit im Rückgriff auf vorrevolutionäre Modelle der Weltauslegung ein reintegrierender Ordnungsentwurf entgegengestellt. Diese Kunst will die Kontinuität der alten Werte und Entwürfe erneuern; sie propagiert die Homogenität *eines* Stils, die Verbindlichkeit *eines* inhaltlich-formalen Kanons, die Verantwortlichkeit *eines* planenden Künstlers, sie fordert „das Ganze in Einem Geiste und aus Einem Gusse zu componiren und . . . (sich) streng an den Styl des dreizehnten Jahrhunderts anzuschließen." [653]

Der beschwörende Charakter dieser ostinaten Betonung des Einen und Einheitlichen, der Integration aller Komponenten, ist nicht zu verkennen. Sie fordert geradezu als Korrelat die schmerzliche Erfah-

[650]) Schlaffer, Historismus, S. 104.
[651]) Essenwein, Ausschmückung, S. 21.
[652]) Ebd., S. 4.
[653]) Ebd. S. 46.

rung und das allgegenwärtige Bewußtsein einer so sehr gegensätzlichen – eben desintegrierten – Gegenwart. Ihr gegenüber entspricht dem idealen Zusammenklingen aller Komponenten in der Stimmigkeit des ganzen Kirchengebäudes das Ziel einer *„vollständigen Harmonie"* (Essenwein), die alles umfaßt und alles verbindet.

In ihr offenbart sich auf ästhetischer Ebene das ausgeprägte allgemeine Harmoniebedürfnis des nachrevolutionären Bürgertums. Entsprechend ist das letztlich mit malerischen Mitteln angestrebte, farbgeleitete Zusammenspiel einer Einheit in Harmonie finales Leitbild aller künstlerisch-restauratorischen Bemühungen und Erwägungen Essenweins: die ästhetische Kirche als vollkommenes Gesamtkunstwerk.

In ihm verweist die Stimmigkeit der farblichen-stilistischen-inhaltlichen Komponenten auf die Intention, mit ästhetischen Mitteln auf die Stimmung und über sie auf die Gedanken und über diese wiederum auf das Handeln zu wirken, „. . . so dass beim Beschauen eine behagliche und ruhige, durch die Farbenwirkung hervorgerufene Stimmung die sinnige Aufnahme der religiösen Gedanken erleichtert". [654]

Nach dem Verlust der Religon (und Tradition) als einheitsstiftender Instanz und Orientierungsfaktor soll, als Ersatz und ästhetische Vorwegnahme ihrer „restaurierten" Wirkung, nunmehr im Gemüt die Kluft der voneinander getrennten Komponenten und Bereiche zu „einer Einheit der Zusammenstimmung (zurück-)geführt werden" [655]. Die Art, in der dies zu bewerkstelligen sei, bezeichnet Essenwein selbst wiederholt als „componiren": „Wer. . . jetzt wieder eine mittelalterliche Kirche ausstatten oder ein Kunstwerk im Sinne des Mittelalters schmücken will, muß . . . (den) Bildercyklus möglichst im Geiste eben jener Zeit . . . componiren . . ." [656] – „Komposition, ein Begriff der Kunstlehre, als die ästhetische Weise des Zusammenhaltes anstelle der verlorenen Sinninstanz des Glaubens . . ." [657]

Historische Wahrscheinlichkeit

„Die Kunst als ‚die einzige reine Stätte in einem unheiligen Jahrhundert', wie Friedrich Schlegel sagte, übernimmt (es), die entzweite Wirklichkeit zu versöhnen und zur Einheit zu bringen." [658] Dem Ordnungsentwurf einer ästhetischen Einheit in Harmonie als Gegenbild einer aus ihrer alten Ordnung und Harmonie geratenen Lebenswirklichkeit entspricht im konkreten Arbeitskonzept des Künstlers und Restaurators die Absicht, das Bild der mittelalterlichen Kirche unverfälscht, gleichsam gereinigt von den Ablagerungen und Verschmutzungen der Zwischenzeit, wiederherzustellen. Wiederherstellung eines vermeintlich reinen, tatsächlich jedoch fiktiven Urzustandes erscheint damit „gewissermaßen als bewußte Korrektur der Geschichte" [659].

Wird dergleichen, wie gezeigt, als „Wiedergutmachung" früherer Ausstattungs-„Sünden", Restaurierungs-„Fehler" und „stilwidriger Verunstaltungen" geradezu moralisch überhöht, so gilt Entsprechendes – mit positiven Vorzeichen versteht sich – für die Wiederherstellung selbst. Dabei werden zuweilen die Grenzen des Bewußtseins für die Historizität des eigenen Tuns erkennbar: Während etwa das

[654] Endert, Bemalung, S. 105. – Vgl. auch (August Reichensperger ?), Malerische Ausschmückung der Kirchen, in: Organ für christl. Kunst, 16. Jg., 1866, Nr. 21, S. 247: „. . . das schöne Bewußtsein, im Verein mit allen Vorgängern in demselben katholischen Geiste zu malen und darzustellen, d. h. zu lehren, zu erbauen, fruchtbringende Andacht und gesunde Gefühle zu wecken . . ."

[655] Hinz, Friede, S. 64.

[656] Essenwein, Ausschmückung, S. 6. – Vgl. zur Bedeutung der „Composition" auch (August Reichensperger ?), Malerische Ausschmückung der Kirchen, in: Organ für christl. Kunst, 16. Jg., 1866, Nr. 21, bes. S. 246.

[657] Hinz, Friede, S. 63.

[658] Friedrich Schlegel, Über das Studium der griechischen Poesie (1795/96), in: Sämtliche Werke, Bd. V, Wien 1846, S. 23 (zit. nach Hinz, Friede, S. 64).

[659] Verbeeck, Vollendung, S. 98.

Unterfangen „die ganze Kirche (Groß St. Martin) im Geschmack und Geist der Zeit (um 1700) aus-zuschmücken . . . als eine schwere Versündigung an dem erhabenen Bauwerk" verdammt wird, bleibt das Zeitbedingte in der Absicht, die ursprüngliche Erscheinung wiederherstellen zu wollen, scheinbar unreflektiert. Gelegentlich nur und eher beiläufig dringt durch die vermeintlich ungebrochene Zuver-sicht, abgelöst von den Ursprungsbedingungen „Wiederholbarkeit unter veränderten Bedingun-gen" [660]) praktizieren zu können, fast so etwas wie relativierende Skepsis, zumindest aber die Realität der Wiederherstellungspraxis hindurch. So schreibt etwa der Architekt Ernst Wiehe 1894, die Kirche von Königslutter stehe jetzt wieder „äußerlich, wie innerlich in dem Gewande da, welches es etwa zu Anfang des XII. Jahrhunderts *im Großen und Ganzen gehabt haben kann*". [661])

Dergleichen Formulierungen machen das Dilemma deutlich, auch dann immer nur einen historisch möglichen oder wahrscheinlichen Zustand (wieder-)herstellen zu können, wo eine gleichsam authen-tisch kopierende Wiederherstellung gar nicht (mehr) möglich ist. Das Charakteristische dieser Posi-tion, der Position des evokativen oder assoziativen Historismus, besteht also darin, nicht das Vergan-gene „wie es eigentlich gewesen ist" heraufzubeschwören, sondern nur so „wie es gewesen sein könnte". Wieder klingt auch in diesen Worten etwas von dem bitteren Distanzbewußtsein des Nachge-borenen an, der, weil geleitet von der übergeordneten Zielvorstellung, eine Einheit in Harmonie (wie-der-)herstellen zu wollen, nicht dokumentierende Wahrhaftigkeit, sondern historische Wahrschein-lichkeit praktizieren muß. Jede „Wiederherstellung" muß sich deshalb letztendlich als „Herstellung" erweisen (auch dies übrigens ein Grund der engen Verwandtschaft zwischen den Restaurierungspro-jekten und dem Dommosaik).

Aus diesem Grunde nicht zuletzt wird die vielfältig modifizierte Forderung Essenweins, mittelalterli-che Kirchen „im Geiste jener Zeit" wiederherzustellen, Geschmacks- und Wertvorstellungen der Gegenwart jedoch gleichsam auszublenden, in der Praxis der Restaurierungs- und Ausstattungsarbeiten relativiert zur Herstellung eines durch historische Wahrscheinlichkeit und stilistische Möglichkeit geprägten Gesamtgefüges. So könnte nach Essenwein die Wiederherstellung des Domes „als ein theueres Vermächtniß der Vorzeit nur geschehen, wenn er in seiner eigenen Weise, wenn er in der Art ausgestattet . . . (würde), wie dies die Erbauungszeit selbst gethan, wenn sich die alte Zeit, nicht wenn sich der heutige Zeitgeist darin spiegelt". Die dazu notwendigen Ergänzungen setzten „voraus, daß wir nicht das machen, was heute gefällt, nicht solche Gedanken hervorsuchen, die heute herrschen, noch Formen, die heute Geltung haben, sondern daß wir das Verlorene so zu ersetzen suchen, *wie es wohl ehemals gewesen sein muß, mindestens gewesen sein kann*, ohne Rücksicht, ob es heute anspricht oder nicht". [662])

Der Konflikt, der sich in dieser apodiktischen Forderung nach Stil-Treue mit der – weiter unten zu cha-rakterisierenden – Wirkungsintention anzudeuten scheint, wird durch die angestrebte überwältigende Gesamtwirkung aufgefangen. Gegen die Unterstellung, einen realitätsfernen Anachronismus zu schaf-fen, betont Essenwein die als Verpflichtung empfundene Notwendigkeit, das historische „Vermächt-nis" in seiner ursprünglichen „Würde" wiederherzustellen: „Es ist gewiß für das moderne Gefühl und das moderne Auge manches Ungewohnte in den Gedanken, wie im Formenkreis . . . Wer rationali-stisch denkt, wie die meisten modernen Menschen, wird den Gedankenkreis nicht sympatisch finden, wer rationalistisch malt, den Formenkreis nicht begreifen . . ., (doch) wenn wir ein Vermächtnis . . . (des Mittelalters) zur Geltung bringen und vervollständigen wollen, (müssen) wir uns an . . . (seine), nicht an die heutige Anschauung anlehnen." [663])

Drängt sich bereits hier die Frage auf, wer nach der Vorstellung Essenweins denn eigentlich Adressat seiner Restaurierungs- und Ausstattungsarbeiten sein soll, die „verunstaltete" *Vergangenheit* (als

---

[660]) Schlaffer, Historismus, S. 109. – Vgl. auch ebd., S. 65.
[661]) Wiehe, Ausmalung, S. 2 (Hervorhebungen P. S.). – Vgl. damit auch Königfeld, Burg Dankwarderode, S. 82.
[662]) Essenwein, Wandgemälde, S. 5 (Hervorhebungen P.S.).
[663]) Ebd., S. 4.

Wiedergutmachung) oder die ebenfalls, wenn auch ganz anders, „verunstaltete" *Gegenwart* (als Gegenwelt), so sollen zunächst die verschiedenen Möglichkeiten ergänzender Wiederherstellung charakterisiert werden. Um nämlich „das übrig gebliebene, wieder zu einem Ganzen abzurunden . . . (doch) nicht zu einem Ganzen, das zeigen soll, was die Mehrheit unserer Zeitgenossen erfüllt, sondern was einst lebendig war. . ." [664]), bietet sich dort, wo historische Substanz nicht mehr vorhanden, der Analogieschluß als Methode der Ergänzung an.

Nach Essenwein folgen Darstellung und Anordnung im Mittelalter nämlich stets einem einheitlichen Gedanken: „Es läßt sich deshalb auch das Bildwerk nach Analogie anderer vorhandener erklären und, soweit einzelne Figuren fehlten, . . . leicht in dem Sinne des Mittelalters . . . ergänzen." [665]) Wo diese Voraussetzungen jedoch nicht gegeben, also bei den weitaus meisten seiner Arbeiten und auch beim Dommosaik, besteht die Arbeit des entwerfenden Künstlers in der Neuschöpfung von sozusagen historisch möglichen Lösungen. Wo Essenwein also nicht nur kopiert, sondern zitathaft Vorbilder benennt und seine Quellen offenlegt, dient dies dem Nachweis historischer Möglichkeit, ist wissenschaftliche Legitimation seiner „Erfindungen". Die Grenzen der Arbeiten „im Geiste von . . ." und strenger Stiltreue deuten sich dort an, wo sich angesichts der Unvergleichlichkeit der Aufgabe keine mittelalterlichen Vorbilder finden lassen, wo sich mit anderen Worten der Einbruch der Gegenwart in das vermeintlich geschlossene System schon im Charakter der Aufgabe nicht von der Hand weisen läßt. So finden sich verschiedentlich in den Essenweinschen Kommentaren Hinweise darauf, daß „wir genöthigt waren, einen oder den anderen Gegenstand auch an einer Stelle darzustellen, für die wir keine mittelalterlichen Vorbilder haben . . ." [666]) oder z.B., daß „Fenster solcher Komposition . . . uns aus alter Zeit nicht bekannt geworden (sind). Wir waren daher vollständig auf eigene Erfindung angewiesen." [667]) Daß er zur Lösung solcher Probleme u.a. auch auf „orientalische Motive"(!) zurückgreift [668]), verweist als Extrem erneut auf den Vorwurf latenter Willkür angesichts der subjektiven Entscheidung, die jeder künstlerische Rückgriff voraussetzt.

Latent ist sie auch stets beim Dommosaik vorhanden, dessen besonderes Charakteristikum ja gerade seine beispiellose Größe ist [669]): „. . . das Dilemma der Diskrepanz zwischen der Größenordnung des historischen Bildverweises (d.h. Vorbildes) und derjenigen der modernen Bauaufgabe" ist ein – nicht nur architekturspezifisches – verbreitetes Charakteristikum des Historismus im 19. Jahrhundert [670]).

Das Unvergleichliche und Neuartige ihrer Aufgaben – das wird gerade beim Dommosaik offensichtlich – ist letztlich bedingt durch das Neuartige und Unvergleichliche der Gegenwart, und das heißt konkret: durch die Absicht mit sechshundertjähriger „Verspätung" eine mittelalterliche Kathedrale vollenden zu wollen. Zu keinem Zeitpunkt wohl wird dieser Zusammenhang so deutlich wie während der Diskussion um die Verwendung moderner Stoffe (Mosaikimitationsplatten etc.) und traditioneller Fertigungsmethoden – nicht zu vergessen die wie selbstverständliche Anwendung einer „modernen" Verlegetechnik [671]).

---

[664]) Ebd., S. 8.

[665]) Essenwein, Bildschmuck, S. 1.

[666]) Essenwein, Ausschmückung, S. 8.

[667]) Essenwein, Ausstattung, S. 18.

[668]) Ebd., S. 18. – Gegen die Charakterisierung „alt wie echt neu gemacht" und die generelle Affinität des assoziativen und evokativen Historismus zur Kunstfälschung (vgl. Pevsner, Historismus, S. 15) ließe sich z.B. Essenweins Bemerkung zur Anfertigung der Verglasung in Groß St. Martin (Essenwein, Ausstattung, S. 14) anführen: „Wir hatten nicht die Absicht, die Fenster alt erscheinen zu lassen; so wenig als bei der Dekorationsmalerei ähnliches beabsichtigt war . . ." Primär angestrebt worden sei, die ursprüngliche „Harmonie" und Wirkungs-„Kraft" des Baues wiederherzustellen.

[669]) Vgl. S. 327 f.

[670]) Paul, Rathaus, S. 43.

[671]) Dem widerspricht nicht, daß in anderem Zusammenhang Essenwein „Der Absicht gemäss, möglichst eng an das Mittelalter anzuschliessen", nicht die Freskotechnik, sondern die Verwendung von Tempera vorschlägt (Essenwein, Ausschmückung, S. 51).

Bleibt festzuhalten, daß das vermeintlich geschlossene System einer Einheit in Harmonie, einer Wiederherstellung streng im Geiste des Mittelalters, tatsächlich also auf vielfältige Weise dem Einbruch der Gegenwart ausgesetzt ist – und zwar durchaus auch in einem Sinne, der über die direkten Folgen der Industrialisierung hinausweist. Neue Techniken und Materialien, Normierung und Rationalisierung, die bereits bei der architektonischen Vollendung des Domes eine so wichtige Rolle spielten, besitzen nämlich ein zeitgemäßes Korrelat im veränderten künstlerischen Selbstverständnis und in den Formen seiner Darstellung.

Es muß deshalb noch eine weitere „undichte Stelle" benannt werden, durch die die Homogenität der (ästhetischen) Einheit gefährdet ist und durch die gleichsam permanent die Gefahr des Eindringens von Gegenwartspartikeln, moderner Elemente also, besteht: durch das künstlerische Individuum und allgemein durch die „Herrschaft der Individualität" in der Gegenwart.

Die Individualitätsproblematik

Von der besonderen Akzentuierung der Individualität in der Theorie des Historismus ist der Künstler in doppelter Weise betroffen, einmal durch die folgenschwere Anerkennung der künstlerischen Individualität, ihrer subjektiven Sicht und der Anerkennung ihres Strebens nach Verwirklichung in der künstlerischen Produktion, zum anderen durch die Anerkennung des individuellen Eigencharakters jeder Epoche und des Bestrebens jede Epoche als Individuum aus sich selbst heraus zu verstehen. Wo beide Komponenten sich verbinden, wie in den Forderungen der doktrinären Stilpuristen, ist deshalb die Kollision der nach Verwirklichung drängenden künstlerischen Individualität mit den Prinzipien dienender Stiltreue vorgezeichnet. Eine Opposition kristallisiert sich um den Begriff der „Verbesserung", d.h. um den Einfluß zeitgenössischer Elemente im Sinne einer bewußten Korrektur alter Vorbilder und ihrer Anpassung an die (ästhetischen) Bedürfnisse der Gegenwart.

Essenwein sieht jedoch keinen Anlaß, „auch nur im mindesten vom Style des Mittelalters abzuweichen, oder nach beliebter Manier zu verbessern . . . Zudem würde diese Verbesserung auf das Gebiet der Individualität führen; da wollte der Eine so weit gehen, der Zweite noch weiter . . . Eine Verbesserung würde nichts anderes sein als eine Veränderung . . ." [672] Essenweins Argumentation gegen die Verbesserung mittelalterlicher Vorbilder richtet sich tendenziell gegen die Eingriffe subjektiven Dafürhaltens, die die Einheitlichkeit des angestrebten Gesamtkunstwerks „im Geiste des Mittelalters" gefährden. Zugleich richtet er sich aber damit letztlich gegen den Einfluß zeitgenössischer Werte und Praktiken wie gegen den Einfluß einer Gegenwart, die sich im Besitz aller Möglichkeiten weiß und dieses Wissen auch anwenden möchte: „Die figurale Seite des romanischen Stils hat nun heutzutage im Publicum viele Gegner. Die Figuren sind (ihm) nicht natürlich genug, und viele halten das für Unvollkommenheit. Die Fortschritte der Neuzeit sollen darauf angewendet werden und wir, im Besitze einer vollendeten Kunst, sollten nicht die kindlichen Versuche einer Zeit nachahmen, die nur deshalb ihre Figuren so bildet, weil sie es nicht besser verstand." [673]

Gegen den apodiktischen Charakter der Essenweinschen Forderungen stehen jedoch nicht nur die z.T. recht pragmatische Praxis seiner Restaurierungs- und Ausstattungsprojekte, sondern auch Stimmen aus seiner Umgebung, die in der Verschmelzung alter und neuer Elemente einen liberaleren Weg andeuten: „Mit gebührender Benutzung dessen, was neue Errungenschaften an formellen Besserungen und Läuterungen darbieten, um es mit der Seelentiefe und inneren Kraft der alten Bildweise zu vermählen,

---

[672]) Essenwein, Ausschmückung, S. 49.
[673]) Ebd., S. 46. – Vgl. in diesem Sinne: Anonymus, Die christliche Kunst in Paris (V.), in: Organ für christl. Kunst, 6. Jg., 1856, S. 51 f.

434

hat man im Geiste der alten Überreste die herrlichen Kirchenbauten aufs neue mit Malereien (und Mosaiken) zu schmücken begonnen." [674]

Ganz im Sinne des oben skizzierten doppelten Individualitätsprinzips vermag sich jedoch auch Essenwein – hier scheint ein Widerspruch seines theoretischen Ansatzes erkennbar zu werden – nicht ganz der Einsicht in den harmonisierenden und generalisierenden Charakter seines Strebens nach Einheit im Geiste des Mittelalters zu entziehen. Wohl auch aus seinem Differenzbewußtsein heraus nimmt er für sich als entwerfender Künstler die Freiheit des nicht kopierenden, sondern bewußt wählenden, komponierenden Schaffens und Erfindens „im Geiste von . . ." in Anspruch: „Wir haben . . . nicht übersehen, daß bei aller Einheit in allen Werken des XIII. Jahrhunderts doch auch jedes seine eigenen Eigentümlichkeiten hat, daß eine Individualität der Werke und der Künstler schon damals angebahnt war (er betont also auch hier den Kontinuitätsaspekt) und daß auch heute diese Individualität der Künstlerschaft der einzelnen berechtigt ist, ja daß wir uns die Berechtigung, solche ausdrücklich in unserem Werke vorkommen zu lassen, unbedingt zugestanden haben, soweit wir im Rahmen dessen bleiben, was die Schule, der wir uns *im Geiste* angeschlossen haben, gestattet." [675]

Damit aber stellt sich die Frage nach dem Selbstverständnis und der Selbsteinschätzung einer Kunst, die auf den Prinzipien geistiger Annäherung (im Wissen) und subjektiven Einfühlungsvermögens (im Empfinden) basiert. Nicht zufällig erscheint deshalb Essenweins Formulierung: „ . . . als Mitglied der Malerschule des XIII. Jahrhunderts *fühlen* wir uns. Mit ihr wollen wir die Fläche dekorieren, nicht Bilder malen . . ." [676] – nicht *einzelne* Bilder malen müßte man verdeutlichend hinzufügen, soll doch im Idealfall der *gesamte* Innenraum (wie auch das ganze Gebäude) der mittelalterlichen Kirche, also auch des im Geiste des Mittelalters vollendeten Domes, nicht als eine Addition von Einzelwerken, sondern als Gesamtwirkung beeindrucken und als harmonische *Einheit* aus einem Gruß „malerische" Wirkungen entwickeln. Eine solche, sich sowohl den architektonischen Gegebenheiten, wie auch in ihren Details der Gesamtwirkung unterordnende, eine solche in doppeltem Sinne dienende ästhetische Praxis kann deshalb gleichsam beiläufig zur Kunst werden, dann nämlich, wenn sie als Teil eines Gesamtkunstwerks das Ideal einer Einheit in Harmonie mitträgt: „Ist es auch nur Dekorationsmalerei, und war es stets nur als solche betrachtet, ja war es stets die Absicht, daß dieser Charakter in der Erscheinung hervortreten solle, so beruht es doch auf sorgfältigstem Studium der Wirkung und steht in dieser Beziehung keiner Arbeit nach, die *von vornherein* beabsichtigt, als „Kunstwerk" aufzutreten." [677]

Was sich hier zwischen betonter Bescheidenheit und gedämpftem Selbstbewußtsein artikuliert, ist das Dilemma einer wirkungsorientierten und zugleich inhaltlich argumentierenden Kunst, einer „nur" Dekorations- und zugleich Gedankenmalerei, einer Kunst, die „gewußt" wird, aber „geglaubt" werden möchte.

Ungeachtet der inneren Widersprüche solcher Versuche die fiktive Einheitlichkeit mittelalterlicher Kirchen zu erreichen oder wiederherzustellen, wird neben dem Rückgriff auf deren stilistische, inhaltliche und z.T. technische Mittel zugleich auch eine Annäherung an die Organisationsformen mittelalterlicher Kunst, an Bauhütte und Klosterwerkstatt, versucht.

In diesem Zusammenhang entspricht der dienenden „Selbstverläugnung" einer der einheitlichen Wirkung des Gesamtkunstwerks untergeordneten Malerei/Mosaikkunst die selbstverleugnerische Unterordnung aller Mitarbeiter unter ein einheitliches Konzept, eine einheitliche stilistische Vorgabe und eine Gesamtintention. Nur durch diese äußere und äußerste „Disziplinierung" erscheint die bei mittel-

---

[674] Endert, Bemalung, S. 104.

[675] Essenwein, Ausstattung, S. 12.

[676] Ebd., S. 12 (Hervorhebungen P. S.).

[677] Ebd., S. 14. – Vgl., ganz in diesem Sinne, noch Friedrich Stummel (Teppichartige Wirkung. III., Sp. 52): „ . . . nicht die Dekoration des ganzen Baues ist mehr ihr (der Malerei, P.S.) Ziel, sondern das Geltendmachen des einzelnen Bildes. Nichts widerstreitet dem Geiste der alten Kunst mehr als dieses Sichhervordrängen; es ist die Verneinung des Gefühls für jene ruhige selbstlose Harmonie, welche nichts anderes will, als auf ihren sanften Schwingen den Geist zu idealen Höhen zu erheben."

alterlichen Kirchen durch die einheitlichen historischen, inneren und äußeren Bedingungen gespeiste Homogenität (wieder) herstellbar: Unschwer erkennt man das Vorbild der mittelalterlichen Bauhütte. Unschwer ist in diesem Modell zugleich auch die Absicht zu erkennen, die „Zerspaltung der Künste" (Sedlmayr) – als pars pro toto der „Zerspaltung" aller Lebensumstände und Erfahrungen, für Segmentierung, Spezialisierung und Vereinzelung – zu überwinden, also jene nicht nur in der Kunst verlorene Einheit wiederherstellen zu wollen.

Entsprechend umschreibt Essenwein das quasi mönchische Arbeitsethos seiner Mitarbeiter: „Die Aufgabe war für die verschiedenen Mitarbeiter keine leichte. Insbesondere war absolute Unterordnung eigener Ansichten, sowie Vergessen etwa sonst verfolgten Kunstrichtungen für alle Künstler und Werkmeister unbedingt notwendig . . . Sie alle mußten sich den Anweisungen des bauleitenden Architekten so vollständig fügen . . ., daß nur seine geistige Thätigkeit erkennbar würde . . ." [678]

Essenweins Forderung nach „Sorgfalt, Verständniß und Selbstverläugnung" [679], die die handwerklich-technische, die kognitiv-studienmäßige und die stilistisch-einfühlende Annäherung umschreibt, bezeichnet zugleich eine Gegenposition zur Kunstpraxis der Gegenwart, die nach Essenweins Überzeugung durch subjektive Willkür, Individualismus, Naturalismus und das Streben nach Originalität gekennzeichnet ist und für die ganz andere Gesetzmäßigkeiten gelten als für seine Kunst: „Wer würde aber durch einen heutigen Pleinairisten eine mittelalterliche Kirche ausgemalt wünschen? Man hält einen einfachen Dekorationsmaler passender dafür." [680] „Für das moderne Staffeleibild gelten (nämlich) Gesetze, die bei der Dekorationsmalerei keine Geltung haben dürfen." [681] Zu erwarten ist zwar, . . . „dass die durch die allein herrschende Staffelei-Malerei und den Naturalismus verwöhnten Augen des grossen Publicums durch den einfach strengen Ernst der Zeichnung, die entschieden alle vermittelnden Abstufungen und täuschenden Effecte von sich weisende Farbgebung und durch die symbolisirende Darstellungsweise, wie dies Alles der wahrhaft monumentale Stil erheischt und ihn in allen wahrhaft classischen Kunstperioden charakterisirt hat, sich verletzt fühlen würden." [682]

Doch dürfte „unter den Einsichtsvollen, deren Blick nicht durch die crassen Effecte der modernen Kunst abgestumpft ist, kein Zweifel mehr darüber sein . . ., welchem Stil die Zukunft der kirchlichen Wandmalerei gehört." [683]

Im Kontext der verschiedenen Stimmen für eine „Neubelebung religiöser Kunst" um 1900, einer christlich-religiösen Erneuerung der Kunst zwischen Cornelius und Kandinsky artikuliert sich hier also eine Zukunftszuversicht, die ihre Formen und Argumente aus der Kenntnis der Vergangenheit schöpft. Folglich „handelt (es) sich da nicht um eine blosse so genannte Geschmacksfrage; wenigstens einiges Verständniss von dem Wesen dieses Kunstzweiges und seiner historischen Entwicklung ist erforderlich, um über demselben angehörige Arbeiten zu Gericht sitzen zu können." [684] Nicht allein „Geschmack" und Begabung sind mit anderen Worten Voraussetzung für das angemessene Verständnis wie auch für das Herstellen dieser Kunst. Historisches Wissen, Kenntnis der Archivalien, ja in zunehmendem Maße quasi wissenschaftliches Studium der überkommenen Zeugnisse und Vorbilder sind für eine „korrekte" Aneignung erforderlich. In diesem Sinne betont Essenwein, daß seine Ausstattungskonzepte etc. „auf sorgfältigem Studium" beruhen. Er entspricht darin der allgemeinen Forderung des Historismus im späten 19. Jahrhundert nach archäologischer Korrektheit und Belegbarkeit des rezipierten Formenrepertoires aufgrund wissenschaftlich fundierter (Er-)Kenntnisse, wie allgemein dem „wissenschaftlichen" Bemühen von Künstlern um Stoffe, Darstellung und Technik. „Darin liegt die Berechtigung des Vorganges, dessen Werth dadurch bedingt ist, ob und wie es gelingen könnte den

[678] Essenwein, Bildschmuck, S. V. – Vgl. Pevsner, Gemeinschaftsideale, S. 125 ff.

[679] Essenwein, Bildschmuck, S. VII. – Vgl. auch Endert, Bemalung, S. 104 u. 106.

[680] Essenwein, Ausstattung, S. 12.

[681] Ebd., S. 11.

[682] Reichensperger, Restauration, S. 127.

[683] Endert, Bemalung, S. 104.

[684] Reichensperger, Restauration, S. 127.

Geist der Alten . . . durch *Reflexion* in uns aufzunehmen und so wirklich im Geiste der Alten zu schaffen." [685])

Damit ist die Aufgabe des Künstlers als ein möglichst weitgehendes Einstudieren, Einarbeiten und Einfühlen in die historische Formenwelt und Ausdrucksweise umschrieben. Auch aus dieser Richtung wird also auf eigene Weise der Sprach-/Schriftcharakter mittelalterlicher Bilder unterstrichen. Der Künstler ist dabei jemandem vergleichbar, der eine tote Sprache mit dem Ziel lernt, in dieser Sprache nicht nur nachzusprechen (zu kopieren), sondern – sie neubelebend – in ihr „ganz im Geiste der Alten" auch zu denken und selbständig „erfindend" sich auszudrücken. In dieser Parallele erscheinen die Stilformen als eine Art Vokabular, zu dessen korrekter Anwendung ein akademisches Studium erforderlich ist.

Um nicht nur zu kopieren, sondern gleichsam historisch Mögliches neu zu schaffen, hat der Künstler in strenger Wahrung ihrer Grammatik und Eigenart sich stets bewußt zu sein, daß „. . . das, was uns gefällt, ebenso wie das was uns fremdartig, vielleicht sogar unangenehm berührt, demselben Geiste angehört." Also nicht der christlichen Tradition zu einer zeitgemäßen Anschaulichkeit zu verhelfen, sie zu „aktualisieren", soll Aufgabe des Künstlers sein, sondern in erster Linie Wiederherstellung des Überkommenen in „historischer Treue": „. . . wir sehen uns . . . durchaus nicht veranlasst, auch nur im mindesten vom Stile des Mittelalters . . . abzuweichen, oder zu versuchen, den Stil des Mittelalters unserem heutigen Formgefühl anzupassen . . ., (da) eine Verbesserung im Sinne moderner Auffassung unmöglich ist." [686]) Vielmehr gelte es, „. . . sich so streng als überhaupt ihr ‚Können' reicht, an die Vorbilder . . . zu halten." [687]) – „Die Zeichnung der Ornamente lehnt sich ebenfalls (wie die Figuren), so genau es eben geht, an alte Vorbilder an, ohne geradezu einzelne direkt zu kopieren." [688]) Die Kenntnis, nicht das Kopieren der Vorbilder bestimmt also das Verhältnis des Künstlers zu den Werken der Vergangenheit.

Einfühlung und Wirkung

„Es muss daher das Streben nach Styl-Reinheit dahin führen, rücksichtslos alles aufzunehmen, was dem Style angehört und ihn auch in nichts zu modifizieren. Die Unvollkommenheit unserer Auffassungsfähigkeit und der Ausführung werden schon Modificationen genug mit sich bringen, wir brauchen sie nicht absichtlich zu suchen." [689]) Hier macht es sich massiv bemerkbar, das Bewußtsein des historischen Abstandes, der Distanz des Nachgeborenen. Denn: „Nicht mehr bestimmendes Moment des *Lebens* ist die außer Kraft gesetzte Vergangenheit, sondern Gegenstand des erkennenden und anschauenden *Bewußtseins*." [690])

Zugleich ist damit die *Aneignungsproblematik* berührt, die ja nicht nur eine des rezipierenden und produzierenden Künstlers ist, sondern auch eine des Betrachters und Gläubigen. Denn diese Kluft zu überbrücken, die Illusion der materiellen Gegenwart der Vergangenheit in ihren Formen auch nur für einen begrenzten Zeitraum herzustellen, ist nur noch im Gefühl – als Stimmung – möglich. Neben der mehr oder weniger wissenschaftlichen Aneignung, neben dem Studium der alten Vorbilder ist nämlich das subjektive *Einfühlungsvermögen* als notwendige ergänzende Fähigkeit gefordert, sowohl um die

---

[685]) Essenwein, Wandgemälde, S. 5. – Vgl. zur Einschätzung von „Wissenschaft" und „Kenntnis" für die Erneuerung der christlichen Kunst in der Gegenwart: (August Reichensperger?), Malerische Ausschmückung der Kirchen, in: Organ für christl. Kunst, 16. Jg., 1866, Nr. 21, S. 246.

[686]) Essenwein, Ausstattung, S. 12.

[687]) Essenwein, Ausschmückung, S. 50.

[688]) Essenwein, Ausstattung, S. 13.

[689]) Ebd., S. 46. – Vgl. übereinstimmend ders., Wandmalerei, S. 9.

[690]) Schlaffer, Historismus, S. 12.

Reste mittelalterlicher Kunst wieder zur Einheit des Gesamtkunstwerks zu ergänzen, als auch um sie „im Geiste der Alten" erleben zu können. Den beiden Aneignungsvoraussetzungen des Künstlers entsprechen beim Betrachter – außer dem schriftlichen Kommentar – die Fähigkeit und Bereitschaft, die primär durch die farblich-formale Zusammenstimmung, seine Harmonie, stimulierte und über das Gefühl rezipierte Gesamtstimmung des Kirchenbaus auf sich wirken zu lassen. Die mit dieser Kunst eng verknüpfte *Wirkungsintention* zielt nämlich über das Ästhetische auf das Moralische und Religiöse wie letztlich auf die Lebenspraxis in der Gegenwart.

Bezeichnend für ihre inneren Widersprüche, ja für ihren anachronistischen Charakter erscheint die Konsequenz, die diese Wirkungsintention in der Person Matthias Goebbels fand: „ . . . in seiner Eigenschaft als Geistlicher (erinnert derselbe) an alte (d.h. mittelalterliche) Kunsttraditionen, wo die Diener der Kirche, stille Klosterbrüder wie auch Aebte und Bischöfe, als praktische Künstler das Gotteshaus zierten und mit Pinsel und Meissel und Zirkel Bildungen schufen, die von der Universalität im geistigen Schaffen des Clerus früherer Zeit ein glänzendes Zeugniss ablegen." [691]) Was hier, mit idyllischen Zügen versehen, als gelebtes Ideal und Verlängerung der Kunstrealität in die Lebensrealität erscheint, wird in der Praxis differenzierter gesehen. Die Aufgabe erfordert „eine grosse, durch Erfahrung und Studium gereifte Meisterschaft in der Reproduction des alten, romanischen Stils, ohne an der Klippe der sclavischen Copie zu scheitern . . ." [692]). In der Unterscheidung zwischen Kopie und Reproduktion klingt erneut etwas vom Selbstverständnis dieser Kunst an, zugleich jedoch auch etwas von ihrem Distanzbewußtsein: „Alles Verzerrte, Barocke in der Linienführung . . . ist im Tiegel einer läuternden, auch auf anatomische Correctheit gerichteten Kunst*empfindung* (!) abgeschmolzen, und deshalb können wir sagen, dass wir nicht starre Copieen, sonder selbständige Reproductionen der romanischen Bildweise vor uns haben mit vernünftigen Concessionen in Aeusserlichkeiten (– was hier entgegen der Essenweinschen Forderung nach strengster Stiltreue als quasi freiwilliger Einfluß der Gegenwart benannt wird, wird bezeichnenderweise aus dem Wirkungsprimat begründet –), weil ja doch durch die Bildwerke der erhebenden Einfluss auf die Menschen *von heute* ausgeübt und keineswegs ein von Abnormitäten in Zeichnung und Gewandung strotzender Leckerbissen für archaistische Fanatiker hergestellt werden sollte." [693])Die in diesen Worten J. von Enderts erneut anklingende Opposition zum doktrinären Stilpurismus Reichenspergers – und, mit Abstrichen, auch Essenweins – verbindet über alle Differenzen hinweg ihre an die Kunst geknüpfte Wirkungsintention. Sie konkretisiert sich in den Kommentaren Essenweins in der erklärten Absicht, Gedanken und Gefühle gleichermaßen ansprechend, den Betrachter zu belehren, zu bessern und zu erziehen. Als solche dient sie dem „Erziehungswerk der Kirche" [694]. Der Beschauer „soll (nämlich) während er dahin wandelt durch die ornamentalen Schriftzeichen (d.h. figürlichen Darstellungen) gemahnt, belehrt, erhoben und gebessert werden." [695]) Wohl nicht zufällig wird man an die oft zitierten Worte Kaiser Wilhelms II. und damit an Analogien im politisch-profanen Bereich, erinnert: „Die Kunst soll mithelfen, erzieherisch auf das Volk einzuwirken, sie soll auch den unteren Ständen nach harter Mühe und Arbeit die Möglichkeit geben, sich an den Idealen wieder aufzurichten . . ." [696])

---

[691]) Endert, Bemalung, S. 105. – Vgl. zu den realitätsfernen Konsequenzen dieser Praxis: „Wenn sich der kirchliche Maler auf solche Art durch die theologische Wissenschaft und technische Tradition belehren lässt, wenn er ganz und gar die Symbolik, die Ikonographie der Kirche ausschöpft, wenn er die Heiligen, den Cult und das Leben der Kirche in der Wirklichkeit studirt und nachahmt, *so fehlt ihm nur noch die eigene Heiligkeit des Lebens und Strebens,* persönlich alles das durchzuleben, was er malen will . . ." (Reichensperger?), Ausschmückung, S. 247 (Hervorhebungen P.S.). Vgl. damit auch Pevsner, Gemeinschaftsideale, S. 125 ff. – Siebenmorgen, „Beuroner Kunstschule". – Ders., „Kulturkampfkunst". – Ausst.Kat. München 1984, S. 36 ff.

[692]) Endert, Bemalung, S. 105.

[693]) Ebd., S. 105.

[694]) Ebd., S. 103.

[695]) Essenwein, Ausschmückung, S. 49. – Vgl. fast wortgleich: ders., Ausstattung, S. 12.

[696]) Wilhelm II., Rede vom 18. Dez. 1901 zur Einweihung der Siegesallee in Berlin (zit. nach A. Oskar Klaussmann (Hrsg.), Kaiserreden, Leipzig 1902, S. 314).

Die kompensatorische Inanspruchnahme von Kunst wird hier mit geradezu penetranter Unverblümt-heit benannt. Verständlich wird von hier aus einerseits der eminent politische Charakter der ostinaten Beschwörung von Einheit und Harmonie, dort wo Kunst aus ihrer Wirkungsintenion über das bloß Ästhetische hinauszielt, wie andererseits das quasi staatsoffizielle Interesse an Kunst und bezeichnen-derweise auch an Kirchenkunst.

So veröffentlichte etwa der preußische Kultusminister Falk 1874 einen Erlaß zur Förderung der Monu-mentalmalerei, in dem es u.a. heißt: „Es kann sich nicht darum handeln, um jeden Preis in allen Provin-zen Gelegenheit zur Ausführung derartiger Arbeiten zu suchen oder zu schaffen; dagegen liegt es ohne Zweifel im öffentlichen Interesse, daß solche Gelegenheiten, wo sie sich bieten, nicht unbeachtet vor-übergehen, da die Ausführung monumentaler Arbeiten wie nichts Anderes geeignet sein dürften, ein lebendiges Interesse an Kunst auch da zu erwecken, wo der Sinn dafür an sich wenig Anregung findet. Es erscheint geboten hierfür namentlich solche Gebäude in's Auge zu fassen, welche dem öffentlichen Verkehr möglichst frei stehen und die Augen der Gesamtbevölkerung auf sich zu ziehen im Stande sind, und *vor allem der kirchlichen Kunst die Aufmerksamkeit zu zuwenden, die sie verdient.*" [697])

In diesem Erlaß findet sich also nicht nur ein Reflex der assoziativen und interessenbedingten Ver-bindung von Altar und Thron, ein Reflex ihrer traditionellen Rolle für die Pflege der Kunst, die stets auch das Moment der Selbstdarstellung miteinschließt, sondern auch ein Reflex der aktualisierten gemeinsamen Überzeugung von den bildenden und erzieherischen Aufgaben der Kunst im allgemei-nen und der allein noch „volkstümlichen" Monumentalmalerei im besonderen als eines Mediums volkstümlicher Unterweisung in biblischer und nationaler Geschichte [698]): „Doch wollte sie sie (d.h. die Kirche die Darstellungen) den Gläubigen zur Belehrung vorführen und will dies heute noch. Es darf also nicht befremden, wenn heute eine Scheidung eintritt zwischen der kirchlichen Lehrmalerei und der akademisch realistischen Naturdarstellung." [699]) – Naturdarstellung, nicht jedoch Geschichts-malerei.

Wachsende Vorbehalte gegen die anachronistische Instrumentalisierung von Kunst im Dienste „natio-naler" und „religiöser" Erziehung artikulierten sich schon um die Jahrhundertwende. Cornelius Gurlitt stellt 1902 lakonisch fest: „Aber die Hoffnung, daß aus dem Bemalen großer Wände mit Darstellungen merkwürdiger, erhebender, bildender oder zum Guten anfeuernder Begebenheiten ein wesentlicher Vorteil für die Kunst erwachsen werde, ist mehr und mehr geschwunden." [700])

Die Kollision mit der Realität eines fortschritts- und wissenschaftsgläubigen Zeitalters zeichnen sich nicht zuletzt auch dort ab, wo bestimmte Inhalte die nahegelegte ungebrochene Fortschreibung erzie-herischer Intentionen des Mittelalters anachronistisch erscheinen lassen: „Wir haben in diesen Darstel-

---

[697]) Erlaß vom 24. Febr. 1874, Stadtarchiv Erfurt, Sign. 1–2/022–812, S. 6 ff. (zit. nach Bieber, Wandgemälde, S. 349 f., Hervorhebungen P.S.). – Vgl. auch Mai, Kunstakademie, S. 354 u. 456.

[698]) Vgl. allgemein Scheuner, Kunst, S. 13–46. – Vgl. zur Verbindung von Volkstümlichkeit und Bildungsintention z.B.: „Die Malerkunst hat sich vornehm dem Volke entzogen, das kann man nicht läugnen, und das Volk hat sich verletzt von ihr abgewendet. Sollte der Gedanke eine Künstlerseele nicht entflammen, dass durch die Pflege der Monumentalmalerei, welche die einzig volksthümliche ist und bleibt, die Kunst mit dem Volke wie-der versöhnt, und ihr eine Stelle angewiesen würde, wo sie ihrem Berufe zur Bildung und Veredlung leben könnte." (Reichensperger?), Ausschmückung, S. 248). – Vgl. zur Kontinuität dieser Auffassung z.B.: „Zwar wer-den um und nach 1900 die verschiedensten Ansätze gegen das als fade abgewertete Nazarenertum als eine Neubelebung religiöser Kunst bezeichnet, um gleich festzustellen, daß Kunst und Religion sich unendlich weit voneinander entfernt hätten. Die Kunst werde zunehmends individualisiert, verliere ihre Volkstümlich-keit . . ." (Ausst.Kat. München 1984, S. 39). – Vgl. allgemein zur „Wiedergeburt" religiöser und historischer Ma-lerei seit den 70er Jahren: Rosenberg, Monumentalmalereien. – Droste, Fresko – Bieber/Mai, Religiöse und Monumentalmalerei, bes. S. 165.

[699]) Essenwein, Ausstattung, S. 13.

[700]) Cornelius Gurlitt, Geschichte der Kunst, Bd. II, Stuttgart 1902, S. 762.

lungen zugleich eine Belehrung für die Menge, eine Popularisierung der damaligen Wissenschaft zu sehen. Das Volk fand in der Kirche Belehrung über alle vorkommenden Fragen." [701])

Hier spätestens drängt sich wohl nicht erst dem heutigen Betrachter, angesichts der Diskrepanz zwischen der unterstellten Gültigkeit mittelalterlicher Formen und Inhalte und der außer Geltung gesetzten mittelalterlichen Lebenswirklichkeit, die Frage auf, wie weit die Vorbilder des 12.–14. Jahrhunderts für den Menschen – auch den gläubigen – des 19./20. Jahrhunderts tatsächlich noch oder wieder handlungsrelevante oder gar normative Funktionen erfüllen können. Wo jedoch die mittelalterliche Lebenswirklichkeit und die aus ihr erwachsene Kunst als definitive Vergangenheit erkannt sind, was eine Aktualisierung ausschließt, ist der Weg zu ihrer Ästhetisierung und zur ästhetischen Aneignung dieser Kunst frei [702]). Wo mittelalterliche Formen und Inhalte Gegenstände wissenschaftlichen Studiums und erklärender Kommentare, nicht länger aber des Lebens und Glaubens sind, behalten allein Form, Stil und Farbe ihre Verbindlichkeit – ästhetische Verbindlichkeit. [703]).

Durch die ästhetische Reduktion von Geschichte kann sie Gegenstand subjektiver Indentifikation werden und zwar bezeichnenderweise über Gefühle, Stimmungen und verwandte subjektive Empfindungskategorien. Davon soll dann erklärtermaßen die Aufnahmebereitschaft für religiöse Inhalte profitieren. Damit aber wird erkennbar, daß das Verhältnis von Wirkungsintention und Wirkungsvermögen durch die Tatsache geprägt ist, daß nach dem Traditionsbruch die außer Kraft gesetzte Vergangenheit nicht länger bestimmendes Moment des Lebens und Glaubens ist, sondern jetzt nur noch Gegenstand des anschauenden und erkennenden Bewußtseins [704]).

Zwar sollen nach Essenwein Malereien/Mosaiken nicht nur Gedanken verkörpern, sondern zugleich etwa als „Schmuck des Gewölbes . . . Gedanken in dem Menschen erwecken, der unter demselben wandelt" [705]), doch verweist die von ihm so oft beschworene „völlige Harmonie" und sein Ringen um „die richtige Stimmung" – „an manchen Stellen sind zum Teile mehrmalige Übermalungen nötig geworden, bis die richtige Stimmung sich ergeben hatte" [706]) –, darauf, daß die an seine Ausstattungsprogramme geknüpfte Wirkungsintention (gerade auch dort, wo sie vorgibt, belehren, verbessern, erheben zu wollen) sich tatsächlich primär an das *Gefühl* richtet. Diese Zusammenhänge implizieren nicht nur die Anerkennung von Subjektivität als handlungsrelevantes, handlungsmotivierendes Movens, sondern sind als psychologisierendes Spekulieren mit der Innerlichkeit des Menschen zu werten: „. . . so dass beim Beschauen (der Harmonie) eine behagliche und ruhige, durch die Farbwirkung hervorgerufene Stimmung die sinnige Aufnahme der religiösen Gedanken erleichtert." [707])

Derart wirken die „im Geiste der Alten" wiederhergestellten Werke, und durch sie „die alte Zeit" und „der alte Zeitgeist", durch das „moderne Auge" auf „das moderne Gefühl" des „modernen Menschen". Doch vermögen solche häufig variierten Antinomien Essenweins nicht die Kluft zwischen Anspruch und Wirkungsvermögen zu überbrücken und die Skepsis gegenüber der zukunftsorientierten Kraft der historisch vermittelten religiösen, sozialen, politischen und kulturellen Wertvorstellungen zu überwinden – etwa: welche Relevanz können Bilder einer ständisch organisierten Gesellschaft in der Realität einer Industriegesellschaft für sich beanspruchen? Wenngleich aus heutiger Sicht solche Skepsis nur zu naheliegend erscheint, so darf über solche Einzelheiten nicht die umfassende Perspektive verkannt werden, die aus dem komplexen Verhältnis von Kunsterfahrung und Geschichtsbewußtsein auf einen alternativen Ordnungsentwurf zur politisch-gesellschaftlichen Realität in der *Gegenwart* zielte.

---

[701]) Essenwein, Ausschmückung, S. 10.
[702]) Nach Schlaffer, Historismus, S. 95.
[703]) Nach Schlaffer, Historismus, S. 8 ff. u. 95 ff. – Vgl. damit auch die Vermutung, daß die Ernüchterung der hochgespannten Erwartungen beim Fall der Chorscheidemauer des Kölner Domes im Jahre 1863 „ihren Grund wohl auch im *künstlerischen* Raumerlebnis hatten". (Verbeek, Vollendung, S. 100. – Hervorhebung P.S.).
[704]) Nach Schlaffer, Historismus, S. 9.
[705]) Essenwein, Wandgemälde, S. 9.
[706]) Essenwein, Ausstattung, S. 13.
[707]) Endert, Bemalung, S. 105.

Utopische Vergangenheit und historische Gegenwart

Auch Inhalt und Form des Dommosaiks spiegeln gleichsam als „utopische Vergangenheit" einen solchen alternativen Ordnungsentwurf – und zwar auf eine Weise, die bei aller „Mittelalterlichkeit" des Vokabulars durchaus gegenwartsorientiert erscheint und zugleich die verschiedenen bisher behandelten Aspekte in *einem* konkreten Werk zusammenfaßt (und so beiläufig erneut das synonyme Verständnis von Malerei und Mosaik bestätigt).

Der Preußische Generalkonservator und Schinkelschüler Ferdinand von Quast war mit Essenwein eng befreundet und wiederholt, wie auch beim Wettbewerb zur Domausstattung von 1871, Mitgutachter. Von Quast (zusammen mit Heinrich Otte) betont im Vorwort der von ihnen herausgegebenen Zeitschrift für christliche Archäologie und Kunst 1856 [708]), wie sehr die Monumente des christlich-germanischen Mittelalters Zeugnisse eines in ungestörter *Harmonie* zusammenwirkenden sowohl christlichen wie vaterländischen Bewußtseins seien. Die latente Tendenz zur, nicht nur ästhetischen, Aktualisierung der Vergangenheit bekommt so einerseits ganz konkret politische Züge, wie andererseits in der Harmonie d restaurierten Gesamtkunstwerks der mittelalterlichen Kirche die politisch-restaurative Wiederherstellung dieses Ideals im Ästhetischen vorweggenommen erscheint. – Im „negierenden Streben des 18. Jahrhunderts" sei jedo dieses Bewußtsein verlorengegangen. Die vielstimmige Polemik gegen die „Verunstaltung" mittelalterlicher Kirchen, gegen das egalisierende Weiß der Tünche und die helle Nüchternheit der Kirchenausstattung des 18. Jahunderts richten sich zugleich auch gegen die Errungenschaften dieser Zeit, gegen Aufklärung und Rationalismus, vor allem aber gegen die Ideale und Folgen der Französischen Revolution; geht es doch letzten Endes um nit weniger als um eine Revision des hier manifest gewordenen Traditionsbruchs. In diesem doppelten Sinne legt – mit den Worten Reichenspergers – „die Vollendung des Domes Zeugnis dafür ab, daß . . . unser Zeitalter zugleich als das Zeitalter der *Revolution* und als das der *Restauration* bezeichnet werden kann." [709])

„Dank einem unglückseligen kahlen Purismus der letzten Jahrhunderte (ist die alte Tradition, Bildwerke der Kirche als ein Laienkatechismus, aus dem die Gläubigen zur Erhebung und Erbauung die Grundwahrheiten der Religion und die Geschichte Christi und der Heiligen herauslesen können,) geraume Zeit in den Hintergrund getreten; derselbe Mehlthau des Rationalismus, der im Herzen die Innigkeit und Tiefe des christlichen Lebens verdarb, war als gleichmachende Tünche auf die Flächen unserer Kirchen und Kathedralen gefallen; der Todtenmantel aus weiss oder grau, mit der Tüncherquaste plan und uniform auseinander gestrichen, hatte vielfach die edelsten und sinnigsten Malereien, aus denen früher das christliche Auge die beste Belehrung einsog, wie es schien, zum ewigen Tode eingesargt. Jene lieblichen Blüthen und Formen und Arabesken . . . glitten dann . . . in die an Gefühl und Glauben so armen rationalistischen Gebetbücher hinein . . . und Figuren aus Stein oder Holz oder Gyps ebenfalls in der ‚edelsten Einfachheit eines weissen Lacks' strahlend, sollten mit ihrem coquett

---

[708]) Ferdinand von Quast u. Heinrich Otte (Hrsg.), Zschr. für christl. Archäologie und Kunst, 1. Bd., Leipzig 1856, (S. I Vorwort): Ausgangspunkt entsprechender Bestrebungen seien „die Leiden, welche die französische Revolution . . . über unser Vaterland brachte". Gegen „das negirende Streben des XVIII. Jahrhunderts" machte sich vor allem seit den Befreiungskriegen ein wachsendes Empfinden des „Verlust(es)" bemerkbar. Zumal „die Anknüpfungspunkte zur Fortbildung der Neuzeit fehlten" (Diskontinuität!), versenkte man sich „mehr und mehr . . . in die Schachte der Vergangenheit, um die Herrlichkeiten einer nun fast verlorenen Zeit anzustaunen und wieder aufzusuchen . . . (und um) „der Zukunft die organische Verbindung mit der Vergangenheit offen zu halten." – „Das neubelebte christliche wie vaterländische Bewußtsein stärkte sich an den Werken der Vorzeit, wo beide in ungestörter Harmonie zusammenwirkten, und unvergleichliche Denkmale dieser Vereinigung hinterlassen hatten." – (Ebd., S. III:) „Nur dann werden wir sie (die Kunst der Gegenwart) berücksichtigen, wenn wir in ihr eine organische Verbindung mit der Vergangenheit erkennen, oder die aus dem Organismus der Vorzeit erkannten Lebensthätigkeiten auch der Gegenwart nutzbar zu machen uns verpflichtet fühlen sollten." – Vgl. auch Anm. 646.
[709]) L. Pastor, August Reichensperger, Bd. II, S. 268. – Vgl. Anm. 643.

Abb. 409   Kirchen als Fixpunkte: Köln, Ansicht aus der Vogelschau. Carse/Albert Henry Payne, um 1860, Stahlstich

verdrehten Gebärden, mit ihren schwindsüchtig verhimmelten Blicken für jene durch eine aus dem christlichen Herzen quellende Innigkeit und Wahrheit ausgezeichneten religiösen Kunstgebilde mit schlechtem Erfolg eintreten. Das ist nun – Gott sei Dank! – in unseren Tagen anders geworden." [710])
Was sich in diesen mit pastoralem Tremolo vorgetragenen Worten manifestiert, ist nicht nur ein ebenso ausgeprägtes wie charakteristisches Epochenbewußtsein, nicht nur ein Beleg für die ins Politische verlängerten Perspektiven von Restaurierung und Restauration, „nicht nur eine bloße sogenannte Geschmacksfrage" wie schon Reichensperger betont hatte [711]), sondern zugleich auch das Gegenwartspathos einer Generation, die, zur Revision entschlossen, (politische) Restauration meint, wo sie (denkmalpflegerische) Restaurierung betreibt.
Erst durch die Leiden, die die Französische Revolution über das Vaterland gebracht habe, so von Quast und Otte weiter, sei das Bewußtsein für die Harmonie des Christlichen und Vaterländischen neu erwacht. „Zugleich habe man erkannt, daß das Bündnis zwischen Thron und Altar als gottgegeben anzunehmen, als Ausgangspunkt zur Erneuerung des Staates zu betrachten und „bis aufs Äußerste" zu verteidigen sei. – Die Denkmäler als anschauliche Belege jener Ordnung, die das Mittelalter geprägt hatte, erhielten so eine pädagogische Funktion." [712])
Erklärtermaßen wollte ja auch Essenwein mit seinen Restaurierungs- und Ausstattungsprogrammen, also auch mit dem Dommosaik, erzieherisch wirken. Daß derartige Wirkungsintentionen sich über das

---

[710]) Endert, Bemalung, S. 103 f. – Zugleich scheint in dieser so charakteristischen Verbindung von denkmalpflegerischer Praxis und restaurativer politischer Tendenzen noch etwas nachzuschwingen von jenem fortschrittsfeindlichen Denken, das in dem 1864 veröffentlichten „Syllabus errorum" – „eine Kriegserklärung an die moderne Welt" (Siebenmorgen) – zeitgenössische Strömungen wie Rationalismus, Naturalismus und Materialismus verurteilte. – (Vgl. Siebenmorgen, Beuroner Kunstschule, bes. S. 262 ff. u. ders., „Kulturkampfkunst", S. 409).

[711]) Reichensperger, Restauration, S. 127.

[712]) Busch, Ferdinand von Quast, S. 366 f.

Ästhetische nicht nur auf religiöse Inhalte beschränkten, sondern darüber hinaus auch die Unterstützung politisch-restaurativer Tendenzen einschloß, belegt – stellvertretend für viele entsprechende Zusammenhänge – das obige Zitat. Im komplexen Verhältnis von Kunsterfahrung und Geschichtsbewußtsein sind sie auch heute noch am Dommosaik unmittelbar nachvollziehbar.

Zunächst jedoch ist zu erinnern an das eingangs charakterisierte dialektische Verhältnis von Traditionsbruch und Kontinuitätsverlangen: „In dem Maße, in dem die Unvergleichlichkeit und Neuheit gegenwärtiger geschichtlicher Erfahrung gegenüber der Vergangenheit . . . (bewußt) wird, tritt der Begriff der Kontinuität in den Vordergrund." [713]) Der Kölner Dom und die Geschichte seines Fortbaus sind selbst paradigmatische Fälle von Diskontinuität und bewußtem Aufgreifen der unterbrochenen Tradition.

Mosaik und Geschichte

Im Kontext dieser übergreifenden Zusammenhänge gesehen, erhält die besondere Form der Geschichtsdarstellung im Dommosaik geradezu leitmotivischen Charakter. Ihre Zweiteilung erscheint nämlich nur vordergründig allein durch ihre Einpassung in den vorgegebenen architektonischen Kontext bedingt, vielmehr besitzt sie eine tiefere – inhaltliche – Dimension. Die Mosaik-Zyklen in der Vierung und im inneren Chor sowie der Mosaik-„Teppich" im Chorumgang sind nämlich lesbar als zwei unterschiedliche Modelle von Zeit oder anders: als Gegenüberstellung von „Natur und Geschichte", die sich unterscheiden wie das „Nebeneinander des Seienden" und das „Nacheinander des Werdenden". Mit dieser Unterscheidung folgen sie wahrscheinlich einem Kerngedanken aus dem nach 1868 in mehreren Auflagen erschienenen „Grundriß der Historik" von Gustav Droysen [714]).

Im Chorumgang repräsentiert die Abfolge der Bischöfe, Erzbischöfe und Kurfürsten Kölns die histo-

---

[713]) Hardtwig, Traditionsbruch, S. 22.

[714]) Johann Gustav Droysen, Historik. Vorlesungen über Enzyklopädie und Methodologie der Geschichte, hrsg. von Rudolf Hübner, 3. Aufl. München 1958. – Im Sommersemester 1857 las Droysen über das Thema einer Wissenschaftslehre der Geschichte ein Kolleg. „Diese Vorlesung . . . war diejenige, die er am häufigsten gehalten hat: in 25 Jahren nicht weniger als 18mal." – Essenwein, der nachweislich bereits 1852/53 und 1855, aber sicher später auch noch öfters, in Berlin war, könnte diese „geistvollste Einführung in die Geschichtswissenschaften, die wir besitzen" (Erich Rothacker), wenn nicht aus dem Munde Droysens selbst, so doch durch eine der 1868, 1875 oder 1882 erschienenen Auflagen der „Historik" vermittelt bekommen haben. Das würde freilich voraussetzen, daß Essenwein das zweiteilige Grundkonzept des Dommosaiks allein entwickelt hätte. Für diese Vermutung – allerdings auch gegen sie – haben sich jedoch keine direkten Hinweise finden lassen. Mithin mußte die Frage, wer denn eigentlich der geistige Urheber des Beflurungsprogramms gewesen sei, weiterhin unbeantwortet bleiben. – Zur besonderen Grundthematik des Dommosaiks vgl. in Droysens „Historik" vor allem das Kapitel „Geschichte und Natur" (S. 11-16) sowie S. 28-30, 53-55, 82 f. u. 326 f. (Ausgabe 1958). – Vgl. damit auch die knappe Charakterisierung der beiden Begriffe von Zeit bzw. Geschichte durch Herbert Schnädelbach (Die Abkehr von der Geschichte. Stichworte zum »Zeitgeist« im Kaiserreich, in: Mai/ Waetzoldt/Wolandt (Hrsg.), Ideengeschichte, S. 36 f.): „Trotz aller Gegnerschaft gegen den absoluten Idealismus hält Droysen mit Hegel an der Differenz zwischen natürlicher und historischer Zeit fest, wobei die natürliche Zeit als zyklische, d. h. völlig verräumlichte Zeit der »ewigen Wiederkehr des Gleichen« verstanden ist. Zeit im eigentlichen Sinne ist hingegen die Dimension des echten »Nacheinander«, der Entwicklung, der Steigerung und des Fortschreitens, und sie hatte bereits Hegel als das Feld des Geistes und damit der Geschichte, die objektiver Geist ist, bestimmt." – Vgl. Georg Wilhelm Friedrich Hegel, Vorlesungen über die Philosophie der Geschichte, Werke 12 (Suhrkamp-Taschenbuch Wissenschaft 612), Frankfurt a.M. 1986, bes. S. 74 f.: Hegel differenziert analog zwischen dem „Kreislauf" als dem Prinzip relativer Veränderung in der Natur („. . . in der Natur geschieht nichts Neues unter der Sonne . . .") und der „Veränderlichkeit" einer linear gedachten historischen Entwicklung („Die Weltgeschichte stellt . . . den Stufengang der Entwicklung . . . dar.")

rische Ordnung in einer Art begehbarer Geschichtschronik, und zwar sowohl im Sinne der successio apostolica, also legitimierender Rechtmäßigkeit, als auch im Sinne der Entwicklung des Erzstiftes zur weltlichen Herrschaft, zum reichsunmittelbaren Kurstaat. – Im chronikalen Nacheinander der Chorumgangsmosaiken wird also ungebrochene Kontinuität (bis in die Gegenwart) dokumentiert und demonstriert. Im Zyklus der Geschichte des Domes und des Erzbistums durch die Zeit(en), in der linearen Folgeordnung von . . . bis . . ., realisiert sich die *historische Zeit.* Zugleich erscheint – auch ganz im Sinne der monastischen Propaganda für Wilhelm I., den „Vollender“, – die Gegenwart als Fortsetzung und Vollendung der Vergangenheit [715]). Bis in die gegenständige Kompositionsanordnung des Hildebold- und des „Defensor ecclesiae“-Mosaiks erscheint die Gegenwart zugleich als Äquivalent der Vergangenheit. Im Sinne eines charakteristischen „Legitimierungswunsches von Kaiser und Reich“, dem andernorts die Zuordnung von Karl dem Großen und „Wilhelm dem Großen“ wie hier von Altem Dom und vollendetem Dom entspricht, wird also auch im Medium des Dommosaiks das Streben nach nationaler Selbstfindung durch die (Kunst der) Vergangenheit erkennbar [716]).

In der Form der festzugähnlichen Simultanpräsenz einer „Gemeinschaft aller Zeiten“, in der (im 1. Generalentwurf noch deutlicheren) teppichartigen Folgeordnung bewegt sich die Vergangenheit auf die Gegenwart zu, erreicht sie – strenggenommen – jedoch nie. Die Fortschreibbarkeit der chronikalen Folge wird nämlich nur suggeriert, doch nie vollzogen: die Felder der späteren Dombaumeister blieben leer. Tatsächlich ist nämlich Zukunft nur bedingt vorgesehen und die Folge in Wirklichkeit kaum fortsetzbar, ohne das Beflurungskonzept grundsätzlich in Frage zu stellen. Die ambivalente Vollendung schließt also nicht nur mit einem Ein-für-alle-Male, durch das Gegenwart als Erfüllung der Vergangenheit erscheint, sondern sie legt zugleich auch nahe, Vergangenheit als „ewige“ Gegenwart in die Zukunft zu projizieren. Das „Verschwinden“ der Zukunft aber, ihr Aufgehen in der „ewigen“ Gegenwart der Vergangenheit, im realisierten Ideal der vollendeten Kathedrale nämlich, verweist auf den Zusammenhang mit dem anderen Zeitmodell in Vierung und innerem Chor.

Gegenüber der linearen Folgeordnung historischer Individualitäten im Chorumgang verbildlichen die Mosaiken hier die zyklische Wiederkehr des Immergleichen, in dem sich die *natürliche Zeit* realisiert. Dem im Kreislauf des Werdens und Vergehens Beständigen widerspricht nur scheinbar die z. T. reihende Bilderfolge, zumal die gleichen Motive etwa in Groß St. Martin kreisförmig angeordnet waren. Auch steht dieser Interpretation nicht die gerichtete Anordnung der Mosaiken zum Hochaltar hin entgegen, da sie nicht als sich steigernde Entwicklung oder Vervollkommnung inhaltlich erfahrbar ist, sondern nur über die formale, farbliche und kompositorische Anordnung.

Als Gelenk- und Verbindungsstück zwischen beiden Modellen erscheint nicht zufällig ausgerechnet das Bild der Zeit selbst an exponierter Stelle. Dieses Mosaikbild veranschaulicht nämlich in TEMPVS/ ANNVS sowohl das periodisch Immerwiederkehrende wie es zugleich andeutet, daß das gattungsmäßige Werden und Vergehen nicht das ganze Wesen des Menschen ausmacht, daß also der Bereich des Menschen beiden angehört, sowohl der natürlichen als auch der historischen Zeit.

Schließlich wird man dort, wo die Fortsetzung der Mosaikbilder zum Hochaltar hin die gleichsam „verlängernde“ Projektion der naturgesetzlichen Beständigkeit des Immergleichen auf die christliche Welt,

---

[715]) Vgl. damit auch das Konstrukt einer historischen Entwicklung „bis hin zu Wilhelm I., dem Vollender“ . . . (Bieber, Wandgemälde, S. 353). – Vgl. Unverfehrt, Bistum, S. 250. – Auffällig sind die allgemeinen Entsprechungen zum historischen Festzug (vgl. vor allem die Chorumgangsgestaltung in Essenweins erstem Beflurungskonzept), der 1880 anläßlich der Domvollendungsfeierlichkeiten die drei wichtigsten (wenn auch nicht identischen) Phasen des Dombaues, aber auch die Geschichte der Stadt und des Erzstiftes Köln in zahlreichen kostümierten Reitern, Wagen- und Fußgruppen darstellte. – Vgl. u.a. Wolfgang Hartmann, Der historische Festzug. Seine Entstehung und Entwicklung im 19. und 20. Jahrhundert, Studien zur Kunst des neunzehnten Jahrhunderts, Bd. 35, München 1976, S. 37. – Ders., Der Historische Festzug zur Einweihung des Kölner Domes, in: Ausst.Kat. Köln 1980 (II), S. 140–149.

[716]) Stubenvoll, Rathaus, S. 432 f. – Vgl. ebd., S. 470 f., für weitere Belege zu diesen Zusammenhängen. – Vgl. ferner Nohlen, Baupolitik, S. 187 u. 403.

ihre ständische Ordnung und zwei Gewalten, also auf ein vorrevolutionäres Modell der Weltordnung nahelegt, erneut auf den zuvor charakterisierten Zusammenhang zwischen künstlerisch-ästhetischen Aspekten und solchen der gegenwärtigen Lebenspraxis verwiesen. Damit aber bestätigt sich ein weiteres Mal der eminent politische Charakter des Dommosaiks als Teil einer umfassenden harmoniegeleiteten ästhetischen Ordnung: „Das Glücksgefühl des Bürgertums im nachrevolutionären 19. Jahrhundert formuliert sich nicht mehr politisch, sondern ästhetisch." [717]

In der demonstrativen Kontinuität seines einen und der naturhaft-gottgegebenen Unumstößlichkeit seines anderen Modells, die beide in unterschiedlicher Weise Zukunft nur als verlängerte bzw. wiederkehrende Vergangenheit – aber zugleich auch als Erfüllung der Vergangenheit – darstellen, in der so nachdrücklichen Ausbreitung einer scheinbar ungebrochenen Traditionsfolge bis in die Gegenwart *hier* und dem naturhaft „ewigen" Ordnungsentwurf einer auf die Verfassungsform verlängerten Wiederkehr des Immergleichen *dort,* entwirft das Fußbodenmosaik des Kölner Domes – erst recht wenn es mit der Ausstattung/Ausmalung des gesamten Baues zur Harmonie des Gesamtkunstwerks ergänzt worden wäre – ein Gegenbild zur historischen Realität der Gegenwart, eine rückwärtsgewandte Utopie.

WERTUNGSPROBLEMATIK UND QUALITÄTSFRAGE

Eine abschließende Bewertung der künstlerischen Qualitäten des Dommosaiks, seiner spezifischen Leistung erscheint auch heute noch problematisch. Auch heute noch sind nämlich seine Formensprache, künstlerischen Mittel und ideologischen Inhalte Gegenstand kontroverser Einschätzungen. Dabei entzieht es sich, sofern überhaupt zur Kenntnis genommen, sowohl unreflektierter Wertschätzung als auch interesseloser Ablehnung, denn zu sehr bedingt sind auch seine besten Teile, zu gut aber auch, um nicht nach eben diesen Bedingungen zu fragen.

In seinen Intentionen nicht bekannt, in seinem Fragmentcharakter nicht erkannt und stets nur in Teilen eines Teils wahrgenommen, wird es meist – bewußt oder unbewußt – mit Werken des 13. Jahrhunderts verglichen, ganz als ob man damit nicht beiden Unrecht täte. Der Gerechtigkeit halber muß gesagt werden daß es durch seinen Anspruch „ganz im Geiste des Mittelalters" geschaffen zu sein, wie auch durch den Ort seiner Anbringung derartige Vergleiche herausfordert. Doch besteht eines seiner Charakteristika gerade darin, daß es, wie die übrigen „mittelalterlichen" Werke Essenweins, seine eigenen bedingenden Voraussetzungen nicht verleugnen kann – und das sind die des späten 19., nicht die des 13. Jahrhunderts. Da in diesem Sinne alles Wirken „nach Maßgabe der Alten" tatsächlich also stets ein Wirken aus dem Geiste des 19. Jahrhunderts ist, scheint sich die Wertungsproblematik auf das Problem des angemessenen Maßstabs zu reduzieren.

Zeitgenossen gestaltete sich die Bewertungsfrage naturgemäß noch recht unproblematisch [718]. Für sie verband sich die Betonung der besonderen Befähigung Essenweins als „eine der ersten Autoritäten" in

[717]) Schlaffer, Historismus, S. 89.

[718]) Zu zeitgenössischen Urteilen über das Schaffen Essenweins vgl. u. a. eine Besprechung des Vortrags von Johann Otzen „Ueber monumentale Malerei" (in: Wochenbl. f. Architekten u. Ingenieure, Jg. VI, Nr. 83, vom 17. Okt. 1884, S. 422), wo, auf Essenweins Ausmalung des Braunschweiger Domes bezogen, sich folgende Charakterisierung findet: „Der Dom zu Braunschweig ist nach dieser gelungenen Renovirung, die im Gegensatz zu St. Godehard vielleicht ein wenig zu gedankenvoll erscheint, ein Urbild der alten Malerei jener Zeit, da diese im Dienste der Kirche und der Religion ein Lehrmittel für das Volk sein wollte." – In der Besprechung desselben Vortrags in der Deutschen Bauzeitung (18. Jg., Nr. 84, vom 18. Okt. 1884, S. 504) wird die Restaurierung durch Essenwein als „großartig" bezeichnet: „. . . die Gesammt-Darstellung gewährt in ihrer Form-Vollendung ein mustergültiges Abbild jenes erhabenen Lehrmittels, dessen die Kirche sich bediente, um ihren mächtigen Einfluss auf die Gemüther der Massen auszuüben." – Vgl. Anm. 731.

seinem Metier mit einem wertenden Hinweis darauf, daß seine Arbeiten einen Vergleich mit den besten Werken des Mittelalters nicht zu scheuen brauchten: auch als Topos Ausdruck einer hohen Wertschätzung.

Zusammenfassende und – nach seinem Tode – rückblickende Kommentare zu Essenweins Schaffen betonen meist, daß seine Arbeiten zu den besten ihrer Zeit gehörten und Maßstäbe setzten für alle Nachfolgewerke [719]. Noch recht lange nach seinem Tod werden Essenweins Arbeiten als – meist nicht mehr erreichter – Maßstab zitiert. So wird noch 1911 konstatiert: „Im allgemeinen dürfte in den letzten zwanzig Jahren auf dem Gebiete der malerischen Ausschmückung unserer Kirchen hinsichtlich der figürlichen Partien eher eine Verschlechterung als eine Verbesserung der Leistungen eingetreten sein. Das eigentliche künstlerische Niveau der Ausführungen ist seit den Zeiten, in denen Essenwein und andre die rheinischen Kirchen ausmalten, sicherlich beträchtlich gesunken." [720]

Gegen die Betonung der Vorbildlichkeit mehren sich vor allem nach der Jahrhundertwende die grundsätzlichen Vorbehalte kritischer Stimmen, während zeitgenössische Kritiker sich meistens nur auf Details bezogen hatten: „Statt der rein dekorativen Bilder der Monatsbeschäftigungen, statt der heute doch weit weniger populären Sternbilder kann man wohl inhaltsreichere Dinge bringen." [721] – „In Deutschland war der Architekt Hübsch als begeisterter Lobredner und als bester Kenner des romanischen Stils anerkannt. Was er in der Vorhalle des Kaiserdoms in Speyer . . . restaurierte, wurde viel bewundert, heute werden gewichtige Einwände dagegen erhoben. Nicht besser ergeht es den Restaurationen, die der sachkundige Architekt und Archäologe August Otmar Essenwein . . . in den Kirchen Kölns, im Dom zu Braunschweig usw. ausführte." [722]

Damit sei angedeutet, daß sich in der Nachfolge Essenweins neben dem Qualitätsgefälle, das mit zunehmender Verbreitung der Kirchenrestaurierungen und -neuausstattungen deutlicher wurde, zumal die Zahl qualifizierter Spezialisten unvermindert gering blieb, auch der wachsende Widerstand eines gewandelten Selbstverständnisses der Denkmalpflege, wie schließlich auch der Einfluß neuerer Kunsttendenzen bemerkbar machten. Vom doktrinären Stilpurismus abrückend zielten letztere darauf, christliche Überlieferung und künstlerische Moderne miteinander zu verbinden und auch für die kirchliche Kunst einen Anschluß an die Kunst der Gegenwart zu finden [723].

---

[719] Als Nachfolgewerke bzw. Werke aus dem engeren konzeptionellen Umkreis Essenweins könne man einige stilistisch oder/und methodisch verwandte Arbeiten bezeichnen wie z. B. die Ausstattung von Burg Dankwarderode in Braunschweig nach Entwürfen von L. Winter (Königfeld, Burg Dankwarderode, bes. S. 70 ff.). So kopieren die dortigen Darstellungen der vier Elemente weitgehend Essenweins entsprechende Personifikationen ehem. in der Nürnberger Frauenkirche (vgl. S. 367 ff) Dazu paßt auch, daß sie als Mosaiken ganz offensichtlich die auf ganz wenige Farben und lineare Elemente reduzierte Asphalt-(etc)-Intarsientechnik imitieren. – Auch die Innenausstattung des Bonner Münsters gehört in diesen Zusammenhang, nicht zuletzt auch, weil Essenweins bereits 1869 offiziell akzeptiertes Gesamtkonzept für die Restaurierung der Kirche in modifizierter Form erst zwischen 1891 und 1894 ausgeführt wurde: das Apsismosaik und die Fenster von Fritz Geiges, die Ausmalung von August Martin und die Mosaikböden im Hochchor und in der Krypta von Alexius Kleinertz. – Vgl. Verbeek, Münster in Bonn (1983), S. 17. – Holzamer, Essenwein, S. 71. – Eng verwandt erscheint auch der ebenfalls von Villeroy & Boch teilweise in Fliesen, teilweise in Mosaik ausgeführte Bodenbelag ehemals im Chor der Lambertuskirche in Düsseldorf. Hier waren, außer dem Schiff der Kirche (wie in Groß St. Martin und in St. Maria im Kapitol), die vier Paradiesesflüsse und Elemente sowie fünf Lebensalterdarstellungen und auch die aus Essenweins Entwürfen bekannten blühenden und verdorrten Bäume dargestellt. – Vgl. den von Ph. v. Zabern in Mainz gedruckten Plan (Abb. 415).

[720] Aus: Erlaß des Erzbischofs von Köln vom 24. Mai 1903. Als Anhang in: „Eine Studie von Rhenanus: Über die Kirchenbauten", Wiesbaden 1911.

[721] Beißel, Ausstattung (III), Sp. 281.

[722] P. Albert Kuhn, Die Kirche. Ihr Bau, ihre Ausstattung, ihre Restauration, Einsiedeln etc. 1916, S. 99. – Vgl. auch ebd., S. 106 f.: . . . von den Wiederherstellungen des 19. Jahrhunderts wurde mit „Verachtung" gesprochen!

[723] Vgl. Ausst.Kat. München 1984, S. 45. – Vgl. ebd. auch die zahlreichen anderen Beiträge, die dieses Grundproblem thematisieren.

446

Abb. 410   L. Winter: Personifikation des Feuers. Detail aus dem Fußbodenmosaik im Treppenhaus der Burg Dankwarderode, Braunschweig

Abb. 411   L. Winter: Personifikation der Erde. Detail aus dem Fußbodenmosaik im Treppenhaus der Burg Dankwarderode, Braunschweig

Abb. 412   Alexius Kleinertz: Personifikation der Erde. Detail aus dem Fußbodenmosaik in der Krypta des Bonner Münsters

Abb. 413   Alexius Kleinertz: Personifikation des Feuers. Detail aus dem Fußbodenmosaik in der Krypta des Bonner Münsters

Der „modernen" Tendenz entspricht eine zunehmend eher dokumentierende und konservierende denn rekonstruierende Praxis der Denkmalpflege und Restaurierung, die sich vom assoziativen und evokativen Historismus und der für ihn typischen, wirkungsorientierten und harmoniegeleiteten Verbindung von alt und neu zugunsten „einer auf das Original drängenden Denkmalpflege" (H. P. Hilger) abwendet. „Diese Abkehr vom historisierenden Restaurieren . . ., dem in der zeitgenössischen Kunst der Jugendstil entsprach, setzte im Rheinland zu Beginn der neunziger Jahre unter der geistigen Führung Clemens ein. Dieser Wandel vollzog sich auf dem gesamten Gebiete der Denkmalpflege, nirgend aber wohl von vornherein so klar wie gerade bei der Instandsetzung alter farbiger Fassungen mittelalterlicher Innenräume." [724]

Noch 1925 finden sich jedoch auch positive Stimmen wie die um Objektivität bemühte Bewertung der Essenweinschen Kirchenrestaurierungen durch Hans Vogts: „Die Ausstattung und Ausmalung (von St Maria im Kapitol, der Verf.) stammt fast durchweg aus dem 3. Viertel des 19. Jahrhunderts und geht auf Anregungen des Direktors des Germanischen Museums in Nürnberg, Essenwein, zurück. Sie stellt wohl eine der besten künstlerischen Leistungen dieser Zeit in der Kölner Kirchenbaukunst dar." [725] Und selbst noch 1942, aus dem Abstand eines halben Jahrhunderts also, konnte ein Denkmalpfleger Essenweins als „zweifellos des begabtesten Malers (sic) jener historisierend restaurierenden Epoche im Rheinlande" gedenken [726].

Bereits seit den dreißiger Jahren gibt es jedoch die ersten Reduzierungen (Groß St. Martin, St. Maria im Kapitol) und Tilgungen (Braunschweiger Dom) Essenweinscher Kirchenausstattungen. Nach 1945 setzt sich diese Entwicklung, scheinbar ungebrochen, weiter fort. Die besonderen Verdienste und Leistungen Essenweins scheinen mehr und mehr zu verblassen: Es wächst die Befangenheit gegenüber den Arbeiten der Vätergeneration und steigert sich zu einem generellen Verdikt gegen das in seinem Eigencharakter nicht mehr erkannte, sondern nur noch mit den mittelalterlichen Vorbildern verglichene, vermeintlich „schlecht nachgemachte" Mittelalter aus zweiter Hand. Stärker noch als zuvor werden nun Eigengesetzlichkeit und Bedeutung der Restaurierungs- und Ausstattungsprojekte des späten 19. Jahrhunderts geleugnet oder unreflektiert negativ bewertet. Der absolute Bewertungstiefpunkt war offensichtlich in den Jahren unmittelbar nach dem Zweiten Weltkrieg erreicht. Die abschätzige Bewertung als „. . . das zwar technisch gute aber künstlerisch wertlose Mosaik . . ." [727] war nun zugleich Freibrief für die Teilzerstörung (nicht nur) des Dommosaiks.

Dies Wahrnehmungs- und Bewertungsniveau ist zweifellos beeinflußt von der vorherrschenden Ideologie einer auf das Klinische, Weiße und (auch auf die historische Substanz übertragene) Reine reduzierten Moderne als geschmacklichem Gegenpol zur farbgestimmten – jetzt „bunten" – Harmonie eines vermeintlich stilrein wiederhergestellten Mittelalters. Diese Zusammenhänge bilden Voraussetzungen und Hintergründe für den rigorosen Umgang, für das abräumende Aufräumen nach den Zerstörungen des Krieges selbst dort, wo Teil-Rettung oder Wiederherstellung durchaus möglich gewesen wären. Was sich darin und auch in der Grabungspraxis oft als die gedankenlose bis mutwillige Vollendung der Kriegszerstörungen erweist, erscheint günstigstenfalls als übertünchende Dekolorierung

---

[724] Pfitzner, Zur farbigen Fassung, S. 79. – Vgl. auch Dehio u. Riegl, Konservieren, nicht restaurieren.

[725] H. Vogts, Die Kölner Kirchen, S. 153 f. – Auch in seinem 1950 erschienenen Buch „Köln im Spiegel seiner Kunst" (S. 313) ist er um eine relativ objektive, abwägende Beurteilung bemüht.

[726] Pfitzner, Zur farbigen Fassung, S. 79. – Noch unmittelbar bevor die ersten Bomben „die Essenweinsche Ausmalung der Zehneckhalle vollständig durch Feuer" zerstören, bekräftigt Pfitzner (ebd., S. 78): „Man wird jedenfalls auf lange Zeit hinaus die Essenweinsche Ausmalung von St. Gereon in Köln nicht entbehren mögen, die trotz ihrer jetzigen Verschmutzung viel künstlerische Einfühlung verrät . . ."

[727] Otto Doppelfeld, in: Grabungstagebuch (Anm. 484), S. 207 (Freitag, den 18. Juli 1947). – Vgl. dagegen – bereits 1950 – Vogts, Spiegel, S. 313: „Die Wiederherstellungen, denen anschließend an den Dombau fast alle Kölner Kirchen unterzogen wurden, boten Anlaß, ihnen auch eine neue Ausmalung und Ausstattung zu geben. Die besten davon (in St. Gereon, Groß St. Martin und St. Maria im Kapitol) erfolgten unter Leitung des kenntnisreichen Direktors des Germanischen Museums in Nürnberg Essenwein."

Abb. 414 Lambertuskirche, Düsseldorf: von Villeroy & Boch teilweise in Fliesen, teilweise in Mosaik ausgeführte Beflurung ehem. im Chor mit einem Bildprogramm in der Nachfolge der Essenweinschen Ausstattungskonzepte

einer Kunst, die doch gerade angetreten war, gegen das anämische Weiß des 18. Jahrhunderts wieder die Farbigkeit des Mittelalters zur Wirkung zu bringen [728]).

Wie für andere Kunstbereiche auch, so scheint erst seit der „Wiederentdeckung des 19. Jahrhunderts" in den 60er Jahren einer revidierten Sicht auch des Dommosaiks der Weg bereitet: „Gerechtigkeit für das (ganze) neunzehnte Jahrhundert", von Dolf Sternberger 1975 gefordert [729]), jetzt ist sie Leitmotiv bald schon euphorisch gestimmter Rehabilitierung. Charakteristisch erscheint trotz allem eine erst ganz allmählich abklingende wissenschaftliche Berührungsangst vor „besonders problematischen Bereichen", z.B. vor der offiziellen Kunst des späten 19. Jahrhunderts und ganz besonders auch vor der kirchlichen Kunst dieser Zeit [730]).

Auch erneute Ansätze, diese Forschungsdefizite zu überwinden und in einem umfassenden Sinne Gerechtigkeit auch den „problematischen" Seiten der Kunst des 19. Jahrhunderts zukommen zu lassen, machen nur um so schmerzlicher die Verluste Essenweinscher Arbeiten bewußt, denn wo sie gar nicht oder nur sehr beiläufig erwähnt werden, erscheint der Grad ihrer Erhaltung und Beachtung ihrer Bedeutung umgekehrt proportional. Im besonderen Fall des Dom-*Mosaiks* kommt zur allgemeinen Ignoranz hinzu eine nach wie vor verbreitete Geringschätzung der im 19. Jahrhundert geschaffenen Mosaiken; die Gründe dürften ähnliche sein wie bei Malerei und Ausstattung aus den letzten Jahrzehnten dieses Jahrhunderts.

Erst in allerjüngster Zeit werden Ansätze einer anderen Bewertung erkennbar, erst allmählich verbreitet sich die Bereitschaft gleichsam ohne Umweg übers Mittelalter auch den Leistungen Essenweins und seiner Generation wieder als genuinen Werken des 19. Jahrhunderts gerecht zu werden [731]). Ja es scheint, als habe in vielen Fällen gerade das wachsende Bewußtsein des Verlustes zugleich auch das Bewußtsein für den Wert des Verlorenen geschärft. Zumindest wird inzwischen gelegentlich schon anerkannt, daß wir in der Gegenwart kein Äquivalent besitzen, um das Zerstörte, Verlorene oder unreflektiert Abgeräumte durch Gleichwertiges und Zeitgenössisches zu ersetzen [732]).

---

[728]) In den 50er Jahren wurden die Langhauswände mit den Essenweinschen Malereien in Königslutter, wie bereits in den 30er Jahren entsprechend in Groß St. Martin, teilweise übertüncht. (vgl. S. 390, Anm. 571). – In den gleichen Zusammenhang gehört auch die mosaikspezifische Variante des Übertünchens, nämlich die Verdeckung großer Teile des Fußbodenmosaiks durch Podeste, Teppiche, Sedilien etc. nach 1945 (vgl. auch „Einleitung", bes. S. 12).

[729]) Sternberger, Gerechtigkeit. – Vgl. damit auch ders., Panorama. In der Originalausgabe erschien dieses Buch bereits 1938. – Die Paraphrase des Sternberger-Titels „. . . Gerechtigkeit für das *ganze* neunzehnte Jahrhundert . . ." durch Werner Spies (Feindliche Nachbarn. Ästhetische Wechselbäder: Das neue Orsay-Museum in Paris, in: Frankfurter Allgemeine Zeitung, Nr. 283, vom 6. Dez. 1986, S. 25).

[730]) Vgl. damit auch den von Stephan Waetzoldt geleiteten Projektkreis „Kunst, Kultur und Politik im Deutschen Kaiserreich" und seine Schriftenreihe. – Vgl. dazu die Resümees: Springer, Grenzgänge. – Ders., Historismus. – Vgl. in diesem Zusammenhang auch die Tatsache, daß das Dommosaik (erst) seit 1967 systematisch restauriert wurde. – Vgl. S. 345 ff.

[731]) Vgl. Deneke/Kahsnitz, Das Germanische Nationalmuseum, bes. S. 374 ff. – Springer, Das verschollene Mosaik. – Ders., Ausst.Kat. Köln 1980 (I u. II). – Ders., Jubiläumsbuch. – Schulten (Dom, S. 36) greift bereits 1970 eine Formulierung Helmkens (Dom, Ausg. 1905, S. 153) wieder auf und bezeichnet das Dommosaik – wie bereits erwähnt – als „die großartigste Fußbodendekoration des 19. Jahrhunderts". – Hilger (Einleitung zu Mainzer (Hrsg.), Raum und Ausstattung, S. 11) bezeichnet 1981 Essenweins Arbeiten für Groß St. Martin und St. Gereon als „bedeutende Leistungen dieser Art" und konzediert, daß sie durchaus „schöpferisch" seien. – Ders. zuletzt 1984: „. . . das prachtvolle, nach Entwürfen von August von Essenwein und Fritz Geiges nach 1883 geschaffene Mosaik. . ." (in: Ausst.Kat. Köln 1984, S. 88). – R. Kroos (ebd., S. 96): ". . . das schöne Nach-Kulturkampf-Programm der Fußbodenmosaiken. . . haben eigene Qualität." – Vgl. in diesem Kontext auch die Dissertation von Karin Holzamer über Essenwein. – G. Wolff, Dom IV, Kommentar zu Dia IV, 8: „Über Jahrzehnte hinweg wenig beachtet und sogar mißachtet, gewann das Chormosaik in den letzten Jahren deutlich an Ansehen. Fast 100 Jahre nach seiner Entstehung beginnt man es auch in der Kunstwissenschaft als ein Gesamtkunstwerk des 19. Jhs. von hohem Wert anzuerkennen."

[732]) Vgl. Gosebruch, Braunschweiger Dom, S. 8. – Vgl. in diesem Sinne ebd.: „Essenwein hatte sich die Ausmalung der Gewölbe mit großmaßstäblichen Schmuckformen zugetraut, seitdem niemand mehr . . . Sollte unsere Epo-

Abb. 415   Blick vom Gewölbe auf das Dommosaik im Umkreis des Hochaltars und im Zwischenpresbyterium

„Nach der Zerstörung vergleichbarer kleinerer Fußböden im 2. Weltkrieg und danach kommt dem Domfußboden als dem aufwendigsten und künstlerisch herausragendsten Fußbodenmosaik in Deutschland besondere Bedeutung zu." [733])

Doch trotz solcher Ansätze zur Revision eingefahrener Vorurteile bleiben geschmackliche Vorbehalte, ist ein Rest von Befangenheit gegenüber diesem Mittelalter aus dem späten 19. Jahrhundert nicht zu leugnen, vor allem wenn – *das* Bild mittelalterlicher Kunst vor Augen – der Blick für den Eigencharakter und die Eigengesetzlichkeit dieser Werke verstellt ist.

Man bedenke doch einmal die heute nur noch schwer nachvollziehbare Befangenheit selbst bedeutender Kenner wie etwa Paul Clemens („dieses ängstliche und gewissenhafte Abschreiben") und Georg Dehios („eine kalte archäologische Konstruktion") gegenüber den Leistungen ihrer Vätergeneration: Sie bescheinigten bekanntlich zwar Boisserée, nicht aber Zwirner und Voigtel künstlerische Originalität. Überträgt man nun die offensichtlich erheblichen Schwierigkeiten der Nachgeborenen, zwischen einer „trockenen Reproduktion", einem „geschicktem Kompilat" und „einer echten baukünstlerischen

che den Mut nicht haben, die Einheit dieser Architektor mit Mitteln der Malerei wiederherzustelen? Wozu es freilich eines bedeutenden Künstlers bedürfte."

[733]) Hiltrud Kier (Hrsg.), Köln Kunstführer, Stuttgart 1980, S. 33.

Tat" unterscheiden zu können, ganz konkret vom Dombau auf das Dommosaik, so kann das dazu beitragen, die Zeitgebundenheit auch unseres Urteils ins Bewußtsein zu heben [734]).

Relativierung und Wandel ästhetischer Werturteile waren schon die Voraussetzungen aller Essenweinschen Projekte und sie prägen auch noch/wieder die Rezeption des Dommosaiks. Als bloß „dienende" Kunst im Sinne Essenweins scheint es uns heute angemessener zwischen den Bewertungspolen Kompilat und Meisterwerk angesiedelt. Wenngleich ihm nämlich kompilatorische Züge durchaus nicht fremd sind, so besitzen Aufgabe und Lösung zugleich doch auch alle Qualitäten einer großen künstlerischen „Tat" – vor allem, wenn man sie im Kontext des angestrebten Gesamtkunstwerks unvergleichlichen Ausmaßes und zusammen mit den Vorgängerprojekten sieht.

Wenn man nämlich den Dom und die „Vorgängerprojekte" als Werke des *19.* Jahrhunderts ernst nimmt, so wird man darauf verwiesen, daß diese Bauten ohne eine angemessene Innenausstattung in den Augen der Zeitgenossen unvollständig waren. Damit aber gewinnt auch das Dommosaik eine konstituierende Dimension: ohne diese Beflurung war das Ziel eines Dom-Gesamtkunstwerks nicht zu erreichen. Das Dommosaik ist also im wahrsten Sinne des Wortes Basis der Domvollendung im Inneren, wie diese Fortsetzung der architektonischen Vollendung seines Äußeren.

Erst aus diesem heute nur noch fragmentarischen Kontext kann die erhebliche organisatorische und künstlerische Leistung ermessen werden, die dieses mit großem Einfühlungsvermögen entworfene und ausgeführte Fußboden-Mosaik darstellt. Doch erweist sich die Leistung Essenweins über das mehr oder weniger geschickte Einfügen und Inszenieren nach historischen Vorbildern weit hinaus auch in ihrem – meist zu gering angesetzten – großen durchaus eigenschöpferischen Anteil [735]).

Zu bedenken ist dabei stets, daß das, was als Einzelkunstwerk unvollkommen sein mag, unbeholfen womöglich auch und Schwächen aufweist, erklärtermaßen nicht als Einzel-Bild, sondern in doppelter Hinsicht als Teil eines umfassenden Ganzen geschaffen wurde: als Teil eines Ausstattungskonzeptes nämlich, wie dieses als Teil eines Gesamtkunstwerkes. Die Qualität des einzelnen Mosaikbildes und Darstellungsdetails besteht deshalb maßgeblich in seinem Stellen-Wert im Zusammenhang des angestrebten Gesamtkunstwerkes. Das aber ist im Falle des Dommosaiks Torso bzw. Fragment geblieben, so daß wir nach Jahren der Zerstörung und Ignoranz auf Fragmente eines Fragmentes – Fragmente eines Lebenswerkes auch – angewiesen sind.

Als Fragment aber und als Werk des späten 19. Jahrhunderts an Werken dieser Zeit gemessen, als Zeitgenosse unter Zeitgenossen gleichsam, erweist sich das Dommosaik als eines der größten und bedeutendsten Werke seiner Art überhaupt. Das Dommosaik gehört, auch wenn man das Gefälle innerhalb des Werkes mitberücksichtigt, zum Qualitätvollsten, was in dieser Technik im 19. Jahrhundert geschaffen wurde; das aber gilt es in seiner Gesamtheit erst noch zu entdecken. Stellt mithin das Dommosaik eine der architektonischen Leistung durchaus angemessene künstlerische und technisch-organisatorische Großtat der deutschen Kunst des späten 19. Jahrhunderts dar, so möge entsprechend auch für sie gelten, was für ihren architektonischen Rahmen inzwischen fast schon Allgemeinplatz, daß nämlich „der Dom auch unter denjenigen Werken, von denen die heutige Neubewertung der Kunst des 19. Jahrhunderts ihren Ausgang nahm, wiederum an hervorragender Stelle zu finden ist." [736])

[734]) Nach Arnold Wolff, Die Baugeschichte der Domvollendung, in: Dann (Hrsg.), Religion, S. 74.
[735]) Vgl. im gleichen Sinne Hilger, Einleitung, in: Mainzer (Hrsg.), Raum und Austattung, S. 11
[736]) Wolff, Baugeschichte, in: Ausst.Kat. Köln 1980/81 (II), S. 34.

Kölner Dommosaik

Historische Übersicht

1863, 15. Juli – 12. Sept.	Die mittelalterliche Chorwand fällt.
1871	Wettbewerb zur Domausstattung
1874, 31. März	(Kulturkampf) Festnahme Erzbischof Paulus Melchers
1880, 15. Okt.	Domvollendungsfest
1883, 2. Juni	Beschluß der Dombaukommission über Zweiteilung der Dombeflurung und über Ausarbeitung eines Programms durch August Essenwein
1884, 16. Juni	Essenweins erste Beflurungsskizze vom Metropolitankapitel genehmigt
1885, 4. Febr.	Vertrag mit Essenwein zur Ausarbeitung des Generalentwurfs für die Chorbeflurung
1885, 1. Juli	Essenweins erster Generalplan liegt vor (im August nach Köln gesandt).
1885, Dezember	Neubeplattung des Domfußbodens beginnt im Westen
1887, März	Neubeplattung des Langhauses und Querschiffs ist abgeschlossen.
1887, 21. September	Revision des Generalentwurfs beschlossen (Umstellung auf Mosaiktechnik)
1888, Januar	Revidierter Generalplan vom Domkapitel genehmigt
1888, 26. Nov.	Kaiser Wilhelm II. genehmigt Essenweins revidierten Generalplan.
1889/90, Winter	Dreikönigenmausoleum in der Achskapelle wird abgebrochen.
1890, Mai	Fertigstellung der Neubeflurung im Chorumgang
1891, 10. Okt.	Essenwein schlägt dem Oberpräsidenten der Rheinprovinz Fritz Geiges als seinen Nachfolger vor.
1891, 13. Nov.	Vertrag Essenweins mit Geiges
1892, 13. Okt.	Essenwein stirbt
1892, 20. Okt.	Vertrag Geiges/Voigtel zur Ausführung der Kartons zur Beflurung des Binnenchors
1895, 16. Juni	Reichensperger stirbt
1898, Mai	„Mit der Fertigstellung des Mosaikbodens vor dem Hochaltar ist die Erneuerung des Domfußbodens abgeschlossen und das größte Ausstattungsstück des 19. Jahrhunderts vollendet." (A. Wolff)
1899, Ende August	Fertigstellung der Achskapellenbeflurung
1902, 28. Sept.	Voigtel stirbt
1908	Achskapelle als Gesamtkunstwerk vollendet

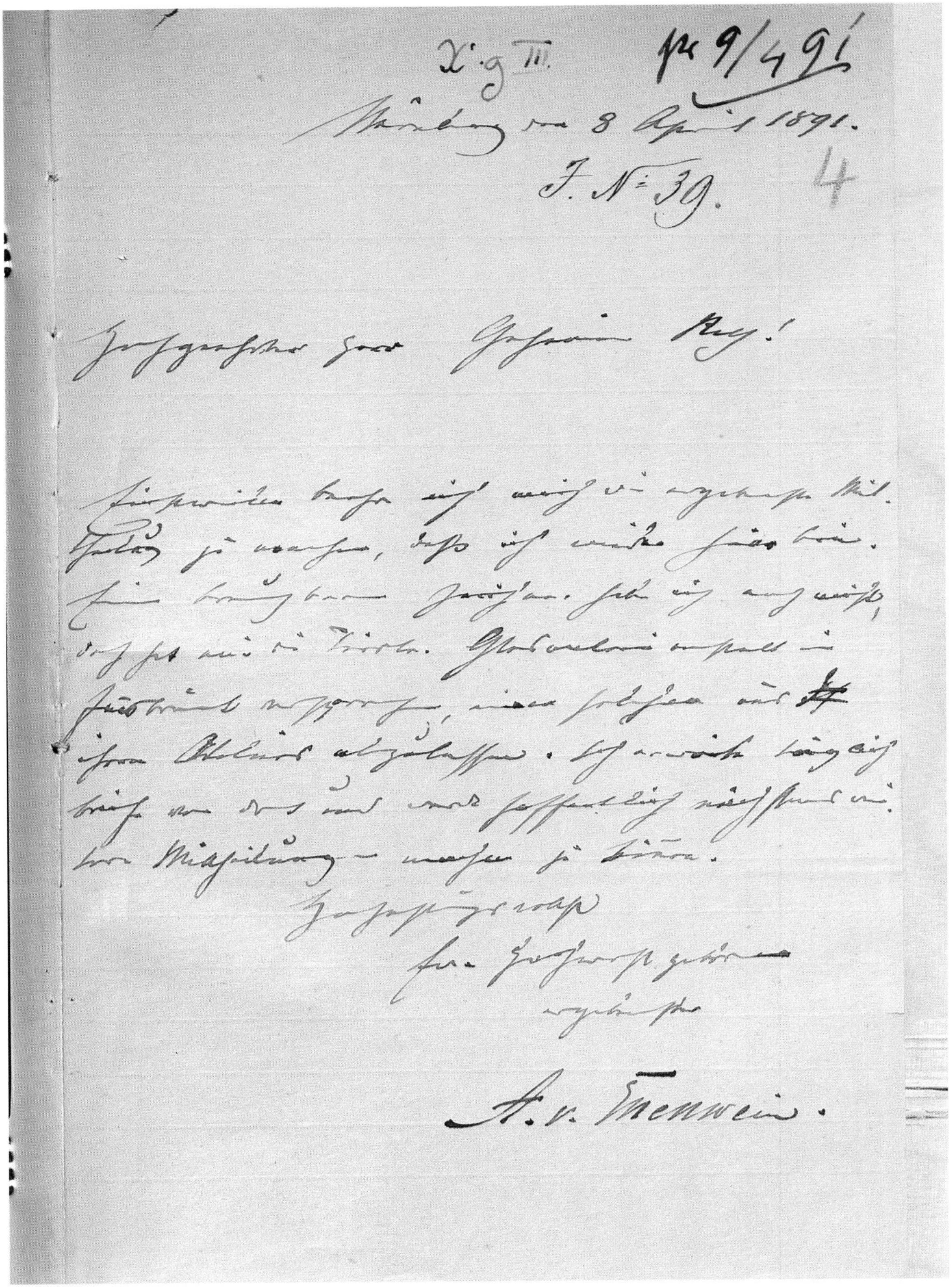
X.g III · Pr 9/491

Nürnberg den 8 April 1891.

J. N: 39. · 4

Hochgeehrter Herr Geheimrat!

A. v. Essenwein.

Abb. 416 August Essenwein: Seite aus einem handschriftlichen Originalmanuskript

DOKUMENTE

1   August Rincklake, Erläuterung (1873)
2   Franz Schmitz, Erläuterungsbericht (1873)
3   Hugo Schneider, Erläuterungs-Bericht (1873)
4   Vincenz Statz, Erläuterung (o. J./1873)
5   August Essenwein, Gutachten (1873)
6   Ferdinand von Quast, Gutachten (1873)
7   Wilhelm Bogler/Friedrich Schneider, Bodenbelag (1880)
8   Vertrag Voigtel-Essenwein (1885)
9   Der Bodenbelag des Kölner Domes, Köln. Volkszeitung (1885)
10 Gutachten zu Essenweins Entwurf von Anton v. Werner (1887)
11 Gutachten Akademie des Bauwesens (1887)
12 Gutachten Akademie des Bauwesens (1887)
13 August Essenwein, „Instruction für die Arbeiter" (1887)
14 Vertrag Voigtel-Bingler (1890)
15 Vertrag Essenwein-Geiges (1891)
16 Nachtrag zum Vertrag Voigtel-Essenwein (1891)
17 August Reichensperger, Kaiserin Friedrich (1901)
18 Domgrabungs-Tagebuch (1947)

Abkürzungen:

DBAK   — Dombauarchiv, Köln
DBM   — Dombaumeister
KDBl.   — Kölner Domblatt
GNM   — Germanisches Nationalmuseum, Nürnberg (Nachlaß August Essenwein,
          Archiv für bildende Kunst, Graphische Sammlung, Bibliothek)

456

Dokument Nr. 1

Aus: August Rincklake, Erläuterung der Entwürfe für die innere Ausstattung des Cölner Domes, Düsseldorf 1873, S. 14–16. (DBAK)

(. . .) a) Beflurung des Domes.
Die Beflurung einer Kirche soll vor allen Dingen ruhig sein. Sie soll wohl aus werthvollem Material bestehen, aber die Wirkung des Baues nicht durch Dessins, die sich im Flur vorfinden, herabstimmen. Das Aeußerste, wozu man übergehen kann, ist, daß man die Hauptmomente der Architektur, wie Bögen in ihrer Richtung durch Friese im Fußboden markirt.
Im Uebrigen soll der Fußboden möglichst neutral gegen alle übrigen Farben wirken.
Diese Anordnung läßt es auch nur allein zu, extra, durch Teppiche, oder in sonstiger Weise, zu schmückende Theile eines Fußbodens zur Wirkung gelangen zu lassen. Legt man einen noch so schönen Teppich auf ein reiches musivisches Fußbodendessin, so wirkt weder der Teppich noch der Fußboden, vielmehr heben sich die Wirkungen beider auf, und da beide Theile selten zu einander stimmen, tritt die Disharmonie zu Tage.
Der Fußboden des Domes soll daher bestehen, für die gesammte Kirche und dem Chorumgang aus grauem Marmor, während Chor und Chorkapellen mit weißem Marmor zu befluren sind.
Sämmtliche Stufen müssen aus schwarzem Marmor hergestellt werden.

(b) Die Beleuchtung . . .)

c) Die innere Behandlung der Wände.
Die Farbe der Elemente, welche die Schönheit der Natur ausmacht, und ihr den ewig neuen Reiz verleiht, und durch ihren ewigen Wechsel stets an die gütige Fürsorge und die Größe Gottes mahnt, muß nothgedrungen zur Ausschmückung unserer Gotteshäuser herangezogen werden. Was man durch die Farbe erreichen kann, erreicht man eben durch kein anderes Mittel.
Für Ausschmückung des Domes, dem größten gothischen kirchlichen Monumente der Christenheit, muß bezüglich der farbigen Ausschmückung das Reichste und Vollkommenste angestrebt werden.
Man muß eintretend in die mächtige Halle die reiche Pracht der Wohnung des höchsten Gottes fühlen. (. . .)
(Bemerkenswert erscheint, daß von diesem Heftchen 1897 eine zweite Auflage gedruckt wird. Sein nun hinzugefügtes Vorwort betont die lähmende Wirkung des Kulturkampfes, doch jetzt hoffe man doch noch auf die Verwirklichung der – inzwischen fünfundzwanzig Jahre alten – Ausstattungspläne.)

Dokument Nr. 2

Aus: Franz Schmitz, Erläuterungsbericht über den Gesamtplan für die Ausstattung des Innern im kölner Dome, Cöln 1873 handschr. Original, o. Pag. (DBAK)

a) Der Bodenbelag
Diese hochwichtige Frage für einen Tempel ohne Gleichen wie der kölner Dom, auch nur annähernd genügend zu beantworten, ist eine schwierige Aufgabe. Dem monumentalen Character des Gebäudes entsprechend, muß auch der Bodenbelag in seiner Anordnung als Ausfluß einer durchgebildeten künstlerischen Vorstellung betrachtet und danach verfahren werden. Wie alles am und im Dome, aus der Anschauung eines Riesengenies Geschaffene, in Form und Lösung das Erhabenste im Gebiete der Kirchenbaukunst nachweist, so muß auch der Bodenbelag in seiner Anordnung sich dem Ganzen nothwendig anpassen und mit als Ergänzungsfactor in der schöpferischen Idee aufgefaßt werden. Mein langjähriges Studium über den Dom selbst und tiefes Eindringen in das Wesen der mittelalterlichen Kunst, hat mich auch bei der vorliegenden Aufgabe erkennen lassen, wie schwierig es überhaupt für eine einzelne noch offene Frage, welche in Bezug auf den Dom gestellt wird ist, eine richtige Lösung zu finden. Dennoch will ich im Nachstehenden meine Ansicht über diesen Gegenstand aussprechen und versuchen für den Bodenbelag des Domes geeignete Vorschläge zu machen.
Der Bodenbelag des Domes muß in seiner Anordnung vor Allem eine Reproduction der Formen und Verhältnisse des Grundrisses enthalten und eine harmonische Vertheilung der Farbentöne mit Rücksicht auf die Räume nachweisen. Kein Gegenstand bietet den Ideen des Architekten in Bezug auf den Formenwechsel ein so reiches Feld dar, wie ein Bodenbelag und begegnen wir schon im Alterthume, dem heidnischen wie dem christlichen, in dieser Beziehung den reichsten Phantasiegebilden, ja sogar üppigen Spielereien.

Die strengen Gesetze im Grundrisse des kölner Domes, die Anordnung der mit diesem Grundrisse congruenten Gewölbe dagegen gebieten eine strenge Consequenz der in den Grundformen zu entwickelnden Decoration des Bodens und erleichtern dem Architecten die Aufgabe in Bezug auf die anwendbaren Formen dafür in elementarer Weise.

Die Vorhallen, das Schiff sowie Transept des Domes würden hiernach im Bodenbelage gleichsam als Spiegelbild der einfach construirten Gewölbe zu behandeln sein. Die breiten Gurtungen derselben, die zwischen den Tangenten der Pfeiler liegen, geben in Verbindung mit den Gewölbeformen selbst eine äußerst wirksame Totalanordnung an die Hand. In Bezug auf die Farben wird bei deren Wahl äußerste Mäßigung anempfohlen, indem der Boden keineswegs auf die Dekors der Pfeiler und Wände eine dominierende Wirkung üben darf.

Unter den Gurtungen wird eine dunklere, für die Felder ein Wechsel zwischen zwei, höchstens drei unter sich nicht stark abweichenden Steinfarbentönen maßgebend bleiben müssen. Das Material muß aus widerstandsfähigen Steinarten bestehen. Eine figürliche Decoration – namendlich in den Mittelschiffen – kann unter den Schlußsteinen der Gewölbe z. B. in der Mitte des großen Transeptgewölbes das Conterfei des darüber auf dem Mittelthurm befindlichen Morgensterns, des Wahrzeichens der h. h. Drei Könige zur Anwendung kommen. Im Chorumgange sowie im Chore selbst kann dagegen – bei sonstiger Befolgung des vorhin Angegebenen – eine etwas reichere Formengebung Statt haben, auch das Chor selbst mit Marmorplatten beflurt werden, während in den weniger frequentirten Chorcapellen, als kleinste Einzelräume des Domes der Bodenbelag ein Uebergang zur Mosaik mittels Anwendung von Fliesen hergestellt wird, aber auch hier ohne unruhiges Farbenspiel und frei von jeder Effecthascherei, wie solches in vielen größeren Kathedralen und Klosterkirchen in Deutschland und Frankreich zu sehen ist.

(b) Die Beleuchtung . . .)

c) Die Behandlung der inneren Wände, Pfeiler sowie der Gewölbe und Statuen.

Es steht fest, daß es in der Idee des Schöpfers dieses großartigen, zur höchsten Ehre Gottes und dessen Verherrlichung errichteten Tempels gelegen hat, dem Dome außer seiner Hauptzierde – die der farbigen Fenster – auch einen, die letzteren ergänzenden Farbenschmuck mit Vergoldung an den Wänden, Pfeilern und Gewölben zu verleihen. Bei Restauration des Hochchores in den Jahren 1841 u. 1842 haben sich auch Fragmente von Polychromie an den Pfeilern, dagegen vollständige Vergoldungen der Ornamente an den Säulenkapitälen theils auf rohem Grunde vorgefunden. Hiernach erscheint es geboten – soll das Innere des Domes zur vollen Würde nach der Intention des Baukünstlers gelangen – die Wände, Pfeiler und Gewölbe zu bemalen. Daß aber hierbei mit größter Sorgfalt und Selbstverläugnung verfahren werden muß, ist unerläßliche Bedingung, auch mögen die nachstehenden, in dieser Beziehung gemachten Vorschläge einer Prüfung unterzogen werden, um hiernach zu erwägen, in wie weit dieselben als ausführbar und mit der Würde des Domes vereinbar erscheinen.

Es wird schwer, ja fast unmöglich zu erreichen sein, neben der effectvollen Farbenwirkung der gemalten Fenster mittels einer, wenn auch noch so reichen Polychromie, ja selbst der reichsten Vergoldungen auch nur annähernd das zu erreichen, was durch den transparenten Licht- und Farbenglanz der Fenster erreicht ist.

Ein vergebliches, nutzloses, dabei kostspieliges Experimentiren würde es bleiben den gewaltigen Eindruck, den die farbigen Fenster hervorzaubern auch auf die Wände und Pfeiler übertragen zu wollen.

Ein Beispiel wird genügen das Vorhingesagte in allen Theilen zu bestätigen, indem man auf die in den Bogenspandrillen des Hochchores und der Absis im Jahre 1843 al fresco auf Goldgrund gemalten Engel verweist.

Die Hauptaufgabe bei der Bemalung der Pfeiler und Wände wird daher sein, unter Anwendung warmer Steinfarbentöne sich die Pfeiler und Wände neben den Fenstern abheben zu sehen, dagegen die Ornamente der Pfeilercapitäle und der Rautenblätter auf den Gurtbögen der Langseiten im Mittelschiffe auf rothem oder blauem Grunde zu vergolden. In den Bogenspandrillen könnten, gleichwie dies im Hochchore vor Ausführung der Frescen der Fall war, Einzelfiguren etc. in starken Konturen geeignet angebracht werden. Daß der Farbenschmuck und die Bemalung der Pfeiler im Hochchore und in der Absis sowie in den Chorcapellen eine reichere und mannigfaltigere, wie in dem Langschiffe und Transepte sein darf, wird zugegeben. Was die Polychromie der Steinbildwerke im Dome – außer den bereits reich polychromirten Apostelstandbilder(n) im Hochchore – anlangt, so ist bei ersteren auf einen minder reichen Farbenwechsel an den Gewandungen Bedacht zu nehmen und danach zu verfahren.

Die Gewölbe in der Kirche sind gegenwärtig nicht mit Mörtel verputzt. Dieser Umstand ist aber keineswegs ein Hinderniß für eine decorative Behandlung der Gewölbe mit ihren Gurt und Gratrippen, sowie deren Schlußsteine, ohne deren monumentalen Character die Gewölbedienste und Stäbe an den Pfeilern in einem, gegen die Gewölbeflächen sich abhebenden Steinfarbentone gehalten werden; auch wird es hier am Platze sein mittels farbiger Striche die Abhebung der Rippen auf den Gewölbeflächen effectvoller zu markiren. Die Gewölbekappen selbst sind dagegen auszufugen und kann mittels des Ausfugens der auch jetzt sichtbare Steinfugenschnitt durch farbige Striche belassen bleiben. Das Bemalen der Gewölbeflächen ist in einem Farbentone zu bewirken, welcher den allseitig, namendlich in den oberen Räumen des Hochschiffes prävalirenden, blauvioletten Duft nicht nachtheilig beeinflußt. Die Vergoldung an der Ornamentik in den Schlußsteinen wird neben der Anbringung vergoldeter Sterne in den Gewölbekappen die Decke des Domes in würdiger Weise gerecht.

Dokument Nr. 3

Aus: Hugo Schneider, Erläuterungs-Bericht zu den Entwürfen für die innere Ausstattung des Kölner Domes, Als Manuscript gedruckt, Aachen 1873, S. 23-25. (DBAK)

Die Bemalung des Innern.

Wenn wir uns fragen, was würden die Meister des dreizehnten und vierzehnten Jahrhunderts gethan haben, wenn es ihnen beschieden gewesen wäre, ihre zahlreichen Kathedralen mit Einschluss der gesammten inneren Ausstattung fertig zu stellen; würden sie die Pfeiler, Wände und Gewölbe im Innern mit Farben bedeckt haben, so würden wir ohne Zögern uns sagen müssen: Ja, sie würden die Bemalung als ein nothwendiges Requisit zur Vollendung der Architektur betrachtet haben. Fragen wir aber weiter, wie würden jene Meister die Aufgabe der innern Ausmalung gelöst haben, so wird die Antwort schwierig, weil uns aus jener Zeit kaum ein Beispiel überliefert ist. Würde das Mittelalter seine Kathedralen mit der ganzen Farbenpracht ausgemalt haben, wie es dies bei so vielen kleinern Kirchen und Kapellen, z. B. in der Sainte-Chapelle zu Paris gethan? Vielleicht, wenn es nach vollendetem Ausbau seiner Dome noch immer über unermessliche Mittel zu verfügen gehabt. In der That, unerschöpfliche Mittel müssten demjenigen zu Gebote stehen, der sich ein solches Ziel vorstecken wollte, zumal in unserer unerfahrenen Zeit, die gewiss eine Reihe von Versuchen anstellen müsste, um die nothwendige Harmonie der Farben zu erzielen.

Wollen wir nun mit bescheidenen Mitteln die Frage der innern Ausmalung zu lösen suchen, so würde der folgende Weg wohl am füglichsten inne zu halten sein. Das hohe Chor ist gewissermassen eine Kirche im Dom, ein für sich abgeschlossenes Ganze, ausgezeichnet vor allen anderen Theilen des Werkes; denn hier vollziehen sich die feierlichsten Akte des Gottesdienstes. Mithin muss auch die innere Ausmalung diesen Vorzug des Chores betonen durch grössere Farbenpracht, reiche Zeichnung und freigebige Anwendung der Vergoldungen. So war's ja auch die Intention des Mittelalters, wie die vorhandenen Reste der Polychromie beweisen. In den anderen Theilen des Domes aber dürfte ein ökonomisches Masshalten in jeder Beziehung gerathen sein. Die zahllosen Profilirungen an Pfeilern, Simsen, Fenstergewandungen, Bögen und Rippen würde ich am liebsten derart behandeln, dass die Kehlen durch Farben in ihrer Wirkung gehoben würden. Die Dienste aber und alle sonstigen vorspringenden Glieder möchte ich nur ganz leicht mit Farben behandelt wissen, wobei die natürliche Farbe des Steines nicht allzusehr ausgeschlossen würde.

Diese Bemalung würde uns bei der Frage, wie die Zwickel zwischen den Gurtbogen im Lang- und Querschiff, und besonders die grossen Giebelwände an den Portalen zu behandeln sind, nicht in Verlegenheit bringen; wir würden uns auch dort mit einem geringen Aufwand von Farben begnügen können. Die wenigen Ornamente an den Kapitälen u. s. w. würde ich durch Vergoldung von einem farbigen Hintergrund wirksam abheben. Die Gewölbe entbehren bis jetzt in den vom Chor westlich gelegenen Theilen des Domes jeglichen Bewurfs. Soll dieser Bewurf nachträglich noch angebracht werden? Ich würde mich am liebsten für Verneinung dieser Frage entscheiden, und die so zierlich gemauerten Kappen einfach ausfugen, die Fugen durch Farbe markiren und den Steinen ihren natürlichen warmen Ton lassen, höchstens durch Färbung einzelner Steine in verschiedenen Tönen mosaikartige Muster auf die Kappen tragen. In England sieht man sehr viele Gewölbe, in deren Kappen zwischen je vier oder fünf Steinschichten ein heller Marmorstreifen eingelegt ist; die Wirkung dieser sorgfältig gemauerten Decken ist eine überraschend schöne.

Es bleibt mir noch übrig, einige Worte über die Bemalung der Statuen zu sagen. Die Konsolen und Baldachine würde ich in derselben einfachen Weise behandeln, wie die Ornamente der Kapitäle, und auf die Figuren selbst, entsprechend der geringeren Reichhaltigkeit der Bemalung der Lang- und Querschiffe, keine grössere Farbenpracht verwenden, als nothwendig ist, um dieselben gebührend von der sie umgebenden Architektur abzuheben und die Intentionen des Skulpteurs zu betonen.

Bodenbelag.

Wollte man im Kölner Dom den Fussboden mit schwarzen und weissen Marmorplatten herstellen, die in ihrer Zusammenstellung einfache geometrische Muster bilden, so würde der Eindruck eines solchen Belages bei der gewaltigen Dimension abstossend monoton und kalt sein; von einer Harmonie mit den farbenprächtigen Fenstern, mit der bemalten Architektur könnte nicht im Mindesten die Rede sein. Bunter Marmor in künstlich zusammengestellten Formen würde aber ganz bedeutende Kosten verursachen. Bei dem ungeheuren Aufschwung, den die Fabrikation von farbigen Thonfliesen in den letzten Jahren genommen hat, bei den trefflichen Leistungen, die dieser Zweig der Kunstindustrie in Betreff der Dauerhaftigkeit seiner Erzeugnisse aufzuweisen hat, dürfte es am gerathensten erscheinen, den Kölner Dom mit solchen farbigen Thonfliesen zu belegen. Die grosse Masse der erforderlichen Thonplättchen lässt es thunlich erscheinen, für den Belag des Kölner Domes besondere Muster zu bestellen und vielfach wechselnde Formen anzuwenden, so dass die Gefahr der Monotonie und der Disharmonie mit den übrigen Teilen des Gebäudes mit Sicherheit zu vermeiden wäre.

Dokument Nr. 4

Aus: V. Statz, Erläuterung zu den Plänen für die innere Ausschmückung des Domes zu Köln o. O. o. J., S. 18 f. (Archiv der Dompropstei, Köln, Sign. C 24).

(...) *Die Beflurung.* Das Material hierzu muß edel, in der Natur gewachsen sein, alle künstlichen Produkte sind unschön und unsolid. Vorzuschlagen sind Marmor, Granit, zum Einlegen Kupfer und Blei.
Die Form des Fußbodens soll mehr ornamentartig oder kantige Polygone sein (sic), keine Symbole des Opfers dürfen auf dem Fußboden angebracht werden, ferner auch die Form nicht dammenartig (sic), wie der jetzige Chor. Von figürlichen Darstellungen sind nur alt-testamentarische zuzulassen. Die vielfach angewendeten Sterne sind zu vermeiden; die Art und Weise, wie der Dom zu befluren ist, kann nur durch eine Zeichnung näher angegeben werden.

(...) *Polychromie.* Was den Farbenschmuck für den innern Dom betrifft, so ist meines Erachtens die Urfarbe des Materials am passendsten. Alle Ornamente dürfen einiges Gold und Farbe haben. Figuren, Altar und Lettner dürfen polychromirt werden.
Für obige 3 Fragen (d. h. für Beflurung, Beleuchtung und Polychromie, d. Verf.) wäre Fachmännern ebenfalls eine Concurrenzaufgabe auszuschreiben."

Dokument Nr. 5

Aus: Gutachten August Essenweins, dat. vom 21. Mai 1873, Kopie des handschr. Originals, S. 12. (Erzbischöfliche Diözesanbibliothek, Köln, B XVIII.1).

(...)
Ueber die Punkte hinsichtlich deren kein Project, sondern nur Gutachten verlangt worden sind, haben sich alle vier Künstler sehr kurz ausgesprochen und insbesondere keine Motivierungen ihrer Ansichten gegeben; ich habe deshalb ihre Ansichten nicht miteinander zu vergleichen. Ich kann daher nur sagen, daß ich mit *Rincklacke* darin übereinstimme, daß die ganze Architectur des Inneren in vollster Pracht und reichster Farbenwirkung erglänzen müsse, daß aber auch der Fußboden in umfassender Weise daran Theil nehmen müsse, daß nicht nur ein ornamentaler sondern auch figuraler Boden aus einer Zusammenstellung verschiedenfarbigen Marmors mit eingerissener mit Blei oder Asphalt ausgegossener Conturzeichnung hergestellt werden müsse, der im hohen Chore zur reicher Mosaik sich steigert. Die Farbenwirkung des Bodens wird allerdings in ruhigem und einfachem Ernste als Basis für die innere Bemalung dienen müssen. Was die einzelnen Kapellen betrifft, so ist der Fußboden jeder derselben ein Werk für sich und es können darin Marmor oder bunte Fließen oder Mosaiken zur Anwendung kommen. Die Polychromie der Wände muß in Lettner und Altären Fortsetzung finden. Da ich die Ansichten des Herrn *Schmitz* über die Polychromie nicht theile, so kann ich auch dessen Altarentwurf nur polychromirt gelten lassen, nicht blos in Zusammensetzung verschiedenfarbigen Marmors, sondern vor Allem in leuchtenden kräftigen Farbtönen, ebenso bei *Statz* und *Schneider,* während *Rincklacke* wieder darin zu weit zu gehen scheint, daß er selbst bei der reichsten Kleinarchitektur des Mobiliars den ernsten braunen Ton der Holzfarbe ausschließt. (...)

Dokument Nr. 6
Aus: Gutachten Ferdinand von Quasts, dat. vom 11. Juni 1873, handschr. Kopie im DBAK, S. 16–18

(...)
Die übrigen Fragen wegen Beflurung, Beleuchtung, Polychromie des Innern gehören nicht eigentlich mehr zur Concurrenz, und kommt es daher weniger darauf an, was die einzelnen Concurrenten darüber sagen u. ihre Vorschläge gegen einander zu vergleichen, als vielmehr, welche Vorschläge für die Ausführung am geeignetsten sind.

A. Beflurung.

Herr *Statz* empfiehlt edles, in Natur gewachsenes, kein künstliches Material; daher Marmor, Granit und zum Einlegen Kupfer und Blei. Die Metalle sind in dieser Vereinigung wohl sehr auffallend u. ungewöhnlich u. daher schwerlich zu empfehlen. Wenn er Details mit Worten angibt, so bescheidet er sich doch schließlich, daß nur durch eine Zeichnung das Nähere anzugeben wäre. – Hr. *Schneider* gegentheils gibt den farbigen Thonfließen den Vorzug, weil einfacher Marmor nicht genüge, reichere Combinationen zu theuer seien. – Hr. *Schmitz* verlangt Mäßigkeit in Formen und Farben, wogegen die Construction der Gewölbe sich im Fußboden wieder zu spiegeln habe. Insofern dies so verstanden ist, daß der Fußboden ebenso organisch wie die Gewölbe, der Anlage der Architektur zu entsprechen habe, kann dem nur zugestimmt werden; es darf solche parallele Durchführung aber nicht zur Pedanterie ausarten, wie er es z. Thl. vorschreibt und dabei sogar angibt, ob die Felder hell, die den Gurten entsprechende Querstreifen dunkel zu halten seien, unter Umständen kann das Umgekehrte passender sein. Ueberhaupt sind detaillirte Vorschläge ohne Zeichnungen nicht zu billigen. Hn. *Rincklacke's* (sic) Vorschläge sind dem letztgenannten sehr verwandt. Er nimmt sehr auf Teppiche Rücksicht, die hinzuzufügen seien. Im übrigen verlangt er für die gesammte Kirche grauen Marmor, für Chor u. Chorkapellen weißen, für Stufen schwarzen Marmor. Warum namentlich letztere Farbe für den besagten Zweck ausschließlich verlangt wird, ist nicht motivirt u. daher nicht verständlich. – Meines Erachtens kann überhaupt, ohne graphische, wo es nöthig, in Farben ausgeführte, Darstellungen, ein genügender Vorschlag nicht gemacht werden. Ich möchte nur vor allem daran erinnern, daß man über das, was die deutsche Gothik in dieser Hinsicht geschaffen u. hinterlassen hat, nicht wesentlich hinausgehen möge, am wenigsten aber sich in complicirte Spielereien mit künstlichem Material einlassen, wie es bei Franzosen u. Engländern jetzt sehr zur Mode geworden ist, welche bei sich allerdings auch Vorbilder haben, die uns fehlen.

(B. Beleuchtung . . .)

C. Polychromie.

Es ist dies unzweifelhaft fast die wichtigste noch zu lösender Fragen. Es ist unzweifelhaft, daß in unseren gothischen Kirchen, wie noch mehr in den älteren romanischen, die Farbe zur Unterstützung der Formen mehr oder weniger verwendet wurde. Völlige Uebermalung kam allerdings nur selten vor, wenn die Farbe nicht etwa zur Verdeckung der Fehler des Materials verwendet wurde. Die Regel in deutschen Kirchen war, daß Gewände, Pfeiler, Bögen u.s.w. im Großen u. Ganzen die Farbe des natürlichen Materials, des Hausteins, der Ziegel u.s.f. nicht verdeckte, daß dagegen geputzte Theile, wie Gewölbekuppen, Bogenleitungen, Friese, Nischen etc. gemalt wurden. Wo ganze Wandflächen geputzt wurden, wie durchgehend beim Bruchsteinmauerwerk, da wurden auch diese mehr oder weniger farbig geschmückt, was auch in Bezug auf einige Architekturtheile geschah, die man mehr hervorheben wollte und daher reicher schmückte, wie Bogenzwickel, Kapitäle, Gewölbepunkte u. dergl. Absätze. Auch am Kölner Dom fand das statt. Wände, Pfeiler pp. zeigen auch hier im allgemeinen den Haustein ohne Putz u. Malerei. Dagegen waren die Bogenzwickel, Chorumschließungen, Blattkapitäle pp. bemalt u. theilweise vergoldet. In dieser Weise wird es auch ferner zu halten sein, resp. zu erneuern. Ich bemerke dabei noch, daß die in den Bogenzwickeln des hohen Chores vorgefundenen Malereien in Form u. Farbe wesentlich von den jetzigen modernen verschieden waren, indem die musicirenden Engel hier sehr zierlich gebildet waren und daher die Größenverhältnisse des Gebäudes vielmehr hervortreten ließen, als wie die jetzt viel zu kolossalen Figuren des modernen Künstlers. Sie dürften zweckmäßig im Schiff pp. zu erneuern sein. Auch die verdorbenen Malereien an den Chorschranken sind wieder herzustellen. Die Gewölbekuppen waren wie bei allen mittelalterlichen Bauwerken geputzt u. konnten dann bemalt werden. Es ist ein entschiedener Fehler des Neubaues, daß man hier die Gewölbesteine sichtbar ließ u. trägt dies sehr zu der gerügten nicht guten Wirkung des Innern bei. Dieser Fehler ist wieder zu verbessern. (. . .)

Dokument Nr. 7

BODENBELAG
für den
DOM ZU KÖLN

Entwurf von Wilhelm Bogler, Architekt in Wiesbaden, und Friedrich Schneider, Dompräbendar in Mainz, September 1880.
(DBAK, Lit. X f. 1/9)

Vestigia ejus secutus est pes meus. Job 23, 11.
Seinen Fußstapfen folgte mein Fuß.

Der Ausbau der beiden Thürme des Kölner Domes bezeichnet einen neuen Abschnitt in dem hochsinnigen Unternehmen, welches sich die Vollendung dieses Heiligthums deutscher Kunst zum Ziele gesetzt hat. Nachdem die bekrönenden Kreuzblumen den himmelanstrebenden Steinriesen sind aufgesetzt worden. Aber nicht Alles ist damit geschehen. Im Aeußeren steht der Bau vollendet da; nunmehr gilt es, das Innere zu schmücken.

Alle Hindernisse, welche bislang die Wechselwirkung des wundersamen Raumes störten, sind gefallen: von der Vorhalle bis zur äußersten Kapelle im Osten schweift der Blick voll Staunen durch die gewaltigen Hallen des Gotteshauses. Wer fühlt sich da nicht tief ergriffen von der Größe und gehoben und befriedigt zugleich von der Gesetzmäßigkeit und dem Wohllaut der Verhältnisse, welche das Ganze durchziehen? Wirkt gleich der Bau durch die Schönheit seiner Maße, so entbehrt er doch Vieles, was die großen Akkorde der baulichen Verhältnisse begleiten sollte. Die reiche Durchbildung der einzelnen Bauglieder vom Sockel bis (zu) den blumengeschmückten Kapitellen und dem Rippenwerk der Gewölbe hinauf wird zwar durch das wechselnde Spiel des farbigen Lichtes erhöht, welches aus den zahlreichen Fenstern mit ihrem Bilderschmucke entgegenstrahlt, und wenn auch die Architektur ihrer eigenartigen Ausschmückung noch entbehrt, so wird dieser Mangel in dem gewaltigen Raume um so leichter übersehen, als nirgends große Flächen im Aufbau selbst vorhanden sind.

Ein Theil des Gebäudes dagegen ist bis dahin noch gar nicht bedacht und gerade jener, bei welchem vermöge seiner Ausdehnung nothwendig die völlige Schmucklosigkeit, ja Vernachlässigung am allermeisten störend in's Auge fällt: der Fußboden.

Es bedarf keiner Rechtfertigung, wenn die Herstellung einer künstlerischen, stilvollen Ausstattung des Fußbodens für den Kölner Dom als unumgängliche Pflicht vorausgesetzt wird. Vielmehr kann es nur darum sich handeln, in welcher Weise die Lösung dieser Frage anzustreben sei; denn wie die Vollendung der Thürme eine Leistung ist, wie sie der Baukunst bis jetzt nicht sich geboten hatte, so ist die einheitliche Herstellung des Bodenbelags für den Kölner Dom eine Aufgabe, für deren Lösung weder die alte Kunst ausreichende Muster bietet, noch die Neuzeit Parallele(n) geschaffen hat.

Muß einerseits die Größe der Aufgabe fast zurückschrecken, so spornt sie dennoch auch zu thatkräftigem Versuch, jede Mühe einem Werke zu widmen, welches als die Krone vaterländischer Kunst und das Heiligthum der Nation der höchsten Bestrebungen werth ist.

Was nun die Gesichtspunkte betrifft, welche bei Aufstellung des Planes für den Bodenbelag des Domes maßgebend waren, so wollen dieselben sich an jene Gedanken anlehnen, welche der Kunst des germanischen Mittelalters zu Grunde liegen: in wie weit Beispiele ähnlicher Aufgaben erhalten sind, wurden dieselben zu Rath gezogen; in so weit dies jedoch nicht der Fall war, sollte treues Eingehen auf die Anschauungen der mittelalterlichen Kunst den Leitfaden für die erforderlichen Ergänzungen abgeben.

Wie bereits angedeutet, hat uns die Vergangenheit nicht ein einziges Beispiel von künstlerischer Bodenausstattung überliefert, welches nach Zeitstellung, Stil und Umfang der hier vorliegenden Aufgabe gleich käme, oder sie auch nur von fernhin erreichte. Es erscheint darum angezeigt, die Grundlinien des Entwurfs auf gemeingültige Gesichtspunkte zurückzuführen.

Wie nämlich im Aufbau der mittelalterlichen Architektur allgemeine Maßverhältnisse sich mit bestimmten Gliederformen schmückenden Zuthaten in gesetzmäßiger Weise zu einem geschlossenen Ganzen verbinden, so muß auch der Bodenbelag für eine Kathedrale wie der Kölner Dom nach ähnlichen mit den baulichen und ornamentalen Grundsätzen der Architektur übereinstimmenden Gesichtspunkten angeordnet werden. Unsere Dome haben nun aber über jene allgemeinen Maßverhältnisse und Zierglieder hinaus allenthalben Darstellungen symbolischer und geschichtlicher Art sowie der Heilslehre entnommener Stoffe aufzuweisen und zeigen durch Verbindung von Gegenständen der irdischen Schöpfung mit jenen der unsichtbaren Welt, von Momenten aus der Profan-Geschichte mit biblischen Thatsachen, von symbolischen Bildern und Lehren des Christenthums den Zusammenhang der irdischen Welt mit ihrem einstigen Ziele, kurz die Thatsache der Leitung und Führung des Menschengeschlechtes zu seiner einstigen Vollendung durch Christus in Gott in den Gebilden der Kunst. Dem entsprechend muß nun auch einem räumlich so ausgedehnten Theil des Gebäudes, wie es thatsächlich der Boden ist, an jenem Reichthum von Formen und Gedanken ein bestimmter Antheil zugewiesen werden. Dem Bodenbelag kommt darum ebensowohl linearer, wie farbiger, als ornamentaler und selbst figürlicher Schmuck zu.

Da bezüglich des letzten Punktes vielleicht Einrede erhoben werden könnte, so sei hier nur so viel bemerkt, daß ebenso wie die antike Kunst, so auch die mittelalterliche in ihren Anfängen wie zur Zeit ihrer Blüthe die Anwendung von figürlichem Schmuck und insbesondere von Darstellungen religiöser Art in der Ausstattung des Fußbodens kannte und vielfach übte. Was aber von etwaigen Verboten durch kirchliche Satzungen dagegen angeführt werden kann, ist in anderen Fällen aber nicht von allgemein bindender Kraft und thatsächlich durch die entgegenstehende Uebung aufgewogen. Das Wichtigste ist eben hier wie überall, daß die Darstellungen mit Rücksicht auf die Stelle gewählt und in einer Weise ausgeführt seien, wie sie die Eigenart des Materials bedingt.

Bei dem Entwurf war die Gliederung des Baues mit Rücksicht auf die Bestimmung seiner Räume vor allem maßgebend. Innerhalb dieses Rahmens bot die Anordnung des Aufbaues bestimmte Anlehnungspunkte, so daß ein gewisser Zusammenhang zwischen der Zeichnung des Bodens und dem architektonischen Grundgedanken zum

Ausdruck gebracht werden wollte. Es ergab sich daraus zunächst eine geometrische Theilung der Räume in Anschluß an die überdeckenden Glieder des Baues, an die Pfeiler und die Gewölbebildung: es sollte die Gesetzmäßigkeit des Aufbaues sich bis zu einem gewissen Grade in der großen Zeichnung des Bodens wiederspiegeln; aber so wenig das Spiegelbild greifbare Formen hat, so wenig sollte auch hier ein sklavischer Anschluß beabsichtigt sein.

Bei der mächtigen Ausdehnung der Räume wäre eine lediglich lineare und ornamentale Ausstattung des Bodens von ermüdender Eintönigkeit; es mußte daher die Möglichkeit figürlicher Darstellungen mit einbeziehen zu können, mit Freuden aufgenommen werden. Der Gedanke, welcher hier zu Grunde zu legen war, ergab sich unter Berücksichtigung der mittelalterlichen Bilderreihen in ganz naturgemäßer Weise.

Als bestimmt unterschiedene Glieder des Gebäudes kennzeichnen sich Vorhalle, Schiff und Chor des Domes.

Wie im plastischen Schmucke der Portale Christus als Wegzeiger und Mittler erscheint, um die Berufenen zur ewigen Anschauung Gottes zu führen, so soll auch der Boden in großen Zügen die Spuren Gottes in der Geschichte der Führung der Menschheit zeigen. Der Eintretende soll gewissermaßen im Bilde durchlaufen, was die Menschheit durchmessen in der Folge der Jahrhunderte; er soll aus schlichten Umrissen die Führung der Menschheit zu Christus, ihrem Heilande ersehen und selbst dadurch an das Ziel erinnert werden, dem er entgegen zu streben hat.

In der Vorhalle beim Eintritt durch's Mittelportal ist der Grundriß des Domes in übersichtlicher Größe wiedergegeben. Wie im Mittelalter seltsame Naturgebilde in der Vorhalle Platz fanden und so die Achtsamkeit der Eintretenden durch erstaunliche Dinge gefesselt wurde, so soll hier dem Beschauer die Grundform des mächtigen vielgliedrigen Gotteshauses vor Augen geführt, sein Sinn erhoben und mit der Anordnung des Heiligthums vertraut gemacht werden. Zugleich ist der Grundplan Vorbild der Kirche Gottes, in welche einzutreten Alle berufen und, worin namentlich das Sakrament der Wiedergeburt, die Taufe gespendet wird, durch welches die verschlossenen Himmelspforten sich dem Menschengeschlechte wieder öffneten.

In Verbindung damit stehen die Darstellungen in den beiden Thurmhallen zur Seite. In der südlichen Halle umgeben die Thiere der Schöpfung den Pfeilerbündel. Die Schöpfung des Menschen, die Versuchung durch die Schlange, die Strafrede Gottes an die gefallenen Stammeltern und die Vertreibung aus dem Paradise reihen sich um den architektonischen Mittelpunkt.

In der nördlichen Halle ist am Mittelpfeiler ein Brunnen vorausgesetzt, um dessen Fuß die Allegorie der vier Paradisströme gedacht ist. Der Brunnen liefert die Materie der Taufhandlung; das Wasser ist das Element der Wiedergeburt zur Gnade, und so schließen sich an den Brunnenquell jene Momente im Alten Bunde an, welche die Rettung des Menschengeschlechtes vorbilden: da ist Noah, der aus den Wasserfluthen gerettet hervorgeht, wie auch die Israeliten das rothe Meer zu ihrer Rettung durchschreiten; die Kundschafter gehen über den Jordan und bringen die üppigen Erzeugnisse des gelobten Landes zurück; Naaman, der Syrer, endlich steigt heil aus den Fluthen des Jordan.

Die Verheißung des Erlösers, welche sich unmittelbar an den Fall des Menschen knüpfte und in der Rettung von Noah und den Seinen ihre erste Bestätigung fand, ward wiederholt erneuert in jenen großen typischen Gestalten des Alten Bundes, die in immer klareren Umrissen Natur und Beruf des kommenden Messias dem auserwählten Volke zeigten. Die großen Führer auf dem langen Wege zu Christus sind in der ganzen Ausdehnung des Mittelschiffes dargestellt: Joseph, der Schützer und Erretter seiner Brüder, Moses, der Führer und Gesetzgeber seines Volkes, Bileam, der den Erlöser unter dem Bilde des Sternes aus Jacob weissagt, Samson, der sein Volk von den Drängern befreit, David, der mit der Uebertragung der Bundeslade das Volk zum Dienste und Lobe Gottes anleitet, endlich Salomon, der das Heiligthum Gottes unter seinem Volke mit Opferdienst einweiht.

In dem weiten Gottesbau kreuzen sich zwei Richtungen, die der Länge mit jener der Breite. Die Führung Gottes in der Geschichte zeigt gleichfalls zwei Wege, jenen seines auserwählten Volkes und jenen welchen die Heidenwelt zu durchlaufen hatte. War das Mittelschiff den Typen des alten Bundes bestimmt, so ist das Querschiff der angemessene Raum die Vertreter der Heidenwelt, ihrer Stämme, wie ihres Wissens aufzunehmen; denn auch sie stand unter der Leitung Gottes, und die zerstreuten Samenkörner himmlischer Weisheit blieben bei ihnen nicht ganz ohne Frucht. Im nördlichen Kreuzarme sind darum die hervorragendsten Völker des Alterthums vertreten und zwar nach jenen Besonderheiten, durch welche sie in dem Heilsplane Gottes besonders ausgezeichnet sind: die Aegypter mit dem Glauben an die Unsterblichkeit und die Auferstehung, die Babylonier, deren Kenntniß der Himmelskörper ihnen die Weisheit Gottes lehrte und den Eintritt des Erlösers in die Zeit ahnen ließ, die Griechen durch ihre Philosophie, die Römer als Besitzer der Weltherrschaft, die sie an das Reich Christi abtreten sollten.

Was aber in der Geschichte ganzer Völker angedeutet liegt, sprach das Alterthum auch durch den Mund Einzelner in geheimnißvollen Orakeln aus: die durch das ganze Mittelalter bekannten Sybillen finden darum im Anschluß an die Völker des Alterthums ihre Stelle im südlichen Kreuzarme.

Gleich den Linien der Architektur schließen sich die Bezüge auf Christus unter der Vierung des Baues in jenem geheimnißvollen Stern zusammen, welcher der Erscheinung Christi vor der Heidenwelt vorausging. Jene ehrwürdigen Vertreter der großen Völkerfamilie der alten, deren Name mit dem Dome in so inniger Verbindung steht, waren seinem Glanze gefolgt und hatten den Weg zum Erlöser gefunden: der Stern der Weisen ist das leuchtende

Zeichen am Himmel der Zeiten, daß Christus erschienen; das Abbild dieses Sternes ist darum in den Mittelpunkt des Domes gesetzt. Es sei hier das erste Ziel aller jener, die das Gebäude beschreiten; es deute ihnen auf den Erlöser, wie es die heil. Dreikönige zu ihm geführt.

Gleich den Sternen, die vor dem aegyptischen Joseph, dem Vorbilde Christi, sich neigten, sind die Zeichen des Thierkreises um das Sternbild des neugeborenen Messias gereiht: die Wunder des Himmels erzählen die Herrlichkeit des unter dem Stern der Weisen vorgebildeten Lichtes aus Osten.

Den machtvollen Pfeilern entsprechen in den Ecken unter der Vierung jene geheimnißvollen Gestalten, unter welchen der Prophet Ezechiel die Vollkommenheiten des Erlösers vorgebildet sah: im Bilde des Stieres die sühnende Kraft seines Opfers, im Löwen die königliche Würde und unüberwindliche Stärke, im Adler die Göttlichkeit seiner Natur und im Menschen die Menschenfreundlichkeit und die Erhebung des Menschen zur Gottähnlichkeit.

Mit dem Chore beginnt, wie das Heiligthum der Kirche, so im Bildschmucke des Bodens das Reich der Gnade, die Verwirklichung und Zuwendung der Erlösungsgnade. In den großen Parabeln des Evangeliums lernen wir die Heilsabsichten des Erlösers im einzelnen kennen: der Sämann zeigt die Mittheilung der Gnade an alle Völker; der Pharisäer und der Zöllner künden die Gott wohlgefällige Gesinnung; die klugen und thörichten Jungfrauen den rechten Gebrauch der Gnade; die Parabel vom Waizen und Unkraut die Scheidung nach Verdienst und Lazarus in Abraham's Schooß den Lohn des Gerechten.

Der Inbegriff der Güte und Menschenfreundlichkeit des Erlösers, die sich in den Sakramenten der Versöhnung und Liebe offenbart, ist in den Bildern des verlorenen Sohnes, des guten Hirten und des barmherzigen Samariters ausgedrückt, die zwischen den seitlichen Zugängen zu dem Chore sich über die ganze Breite des Heiligthums hinziehen und den Zutritt zu dem Throne der Gnade vermitteln.

In dem Hochchore endlich breiten sich vor den Stufen des Altars des neuen und ewigen Bundes die alttestamentlichen Gestalten von Abel, Abraham und Melchisedech aus, deren geheimnißvolle Opfer Wesen und Art des Opfers Christi am Kreuz und in seiner Fortdauer im Sakrament des Altars vorherkündeten und sinnbildeten.

Wie in dem Chorhaupte die Linien des Baues zusammenlaufen und sich zu geschlossener Einheit verbinden, so zielen auch alle Rathschlüsse Gottes auf das große Werk der Versöhnung durch Christus und in Christus.

Mit der Stätte des Opfers hat die Bildreihe des Bodens auch ihr Ziel erreicht.

In dem Gedanken des eucharistischen Opfers sollen die Akkorde ausklingen, die in den mannigfachen Typen innerhalb des mächtigen Gotteshauses zum Ausdrucke kamen: sie alle künden, daß Christus der Weg ist und die Wahrheit, und daß er in seiner Kirche das Leben der Gnade und einst der Herrlichkeit Allen spendet, die seinen Pfaden gefolgt sind.

Dokument Nr. 8

(DBAK, Lit. X g I/3)

Zwischen dem Dombaumeister, Königlichen Geheimen Regierungsrath Voigtel einer – und dem ersten Direktor des Germanischen Museums Dr. Essenwein zu Nürnberg andererseits ist unter Vorbehalt der Genehmigung des Königlichen Oberpräsidenten der Rheinprovinz nachstehender Vertrag verabredet und beschlossen worden.

§ 1

Herr Direktor Dr. Essenwein zu Nürnberg übernimmt die Anfertigung der Farbenskizzen sowie der Cartons in natürlicher Größe, zur Beflurung des Chors, des Chorumgangs, den Chorchapellen, wie die Kreuzvierung im Dom zu Coeln auf Grund des von dem Metropolitankapitel zu Coeln unter dem 16. Juni 1884 vorgelegten Programms, welches vorläufig in großen Zügen die Ideen angibt, die in monumentaler Weise in dem Bodenbelage der bezeichneten Theile des Doms zu Coeln zum Ausdruck zu bringen sind. Es bleibt daher die Aufgabe des auszuarbeitenden generellen Entwurfs, diesen in dem Programm vom 16. Juni 1884 ausgesprochenen Grundgedanken eine Form zu geben, wie sie den Traditionen der christlichen Kunst und der Erhabenheit des Gotteshauses entspricht.

§ 2

Bevor daher eine Ausführung des Cartons in natürlicher Größe zu den einzelnen bildlichen Darstellungen in Angriff genommen werden kann, übernimmt Herr Direktor Dr. Essenwein die Ausarbeitung dieses generellen Entwurfs für die Ornamentierung des Fußbodenbelags in den vorgenannten Teilen der Domkirche, in einem Maßstabe dessen Größe die Gesamteinteilung der Bodenfläche im Friese Medaillons und Füllungen etc. genau erkennen läßt.

Auf der Farbenskizze ist die Polichromie des auszuführenden Bodenbelags durch Farben zur deutlichen Anschauung zu bringen. Sollten bei Anfertigung der Farbenskizze sich aus ästhetischen, symbolischen oder pekuniären

Rücksichten wesentliche Änderungen gegen die Bestimmungen des Programms vom 16. Juni 1884 als nothwendig ergeben, so sind diese Abänderungen in einem Erläuterungsberichte zur Farbenskizze näher anzugeben.

Herr Direktor Dr. Essenwein verpflichtet sich, gleichzeitig mit der Farbenskizze des generellen Entwurfs einen Kostenanschlag zu übergeben, der die Gesamtkosten der Beflurung des Chors und der Kreuzvierung auf Grund der bei der Plattung der Frauenkirche zu Nürnberg ermittelten Einheitspreise feststellt. Sollte sich bei Anfertigung des Kostenanschlags der Kostenaufwand für die Ausführung der ornamentierten Beflurung im Chor und in der Kreuzvierung auf eine höhere Summe als 123000 Mark ergeben, so sind angemessene Vereinfachung der Ornamentierung namentlich im Chorumgange vorzunehmen, event. ist bei der Auswahl des im Chorumgange zu verwendenden Platten-Materials eine minder kostbare Steinsorte zu wählen. Jedenfalls darf der aus dem Dombaufond einschließlich der Kosten für Farbenskizzen und Anfertigung der Cartons in natürlicher Größe zu gewährende Kostenbetrag die Summe von 133000 Mark nicht überschreiten.

Während für die in den Stein eingehauenen und mit Asphalt ausgefüllten Umrisse der bildlichen Darstellungen sich bei der Ausführung des Fußbodens der Frauenkirche zu Nürnberg angewandte Technik als zweckentsprechend und solide erwiesen hat, fehlen für die beabsichtigte Anwendung von Blei und farbigem Cementkitt als Ausfüllungsmaterial bis jetzt die nöthigen Erfahrungen und übernimmt daher Herr Direktor Essenwein gleichzeitig mit Übergabe der Farbenskizze und des Kostenanschlags und gegen Erstattung der Herstellungskosten die Anfertigung einer Anzahl von Probeplatten, auf denen die Intarsien mittels Ausfüllung der Umrisse durch Blei resp. farbigen Cementkitt hergestellt sind, um einen sicheren Anhalt über die malerische Wirkung, wie über die Haltbarkeit dieser Ausfüllungsmaterialien vor Inangriffnahme der Beflurungsarbeiten zu gewinnen.

Da für die Ornamentierung des Fußbodens in dem Programme vom 16. Juni 1882 außer den Platten von weißem Marmor resp. gelblichen (sic) Sohlenhofer Stein, in welche die Umrisse der bildlichen Darstellungen einzuhauen sind, auch bunte Mosaikbilder, desgleichen Marmor und andere Steinsorten für Friese und Füllungen in Aussicht genommen sind, so müssen auf der Farbenskizze die zu verwendenden Steinsorten genau bezeichnet sein, auch sind die Preise für die verschiedenen in Anwendung zu bringenden Steinsorten im Kostenanschlag unter Angabe der Quadratflächen in Ansatz zu bringen.

Die Farbenskizze zu dem Gesamt-Entwurfe nebst Erläuterungsbericht und Kostenanschlag sind vor Anfertigung der Cartons der Dombau-Verwaltung zu übersenden behufs der Einholung der Zustimmung der kirchlichen Behörden bezüglich der Liturgik und Symbolik der bildlichen Darstellungen. In bezug auf die künstlerische und ästhetische Anordnung des Gesamtentwurfes bleibt die Genehmigung der höheren technischen Behörden einzuholen. Herr Direktor Dr. Essenwein erklärt sich bereit alle, sowohl von der Dombau-Verwaltung, wie von den kirchlichen Behörden gewünschte(n) Abänderungen an der Farbenskizze, mögen dieselben die Zeichnung und künstlerische Anordnung oder die Symbolik betreffen, vorzunehmen und die Cartons in natürlicher Größe dementsprechend anfertigen resp. abändern zu lassen.

§ 3

Die Cartons in natürlicher Größe auf starkem, dauerhaftem Papier aufgetragen, müssen alle figürlichen Zeichnungen, die in den Stein einzumeißeln sind, alle farbigen Mosaiken unter Angabe der Farben, die gesamte Ornamentik der Friese und Füllungen, sowie alle sonstigen Details des Fußbodenbelags im Chore und der Kreuzvierung in deutlicher Zeichnung enthalten, so daß diese Cartonzeichnungen in natürlicher Größe bei der Ausführung unmittelbar auf den Stein übertragen werden können, und bei den Entwürfen für die farbigen Mosaik-Medaillons ein genauer Anhalt für die Technik der Mosaikarbeiten gegeben wird. Die Übergabe der General-Maße des Fußbodens des Domchors und der Kreuzvierung an Herrn Direktor Dr. Essenwein Seitens (sic) der Dombau-Verwaltung erfolgt bei Abschluß des Vertrages. Genauere Detail-Aufnahmen für die Cartonzeichnungen werden auf Erfordern des Herrn Dr. Essenwein von der Dombau-Verwaltung demnächst gefertigt und zugesendet.

Insofern für die Beflurung des Lang- und Querschiffes im Cölner Dome, für welche die Pläne bisher nicht definitiv genehmigt sind eine Ausfüllung der Flächen zwischen den Granitplatten mittelst ornamentierter Friese vorgeschrieben werden sollte, erklärt Herr Dr. Essenwein sich bereit, geeignete und stylgemäße Ornamentmuster in natürlicher Größe und in wechselnden Formen unentgeltlich für diese eventl. in Marmor-Mosaik von C. H. M a s c h a in Dresden auszuführenden Friesfüllungen zu fertigen, um eine Übereinstimmung der Ornamentik zwischen Langschiff und Chor zu erzielen.

Bei Ausführung und Übergabe der Cartons in natürlicher Größe ist thunlichst Sorge zu tragen, daß für einzelne Teile des Fußbodens stets die Cartons vervollständigt werden, so daß die Ausführung sofort und ohne Unterbrechung geschehen kann.

§ 4

Herr Direktor Dr. Essenwein verpflichtet sich, die Farbenskizze des Gesamt-Entwurfs nebst Kosten-Anschlag, desgleichen einen Erläuterungsbericht (für den Fall, daß Abänderungen des Programms vom 16. Juni 1884 sich bei der Ausarbeitung des Projectes als notwendig ergeben sollten), desgleichen die in § 2 erwähnten Probeplatten bis zum 1. Juli 1885 fertig zu stellen und der Dombau-Verwaltung zu übergeben.

Für die Ablieferung der gesamten Carton-Zeichnungen in natürlicher Größe zur Ornamentik der Beflurung im

Domchore und in der Kreuzvierung wird als Schlußtermin der 1. Juli 1886 vereinbart und festgesetzt.

Sollten von Seiten der Dombau-Verwaltung oder des Metropolitan Dom-Capitels nach Vorlage der Farbenskizze Abänderungen bezüglich der Technik oder Symbolik in Vorschlag gebracht werden, welche die sofortige Inangriffnahme der Cartons behinderten, so wird vereinbart, daß die Ablieferung der sämtlichen Cartons in natürlicher Größe „ein Jahr" nach Übergabe der definitiven Entscheidung über die Gesamt-Anordnung der Beflurung im Chore und in der Kreuzvierung geschehen muß.

§ 5

Für den Fall, daß Herr Direktor Dr. Essenwein mit der Ablieferung der Farbenskizze, wie der Cartons in natürlicher Größe über einen der in § 4 genau bezeichneten Schlußtermine hinaus in Rückstand bleiben sollte, oder die gemäß § 2 evtl. vorbehaltenen Abänderungen der Farbenskizze und des Gesamt-Entwurfes innerhalb 3 Monaten von Herrn Direktor Dr. Essenwein nicht zur Ausführung gebracht werden sollten, so steht es der Dombau-Verwaltung frei, von dem Vertrage zurückzutreten und der Rest von Herrn Direktor Dr. Essenwein nicht rechtzeitig oder vertragsmäßig gefertigten Entwürfe zu der ornamentierten Beflurung des Domchors und der Kreuzvierung anderweitig in Auftrag zu geben.

§ 6

Die sämtlichen auf Grund des Vertrages eingesandten Farbenskizzen, Entwürfe und Cartons in natürlicher Größe, bleiben Eigenthum der Dombau-Verwaltung und dürfen ohne Genehmigung derselben keinerlei Copien davon gefertigt resp. zu anderen Zwecken verwendet werden.

§ 7

Als Honorar für die Anfertigung des Gesamt-Entwurfes und der Farbenskizze, auf Grund des Programms vom 16. Juni 1884 zu der ornamentierten Beflurung des Domchors, bestehend aus Presbyterium, Chorumgang und Chorkapellen, wie der Kreuzvierung, sowie für den mit der Farbenskizze gleichzeitig zu übersendende Kostenanschlag und Erläuterungsbericht desgleichen für die Anfertigung der Probeplatten, ausschließlich der Herstellungskosten erhält Herr Direktor Dr. Essenwein die Summe von 1800 Mark geschrieben: „Achtzehnhundert Mark".

Für die vertragsmäßige Anfertigung der Cartons in natürlicher Größe zu den figürlichen und ornamentalen Theilen der Steinintarsien, zu den farbigen Mosaiken und Ornamenten jeder Art sind die nachstehend bezeichneten Honorare verabredet und vereinbart:

1) Für die Cartons zum Presbyterium des Domchors: 2800 Mark
2) Für die Cartons zu dem Umgange des Domchors: 3000 Mark
3) Für die Cartons zu den Chorkapellen: 1400 Mark
4) Für die Cartons zur Kreuzvierung: 1000 Mark

oder zusammen für die Anfertigung sämtlicher Cartons in natürlicher Größe zur ornamentierten Beflurung des Domchors und der Kreuzvierung „8200 Mark" geschrieben: „Achttausend zweihundert Mark".

Herr Direktor Dr. Essenwein übernimmt gegen Zahlung des Honorars von 8200 Mark für die Anfertigung der Cartons in natürlicher Größe gleichzeitig die unentgeltliche Überwachung der Technik bei Ausführung der Intarsien und Mosaik-Medaillons unter Benutzung und Verwerthung der bei Herstellung der Beflurung der Frauenkirche zu Nürnberg gemachten Erfahrungen.

§ 8

Die Zahlungen an Herrn Direktor Essenwein erfolgen bei portofreier Ablieferung der Farbenskizzen, wie der sub N 1 bis 4 vorstehend bezeichneten Cartonzeichnungen für die einzelnen Theile der Beflurung-Chors und der Kreuzvierung auf Grund der in duplo einzureichenden und von dem Dombaumeister zu revidierenden Rechnungen durch die Königliche Regierungs-Haupt-Kasse zu Coeln.

§ 9

Herr Direktor Dr. Essenwein wählt sein Domizil in Coeln Rechtschule Nr. 2, wohin alle Zustellungen bei eventl. gerichtlichen Entscheidungen zu richten sind, und verpflichtet sich zur portofreien Zusendung aller auf die Ausführung des vorstehenden Vertrages bezughabenden Zeichnungen und Correspondenzen, auch übernimmt derselbe die Zahlung der auf Grund des vorstehenden Vertrages zu entrichtenden Stempelkosten.

§ 10

Hierauf ist vorstehender Vertrag von beiden contrahierenden Theilen genehmigt, in zweifacher Ausführung unterschrieben, und soll Jedem nach erfolgter höherer Genehmigung ein Exemplar des Vertrages zugestellt werden.

Coeln, den 4. Februar 1800 Fünf und Achtzig.

<table>
<tr><td align="center">Der Dombaumeister
Geheime Regierungsrath Voigtel
V O I G T E L</td><td align="center">Der erste Direktor
des Germanischen Museums Dr. Essenwein
E S S E N W E I N</td></tr>
</table>

466

Dokument Nr. 9

Aus: Kölnische Volkszeitung, Nr. 151, vom 3. Juni 1885, Drittes Blatt, S. 1.

S(chnütgen:) Der Bodenbelag des Kölner Domes,
seit Jahren ein bevorzugter Gegenstand öffentlicher wie privater Erwägungen und Unterhandlungen, gewinnt um
so größeres Interesse, je mehr die endlich für ihn festgestellten Projecte Aussicht bieten, in die That übersetzt zu
werden. Daß auch in demselben Maße die Vorschläge, namentlich die technischen, in Bezug auf ihn sich mehren,
kann nicht auffallen, noch weniger, daß unter diese auch ganz absonderliche und abenteuerliche sich mischen. So
meldete vor kurzem ein benachbartes Blatt, daß eine größere Glasfabrik beabsichtige, den Boden musivisch herzustellen aus „gepreßten bunten Glasstücken", die vor den Mettlacher Plättchen nicht bloß den Vorzug der Härte hätten, sondern auch „größerer Farbenpracht und Durchsichtigkeit". Wir möchten nur wissen, was durch d i e s e s
Kaleidoskop zu sehen sein soll, aber auch betonen, daß die größtmögliche Farbenpracht durchaus nicht dem
Zweck des Fußbodens entspricht. Wir stimmen zwar keineswegs mit Jenen überein, die den Boden ganz einfach im
Colorit, fast farblos, behandelt wissen wollen als „neutrales" Gebiet, sind vielmehr vollkommen überzeugt, daß
auch er, obwohl der untergeordnetste Theil des Ganzen, in den farbigen Rhythmus einzutreten habe, der von den
glühenden Fenstern ausgeht, in den die Wände des Hochchores, so gering sie auch an Umfang, von Beginn an ein-
stimmten, und dem auch die übrigen Wandflächen und selbst die Möbel sich nicht werden entziehen dürfen,
sobald überhaupt die innere Ausstattung des Domes, zu der bereits so viele Vorarbeiten vorhanden sind, in Angriff
genommen wird. Jeder dieser Theile aber hat an der farbigen Wirkung je nach seiner Bedeutung Theil zu nehmen,
also der Fußboden in der Unterordnung unter alle übrigen. Aber auch der Fußboden selber zerfällt wieder, wenn
wir so sagen dürfen, in verschiedene Würdezonen. Das Langhaus repräsentirt die geringste derselben, und in ihm
tritt er in den Seitenschiffen hinter den des Mittelschiffes zurück. Die Vierung bezeichnet als Uebergang zum Chor
schon einen höhern Grad, und in dem Hochchor wird der farbige Decor in demselben Maße zuzunehmen haben,
als er dem Hochaltar, dem Thron des Allerhöchsten, sich nähert, während der Schmuck in dem Chor-Umgang und
in den Chor-Kapellen wiederum hinter ihm zurückbleiben muß. Dieser Fundamentalgrundsatz für die Steigerung
der Farbe wird stellenweise eine gewisse Einschränkung erfahren dürfen in Bezug auf solche Partieen des Bodens,
die eine besondere Betonung erheischen, also auch coloristisch markirt werden müssen.
Diese farbige Markirung ist freilich nur eine Art von Ergänzung für die figurale, wie die Farbe vorwiegend den
Zweck hat, diese zu unterstützen. Wie nämlich im Gotteshause, zumal in dem durch Größe und Pracht ausgezeichneten, alles Träger eines bestimmten Gedankens sein soll, der so weit als möglich an ihm zum künstlerischen Ausdruck gelangen muß, so darf auch der Boden nicht auf den zuständigen Gedankenkreis verzichten, daher auch
nicht auf die Darstellungen, welche ihn zu illustriren geeignet sind. Für unsern Dom wäre dieser Verzicht am
wenigsten angebracht bei seiner Erhabenheit und Herrlichkeit, bei seiner Geschichte und seinen Schicksalen, bei
seiner Bedeutung endlich als die Mutterkirche einer so umfassenden und historisch so bevorzugten Diöcese, auch
als die Grabstätte der heiligen drei Könige, denen auf ihrer Heimkehr von der Krönung (in Aachen) die deutschen
Kaiser ihre Huldigung und ihre Opfer darbrachten, in der Regel auch ihren Ehrensitz im Chor auf der Epistelseite
einnehmend, dem auf der Evangelienseite der des Papstes entsprach. Nüchternheit und Gedankenarmuth sollten
sich am wenigsten des Domes bemächtigen!
Es erregte daher großes Befremden, als es hieß, für den Dom sei eine ganz einfache, nur geometrisch gemusterte
Beflurung in Aussicht genommen, und es bedurfte nur des richtigen Blickes, um die Aufmerksamkeit auf denjenigen hinzulenken, der vor Allen berufen ist, hier mitzuwirken.
Das Domcapitel hat das Verdienst, auf den Director des Germanischen Museums, den auch in Köln um die innere
Ausstattung von St. Maria im Capitol, St. Gereon und theilweise auch von St. Martin hochverdienten Dr. E s s e n -
w e i n, hingewiesen zu haben. Auf Grund des natürlich skizzenhaften Entwurfs, den er zunächst auf Veranlassung
des Domcapitels für den Bodenschmuck der Vierung, des Hoch-Chores, des Chor-Umganges und der Kapellen angefertigt hat, ist im Auftrage des Ministeriums zwischen ihm und der Dombau-Verwaltung der vorläufige Vertrag
abgeschlossen worden, als dessen Frucht bereits zahlreiche Cartons vorliegen. Daß dieser reiche Plan Zustimmung
gefunden hat, freut uns viel zu sehr, als daß wir über die höchst einfache Behandlung, welche dem Langhause wi-
derfahren soll, uns ereifern möchten. Auch dieser ist definitiv festgestellt, sogar bereits an die betreffenden Unternehmer vergeben, und es hat daher keinen Zweck mehr, Kritik an ihm zu üben. Er soll aus Obernkirchener Sandsteinplatten gebildet werden, deren Felder durch die Pfeiler, mit einander verbindende rothe Granit- und
dunkelgrüne Syenit-Streifen eingefaßt werden.
Schwierig wird es für den Urheber der Chor-Entwürfe sein, den Belag der Vierung, mit dem der Gedanke beginnen
soll, so zu gestalten, daß er mit dem des Langhauses nicht allzu sehr contrastirt und doch auch zu dem des Chores
angemessen überleitet. Der Stern der h. drei Könige, deren Gebeine in der Vierung des alten Domes hier ihre erste
Ruhestätte fanden, soll dieses große quadratische Feld beherrschen. Für diesen Stern sind als sinnvoller Mittel-
schmuck in Aussicht genommen der Wechsel der Zeiten durch die Darstellung der Sonne, der vier Mondphasen

und der zwölf Thierkreisbilder, als Umfassungszier die Andeutung der vier Hauptgegenden und der vier Hauptwinde, als Zwickelmotiv die vier Elemente. Dieser Gedanke hätte seine Fortsetzung im Hoch-Chor zu finden, und zwar in den beiden breiten Friesen, die vor den Chorstühlen sich zu entfalten haben. Zwischen ihnen soll der Mittelgang die metallenen Grabplatten der hier bestatteten und noch zu bestattenden Erzbischöfe aufnehmen, deren Beisetzungsstätten ohnehin nicht genau von jenen bedeckt werden. Die Seitenfriese aber hätten auf der einen Seite mit der Darstellung der Erde (des festen Landes) zu beginnen, mit der des Meeres zu schließen, um zwischen sich die Hauptbeschäftigungen der Menschen: Ackerbau, Jagd, Gewerbe, Künste, Wissenschaften, Handel, Schifffahrt in sieben Medaillons illustriren zu lassen. Diesen würden auf der andern Seite die Darstellungen der verschiedenen Lebensalter: Kind, Knabe, Jüngling, Mann im Kampfe des Lebens, Mann in der Ehe, Mann in der Familie, Greis, ebenfalls in sieben Bildern entsprechen, die von dem Sinnbilde des Tages einzuleiten und mit dem der Nacht abzuschließen wären. Hier am Ende der beiden Friese hätte der Strom seinen Auslauf, der den Hochaltar rings umfließend und von seiner Mitte ausgehend, sich über die Stufen zu ergießen hätte, die ganze christliche Gemeinde um- und durchrauschend in der Personification der einzelnen Welttheile, Nationen, Länder, Städte, Stände u.s.w., die Gläubigen in Form von Fischen, die der Opfer- und Heil-Stätte zuschwimmen, umfassend und an das Heilsbedürfnis mahnend durch die Hirsche, welche begierig aus seinen Wassern trinken. Am meisten wäre hier die Gliederung der Menschen in Stände zu betonen, an deren Spitze, die Mitte einnehmend, die Vertreter der geistlichen und weltlichen Macht zu figuriren hätten, also Papst und Kaiser, hier in der unmittelbarsten Nähe ihrer historischen Ehrenplätze erst recht angebracht. Jenem hätten sich die kirchlichen Stände in ihrer Unterordnung: Cardinäle, Erzbischöfe, Bischöfe, Weltpriester, Ordensgeistliche, Bettelmönche, einzugliedern, jeder mit dem ihn auszeichnenden Embleme; diesem die Könige, Kurfürsten, Herzöge, Krieger, Bürger, Bauern, ebenfalls in ihrer herkömmlichen Charakterisirung. Sie Alle sind ja berufen, durch die von Gott eingerichtete Ordnung geheiligt und so für das ewige Heil vorbereitet zu werden, für den Himmel, dessen Widerschein, der Haupt- und Expositions-Altar, darum auch mit seiner nächsten Umgebung den Höhepunkt der Pracht zu bezeichnen hat. In einzelne Gruppen durch die Verzweigungen des Lebensstromes gesondert, würden diese Stände sich auch trotz ihrer Gemeinsamkeit zu selbständigen Bildern abrunden, und deswegen auf je einen Raum beschränken müssen, den das Auge ohne alle Schwierigkeit zu überschauen vermöchte.

Aus diesen großen allgemeinen Ideen hätte der in dem Boden niederzulegende Gedanke die insbesondere durch den Dom selbst und seine Geschichte vorgezeichnete Richtung zu nehmen, sobald er aus dem Presbyterium in den dasselbe umgebenden Umgang heraustritt. Hier haben viele um den Dom und seinen Klerus, um das Erzbisthum und seine Entwickelung hochverdiente Männer ihre Gräber gefunden, die nur zum geringen Theil durch Platten oder Inschriften noch bezeichnet sind. Einzelne von diesen Grabplatten sind so verletzt, daß sie nicht weiter verwendbar sind. Die noch hinreichend erhaltenen aber werden am besten an irgend einer andern Stelle des Domes, etwa im nördlichen Transept in die Beplattung aufgenommen, da sie an ihren ursprünglichen Stätten, in so weit sie diese überhaupt noch einnehmen, dem neuen Schmuck durch Größe, Gestalt und Material zu sehr widersprechen würden. Alle aber, deren Gebeine nachweislich hier ruhen, ja Alle, die in der Geschichte der Kathedrale einen sehr hervorragenden Rang behaupten, haben hier Anspruch auf Erwähnung, in erster Linie natürlich die Erzbischöfe, deren Mittelpunkt der Grundsteinleger Konrad v. Hochstaden bilden müßte, der 34 Vorgänger und 31 Nachfolger hat. Ihre Wappenkette hätte den Kern der ganzen Illustration zu bilden, die mit der in dem berühmten Hillinus-Codex (elftes Jahrhundert) der Dombibliothek noch erhaltenen Zeichnung des alten Domes gleich hinter dem linken Chorgitter anzufangen, in dem Conrad'schen Plane hinter dem Hochaltar ihren Mittel- und Glanzpunkt zu finden und mit dem Modell des vollendeten Baues gleich hinter der Christophorusstatue zu schließen hätte. Auf diese Weise würde der Chorumgang zu einer glänzenden Illustration der reichen und ruhmvollen Geschichte des Domes wie des Erzbisthums sich gestalten, und es fehlt dort nicht an Raum, um namentlich in den Einfassungsborten durch Inschriften, Namen und Jahreszahlen die denkwürdigsten Ereignisse dieser Geschichte lapidarisch zu fixiren. Die Heraldik, welche dem spätern Mittelalter so sehr geläufig war, würde durchaus geeignete und hinreichende Mittel bieten, um noch manche Gedanken einzustreuen, die in dem Fußboden ganz an ihrer Stelle wären, wie Erinnerungen an die Stifter und an die Dombaumeister. Sie würde auch Motive genug bieten, um in den Seitenschiffen des Chores, also vor dem Kreuz- resp. Muttergottes-Altar, die von der Geschichte des Erzbisthums nicht direct in Anspruch genommenen Partieen zu beleben. Die Stifter, Abteien, Klöster, Pfarreien der Stadt Köln, deren geistliche Bruder- und Genossenschaften, sogar deren Zünfte und Gewerbe, fänden dort in ihren Wappen die angemessenste Vertretung.

Bietet so der Chor-Umgang ein ausgiebiges Feld für die Skizzirung der Diöcesan-Geschichte, so wird der geringe Raum, den die Chorkapellen mit ihren Hochgräbern noch übrig lassen, zu ähnlichen Darstellungen weder nothwendig noch hinreichend und passend sein. Reiche geometrische Musterungen, durch phantastische Thiergestalten belebt und von Rankenwerk umzogen, erscheinen hier als der angemessenste Schmuck, und eine Ausnahme dürfte nur zu Gunsten der von ihrem schweren Roccoco-Einbau zu befreienden Mittel-Kapelle zu machen sein. Diese ist fast in allen andern gothischen Domkirchen der Mutter Gottes geweiht, hier aber ganz ausnahmsweise, und zwar von Anfang an, den h. drei Königen, deren Gebeine an dieser bevorzugten Stätte schon gleich nach der Consecration (1322) ihre Stätte fanden und bis zum Jahre 1864 behaupteten. Bekanntlich gehen die Meinungen darüber, wo sie endgültig aufgestellt werden sollen, auseinander, und es wird von der Lösung dieser Frage abhängen, ob diese Kapelle ihnen, die den ältesten Titel, oder der h. Jungfrau, die den allgemeinsten Titel darauf hat, gewidmet wird.

Dokument Nr. 10

(DBAK, Lit. X g I/25)

17. 1. 1887
Berlin
Gutachten zu dem Essenweinschen Entwurf zur Beflurung der Vierung und des hohen Chores im Dom zu Cöln, infolge
Sitzung der Akademie des Bauwesens vom 11. Januar 1887.
Von A. von Werner a. o. Mitglied der Akademie des Bauwesens.

Indem ich es unterlasse, auf die eine stylistische Seite des Entwurfs und des zur Ausführung des Fußbodens bestimmten Materials – welchen beiden Punkten ich nicht beipflichten kann – einzugehen, wende ich mich allein gegen die mir als Maler zunächst liegende Art der Verwendung Menschlicher Figuren in dem Entwurfe, gegen welche ich mich aus aesthetischen und prinzipiellen Gründen ganz entschieden aussprechen muß. Figürliche Darstellungen in der Weise, wie sie hier verwandt sind gehören nicht auf den Fußboden, und selbst gegenüber den Beispielen aus dem klassischen Alterthum (Alexanderschlacht) und der Renaissance (Dom zu Siena u. a.) scheue ich die Erklärung nicht, daß wir es hier mit Geschmacklosigkeit und aesthetischen Verwirrungen zu tun haben (unbeschadet des Kunstwerthes der betreffenden Darstellungen an sich), welche keinesfalls nachahmenswürdig sind. Der Dom zu Cöln erscheint mir als Werk der Baukunst zu hoch und zu vornehm, als daß er zum Tummelplatz für archäologische Spielereien gemacht werden sollte.
Die menschliche Figur kann sehr wohl als Ornament behandelt werden und dann auch, ebenso gut wie an anderen Theilen eines Bauwerks als ornamentaler Theil eines Mosaikfußbodens zur Verwendung kommen. In dem vorliegenden Entwurfe aber, sowohl in dem Theil des Fußbodens zwischen den Chorstühlen, als auch, und noch mehr in dem unmittelbar vor dem Altar gelegenen Theile desselben tritt die menschliche Figur in durchaus bildlicher Darstellung *des Menschen als selbständigem Wesen an sich* und in Thätigkeitsbeziehungen zu anderen auch in durchgebildetester Form vor allem in den 3 unmittelbar vor dem Hochaltar angebrachten Bildern (Papst und Kaiser), was ich aus aesthetischen Gründen durchaus nicht billigen kann. Nach dem sich in Folge der kunstgewerblichen Bestrebungen des verflossenen Jahrzehnts der allgemeine Geschmack so weit geläutert hat, daß man begründeten Widerwillen gegen die Teppiche mit naturalistischen Blumen oder Landschaften, und gegen die Stickereien mit Wettrennen und Liebespaaren empfindet, sollte der Dom zu Cöln die letzte Stelle sein, an welcher man ähnlichen Seltsamkeiten begegnete selbst wenn durch die von der Kirche und ihrem (sic) Kultur verlangte Symbolik und durch historische Beispiele eine schwer zu widerstehende Anregung dazu gegeben sein sollte. Bilder wie die im vorliegenden Entwurf gehören an die Wand und nicht auf den Fußboden.
Grabplatten in Bronze oder Stein, welche in der Fläche des Fußbodens liegen, verziert man durch figürliche Darstellungen nicht zu dem Zweck, daß man auf ihnen herumtreten, sondern daß man pietätvoll um sie und die Ruhestätte darunter herumgehen soll, und selbst der Cölner Dom darf sich nicht den Luxus erlauben, bildliche Darstellungen von Kaiser und Papst als Fußboden zu verwenden, welcher zum beschreiten da ist. Was würde man sagen, wenn an Stelle der im Entwurf vorgeschlagenen Darstellungen z.B. Raphaels Sixtinische Madonna oder die Transfiguration als Fußboden-Mosaikbild verwandt würde.
Sachlich, wenn auch nicht in Bezug auf künstlerischen Werth, wäre es ganz das Gleiche.

Gez. A. von Werner

Dokument Nr. 11

(DBAK, Lit. X g I/24)
Berlin, 15. 2. 1887
Gutachten betreffend den Essenweinschen Entwurf zum Fußbodenbelag in der Vierung und dem Chor des Domes zu Cöln

Durch Erlaß des Ministers der öffentlichen Arbeiten vom 15. December 1886, III 22063, ist der Akademie des Bauwesens ein Schreiben des Herrn Kultusministers vom 10. December 1886 nebst dem oben genannten Entwurf und zugehörigen Erläuterungen mit dem Auftrage zugegangen sich über diese Vorlage gutachterlich zu äußern.

Die Angelegenheit war Gegenstand der Berathung in den Sitzungen der Abtheilung für Hochbau vom 11. Januar und 15. Januar dieses Jahres.

Den Berathungen lagen zu Grunde der auf drei farbigen Blättern dargestellte Entwurf selbst, sowie einige photographische Nachbildungen derselben in kleinerem Maßstabe.

Während für das Schiff des Domes ein einfacher Sandsteinplattenbelag in der Ausführung begriffen ist, dessen Fläche eine nur mäßige Belebung erhält durch abgetönte Streifen von Granit und Syenit, welche die Gewölbepfeiler in den Richtungen der Längen- wie der Querachse untereinander verbinden, beabsichtigt der vorliegende Entwurf der Vierung und den (sic) Chor einen in Formen und Farben reichen Fußbodenbelag zu geben, zusammengesetzt theils aus größeren Platten in Sandstein und Marmor von verschiedener Farbe, mit intarsienartig eingelegten Zeichnungen ornamentaler und figürlicher Art, theils aus mosaikartig zusammengefügten Platten und Plättchen von verschiedener Form, Größe, Zeichnung und Färbung, welche aus so gen. „Mascha'scher Masse" (Marmorstückchen in Cement) künstlich hergestellt werden sollen. Für bildliche Darstellungen bedeutungsvollerer Art ist außerdem wirkliches Stiftmosaik in Aussicht genommen. Zur Wahl der Mascha'schen Masse veranlaßten den Verfasser vorzugsweise Ersparungsrücksichten, wie denn überhaupt sich derselbe in Betreff des Materials und der Ausführungsweise im Hinblick auf den Kostenpunkt noch nähere Entschließungen vorbehält.

Der Entwurf gliedert den Fußboden, soweit es hier in Betracht kommt, anschließend an die bauliche Raumgestaltung in sechs in Behandlungsweise und Gegenstand der Darstellung verschiedene Abtheilungen, nämlich:

1. Die Vierung, deren Symbolik sich im Anschluß an den Stern der 3 Weisen auf die gesamte natürliche Schöpfung bezieht.

2. Den beiderseits von den Chorstühlen umschlossenen Raum, dessen bildliche Darstellungen der äußeren Thätigkeit des Menschen und seiner Entwicklung als Einzelwesen gewidmet sind.

3. Der Raum zwischen den Chorstühlen und den Stufen des Presbyteriums, auf welchen der Zusammenschluß der Einzelwesen zu Nationen und der Nationen zur großen Gemeinschaft der Kirche zur Darstellung kommt.

4. Den Raum unmittelbar vor dem Hochaltar, welcher in dreitheiligem figurenreichem Bilde die höchste geistliche und weltliche Gewalt darstellt, nämlich in der Mitte Papst und Kaiser auf gemeinsamem Thron, welchen sich die Vertreter der geistlichen und der Laienwelt beiderseits anschließen. Die Flächen auf beiden Seiten des Altars zeigen symbolische Darstellungen des künftigen Paradieses mit seinem ewigen Frieden.

5. Der Chorumgang ist vorzugsweise für die geschichtlichen Beziehungen des Erzstifts Cöln und seiner Erzbischöfe, des Adels und der Zünfte p.p. in Anspruch genommen, während

6. die Chorkapellen vorzugsweise eine ornamentale Behandlung erfahren sollen. Nur die mittlere (Dreikönigs-) Kapelle zeigt wieder Beziehungen zu Erzstift und Stadt Cöln (Wappen und Banner).

Dieser Raumgliederung gemäß ist auch die technische Behandlung der einzelnen Theile verschieden gedacht.

Bevor nun die Akademie des Bauwesens über diesen Entwurf sich gutachtlich ausspricht, erachtet sie es für angezeigt, einige allgemeine Sätze aufzustellen, welche nach ihrer Ansicht für die Anlage des Fußbodens und seine Beziehungen zum Aufbau in jedem monumentalen Raum maßgebend sein müssen, nämlich:

1. Die vielfarbige Behandlung des Fußbodens bedingt auch eine reiche Färbung des Aufbaues, und zwar muß der Farbenreichthum des Fußbodens stets um ein Erhebliches hinter demjenigen des Aufbaues zurückstehen.

2. Außer der Farbe ist auch der größere oder geringere Glanz der Fläche von Bedeutung und zwar in dem Sinne, daß von dem Fußboden stets eine stumpfere Tönung vorherrschen muß als am Aufbau. Es ist deshalb sehr wohl möglich, über einem ein- und stumpffarbigen Fußboden einen bis zu gewissem Grade reich gefärbten Aufbau anzuordnen, nicht aber einen Raum, dessen Aufbau im Wesentlichen nur einen stumpfen Farbenton zeigt, mit einem reichfarbigen und einem glänzenden Fußboden auszustatten.

3. Bei der Wahl der zu verwendenden Baustoffe empfiehlt sich in erster Linie natürliches Gestein oder eine solche künstlich hergestellte Steinmasse, welcher (sic) durch Pressen und Brennen ein hoher Grad gleichmäßiger Festigung gegeben ist.

4. Die Gesamterfindung wie die architektonische Einzelgestaltung des Fußboden-Entwurfs muß sich dem Charakter und Wesen des Bauwerks auch in stylistischer Hinsicht genau anschließen.

5. Ein einheitlicher der Größe und architektonischen Durchbildung des Bauwerks wohl angepaßter Maßstab muß dem Entwurf des Fußbodens zu Grunde liegen.

6. Für eine Fußbodenanlage sind Bilder von Lebewesen namentlich aber menschlich-figürliche Darstellungen nur in soweit verwendbar, als sie, von jedem individuellen Charakter entkleidet, lediglich symbolische Bedeutung haben und in rein ornamentaler Behandlung sich in die Teppichfläche des Fußbodens einordnen. Dagegen sind bildliche Darstellungen des Menschen als selbständige Wesen (sic) an sich und in Thätigkeitsbeziehungen zu Anderen (sic) von einem Fußboden durchaus fernzuhalten. Solche Darstellungen finden einen schicklichen Platz nur an den großen Flächen des Aufbaues, wo sie den Bewährungen des Verkehrs entzogen sind, nicht auf den Fußboden des Raumes.

Diese Grundsätze müssen nach Ansicht der Akademie des Bauwesens auch im vorliegenden Falle volle Berücksichtigung finden. So sehr die Akademie auch der geistvollen Empfindung und sinnreichen Durchführung des Essenweinschen Entwurfs Anerkennung zollt, kann sie deshalb doch nicht umhin in mehr als einer Hinsicht gegen denselben schwerwiegende Bedenken zu erheben.

Gegen die unter 1 und 2 aufgestellten Grundsätze verstößt der Entwurf durch eine über das hier gebotene Maß hinausgehende Anwendung reich gefärbter Stoffe, zum Theil wenigstens von glänzender Oberfläche.

Für den Cölner Dom empfiehlt sich nach Ansicht der Akademie des Bauwesens im Aufbau (I) – abgesehen von den Fensterflächen – eine nur mäßige Anwendung der Polychromie. Namentlich sollen die constructiven Bauglieder (II) im Wesentlichen ihren natürlichen Steinton behalten. Ein Fußboden von so farbenreicher und glänzender Ausstattung würde also den in einfachen stumpfen Tönen gehaltenen Aufbau an Wirkung übertreffen, und so gegen den Grundsatz verstoßen, daß sich der Boden dem Aufbau unterordnen muß (III). Eine erhebliche Einschränkung des Entwurfs in dieser Richtung erscheint daher geboten.

Auch in der Wahl der Baustoffe empfiehlt sich eine größere Rücksichtnahme auf diesen Punkt. Natürliches Gestein, selbst wenn sein Härtegrad dies gestattet, darf nicht durch Politur mit glänzender Oberfläche hergestellt werden, sondern nur den stumpferen Ton erhalten, der ihm durch einfaches Schleifen gegeben wird. Von künstlich gefertigten Stoffen sind nur solche Fabrikate hier zulässig, die sich schon in längerer Anwendung als nach jeder Richtung hin sicher und dauerhaft, als „monumental" bewährt haben, und gleichfalls eine stumpfgetönte, höchstens mattglänzende Schaufläche zeigen. Der „Mascha'schen" Masse, deren Verwendung der Entwurf in weitem Umfang vorsieht, (es sei denn, daß sich für den gleichen Preis ein anderes besser geeignetes Material findet), kann man diese Eigenschaften nicht zusprechen, schon deshalb nicht, weil sie erst seit kurzer Zeit in Anwendung ist. Dagegen kann wohl mit gutem Recht auf das bekannte „Mettlacher" Fabrikat hingewiesen werden, dessen Herstellungsweise den unter No. 3 aufgestellten grundsätzlichen Bedingungen entspricht. (IV) Namentlich für die wirklichen Mosaikarbeiten empfiehlt sich die Wahl der aus dieser Masse hergestellten Stifte, deren mannigfaltige aber stumpfe und weiche Farbentöne für Fußbodenanlagen der vorliegenden Art sich besonders eignen. Bei der ohnehin gebotenen Einschränkung des Reichtums in der Gesamtanlage des Entwurfs wird auch die Kostenfrage einer weitgehenden Verwendung dieses wohlbewährten Materials kein Hindernis entgegenstellen.

In seiner Gesamterfindung wie in vielen Einzelheiten entspricht der vorliegende Entwurf nicht dem Charakter der deutsch- oder überhaupt nordisch-gothischen Bauweise, sondern lehnt sich augenscheinlich an alt christliche (sic) und italienisch-mittelalterliche Vorbilder an. Diese Erscheinung ist allerdings wohl erklärlich, denn es fehlt diesseits der Alpen völlig an durchgeführten Beispielen von Kirchenfußböden aus der gothischen Kunstperiode, welche auch nur annähernd einen so weit gehenden Aufwand in Farben und Formengebung zeigen wie der vorliegende Entwurf: keine der großen gothischen Kathedralen in Deutschland und Frankreich weist einen solchen Fußbodenbelag auf, in allen besteht derselbe vielmehr aus einfachen, meist einfarbigen Platten. Die Annahme, daß alle diese Fußbodenanlagen nur provisorische gewesen seien und durch reichere hätten ersetzt werden sollen, erscheint um so willkürlicher, als niemand anzugeben vermag, was man an Stelle dieser angeblichen Provisorien zu setzen beabsichtigte. Jedenfalls muß aber der Versuch der Herstellung eines Fußbodens in diesem Sinne (V) sich dem architektonischen Charakter des Gebäudes sowohl in der Formengebung des Einzelnen wie in der Gesamtheit der Anordnung und Erfindung auf das Innigste anschließen. Nur so kann der in der Vorlage bestehende Zwiespalt zwischen Fußboden und Aufbau auch in stylistischer Hinsicht vermieden werden.

Die erforderliche Einheitlichkeit des Maßstabes und die Übereinstimmung des Letzteren mit den Maßverhältnissen des Raumes an sich, wird vielfach vermißt. Wenn auch zugegeben werden mag, daß sich nicht leicht ein Standpunkt finden läßt von welchem der ganze Fußboden in Wirklichkeit so überschaut werden kann, wie dies bei der Entwurfszeichnung der Fall ist, so machen sich doch auch innerhalb der einzelnen durch die bauliche Anlage bestehenden gleichzeitig zu übersehenden Abtheilungen des Bodens und sogar unmittelbar nebeneinander Verschiedenheiten des Maßstabes bemerklich, welche als störend zu bezeichnen sind. Am auffallendsten ist wohl im Chorumgang die Zusammenstellung eines Schachbrettmusters aus schwarzen und weißen Marmorplatten von etwa fünfundfünfzig Centimeter insgeviert mit dem unmittelbar danebenliegenden Friesstreifen von fast miniaturartig feiner Zeichnung der Einzelheiten. Aber auch an anderen Stellen zeigen sich mehr oder minder auffallende Verschiedenheiten im Maßstab der ornamentalen und figürlichen Darstellungen. Im Allgemeinen ist der Detailmaßstab, verglichen mit den mächtigen Raum- und Aufbauverhältnissen des Domes zu klein angenommen. Eine Ausnahme hiervon macht nur (VI) die Vierung, deren Zeichnung (VII) – von einigen etwas zu zierlich behandelten Einzelheiten abgesehen – im Ganzen und Großen mit den Raumverhältnissen in gutem Einklang steht.

Der unter No. 6 aufgestellte Grundsatz über die Zuverlässigkeit der Verwendung menschlicher Figuren auf einer Fußbodenfläche erscheint ebenfalls in dem vorliegenden Entwurf an wichtigen Stellen nicht beachtet. In dieser Hinsicht nicht anzufechten ist die für die Vierung beabsichtigte figürliche Darstellung, welche in ihrer einfachen Zeichnung sowie in ihrem rein symbolischen Charakter jenem Grundsatz entspricht. (VIII)

Variante I: Es liegt zwar kein Anlaß vor Bilder von lebenden Wesen, namentlich-figürliche Darstellungen von dem Entwurf zu einem Fußboden unbedingt auszuschließen. Wohl aber müssen erhebliche Bedenken geltend gemacht werden gegen die Art, wie solche Darstellungen im vorliegenden Entwurf an verschiedenen wichtigen Theilen vorgesehen sind.

Bedenklicher sind schon zum größten Theil die Darstellungen aus dem Leben des Menschen und seine Entwicklung als Einzelwesen, welche den Raum zwischen den Chorstühlen einnehmen. Hier ist auch das Genrehafte zu beanstanden, was manchen dieser Darstellungen anhaftet. Am wenigsten (IX) aber kann sich die Akademie des Bauwesens einverstanden erklären mit der vollständig bildmäßigen Darstellung von Papst und Kaiser und den höchsten Würdenträgern sowie sonstigen Vertretern von Kirche und Staat auf einem Fußboden, sei es auch auf der geheiligten (X) Stelle unmittelbar vor dem Hauptaltar. An diesen Bildern ist außerdem noch zu beanstanden, daß die einzelnen Gestalten zu dicht aufeinander gedrängt, zum Theil hintereinander angeordnet sind wodurch dem für einen Fußboden einzig richtigen Teppichcharakter Eintrag (sic) geschieht, welcher eine Anordnung aller schmückenden Einzelheiten auch der figürlichen Darstellungen in einer Ebene nebeneinander, sozusagen als Flachornament bedingt. (XI)

Im Allgemeinen kann nur wiederholt ausgesprochen werden, daß alle solche bildlichen Darstellungen ihrem Inhalt wie ihrer Behandlungsweise nach nicht für einen Fußboden passen, sondern nur an einer Wand- oder Deckenfläche ihre richtige Stelle finden.

Aus allen diesen Gründen kann die Akademie des Bauwesens den vorliegenden Essenwein'schen Entwurf nicht als Grundlage für die Ausführung empfehlen, muß vielmehr dringend zu einer Umgestaltung desselben unter Beachtung der oben aufgestellten Grundsätze rathen. (XII)

Zunächst scheint hinsichtlich der Anwendung reicher Farben bei (zum Theil wenigstens) glänzender Oberfläche des Fußbodens der Entwurf über das hier gebotene Maß hinaus zu gehen.

Auch die menschliche Figur kann im dekorativen Sinn verwendet werden, sogar auf einem Fußboden, aber doch nur in sofern, als sie von jedem individuellen Charakter entkleidet, lediglich symbolische Bedeutung hat und durch eine ornamentale Behandlung sich in die Teppichfläche des Fußbodens einordnet. Im vorliegenden Entwurf aber, namentlich auf der Fläche zwischen den Chorstühlen, mehr noch in denjenigen vor dem Altar, tritt die menschliche Figur in durchaus bildmäßiger Auffassung des Menschen als selbständigen Wesens (sic) an sich und in Thätigkeitsbeziehungen zu anderen auf, was als Darstellung auf einem Fußboden unbedingt zu verwerfen ist. Deßhalb muß zunächst der größte Theil der Bilder aus dem Leben des Menschen und seine Entwicklung als Einzelwesen, welche den Raum zwischen (den) Chorstühlen einnehmen, beanstandet werden. Hier fällt auch das Genrehafte auf.

Variante II: Weniger findet sich von den hier behandelten Gesichtspunkten aus einzuwenden gegen die für die Vierung und den Chorumgang entworfenen figürlichen Darstellungen, welche in ihrem rein symbolischen Charakter und in ihrer einfachen Zeichnung dem Wesen des Fußbodens meistens entsprechen.

Im Allgemeinen muß aber wiederholt hervorgehoben werden, daß alle solche bildmäßigen Darstellungen wie sie im Hohen Chor beabsichtigt sind, ihrem Inhalt und ihrer Behandlungsweise nach nicht für einen Fußboden passen, sondern nur an einer Wand- und Deckenfläche eine richtige Stelle finden, wo sie den Berührungen des Verkehrs entzogen sind. Aus . . .

gez. Schneider

I)   In der zweiten Version: „inneren Aufbau",
II)   Ebd., „die großen constructiven Bauglieder"
III)   Ebd., „während doch naturgemäß der Fußboden sich in dieser Hinsicht dem Aufbau unterordnen muß",
IV)   Letzter Nebensatz fehlt in der zweiten Version,
V)   Ebd. statt „in diesem Sinne" „im Sinne einer reicheren Entwicklung an Form und Farbe",
VI)   Ebd. fehlt das Wort „nur",
VII)   Ebd. statt „Zeichnung" „Maßverhältnisse",
VIII) Dieser Absatz fehlt in der zweiten Version. Anschl. Variante I,
IX)   Ebd. statt „am wenigsten" „noch weniger",
X)   Ebd. statt „geheiligten" „geweihten",
XI)   Anschl. Variante II,
XII)   In der zweiten Version „der obigen Gesichtspunkte".

Dokument Nr. 12

(DBAK, Lit. X g I/29)
18. III. 1887
Abschrift
Gutachten betreffend den Essenwein'schen Entwurf zum Fußbodenbelag in der Vierung und dem Chor des Domes zu Cöln.

Durch Erlaß des Ministers der öffentlichen Arbeiten vom 15. Dezember 1886, III. 22063, ist der Akademie des Bauwesens ein Schreiben des Herrn Kultusministers vom 10. Dezember 1886 nebst oben genannten Entwurf und zugehörigen Erläuterungen mit dem Auftrage zugegangen, sich über diese Vorlage gutachtlich zu äußern.
Die Angelegenheit war Gegenstand der Berathung in den Sitzungen der Abtheilung für Hochbau vom 11. Januar, 15. Februar und 7. März dieses Jahres.
Den Beratungen lagen zu Grunde der auf drei farbigen Blättern dargestellte Entwurf selbst, sowie einige photographische Nachbildungen desselben in kleinerem Maßstabe.
Während für das Schiff des Domes ein einfacher Sandsteinplattenbelag in der Ausführung begriffen ist, dessen Fläche eine nur mäßige Belebung erhält durch abgetönte Streifen von Granit und Syenit, welche die Gewölbefeiler (sic) in den Richtungen der Längen- wie der Querachse untereinander verbinden, beabsichtigt der vorliegende Entwurf der Vierung und dem Chor eine in Formen und Farben reichen Fußboden zu geben, zusammengesetzt teils aus größeren Platten in Sandstein und Marmor von verschiedener Farbe mit intarsienartig eingelegten Zeichnungen . . .
Dieser Raumgliederung gemäß ist auch die technische Behandlung der einzelnen Theile verschieden gedacht. Die Prüfung des vorliegenden Entwurfs hat nun die Akademie des Bauwesens an folgende grundlegende Fragen angeknüpft:
1. Welche Beziehungen sollen zwischen dem Fußboden und dem inneren Aufbau des Domes hinsichtlich der schlichteren oder reicheren Färbung sowie der stumpferen oder glänzenderen Tönung bestehen?
2. Welche Baustoffe empfahlen sich im Allgemeinen, sowie mit Rücksicht auf die erste Frage für den Fußboden des Domes?
3. Wie verhält sich die Gesamterfindung und formale Ausgestaltung des Fußbodenentwurfs zur Architektur des Domes?
4. Liegt dem Entwurf des Fußbodens ein einheitlich durchgeführter Maßstab zu Grunde und paßt derselbe zur Größe und architektonischen Durchbildung des Raumes?
5. In wie weit sind Bilder von lebenden Wesen namentlich menschlich-figürlicher Darstellungen auf dem Fußboden zulässig?
Aus diesen Gesichtspunkten betrachtet erscheint der vorliegende Entwurf in mehr als einer Richtung anfechtbar. Obwohl die Akademie des Bauwesens der gedankenvollen Erfindung und sinnreichen Durchführung dieser Arbeit Anerkennung zollt, kann dieselbe doch nicht umhin, ihre erheblichen Bedenken gegen die Vorlage geltend zu machen.

Dokument Nr. 13

(DBAK, Lit. X g I/58)
Essenwein: Instruction für die Arbeiter

Da kein Marmor so, wie er, in Platten geschnitten geliefert wird, der ganzen Platte nach gleich gefärbt und ähnlich gezeichnet ist, so muß bei der Anfertigung klein gemusterter Fußböden der ausführende Arbeiter sein besonderes Augenmerk darauf richten, für jedes einzelne Plättchen ein geeignetes Stückchen aus der großen Platte herauszufinden, und der Grad seines Verständnisses und künstlerischen Sinnes wird daran erkannt werden, wie weit er sich da zu helfen weiß. Es hängt davon ab, wie die Stücke zusammengesucht werden, ob die einzelnen Figuren in ihrer Erscheinung zusammen gehalten werden und klar zu Tage treten, oder ob alles wild durcheinander läuft. Wenn z.B. eine Figur aus mehreren Stücken gebildet wird, die in einem Mittelpunkte zusammenlaufen, so wird die Wirkung nur dann eine richtige sein, wenn die Marmorzeichnung jedes einzelnen Stückes das gleiche Verhältnis zu diesem Mittelpunkte zeigt, wie alle andern und wenn die Färbung dieser Stücke gleich ist, oder in ziemlich regelmäßiger Weise wechselt. Man darf nicht aus einer Platte, in welcher helle und dunkle Stellen wechseln auf's Gerathewol (sic) die einzelnen Plättchen herausschneiden und verwenden, so daß etwa aus einem rothen oder grünen

Marmor mit breiten weißen Adern ein Stück faßt ganz aus weiß ein zweites aus hellem ein drittes aus dunkelm Grün besteht, während alle drei im Gesamtmuster dieselbe Wirkung machen sollten. Man wird aber deshalb ein Stückchen nicht für verloren halten, weil man es gerade an dieser oder jener Stelle nicht verwenden kann. Es findet sich für jedes Stückchen an irgend einer andern Stelle ein Plätzchen. Bei Betrachtung des Muster B z.B. wird es sich erkennen lassen, daß dieses nur dann klar zur Erscheinung tritt, wenn die helleren Theile des rothen Marmors zu den Sternen Verwendung finden, die dunkleren aber zu den rothen Theilen der kleinen Sechsecke, welche die Ekken der großen Sternsechsecke verbinden. Ebenso wird zu den gelben Theilen dieser kleinen Sechsecke das dunkelste Gelb zu den Zwischenfüllungen das hellste zu verwenden sein. Man wird, wenn bei einem Muster nur helle Stückchen verwendbar sind, die dunkeln zum Muster der Nachbarkapelle verwenden können. Während die Wirkung beim Muster B auf richtiger Verwendung von hellem und dunkelm Roth, hellem und dunkelm Gelb beruht kann bei Muster A das Gelb schon ziemlich verschieden sein. Das Roth dagegen muß ziemlich gleichfarbig sein, der grün und schwarz gefleckte Marmor aber entschieden dunkler und zugleich lebendig flimmernd wirken. Auch beim Muster D müssen gerade die schwarz und grün gefärbten Dreiecke an lebendiger Wirkung alle übrigen Steine des Musters übertreffen. Die inneren Sechsecke sollen aus ganz buntem, jedoch hellem Marmor bestehen. Es können von verschiedenen Marmorsorten ohne Anstand nebeneinander solche Stellen Verwendung finden, in denen das Weiß vorherrscht, denn helle sollen diese Sechsecke sein, während die schwarz und grün gefleckten Dreiecke entschieden dunkel sein sollen, insbesondere wesentlich dunkler als die dunkelgrauen Steine. Beim Muster C wird es am wenigsten auf absolute Gleichmäßigkeit der Farbe ankommen im Gegentheile kann dieses Muster nur gehoben werden wenn die Farben etwas ungleich sind. Dagegen wird auf regelmäßige Gruppierung der Zeichnungen sowohl bei den Sternen als bei den gelbrothen Quadraten viel ankommen. Beim Muster E wird es sich wieder darum handeln, daß die größeren Quadrate, welche aus verschiedenartigem Marmor mit stark vorherrschendem Weiß zugeschnitten werden können, von energisch wirkenden grün und schwarz gefleckten Dreiecken umgeben sind. Das Muster F welches eigentlich in größerer Fläche zur Geltung kommen kann, beruht darauf, daß die rothen Sechsecke, welche die Ecken der gelben Bänder bilden, im wesentlichen gleich stark wirken, wie das Gelb selbst, während die in der Mitte der sechs gleichfarbigen Rechtecke befindlichen Sechsecke wesentlich kräftiger in der Farbe sein können. Sämtliches Weiß wünsche ich nicht zu rein und kalt, sondern als leicht gelblicher Ton, ebenso wünsche ich daß reine Schwarz vermieden, sondern ein mehr oder weniger dunkles Grau.
Sämtliche Muster sind so einzurichten, daß die punktierte Linie der Kapellenachse entspricht und die Eintheilung in der vordern (sic) Randeinfassung gemacht wird. Vom Punkt X aus verbreitet sich das Muster nach allen Seiten und hört am Rande überall auf, wie es gerade trifft.

Nürnberg 12. Oktober 1887   A. ESSENWEIN

Dokument Nr. 14

(DBAK, Lit. X g II/65)

„Zwischen dem Dombaumeister, Geheimen Regierungsrath Voigtel einer-, und der Mosaikfabrik Villeroy und Boch zu Mettlach andererseits ist vorbehaltlich der Bestätigung des Königlichen Ober-Präsidenten der Rheinprovinz der nachstehende Vertrag verabredet und beschlossen worden.

§ 1

Die Mosaikfabrik von Villeroy und Boch zu Mettlach übernimmt für den Dombau zu Cöln die Anfertigung der Beflurung des Chores und der Vierung mit farbiger Stiftmosaik (sic), unter Zugrundelegung des durch Allerhöchsten Erlaß vom 26. November 1888 genehmigten Entwurfes des Director von Essenwein zu Nürnberg. Die Gesamtfläche der Mosaikbeflurung beträgt ca. 852 Quadratmeter und zwar:

1. Mosaikboden im südlichen und nördlichen Chorumgange	ca. 360 m^2
2. desgleichen vor dem Hochaltare	ca. 106 m^2
3. desgleichen im Presbyterium im Bereiche der Chorstühle	ca. 205 m^2
4. desgleichen in der Vierung	ca. 129 m^2
5. desgleichen in der Achskapelle des Domchors	ca. 30 m^2
6. desgleichen im südlichen Chorseitenschiffe vor dem Sakramentenaltar	ca. 22 m^2
Summa	ca. 852 m^2

Nach dem genehmigten Essenwein'schen Entwurfe, enthält der Fußboden
a) figürliche Darstellungen aus der biblischen Geschichte
b) Ornamente und

c) einfaches farbiges Füll- und Flächenmuster, deren Herstellung die Mosaikfabrik zu Mettlach zu den nachstehend in § 7 bezeichneten drei verschiedenen Preisen übernommen hat.

Da die Detailzeichnungen in natürlicher Größe von dem Director von Essenwein noch nicht gänzlich fertiggestellt sind, so läßt sich das genaue Flächenmaß, welches die Figuren, Ornamente und das einfache Füll- und Flächenmuster bedecken zur Zeit nicht genau ermitteln und soll bei der Rechnungslage für die fertiggestellten (sic) und an Ort und Stelle verlegten Mosaikflächen jedes Mal das genaue Maß der Flächen, welche mit Figuren, oder Ornamenten wie einfachem Füll- und Flächenmuster bedeckt sind, ermittelt und der zu zahlende Geldbetrag gemäß den in § 7 nachstehend vereinbarten Einheitspreisen pro Quadratmeter hiernach berechnet werden.

§ 2

Als Anhalt für die Qualität der zu verwendenden farbigen Mosaikstiften, wie bezüglich der Sorgfalt und Genauigkeit des Zusammenpassens, und der soliden und dauerhaften Verlegung der Mosaikplatten auf der Betonunterlage, dient der von der Mosaikfabrik zu Mettlach probeweise hergestellte und als vollkommen gut abgenommene Boden des Feldes H im Chorumgange. Die zur Verwendung kommenden Thonstifte verschiedener Gestalt und Farbe müssen aus bestem geschlemmten Thone geformt, in unregelmäßige Stücke geschlagen, und bis zur vollständigen Versinterung gebrannt werden, so daß dieselben einen glasartigen Glanz haben, und jeder Abnutzung dauernd Widerstand leisten. Die Dicke der Mosaikstifte darf 6 mm bis 10 mm betragen, bei verschiedener Länge und Breite, damit dieselben in die Cementunterlage ungleich tief eingreifen und ein Ablösen der Mosaikschicht von der Cementunterlage verhütet wird.

Je nach den Begrenzungslinien in einzelne unregelmäßige Platten angemessen eingetheilt, wird der Mosaikboden, einschließlich Cementunterlage ca. 35 mm dick, auf die Baustelle geliefert und dort so sorgfältig zusammengefügt, daß die Trennungsfugen nicht sichtbar sind, der ganze Mosaikboden vielmehr als aus einem Stück hergestellt erscheint.

Die Stiftmosaiken sind den übergebenen Detailzeichnungen in allen Begrenzungslinien, in der Farbengebung und in der Harmonie der Farben wie bezüglich der Inschriften und Wappen etc. genau entsprechend zu fertigen, in der Fabrik vor der Absendung nach Cöln probeweise zusammenzupassen und zu nummerieren, so daß die Nacharbeiten beim Verlegen an Ort und Stelle sich allein auf das Aussetzen der Trennungsfugen mit Mosaikstiften beschränken.

Zu der Cementunterlage, auf der die Mosaikstifte befestigt werden, darf nur langsam bindender Cement genommen werden, der mit Grobsand in dem Verhältnisse von 1:4 Theilen zu mischen ist.

§ 3

Gegen Zahlung der in § 7 nachstehend vereinbarten Einheitspreise für jeden Quadratmeter farbigen Stiftmosaikbodens übernimmt die Mosaikfabrik von Villeroy und Boch zu Mettlach *die Lieferung* der Mosaikbeflurung einschließlich aller Materialien an Cement und Mosaikstiften, des mit Cement verlängerten Kalkmörtels zum Verlegen der Platten auf der Betonschicht, wie auch *die Zahlung* aller Löhne für das Zusammensetzen der Mosaikplatten in der Fabrik, und für das Aneinanderfügen der einzelnen Platten an Ort und Stelle im Chore des Cölner Domes nebst allen Transportkosten des Mosaikbodens von Mettlach bis zur Baustelle einschließlich aller Spesen und Nebenkosten, wobei der Unternehmer für alle Beschädigungen auf dem Transporte allein haftbar bleibt, *mithin werden die vereinbarten Einheitspreise für den fertig verlegten Stiftmosaikboden einschließlich aller Löhne und Materialien gezahlt.*

Die Dombau-Verwaltung übernimmt dagegen die Herstellung der Betonunterlage für die Mosaikbeflurung für ihre Rechnung.

Ein Verlegen der Mosaikbeflurung im Dome findet während der Wintermonate vom 15. October bis 1. Maerz wegen der schädlichen Einwirkung des Frostes auf den langsam bindenden Cement und verlängerten Kalkmörtel nicht statt.

§ 4

Die Mosaikfabrik von Villeroy und Boch hat die genauen Maße der einzelnen Felder der Mosaikbeflurung des Dom-Chors und der Vierung auf der Baustelle selbst zu nehmen bzw. die von der Dombauverwaltung und dem - Director von Essenwein in die Werkzeichnungen eingetragenen Maße, wie die Richtigkeit der übergebenen Chablonen (sic) in natürlicher Größe genau zu kontrolieren (sic), und können aus der Differenz der örtlichen Maße mit den in den Zeichnungen angegebenen Abmessungen von der genannten Mosaikfabrik Entschädigungs-Ansprüche irgendeiner Art nicht geltend gemacht werden.

Einzelne auf die Baustelle von dem Unternehmer abgelieferte Theile des Mosaikbodens, welche den vorstehend in § 2 und § 3 näher bezeichneten und vereinbarten Vorschriften in Bezug auf Qualität und Färbung der Mosaikstifte, wie bezüglich der Sorgfalt und Genauigkeit des Zusammenpassens der einzelnen Figuren und Ornamente nicht vollkommen entsprechen, oder in der Zeichnung, Farbenharmonie und künstlerischen Behandlung der Figuren, Wappen, Inschriften und Flächenmuster Abweichungen gegen die übergebenen General- und Detailzeichnungen aufweisen, werden bei der Ablieferung auf der Baustelle nicht abgenommen und sollen auf Erfordern des Dombaumeisters von der Mosaikfabrik von Villeroy und Boch durch neue ganz fehlerfreie Mosaikplatten innerhalb einer Frist von spätestens 4 Wochen vom Datum der amtlichen Aufforderung zur unentgeltlichen Neulieferung abgerechnet, ersetzt werden.

Die definitive Abnahme jedes einzelnen durch die Friese von Solenhofener Stein abgegrenzten Mosaikfeldes erfolgt erst nach der Beendigung der Verlegung an Ort und Stelle und sind Mängel, die sich erst beim Verlegen und Zusammenpassen der einzelnen in der Fabrik fertig gestellten Theile des Mosaikbodens ergeben, auf Erfordern des Dombaumeisters von dem Unternehmer zu beseitigen und kostenfrei zu erneuern.

Der Dombaumeister hält sich vor, die Ausführung einzelner besonders zu bezeichnender Theile des Mosaikbodens in der Fabrik von Villeroy und Boch zu Mettlach während der Arbeit zu besichtigen und in Gemeinschaft mit Herrn Director Essenwein etwaige Änderungen in der Färbung und künstlerischen Behandlung der in der Ausführung begriffenen Figuren und Wappen etc. vorzuschreiben, und verpflichtet sich der Unternehmer diesen Anweisungen allseitig nachzukommen.

§ 5

Alle von dem Director Essenwein gefertigten und von der Dombauverwaltung der Mosaikfabrik von Villeroy und Boch übergebenen Original-Zeichnungen sind Eigenthum der Dombauverwaltung und dürfen ohne deren Genehmigung nicht vervielfältigt noch veröffentlicht werden.

Um bei Ablieferung eines farbigen Mosaikfeldes auf der Baustelle die Übereinstimmung der Mosaikbeflurung in Bezug auf Zeichnung, Farbengebung und namentlich bezüglich der Richtigkeit der Wappen und Inschriften mit den Original-Zeichnungen *vor dem Verlegen* feststellen zu können, ist die jedesmalige Beifügung und Übergabe der zugehörigen General- und Detailzeichnungen erforderlich. Da die Essenweinschen Entwürfe dem Dom-Archiv einzuverleiben sind, so verpflichtet sich der Unternehmer die Originalzeichnungen bei der Ausführung der Mosaiken thunlichst zu schonen und für den Gebrauch in den Werkstätten Durchzeichnungen anfertigen zu lassen.

§ 6

Die Mosaikfabrik von Villeroy und Boch verpflichtet sich die Fertigstellung der Stiftmosaik-Beflurung des Dom-Chors und der Vierung einschließlich des Verlegens derselben an Ort und Stelle zu den nachstehend bezeichneten und vereinbarten Terminen zu bewirken:

a) *Im südlichen Chorumgange:* Die Mosaikbeflurung der fünf großen Felder J. K. L. M. N. und zwar von J. nach N. fortschreitend, wie der vier kleinen Felder v. w. x. y. desgleichen des Feldes vor dem Sakramentsaltare und des Vierungsfeldes bis zum 15. Juni 1890.

b) *Im nördlichen Chorumgange:* Die Mosaikbeflurung der sieben großen Felder A. B. C. D. E. F. G. und zwar von G. nach A. fortschreitend, wie der vier kleinen Felder r.s.t.u. desgleichen der Achskapelle bis zum 1. October 1890.

c) *Im Presbyterium des Hohen Chores:* Die Mosaikbeflurung zwischen den Chorstühlen und vor der großen Altartreppe bis zum 15. Juni 1891.

d) *Vor dem Hochaltare:* Die Mosaikbeflurung im Bereiche des Hochchors vor der Chortreppe bis zum Chorschlusse bis zum 1. October 1891.

Sollten die vorstehend pos. a b c d bezeichneten Termine der Vollendung der Mosaikbeflurung nicht pünktlich eingehalten werden, so verpflichtet sich die Mosaikfabrik von Villeroy und Boch zur Zahlung einer Conventionalstrafe von

„zwanzig Mark"

für jeden Tag der verspäteten Fertigstellung über jeden der vorstehend vereinbarten vier Ablieferungstermine hinaus. Der Betrag der Conventionalstrafe wird bei der Rechnungslage vorab eingehalten und verzichtet der Unternehmer hierbei ausdrücklich auf eine vorherige gerichtliche Inverzugsetzung seitens der Dombauverwaltung.

§ 7

Die mit farbiger Stifmosaik (sic) zu versehende Bodenfläche des Domchors, der Vierung, der Achskapelle und *des Raumes vor dem Sakramentsaltare im südlichen* Chorseitenschiffe, gemäß § 1 des Vertrages zusammen ca. 852 Quadratmeter messend, besteht gemäß der von dem Director von Essenwein gefertigten und höheren Orts zur Ausführung genehmigten generellen Farbenskizze aus

1. figürlichen Darstellungen aus der biblischen Geschichte
2. Ornamenten jeder Art und
3. farbigen Fond- und Füllmustern.

Da die Detailzeichnungen in natürlicher Größe von dem Director Essenwein noch nicht fertig gestellt sind, so lassen sich die genauen Flächenmaße der Darstellungen ad 1.2 und 3 zur Zeit nicht genau bestimmen, und wird daher mit der Mosaikfabrik von Villeroy und Boch ein Abkommen dahin getroffen, daß bei der Rechnungslage jedes Mal der genaue Flächeninhalt der figürlichen Darstellungen, der Ornamente wie des einfachen Fond- und Füllmusters im

Beisein eines Vertreters der Mosaikfabrik von Villeroy und Boch an Ort und Stelle ermittelt, und der Betrag der Rechnung hiernach unter Zugrundelegung der nachstehend vereinbarten Einzelpreise festgelegt werden soll.

1. Für jeden *Quadratmeter* der farbigen Stiftmosaik (sic) darstellend Figuren aus der biblischen Geschichte und der Geschichte des Erzstifts, ferner Wappen mit Inschriften, reichster vielfarbiger und vollendet künstlerischer Ausführung gemäß der Vorschriften und Vereinbarungen des § 2 und 3 des Vertrages hergestellt und fertig an Ort und Stelle verlegt, einschließlich allen Material und Arbeitslohne, wie der Transportkosten bis zur Baustelle jedoch ohne die von der Dombau-Verwaltung zur Ausführung übernommene Beton-Unterlage erhält die Mosaikfabrik von Villeroy und Boch zu Mettlach zu vereinbarten Preis von:

> „achtzig Mark".

2. Für jeden *Quadratmeter* des farbigen Stiftmosaiks, darstellend Ornamente jeder Art, Laub- und Blattwerk, desgleichen Palmetten und Rautenmuster mit wechselnden Farbentönen in sorgfältigster Ausführung fertig an Ort und Stelle verlegt, einschließlich allem Material und Arbeitslohn, wie der Transportkosten bis zur Baustelle excl. Beton-Unterlage:

> „sechzig Mark".

3. Für jeden *Quadratmeter* einfaches farbiges Fond- und Füllmuster ohne eingezeichnete reichere Ornamentik fertig an Ort und Stelle verlegt, einschließlich allem Material und Arbeitslohn, wie der Transportkosten bis zur Baustelle, excl. Betonunterlage:

> „fünf und vierzig Mark".

Hierbei verpflichtet sich der Unternehmer auf jede Nachforderung sei es für Material oder Arbeitslohn im Voraus Verzicht zu leisten und sind nur die vorstehend bezeichneten drei Einheitspreise bei Aufstellung der auf Grund dieses Vertrages anzuweisenden Geldbeträge in Anrechnung zu bringen.

§ 8

Nach vollständiger Fertigstellung der ca. 852 Quadratmeter betragenden Flächen des Chorbodens, der Vierung der Achskapelle und des Feldes vor dem Sakramentaltare leistet die Mosaikfabrik von Villeroy und Boch eine *dreijährige Garantie* für die Güte alles (sic) Materials, wie der geleisteten Arbeit, vom Tage der Ausstellung des Abnahme-Attestes und der erfolgten Schlußzahlung abgerechnet und verpflichtet sich die Mosaikfabrik von Villeroy und Boch alle nothwendigen Nacharbeiten und Ergänzungen innerhalb dieser dreijährigen Garantiezeit auf Erfordern des Dombaumeisters für ihre Rechnung umgehend zur Ausführung zu bringen.

§ 9

Sollte sich in Folge unvorhergesehener Änderungen in den Anordnungen um Eintheilung der Mosaikflächen oder durch nachträglich beschlossene Anlagen die von der Mosaikfabrik von Villeroy und Boch zur Ausführung übernommenen Fläche der farbigen Stift-Mosaik-Beflurung, welche in § 1 auf ca. 852 Quadratmeter bemessen ist, verringern oder vermehren, so verzichtet der Unternehmer auf jede Entschädigung für den Mehr- oder Minderbetrag des herzustellenden Mosaikbelags, *mithin können nur die wirklich ausgeführten und im Cölner Dome an Ort und Stelle verlegten Stiftmosaiken zu den in § 7 vorstehend vereinbarten Einheitspreisen in Anrechnung gebracht werden.*

§ 10

Die Zahlungen für Lieferungen und Leistungen auf Grund des vorstehenden Vertrages geschehen durch die Königliche Regierungs-Haupt-Kasse zu Cöln je nach Fortschreiten der Ausführung der Stift-Mosaik-Beflurung auf Grund der erfolgten amtlichen Abnahme der fertig verlegten Flächen durch den Dombaumeister. Zum Empfang der Zahlungen für gelieferte Stift-Mosaik-Beflurung auf Grund des vorstehenden Vertrages und zur Ausstellung der gültigen Quittungen bevollmächtigt die Mosaikfabrik von Villeroy und Boch ausdrücklich ihre in Ehrenfeld bei Cöln Herbrandstraße No 1 domicilierte Filiale, welche mit einer hierauf bezüglichen General-Vollmacht zu versehen ist.

Die Anweisung der Schlußzahlung geschieht nach Auslieferung der sämtlichen für den Dombau zu Cöln gemäß Vertrag vorstehend übernommenen Stift-Mosaik-Arbeiten auf Grund eines Abnahme-Attestes des Dombaumeisters.

§ 11

Die Zahlung der gesetzlichen Vertrags- und Lieferungsstempel fallen der Mosaikfabrik von Villeroy und Boch zur Last.

Die Berechnung und Zahlung des Materialstempels mit 1/3 Prozent des Rohmaterialwertes der gebrannten Mosaikstifte und der zur Herstellung der Mosaiktafeln verwendeten Materialien an Cement und Kalk soll jedesmal bei den einzelnen zur Zahlung kommenden Rechnungen bewirkt werden, und wird der Werth des zu einem Quadratmeter Stiftmosaik verwendeten Rohmaterials hierbei mit

> *fünfzehn Mark"*

in Ansatz gebracht.

§ 12
Hierauf ist vorstehender Vertrag in zwei Exemplaren ausgefertigt, von beiden contrahierenden Theilen genehmigt und eigenhändig unterschrieben worden, auch soll jedem ein Exemplar nach erfolgter höherer Bestätigung unter Beikassierung des erforderlichen Vertragsstempels eingehändigt werden.

Cöln, den 7 Januar 1800 neunzig

Der Dombaumeister Geheimer Regierungsrath
VOIGTEL

Villeroy und Boch
BINGLER

Dokument Nr. 15

(DBAK, Lit. X g III/50 – Originalentwurf vom 13. Nov. 1891 sowie zwei Abschriften im Archiv des Germanischen Nationalmuseums, Nürnberg)

Zwischen dem Königlichen Bayerischen Geheimen Rath, Dr. August Ritter von Essenwein und dem Glasmalereibesitzer und Maler Fritz Geiges in Freiburg i/B. anderseits, wird hierdurch nachstehender Vertrag vorbehaltlich der Genehmigung des Königlichen Ober-Präsidenten der Rheinprovinz abgeschlossen.

§ 1
Herr F. Geiges tritt als Mitarbeiter des Geheimen Rathes von Essenwein in die Ausführungsthätigkeit des von letzterem entworfenen Theiles der Mosaikbeflurung im Chore des Domes zu Köln ein und zwar zunächst zur Herstellung des zwischen (den) Chorstühlen liegenden Theiles.

§ 2
Herr Geiges erhält dazu sofort die in Conturen originalgroß vom Geheimen Rath A. von Essenwein gezeichneten Cartons zu den zwanzig bildlichen Darstellungen dieses Theiles und die dazu gehörigen in 1/15 der Originalgröße gefertigten genauen Farbenskizzen und hat danach originalgroße farbige Zeichnungen herzustellen, welche in der Detaillierung so weit gehen als die Mosaikfabrik in Mettlach sie zur Ausführung nöthig hat, um alle Theile genau den ihr bekannten beziehungsweise durch Herrn Geiges zu übermittelnden Intentionen des Herrn Geheimen Rathes von Essenwein entsprechend herstellen zu können. Insbesondere sind in den Zeichnungen, *wo es nöthig ist,* also voraussichtlich bei sämmtlichen (sic) Figuren alle einzelnen Theileelemente nach Form und Farbe und nach den Farbennuancen des die Figuren füllenden Kittes so genau anzugeben, daß alles, was daran charakteristisch ist, heraus tritt. Wenn von der Mettlacher Anstalt auch nicht verlangt werden kann, daß durch den gesammten Fußboden hindurch jedes einzelne Steinchen darnach (sic) genau kopiert werde, vielmehr die Freiheit der Arbeit insbesondere bei den sich wiederholenden Theilen bewahrt bleiben soll, so muß doch volle Charakteristik verlangt werden, und da die Anstalt solche Vorzeichnungen verlangt, so muß auf pünktliches Einhalten der Zeichnung bezüglich jedes charakteristisch gelagerten maßgebenden Steinchens gefordert werden. Es wird verlangt, daß die Linien der angedeuteten Reihen in Bezug auf Feinheit und Größe der Elemente sich genau an die von Herrn Geiges herzustellenden Zeichnungen halten. Es ist deshalb von Seiten des Herrn Geiges darauf zu sehen, daß insbesondere in den Schattirungen (sic), soweit solche vorkommen, die einzelnen Nuancen auch bezüglich der Reihenarbeiten angegeben und alsdann von der Anstalt eingehalten werden, daß die Unregelmäßigkeit, welche für alle Farbtöne verlangt werden muß, entsprechend, nicht zu wenig, nicht zu viel vortretend, markiert angegeben werde und daß alle jene Steinchen, welche charakteristisch für den Effekt sind, soweit angedeutet sind, so daß man von der Mosaikanstalt verlangen kann, daß sie sich an die Einzelheiten der Geiges'schen Zeichnungen binde. Ebenso ist, wo bei größeren Flächen der Hintergründe blos (sic) durch die Lage der Steinchen belebende Muster sich bilden sollen, diesen besonderes Augenmerk zuzuwenden, insbesonder in Bezug auf den Grad bis zu welchem die Regelmäßigkeit geht.

§ 3
Herr Geiges übernimmt die Verpflichtung, in unregelmäßigen Zwischenräumen sich nach Mettlach zu begeben, um die künstlerische Ausführung der Mosaikarbeiten nach den vom Geheimen Rath von Essenwein gegebenen Instruktionen anleitend und helfend zu fördern.

§ 4
Die für den in Angriff zu nehmenden Theil erforderlichen ornamentalen Arbeiten sind zum Theile auch schon in Farbenskizzen und Conturencartons und zum Theil in der Art, wie Herr Geiges seine zwanzig Felder machen soll, soweit fertig, daß keine weitere Detaillierung mehr nötig ist; der noch nicht fertige Theil wird in kurzer Zeit voll-

end's durch Geh. Rath v. Essenwein fertig gestellt sein. Herr Geiges wird somit keinerlei Zeichnungsarbeiten für die außerhalb seiner Felder liegenden Theile zu machen haben. Er verpflichtet sich jedoch bei der Ausführung auch auf die von Herrn Geheimen Rath von Essenwein vorgezeichneten Vorlagen, sowie auf die Gesamtarbeit zu sehen, so daß letzterer nicht genöthigt ist, weder nach Mettlach noch nach Köln zu reisen und mehr als einmal selbst nachzusehen.

§ 5

Herr Geiges verpflichtet sich, die Zeichnungen innerhalb solcher Frist herzustellen, daß die Fabrik in Mettlach stets ihr Personal beschäftigen kann und in der Lage ist, so rasch die Arbeit überhaupt zu fördern als dies angeht. Es wird der Fabrik von Seiten der Dombauverwaltung dafür der 1. Dezember 1892 als letzter Termin festgestellt und müssen daher die letzten Arbeiten des Herrn Geiges am 1. August 1892 abgeliefert werden.

§ 6

Herr Geiges erhält für diese vorbezeichneten Arbeiten von der Kgl. Regierungs-Hauptkasse aus Mitteln der Dombauverwaltung in Köln:
1. Nach Fertigstellung der sämmtlichen vereinbarten Arbeiten ein Gesamthonorar von viertausend Mark Deutschen Reiches. Jedoch können Abschlagszahlungen je nach fortschreiten der Arbeiten in Einzelbeträgen von 1000,- Mark gegeben werden.
2. Für jede seiner Reisen nach Mettlach oder Köln je die Fahrtaxe 2ter Klasse sowie Diäten im Betrage von fünfzehn Mark täglich.

§ 7

Ferner übernimmt Herr Maler Geiges bis zum 1. April 1892 die Einzeichnung der Farben und der Details der Mosaikzusammensetzung auf die von Herrn von Essenwein bereits in schwarzen Umrissen entworfenen beiden Cartons *des figürlichen Theils* im mittleren Kreise der Fußbodenfelder A und G des Chorumgangs, und zwar auf Grund der vorhandenen kleinen Farbenskizzen beziehungsweise nach näheren Angaben des Herrn von Essenwein gegen Zahlung eines Honorars von

– „400,- Mark" –

bei der Ablieferung.

§ 8

Da der Herr Oberpräsident mit Rücksicht auf die Verhältnisse, unter denen das Werk entsteht wünschen muß, daß die Verantwortlichkeit auch in künstlerischer Beziehung Herrn Geh. Rath v. Essenwein verbleibe, so wird Herr Geiges jede Zeichnung sammt dem entsprechenden Carton und der Farbenskizze Herrn Geh. Rath v. Essenwein zur Bestätigung zusenden, daß sie den Bedingungen entspricht und Letzterer sie, mit Visum versehen Herrn Oberpräsidenten zugehen lassen kann, welcher das Weitere bezüglich der Zusendung an die Fabrik und Auszahlung der Beträge veranlassen wird. Da jedoch Herr Geiges wünscht, daß seine Mitarbeiterschaft nicht verborgen bleibe, sondern auch öffentlich sichtbar und bekannt werde, so soll dies auch an entsprechender Stelle geschehen.

Dokument Nr. 16

(DBAK, Lit. X g III/51)

(Nachtrag)

In Ergänzung des Vertrages vom 14. 2. 1885 zwischen Essenwein und Voigtel wird folgendes festgesetzt:
Berücksichtigt werden auch bisherige mündliche Abänderungen – vor allem die bei der Verhandlung vom 21. 9. 1887 getroffenen.
„Insbesondere war bei der gedachten Besprechung bestimmt worden, daß die sämmtlichen in die Aufgabe des Herrn Direktor Essenwein fallenden Theile des Fußbodens mit Ausnahme der Kapellen in Mettlacher Mosaik jedoch in einer an die Alten möglichst anschließenden Technik ausgeführt werden sollten." – „. . . ihr Bedarf an Zeichnungen war demgemäß für die Zeit maßgebend, innerhalb welcher dieselben abgeliefert wurden." Die Arbeit an den Zeichnungen zeigte sich als eine wesentlich größere, als bei der Aufstellung des Vertrages vorzusehen war, so daß nun eine Nachtragsregelung notwendig wird, welche zugleich die Fortsetzung der Arbeit ordnet.

§ 1

„Der eine vertragschließende Theil, der jetzige Bayerische Königliche Geheime Rath Dr. August Ritter von Essenwein, liefert sofort die Farbenskizzen und originalgroßen Contur-Cartons der 20 bildlich geschmückten Felder für den Raum zwischen den Chorstühlen ab und läßt innerhalb sechs Wochen jene für sämmtliche nöthigen ornamentalen Friese und Füllungen folgen.

§ 2

Nach Ablieferung der im § 1 bezeichneten Cartons wird Herrn von Essenwein die Hälfte der für Herstellung der Cartons des Presbyteriums des Domchores bestimmten Summe von 2800,- M, also vierzehnhundert Mark ausbezahlt, während er sich verpflichtet, die übrigen für das Presbyterium noch nöthigen Cartons um die gleiche Summe nach Bedarf der Ausführung innerhalb eines Jahres in gleicher Weise wie die früheren zu fertigen, sobald *unabänderlich* die Linien der Chorstufen, die Umfassungslinien des Hochaltares, seiner Stufen, sowie jener (sic) der Sedilien auf beiden Seiten des Presbyteriums in einer Weise feststehen, daß an eine spätere Änderung nicht mehr gedacht werden kann.

§ 3

Nachdem sich gezeigt hat, daß die Anstalt in Mettlach nicht in der Lage ist, nach den originalgroßen Contur-Cartons und den Farbenskizzen, wie sie Dr. von Essenwein zu liefern hat, die Ausführung in der für den Domfußboden nöthigen Weise zu bewirken, so hat Dr. von Essenwein, für eine große Anzahl Einzelstücke Cartons derart durchgeführt, daß jedes einzelne Steinchen gut auszuführen in der Lage war. Dr. von Essenwein hegte die Hoffnung, daß die Anstalt bald selbst so eingearbeitet sein werde, daß einfache Vorlagen genügen. Diese Sorgfalt aber *auf alles* zu erstrecken, war bei dem Gesundheitszustande des Dr. von Essenwein nicht möglich. Es sind daraus Mißverständnisse entstanden, die, soweit dies nicht schon geschehen ist, korrigiert, für die Zukunft aber ferngehalten werden müssen. Es wird daher zu geeigneter Zeit im Laufe des nächsten Jahres Geheimer Rath von Essenwein nach Köln zur Besichtigung der ausgeführten Theile kommen und mit Herrn Geheimen Regierungsrath Voigtel diese Frage besprechen, so daß alsdann die etwa noch nöthigen Abänderungen bestimmt werden können.

§ 4

Um für die Zukunft ähnliche Mißverständnisse zu vermeiden, schließt unter Zustimmung des Königlichen Ober-Präsidenten der Rheinprovinz Dr. von Essenwein mit Herrn Maler F. Geiges in Freiburg i. B. einen besonderen Vertrag ab, worin sich der letztere verpflichtet, jene über die Verpflichtung des Dr. von Essenwein hinausgehenden jedoch nöthigen Arbeiten zu übernehmen und in richtiger Zeit durchzuführen.

§ 5

Da der Herr Ober-Präsident wünscht, daß Dr. von Essenwein für die Mehrarbeiten welche ihm bis jetzt persöhnlich erwachsen sind, eine angemessene Entschädigung erhalte, so soll ihm nach erfolgter Genehmigung dieses Vertrages außer jenen oben erwähnten 1400,- M. für die Cartons zu den Räumen zwischen den Chorstühlen aus Mitteln der Dombauverwaltung noch weiter ausgezahlt werden: a) Sechshundert Mark für die Mehrarbeit an den Cartons für den Chorumgang. b) Dreihundert Mark für die Mehrarbeit an den sämtlichen ornamentalen Cartons, sowohl der Friesen (sic) als der Eckfüllungen, den Streifen und dem Mittelgrunde des Raumes zwischen den Chorstühlen. c) Nachdem er bereits 3mal in Köln und 2mal in Mettlach zu Besichtigungen und Conferenzen war, und noch einmal nach Köln kommen wird, rund Achthundert Mark als Pauschal-Entschädigung für Diäten und Reisekosten.

§ 6

Dr. von Essenwein verpflichtet sich, sobald die in § 2 erwähnten Umfassungslinien so fest stehen, daß an eine spätere Änderung nicht mehr gedacht werden kann und er demgemäß die dort erwähnten Zeichnungen zu liefern hat, nicht blos dies zu tun, sondern auch dafür zu sorgen, daß durch einen ähnlichen wie den jetzt mit Maler F. Geiges abgeschlossenen Vertrag, die nöthigen Arbeiten um (sic) ähnliche Preise gesichert werden, sofern nicht sein Gesundheitszustand sich soweit gebessert hat, daß er selbst dies thun kann. Da die von der Mosaikanstalt beanspruchte Zeit zur Ausführung jedes Theiles so beträchtlich ist, so wird davon abgesehen, weitere als die hier behandelten Theile, also die noch übrigen Theile des Presbyteriums eher in Angriff zu nehmen, bevor jene fertig sind.

§ 7

Herr Geheime (sic) Rath Dr. von Essenwein wählt sein Domizil im Dombaubureau zu Köln wohin alle Zustellungen bei eventuellen gerichtlichen Entscheidungen zu richten sind und verpflichtet sich zu portofreien (sic) Zusendung aller auf die Ausführung des vorstehenden Vertrages Bezug habenden Zeichnungen und Correspondenzen, auch übernimmt derselbe die Zahlung der auf Grund des vorstehenden Vertrages zu entrichtenden Stempelkosten.

§ 8

Hierauf ist vorstehender Vertrag von beiden contrahirenden Theilen genehmigt, in zweifacher Ausführung unterschrieben und soll Jedem nach erfolgter höherer Genehmigung ein Exemplar des Vertrages zugestellt werden.

Köln, den   . Dezember 1891

Der Dombaumeister
Geheime(sic) Regierungsrath.

Dokument Nr. 17

(August Reichensperger:) Kaiserin Friedrich und der Bodenbelag des Kölner Domes, in: Localanzeiger, vom 14. Aug. 1901, Nr. 219 (die beiden letzten Absätze ergänzt nach Pastor [Reichensperger, Bd. II, S. 271]; ebd., S. 269 ff., der gleiche, nur unwesentlich abweichende Text.)

Der ursprüngliche Entwurf sah einen eintönigen Belag des Domes mit farbigem Rande vor. Derselbe hatte einen entschiedenen Gegner in Aug. R e i c h e n s p e r g e r. Obgleich sich in demselben Sinne auch der Architekt Wilhelm Bogler und Fr. Schneider in Mainz ausgesprochen, schien trotzdem ein Erfolg ausgeschlossen. In letzter Stunde gelang es da Reichensperger eine Aenderung herbeizuführen. Wie, darüber hat er kurz vor seinem Tode seinem Biographen P a s t o r folgende Mitteilungen zugehen lassen: Bei meinem Besuche bei Geheimrat L i n - h o f f teilte derselbe mir mit, daß, wenn ich früher gekommen wäre, ich vielleicht hätte verhindern können, daß der Kölner Dom eine ganz einfache Beplattung erhalten werde, ohne alle bildnerischen Darstellungen. Nun habe der Kultusminister diesen Plan bereits genehmigt und Herr Geheimrat S c h ö n e sei bereits beauftragt, den Schlußbericht für den König zu machen, derselbe werde zustimmend berichten und die Genehmigung werde zweifellos erfolgen. Sofort begab ich mich zu Geheimrat Schöne; derselbe erklärte, an der Angelegenheit sei nichts mehr zu ändern. Ich bat ihn, noch einige Tage damit zu zögern, ich werde eine kleine Denkschrift verfassen. Schöne möge dieselbe dann bei den Ministern cirkulieren lassen. Ich überbrachte sie S c h ö n e; derselbe hielt es jedoch in seiner amtlichen Stellung nicht für geeignet, sich an die Minister zurückzuwenden. Nun begab ich mich zu meinem Freunde, Wirklichen Geheimrat Justus v. G r u n e r. Derselbe meinte, es gäbe wohl noch einen Ausweg. Ich möge an ihn einen Brief schreiben, worin ich unumwunden die Sachlage darstelle. Den Brief werde er dem Kammerherrn v. S t o c k m a r geben. Derselbe war Vertrauter der Kronprinzessin, der späteren K a i s e r i n F r i e d r i c h. Einige Tage später teilte Gruner mir mit, daß diese Vermittlung wirklich geholfen habe. Nach Lesung meines Briefes habe die Kronprinzessin einen Hofbeamten zum Minister F a l k geschickt mit dem Ersuchen, die Angelegenheit einstweilen einzustellen. Falk habe erwidert, da es sich hier für ihn um keine Prinzipienfrage handle, werde er dem Wunsche der Kronprinzessin entsprechen. Schöne ließ mich aus einer Sitzung herausrufen und sagte, meine Denkschrift erscheine ihm doch so bedeutend, daß er über die Angelegenheit mit mir sich näher besprechen möchte, ich möchte zu diesem Behufe mit ihm ins Ministerium kommen, wo die Akten lägen. Dort zeigte er mir den Bericht des Dombaumeisters Voigtel. Derselbe legte u. a. dar, im Chor habe sich ein Teil der ursprünglich beabsichtigten ganz einfachen Beplattung vorgefunden. Ich riet, Friedrich v. Schmidt aus Wien und Essenwein von Nürnberg gutachterlich zu hören. Schöne ersuchte mich nun noch, dem Geheimen Baurat Adler meine Bedenken womöglich plausibel zu machen. Ich fand denselben ziemlich aufgeregt über meine Bedenken, und er meinte, ob denn der ganze Dom meiner Ansicht nach ausgemalt werden solle. Ich erwiderte, dies habe meiner Ueberzeugung nach allerdings in der Absicht der ursprünglichen Meister gelegen; aber auch ganz unabhängig davon sei der Fußboden jedenfalls polychromatisch zu behandeln. Demnächst wurden außer Essenwein und Schmidt auch noch der Dombaumeister von Straßburg und Denziger, der Vollender der Regensburger Domtürme und des Domes von Frankfurt, gutachtlich gehört. Dem Vernehmen nach haben die entschiedenen Gutachten v. Schmidt und Essenweins dafür durchgeschlagen, daß die Beplattung eine mehrfarbige, figürliche werden müsse, wozu es denn auch nach vielfachen, mühseligen Verhandlungen mit Gottes Hülfe endlich gekommen ist und zwar nach den Plänen von Essenwein. Als ich mich persönlich zu Herrn v. Stockmar begab, um mich bei ihm für seine Vermittelung zu bedanken, erzählte er mir von dem lebhaften Interesse, welches die Kronprinzessin der Sache entgegengebracht habe. Später teilte ich dem Dombaumeister Voigtel im wesentlichen das Vorstehende mit, der es freundlich aufnahm und sagte, er erinnere sich, daß er, wohl um die Zeit nach dem Vorgange bei Stockmar, dem Kronprinzen seine Aufwartung gemacht und derselbe scherzend gesagt habe, Voigtel dürfe sich augenblicklich bei der Kronprinzessin nicht sehen lassen.
Nachdem die Angelegenheit so weit gediehen war, daß man an die Ausführung denken konnte, fand in Köln im Regierungsgebäude eine Versammlung statt, welcher mehrere Berliner Geheimräthe, der Oberpräsident v. Bardeleben, Dombaumeister Voigtel, namens des Domkapitels die Domkapitulare Frenken, der überhaupt die Domangelegenheiten führte, als Decernent und Dumont als Aeltester des Kapitels beiwohnten. Auch mich hatte der Cultusminister besonders beauftragt, der Sitzung beizuwohnen. Es wurde als im Plane liegend ausgegeben, daß der ganze Dom, ins besondere aber der Chor polychromatisch und figürlich ausgeschmückt werden solle. Auf das entschiedenste widersprach diesem Plane im großen und ganzen Domkapitular Frenken: das Domkapitel sei des ewigen Zuwartens müde und wolle endlich den Boden fertig sehen. Ueber das Mehr oder Weniger wurde nun verhandelt, und zwar sehr eifrig.
Ich schlug als Vermittlung vor, die Schiffe nach den Vorschlägen von Voigtel auszuführen, das Durchschnittsfeld aber noch reich auszuschmücken. Da mit Frenken, der persönlich mit der Staatsregierung auf dem gespanntesten Fuße stand, nicht mehr zu erreichen war, einigte man sich schließlich dahin.

Dokument Nr. 18

Aus: Domgrabung Köln 1946 Tagebuch I. vom 1. Mai 1946 bis 30. April 1947"
(i.e.: handschriftliches Grabungstagebuch geführt von Otto Doppelfeld) (nach Kopie im DBAK)

Seite 206
Freitag, den 11. Juli 1947
. . . „Mit Weyres besprochen, die gesamte Dreikönigenkapelle nach Wegnahme des Mosaiks bis auf die römischen Schichten abzugraben." . . .
Montag, den 14. Juli 1947
. . . „Der geplante Schacht in ganzer Ausdehnung der Achskapelle (256) kommt zur Ausführung. Heute das Mosaik an der SO Seite freigelegt und untersucht. Herr Bonato (Mosaikleger) bestimmt darauf, daß das große runde Mittelmedaillon zuerst freigehauen und entfernt wird. Morgen steht zu diesem Zweck eine der Siegburger (Gefangenen-)Kolonnen (12 Mann) bis auf weiteres zur Verfügung. Die Schmiede sollen das Gitter entfernen."
Dienstag, den 15. Juli 1947
. . . „Die Gefangenen arbeiten heute nicht auf der Grabung. Die Museumsarbeiter beginnen mit der Hebung des Mosaiks in der Achskapelle u. zwar, wie Herr Bonato jetzt doch vorzieht, von den Rändern her beginnend. Die Steinchen des von Villeroy & Boch hergestellten Mosaiks liegen in einer etwa 1 cm starken Bettung aus grauem Zement, es folgt der gleiche Zement mit vielen grösseren Kalkstückchen vermischt etwa 4 cm stark. Diese also, etwa 5–6 cm starken Platten werden durch eine dünne Sandlage vom etwa 15 cm starken Beton-Untergrund getrennt und lassen sich daher leicht abheben. Wegen der Fertigkeit des Zementes lässt es sich nicht verhindern, dass die Trennschnitte 5 cm breit werden. Die Steinchen (harter farbiger Ton) springen natürlich eher als der Zement." . . .
Mittwoch, den 16. Juli 1947
. . . „Die beiden Männer schlagen weiter Fugen in das Mosaik der Achskapelle. Morgen sollen nun endlich 12 Gefangene zur Verfügung stehen." . . .
Seite 207
Donnerstag, den 17. Juli 1947
. . . „3 Museumsarbeiter und 12 Gefangene (von Mittag ab) arbeiten auf dem kleinen Raum der Achskapelle. Bis auf das Mittelmedaillon ist jetzt der ganze Mosaikboden abgetragen, die Stufen vor dem Altar sind entfernt und ein Teil des Mörtel (Beton)Bodens ist abgeschlagen. Das Gitter konnte leider noch nicht entfernt werden." . . .

Freitag, den 18. Juli 1947
. . . „Das Gewimmel in der Achskapelle geht weiter; das Gitter wird entfernt. Vom Mosaik steht nur noch das grosse Mittelfeld. Der Mosaik-Fachmann Bonato riet, es auch in 4 Stücke zu schneiden. Grosse Vorkehrungen erscheinen ihm und den Bauleuten in anbetracht des Mangels an Gips und Holz nicht ratsam, zumal es noch fraglich erscheine, ob man das zwar technisch gute aber künstlerisch wertlose Mosaik je wieder legen werde. Wir wollen aber versuchen das ganze Medaillon herunterzuschieben; Brüche sind immerhin leichter zu heilen als die mindestens 5 cm breiten Fugen, die durch das Auseinanderschlagen entstehen. – An den Stellen, wo das Mosaik entfernt ist, wird nun auch der Mörtelboden abgeschlagen." . . .
Samstag, den 19. Juli 1947
. . . „Wegräumen von Schutt in der Achskapelle; Vorbereitung für den Abtransport des Mittelfeldes des Mosaiks dort." . . .

(Zur Zerstörung von Mosaikfeld Nr. 55 im südlichen Chorumgang)
Seite 234
Dienstag, den 9. September 1947
. . . „(Schnitt 300) Heute begonnen, hier den Mosaikboden zu entfernen."
Mittwoch, den 10. September 1947
. . . „Abtragung des Mosaiks über Schnitt 300. – Abtragung des Betons im 4. Quadranten der Achskapelle." . . .
Seite 240
Montag, den 22. September 1947
. . . „Ein Teil der Gefangenen nimmt die Arbeit am Schnitt 300 wieder auf; der Betonboden unter dem bereits länger weggeräumten Mosaik (vorläufig nur in der S Hälfte) wird entfernt.
Seite 248
Donnerstag, den 2. Oktober 1947
. . . „Im Schnitt 300 wird das Gewöbe der Gruft 301 eingeschlagen und ringsherum tiefer geschachtet." . . .

Abb. 417 Gerüstbau für die Fotoaufnahmen des Dommosaiks, 1990

LITERATUR

Amé, Emile, Les carrelages émaillés du moyen-âge et de la renaissance, précédés de' l histoire des anciens pavages: mosaiques, labyrinthes, dalles incrustées, Paris 1859.

(Anonymus), Malerische Ausschmückung der Kirchen, in: Organ für christl. Kunst, 16. Jg., 1866, Nr. 21, S. 245–248.

(Anonymus), Innere Ausschmückung der Kirche St. Maria im Capitol, in: Organ für christliche Kunst, XVIII. Jg., Nr. 16, vom 15. Aug. 1868, S. 181–183.

(Anonymus), Zur Frage des Bodenbelags im Kölner Dom, in: Kölnische Volkszeitung, Nr. 113, 3. Blatt, vom Fr., 25. April 1871.

(Anonymus), Die Abteikirche von St. Martin zu Köln und ihre neueste Restauration, in: Kunst-Chronik, 7. Jg., 1872, S. 150–152.

(Anonymus), Die Pläne für die innere Ausstattung des Kölner Domes, in: Kunst-Chronik, Bleiblatt zur Zschr. für bildende Kunst, IX. Jg., 1874, Nr. 13–15 u. 17, S. 206–210, 218–224, 234–236 u. 274.

(Anonymus), Erläuterung der inneren Ausschmückung der Hauptpfarrkirche St. Maria im Capitol in ihren bildlichen Darstellungen, Köln (1876).

(Anonymus), (Buchbesprechung) Der Bildschmuck der Liebfrauenkirche zu Nürnberg von Dr. A. Essenwein, in: Mitteilungen des Vereins für Geschichte der Stadt Nürnberg, 3. Heft, 1881, S. 262–264.

(Anonymus), Der Fußboden des Kölner Domes, in: Fränkischer Kurier (Mittelfränk. Ztg.–Nürnberger Kurier, 52. Jg.), Nr. 181, Freitag-Morgenblatt, Nürnberg, 10. April 1885.

(Anonymus), Der Entwurf für den Fußboden des Kölner Domes, in: Kunst-Chronik, Beiblatt zur Zschr. für bildende Kunst, Jg. 20, Nr. 39, vom 16. Juli 1885, Sp. 654.

(Anonymus), Der Bodenbelag des Kölner Domes, in: Kölnische Volkszeitung, Drittes Blatt, Nr. 151, vom 3. Juni 1885.

(Anonymus), Der Bodenbelag des Kölner Domes, in: Deutsche Bauzeitung, 19. Jg., vom 29. IV. 1885, S. 206 f. u. vom 4. VI. 1890, S. 266 f.

(Anonymus), Zum fünfundzwanzigsten Dienstjubiläum Dr. August v. Essenwein, in: Centralblatt der Bauverwaltung, XI. Jg., Nr. 10, vom 7. März 1891, S. 98 u. 100; ebd., S. 447.

(Anonymus), Das von Essenweinsche Prachtwerk über die neue farbige Ausstattung von St. Gereon zu Köln, in: Kölnische Volkszeitung, vom 13. XI. 1891 (Feuilleton).

(Anonymus), Kirchenfußböden, in: Keramische Monatshefte, Beilage zur „Deutschen Töpfer- und Ziegler-Zeitung", Bd. V, 1905, Heft 4, S. 62–64.

(Anonymus), Alte Kunst auf neuen Wegen. Über 100 Jahre Mettlacher Bildmosaik, in: Keramos (Werkzschr. der Firma Villeroy & Boch), 30. Jg., Folge 1981, S. 4–7.

(Anonymus) – siehe auch: Zeitungsausschnitte.

Anthony, Edgar Waterman, A History of Mosaics, New York 1968 (1. Aufl. Boston 1935).

Appell, J. W., Christian Pictures. A Catalogue of Reproductions, exhibited in the South Kensington Museum, London 1877.

Architekten- und Ingenieurverein . . . – siehe Voigts, Hans (1927).

Arndt, Karl, Aspekte des Historismus im 20. Jahrhundert, dargestellt an der Umwandlung des Braunschweiger Domes in ein politisches Denkmal des 3. Reiches, in: Historismus (1977), dort als Nr. 10.

Aus'm Weerth, Ernst, Der Mosaikboden in St. Gereon zu Cöln restaurirt und gezeichnet von Toni Avenarius nebst den damit verwandten Mosaikböden Italiens, Festschrift des Vereins von Alterthumsfreunden im Rheinlande, Bonn 1873.

Badstübner, Sybille, Die Friedenskirche zu Potsdam, (Das christliche Denkmal, Heft 85), Berlin 1972.

Bahns, Jörn, Johannes Otzen 1839-1911, Beiträge zur Baukunst des 19. Jahrhunderts, (Materialien zur Kunst des 19. Jahrhunderts, Bd. II), München 1971.

484

Bahns, Jörn, Die Museumsbauten von der Übernahme der Kartause im Jahre 1857 bis gegen 1910, in: Deneke u. Kahsnitz, Das Germanische Nationalmuseum, S. 357-488.

Bandmann, Günter, Der Kirchenbau der Gegenwart und die Vergangenheit, in: Kunst und Kirche, XXIX, 1966, S. 51-56 u. 122-125.

Bandmann, Günter, Bemerkungen zu einer Ikonographie des Materials, in: Städel-Jb., NF 2, 1969, S. 75-100.

Bandmann, Günter, Der Wandel der Materialbewertung in der Kunsttheorie des 19. Jahrhunderts, in: Helmut Koopmann u. J. Adolf Schmoll gen. Eisenwerth (Hrsg.), Beiträge zur Theorie der Künste im 19. Jahrhundert, Bd. 1, Frankfurt a. M. 1971, S. 129-157.

Barral i Altet, Xavier, un aspect du renouveau de la mosaique en France au XIXe siècle: La découverte et la restauration des mosaiques médiévales, in: Académie des Inscriptions & Belles-Lettres, Paris 1985, S. 780-862.

Barth, Suse, Lebensalter-Darstellungen im 19. und 20. Jahrhundert, Ikonographische Studien, Phil. Diss. München 1971.

Bayley, Stephen, The Albert Memorial. A monument in its social and architectural context, London 1981.

Bazalgette, Lily, Albert Dubois-Pillet, sa vie et son œuvre (1846-1890), Villejuif 1976.

Becking, E., Wie soll der Fußboden unserer Kirchen geschmückt werden? Ein Leitfaden für Geistliche und Architekten, 3. Aufl., Trier 1903.

Becking, Ed., Fliesen-Böden nach Gemälden des 15. und 16. Jahrhunderts von Jan van Eyck . . ., Stuttgart 1904.

Behne, Adolf, Der Kaiser und die Kunst, in: Die Tat. Sozialreligiöse Monatsschrift für deutsche Kultur, Jg. V, 1913, H. 6, S. 576-587.

Behrendt, Walter Kurt, Der Kampf um den Stil im Kunstgewerbe und in der Architektur, Stuttgart/Berlin 1920.

Beines, Johannes Ralf, Mobiliar, in: Ausst. Kat. Köln 1980 (I), S. 353-355.

Beissel, Stephan, Über die Ausstattung des Innern der Kirchen durch Malerei und Plastik, in: Zschr. f. christl. Kunst, 8. Jg., 1894, 1. Teil Sp. 211-220, 2. Teil Sp. 243-256, 3. Teil Sp. 279-284 (bes. „7. Der Fußboden."`).

Beissel, Stephan u. Stummel, Friedrich, Die Farbgebung bei der Ausmalung der Kirchen, in: Zschr. f. chr. Kunst, 1. Jg., 1888, Sp. 163-170, 303-314.

Belting, Hans, Das Aachener Münster im 19. Jahrhundert. Zur ersten Krise des Denkmal-Konzeptes, in: Wallraf-Richartz-Jb., Bd. XLV, 1984, S. 257 ff.

Bergau, R., Die monumentale Mosaik-Malerei in Deutschland, in: Organ für christliche Kunst, XXII. Jg., 1872, S. 41-44.

Bergau, R., Restauration der Frauenkirche zu Nürnberg, in: Kunst-Chronik, vom 15. 8. 1878, S. 708.

Bergner, Heinrich, Kirchenmöbel aus alter und neuer Zeit, Berlin 1893.

Bericht des Vorstandes des Karlsvereins zur Restauration des Aachener Münsters unter dem Allerhöchsten Protektorate Sr. Majestät des Kaisers und Königs über das 57. Vereinsjahr 1904, Aachen (1904).

Bertelli, Carlo (Hrsg.), Die Mosaiken, Freiburg/Basel/Wien 1989.

Beseler, Hartwig, Der Wiederaufbau der Kölner Kirchen, in: Jb. d. Rhein. Denkmalpflege, 20, 1956, S. 225 ff., u. 1957, S. 153 ff.

Bideault, Maryse u. Lautier, Claudine, Le pavement de l'ancienne abbatiale Saint-Nicaise de Reims, in: Revue de l'Art, Nr. 31, 1976, S. 9-20.

Bieber, Dietrich u. Mai, Ekkehard, Gebhardt und Janssen, Religiöse und Monumentalmalerei im späten 19. Jahrhundert, in: Ausst.Kat. „Die Düsseldorfer Malerschule", Düsseldorf/Darmstadt 1979, S. 165-185.

Bieber, Dietrich, Peter Janssens Wandgemälde für Erfurt, in: Mai/Waetzoldt, Kunstverwaltung, S. 341-359.

Blanchet, Adrien, La Mosaique, Paris 1928.

Bloch, Peter, Skulpturen des 19. Jahrhunderts im Rheinland, Düsseldorf 1975.

Blum, Hans, Kölnische Bibliographie 1970-1972, Köln, 1975.

Bode, Wilhelm, Kunst und Kunstgewerbe am Ende des 19. Jahrhunderts, Berlin 1901.

Bönisch, Georg, Der unbekannte Dom, Köln 1976.

Bönisch, Georg, Köln und die Preußen, Köln 1982.

Bösch, Hans, Direktor Dr. A. Essenwein, in: Über Land und Meer, Allgemeine Illustrirte Zeitung, 52. Jg., Oktober 1883, S. 983 f.

Bösch, Hans, Kgl. Bayer. Geheimrat Dr. A. v. Essenwein erster Direktor des Germanischen Nationalmuseums, in: Anzeiger des Germanischen Nationalmuseums, Nr. 5, 1892, S. 69 ff.

Boesch, Hans, Essenwein, in: Allgemeine Deutsche Biographie, Bd. 48 (Nachträge bis 1899), Leipzig 1904, S. 432-434.

Bogler, Wilhelm, u. Schneider, Friedrich, Bodenbelag für den Dom zu Köln. Entwurf von Wilhelm Bogler, Architekt in Wiesbaden, und Friedrich Schneider, Dompräbendant in Mainz, o. O. 1880.

Boisserée, Sulpiz, Ansichten, Risse und einzelne Theile des Domes von Köln, Stuttgart 1821-1832, 2. Aufl. München 1842, neu hrsg. und kommentiert von Arnold Wolff, Köln 1979.

Boisserée, Sulpiz, Tagebücher, im Auftrag der Stadt Köln hrsg. von Hans J. Weitz, Bd. I (1808-1823) Darmstadt 1978, Bd. II (1823-1834) ebd. 1981, Bd. III (1835-1843) ebd. 1983.

Boockmann, Hartmut, Die Marienburg im 19. Jahrhundert, Frankfurt/Wien/Berlin 1982.

Borger, Hugo, Die Abbilder des Himmels in Köln, Bd. I, Köln 1979.

Borger, Hugo, Aus dem Lebenslauf des Kölner Domes, in: Ausst.Kat. Köln 1980 (I), S. 9-16.

Borger, Hugo, u. Gaertner, Rainer, Der Kölner Dom, Köln 1980.

Borger-Keweloh, Nicola, Die mittelalterlichen Dome im 19. Jahrhundert, München 1986.

Brandes, Heinrich, Braunschweigs Dom mit seinen alten und neuen Wandgemälden. Eine Besprechung zum Verständniss derselben, von dem Künstler selbst nach eigenen Beobachtungen mitgetheilt, Braunschweig 1863.

Braun, Beate, Das Domchormosaik. Seine Entstehung und geschichtliche Stellung unter besonderer Berücksichtigung ikonographischer Probleme, Referat für das Seminar „Der Kölner Domchor – Architektur und Ausstattung II", Wintersemester 1978/79, Prof. Dr. E. Trier (als Fotokopie vervielfältigt; ein Exemplar in der Bibliothek des DBAK).

Bringmann, Michael, Studien zur neuromanischen Architektur in Deutschland, Phil. Diss. Heidelberg 1968.

Brix, Michael u. Steinhauser, Monika (Hrsg.), Geschichte allein ist zeitgemäß, Historismus in Deutschland, Gießen 1978.

Brönner, Wolfgang, Farbige Architektur und Architekturdekoration des Historismus, in: Deutsche Kunst und Denkmalpflege, 36. Jg., 1978, S. 57–68.

Brönner, Wolfgang, Die Wiederherstellung der historistischen Ausmalung Hermann Schapers im Bremer Dom, in: Deutsche Kunst und Denkmalpflege, 39. Jg., 1981, S. 149–158.

Brönner, Wolfgang, Schichtenspezifische Wohnkultur – die bürgerliche Wohnung des Historismus, in: Mai/Pohl/Waetzoldt, Kunstpolitik, S. 361–378.

Bucher, Bruno (Hrsg.), Geschichte der technischen Künste, Bd. I (Abteilung „Mosaik"), Stuttgart 1875.

Buchkremer, Josef, Karlsverein zur Wiederherstellung des Aachener Münsters, Tätigkeit des Vereins in den letzten 50 Jahren – (bis zum Jahre 1935). – Auszüge aus den Jahresberichten, Aachen 1936.

Bürkner, Richard, Geschichte der kirchlichen Kunst, Freiburg i. Br. 1903.

Bürkner, Richard, Kirchenschmuck und Kirche, Gotha o. J.

Busch, Felicitas, Ferdinand von Quast und die Inventarisation in Preußen, in: Mai/Waetzoldt, Kunstverwaltung, S. 361–382.

Cames, Gérard, Allégories et symboles dans l'Hortus Deliciarum, Leiden 1971.

Ceccarius, A Vienna nella Minoritenkirche una grandiosa opera del romano Giacomo Raffaelli (1753–1836), in: Strenna dei Romanisti, Bd. 23, 1962, S. 84–87.

Cecchini, G., Il Pavimento della Cattedrale di Siena, Siena o. J.

Clemen, Paul, Zum hundertsten Geburtstage August Reichenspergers, in: Mitteilungen des Rheinischen Vereins für Denkmalpflege und Heimatschutz, 2. Jg., 1908, S. 130–134.

Clemen, Paul (in Verbindung mit Neu, Heinrich u. Witte, Fritz), Der Kölner Dom, Die Kunstdenkmäler der Stadt Köln (Die Kunstdenkmäler der Rheinprovinz, Bd. 6/III), 2., verm. Aufl. Düsseldorf 1938 (Reprint 1980).

Clemen, Paul (Hrsg.), Die Kunstdenkmäler der Stadt Köln, Die kirchlichen Denkmäler der Stadt Köln I, bearbeitet von Wilhelm Ewald u. Hugo Rathgens (Die Kunstdenkmäler der Rheinprovinz, Bd. 6/IV), Düsseldorf 1916 (Reprint 1980).

Clemen, Paul (Hrsg.), Die Kunstdenkmäler der Stadt Köln, Die kirchlichen Denkmäler der Stadt Köln II, bearbeitet von Hugo Rathgens (Die Kunstdenkmäler der Rheinprovinz, Bd. 7/I), Düsseldorf 1911 (Reprint 1980).

Clemen, Paul (Hrsg.), Die Kunstdenkmäler der Stadt Köln, Die kirchlichen Denkmäler der Stadt Köln III, bearbeitet von Hugo Rathgens u. Hermann Roth (Die Kunstdenkmäler der Rheinprovinz, Bd. 7/II), Düsseldorf 1929 (Reprint 1980).

Clemen, Paul (Hrsg.), Die Kunstdenkmäler der Stadt Köln, Die kirchlichen Denkmäler der Stadt Köln IV, bearbeitet von Ludwig Arntz, Hugo Rathgens, Heinrich Neu u. Hans Vogts (Die Kunstdenkmäler der Rheinprovinz, Bd. 7/III), Düsseldorf 1934 (Reprint 1980).

Clemen, Paul, Die romanische Monumentalmalerei in den Rheinlanden (Publikationen der Gesellschaft für Rheinische Geschichtskunde XXXII), Düsseldorf 1916.

Clemen, Paul, Die gotische Monumental-Malerei der Rheinlande, Düsseldorf 1930.

Clemen, Paul, Die deutsche Kunst und die Denkmalpflege, Ein Bekenntnis, Berlin 1933.

Clemen, Paul, Der Denkmalbegriff und seine Symbolik, Bonn 1933.

Clemen, Paul, Der Dom zu Köln (Die Kunstdenkmäler der Rheinprovinz, Bd. 6/III), 2. Aufl. Düsseldorf 1938.

Clemen, Paul, Gesammelte Aufsätze, Düsseldorf 1948.

Cohausen, A. von, Ueber die Decoration von Fussböden, in: Zeitschrift für Baukunde, 2. Jg., 1879, Sp. 610–620.

Cohausen, A. von, Einige technische Bemerkungen über die gröberen Thonwaaren auf der Pariser Ausstellung 1878 (Separatum aus Mitteilungen des Gewerbevereins für Nassau, Jg. 33, 1879).

Dann, Otto (Hrsg.), Religion, Kunst, Vaterland. Der Kölner Dom im 19. Jahrhundert, Köln 1983.

Dehio, Georg, Rheinland, Handbuch der deutschen Kunstdenkmäler, N.F. IV/1, bearbeitet von Ruth Schmitz-Ehmke, München/Berlin 1967.

Dehio, Georg u. Riegl, Alois, Konservieren, nicht restaurieren. Streitschriften zur Denkmalpflege um 1900 (Bauwelt Fundamente 80), Braunschweig 1988.

Dellingshausen, Erica von, Die Wartburg. Ein Ort geschichtlicher Entwicklungen, Sängerkrieg, Elisabeth von Thüringen, Luther, 1817, Stuttgart 1983.

Demus, Otto, The Mosaics of San Marco in Venice, 2 Bde., Chicago/London 1984.

Deneke, Bernhard u. Kahsnitz, Rainer (Hrsg.), Das Germanische Nationalmuseum 1852–1977, Beiträge zu seiner Geschichte, München/Berlin 1978.

Deschamps de Pas, Louis, Essai sur le pavage des églises antérieurement au quinzième siècle, in: Annales archéologiques, Bd. X, 1850, S. 233–2 1 u. 305–311; Bd. XI, 1851, S. 16–23 u. 65–71; Bd. XII, 1852, S. 136–152.

Devliegher, Luc, Jean Béthune und das Kuppelmosaik im Dom zu Aachen, in: Beiträge zur rheinischen Kunstgeschichte und Denkmalpflege II, Beiheft 20 (Festschrift Albert Verbeek), Düsseldorf 1974, S. 279–292.

Didron ainé, E., Carrelages historiés, in: Annales archéologiques, Bd. X, 1850, S. 61–68.

Didron ainé, E., Manuel des œuvres de bronze et d' orfèvrerie du Moyen Age, in: Annales Archéologiques, Bd. XIX, Paris 1859, S. 5–221.

Didron ainé, E., Du rôle décorative de la peinture en mosaique, in: Gazette des Beaux-Arts, Mai 1875, S. 444–459.

Dieckhoff, Reiner, Die konkrete Utopie, in: Ausst.Kat. Köln 1980/81 (I), S. 259–285.

Dietsch, Walter, der Dom St. Petri zu Bremen. Geschichte und Kunst, Bremen (1978).

Ditges, A., Der Bilderkreis der Kirche Groß St. Martin in Köln, Köln 1885.

Döhmer, Klaus, „In welchem Style sollen wir bauen?", Architekturtheorie zwischen Klassizismus und Jugendstil (Studien zur Kunst des 19. Jahrhunderts, Bd. 36), München 1976.

Doppelfeld, Otto, Grabungstagebuch (handschriftliches Original im Grabungsbüro des Kölner Domes).

Doppelfeld, Otto u. Weires, Willy, Die Ausgrabungen im Dom zu Köln (Kölner Domgrabungen, Bd. I), hrg. von Hansgerd Hellenkemper, Mainz 1980.

Droste, Magdalena, Das Fresko als Idee. Zur Geschichte öffentlicher Kunst im 19. Jahrhundert (Kunstgeschichte: Form und Interesse, 2), Phil. Diss Marburg 1977, Münster 1980.

Droysen, Johann Gustav, Historik. Vorlesungen über Enzyklopädie und Methodologie der Geschichte, 3. Aufl. München 1958; 5. Aufl. Darmstadt 1967.

Droysen, Johann Gustav, Historik. Historisch-kritische Ausgabe von Peter Leyh, Bd. I (Stuttgart/Bad Cannstatt) 1977.

Duban, M./Lassus, M./Calliat, M.V./Guilhermy, M. de, La Sainte-Chapelle de Paris après les restaurations, Paris 1857.

Efimowa, E., Westeuropäische Mosaiken des 13. bis 19. Jahrhunderts in den Sammlungen der Eremitage, Leningrad 1968.

Eitelberger, Rudolf von, Die Bemalung des südlichen Querschiffes der Kirche St. Maria im Capitol in Köln, in: Organ für christliche Kunst, Nr. 9, 1869, S. 103–106.

Elis, Carl, Ueber Steinintarsien, in: Wochenblatt für Architekten und Ingenieure, Jg. VI, Nr. 45 vom 6. Juni 1884, S. 240–242, u. Nr. 47 vom 13. Juni 1884, S. 145.

Elis, Carl, Handbuch der Mosaik- und Glasmalerei zum Gebrauch für Mosaik- und Glasmaler, Architekten, Künstler und Dekorationsmaler sowie für kunstgewerbliche Schulen nach dem Tode des Verfassers hrsg. von Julius Andree, Leipzig 1891.

Endert, J. van, Die Bemalung des südlichen Querschiffes der Kirche St. Maria im Capitol, in: Organ f. christ. Kunst, XIX. Jg., Nr. 9, vom 1. Mai 1869, S. 103–106.

Endert, J. van, Innere Ausschmückung der Kirche St. Maria im Capitol, in: Organ für christliche Kunst, Nr. 16, 1868, S 16.

Ennen, Leonhard, Der Dom zu Köln. Festschrift, Köln 1880.

Essenwein, August, Norddeutschlands Backsteinbau im Mittelalter, Calrsruhe (1855).

Essenwein, August, Die innere Ausschmückung der Kirche Gross-St. Martin in Cöln. Entworfen von A. Essenwein. Als Manuskript gedruckt, Graz 1864 (Druck und Papier von Jos. A. Kienreich).

– Die innere Ausschmückung der Kirche Gross-St. Martin in Köln, in: Organ f. christl. Kunst, XV. Jg., 1865, Nrn. 6, 10, 11, 12, 14, 16, 17, 18, 19 u. 20.

– Die innere Ausschmückung der Kirche Gross-St.-Martin in Köln. Entworfen von A. Essenwein, Köln 1866 (Verlag des Kirchen-Vorstandes).

– Die innere Ausschmückung der Kirche Gross-St. Martin in Köln. Entworfen von A. Essenwein, Nürnberg 1866 (v. Eber'sche Buch- und Kunsthandlung).

– Die innere Ausschmückung der Kirche Gross-St.-Martin in Köln 1866 (Ausgabe mit 59 S. Text und auf 42 Tafeln eingeklebten Originalphotos in der Bibliothek des Germanischen Nationalmuseums, Nürnberg).

Essenwein, August, Ein interessantes Muster einer Fußbodenfliese, in: Anzeiger für Kunde der deutschen Vorzeit, 1867, Nr. 7, S. 207 f.

Essenwein, August, Multiplikationsornamente in den Fußbodenfliesen des Mittelalters, in: Anzeiger für Kunde der deutschen Vorzeit, 1868, Nr. 3, S. 81–89.

Essenwein, August, Polychromie der mittelalterlichen Bauwerke, in: Anzeiger für Kunde der deutschen Vorzeit, 1870, Nr. 12, S. 395 f.

Essenwein, August, Eine Abbildung des alten Kölner Domes, in: Anzeiger für Kunde der deutschen Vorzeit, 1872, Nr. 19, S. 209.

(Essenwein, August), Die Restauration und Ausstattung des Innern des Münsters zu Constanz, Gutachten von Dr. A. Essenwein . . . , Freiburg i. Br. 1879.

Essenwein, August, Der Bildschmuck der Liebfrauenkirche zu Nürnberg, Nürnberg 1881.

Essenwein, August, Die Wandgemälde im Dom zu Braunschweig, Nürnberg 1881.

488

Essenwein, August, Der Bildschmuck der Liebfrauenkirche zu Nürnberg von Dr. A. Essenwein. Nürnberg (Verlag der katholischen Kirchenverwaltung) 1881 . . ., in: Mitteilungen des Vereins für Geschichte der Stadt Nürnberg, 3. Heft, Nürnberg 1881, S. 263 f.

Essenwein, August, Die Ausgänge der classischen Baukunst. (Christlicher Kirchenbau.) Die Fortsetzung der classischen Baukunst im oströmischen Reiche. (Byzantinische Baukunst.), in: Handbuch der Architektur, Zweiter Theil: Die Baustile. Historische und technische Entwicklung. 3. Band, erste Hälfte, Darmstadt 1886.

Essenwein, August, Die farbige Ausstattung des zehneckigen Schiffes der Pfarrkirche zum heiligen Gereon in Köln durch Wand- und Glasmalereien, Frankfurt a. M. 1891.

Essenwein, August von, Die romanische und gotische Baukunst. Der Wohnbau, in: Handbuch der Architektur, Bd. II/4/2, Darmstadt 1892.

(A. E.) Essenwein, August, Die Liebfrauenkirche in Nürnberg und ihr Bildschmuck von Dr. A. Essenwein. In Broschürenform gefasst von J. B. Höfner, Stadtpfarrer z. U. L. Frau (Mit Erlaubnis der Relikten des Verfassers), (Nürnberg 1906).

Essenwein, August (Junior), August Ottmar Ritter von Essenwein, Direktor des Germanischen Nationalmuseums zu Nürnberg 1831–1892, in: Mein Heimatland, 1938, H. 3, hrsg. von Hermann Eris Busse, Freiburg i. Br., S. 304–310.

Essenwein, August . . . siehe auch: Primerano/Scarrocchia.

Falke, Jacob von, Die Kunst im Hause. Geschichtliche und kritisch-ästhetische Studien über die Decoration und Ausstattung der Wohnung, 5. verm. Aufl. Wien 1883 (1. Aufl. 1871).

Falke, Jacob von, Wanddekoration und Wandmalerei in der Kirche, in: Aus dem weiten Reiche der Kunst. Ausgewählte Aufsätze, 2. Aufl. Berlin 1889, S. 337 ff.

Faymonville, Karl, Der Dom zu Aachen und seine liturgische Ausstattung vom 9. bis zum 20. Jahrhundert, München 1909.

Faymonville, Karl, Das Münster zu Aachen, (Kunstdenkmäler der Rheinprovinz, hrsg. von Paul Clemen, Bd. X, Die Kunstdenkmäler der Stadt Aachen, Bd. I), Düsseldorf 1916 (Reprint).

Fischbach, Friedrich, Erinnerungen an August von Essenwein, in: Didaskalia, Nr. 262, 1892 (?). – Siehe: Archiv GNM, „Lokalausschuß 1892–1893, Altregistratur, Karton 746, Bl. 100“.

Fischbach, Friedrich, „Ist der Dom vollendet?“, in: Kölner Tageblatt, vom 26. Juli 1902.

Fischer, Hugo, Ueber Mosaikarbeiten, Vortrag, Leipzig 1887 (Separatum aus Civilingenieur, XXXIII. Bd., 4. Heft).

Fischer, Joseph Ludwig, Deutsches Mosaik und seine geschichtlichen Quellen, Leipzig 1939.

Fischer, Peter, Das Mosaik. Entwicklung, Technik, Eigenart, Wien/München 1969.

Fischer, Peter, Ravenna zwischen altem und neuen Mosaik, in: Die Kunst (vormals: Die Kunst und das schöne Heim), 1983, Heft 9, S. 605–608 (vgl. ebd. auch S. 597 ff.).

Foehring, H. Das Mosaik von der römischen bis auf die heutige Zeit, Vortrag im Kunstgewerbe-Verein zu Hamburg am 11. Februar 1896, Hamburg 1896.

Forrer, Robert, Geschichte der europäischen Fliesen-Keramik, Straßburg 1901.

Foucart, Bruno, Le renouveau de la peinture religieuse en France (1800–1860), Paris 1987.

Frank, Adolph, Die Entwicklung der deutschen Mosaikindustrie. Vortrag gehalten im Verein zur Beförderung des Gewerbefleißes am 4. Mai 1903, (Sonderabdruck aus den Verhandlungen des Vereins zur Beförderung des Gewerbefleißes), Berlin 1903, S. 1–9.

Frowein-Ziroff, Vera, Der Berliner Kirchenbau des 19. Jahrhunderts vor seinem historischen und kulturpolitischen Hintergrund, in: Karl Schwarz (Hrsg.), Berlin: Von der Residenzstadt zur Industriemetropole, Ein Beitrag der technischen Universität Berlin zum Preußen-Jahr 1981, Bd. I Aufsätze, Berlin 1981, S. 129–148.

Frowein-Ziroff, Vera, Die Kaiser-Wilhelm-Gedächtniskirche. Entstehung und Bedeutung (Die Bauwerke und Kunstdenkmäler von Berlin, Beiheft 9), Berlin 1982.

Frowein-Ziroff, Vera – siehe auch: Ziroff, Vera.

Gaertner, Rainer – siehe: Borger, Hugo.

Geiges, Fritz, Der mittelalterliche Fensterschmuck des Freiburger Münsters, Freiburg i. Br. 1931 (als Buchausgabe textgleich mit ders., a. a. O., in: Schau-ins-Land, Jg. 56–58 (1931) u. Jg. 59–60 (1933).

Gerspach, E., La mosaique, Paris 1884.

Glasberg, V. Repertoire de la mosaique médiévale pariétale et portative. Prolégomènes à un corpus . . . , Amsterdam 1974.

Gobbo, Anton, Die Technik der alten Mosaiken, Köln 1903.

Görres, Joseph von, Der Dom von Köln und das Münster von Stras(s)burg, Regensburg 1942.

Götz, Norbert, Um Neugotik und Nürnberger Stil, Studien zum Problem der künstlerischen Vergangenheitsrezeption im Nürnberg des 19. Jahrhunderts, (Nürnberger Forschungen, Bd. 23), Nürnberg 1981.

Götz, Wolfgang, Historismus. Ein Versuch zur Definition des Begriffes, in: Zschr. des Deutschen Vereins f. Kunstwiss., Bd. XXIV, Heft 1–4, 1970, S. 196–212.

Gollwitzer, Heinz, Zur Auffassung der mittelalterlichen Kaiserpolitik im 19. Jahrhundert. Eine ideologie- und wissenschaftsgeschichtliche Nachlese, in: Dauer und Wandel der Geschichte, Festgabe für K. von Raumer, Münster 1966, S. 483 ff.

Gollwitzer, Heinz, Zum politischen Germanismus des 19. Jahrhunderts, in: Festschrift Hermann Heimpel, Bd. I, Göttingen 1971, S. 282–356.

Gollwitzer, Heinz, Zum Fragenkreis Architekturhistorismus und politische Ideologie, in: Zschr. f. Kunstgeschichte, 42, 1979, S. 1–14.

Gosebruch, Martin, Der Braunschweiger Dom und seine Bildwerke, Königstein i. T. 1980.

Grube, Friedrich, Kurzer Führer durch den Dom St. Blasii zu Braunschweig, Braunschweig 1886.

Gruner, E., Die Mosaikfabrik, Aufbau, Ausbau und Erzeugnisse, in: Keramos, 1969, Heft 2 („100 Jahre Mosaikfabrik Mettlach"), S. 3 ff.

Guilhermy, M. de – siehe: Duban, M. . ., Sainte-Chapelle.

Hager, Werner u. Knopp, Horbert (Hrsg.), Beiträge zum Problem des Stilpluralismus, München 1977.

Hardtwig, Wolfgang, Geschichtsschreibung zwischen Alteuropa und moderner Welt, Jacob Burckhardt in seiner Zeit, Göttingen 1974.

Hardtwig, Wolfgang, Traditionsbruch und Erinnerung. Zur Entstehung des Historismusbegriffs, in: Michael Brix u. Monika Steinhauser (Hrsg.), „Geschichte allein ist zeitgemäss", Historismus in Deutschland, Lahn-Gießen 1978, S. 17–27.

Hardtwig, Wolfgang, Kunst im Revolutionszeitalter. Historismus in der Kunst und der Historismusbegriff der Kunstwissenschaft, in: Archiv für Kulturgeschichte, Bd. 61, 1979, S. 154–190.

Hardtwig, Wolfgang, Geschichtsinteresse, Geschichtsbilder und politische Symbole in der Reichsgründungsära und im Kaiserreich, in: Mai/Waetzoldt, Kunstverwaltung, S. 47–74.

Hartlaub, Gustav Friedrich, Kunst und Religion. Ein Versuch über die Möglichkeit neuer religiöser Kunst, Leipzig 1919.

Hartmann, Reinhold, Erneuerungsversuche der christlich-religiösen Malerei im 19. Jahrhundert, insbesondere der Bestrebungen auf naturalistischer Basis in der 2. Jahrhunderthälfte, Phil. Diss. (masch.schr.), Tübingen 1954.

Heckes, Pia, Die Mosaiken Hermann Schapers im Aachener Münster, in: Aachener Kunstblätter, Bd. 52, 1984, S. 187–230 (als Magisterarbeit: TU Berlin 1982).

Heckes, Pia, Studien zu den Kirchendekorationen Hermann Schapers (1853–1911) mit einem Gesamtkatalog seines künstlerischen Werkes, Diss. (masch.schr.) TU Berlin 1990.

Heikamp, Detlef, Desinteresse, Unwissenheit, Trägheit führten zum Abbruch, in: Bauwelt, 64. Jg., 1973, S. 567–572.

Heimann, F. C., Des Kölner Domes künstlerische Ausgestaltung in den Tagen Alexander Schnütgens, in: Zschr. f. christl. Kunst, Jg. XXXI, 1918, Sp. 134–141.

Heinen, Wilhelm Josef, Der Begleiter auf Reisen in Deutschland, Köln 1808.

Helbig, Jules, Le Baron Béthune, fondateur des écoles St. Luc, préface par le comte Verspeyen, Lille/Bruges 1906.

Helmken, D. C., Der Dom zu Köln, 1. Aufl. Köln 1887.

Helmken, Franz Theodor, Der Dom zu Köln, seine Geschichte und Bauweise, Bildwerke und Kunstschätze, 5. durchges. u. erg. Aufl. Köln 1905.

Herdtle, Eduard, Flaechen-Verzierungen des Mittelalters und der Renaissance nach den Originalen gezeichnet, II. Abtheilung: Fliesen, Stuttgart 1870.

Höfner, J. B. – siehe: Essenwein, August, Liebfrauenkirche (1906).

Hetherington, Paul, Mosaics, London 1967.

Heussi, Karl, Kompendium der Kirchengeschichte, 11. Aufl. Tübingen 1957 (1. Aufl. 1907).

Hilger, Hans Peter, Die Ausstattung des Kölner Domes im 19. Jahrhundert, in: Ausst.Kat. Köln 1980 (I), S. 363–371.

Hilger, Hans Peter, Altäre und Ausstattungen rheinischer Kirchen, in: Eduard Trier u. Willy Weyres (Hrsg.), Kunst des 19. Jahrhunderts im Rheinland, Bd. IV Plastik, Düsseldorf 1980, S. 113–176.

Hilger, Hans Peter – siehe: Mainzer, Udo (Hrsg.), Raum und Ausstattung.

Hillig, Hugo, Die Geschichte der Dekorationsmalerei als Gewerbe, Hamburg 1911.

Hinz, Berthold, Friede den Fakultäten. Zur Programmatik des Verhältnisses von Kunst und Wissenschaft zwischen Aufklärung und Vormärz, Die Fakultätsbilder in Bonn in: Brix/Steinhauser (Hrsg.), „Geschichte . . .", S. 53–72.

Historismus und bildende Kunst, Vorträge und Diskussion im Oktober 1963 in München und Schloß Anif, (Studien zur Kunst des 19. Jahrhunderts, Bd. I), München 1965.

Historismus (Historismus-Tagung der Fritz-Thyssen-Stiftung, München 1.-3. 3. 1977), Sammelbd. der Referate, München 1977 (Texte masch.schr. in der Kunstbibliothek SMPK, Berlin).

Höfner, J. B., Die Liebfrauenkirche zu Nürnberg mit ihrem Bilderschmuck von Dr. A. Eßenwein, Nürnberg 1906.

Hoff, August, Christliche Mosaikbildkunst, Berlin 1925.

Hoffmann, Godehard, Die Restaurierungen von St. Quirinus in Neuss im 19. Jahrhundert, masch. schr. Magisterarbeit Universität München 1987.

Hoffmann, Hans-Christoph, Die Restaurierung des St.-Petri-Domes in Bremen 1972 bis 1981, in: Deutsche Kunst und Denkmalpflege, 39. Jg., 1981, Heft 2, S. 125–148.

Holzamer, Karin, August Essenwein (1831–1892), Architekt und Museumsmann, seine Zeichnungen und Entwürfe in Nürnberg, Phil. Diss. Regensburg 1984.

Horstmann, H., Die Wappen der Heiligen Drei Könige, in: KDBl., 30. Folge, 1969, S. 49–66.

Hoßfeld, Oskar, Stadt- und Landkirchen, in: Zentralblatt der Bauverwaltung, XXV. Jg., 1905, Nr. 1–41 (als Buchausgabe: 3. Aufl. Berlin 1911).

Hoßfeld, Oskar, Zur Frage der Kirchenfußböden, in: Zentralblatt der Bauverwaltung, XXV. Jg., 1905, Nr. 14, S. 90, Nr. 30, S. 195 f.

Huppertz, Andreas, Der Kölner Dom und seine Kunstschätze, 2. Aufl. Köln 1956.

Huse, Norbert (Hrsg.), Denkmalpflege, Deutsche Texte aus drei Jahrhunderten, München 1984.

Kahsnitz, Rainer – siehe: Deneke/Kahsnitz (Hrsg.), Das Germanische Nationalmuseum.

Kataloge:

– Ausst.Kat. Paris 1900, Weltausstellung in Paris 1900. Amtlicher Katalog der Ausstellung des Deutschen Reiches, Berlin (1900).

– Ausst.Kat. Köln 1956, Der Kölner Dom, Bau- und Geistesgeschichte, Köln 1956.

– Ausst.Kat. Köln 1964, Achthundert Jahre Verehrung der Heiligen Drei Könige in Köln 1164–1964, Köln 1964 (= KDBl., 23./24. Folge, 1964).

– Ausst.Kat. München 1976, Villeroy & Boch. Keramik vom Barock bis zur Neuen Sachlichkeit, Münchener Stadtmuseum, München 1976.

– Ausst.Kat. Kevelaer 1979, Der Kirchenmaler Friedrich Stummel (1850 bis 1919) und sein Atelier, Niederrheinisches Museum für Volkskunde und Kulturgeschichte in Kevelaer, Kevelaer 1979.

– Ausst.Kat. Amsterdam 1977/78, Villeroy & Boch 1748–1930, Rijksmuseum Amsterdam 1977–1978 (Thérèse Thomas).

– Ausst.Kat. Köln 1980/81, Der Kölner Dom im Jahrhundert seiner Vollendung, Bd. I Katalog, Bd. II Essays, Kunsthalle Köln 1980/81.

– Ausst.Kat. Kleve 1983, Die Lebenstreppe. Bilder der menschlichen Lebensalter, (Schriften des Rheinischen Museumsamtes Nr. 23), Städtisches Museum Haus Koekkoek, Kleve 1983.

– Ausst.Kat. Zürich 1983, Der Hang zum Gesamtkunstwerk, Europäische Utopien seit 1800, hrsg. von Harld Szeemann, Aarau 1983 (Ausstellung in Zürich, Düsseldorf, Berlin-W. etc. 1983).

– Ausst.Kat. Köln 1984, Verschwundenes Inventarium. Der Skulpturenfund im Kölner Domchor, bearbeitet von Ulrike Bergmann, Schnütgen Museum Köln 1984.

– Ausst.Kat. München 1984, „München leuchtete", Karl Caspar und die Erneuerung christlicher Malerei in München um 1900, hrsg. von Peter-Klaus Schuster, Haus der Kunst, München 1984.

– Ausst.Kat. Koblenz 1985, August Reichensperger und die Kunst des 19. Jahrhunderts, Ausst. zum 90. Todesjahr, bearbeitet von Udo Liessem, Helmut Prößler u. Hans-Josef Schmidt, Stadtbibliothek/Stadtarchiv Koblenz 1985.

– Ausst.Kat. Köln 1988, Großstadt im Aufbruch. Köln 1888, Historisches Archiv der Stadt Köln, Köln 1988.

Kemp, Wolfgang, Der Anteil des Betrachters, Rezeptionsästhetische Studien zur Malerei des 19. Jahrhunderts, München 1983.

Kerbs, Diethart, Requiem auf eine Mosaikfabrik, in: ZEIT-Magazin, Nr. 38, vom 22. Sept. 1972, S. 8 f.

Kerssen, Ludger, Das Interesse am Mittelalter im Nationaldenkmal (Arbeiten zur Frühmittelalterforschung, Schriftenreihe des Instituts für Frühmittelalterforschung der Universität Münster, hrsg. v. Karl Haucke, Bd. VIII, urspr. Phil. Diss. Münster 1972), Berlin/New York 1975.

Kevinghaus, Gertrud, Stimmen zum Innenraum des Kölner Doms aus der ersten Hälfte des 19. Jahrhunderts, in: KDBl., 35. Folge, 1972, S. 29–38.

Kier, Hiltrud, Der mittelalterliche Schmuckfußboden unter besonderer Berücksichtigung des Rheinlandes, (Kunstdenkmäler des Rheinlandes, hrsg. von Rudolf Wesenberg, Beiheft 14), Düsseldorf 1970.

Kier, Hiltrud, Der Fußboden des Alten Domes, in: KDBl., 33. Folge, 1971, S. 109–127.

Kier, Hiltrud, Schmuckfußböden in Renaissance und Barock, (Kunstwissenschaftliche Studien, Bd. XLIX), Berlin 1976.

Kier, Hiltrud, Die Wiederherstellung der Kölner Altstadt-Kirchen, in: Keller, Horst (Hrsg.), Kunst, Kultur, Köln, Köln 1979, S. 22–32.

Kier, Hiltrud u. Krings, Ulrich, Der Kranz der romanischen Kirchen in Köln, Köln 1980.

Kier, Hiltrud und Krings, Ulrich, Köln: Romanische Kirchen im Bild, Architektur, Skulptur, Malerei, Graphik, Photographie, (Stadtspuren – Denkmäler in Köln, hrsg. von der Stadt Köln, Bd. III), Köln 1984.

Klapheck, Richard, Die Baukunst der Rheinprovinz im 19. Jahrhundert, Köln 1917.

Klamt, Johann-Christian, Die mittelalterlichen Monumentalmalereien im Dom zum Braunschweig, Phil. Diss. FU Berlin 1968.

Klein, Adolf, Der Dom zu Köln, Die bewegte Geschichte seiner Vollendung, Köln (1980).

Klein, Johannes, Kirchliche Kunst. Cartons für Glasmosaik und Tafelmalerei etc., Einleitung und erläuternder Text von Dr. Carl Lind, 1.–3. Folge, Wien 1880–1884.

Koch, Hugo, Ausbildung der Fussboden-, Wand- und Deckenflächen, (Handbuch der Architektur, 3. Teil, 3. Bd., Heft 3), Stuttgart 1903.

Koch, Johann Wilhelm, August Reichenspergers künstlerische Bestrebungen, in: Zentral-Dombauverein (Hrsg.), Der Kölner Dom, Festschrift zur Siebenhundertjahrfeier 1248–1948, Köln 1948, S. 268 ff.

Köln und seine Bauten, Festschrift zur VIII. Wanderversammlung des Verbandes deutscher Architekten- und Ingenieur-Vereine in Köln vom 12. bis 16. August 1888, hrsg. vom Architekten- und Ingenieur-Verein für Niederrhein und Westfalen, Köln 1888 (auch als Reprint).

Königfeld, Peter, Burg Dankwarderode in Braunschweig und Stiftskirche Königslutter. Raumgestaltungen des 19. Jahrhunderts in Niedersachsen und ihre Restaurierung, in: Deutsche Kunst und Denkmalpflege, Jg. 36., 1978, H. 1/2, S. 69–86.

Kohte, Julius, Ferdinand von Quast (1807–1877), Konservator der Kunstdenkmäler des Preußischen Staates. Eine Würdigung seines Lebenswerkes, in: Deutsche Kunst und Denkmalpflege, 35. Jg., 1977, H. 2, S. 114–131.

Koopmann, Helmut u. Schmoll gen. Eisenwerth, J. Adolph (Hrsg.), Beiträge zur Theorie der Künste im 19. Jahrhundert, Bd. I, (Studien zur Philosophie und Literatur des neunzehnten Jahrhunderts, Bd. 12), Frankfurt a. M. 1971.

Koselleck, Reinhart, Über die Verfügbarkeit der Geschichte, in: Schicksal ? Grenzen der Machbarkeit. Ein Symposion . . . (DTV Nr. 1236), München 1977, S. 51–67.

Kramer, Hans, Deutsche Kultur zwischen 1871 und 1918, (Handbuch der Kulturgeschichte, Bd. I/7), Frankfurt a. M. 1971.

Kress, Georg Freiherr von, Erinnerungen an Geheimrat August von Essenwein, in: Festgabe des Vereins für Geschichte der Stadt Nürnberg zur Feier des 50jährigen Bestehens des Germanischen Nationalmuseums in Nürnberg, Nürnberg 1902.

Kreuser, J., Der christliche Kirchenbau, seine Geschichte, Symbolik, Bildnerei nebst Andeutungen für Neubauten, 2 Bde., 2., verm. Aufl. Regensburg 1860/61 (1. Aufl. 1851).

Kreuser, J., Wiederum christlicher Kirchenbau. Apostolische Baugesetze, Symbolik-Vorlesungen, 2. Bde., Brixen 1868.

Kreutz, Giovanni, Mosaici secondarii non conpresi negli spaccati geometrici ma che completano con essi tutto l'intimo della Basilica di San Marco, Venecia (1854).

Kriegbaum, Friedrich, Nürnberg, 2. Aufl. Berlin 1939.

Krings, Ulrich – siehe: Kier, Hiltrud, Der Kranz (1980) u. dies., Romanische Kirchen (1984).

Kubach, Hans-Erich, Über den Stand der Wiederherstellung der Kölner Baudenkmäler, in: Kunstchronik, 1950, H. 3, S. 181–186.

Kubach, Hans-Erich, u. Verbeeck, Albert, Romanische Baukunst an Rhein und Maas, Berlin 1976.

Küster, P., Ueber venetianische und römische Mosaiken für Monumentalzwecke, in: Centralblatt der Bauverwaltung, IX. Jg., (1. Teil) Nr. 16, vom 20. April 1889, S. 147 f.; (2. Teil) Nr. 17, vom 27. April 1889, S. 151 f.

Kunst, Hans-Joachim, Überlegungen zur Restaurierung des Bremer Domes, in: Kritische Berichte, 8. Jg., 1980, H. 3, S. 38–43.

Labarte, Jules, Histoire des arts industriels au moyen-âge, Paris 1864–1866.

Langner, Johannes, Die Erziehung der Maria von Medici, zur Ikonographie eines Gemäldes von Rubens, in: Münchner Jb. der Bildenden Kunst, 3. F., Bd. XXX, 1979, S. 107–130.

Lassus, M. – siehe: Duban, M. . ., Sainte-Chapelle.

Läuppi, Walter, Stein um Stein. Die Technik des Mosaiks für Laien und Künstler, Ravensburg 1960.

Lauer, Rolf u. Puls, Michael, Die Skulptur des 19. Jahrhunderts am Kölner Dom, in: Ausst.Kat. Köln 1980 (II), S. 294–323.

Legner, Anton, Deutsche Kunst der Romanik, München 1982.

Lersch, L. Das Kölner Mosaik, Bonn 1946.

Löhneysen, Wolfgang von, Der Einfluß der Reichsgründung von 1871 auf Kunst und Kunstgeschmack in Deutschland, in: Zschr. f. Religions- und Geistesgesch., Bd. XII, 1960, S. 17–44.

Löhneysen, Wolfgang von, Kunst und Kunstgeschmack von der Reichsgründung bis zur Jahrhundertwende, in: Hans Joachim Schoeps (Hrsg.), Zeitgeist im Wandel, Bd. I, Das Wilhelminische Zeitalter, Stuttgart 1967.

Lohmann, F. W., Pläne zur Dom-Ausstattung. Eine geschichtliche Erinnerung, in: Der Dom zu Köln. Festschrift zur Feier der 50. Wiederkehr des Tages seiner Vollendung am 15. Oktober 1880, hrsg. von Erich Kuphal, (Veröffentlichungen des Köln. Geschichtsvereins, Bd. V), Köln 1930, S. 312–332.

Lübke, W(ilhelm), Die Ausmalung von St. Gereon in Köln (Rezension), in: Beilage (nr. 44) zur Allgemeinen Zeitung, München, Nr. 53, vom 22. Febr. 1892, S. 4–6.

Lützeler, Heinrich, Der Kölner Dom in der deutschen Geistesgeschichte, in: Der Kölner Dom, Festschrift zur Siebenhundertjahrfeier 1248–1948, Köln 1948, S. 195–250 (auch als Separatdruck, Bonn 1948).

Luthe, Heinz Otto, Distanz, Untersuchungen zu einer vernachlässigten soziologischen Kategorie, München 1984.

Mai, Ekkehard u. Waetzoldt, Stephan (Hrsg.), Kunstverwaltung, Bau- und Denkmal-Politik im Kaiserreich, (Kunst, Kultur und Politik im Deutschen Kaiserreich, Bd. I), Berlin 1981.

Mai, Ekkehard, Pohl, Hans u. Waetzoldt, Stephan (Hrsg.), Kunstpolitik und Kunstförderung im Kaiserreich, Kunst im Wandel der Sozial- und Wirtschaftsgeschichte, (Kunst, Kultur und Politik im Deutschen Kaiserreich, Bd. II), Berlin 1982.

Mai, Ekkehard, Waetzoldt, Stephan u. Woland, Gerd (Hrsg.), Ideengeschichte und Kunstwissenschaft im Kaiserreich, Philosophie und bildende Kunst im Kaiserreich, (Kunst, Kultur und Politik im Deutschen Kaiserreich, Bd. III), Berlin 1983.

Mai, Ekkehard, Paul Jürgen u. Waetzoldt, Stephan (Hrsg.), Das Rathaus im Kaiserreich, Kunstpolitische Aspekte einer Bauaufgabe des 19. Jahrhunderts, (Kunst, Kultur und Politik im Deutschen Kaiserreich, Bd. IV), Berlin 1982.

Mai, Ekkehard, Die Berliner Kunstakademie im 19. Jahrhundert, Kunstpolitik und Kunstpraxis, in: Mai/Waetzoldt (Hrsg.), Kunstverwaltung, S. 431–479.

Mai, Ekkehard, Programmkunst oder Kunstprogramm ? Protestantismus und bildende Kunst am Beispiel religiöser Malerei im späten 19. Jahrhundert, in: Mai/Waetzoldt/Woland (Hrsg.), Ideengeschichte, S. 431–459.

Mainzer, Udo (Hrsg.), Raum und Ausstattung rheinischer Kirchen 1860–1914, (Beiträge zu den Bau- und Kunstdenkmälern im Rheinland . . . , Schriftleitung Hans Peter Hilger, Bd. 26), Düsseldorf (1981).

Malkowsky, Georg, Die Kunst im Dienste der Staats-Idee. Hohenzollernsche Kunstpolitik vom Grossen Kurfürsten bis auf Wilhelm II., Berlin 1912.

Mann, Albrecht, Die Neuromantik. Eine rheinische Komponente des Historismus des 19. Jahrhunderts, Köln (1966).

Meier, P. J. u. Steinacker, K., Die Bau- und Kunstdenkmäler der Stadt Braunschweig, 2. erw. Aufl. Braunschweig 1926.

Merlo, Johann Jac., Kölnische Künstler in alter und neuer Zeit, hrsg. von E. Firmenich-Richartz, 2. Aufl. Düsseldorf 1895.

Merten, Jürgen, Eugen v. Boch (1809–1898) als Altertumsforscher. Zum Gedenken anläßlich seines 175. Geburtstages, in: Funde und Ausgrabungen im Bezirk Trier. Aus der Arbeit des Rheinischen Landesmuseums Trier, Heft 16 (= Kurtrierisches Jb., Jg. 24, 1984), Trier 1984, S. 61–71.

Merten, Jürgen, Eine „Mosaikfälschung" aus Herculaneum in der Sammlung v. Boch in Mettlach/Saar, in: Trierer Zschr., Bd. 49, 1986, S. 301–305.

Merten, Jürgen, Eugen v. Boch als Altertumsforscher. Ein Beitrag zur Geschichte der Archäologie des Saar-Mosel-Raumes (unpubliziertes Manuskript, 1988 abgeschlossen).

Metternich, Franz Graf Wolff, Die Denkmalpflege und das Problem der Farbe. Aus den Erfahrungen der rheinischen Denkmalpflege, in: Deutsche Kunst und Denkmalpflege, Jg. 1942/43, Heft 5/6, S. 68–73.

Meyer, André (Rezension von) Mainzer, Udo (Hrsg.), Raum und Ausstattung, in: Kunstchronik, 36. Jg., 1983, Heft 4, S. 201–204.

Meyer, Franz Sales, Meisterwerke der Deutschen Glasmalerei-Ausstellung Karlsruhe, veranstaltet vom Badischen Kunstgewerbe-Verein, Berlin 1903.

Micheli, Il pavimento del duomo di Siena, Siena 1870.

Mohnhaupt, Heinz, (Hrsg.), Revolution, Reform, Restauration. Formen der Veränderung von Recht und Gesellschaft, Frankfurt a. M. 1988.

Mothes, Oscar, Die Baukunst des Mittelalters in Italien von der ersten Entwicklung bis zu ihrer höchsten Blüthe, 2 Bde., Jena 1884.

494

Mühlenhaupt, Erwin, Der Kölner Dom in Zwielicht der Kirchen- und Geistesgeschichte, Düsseldorf 1965.

Müller-Haug, Janni, Deutscher Werkbund und Kunstindustrie. Arbeiten der Vereinigten Werkstätten für Mosaik und Glasmalerei (ehem. Berlin-Neukölln) für die Werkbundausstellung Köln 1914, in: Janos Frecot u. Eckhard Siepmann (Hrsg.), Zwischen Kunst und Industrie, Zweites Jb. des Werkbund-Archivs, Lahn-Gießen 1977, S. 96–108.

Mundt, Barbara, Historismus, Kunsthandwerk und Industrie im Zeitalter der Weltausstellungen (Kataloge des Kunstgewerbemuseums Berlin, Bd. VII), Kunstgewerbemuseum SMPK, Berlin 1973.

Mundt, Barbara, Historismus, Kunstgewerbe zwischen Biedermeier und Jugendstil, München 1982.

Muther, Richard, Wilhelm II. und die Kunst, in: ders., Aufsätze über bildende Kunst, Bd. II: Betrachtungen und Eindrücke, Berlin 1914, S. 195–206.

Netzband, Georg, Das Glasmosaik, Stuttgart/Berlin 1935.

Neuss, Wilhelm, Der Kölner Dom und die Erneuerung des katholischen Lebens in Deutschland im 19. Jahrhundert, S. 251–267.

Niedling, A., Kirchliche Decorationsmalereien im romanischen und gotischen Style, Wand- und Deckendecorationen, Rundbogenfüllungen, Säulenverzierungen, Rosetten, Friese, Bordüren, Teppichmuster etc., nach alten Vorbildern, Berlin (1890).

Nipperdey, Thomas, Historismus und Historismuskritik heute, in: ders., Gesellschaft, Kultur, Theorie, Göttingen 1979, S. 79 ff.

Noel, M. J. de, Der Dom zu Köln, 2 verm. Aufl. Köln 1837.

Nohlen, Klaus, Baupolitik im Reichsland Elsaß-Lothringen 1871–1918, Die repräsentativen Staatsbauten um den ehemaligen Kaiserplatz in Straßburg (Kunst, Kultur und Politik im Deutschen Kaiserreich, Bd. V), Berlin 1982.

Opladen, Peter, Groß St. Martin. Geschichte einer stadtkölnischen Abtei, Anhang: Die Geschichte der Pfarre Groß St. Martin (Studien zur Kölner Kirchengeschichte, Bd. II), Düsseldorf 1954.

Ost, Hans, Einsiedler und Mönche in der deutschen Malerei des 19. Jahrhunderts (Bonner Beiträge zur Kunstgeschichte, Bd. XI), Düsseldorf 1971.

Otte, Heinrich, Handbuch der kirchlichen Kunst-Archäologie, 2. Bde., 5. Aufl. Leipzig 1883–85 (4. Aufl. Leipzig 1868).

Otte, Heinrich, Geschichte der romanischen Baukunst in Deutschland, Leipzig 1874.

Pabst, Arthur, Kirchen-Möbel des Mittelalters und der Neuzeit. Chorgestühle, Kanzeln, Lettner und andere Gegenstände kirchlicher Einrichtungen, Frankfurt a. M. 1893.

Paret, Peter, Die Berliner Secession. Moderne Kunst und ihre Feinde im kaiserlichen Deutschland, Berlin 1981.

Pastern, W., Kirchliche Dekorationsmalerei im Stile des Mittelalters, Leipzig o. J.

Pastor, Ludwig, August Reichensperger 1808–1895. Sein Leben und sein Wirken auf dem Gebiet der Politik, der Kunst und der Wissenschaft. Mit Benutzung seines ungedruckten Nachlasses . . ., 2. Bde., Freiburg i. Br. 1899.

Paul, Jürgen, Das „Neue Rathaus". Eine Bauaufgabe des 19. Jahrhunderts, in: Mai/Paul/Waetzoldt (Hrsg.), Rathaus, S. 29–90.

Penzler, Johannes (Hrsg.), Die Reden Kaiser Wilhelms II., Leipzig o. J.

Pernice, Erich, Pavimente und figürliche Mosaiken, Berlin 1938.

Petochi, Domenic, Alfieri, M. u. Branchetti, M. G., I mosaici minuti romani dei secoli XVIII e XIX, Roma (1981).

Petsch, Joachim, Architektur und Gesellschaft, Zur Geschichte der deutschen Architektur im 19. und 20. Jahrhundert, Köln/Wien 1973.

Pevsner, Nikolaus, Gemeinschaftsideale unter den bildenden Künstlern des 19. Jahrhunderts, in: Deutsche Vierteljahrsschrift für Literaturwiss. und Geistesgesch., Bd. IX, 1931, S. 125 ff.

Pevsner, Nicolaus, Möglichkeiten und Aspekte des Historismus, Versuch einer Frühgeschichte und Typologie des Historismus, in: Historismus und bildende Kunst (1965), S. 13–24.

Pfitzner, Carl Heinz, Zur farbigen Fassung mittelalterlicher Innenräume im Anschluß an die Instandsetzung des Quirinusmünsters in Neuß . . ., in: Deutsche Kunst und Denkmalpflege, Jg. 1942/43, S. 74–83.

Pörnbacher, Hans, Die Ausmalung der Gurtbogenfelder im Hohen Chore des Domes zu Köln, in: Aurora, Bd. 26, 1966, S. 40–49.

Prill, J., Gothisch oder romanisch?, in: Zschr. f. christl. Kunst, V. Jg., 1892, Sp. 11–16.

Primerano, Domenica u. Sandro Scarrocchia, August Essenwein e il restauro a Trento nella seconda metà dell' ottocento, in: Restauro & Città, III, 8/9, Venezia 1987, S. 54–64 (anschließend bis S. 98: August Essenwein, Progetto di ristauro del duomo di Trento).

Prößler, Helmut, Udo Liessem u. Hans-Josef Schmidt, August Reichensperger (1808–1895) und die Kunst des 19. Jahrhunderts, hrsg. von der Stadt Koblenz, Stadtbibliothek/Stadtarchiv, Koblenz 1985.

(Puhl & Wagner 1891), Deutsche Glas Mosaik Anstalt Wiegmann, Puhl & Wagner, Berlin-Rixdorf, Berliner Str. 97-98, Berlin-Rixdorf 1891.

(Puhl & Wagner 1896), Glasmosaik. Geschichte ihrer Entwicklung in Deutschland, Berlin-Schöneberg 1896 – (Unter dem Titel „Die Geschichte der deutschen Mosaik, 1896, als masch.schr. Manuskript im Puhl & Wagner-Archiv der Berlinischen Galerie, Berlin-W.).

(Puhl & Wagner 1897), Deutsche Glasmosaik-Gesellschaft Puhl & Wagner, Rixdorf, Berlin-Rixdorf 1897.

(Puhl & Wagner 1898), Puhl & Wagner, Deutsche Glasmosaik-Gesellschaft zu Rixdorf bei Berlin, Berlin 1898.

(Puhl & Wagner 1900), Deutsche Glasmosaik-Gesellschaft Puhl & Wagner, Rixdorf (Schöneberg-Berlin 1900).

(Puhl & Wagner 1904), Deutsche Glasmosaik-Gesellschaft Puhl & Wagner, Rixdorf-Berlin, Post: Treptow (Berlin-Rixdorf), 1904.

(Puhl & Wagner 1909), Deutsche Glasmosaik-Gesellschaft Puhl & Wagner, Hoflieferanten Seiner Majestät des Kaisers, Rixdorf, Brief-Adresse Treptow-Berlin (Berlin 1909?).

Ramé, Alfred, Etudes sur les carrelages historiés du XIIe au XVIIe siècle en France et en Angleterre, Straßburg 1858.

Rathgens, Hugo, Die Kirche S. Maria im Kapitol zu Köln, Düsseldorf 1913.

Reichensperger, August, Die vierzehn Standbilder im Domchore zu Köln, 14 farbige Kunstblätter gezeichnet von D. Levy-Elkan, Köln 1842.

Reichensperger, August, Die vierzehn Standbilder im Domchore zu Köln (1842) in: ders., Vermischte Schriften, S. 26–54.

Reichensperger, August: Die Wandgemälde über den Chorstühlen des Domes, in: KDBl., 1842, Nr. 15, S. 105.

Reichensperger, August, Die für den Domchor bestimmten Wandgemälde von E. Steinle, in: KDBl., 1843, Nr. 42, S. 1 f.

Reichensperger, August, Die christlich-germanische Baukunst und ihr Verhältnis zur Gegenwart, Trier 1852 (1. Aufl. 1845).

Reichensperger, August, Fingerzeige auf dem Gebiete der kirchlichen Kunst, 1. Aufl. Leipzig 1854.

Reichensperger, August, Vermischte Schriften über christliche Kunst, Leipzig 1856.

Reichensperger, August, Eine kurze Rede und eine lange Vorrede über Kunst. Aus Veranlassung der an das preußische Abgeordneten-Haus gelangten Künstler-Petitionen, Paderborn 1863.

Reichensperger, August, Die Restauration der Kirche St. Maria im Capitol zu Köln betreffend, in: Organ für christl. Kunst, XVI. Jg., 1866, Nr. 10, S. 116.

Reichensperger, August, Malerische Ausschmückung – siehe: (Anonymus), Malerische Ausschmückung . . ., 1866.

Reichensperger, August, Allerlei aus dem Gebiet der Kunst, Brixen 1867.

Reichensperger, August, Die Restauration des Inneren der Gross-St.-Martins-Kirche zu Köln betreffend, in: Organ für christl. Kunst, XX. Jg., 1870, Nr. 11, S. 126–128.

Reichensperger, August, Ueber das Kunsthandwerk. Vortrag gehalten zu Köln in der Wolkenburg am 4. März 1875. Besonderer Abdruck aus der „Kölnischen Volkszeitung", Köln 1875.

Reichensperger, August, Ueber deutsche Kunst mit besonderer Beziehung auf Dürer und die Renaissance. Nebst einem Brief von Wilibald Pirkheimer an Johann Tscherte als Anhang. Eine Replik und eine Triplik gerichtet an Professor Dr. Herman Grimm in Berlin, Köln 1876.

Reichensperger, August, Ueber monumentale Malerei. Vortrag, gehalten zu Köln in der Wolkenburg am 16. März 1876. Besonderer Abdruck aus der „Kölnischen Volkszeitung", Köln 1876.

Reichensperger, August, August Welby Northmore Pugin, der Neubegründer der christlichen Kunst in England. Zugleich zur Frage von der Wiederbelebung der Kunst und des Kunsthandwerks in Deutschland, Freiburg i. Br. 1877.

Reichensperger, August, Die Bauhütte im Mittelalter. Ein Vortrag, Köln 1879.

R.(eichensperger), A.(ugust), Die Ausstattung des Kölner Domes betreffend, in: Kölnische Volkszeitung, 1880, Nr. 297.

Reichensperger, August, Zur neueren Geschichte des Dombaues in Köln, Köln 1881.

Reichensperger, August, Die Restaurierung von Kirchen betreffend, in: Zschr. für christl. Kunst, II. Jg., 1889, Sp. 121–126, 145–152.

Reichensperger, August, (Nachruf auf) August von Essenwein, in: Deutscher Hausschatz in Wort und Bild, XIX. Jg., Nr. 12, S. 180–183 (vgl. auch Köln. Volkszeitung, 1893, Nr. 34).

Reichensperger, August – siehe auch: Statz/Ungewitter (Hrsg.), Musterbuch.

Reuther, Hans, (Rezension von Kier, Hiltrud, Schmuckfußboden), in: Kunstchronik, XXXI. Jg., 1978, Heft 1, S. 27–32.

Reiners, Heribert, Das Münster Unserer Lieben Frau zu Konstanz, (Die Kunstdenkmäler Südbadens, Bd. I), Konstanz 1955.

Riegl, Alois, Die Stimmung als Inhalt der modernen Kunst, (1899), in: Gesammelte Aufsätze, hrsg. von Karl M. Swoboda, Augsburg/Wien 1929, S. 28–39.

Riegl, Alois – siehe auch Dehio, Georg, u. Riegl, Alois.

Rincklake, August, Erläuterung der Entwürfe für die innere Ausstattung des Cölner Domes, Düsseldorf 1873 (2. Aufl. Münster 1987).

Rode, Herbert, Der Kölner Dom in der Anschauung Sulpiz Boisserées, in: Jb. des Kölnischen Geschichtsvereins, Bd. 29/30, 1954/55, Köln 1957, S. 260–290.

Rode, Herbert, Die Wiedergewinnung der Glasmalerei. Mit einem Exkurs zu den Mosaiken, in: Trier/Weyres (Hrsg.), Kunst des 19. Jahrhunderts im Rheinland, Bd. III; Malerei, Düsseldorf 1979, S. 275–313, bes. S. 308–311.

Rode, Herbert u. Arnold Wolff, 125 Jahre Zentral-Dombauverein. Bilddokumente zur Vereinsgeschichte, zum Fortbau und zur Erhaltung des Kölner Domes, Katalog- und Bildteil, in: KDBl., 25. Folge, 1965/1966, S. 71 ff.

Röhr, Heinz, Geschichte der Stadt Königslutter am Elm, Braunschweig 1981.

Roncuzzi, J. Fiorentini, Arte e tecnologia nel mosaico, Ravenna 1971.

Ronig, Franz, Die Kirchenbauten des 19. Jahrhunderts in formaler und geistesgeschichtlicher Hinsicht, Lichtbildervortrag am 14. 11. 1974, in: Landeskundliche Vierteljahrsblätter, Jg. 20, Heft 1, 1974, S. 158.

Rosenau, Helen, Der Kölner Dom. Seine Baugeschichte und historische Stellung, Köln 1931.

Rosenberg, Adolf, Die Pflege der Monumentalmalerei in Preußen, in: Der Grenzbote, 42. Jg., 1883, S. 24 ff.

Rosenberg, Adolf, Neue Monumentalmalerei in Preussen, in: Zschr. für bildende Kunst, NF VII, 1896, S. 17–24.

Rossi, Ferdinando, Mosaiken und Steinintarsien, 2. Aufl. Stuttgart etc. 1979 (1. Aufl. Stuttgart etc. 1969, ital. Originalausg. Milano 1968).

Rossi, Giovanni Battista de, Musaici cristiani e saggi dei pavimenti delle chiese di Roma anteriori al secolo XV, Roma 1872-1899.

Salviati, Antoine, Mosaiques. Verres soufflés de Murano. Verres colorés pour vitraux. Les Manufactures Salviati & Cie. à Venice et Murano. Exposition Universelle de 1867 Paris, Paris 1867.

Salviati, Antonio, Ueber Mosaiken im Allgemeinen und über die großen Vortheile, die Anwendbarkeit und allgemeine Benutzung der Emaill-Mosaiken in der Vergangenheit und Gegenwart in architectonischen und anderen Verzierungen, London 1865.

Sauer, Joseph, Symbolik des Kirchengebäudes und seiner Ausstattung in der Auffassung des Mittelalters, 2. Aufl. Freiburg i. Br. 1924 (1. Aufl. 1902).

Sauerländer, Willibald, Die Sainte-Chapelle du Palais Ludwigs des Heiligen, in: Jb. der Bayerischen Akademie der Wissenschaften, 1977, S. 1 ff.

Seeleke, Kurt u. Herzig, Friedrich, Wiederherstellung der romanischen Wandmalereien im Südquerschiff des Braunschweiger Domes, in: Niedersächsische Denkmalpflege, Bd. II, 1955/1956, Hildesheim 1957, S. 25–28.

Seidel, Paul (Hrsg.), Der Kaiser und die Kunst, Berlin 1907.

Seidel, Paul, Die Mosaiken der Schlosskapelle zu Posen, Berlin/Leipzig 1914 (= Sonderdruck aus Hohenzollern-Jb. 1914, S. 19–27).

Servais, Paul (?), Stimmen gegen die vom Herrn Geh. Oberbaurat O. Hossfeld im „Zentralblatt der Bauverwaltung" geäußerten Ansichten über die Verwendung von „Mosaikplatten" zu Kirchenböden, Trier 1905.

Siebenmorgen, Harald, Die Anfänge der „Beuroner Kunstschule". Peter Lenz und Jacob Würger 1850–1875. Ein Beitrag zur Genese der Formabstraktion in der Moderne, (Bodensee-Bibliothek, Bd. 27), Sigmaringen 1983.

Siebenmorgen, Harald, „Kulturkampfkunst". Das Verhältnis von Peter Lenz und der Beuroner Kunstschule zum Wilhelminischen Staat, in: Mai/Waetzoldt/Wolandt (Hrsg.), Ideengeschichte, S. 409–430.

Szeemann, Harald (Hrsg.) – siehe: Ausst.Kat. Zürich 1983.

Schäfke, Werner, Entwürfe für die Ausmalung, in: Ausst.Kat. Köln 1980, Bd. I, S. 311 ff.

Scheuner, Ulrich, Die Kunst als Staatsaufgabe im 19. Jahrhundert in: Mai/Waetzoldt (Hrsg.), Kunstverwaltung, S. 13–46.

Schieder, Th., Das deutsche Kaiserreich von 1871 als Nationalstaat, Köln etc. 1961.

Schlaffer, Hannelore u. Heinz, Studien zum ästhetischen Historismus, (edition suhrkamp, Nr. 756), Frankfurt a. M. 1975.

Schlafke, Jakob, Das Fußbodenmosaik des Kölner Domchores, Kölner Dombild Kalender 1990 (Wand-/Bildkalender mit Texten), Köln 1989.

Schliepmann, Hans, Die Farbe in der Monumentalkunst, in: Berliner Architekturwelt, 19. Jg., 1917, Heft 2/3, S. 41-44.

Schmidt, Gérard, Taschenbuch zur Geschichte, Architektur und Ausstattung des Kölner Dom, Köln 1980.

Schmidt, N., Gutachten betreffend die Wiederherstellung des Münsters zu Konstanz, in: Das alte Konstanz, Stadt und Diözese in Schrift und Stift dargestellt, Blätter für Geschichte, Sage, Kunst und Kunsthandwerk, Organ des Münsterbau-Vereins, II. Jg. 1882, Heft 2/3, S. 37 f.

Schmidt-Volkmar, E., Der Kulturkampf in Deutschland, 1871–1890, Göttingen 1962.

Schmitz, Franz, Erläuterungsbericht über den Gesamtplan für die Ausstattung des Innern im Kölner Dome. Hierzu: 12 Blatt Zeichnungen, Cöln 1873 (handschr. Original im DBAK).

Schnädelbach, Herbert, Geschichtsphilosphie nach Hegel. Die Probleme des Historismus, Freiburg/München 1974.

Schneider, Friedrich, Der Dom zu Mainz, Geschichte und Beschreibung des Baues und seiner Wiederherstellung, Berlin 1886.

Schneider, Friedrich, Kunstwissenschaftliche Studien, Gesammelte Aufsätze . . ., (Kurmainzer Kunst, Bd. I), Wiesbaden 1913.

Schneider, Friedrich – siehe auch Bogler, Wilhelm u. Schneider, Friedrich.

Schneider, Hugo, Erläuterungsbericht zu den Entwürfen für die innere Ausstattung des Kölner Domes, Aachen 1873.

(Schnütgen, Alexander), Der Bodenbelag des Kölner Domes, in: Kölnische Volkszeitung, Nr. 261, 2. Blatt, vom 18. IX. 1882.

S(chnütgen), (Alexander), Die Mosaikböden, in: Zschr. für christl. Kunst, III. Jg., 1890, Nr. 9, Sp. 291 f.

S(chnütgen), (Alexander), Die Mosaikböden, in: Zschr. für christl. Kunst, III. Jg., 1890, Nr. 9, Sp. 291 f.

Schnütgen, (Alexander), (Rezension von:) Die farbige Ausstattung des zehneckigen Schiffes der Pfarrkirche zum hl. Gereon in Köln . . ., in: Zschr. für christl. Kunst, 1891, Nr. 9, Sp. 287–293.

Schnütgen, Alexander, (Nachruf auf) August von Essenwein, in: Zschr. für christl. Kunst, V. Jg., 1892, Nr. 8, Sp. 255–257.

Schnütgen (Alexander), Die musivische Ausstattung des karolingischen Münsters in Aachen, in: Zschr. für christl. Kunst, X. Jg., 1897, Nr. 8, Sp. 249–254.

Schnütgen (Alexander), Sitzende hochgotische Holzmadonna in der Dreikönigenkapelle des Kölner Domes, in: Zschr. für christl. Kunst, XXI. Jg., 1908, Sp. 355.

Schnütgen, Alexander, Kölner Erinnerungen, Köln 1919.

Schoch, Rainer, Das Herrscherbild in der Malerei des 19. Jahrhunderts (Studien zur Kunst des neunzehnten Jahrhunderts, Bd. 23), München (1975).

Schröder, Wilhelm, Das persönliche Regiment. Reden und sonstige öffentliche Äußerungen Wilhelms II., München 1907.

Schulten, Walter, Der Dom zu Köln, Köln 1977.

Schuster, Peter-Klaus – siehe: Ausst.Kat. München 1984.

Schumacher, Friedrich, Die St.-Petri-Domkirche zu Bremen und ihre Wiederherstellung in den Jahren 1962 bis 1981, in: Das Münster, XXXIV. Jg., 1981, Heft 4, S. 273–290.

Springer, Anton, Die Stellung des modernen Künstlers zu den Stilmustern, Leipzig 1881.

Springer, Peter, Das „verschollene" Mosaik aus der Achskapelle des Kölner Domes, in: KDBl., 40. Folge, 1975, S. 177–204.

Springer, Peter, Das Fußbodenmosaik im Chor des Domes, in: Ausst.Kat. Köln 1980 (I), S. 373–382.

Springer, Peter, Das Fußbodenmosaik im Kölner Dom, Geschichte und Programm, in: Ausst.Kat. Köln 1980 (II), S. 354–362.

Springer, Peter, Das Fußbodenmosaik des Domchores, in: Das Kölner Dom Jubiläumsbuch 1980, Offizielle Festschrift der Hohen Domkirche Köln, hrsg. von Arnold Wolff u. Toni Diederich, 1. u. 2. Aufl. Köln 1980, S. 117–129.

Springer, Peter, Gesammelte Grenzgänge, in: Zschr. des Deutschen Vereins für Kunstwiss., Bd. XXXVIII, Heft 1/4, 1984, S. 125–131.

Springer, Peter, Mosaik als Metapher, in: Mitteilungen der Österreichischen Galerie 1985, Jg. 29, 1985, Nr. 73, S. 11–71.

Springer, Peter, Historismus als Problem und Herausforderung, in: Pantheon, Jg. XLIV, 1986, S. 183–188.

Springer, Peter, Geschichtsbewußtsein und Gegenwartsbezug. August Essenweins Ausstattungs-Projekt für Groß St. Martin in Köln, in: Hiltrud Kier u. Ulrich Krings (Hrsg.), Köln: Die Romanischen Kirchen in der Diskussion 1946/47 und 1985, Stadtspuren – Denkmäler in Köln, Bd. IV, Köln 1986, S. 358–385.

Springer, Peter, Rückkehr zum Vorbild. Die Domvollendung und die Wiederherstellung der romanischen Kirchen Kölns im 19. Jahrhundert, in: Colonia Romanica, Bd. II, 1987, S. 37–54.

Springer, Peter, Ein Anschauungs-Stück aus Saint-Nicaise in Reims, in: KDBl., 53. Folge, 1988, S. 103–118.

Springer, Peter, Kontinuität des Unvergleichlichen. Drei Beflurungskonzepte für St. Maria im Kapitol in Köln, in: Colonia Romanica, Bd. III, 1988, S. 112–122.

Springer, Peter, Modernisierung einer alten Kunst. Anmerkungen zum Verhältnis von Mosaik, Zeit und Avantgarde, in: Ausst. Kat. Wände aus farbigem Glas. Das Archiv der Vereinigten Werkstätten für Mosaik und Glasmalerei Puhl & Wagner, Gottfried Heinersdorff, Berlinische Galerie, Berlin 1989, S. 94–113.

Statz, V.(incenz), Erläuterung zu den Plänen für die innere Ausschmückung des Domes zu Köln, o.O. o.J.

Statz, V.(incenz), u. Ungewitter, G.(eorg Gottlob) (Hrsg.), Gothisches Musterbuch. Mit einer Einleitung von A. Reichensperger, (Bd. I), Leipzig 1856.

Steiner, Peter Bernhard, Malerei im Kirchenraum – München 1890–1940, in: Ausst.Kat. München 1984, S. 73–89.

Steinle, A. M. von (Hrsg.), Edward von Steinles Briefwechsel mit seinen Freunden, 2 Bde., Freiburg i. Br. 1897.

Steinle, A. M., Edward v. Steinle und August Reichensperger in ihren gemeinsamen Bestrebungen für die christliche Kunst, aus ihren Briefen geschildert . . . Köln 1890.

Sternberger, Dolf, Panorama oder Ansichten vom 19. Jahrhundert (suhrkamp taschenbuch, Nr. 179), Frankfurt a. M. 1974 (Originalausgabe 1938!).

Sternberger, Dolf, Gerechtigkeit für das 19. Jahrhundert. Zehn historische Studien (suhrkamp taschenbuch, Nr. 244), Frankfurt a. M. 1975.

Stier, Hubert, Rückblick auf die Entwicklung der deutschen Architektur in den letzten 50 Jahren, in: Deutsche Bauzeitung, vom 14. 9. 1892, Sp. 449–453 u. 17. 9. 1892, Sp. 458–465.

Streich, Wolfgang Jürgen (Hrsg.), Der Historismus in der Architektur des 19. und 20. Jahrhunderts, Berlin (1983).

Strzygowski, Josef, Der Dom zu Aachen und seine Entstellung. Ein kunstwissenschaftlicher Protest, Leipzig 1904.

Stubenvoll, Willi, Das Frankfurter Rathaus, in: Mai/Paul/Waetzoldt (Hrsg.), Das Rathaus im Kaiserreich, S. 415–451.

Stummel, Friedrich – siehe: Beissel/Stummel, Die Farbgebung.

Stummel, Friedrich, Teppichartige Wirkung, in: Zschr. für christl. Kunst, I. Die Farbstimmung, ebd., VI. Jg., 1893, Nr. 7, Sp. 209–216; II. Rahmen und Füllung, ebd., VI. Jg., 1893, Nr. 10, Sp. 299–312; III. Der Fußboden, ebd., VII. Jg., 1894, Nr. 2, Sp. 45–58.

Stummel, Friedrich, Ueber alte und neue Mosaiktechnik, in: Zschr. für christl. Kunst, VIII. Jg., 1895, Nr. 7, Sp. 209–222.

Thomas, Thérèse, Rôle des Boch dans la céramique des 18e et 19e siècles, Phil. Diss. Liège 1971. – Dt. Ausg.: Die Rolle der beiden Familien Boch und Villeroy im 18. und 19. Jahrhundert. Die Entstehung des Unternehmems Villeroy & Boch, Saarbrücken 1974.

Thomas, Thérèse, siehe auch Ausst.-Kat. München 1976 und Ausst.Kat. Amsterdam 1977/78.

Torsy, Jakob, Achthundert Jahre Dreikönigenverehrung in Köln, in: Ausst.Kat. Achthundert Jahre Verehrung der Heiligen Drei Könige in Köln 1164–1964, Köln 1986 (= KDBl., 23./24. Folge, 1964), S. 15–162.

Treeck, Peter van, Mosaiken in München. Die Wiederentdeckung eines vergessenen Kunstzweigs, in: Weltkunst, 53. Jg., 1983, Nr. 13, S. 1784–1787.

Trier, Eduard, Der vollendete Dom, in: Ausst.Kat. Köln 1980 (II), S. 36–47.

Trippen, Norbert. Das Domkapitel und die Erzbischofswahlen in Köln 1821–1929, (Bonner Beiträge zur Kunstgeschichte, Bd. I), Köln/Wien 1972.

Ungewitter, Georg Gottlob – siehe: Statz, Vincenz.

Unverfehrt, Gerd, Bistum, Stadt und Reich. Das Programm der Fresken Hermann Prells im Rathaus zu Hildesheim, in: Mai/Paul/Waetzoldt (Hrsg.), Das Rathaus im Kaiserreich, S. 231–259.

Verbeek, Albert, Köln, die Denkmäler, ihre Erhaltung und Wiederherstellung, in: Kunstchronik, II, 1949, S. 11–21.

Verbeek, Albert u. Zimmermann, Walther, Die Zerstörungen an Kölner Bauwerken während des Krieges 1939–1945, in: Zimmermann, Walther (Hrsg.), Kölner Untersuchungen, Ratingen 1950, S. 191–196.

Verbeek, Albert, Meyer-Wurmbach, Edith u. Schwering, Max Leo, Der Dom im 19. Jahrhundert, in: KDBl. 11. Folge, 1956, S. 105–140.

Verbeek, Albert, Rheinischer Kirchenbau im 19. Jahrhundert, Köln 1954.

Verbeek, Albert, Zur Vollendung des Dominneren im Jahre 1863, in: KDBl., 21. Folge, 1963, S. 95–104.

Verbeek, Albert, Kölner Kirchen, Köln 1959 (2. Aufl. Köln 1969).

Verbeek, Albert, Gesamtkunstwerk im sakralen Bereich, in: Trier/Weyres (Hrsg.), Kunst des 19. Jahrhunderts, Bd. I, Architektur 1, S. 35–54.

Verbeek, Albert, Das Münster in Bonn, (Rheinische Kunststätten, Heft 213), 2. veränderte Aufl. Neuss 1983.

Viollet-le-Duc, Eugène, Dallage, in: Dictionnaire raisonné de l'architecture française de XIe au XVIe siècle, Bd. V, Paris 1868, S. 9–20.

Vogts, Hans, Die Kölner Kirchen, in: Hermann Wieger (Hrsg.), Handbuch von Köln, Köln 1925, bes. S. 148, 153 f.

Vogts, Hans (Schriftleitung), Köln. Bauliche Entwicklung 1888-1927, hrsg. vom Architekten- und Ingenieurverein für den Niederrhein und Westfalen und Köln . . . , Köln 1927 (Reprint: ebd., 1987).

Vogts, Hans, Köln im Spiegel seiner Kunst, Köln 1950.

Vogts, Hans, Vincenz Statz (1819–1898), Lebensbild und Lebenswerk eines Kölner Baumeisters, Mönchengladbach 1960.

Vogts, Hans, Die Glasmalereiwerkstatt von Friedrich Baudri in Köln (Nach seinen Tagebüchern 1854–1871), in: Im Schatten von St. Gereon. Erich Kubach zum 1. Juli 1960, (Veröffentlichungen des Kölnischen Geschichtsvereins e.V. 25), Köln 1960, S. 353–384.

Waetzoldt, Stephan (Hrsg.), Bibliographie zur Architektur im 19. Jahrhundert. Die Aufsätze in den deutschsprachigen Architekturzeitschriften 1789–1918, Redaktion: Verena Haas, 8 Bde., Nendeln 1977.

Wappenschmidt, Heinz-Toni, Allegorie, Symbol und Historienbild im späten 19. Jahrhundert. Zum Problem von Schein und Sein, München 1984.

Wappenschmidt, Heinz-Toni, (Rezension von) „München leuchtete", Karl Caspar und die Erneuerung christlicher Kunst in München um 1900, in: Kunstchronik, 37. Jg., 1984, Heft 10, S. 435–443.

Weber, Winfried, Die archäologischen Studien des Trierer Domkapitulars Johann Nikolaus von Wilmowsky. Zum Gedenken anläßlich seines 100. Todestages, in: Trierer Zschr. für Geschichte und Kunst des Trierer Landes und seiner Nachbargebiete, 43./44. Jg., 1980/81, S. 363–387.

Wessel, Klaus, Das Mosaik aus der Kirche S. Michele in Affricisco zu Ravenna, (Staatliche Museen zu Berlin), Berlin 1955.

Wessely, J(oseph) E(duard), Die Restaurierung des Domes zu Braunschweig (mit besonderer Berücksichtigung der Broschüre von Dr. A. Essenwein . . .), in: Kunstchronik, XVI. Jg., 1881, Sp. 549–553, 565–567.

Weyres, Willy, Kriegsschäden und Wiederherstellungsarbeiten am Kölner Dom, in: Der Kölner Dom, Festschrift zur Siebenhundertjahrfeier 1248–1948, Köln 1948, S. 341–354.

Weyres, Willy, Die Wiederherstellungsarbeiten am Dom in den Jahren 1952–1954, in: KDBl., 8./9. Folge, 1954, S. 129 f.

Weyres, Willy, Zur Geschichte der kirchlichen Baukunst im Rheinland von 1800–1870, in: Studien zur Kölner Kirchengeschichte, Bd. V, Düsseldorf 1960, S. 408–424.

Weyres, Willy, Die Wiederherstellung in den Jahren 1959–60, in: KDBl., 18./19. Folge, 1960, S. 136–138.

Weyres, Willy u. Mann, Albrecht, Handbuch zur rheinischen Baukunst im 19. Jahrhundert 1800 bis 1880, Köln 1968.

Weyres, Willy, Das Scheitern der Utopien August Reichenspergers, in: Historismus (1977).

Weyres, Willy, Denkmalpflege, in: Trier/Weyres (Hrsg.), Architektur 1, (Kunst des 19. Jahrhunderts im Rheinland, Bd. I), Düsseldorf 1980, S. 391–413.

Wiegmann, Wilhelm – siehe: Puhl & Wagner 1891.

Wiehe, (Ernst), Die Ausmalung der Stiftskirche zu Königslutter, Braunschweig 1894.

Wihr, Rolf, Fußböden. Stein, Mosaik, Keramik, Estrich, – Geschichte, Herstellung, Restaurierung, München 1985.

Wilhelm II., Ereignisse und Gestalten aus den Jahren 1878–1918, Leipzig 1923.

Wilhelm II., Aus meinem Leben 1859–1888, 6. Aufl. Berlin 1927.

Will, Cornelia, „Was ist des Lebens Sinn?" – Lebensalterdarstellungen im 19. Jahrhundert, in: Ausst.Kat. Kleve 1983, S. 73–92.

Wilmowsky, J. N. von, Die römische Villa zu Nennig und ihr Mosaik, Bonn 1865.

Wilmowsky, J. N. von, Römische Mosaiken aus Trier und Umgegend, Trier 1888.

Wilpert, Joseph (Hrsg.), Die römischen Mosaiken und Malereien der kirchlichen Bauten vom IV. bis XIII. Jahrhundert, 4. Bde. u. Erg., Freiburg i. Br. 1916 (neu hrsg. von Walter N. Schumacher, Freiburg etc. 1976).

Wochenblatt für Architekten und Ingenieure. Verkündigungsblatt des Verbandes Deuscher Architekten- und Ingenieur-Vereine, hrsg. von Friedrich Scheck, Jg. I (1879) bis Jg. VI (1884); ab Jg. VII (1885) bez. als Wochenblatt für Baukunde, Organ der Architekten- und Ingenieur-Vereine.

Woland, Gerd, Objektivismus im Kunstbewußtsein und in der Kunstphilosophie des 19. Jahrhunderts, in: W. Busch, R. Haussherr u. E. Trier (Hrsg.), Kunst als Bedeutungsträger. Gedenkschrift für Günter Bandmann, Berlin 1978, S. 5.

Wolff, Arnold, Zeittafel zur Geschichte des Zentral-Dombauvereins und des Dombaus seit 1794, in: KDBl., 25. Folge, 1965/66, S. 13–70.

Wolff, Arnold, Der Kölner Dom, (Große Bauten Europas, Bd. VI), Stuttgart 1974.

Wolff, Arnold, Die Baugeschichte des Kölner Domes im 19. Jahrhundert, in: Ausst.Kat. Köln 1980 (II), S. 24–35.

Wolff, Arnold, Dombau zu Köln. Photographen dokumentieren die Vollendung einer Kathedrale, Stuttgart 1980.

Wolff, Arnold u. Diederich, Toni (Hrsg.), Das Kölner Dom Jubiläumsbuch 1980, Offizielle Festschrift der Hohen Domkirche Köln, 1. u. 2. Aufl. Köln 1980.

Wolff, Arnold (Hrsg.), Der gotische Dom in Köln, Köln 1986.

Wolff, Arnold, siehe auch: Boisserée, Sulpiz.

Wolff, Arnold, siehe auch: Rode, Herbert.

Wolff, Gerta, Der gotische Dom in Köln IV. Ausstattung des 19. und 20. Jahrhunderts (Kommentare zu einer Dia-Serie), Köln 1987.

Wulff, Oskar, Das Ravennatische Mosaik von S. Michele in Affricisco im Kaiser Friedrich-Museum, in: Jb. der Königlich-Preußischen Kunstsammlungen, Bd. XXV, 1904, Heft IV, S. 374–401.

Young, Eve, Die dekorative Ausmalung der Dreikönigskapelle durch Friedrich Stummel, Referat für das Seminar „Der Kölner Dom im 19. Jahrhundert“, Leitung Prof. Dr. E. Trier, WS 1979–80 (als Fotokopie vervielfältigt).

Zacchi, Adolfo, La V. Fabbrica del Duomo, 1902–1960: Documentario, Milano 1964.

Zeitungsausschnitte: Sammlung von Zeitungsausschnitten in der Universitäts- und Stadtbibliothek Köln, Lesesaal.

Zink, Jochen, „Conservator et creator, sed non destructor, dies will ich sein“. Ausmalung und Ausbau des Speyerer Doms unter König Ludwig I. von Bayern, in: Deutsche Kunst und Denkmalpflege, 44. Jg., Heft 2, 1986, S. 159–185.

Zovatto, Paolo Lino, Ravenna e il mosaico moderno, Ravenna 1959.

Abb. 418   Fritz Geiges: originalgroßer Karton für das Mosaikfeld Merkur/Handwerk und Künste (vgl. Abb. 214)

Abb. 419   Fritz Geiges: originalgroßer Karton zur Kirchenpersonifikation die „Slavische Nation"/Welehrad (vgl. Abb. 235)

Abb. 420   Fritz Geiges: originalgroßer Karton zur Kirchenpersonifikation Heiliges Land/Jerusalem (vgl. Abb. 233)

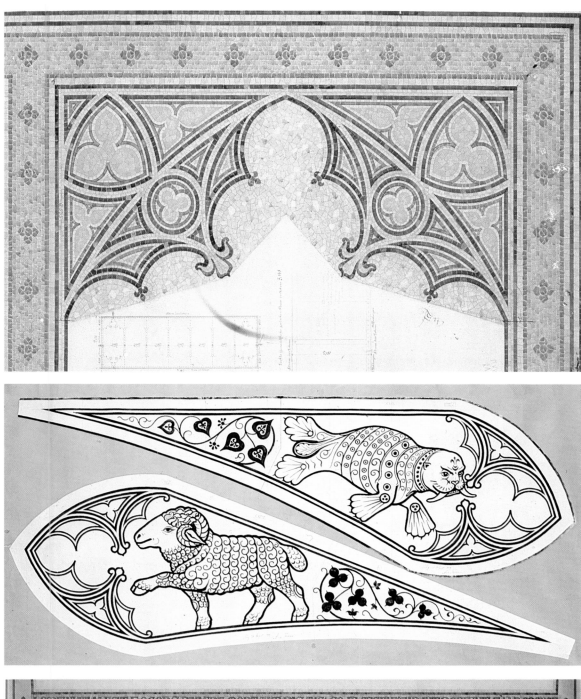

Abb. 421 Fritz Geiges: originalgroßer Karton zu den Felderrahmungen für die Ständevertreter (Detail, vgl. Abb. 160–171)
Abb. 422–424 August Essenwein u. Fritz Geiges: originalgroße Kartons für Symboltiere der Vierungsbeflurung (vgl. Abb. 41–44), zu Inschriften und zum Mosaikfeld mit dem Glücksrad (vgl. Abb. 194)

504

Abb. 425 August Essenwein;
nicht für das Kölner Dommosaik
bestimmter Entwurf, der gemäß
Essenweins handschriftlichem
Kommentar Geiges als Vorlage
dienen sollte.

Plankatalog

Die folgende Übersicht umfaßt alle im Germanischen Nationalmuseum, Nürnberg, und im Dombau-archiv, Köln, verwahrten Pläne, Entwürfe, Skizzen, Pausen und Photos, die sich auf die Planungen und Ausführung des Dommosaiks beziehen. Nicht berücksichtigt wurden kleine Handskizzen, wie sie in der Korrespondenz gelegentlich die schriftlichen Anordnungen und Erläuterungen ergänzen.

Die Pläne etc. im DBAK sind in sogenannten „Mappen" und „Umschläge", „Kasten" bzw. „Kisten" ge-gliedert. Dabei setzen die Buchstaben c–i die vorangehende historische Bezeichnung XXXVII a–b konsequent fort.

Die Charakterisierung der einzelnen Pläne etc. im DBAK basiert auf den systematisierten Vorarbeiten von Gerhard Dietrich und auf vorausgehenden Arbeiten des Autors; beide wurden aufeinander abge-stimmt.

Die Reihenfolge der Pläne, ihre Numerierung und Benennung folgt dem historischen Planverzeichnis des DBAK. Dabei entsprechen die in Anführungsstriche gesetzten Bezeichnungen den jeweiligen Inventareintragungen. Ihre teilweise differierenden Schreibweisen wurden vereinheitlicht.

Wo diese Bezeichnungen unklar oder mißverständlich sind, wurde eine charakteristischere Benen-nung vorangestellt. Ansonsten folgen der Inventar-Bezeichnung markante Inschriften, Datierungen, Signaturen etc., doch in der Regel nur soweit und sofern sie dazu beitragen, die Identifizierung des jeweiligen Blattes zu erleichtern.

Die Maßangaben, Höhe vor Breite, verstehen sich in Zentimetern.

Originalgroße Entwürfe zum ersten Beflurungsprojekt

Germanisches Nationalmuseum, Nürnberg, Kupferstichkabinett

Die folgenden originalgroßen Entwürfe Essenweins sind mit Tusche, teilweise laviert, über Bleistift auf Karton gearbeitet.

Die Kartons gelangten aus dem Besitz seines Sohnes, Fritz Essenwein (Apotheker in Wörth a.d. Donau), in das GNM. Sie sind dort im Zugangsregister (ZR) des Jahres 1954 unter der Nr. 5585(b)/C1ff. inventarisiert. Dabei erscheint Nr. C 38 (auf den Kartons, nicht aber im Register) zwei-mal. Wir haben deshalb zwischen C 38 A und C 38 B unterschieden. Die Zahl der Entwürfe beträgt also nicht 48, sondern tatsächlich 49.

Bei den teilweise mehransichtigen Kartons für Ornamentfelder sind die Maßangaben für Höhe und Breite jeweils austauschbar.

C1	Roma / Italia 218,5 x 137 unten teilweise verschmutzt		C5	Sclavinia / Czenstochavia 219 x 144
			C6	Germania / Colonia 219 x 148,5
C2	Compostella / Hispania 218,5 x 142		C7	Donau 166,5 x 167
C3	Remora / Gallia 219 x 132,5		C8	Seine 167 x 167
C4	Hungaria / Strigonia 219 x 149		C9	Rhein 167 x 167

506

C10 Tiber
167 x 166,5

C11 Konstantinopel
168 x 305

C12 Jerusalem
168 x 300

C13 Geon
133 x 125,5

C14 Tigris
133 x 125

C15 Drei Künste
(Inschrift) „Europe artes . . .“
124 x 230

C16 Drei Künste
(Inschrift) „Filii japhet . . .“
126 x 228

C17 Afrika
189 x 158,5

C18 Asien
189,5 x 158
teilweise stark eingerissen

C19 „Artes docet Europa . . .“
143,5 x 144

C20 Ornamentfeld mit Tiermotiven
(Inschrift) „Concordia“
185 x 104,5

C21 Ornamentfeld mit Tiermotiven
(Inschrift) „cumque lupis . . .“
185 x 104

C22 Ornamentfeld mit Tiermotiven
(Inschrift) „nascere lux mundi…“
123 x 96

C23 Ornamentfeld mit Tiermotiven
(Inschrift) „. . . carpet uti bos“
160 x 122,5

C24 Phison
133 x 125,5

C25 Euphrat
133 x 125,5

C26 Sieben Kurfürsten
199 x 127

C27 Papst und Kaiser
200 x 102

C28 Kardinäle
199 x 124,5

C29 Einsiedler und Mönche
184 x 122,5

C30 Presbyter und Kanoniker
184,5 x 106

C31 Bischöfe und Erzbischöfe
184 x 123

C32 Bauern und Köhler/Elende und Bettler
183,5 x 123

C33 Ornamentfeld (Maßwerk)
102,5 x 125,5

C34 Ornamentfeld (Maßwerk)
118 x 105,5

C35 Ornamentfeld (Maßwerk)
119 x 123

C36 Ornamentfeld (Maßwerk)
118 x 122,5

C37 Ornamentfeld (Maßwerk)
118,5 x 122,5

C38A Ornamentfeld (Maßwerk)
118,5 x 122,5

C38B Ornamentfeld (Maßwerk)
103,5 x 124,5

C39 Ornamentfeld (Maßwerk)
118,5 x 105,5

C40 Gotisches Maßwerk (Wimperge)
102,5 x 101,5

C41 Kaufleute und Künstler
184 x 105,5

C42 Fürsten und Ritter
183,5 x 123,5

C43 Astronomie und Geometrie
150 und 91 x 196
z.T. stark beschädigt, abgerissene Ecke

C44 Arithmetik und Musik
150 x 120,5

C45 Rhetorik und Philosophie
150 x 120,5

C46 Grammatik und Dialektik
150 x 237,5
Ecke l. u. beschädigt

C47 Ornamentfeld mit Tiermotiven
(Inschrift) „. . . carnivorusque leo . . .“
122,5 x 96

C48 Ornamentfeld mit Tiermotiven
(Inschrift) „. . . tu puer anguis“
123 x 162,5
z.T. stark beschädigt

Pläne, Entwürfe, Photos etc. im Dombauarchiv, Köln

Mappe XXXVII / Umschlag a

„Skizzen zur Fußboden-Plattung des Domes."

1 „Nördlicher Turm mit anschließendem Langschiff"
3. 10. 1878 / DBM Voigtel
Federzeichnung, laviert, auf Karton
98,2 x 61,8

2 „Nördlicher Turm mit anschließendem Langschiff, Pause"
19. 7. 1878
Bleistift, Federzeichnung, Transparentpapier
auf Karton aufgezogen
100,2 x 63,9

3 „Grundriß des Coelner Domes, Pause"
3. 12. 1878 / DBM Voigtel
Federzeichnung (zweifarbig), Transparentpapier auf Karton aufgezogen
83 x 54,3
ruinös, in der Mitte gerissen

4 „Alter Plattenboden im südlichen Seitenschiffe
des Langschiffes"
3. 12. 1878 / DBM Voigtel Federzeichnung, auf
Karton
49 x 43

5 Beflurungsentwurf für ein nördl. Seitenschiff-
und angrenzendes Mittelschiffjoch / „Farbiges
Project".
Dombau zu Köln, 17. 12. 1879.
Blei- u. Farbstift, laviert, Transparentpapier auf
Karton aufgezogen
42,2 x 61,8
an den Ecken beschnitten

6 Beflurungsentwurf für ein nördl. Seitenschiff-
und angrenzendes Mittelschiffjoch / „Farbiges
Project".
Köln, den 22. December 1879
Blei- u. Farbstift, laviert, auf Karton
41 x 70,6

7 Beflurungsentwurf für ein nördl. Seitenschiff-
und angrenzendes Mittelschiffjoch / „Farbiges
Project".
Köln, im December 1879.
Blei- u. Farbstift, auf Karton
57,5 x 61,5

8 „Grundriß des Cölner Domes mit projektiertem
Fußboden." Skizze zur Fußboden-Plattung des
Koelner Domes. Blatt I.
1. Juni 1888. / Zum Bericht vom 8. Januar 1882

der Dombaumeister Voigtel
Federzeichnung, laviert, auf Karton
99,8 x 64,3

9 Beflurungsdetail zum nördl. Seiten- und Mittelschiff / „Farbiges Project"
gez. Dezember 1881.
Bleistift, Federzeichnung, laviert, auf Karton
28,6 x 40,8

10 Entwurf eines Beflurungsmusters / „Farbiges
Project".
Detail zur Fußboden-Plattung des Koelner
Domes.
Transept und Langschiff.
gez. 1. Juni 1881 / Zum Bericht vom 8. Januar
1882 / der DBM / Voigtel
Blei- u. Farbstift, laviert, Karton auf blaugrauem
Karton aufgezogen
87,2 x 67,2

11 „Nördlicher Turm und Mittelhalle mit project.
Fußboden."
Dombau zu Köln. Plattenboden im nördl.
Thurm. / gez. 15. Januar 1880. / Detail zur Fuß-
boden- Plattung des Koelner Domes.
Zum Bericht vom 8. Januar 1882 / Der Dom-
baumeister Voigtel
Blei- u. Farbstift, laviert, auf Karton
61 x 66,6

12 Detailansicht der Fußbodenbeplattung / „nörd-
liches Lang- und Mittelschiff"
Detail zur Fußboden-Plattung des Kölner
Domes. Blatt 4
gez. im Dezember 1881. / Zum Bericht vom
8. Januar 1882 der Dombaumeister Voigtel
Federzeichnung, laviert, Karton auf graublau-
em Karton aufgezogen
84,7 x 69,5
unten dreifach eingerissen und geflickt

13 „Detail zur Fußboden-Plattung", Blatt 5.
gez. i. Dezember 1881. / Zum Bericht vom
8. Januar 1882 / der Dombaumeister Voigtel
Bleistift, Federzeichnung, laviert, Transparentpapier auf Karton aufgezogen
36,2 x 50,5

14 Beflurungsentwurf zum Mittelschiff und zur
Vierung
„Detail zur Fußboden-Plattung"

Dombau zu Köln im Mai 1881
Blei- und Farbstift, auf Karton
63,2 x 62,6

15 Beflurungsentwurf zum nördl. Seiten- und Mittelschiff (Detail) / „Detail zur Fußboden-Plattung"
Bleistift, Federzeichnung, Wasserfarbe auf Karton
68,5 x 63,9

16 Entwurf eines Beflurungsmusters
„Detail zur Fußboden-Plattung"
Dombau zu Köln im Mai 1881.
Blei- und Farbstift, laviert, auf Karton
50,2 x 51,7

17 Entwurf eines Beflurungsmusters
„Detail zur Fußboden-Plattung"
Bleistift, Federzeichnung, Wasserfarben, auf dickem Papier
28 x 40,7

18 Entwurf eines Beflurungsmusters
„Detail zur Fußboden-Plattung"
Dombau zu Köln. / Cöln im December 1881. / 3. 8. 82
Bleistift, laviert, Transparentpapier auf dünnen Karton aufgezogen
43,9 x 52,2
auf der Rückseite ornamentale Bleistiftskizzen

19 Entwurf eines Beflurungsmusters
„Detail zur Fußboden-Plattung"
Dombau zu Köln. / 15. Jan. 1881 / 3. 8. 82
Blei- und Farbstifte (zweifarbig), Transparentpapier auf dünnen Karton aufgezogen
43,4 x 49

20 Entwurf eines Beflurungsmusters
„Detail zur Fußboden-Plattung"
Dombau zu Köln. / gez. August 1882 / J. M.
Bleistift, Federzeichnung, laviert, auf Karton
97,9 x 67,5

21 Entwurf eines Beflurungsmusters
„Detail zur Fußboden-Plattung"
Bleistift, Federzeichnung, laviert, auf Karton
79,4 x 83,1
auf der Rückseite zwei ähnliche Zeichnungen

22 Entwurf eines Beflurungsmusters
„Detail zur Fußboden-Plattung, Pause"
Bleistift, Federzeichnung, laviert, auf Transparentpapier
61 x 66
auf der Rückseite Handskizzen, ruinös

23 Entwurf eines Beflurungsmusters
„Detail zur Fußboden-Plattung"
Blei- und Farbstift, laviert, auf Karton
42,5 x 80,6

24 Entwurf eines Beflurungsmusters
„Detail zur Fußboden-Plattung"
Blei- und Farbstift, laviert, auf Karton
42,6 x 80,4

25 Entwurf eines Beflurungsmusters
„Detail zur Fußboden-Plattung"
Blei- und Farbstift, laviert, auf Karton
40 x 78,7

26 „Photographie eines projectierten Fußbodens des Cölner Domes (Archt. Bogler)"
Skizzen-Entwurf zu einem Bodenbelag für den Dom zu Köln von W. Bogler, Architekt, Wiesbaden
Fotografie auf Karton aufgezogen
(Foto) 43,8 x 30,1
(Karton) 63,9 x 48

27 Entwurf eines Beflurungsmusters
„Detail Fußboden des Cölner Domes (Archt. Bogler), Pause"
Blei- u. Farbstift, auf Transparentpapier
50 x 35,2

28 Entwurf eines Beflurungsmusters
„Detail Fußboden des Cölner Domes (Archt. Bogler), Pause"
Blei- u. Farbstift, auf Transparentpapier
49,4 x 38,8

29 Entwurf eines Beflurungsmusters
„Detail Fußboden des Cölner Domes (Archt. Bogler), Pause"
Blei- u. Farbstift, auf Transparentpapier
48,7 x 30

30 „Aufnahme der Grabplatte des Erzbischofs Grafen Spiegel vor der Neubeflurung. (Mit Maßen)"
Bleistift, laviert, auf dickem Papier
54,8 x 30,2

31 „Die Grabplatte(n) des Grafen Spiegel und Cardinal(s) J. v. Geißel."
A Grabplatte des Erzbischofs Grafen Spiegel zum Ocsenberg und Canstein. / B Grabplatte des Cardinals v. Geißel.
Bleistift, laviert, auf Karton
70 x 43,3

32 „Chor Kapelle (Grundriß) mit projectiertem Fußboden."
Bleistift, Federzeichnung, laviert, auf dickem Papier
35,6 x 49,3

Mappe XXXVII / Umschlag b

„Ausgeführte Projecte der Fußboden-Plattung.“

1 „Grundriß des Cölner-Domes mit Maßen“
gemessen am 13/12. 1881
Federzeichnung (zweifarbig), auf dickem
Papier
78,5 x 56,2
zahlreiche Flickstellen

2 „Grundriß des Cölner Domes mit Maßen“
Bleistift, Federzeichnung, auf Transparentpapier
69 x 40,7
Ränder des Blattes gefaßt

3 „Grundriß des nördl. und südlichen Turmes
und anschließendem Langschiff mit Fußboden.“
(o. M.) Dombau zu Coeln. Project zur Fuß-
boden- Plattung in den Thurmhallen und dem
Kirchenschiffe. Project I. / (u. r.) Gesehen im
Minist. d. öffentl. Arbeiten, Abthlg. f. d. Bauwesen Berlin den 27 Juni 1884 Adler / Zum
Dombau-Betriebsplane pro 18^{83.}
Coeln den 10 November 1883 Voigtel
Federzeichnung, laviert, auf Karton
76,5 x 96,8

4 „Grundriß des nördl. und südl. Turmes und
anschließendem Langschiff mit Fußboden,
Pause“
Bleistift, Federzeichnung, auf Transparentpapier
78,5 x 99,3
ruinös, Teile weggerissen

5 „Grundriß der Fußboden Plattung der Vierung
und im Kirchenschiffe“
Dombau zu Coeln. / Grundriß der Fußboden-
Plattung der Vierung – Grundriß der Fußbo-
den- Plattung / in dem Kirchenschiffe / Project
II – Gesehen im Minist. d. öffentl. Arbeiten /
Abthlg. f. d. Bauwesen. / Berlin den 27 Juni
1884 / Adler Zum Dombau-Betriebsplan pro
18⁸³ Coeln den 10 November 1883. / Der Dombaumeister / Voigtel
Federzeichnung, laviert, auf Karton
64,7 x 100,4

6 „Grundriß der Fußboden-Plattung der Vierung,
Pause“
Dombau zu Coeln / Grundriß der Fußboden
Plattung der Vierung
Federzeichnung, laviert, auf Transparentpapier
65,8 x 50,1
ruinös, große Teile des Blattes weggerissen

7 „Grundriß der Plattung im Kirchenschiffe“
Bleistift, auf Transparentpapier
52 x 46,5

8 „Grundriß der Plattung der Vierung“
Dombau zu Coeln. / Grundriß der Fußboden-
Plattung / der Vierung / Cöln d. 24/11. 85
Voigtel
Federzeichnung, laviert, auf Transparentpapier
53,4 x 44,2

9 „Grundriß und Aufriß eines Pfeilers des Langschiffes mit altem Fußboden“
2. 12. 1879 DBM Voigtel
Federzeichnung, auf Karton
60 x 33,6

10 „Grundriß des Fußbodens im südlichen Turm
und der Mittelhalle“
Federzeichnung, laviert, auf Karton
94 x 141
in der Mitte geklebt

11 „Grundriß des Fußbodens in der nördlichen
Turmhalle.“ Dombau zu Koeln / Plattenbelag –
Nördliche Thurmhalle / Der Dombaumeister /
Geheimer Regierungsrath
Federzeichnung, laviert, auf Transparentpapier
76,1 x 70
ruinös

12 „Grundriß des Fußbodens im Felde L.“
Bleistift, Federzeichnung, laviert, auf Karton
63,8 x 78,2

13 „Grundriß des Fußbodens im Felde L, M; a, b,
c, d.“
Bleistift, Federzeichnung, laviert, auf Karton
74,7 x 144,6
senkrecht in der Mitte in zwei Teile getrennt

14 „Grundriß des Fußbodens gültig für die Felder
c^I, d^I, e^I, f^I, g^I, h^I, i^I und k^I, Pause“
Bleistift, auf Transparentpapier
43 x 74,5
mehrfach geklebt

15 „Grundriß des Fußbodens für Feld a^I und b^{I.“}
Bleistift, auf Transparentpapier
41 x 75
ruinös

16 „Grundriß des Fußbodens im Feld Q, Pause“
Federzeichnung, laviert, auf Transparentpapier
98,4 x 51,6
sehr ruinös

17 „Grundriß des Fußbodens im Feld l^I und m^I, Pause"
Federzeichnung, laviert, auf Transparentpapier
43,6 x 80
stellenweise ruinös

18 „Grundriß des Fußbodens im Feld r^I und s^I, Pause"
Federzeichnung, laviert, auf Transparentpapier
51,2 x 78,2
stellenweise ruinös

19 „Grundriß des Fußbodens im Felde n^I und o^I, Pause"
Federzeichnung, rückseitig laviert, auf Transparentpapier
78,2 x 40,5
stellenweise ruinös

20 „Grundriß des Fußbodens im Felde U und T, Pause"
Federzeichnung, rückseitig laviert, auf Transparentpapier
79 x 91,5
sehr ruinös

21 „Grundriß des Fußbodens im Feld R und S, Pause"

Federzeichnung, laviert, auf Transparentpapier
81,5 x 84,1
stellenweise ruinös

22 „Grundriß des Fußbodens im Felde r, s, q, p"
Federzeichnung, laviert, auf Karton
148,5 x 60,3

23 „Grundriß des Fußbodens im Felde V, W, l und m"
Federzeichnung, laviert, auf Karton
135,8 x 90,5

24 „Grundriß des Fußbodens im Felde X, Y, n und o."
Federzeichnung, laviert, auf Karton
88,2 x 135,5

25 „Grundriß eines Pfeilers"
Bleistiftzeichnung, laviert, auf Karton
80 x 114,4
auf der Rückseite Bleistiftskizze
Geheime Regierungsrath Voigtel
Bleistift, Federzeichnung, laviert, auf Transparentpapier
77,7 x 63,5
sehr ruinös, teilweise weggerissen

Mappe XXXVII / Umschlag c

„Fußboden-Plattung im Dom-Chor und der Vierung. 128 Blattzeichnungen."

1 FEHLT

2 „Maßskizze Vierungsfeld"
13. 11. 1888
Federzeichnung, auf Transparentpapier
46,2 x 34

3 „Maßskizze Vierungsfeld."
Köln, den 13 November 1888 / Der Dombaumeister / Geheime Regierungsrath / Voigtel
Federzeichnung, rückseitig laviert, auf Transparentpapier
46,3 x 38,7

4 FEHLT

5 „Maßskizze Vierungsfeld"
C. d. 14/8 89 Voigtel
Federzeichnung, Wasserfarben, Transparentpapier auf dünnen Karton aufgezogen
86,5 x 77,8

6 „Grundriß der Fußboden Plattung der Vierung, Pause"
Bleistift, Federzeichnung, auf Transparentpapier
63 x 49,5

7 „Skizze zur Aufstellung des Pfarraltars"
Skizze zur Aufstellung des Pfarraltars mit Communionbank. / B und C Altäre event. Pfarraltar unter Beseitigung des Pfarraltars A
Cöln den 29 December 1891 Voigtel Dombaumeister
Bleistift, Federzeichnung, auf Karton
44,1 x 49,4

8 „Skizze zur Aufstellung des Pfarraltars"
Cöln den 29 December 1891 der Dombaumeister Voigtel Nro 488.
Bleistift, Transparentpapier auf Karton aufgezogen
22 x 36,2

9 „Skizze zur Aufstellung des Pfarraltars"
Project für die Aufstellung des Pfarraltars. / Cöln, den 10 August 1891 Der Dombaumeister Geheime Regierungsrath Voigtel
Bleistift, Federzeichnung, laviert, auf Transparentpapier
77,7 x 63,5

10 „Skizze zur Aufstellung des Pfarraltars"
Project für eine definitive Aufstellung des Pfarraltars im Cölner Dome. / Anmerkung: Die
blaue Linie bezeichnet die jetzt von dem Altar-
bau bedeckte Bodenfläche der Vierung.
Bleistift, Federzeichnung, Wasserfarben, auf
Transparentpapier
56,5 x 73,3
ruinös, teilweise hinterklebt

11 „Skizze zur Aufstellung des Pfarraltars"
Project für die definitive Aufstellung des Pfarraltars im Cölner Dome. / Anmerkung: Die
blaue Linie bezeichnet die jetzt von dem Altar-
bau bedeckte Bodenfläche der Vierung.
Cöln, den 5. Dezember 1890 Der Dombaumeister Geheime Regierungsrath Voigtel
Federzeichnung, laviert, Transparentpapier auf
Karton aufgezogen
67,2 x 81,5

12 „Skizze zur Aufstellung des Pfarraltars"
Die Länge der alten Kommunionbank beträgt
13,50 und die Länge der für blau eingezeichneten Bank beträgt ca. 18,00 m. / Nach vorliegen-
der Skizze würde der für den Pfarrgottesdienst
dienende Raum ganz bedeutend vergrößert
und durch die Kommunionbank (besonders
wenn dieselbe aus Eisen hergestellt wäre) kein
Ornament des Mosaikbodens verdeckt. Der
Holzboden für die Ministranten ist wohl ent-
behrlich oder vorübergehend durch einen Teppich zu ersetzen.
Blei- und Farbstift, auf Karton
34 x 40

13 „Project zur provisorischen Aufstellung des
Pfarr- Altars"
Bleistift, Federzeichnung, auf Transparentpapier
49,6 x 73,4

14 „Project zur provisorischen Aufstellung des
Pfarraltars"
Project zur provisorischen Aufstellung des
Pfarraltars. Blatt I, Köln, den 2. September
1890, Der Dombaumeister, Geheime Regie-
rungsrath Voigtel
Federzeichnung, auf Transparentpapier
55,4 x 77,5

15 „Project zur provisorischen Aufstellung des
Pfarraltars"
Bleistift, Federzeichnung, laviert, auf Karton
119,4 x 79

16 „Orientierungsplan der Vierung, teils coloriert"
Diese Skizze nimmt auf die Stellung der Figur
keine Rücksicht. Sie enthielt nur die Angaben
für die Farben. Nbg. 30. August 1889, A. v.
Essenwein / (an vier Stellen umfangreiche

handschr. Erklärungen Essenweins).
Federzeichnung, Wasserfarben, auf dickem
Papier
56,8 x 56,6

17 „Orientierungsplan der Vierung"
Übersicht der Eintheilung der Vierung. Nbg.
30. August 1889 / A. v. Essenwein.
Bleistift, Federzeichnung, auf dickem Papier
76,5 x 67,9

18 „Fondmuster, coloriert"
(auf der Rückseite) Vierungsfeld N$^{O\ 3-9}$
1 und 2 an I. Nr. 9
Federzeichnung, Wasserfarben, auf Karton
46,1 x 46,5

19 „Fries (Wolken), coloriert"
Federzeichnung, Wasserfarben, auf Karton
26,7 x 20,7

20 „Fries (Ornament), coloriert"
Bleistift, Federzeichnung, Wasserfarben, auf
Karton
45 x 84,5

21 „Fries (Wolken), teils coloriert"
Figur-Fries, Bleistift, Federzeichnung, Wasserfarben, auf Karton
27,7 x 43,8

22 „Zwickel, teils coloriert" – Mosaikentwurf, Nbg.
20. August 1889 / A. v. Essenwein
Federzeichnung, Wasserfarben, auf dickem
Papier
72,6 x 33,7

23 „Maßskizze zwischen den Chorstühlen"
Bleistift, Transparentpapier auf Karton aufgezogen
23,8 x 41,5

24 „Maßskizze zwischen den Chorstühlen"
Bleistift, Transparentpapier auf Karton aufgezogen
23,7 x 13,8

25 „Maßskizze zwischen den Chorstühlen"
Blei- u. Farbstift, Federzeichnung, Transparentpapier auf Karton aufgezogen
26,5 x 15,7

26 FEHLT

27 „Maßskizze zwischen den Chorstühlen"
Blei- u. Farbstift, Federzeichnung, Transparentpapier auf Karton aufgezogen
52,5 x 22,7

28 „Grundriß des Presbyteriums"
dito / Cöln, den 6. November 1889 (N$^{O\ 484}$) der
Dombaumeister Voigtel
Bleistift, Federzeichnung, laviert, auf dickem
Papier
105,9 x 52

29 „Grundriß des Presbyteriums, Pause"
Koeln, den 6. November (Notiz) / Der Dombaumeister Geheime Regierungsrath Voigtel
Bleistift, Federzeichnung, Transparentpapier
auf Karton aufgezogen
102 x 44

30 „Grundriß des Chors, Pause"
Grundriß / des Coelner Domchors – Cöln den 26. October 1887 / der Dombaumeister / Voigtel / An Essenwein abgesendet nach Nürnberg / sub. Nro. 537 des Journals.
Bleistift, Federzeichnung, laviert, Transparentpapier auf Karton aufgezogen
49,4 x 41,4

31 FEHLT

32 „Grundriß des Chors, Pause"
Dombau zu Köln. – Für die Richtigkeit der Maaße / Köln, den 18. Januar 1889 / Hoßdorf
Federzeichnung, Transparentpapier auf Karton aufgezogen
46,8 x 36,4

33 „Orientierungsplan zwischen den Chorstühlen"
Bleistift, Federzeichnung auf dickem Papier
122,7 x 64,3

34 „Orientierungsplan zwischen den Chorstühlen, Pause"
Mosaik-Boden / des Raumes zwischen den Chorstühlen / nach den von Essenwein übersendeten Cartons in natürlicher Größe zusammengestellt mit den Abweichungen gegen die zweite, durch den Allerhöchsten Erlaß vom 26. November 1888 genehmigte Farbenskizze. Cöln, den 22. Februar 1892. Der Dombaumeister Geheimer Regierungsrath Voigtel
Bleistift, Federzeichnung, Transparentpapier auf dickem Papier aufgezogen
100 x 59,2

35 „Orientierungsplan zwischen den Chorstühlen"
Mosaik-Boden des Raumes zwischen den Chorstühlen nach den von Essenwein übersanten (sic) Cartons in natürlicher Größe zusammen mit den Abweichungen gegen die zweite, durch den Allerhöchten Erlaß vom 20. November 1888 genehmigter Farbenskizze. Coeln, den   Februar 1892 / Der Dombaumeister Geheimer Regierungsrath (darunter dsgl. in Bleistift) – Angaben zu den Maßen
Bleistift, Federzeichnung, auf dickem Papier
99 x 60,3

36 „Orientierungsplan zwischen den Chorstühlen"
Mosaik-Boden zwischen den Chorstühlen im Coelner Dom Coeln, den 16. August 1893 /

Der Dombaumeister Geheimer Regierungsrath Voigtel – Copie an die Mettlacher Mosaikfabrik abgeschickt den 16. 8. 1893 Voigtel
Bleistift, Federzeichnung, auf dickem Papier
136,8 x 65,4

37 „Orientierungsplan zwischen den Chorstühlen"
Mosaik-Boden des Raumes zwischen den Chorstühlen
Cöln den 23. September 1892 / Voigtel Dombaumeister
Federzeichnung, laviert, auf Transparentpapier
92,2 x 45,5

38 „Orientierungsplan zwischen den Chorstühlen"
Geiges – Mosaik-Boden des Raumes zwischen den Chorstühlen. Cöln den 23. September 1892 Voigtel Dombaumeister
Federzeichnung, auf Transparentpapier
91,8 x 42,5

40 „Strom des Lebens, teils coloriert" (Detail)
Original-Zeichnung v. Essenwein (in schwarzen Linien) Voigtel 1892
Bleistift, Wasserfarben, auf dickem Papier
31,8 x 50,6

41 „Strom des Lebens" (Detail)
Copie
Bleistift, Wasserfarben, auf dickem Papier
33,2 x 52,3

42 „Strom des Lebens, teils coloriert" (Detail)
Strom des Lebens – Dombelag in Cöln
Bleistift, Wasserfarben, Papier auf Karton aufgezogen
33,3 x 52,9
Papier in der Mitte durchgerissen

43 „Strom des Lebens, teils coloriert" (Detail)
Federzeichnung, laviert, auf Transparentpapier
42,4 x 44,2

44 „Strom des Lebens" (Detail)
Original-Zeichnung von Essenwein Voigtel Dombaumeister. 1892.
Wasserfarben, auf dickem Papier
39,8 x 39,8

45 „Strom des Lebens, teils coloriert" (Detail)
Copie
Wasserfarben, auf dickem Papier
43,1 x 44

46 „Zwickel, coloriert"
(o. r.) Blatt I
(u. r. handschr. Kommentar:) Diese Eckstücke . . .
C. 15/8 93 Voigtel
Die Hälfte der Eckstücke... C. 29/11 92 Voigtel
Bleistift, Wasserfarben, auf dickem Papier
38,1 x 86,8

47 „Zwickel, teils coloriert"
(auf der Rückseite handschr. Kommentar Essenweins:) Zwickel um die vier Darstellungen Tag und Nacht...
Bleistift, Federzeichnung, Wasserfarben, auf Papier
61 x 118

48 „Fondmuster, coloriert" (Detail)
Bleistift, Wasserfarben, auf dickem Papier
37,3 x 26,3
Auf der Rückseite: Quadrat 0,187 m V (?)

49 „Ornamentenfeld, teils coloriert" (Detail)
Federzeichnung, Wasserfarben, auf Karton
73,8 x 101,6

50 „Ornamentenfeld, teils coloriert" (Detail)
Felder XXI Von diesem Felde sind 12 Stück zu fertigen.
Bleistift, Federzeichnung, Wasserfarben, auf Karton
75 x 101,5

51 „Ornamentenfeld, coloriert" (Detail)
Wasserfarben, auf Karton
93 x 61,9

52 „Ornamentenfeld, teils coloriert" (Detail)
Bleistift, Federzeichnung, Wasserfarben, auf Karton
92,2 x 62,6

53 „Dreieck Ornamentenfeld, coloriert" (Detail)
Bleistift, Federzeichnung, Wasserfarben, auf Karton
119 x 112

54 „Feld König mit alten Tuffsteinmauern, Pause"
Cöln den 1 Juli 1893 Der Dombaumeister Voigtel
Bleistift, Federzeichnung, Transparentpapier auf Karton aufgezogen
41 x 50,2

55 „Entwurf zur großen Chortreppe, Pause"
Entwurf zur großen Chortreppe. Blatt I.
Bleistift, Federzeichnung, Transparentpapier auf Karton aufgezogen
39,7 x 47,6

56 „Entwurf zur großen Chortreppe, Pause"
Entwurf zur großen Chortreppe. Blatt II.
Federzeichnung, Transparentpapier auf Karton aufgezogen
42,2 x 46,6

57 „Entwurf zur großen Chortreppe, Pause"
Entwurf zur großen Chortreppe. Blatt II.
Federzeichnung, Transparentpapier auf Karton aufgezogen
43 x 48

58 „Entwurf zur großen Chortreppe, Pause"

Entwurf zur großen Chortreppe. Blatt III.
Federzeichnung, Transparentpapier, auf Karton aufgezogen
39,7 x 47,5

59 „Entwurf zur großen Chortreppe, Pause"
Entwurf zur großen Chortreppe. Blatt IV a.
Federzeichnung, Transparentpapier auf Karton aufgezogen
41,5 x 46,6

60 „Entwurf zur großen Chortreppe, Pause"
Entwurf zur großen Chortreppe. Blatt IV b.
Bleistift, Federzeichnung, auf Karton
27,3 x 47,4

61 „Grundriß des Presbyteriums"
dito
Blei- und Farbstift, Federzeichnung, auf Transparentpapier
59 x 46,4
Blattecken u. l. weggerissen, u. r. abgeschnitten

62 „Grundriß des Presbyteriums"
dito – Cöln den 26/7. 1889. Voigtel
Federzeichnung, auf Transparentpapier
55,5 x 51,5

63 „Grundriß des Presbyteriums"
Presbyterium im Cölner-Dome / (gemessen den 24. 9. 95)
Bleistift, Federzeichnung, auf Transparentpapier
55,2 x 48,3

64 „Grundriß des Presbyteriums"
Handzeichnung von Essenwein zur Maaß-Skizze vom 6ten November 1889 (Nro 484) Chor-Treppe vor dem Hochaltar
Federzeichnung, auf Transparentpapier
48,5 x 37,5

65 „Grundriß des Presbyteriums"
Grundriß des Cölner Dom-Chors mit den eingezeichneten Projecten zur Chortreppe. – Blatt I – Cöln, den 30. December 1893 Der Dombaumeister Geheimer Regierungsrath Voigtel
Geprüft in der Bauabteilung des Ministeriums der öffentlichen Arbeiten. Berlin den 22. Februar 1894 Adler
Federzeichnung, auf Transparentpapier
60,5 x 49

66 „Grundriß des Presbyteriums"
Grundriß des Cölner Dom-Chors mit der in der Capitels-Sitzung vom 20. Februar 1985 vereinbarten Treppenanlage vor dem Hochaltare. – Blatt II – Zeichnung zur Cabinets-Ordre vom 8 Mai 1895 Voigtel / Zum Bericht vom 1. März 1895 Der Dombaumeister Geheimer Regierungsrath Voigtel

Federzeichnung, laviert, auf Transparentpapier
60,1 x 50

67 „Grundriß des Presbyteriums"
Presbyterium im Cölner-Dome – Blatt II –
Nicht ausgeführt Voigtel
Federzeichnung, rückseitig laviert, auf Transparentpapier
49 x 47,7

68 „Grundriß des Presbyteriums"
Presbyterium im Cölner-Dome
Federzeichnung, auf Transparentpapier
49 x 47,5

69 „Grundriß des Presbyteriums"
Presbyterium im Cölner-Dome
Federzeichnung, auf Tansparentpapier
54,5 x 48,2

70 „Grundriß des Presbyteriums"
Presbyterium im Cölner-Dome
Vermittlungs-Project Dec. 1894
Federzeichnung, laviert, auf Karton
54,4 x 52,2

71 „Grundriß des Presbyteriums"
FG. 96.
Bleistift, Federzeichnung, auf Transparent- papier
56,2 x 41

72 „Orientierungs-Grundriß Feld König"
Maßskizze des Mosaikbodens B
Blei- u. Farbstift, Federzeichnung, auf Karton
52,8 x 98,3
zahlreiche handschriftliche Eintragungen

73 „Orientierungs-Grundriß Feld König, Pause"
Maßskizze des Mosaikfeldes B
Bleistift, Federzeichnung, laviert, auf Transparentpapier
38,5 x 96,6
zahlreiche handschriftliche Eintragungen

74 „Bestellungs-Zeichnung für die Marmorstufen, Pause"
Bleistift, Federzeichnung, auf Transparentpapier
45,2 x 93,8
zahlreiche Maßangaben und handschr. Erläuterungen dazu

75 „Legeplan für Strom des Lebens, König, Pause"
Belag für den Dom in Cöln – Chor Raum B
J. P. Hein/M.
Federzeichnung, auf Transparentpapier
60 x 151

76 „Legeplan für den Mosaik König" (sic) / „Schablone für Strom des Lebens, Pause"
Blei- u. Farbstift, Federzeichnung, auf Transparentpapier
75,2 x 61,8

77 „Schablone für Strom des Lebens, Pause" –
Chablone II
Blei- u. Farbstift, Federzeichnung, auf Transparentpapier
42,7 x 75,4

78 „Schablone für Strom des Lebens, Pause"
Blei- u. Farbstift, auf Transparentpapier
35,4 x 109,3
r. u. Ecke des Blattes weggerissen

79 „Schablone für Strom des Lebens, Pause"
Blei- u. Farbstift, auf Transparentpapier
58,4 x 39

80 „Schablone für Strom des Lebens, Pause" –
Chablone II a
Blei- u. Farbstift, auf Transparentpapier
44,2 x 75,2

81 „Maßzeichnung für die Kirchenfiguren"
Federzeichnung, auf Karton
49,8 x 42,3

82 „Legeplan für den Mosaik Feld König" (!)
Bleistift, auf dickem Papier
47 x 84,8

83 „Mittelfeld Feld König, coloriert"
(Stempel:) 26 Mai 1897, Fritz Geiges Professor
/ (r. u. signiert) Fritz Geiges 1896
Bleistift, Federzeichnung, Wasserfarben, dickes Papier auf Karton aufgezogen
65,3 x 69,8

84 „Feld nördlich Feld König, coloriert"
(Stempel:) 26 Mai 1897, Fritz Geiges Professor
/ (r. u. signiert:) F. Geiges 96
Bleistift, Federzeichnung, Wasserfarben, dickes Papier auf Karton aufgezogen
66,6 x 52,7

85 „Personifikation „Cöln, coloriert"
(u. l. signiert) F. Geiges 97 / (u. l. Stempel:)
Mai 26 1897, Fritz Geiges Professor.
Bleistift, Federzeichnung, Wasserfarben, auf Karton
29,8 x 24,4

86 Personifikation „Jerusalem, coloriert"
(u. l. signiert) F. Geiges 97 / (u. l. Stempel:)
Mai 26 1897, Fritz Geiges Professor.
Bleistift, Federzeichnung, Wasserfarben, auf Karton
29,8 x 24,5

87 Personifikation „Ungarn, coloriert"
(u. l. signiert) F. Geiges 97 / (u. l. Stempel:)
Mai 26 1897, Fritz Geiges Professor.
Bleistift, Federzeichnung, Wasserfarben, dickes Papier auf Karton aufgezogen
29,6 x 24,7

88 Personifikation „Slavische Nation, coloriert"
(u. l. signiert) F. Geiges 97 / (u. l. Stempel:)
Mai 26 1897, Fritz Geiges Professor.
Bleistift, Federzeichnung, Wasserfarben, dickes
Papier auf Karton aufgezogen
29,7 x 24,4

89 „Grammatica"
sign.: FG 95 / (Stempel:) Fritz Geiges Professor, Mai 26 1897 Fritz Geiges Professor.
Bleistift, Federzeichnung, Wasserfarben, dickes
Papier auf Karton aufgezogen
29,7 x 24,4

90 „Rhetorica"
sign.: FG 95 / (Stempel:) Fritz Geiges Professor Mai 26 1897
Bleistift, Wasserfarben, auf Karton
26 x 23,8

91 „Dialectica"
sign.: FG 95 / (Stempel:) Fritz Geiges Freiburg
i.Br.
Bleistift, Wasserfarben, auf Karton
26 x 23,8

92 „Geometrica"
sign.: F.G. 95/(Stempel:) Fritz Geiges Freiburg
i.Br.
Bleistift, Wasserfarben, auf Karton
26 x 23,8

93 „Arithmetica"
sign.: F.G. 95/(Stempel:) Fritz Geiges Freiburg
i.Br.
Bleistift, Wasserfarben, auf Karton
26 x 23,8

94 „Astronomia"
sign.: F.G. 95/(Stempel:) Fritz Geiges Freiburg
i.Br.
Bleistift, Wasserfarben, auf Karton
26 x 23,8

95 „Musica"
sign.: F.G. 95/(Stempel:) Fritz Geiges Freiburg
i.Br.
Bleistift, Wasserfarben, auf Karton
26 x 23,8

96 Entwurf eines Beflurungsmusters / „Skizze
zum Fondmuster Feld König, coloriert"
Übersichts Skizze. Muster 3.
Federzeichnung, Wasserfarben, auf dickem
Papier
18,2 x 15,5

97 „Fondmuster Feld König, coloriert"
Bodenflächen-Muster $N^{O\ 3}$
Bleistift, Wasserfarben, auf Karton
54,5 x 79,5

98 „Fondmuster Feld König, coloriert"
(o. M.) Flächenmuster $N^{O\ 1}$ / (u. M.)
Flächenmuster $N^{O\ 2}$
Bleistift, Wasserfarben, auf dickem Karton
105,8 x 79,8

99 „Maßskizze für Feld Papst"
Feld C
Blei- und Farbstift, Federzeichnung, laviert, auf
dickem Papier
59,6 x 91,7

100 „Maßzeichnung für Feld Papst, Pause"
Dombau zu Cöln / Feld C / (u. r.) Cöln, den
8. April 1896
Der Dombaumeister Geheimer Regierungsrath
/ Voigtel
Bleistift, Federzeichnung, laviert, auf Trans-
parentpapier
53 x 77,2

101 „Legeplan für das Feld am Hochaltar"
Legeplan der (sic) Stiftmosaik Raum C. Kölner
Dom Chor.
Bleistift, Federzeichnung, auf Papier
87,8 x 126,6

102 „Legeplan für das Feld Papst, coloriert"
Legeplan der (sic) Stiftmosaik Kölner Dom
Chor Raum C
Federzeichnung, auf Papier
44,4 x 73,8

103 „Legeplan für das Feld Papst, coloriert"
Koelner Domboden Mosaik Feld A. Mitte /
(u. r. signiert) Fritz Geiges im Geon-Feld
Monogramm 18 FG 92
Bleistift, Federzeichnung, Wasserfarben, dickes
Papier auf Karton aufgezogen, Papst-Medaillon
aufgeklebt
45,1 x 71,8

104 „Legeplan für die geistl. und weltl. Stände"
(Stempel:) Fritz Geiges Professor
Blei- u. Farbstift, Federzeichnung, laviert auf
Papier
54 x 78,7

105 „Einsiedler"
(Stempel:) Fritz Geiges Professor Mai 17 1897
Bleistift, Wasserfarben, dickes Papier auf
Karton aufgezogen
41,3 x 26,2

106 „Presbyter"
(Stempel:) Fritz Geiges, Professor, Mai 17 1897
Bleistift, Wasserfarben, dickes Papier auf
Karton aufgezogen
41,3 x 26,2

107 „Erzbischof"
(Stempel:) Fritz Geiges, Professor, Mai 17 1897
Bleistift, Wasserfarben, dickes Papier auf Karton aufgezogen
41,3 x 26,2

108 „Papst"
(Stempel:) Fritz Geiges, Professor, Mai 17 1897
Bleistift, Wasserfarben, dickes Papier auf Karton aufgezogen
41,3 x 26,2

109 „Cardinal"
(Stempel:) Fritz Geiges, Professor, Mai 17 1897
Bleistift, Wasserfarben, dickes Papier auf Karton aufgezogen
41,3 x 26,2

110 „Canonicus"
(Stempel:) Fritz Geiges, Professor, Mai 17 1897
Bleistift, Wasserfarben, dickes Papier auf Karton aufgezogen
41,3 x 26,2

111 „Mönch"
(Stempel:) Fritz Geiges, Professor, Mai 17 1897
Bleistift, Wasserfarben, dickes Papier auf Karton aufgezogen
41,3 x 26,2

112 „Bettler"
(Stempel:) Fritz Geiges, Professor, Mai 17 1897
Bleistift, Federzeichnung, Tusche, dickes Papier auf Karton aufgezogen
41,3 x 26,2

113 „Kaufmann"
(Stempel:) Fritz Geiges, Professor, Mai 17 1897
Bleistift, Wasserfarben, dickes Papier auf Karton aufgezogen
41,3 x 26,2

114 „Ritter"
(Stempel:) Fritz Geiges, Professor, Mai 17 1897
Bleistift, Wasserfarben, dickes Papier auf Karton aufgezogen
41,3 x 26,2

115 „Kaiser"
(Stempel:) Fritz Geiges, Professor, Mai 17 1897
Bleistift, Wasserfarben, dickes Papier auf Karton aufgezogen
41,3 x 26,2

116 „Fürst"
(Stempel:) Fritz Geiges, Professor, Mai 17 1897
Bleistift, Wasserfarben, auf dickem Papier
41,3 x 26,2

117 „Künstler"
(Stempel:) Fritz Geiges, Professor, Mai 17 1897
Bleistift, Federzeichnung, Tusche, auf dickem Papier
41,3 x 26,2

118 „Bauer"
(Stempel:) Fritz Geiges, Professor, Mai 17 1897
Bleistift, Federzeichnung, Tusche, auf dickem Papier
41,3 x 26,2

119 „Maßwerk für die Stände"
Bleistift, Federzeichnung, laviert, auf Transparentpapier
70,3 x 60,7
linke untere Ecke des Blattes herausgeschnitten

120 „Maßwerk für die Stände, Pause"
Bleistift, Federzeichnung, laviert, auf Transparentpapier
75,3 x 60,5

121 „Maßwerk für die Stände, Pause"
Bleistift, Federzeichnung, laviert, auf Transparentpapier
75 x 67,5

122 „Maßwerk für die Stände"
(o. l.) Blatt II Feld XII
Bleistift, Federzeichnung, Wasserfarben, auf Karton
72,2 x 122,7
linke Seite teilweise aufgeklebt und aufklappbar; darunter lavierte Tuschzeichnung und Papstskizze

123 „Borde um die Stände"
Federzeichnung, Wasserfarben, auf dickem Papier
126,5 x 11,2

124 „Borde um die Stände"
Federzeichnung, Wasserfarben, auf dickem Papier
11,3 x 50

125 „Project zu den Hochaltar-Stufen"
Bleistift, Federzeichnung, laviert, auf dünnem Karton
37,2 x 58,7

126 „Detail dazu" (zu den Hochaltar-Stufen)
Bleistift, Federzeichnung, laviert, auf Karton
37 x 21,3

127 „Project zu den Hochaltar-Stufen, Pause"
(o. r.) Hochaltar-Treppe im Cölner-Dom
(u. r.) Cöln, den   Januar 1896 Der Dombaumeister
Geheimer Regierungsrath
Federzeichnung, laviert, auf Transparentpapier
35,6 x 54

128 „Marmorboden hinter dem Hochaltare"
(o. r.) Dombau zu Cöln
Federzeichnung, Wasserfarben, auf Karton
28 x 67,5

Mappe XXXVII / Umschlag d

„Fußboden-Plattung im II. und III. Stockwerk der Türme."

1 „Plattenboden südl. Turm II. Stockwerk"
gez. 1879
Federzeichnung, laviert, auf Karton
78 x 69

2 „Plattenboden südl. Turm II. Stockwerk, Pause"
2. 7. 1879 DBM
Farbstift, Federzeichnung, laviert, auf Transparentpapier
73,6 x 66,7

3 „Plattenboden südl. Turm II. Stockwerk (ausgeführt), Pause"
16. 7. 1879 Voigtel
Federzeichnung, laviert, auf Transparentpapier
43 x 40,5

4 „Plattenboden südl. Turm II. Stockwerk (ausgeführt), Pause"
4. 11. 1879
Blei- und Farbstift, auf Transparentpapier
39,4 x 35,7
linke Seite ruinös

5 „Plattenboden südl. Turm II. Stockwerk, Project, Pause"
Bleistift, auf Transparentpapier
37,8 x 39,7

6 „Plattenboden südl. Turm II. Stockwerk, Project"
Bleistift, auf Transparentpapier
37,8 x 41,5

7 „Plattenboden südl. Turm II. Stockwerk, Project"
7. 11. 1879
Blei- und Farbstift, auf Transparentpapier
36,2 x 34

8 „Plattenboden südl. Turm II. Stockwerk, Project"
12. 7. 1879
Feder, Blei- u. Farbstift, Federzeichnung, laviert, auf Karton
35,9 x 37,5

9 „Plattenboden südl. Turm II. Stockwerk, Project"
11. 7. 1879
Federzeichnung, laviert, auf Karton
40,3 x 35,5

10 „Plattenboden im südl. Turm II. Stockwerk, Project"
12. 7. 1879
Federzeichnung, laviert, auf Karton
39,5 x 35,5

11 „Plattenboden im südl. Turm II. Stockwerk, Project"
12. 7. 1879
Federzeichnung, laviert, auf Karton
39,2 x 36,1

12 „Plattenboden im südl. Turm II, Stockwerk, Project"
12. 7. 1879
Federzeichnung, laviert, auf Karton
39,5 x 36,3

13 „Plattenboden II. Stockwerk nördl. Turm, Project"
15. 1. 1880
Bleistift, Federzeichnung, laviert, auf Karton
39,2 x 40

14 „Plattenboden II. Stockwerk nördl. Turm, Platteneinteilung"
Blei- u. Buntstift, Federzeichnung, laviert, auf Millimeterpapier
86,6 x 94

15 „Plattenboden II. Stockwerk nördl. Turm, Project"
Bleistift, Federzeichnung (zweifarbig), Wasserfarben, auf dickem Papier
40,4 x 39,5

16 „Plattenboden II. Stockwerk nördl. Turm, Project"
(o. l.) Dombau zu Köln. Plattenboden im zweiten Stockw. des nördl. Thurmes. Im ganzen 165 Meter.
Bleistift, Federzeichnung, Wasserfarben, auf dickem Papier
42,5 x 23

17 „Farbige Zusammenstellung des Fußbodens"
(o. M.) II. Stock d. nördl. Thurmes
Plattenmuster (Lithos), auf dickes Papier aufgeklebt
27,2 x 44

18 „Detail der Schlußsteinüberdeckung im II. Stockwerk nördl. Turm, Pause"
Notiz: Voigtel
23. 11. 1881
Federzeichnung, auf Transparentpapier
75,2 x 73,1

19 „Detail der Schlußsteinüberdeckung im II. Stockwerk nördl. Turm, Pause"
Bleistift, auf Transparentpapier
31,5 x 38,6

20 „Detail der Schlußsteinüberdeckung im III.

518

Stockwerk nördl. Turm, Pause"
Notiz: Voigtel
21. 11. 1881
Bleistift, Federzeichnung (zweifarbig), auf
Transparentpapier
93,5 x 76,6
teilweise ruinös

21 „Detail der Schlußsteinüberdeckung II. (sic)
Stockwerk nördl. Turm"
(u. r.) „Eiserne Überdeckung des Schluß-
steines im Gewölbe des I. Stockwerkes"
Federzeichnung (mehrfarbig), auf Karton
52,5 x 54,7

22 „Detail der Schlußsteinüberdeckung II. Stockwerk nördl. Turm, nat. Größe"
Blei- und Farbstift, auf Packpapier
100 x 72,6

23 „Schlußsteinüberdeckung im Fußboden des II.
Stockwerks nördl. Turm nat. Größe, Pause"
19. 4. 1887 Voigtel
Federzeichnung, auf Transparentpapier
100 x 77,2
sehr ruinös

24 „Fußboden im III. Stockw. nördl. Turm, farbig"
(o. l.) Dombau zu Köln. Plattenboden im III.
Stockwerk des nördlichen Thurmes. M. 1:20.
Bleistift, Federzeichnung, Wasserfarben, auf
Karton
70,3 x 86,6

25 „Fußboden im III. Stockw. nördl. Turm, farbig"
(o. M.) Dombau zu Köln Mosaikbelag im III.
Stock des nördlichen Turmes
Bleistift, Wasserfarben, teilw. Plattenmuster als
Farblithos aufgeklebt, auf Papier
84,4 x 144,5

26 „Fußboden im III. Stockwerk nördl. Turm,
Project"
2 x Notiz: Voigtel
17. 1. 1880
Bleistift, Federzeichnung, laviert, auf Karton
40,4 x 41,2

27 „Fußboden im III. Stockwerk nördl. Turm,
Project"

Notiz: Voigtel
1. 9. 1879
Federzeichnung, Farbstift (zweifarbig), laviert,
auf Karton
41 x 40,5

28 „Fußboden im III. Stockwerk nördl. Turm,
Project"
Bleistift, Federzeichnung, laviert, auf Karton
41,5 x 41,7

29 „Fußboden im III. Stockwerk nördl. Turm,
Project"
(u. r.) C. d. 19. 1. 79
Bleistift, Federzeichnung, laviert, auf Karton
45 x 41,8

30 „Fußboden im III. Stockwerk nördl. Turm,
farbig"
(o. l.) Dombau zu Köln. Plattenboden im III.
Stockwerk des nördlichen Thurmes.
(o. r.) umfangreiche schwer entzifferbare
handschr. Anmerkungen u.a. zu den Farben
Bleistift, Tusche, Federzeichnung, Wasserfarben, dickes Papier auf Karton aufgezogen
48 x 60
Teile abgerissen und aufgeklebt, r.o. ein Stück
herausgerissen

31 „Details, farbig"
(o. l.) Dombau zu Köln. Plattenboden im III.
Stockwerk des nördl. Thurmes
(u. r.) Details im Maßstb. 1/10.
Bleistift, Federzeichnung, Wasserfarben, auf
Karton
41,2 x 44,1

32 „Rosette, farbig" (zum Fußboden im dritten
Stock des nördlichen Turmes)
Bleistift, Wasserfarben, Papier auf Karton aufgezogen
35 x 24,2

33 „Schlußsteinüberdeckung im Fußboden des
III. Stockwerks nördl. Turm, nat. Größe"
25. 11. 1881
Federzeichnung, auf Transparentpapier
90 x 60,5

Mappe XXXVII / Umschlag e

„Diverse Fußboden-Plattungen."

1 „Project zu einem Fußboden, farbig"
Bleistift, Federzeichnung (zweifarbig), Wasserfarben, auf Karton
97,8 x71,5
an den Seiten mehrfach eingerissen, verschiedene Stücke abgerissen

2 „Bruchstücke von römischen Mosaik Böden,
farbig"
Bleistift, Federzeichnung, Wasserfarben, auf
Papier
46,1 x 68,2

3 „Project zu einem Fußboden, farbig"
(o. M.) Herrn Zwirner Nov. 1863
Bleistift, Federzeichnung, Wasserfarben, auf
Karton
72,8 x 33,8

4 „Project zu einem Fußboden, farbig"
Bleistift, Federzeichnung, laviert, auf dickem
Papier
52,5 x 42,2

5 „Plattenmuster, farbig"
(u. r.) Dec. 1880.
Bleistift, Federzeichnung, Wasserfarben, Transparentpapier auf dünnen Karton aufgezogen
27 x 43,1

6 „Fußboden-Muster, farbig"
Zweifarb. Litho, auf Leinwand aufgezogen
51 x 37,5

7 „Fußboden-Muster, farbig"
Zweifarb. Litho, auf Leinwand aufgezogen
50,4 x 36

8 „Fußboden-Muster, farbig"
Zweifarb. Litho, auf Leinwand aufgezogen
37,7 x 52,5

9 „Fußboden-Muster, farbig"
Zweifarb. Litho, auf Leinwand aufgezogen
37,4 x 52,8

10 „Musterbuch der Platten-Fabrik vom Freiherrn
von Lövenstern"
9 Blätter zweifarbiger Musterdrucke, m. Titel
28,5 x 21

11 Feld VI (nicht im Verzeichnis)
Bleistift, Federzeichnung, Wasserfarben, auf
Karton
26,5 x 45,2

Mappe XXXVIIa

„Fußboden der Chorkapelle und des Chor-Umganges"

1 „Grundriß des Chors, Pause"
(u.r.) Cöln den 26 October 1887 der Dombaumeister Voigtel
Bleistift, Federzeichnung, laviert, Transparentpapier auf Karton aufgezogen
55,8 x 50,2
untere rechte Ecke weggerissen

2 „Grund des Chors, Pause"
(o. L.) Schnitt r – a
Bleistift, Federzeichnung (mehrfarbig), laviert,
Transparentpapier auf Karton aufgezogen
46,6 x 39,5
ruinös

3 „Grundriß der Engelbertus-Kapelle mit Fußboden"
Federzeichnung, Wasserfarben, auf Karton
72,6 x 89,8

4 „Grundriß der Engelbertus-Kapelle mit Fußboden, Pause coloriert."
(l.o.) I oder Engelbertuskapelle
Die handschriftlichen Anmerkungen r.M.
betreffen die Gesteinplatten und ihre Maße.
Blei- und Farbstift, Federzeichnung (mehrfarbig), Wasserfarben, Transparentpapier auf dünnen Karton aufgezogen,
71 x 79,7
Ränder des Transparentpapiers teilweise eingerissen und geklebt

5 „Grundriß der Engelbertus-Kapelle mit Fußboden, Pause coloriert."
Federzeichnung, Wasserfarben, auf Karton
70,1 x 80,7

6 „Detail des Fußbodens in der Engelbertus-
Kapelle, nat. Größe, coloriert"
Notiz: Voigtel
A. Essenwein Ngb 12. 10. 1887
Federzeichnung, Wasserfarben, auf festem
Papier
90,5 x 74,2
unten 11 x 33,2 großer Zettel mit handschr.
Erläuterungen angeklebt

7 „Grundriß der Maternus-Kapelle mit Fußboden"
Bleistift, Federzeichnung, auf Karton
70,2 x 89,8

8 „Grundriß der Maternus-Kapelle mit Fußboden, Pause coloriert"
Bleistift, Federzeichnung, Wasserfarben, Transparentpapier auf Karton aufgezogen
71,3 x 81,2

9 „Detail des Fußbodens in der Maternus-Kapel-
le, nat. Größe, coloriert",
A. Essenwein Nbg 12. 10. 1887
Federzeichnung, Wasserfarben, auf festem
Papier
87,5 x 75,2

11 „Grundriß der Johannes-Kapelle mit Fußboden"
Federzeichnung, Wasserfarben, auf dünnen Karton
73,5 x 88

12 „Grundriß der Johannes-Kapelle mit Fußboden, Pause coloriert"
Federzeichnung, Wasserfarben, Transparentpapier auf Karton aufgezogen
74 x 84,5

13 „Detail des Fußbodens in der Johannes-Kapelle, nat. Größe, coloriert"
A. Essenwein, Nbg 12. 10. 1887
Federzeichnung, Wasserfarben, auf festem Papier
80,5 x 74,7

14 „Detail des Fußbodens in der Johannes-Kapelle, nat. Größe, coloriert"
Bleistift, Federzeichnung, Wasserfarben, auf Karton
100,6 x 67,7

15 „Grundriß der Dreikönigenkapelle mit Fußboden (nicht ausgeführt)"
Bleistift, Tusche, Wasserfarben, auf Karton
74,2 x 91

16 „Maßzeichnung für die Dreikönigen-Kapelle mit Fußboden, Pause"
(o. M.) Maaße zu dem Stift-Mosaik der Dreikönigen-Kapelle im Dome zu Coeln.
Bleistift, Federzeichnung (zweifarbig), auf Transparentpapier
68,4 x 75,7

17 „Grundriß für die Dreikönigen-Kapelle mit Fußboden, Pause"
(o. l.) Ax-Kapelle des Domes.
(u. r.) Cöln, den   . November 1898 Der Dombaumeister Geheimer-Regierungsrath
Federzeichnung (mehrfarbig), Wasserfarben, auf Transparentpapier
46,4 x 56,6

18 „Grundriß für die Dreikönigen-Kapelle mit Fußboden, Pause"
(o. l.) Ax-Kapelle des Domes
(u. r.) Cöln, den   . April 1899 Der Dombaumeister Geheimer-Regierungsrath.
Bleistift, Federzeichnung (zweifarbig), rückseitig laviert, auf Transparentpapier
42,8 x 45,7

19 „Legeplan für die Dreikönigen-Kapelle"
(o. M.) Legeplan der Stiftmosaik (sic) für die Ax Kapelle des Domes in Köln.
(u. r.) Stempel von Villeroy und Boch, Mettlach
Blei- u. Farbstift, Federzeichnung (zweifarbig), auf dickem Papier
60,5 x 70

20 „Fußbodenmuster für die Dreikönigen-Kapelle, natr. Gr., coloriert."
(u. r.) Grund-Muster zur Ax-Kapelle des Kölner Doms
(l. u.) Anschluss (an den) Sohlenhofer Fries
Bleistift, Tusche, Wasserfarben, auf dünnem Karton
62,7 x 114

21 „Symbole für die Dreikönigen-Kapelle, nat. Gr. coloriert."
(o. r.) FG 99
(M.) Symbole der Heil. drei Könige – zwei und drei der Kreisfüllung, n. Gr. – Siehe Original-Carton
(Stempel:) Fritz Geiges Professor Freiburg i.B. Apr. 17 1899
Bleistift, Tusche, Wasserfarben, auf Karton
55,4 x 125,5

22 „Grundriß der Agnes-Kapelle mit Fußboden"
Federzeichnung, Wasserfarben, auf Karton
72,2 x 87

23 „Grundriß der Agnes-Kapelle mit Fußboden, Pause coloriert"
Federzeichnung, Wasserfarben, Transparentpapier auf Karton aufgezogen
74 x 86,4

24 „Fußbodenmuster für die Agnes-Kapelle, nat. Gr., coloriert."
(u. l.) Muster A / Kapelle V
(u. r.) Nbg. 12.04 1887 / A. Essenwein
Bleistift, Federzeichnung, Wasserfarben, auf dickem Papier
80 x 74,5

25 „Fußbodenmuster für die Agnes-Kapelle, nat. Gr., coloriert"
Bleistift, Federzeichnung, Wasserfarben, auf Karton
102,5 x 68,8

26 „Grundriß der Michael-Kapelle mit Fußboden"
Federzeichnung, Wasserfarben, auf Karton
72,3 x 88,5

27 Grundriß der Michael-Kapelle mit Fußboden, Pause coloriert"
Federzeichnung, Wasserfarben, Transparentpapier auf Karton aufgezogen
72 x 87,4

28 „Fußbodenmuster für die Michael-Kapelle, nat. Gr., coloriert"
A. Essenwein 12. 10. 1887
Federzeichnung, Wasserfarben, auf dickem Papier
80,3 x 74,6

29 „Fußbodenmuster für die Michael-Kapelle, nat. Gr., coloriert"

Federzeichnung, Wasserfarben, auf Karton
102,8 x 69,2

30 „Grundriß der Stephans-Kapelle mit Fußboden"
Federzeichnung, Wasserfarben, auf Karton
71,8 x 90,2

31 „Grundriß der Stephans-Kapelle mit Fußboden,
Pause coloriert"
Federzeichnung, Wasserfarben, Transparentpapier auf Karton aufgezogen
72 x 88,4

32 „Fußbodenmuster für die Stephans-Kapelle,
nat. Gr., coloriert"
A. Essenwein, Nbg 12. 10. 1887
Federzeichnung, Wasserfarben, auf Papier
67,7 x 72,8

33 „Fußbodenmuster für die Stephans-Kapelle,
nat. Größe, coloriert"
Federzeichnung, Wasserfarben, auf Karton
116,8 x 78,7

34 „Fußbodenmuster für die Stephans-Kapelle,
nat. Größe, coloriert"
26. 6. 1888 Voigtel
A. Essenwein 16. 5. 1888
Federzeichnung, Tusche, auf dünnem Karton
37,3 x 43,6

35 „Beplattung an der Nordseite des Chors"
(o. l.) Nord-Seite Chor
Bleistift, Federzeichnung (mehrfarbig), laviert,
auf Karton
122,3 x 82,5
r.o. ein rechteckiges Stück angeklebt

36 „Beplattung im Durchgang nach der Sakristei"
Bleistift, Federzeichnung, auf Karton
53,2 x 32,1

37 „Beplattung an der Nordseite des Chors, Pause"
(u. r.) Cöln, den 13 September 1887 / Voigtel
Bleistift, Federzeichnung (dreifarbig), laviert,
auf Transparentpapier
62,5 (ursprünglich) 122,5 x 77,8
sehr ruinös, in drei Teile zerrissen, größere
Teile weggerissen
(1985 nur noch die oberen zwei Teile erhalten)

38 „Beplattung an der Südseite des Chors"
(o. r.) Süd-Seite Chor / Altar
Bleistift, Federzeichnung (mehrfarbig), laviert,
auf Karton
121,4 x 74,6

39 „Beplattung an der Südseite des Chors, Pause"
Federzeichnung, rückseitig laviert, auf Transparentpapier
59 x 73
ruinös

40 „Beplattung an der Nordseite des Chors, Pause"
Federzeichnung, auf Transparentpapier
114 x 70,1
gerissen, geklebt

41 „Beplattung an der Südseite des Chors, Pause"
Federzeichnung, auf Transparentpapier
95,5 x 68,7
gerissen, geklebt

42 „Roter Granitfries am südlichen Eingang des
Chors, Pause"
(o. l.) Südseite (Chor) etc.
(u. r.) Köln, den 26 Juli 1888 / Der Dombaumeister / Geheime Regierungsrath. / Voigtel
Bleistift, Federzeichnung (mehrfarbig), auch
rückseitig laviert, auf Transparentpapier
21,6 x 35,1
obere rechte Ecke abgerissen

43 „Marmorfries an der Nordseite des Chors, Pause"
(zahlreiche handschr. Angaben zu den Maßen)
Bleistift, Federzeichnung (mehrfarbig), laviert,
Transparentpapier auf dickes Papier aufgezogen
119 x 21,5

44 „Marmorfries an der Südseite des Chors, Pause"
(zahlreiche Angaben zu den Maßen, Berechnungen)
Bleistift, Federzeichnung (dreifarbig), laviert,
Transparentpapier auf dickes Papier aufgezogen
96,2 x 24
Transparentpapier vielfach gerissen, Fehlstellen

45 „Marmorfries Muster, nat. Gr., coloriert"
(M. r.) Muster für die mittleren Friese / bei der
Trennung des Chorumgangs von den / Chorseitenschiffen. Fries II u. V. / B und S / Nürnberg 29 September 1887 / A. Essenwein
Bleistift, Federzeichnung, Wasserfarben, auf
dickem Papier
73,4 x 49

46 „Marmormuster, nat. Gr., coloriert"
Bleistift, Federzeichnung, Wasserfarben, auf
dickem Papier
73,4 x 49,1

47 „Marmormuster, nat. Größe"
Notiz: Voigtel
Federzeichnung, auf dickem Papier
56,9 x 56,8

48 „Marmormuster, nat. Größe"
Federzeichnung, auf dickem Papier
54,5 x 54,5

49 „Marmorfries an der Nordseite des Chors, Pause"
(o. M.) Nordseite (Chor) / Die Anschlußfugen
sind abgerechnet / also die reinen Maaße des
Marmormosaik eingetragen
(u. M.) 4. November 1883 / Der Dombaumeister / Geheimer Regierungsrath / Voigtel

Blei- u. Farbstift, Federzeichnung (zweifarbig), auch rückseitig laviert, auf Transparentpapier
119 x 21

50 „Maßskizze (zum) Marmorfries an der Nord-seite des Chors, Pause"
(zahlreiche handschr. Angaben zu den Maßen)
Bleistift, Federzeichnung (zweifarbig), auf Transparentpapier
144,5 x 18,8

51 „Marmorfries an der Nordseite des Chors, Pause"
(o. M.) Südseite (Chor) / Die Anschlußfugen sind abgerechnet / also die reinen Maaßen des Marmormosaik eingetragen
(u. r.) Köln, den 14 December 1887 / Der Dombaumeister / Geheimer Regierungsrath / Voigtel
Bleistift, Federzeichnung (mehrfarbig), rück-seitig laviert, auf Transparentpapier
100,4 x 26,7
in zwei Teile gerissen

52 „Marmorfries an der Nordseite des Chors, Pause"
(o. M.) Nord-Seite des Chors.
Bleistift, Federzeichnung (zweifarbig), Wasser-farben, auf Transparentpapier
59 x 24,9

53 „Marmorfries für die Südseite des Chors, Pause"
(o. M.) Süd-Seite des Chors.
Bleistift, Federzeichnung, Wasserfarben, auf Transparentpapier
54,7 x 28,3

54 „Marmorfries für die Nordseite des Chors, Pause"
(o. M.) Nord-Seite Chor / Abzeichnung des *neuen* Planes
Bleistift, Wasserfarben, auf Transparentpapier
61,5 x 11,8

55 „Marmorfries für die Südseite des Chors, Pause"
(. . .) Seite Chor / Abzeichnung des *neuen* Planes
Bleistift, Wasserfarben, auf Transparentpapier
56,8 x 11,8
o. 1. Ecke weggerissen

56 „Sohlenhoferfries im Chor-Umgang"
Federzeichnung, laviert, auf Transparentpapier
46,7 x 70
sehr ruinös

57 „Fries zwischen den Mosaikfeldern im Chor-Umgang, coloriert"
Bleistift, Federzeichnung (dreifarbig), auf Karton
41,5 x 85,6

58 „Fries zwischen den Mosaikfeldern im Chor-Umgang, coloriert"
Federzeichnung, Wasserfarben, auf Karton
64,8 x 50,5

59 „Fries zwischen den Marmorfeldern im Chor-Umgang, coloriert."
(o. M.) Dombau zu Coeln / Nördlicher Umgang
(u. M.) Koeln, den   . Mai 1889 / Der Dombau-meister / Geheimer Regierungsrath / Voigtel
Blei- u. Farbstift, Federzeichnung, Wasserfarben, Transparentpapier auf Karton aufgezogen
67,4 x 49,7

60 „Fries zwischen den Mosaikfeldern im Chor-Umgang, coloriert."
(o. M.) Südlicher Chor
(M. v. o. n. u.) Feld J / Feld W / Feld X / Feld Y / Feld Y
Bleistift, Federzeichnung, Wasserfarben, auf Karton
66,7 x 42,8

61 „Fries zw. den Mosaikfeldern im Chor-Umgang, coloriert"
(o. M.) Südlicher Umgang (Chor)
(M. v. o. n. u.) Feld V / Feld W / Feld X / Feld Y
(u. r.) Köln, den   . März 1889, der Dombau-meister Geheimer Regierungsrath
(zahlreiche handschr. Angaben der Steinsorten)
Blei- u. Farbstift (zweifarbig), Federzeichnung, Wasserfarben, Transparentpapier auf Karton aufgezogen
65,7 x 43

62 „Fries zwischen den Mosaikfeldern im Chor-Umgang, coloriert."
(o. l.) Norden
(o. r.) Süden
Bleistift, Federzeichnung (zweifarbig), Wasser-farben, auf Transparentpapier
42,6 x 36

63 „Marmorfries an der Nordseite, coloriert."
(o. M.) Nordseite (Chor) Feld P l.
Bleistift, Federzeichnung (zweifarbig), Wasser-farben, auf Karton
25,3 x 50,5

64 „Marmorfries an der Nordseite, Pause colo-riert."
(o. M.) Nordseite (Chor) / Feld P 1
(r. o.) u. a. Cöln den 4 Juni 1889 / Voigtel
Blei- u. Farbstift, Federzeichnung (zweifarbig), Wasserfarben, Transparentpapier auf Karton aufgezogen
25,9 x 55

65 „Marmorfries an der Südseite, coloriert"
(o. M.) Südseite (Chor). / Feld P 5.
Bleistift, Federzeichnung (zweifarbig), Wasser-farben, auf Karton
25,2 x 50,5

66 „Marmorfries an der Südseite, Pause coloriert"
(o. M.) Südseite (Chor) Feld P 5
(r. o.) u. a. C. 4 Juni 1889 / Voigtel

Bleistift, Federzeichnung, Wasserfarben, Transparentpapier auf Karton aufgezogen
26,2 x 54,5

67 „Maßskizze zwischen den Pfeilern der Chorrundung, Pause coloriert"
(o. M.) Dombau zu Köln / Innerer Chor
(u.) Hierbei neue Detail-Zeichnung / Cöln den 20 Febr. 1889 / der Dombaumeister / Voigtel
Bleistift, Federzeichnung, laviert, Transparentpapier auf Karton aufgezogen
25,5 x 22

68 „(Chorrundung) Detail hierzu, coloriert"
FEHLT

69 „Musiv-Platte in der Stephans-Kapelle (Gero), coloriert"
FEHLT

70 „Musiv-Platte in der Stephans-Kapelle (Gero), Pause coloriert"
FEHLT

71 „Marmorboden in der alten Sakristei, Pause coloriert"
Blei- u. Farbstift (zweifarbig), auf Transparentpapier
26 x 23

72 „Marmorboden in der alten Sakristei, coloriert"
Federzeichnung, Wasserfarben, auf Karton
57,5 x 58,6

73 „Inschrift auf dem Grabe Franken Sierstorff, nat. Größe"
Bleistift, auf dickem Papier
70,3 x 83

74 „Maß- und Orientierungsplan des Bodens im Chor, Pause coloriert"
(r. o.) Die rot eingeschriebenen Maaße gelten gemessen am 18/1 1889.
(r. M.) N Einstiegloch zur Gruft der Erzbischöfe . . .
(unleserlich) Untergeordnetes Quadrat.
(l. u.) Für die Beplattung des Chors sind an Mosaik erforderlich: I. an Plattenmosaik für den Eingang . . .
Federzeichnung, laviert, Transparentpapier auf Karton aufgezogen
114,3 x 76,4
Transparentpapier in der Mitte horizontal gerissen

75 „Photographie des Planes zum Mosaikboden"
FEHLT

76 „Photographie des Planes zum Mosaikboden"
FEHLT

77 „Pause der nördlichen Hälfte des Planes"
(o. l.) Die rosa eingelegten Friese aus Sohlenhofer Stein angefertigt, bestimmen die Richtung der Gasleitung.
(M. r.) NB. Zugang zur Gruft darunter anlegen zum Herunterlassen der Särge (Plattenabdeckung auf Eisenschiene darunter).
(u. l.) Kopie des 2. Essenweinschen Planes zur Chorbeflurung / Hierzu Erläuterungsbericht vom 21. Dec. 1887 / Cöln 29. Mai 1888 / als Dombaumeister / Voigtel
Blei- u. Farbstift, Federzeichnung, laviert, Transparentpapier auf Karton aufgezogen
117,8 x 48,3

78 „Legeplan für Feld A"
(o. M.) Lege-Plan zu Feld A. Cölner Domchorbelag
(o. r.) Stempel Villeroy & Boch, Mettlach
Bleistift, Federzeichnung (zweifarbig), auf dickem Papier
60,5 x 58,2

79 „Legeplan für die Felder B–N"
(o. M.) Feld A. / NB. Muster des Grundes wie bei I. (im Medaillon) aus Versehen sind hier nur 24 Kreise gezeichnet statt 25.
(u. r.) Schwäb. Hall 7. Sept. 1890 A. v. Essenwein.
(u. M.) NB. Das Feld hat die gleiche Größe und Eintheilung gleichen Grund u. Ecken wie A. Das Mittelstück und der umgebende Kreis sind besonders gezeichnet.
Bleistift, Federzeichnung, Wasserfarben, auf dickem Papier
46,5 x 44,4

85 „Legeplan für Feld G"
(o. M.) wie oben
Blei- u. Farbstift, Federzeichnung, auf dickem Papier
64,2 x 76

86 „Legeplan für Feld J"
(o. M.) Legeplan. Feld J. Cölner Dom.
(rechts) Der Belag ist nach dieser Skizze eingetheilt und numeriert. Die Wappen sind erst in . . . in hier skizziert einzulegen, daß die Spitze des Stabes (Bischofsstab) nach dieser Seite zeigt.
Bleistift, Federzeichnung, auf dickem Papier
60,4 x 69
obere rechte Ecke des Blattes abgeschnitten

87 „Legeplan für Feld K"
(o. M.) Feld K.
(o. r.) NB. der Belag ist nach dieser Klasse eingetheilt und numeriert.
(M. l.) dieser Querbalken von dem Wappenkreuz muß von dieser Seiten-Mitte x 14 cmtr nach dieser Richtung zu liegen kommen.
(M. r.) Fuß der Wappen nach dieser Richtung
Bleistift, Federzeichnung, auf dickem Papier
62,4 x 75,3

88 „Legeplan für Feld L"
FEHLT

89 „Legeplan für Feld M"
(o. M.) Feld M.
(u. r.) Für die Richtigkeit der Maaßen / Köln
den 15. August 1890/Hoßdorf
Bleistift, Federzeichnung (zweifarbig), auf
dickem Papier
63,3 x 61,6

90 „Legeplan für Feld N"
(o. M.) Legeplan zum Feld N.
(u. M.) Der Fuß der Wappen ist nach C zu
richten
Bleistift, Federzeichnung, auf dickem Papier
56,8 x 56,7

91 „Legeplan für die Felder B-N"
(o. l.) Nr. 22 Feld a.
Federzeichnung, Tusche, auf Transparentpapier
21 x 44,5

92 „Inschriften für Feld A"
(l. o.) Der Buchstabe E wie derselbe zu zeichnen
(l. M.) Der Buchstabe E wie derselbe *nicht* zu
zeichnen
(r. u.) Zahl 5 wie hier zu machen
Zahl 5 wie hier *nicht*
Cöln den 24/7 1890 / Voigtel
Bleistift, Federzeichnung, Transparentpapier
auf dickes Papier aufgezogen
39,4 x 24,4

93 „Orientierungsplan für Feld A"
(u. r.) Voigtel / Cöln den 7/10 1892
Blei- und Farbstift, Federzeichnung, auf
dickem Papier
36 x 40,6

94 „Wappenmedaillon im Feld A. Bischof Maternus, coloriert"
auf der Rückseite handschr.: (...) 4 September
1890 / A. v. Essenwein
Bleistift, Federzeichnung, Wasserfarben, auf
dickem Papier
Dm. 42,4

95 „Inschrift im Felde A"
(o. l.) N^{O} 3
Federzeichnung, Tusche, auf Transparentpapier
17,7 x 46

96 „Inschrift im Felde A"
(o. l.) N^{O} 4
Federzeichnung, Tusche, auf Transparentpapier
22,4 x 46

97 „Inschrift im Felde A"
(o. l.) N^{O} 5
Federzeichnung, Tusche, auf Transparentpapier
18,5 x 42,2

98 „Inschrift im Felde A"
(o. l.) N^{O} 6
Federzeichnung, Tusche, auf Transparentpapier
19 x 46,7

99 „Inschrift im Felde A"
(o. l.) Feld a Nr. 7
Bleistift, auf Transparentpapier
18 x 42,5

100 „Inschrift im Felde A"
(o. l.) Nr. 10 Feld a
Federzeichnung, Tusche, auf Transparentpapier
18,2 x 42,8

101 „Inschrift im Felde A"
(o. l.) Nr. 12. Feld a
Federzeichnung, Tusche, auf Transparentpapier
18,7 x 43

102 „Inschrift im Felde A"
(o. l.) Nr. 13. Feld a
Federzeichnung, Tusche, auf Transparentpapier
21,8 x 46,1

103 „Inschrift im Felde A"
(o. l.) Nr. 14. Feld a
Federzeichnung, Tusche, auf Transparentpapier
20,5 x 44,7

104 „Inschrift im Felde A"
(o. l.) Nr. 15. Feld a
Federzeichnung, Tusche, auf Transparentpapier
20,5 x 45,5

105 „Inschrift im Felde A"
(o. l.) Nr. 17. Feld a
(M. r.) mit blauem Farbstift „Leuer A"
Federzeichnung, Tusche, laviert, auf Transparentpapier
17,7 x 45,5

106 „Inschrift im Felde A"
(o. l.) Feld a Nr. 19
Federzeichnung, Tusche, auf Transparentpapier
17,7 x 44
ruinös

107 „Inschrift im Felde A."
(o. l.) Nr. 20 Feld a
Federzeichnung, Tusche, laviert, auf Transparentpapier
17,6 x 42,9

108 „Inschrift im Felde A"
(o. l.) No 21. Feld a.
Federzeichnung, Tusche, auf Transparentpapier
15,3 x 48,2

109 „Wappen im Feld K"
FEHLT

110 „Wappenschild Maximilian Franz, Erzherzog
von Österreich, coloriert"

(auf der Rückseite handschr.: (. . .) Schild zu Wappen 86 (. . .) Gies 31. Aug. 1890
Bleistift, Federzeichnung, Wasserfarben, auf dickem Papier
33,2 x 35,2

111 „Wappenschild Gebhard Truchseß von Waldburg, coloriert"
FEHLT

112 „Wappenschild Salentin Graf von Isenburg, coloriert"
FEHLT

113 „Wappenschild Gebhard von Mansfeld, coloriert"
FEHLT

114 „Wappen Adolf III. und Anton Grafen von Schauenburg, coloriert"
(auf der Rückseite handschr.:) No 74 Feld K (. . .) und Nr. 75 Feld K (. . .)
Bleistift, Federzeichnung, Wasserfarben, auf dickem Papier
34,8 x 15,5

115 „Wappenschild Friedrich von Wied, coloriert"
FEHLT

116 „Wappenschild Philipp von Daun, coloriert"
(auf der Rückseite handschr.:) No 72. Feld K (. . .)
Bleistift, Federzeichnung, Wasserfarben, auf dickem Papier
34,5 x 15,7

117 „Wappenschild Diterich III. Graf von Mörs, coloriert"
(auf der Rückseite handschr.:) (Wappen) 69 (. . .)
Bleistift, Wasserfarben, auf dickem Papier
34,3 x 15,5

118 „Wappenschild Friedrich III. Conrad von Sarwerder"
(o. l.) Feld Nr. 68
Bleistift, auf dickem Papier
32,7 x 17,3

119 „Wappenschild Friedrich III. Conrad v. Sarwerder, coloriert"
(auf der Rückseite handschr.:) (Wappen) 68 (. . .)
Bleistift, Tusche, Wasserfarben, auf dickem Papier
35,1 x 15,5

120 „Wappenschild Adolfus II. und Engelbert Grafen v. d. Mark"
(o. l.) Feld J 66 und 67
Bleistift, auf dickem Papier
30,2 x 17,4

121 „Wappenschild Adolfus II. und Engelbert Grafen v. d. Mark, coloriert"
(auf der Rückseite handschr.:) Wappen 66–67 (. . .)
Bleistift, Federzeichnung, Wasserfarben, auf dickem Papier
35,1 x 15,4

122 „Wappenschild Wilhelm von Gennep, coloriert"
(auf der Rückseite handschr.:) Wappen 65 (. . .)
Bleistift, Wasserfarben, auf dickem Papier
35,1 x 15,6

123 (Wappenschild) „unbekannt"
(o. l.) Feld J No 65
Bleistift, auf dickem Papier
31,2 x 15,8

124 „Wappenschild Siegfried von Westerburg, coloriert"
(auf der Rückseite handschr.:) Feld 61
Bleistift, Federzeichnung, Wasserfarben, auf dickem Papier
28,2 x 15,3

125 „Wappenschild Walram von Jülich, coloriert"
(auf der Rückseite handschr.:) Feld 64
Bleistift, Federzeichnung, Wasserfarben, auf dickem Papier
28,1 x 15,1

126 „Wappenschild Wigboldus de Holte"
(auf der Rückseite) Feld 62
Bleistift, Tusche, auf Papier
26,6 x 12,9

127 „Wappenschild Engelbert von Frankenberg"
(auf der Rückseite) Zur Wappenrosette 60 (. . .),
Nbg. 7. 7. 89.
Bleistift, Federzeichnung, Tusche, auf dickem Papier
34,1 x 16,5
o.Nr. Wappenschild Rupert von der Pfalz
(auf der Rückseite) No 70 Feld V.
Bleistift, Federzeichnung, auf dickem Papier
34,2 x 15,5

128 „Wappenschild / Kreis mit Traubenranken, teils coloriert"
(o. l.) Kölner Domfußboden, Werkzeichnungen, Blatt III
(u. r.) Nürnberg, den 1. April 1889
Bleistift, Federzeichnung, Tusche, Wasserfarben, auf dickem Papier
102,5 x 53,6

129 „Rand eines Feldes, teils coloriert"
(l. o.) Kölner Domfußboden. Werkzeichnung, Blatt II.
(r. u.) A. v. Essenwein, Nürnberg 7. April 1889

Bleistift, Federzeichnung, Wasserfarben, auf
dickem Papier
113 x 77,7

130 „Medaillons und Rand in Feld N, coloriert"
(l. M.) Rand des Medaillons im Feld N (. . .)
Nürnberg 4 September 1890 A. v. Essenwein
(auf der r. angeklebten Karte:) handschr. Kommentar Essenweins
(auf der Rückseite des kleinen u. lose beigefügten Blattes:) Zum Feld A (...) Nürnberg
4. September 1890, A. v. Essenwein.
Bleistift, Federzeichnung, Wasserfarben, auf
dickem Papier
80,5 x 110,3; (kl. Blatt) 10,5 x 38,5
alle Ecken des großen Entwurfs beschnitten

131 „Medaillon Johannes v. Geißel Wappen, Pause"
Bleistift, Transparentpapier auf Karton aufgezogen
80,2 x 58,9

132 „Wappen Johannes von Geißel, Pause"
Federzeichnung, Transparentpapier auf Karton
aufgezogen
Dm 49,5

133 „Wappen August Graf von Spiegel und Desenberg" (l.)
Bleistift, Tusche, auf dickem Papier
35,2 x 33,5

134 „Wappen Clemens August II. Droste-Vische-
ring" (2.)
Bleistift, Tusche, auf dickem Papier
35,2 x 33,4

135 „Wappen Philippus III. Krementz" (5.)
Bleistift, Tusche, auf dickem Papier
35,5 x 33,5

136 „Wappen Paulus Melchers" (4.)
Bleistift, Tusche, auf dickem Papier
35,2 x 33,2

137 „Wappen Friedrich Ahlert, coloriert" (I)
Bleistift, Federzeichnung, Wasserfarben, auf
dickem Papier
Dm 49,5

138 „Wappen Ernst Zwirner" (II)
(r. M. handschr. Kommentar zur Ausführung
von Essenwein)
Bleistift, Federzeichnung, Tusche, auf dickem
Papier
Dm 49,8

139 „Wappen Richard Voigtel, coloriert" (III)
Bleistift, Federzeichnung, Wasserfarben, auf
dickem Papier
Dm 49,7

140 „Inschrift, Pause" (l.)
Bleistift, Federzeichnung, auf Transparentpapier
11,2 x 57,5

141 „Inschrift, Pause" (2.)
Bleistift, Federzeichnung, auf Transparentpapier
11,4 x 60

142 „Inschrift, Pause" (3.)
Bleistift, Federzeichnung, auf Transparentpapier
10,5 x 59,5

143 „Inschrift, Pause" (4.)
Bleistift, Federzeichnung, auf Transparentpapier
10,7 x 58,8

144 „Inschrift, Pause" (5.)
Bleistift, Federzeichnung, auf Transparentpapier
10,7 x 59

145 „Inschrift, Pause" (6.)
Bleistift, Federzeichnung, auf Transparentpapier
12 x 60

146 „Inschrift, Pause" (7.)
Bleistift, Federzeichnung, auf Transparentpapier
13,2 x 62,5

147 „Inschrift, Pause" (8.)
Bleistift, Federzeichnung, auf Transparentpapier
12,5 x 60,8

148 „Inschrift, Pause" (9.)
Bleistift, Federzeichnung, auf Transparentpapier
10,5 x 61

149 „Inschrift, Pause" (10.)
Bleistift, Federzeichnung, auf Transparentpapier
13,3 x 58,3

150 „Inschrift, Pause" ((11.)
Bleistift, Federzeichnung, auf Transparentpapier
10,7 x 59,2

151 „Inschrift, Pause" (12.)
Bleistift, Federzeichnung, auf Transparentpapier
9,5 x 60

152 „Inschrift, Pause" (13.)
Bleistift, Federzeichnung, auf Transparentpapier
11,5 x 60,5

153 „Inschrift, Pause" (14.)
Bleistift, Federzeichnung, auf Transparentpapier
9,2 x 60,6

154 „Inschrift, Pause" (15.)
Bleistift, Federzeichnung, auf Transparentpapier
10,3 x 57,5

155 „Inschrift, Pause" (16.)
Bleistift, Federzeichnung, auf Transparentpapier
12,7 x 59

Mappe XXXVII b

„Zwei farbige Projekte zur Mosaikbeflurung im Dom zu Cöln."

1 „Die Vierung, nicht ausgeführt."
Bleistift, Federzeichnung, Wasserfarben, Lithos
aufgeklebt,
Papier auf Karton aufgezogen
103 x 122

2 „Unterer Teil zwischen den Chorstühlen, nicht
ausgeführt"
Bleistift, Federzeichnung, Wasserfarben, Lithos
aufgeklebt,
Papier auf Karton aufgezogen
49,5 x 122,5

3 „Oberer Teil zwischen den Chorstühlen, nicht
ausgeführt"
Bleistift, Federzeichnung, Wasserfarben, Lithos
aufgeklebt,
Papier auf Karton aufgezogen
118 x 122,5

4 „Durchgangsfeld im Presbyterium, nicht ausgeführt"
Bleistift, Federzeichnung, Wasserfarben, Lithos
aufgeklebt,
Papier auf Karton aufgezogen
34,2 x 117,8

5 „Nördliche Hälfte vom Hochaltare ab, nicht
ausgeführt."
Bleistift, Federzeichnung, Wasserfarben, Lithos
aufgeklebt,
Papier auf Karton aufgezogen
92,2 x 137,7

6 „Südliche Hälfte vom Choraltar ab, nicht ausgeführt."
(u.r.) AE inv. 1885
Bleistift, Federzeichnung, Wasserfarben, Lithos
aufgeklebt,
Papier auf Karton aufgezogen
92,0 x 123,4

7 „Südliche Hälfte von der Ax-Kapelle ab, nicht
ausgeführt."
Bleistift, Federzeichnung, Wasserfarben, Lithos
aufgeklebt,
Papier auf Karton aufgezogen
Drei-Königen-Medaillon auf Papier gezeichnet,
die übrigen Medaillons aufgeklebt
97,7 x 123,5

8 „Nördliche Hälfte von der Ax-Kapelle ab, nicht
ausgeführt."
Bleistift, Federzeichnung, Wasserfarben, Lithos
aufgeklebt,
Papier auf Karton aufgezogen
Strom d. L. als Lithos aufgeklebt
97,2 x 135,2

9 „Nördlicher Umgang im Chor, nicht ausgeführt."
Bleistift, Federzeichnung, Wasserfarben, Lithos
aufgeklebt,
Papier auf Karton aufgezogen
63,3 x 105,6

10 „Nördlicher Umgang im Chor mit Wappenfeld
und Feld mit dem alten Dom, nicht ausgeführt."
Bleistift, Federzeichnung, Wasserfarben, Lithos
aufgeklebt,
Papier auf Karton aufgezogen
83 x 99,8

11 „Zweites ausgeführtes Projekt"
(u.r.) AE 1887
Federzeichnung, Wasserfarben, auf dickem
Papier
122,7 x 82,3
in zwei Teilen

12 „Photographie des nicht ausgeführten Projects"
Photo auf Papier, auf Leinen aufgezogen
(o.r.) Blatt I
168 x 93

13 „Photographie des nicht ausgeführten Projects"
FEHLT

KASTEN XXXVII c

mit Cartons (schwarz) der Vierung (originalgroße Kartons im Tiefkeller)

1 „Der Morgen"
1390 x 1460

2 „Der Mittag"
1430 x 1385
30. 8. 1889

3 „Der Abend"
1400 x 1450

4 „Die Nacht"
1390 x 1460

5 „Das Feuer"
1300 x 1290
30. 8. 1889

6 „Das Wasser"
1309 x 1400
30. 8. 1889

7 „Die Erde"
1327 x 1274
30. 8. 1889

8 „Die Luft"
1300 x 1300
30. 8. 1889

9 „Osten"
1150 x 1480
30. 8. 1889

10 „Süden"
1148 x 1465
30. 8. 1889

11 „Westen"
1140 x 1470
30. 8. 1889

12 „Norden"
1158 x 1480
30. 8. 1889

13 „Osten und Süden" / „Kamel und
Krokodil"
1940 x 995
30. 8. 1889

14 „Westen und Norden" / „Schaf und
Walroß"
1950 x 967
30. 8. 1889

15 „Frühling"
835 x 835
30. 8. 1889

16 „Sommer"
835 x 835
30. 8. 1889

17 „Herbst"
835 x 835
30. 8. 1889

18 „Winter"
835 x 835
30. 8. 1889

19 „Januar" / Steinbock
670 x 650
30. 8. 1889

20 „Februar" / Wassermann
650 x 665
30. 8. 1889

21 „März" / Fische
660 x 650
30. 8. 1889

22 „April" / Widder
660 x 650
30. 8. 1889

23 „Mai" / Stier
665 x 665
30. 8. 1889

24 „Juni" / Zwillinge
670 x 660
30. 8. 1889

25 „Juli" / Krebs
665 x 660
30. 8. 1889

26 „August" / Löwe
670 x 680
30. 8. 1889

27 „September" / Jungfrau
660 x 670
30. 8. 1889

28 „Oktober" / Waage
660 x 655
30. 8. 1889

29 „November" / Skorpion
660 x 650
30. 8. 1889

30 „Dezember" / Schütze
660 x 680
30. 8. 1889

31 „Collericer"
775 x 780
30. 8. 1889

32 „Sanguiniker"
775 x 765
30. 8. 1889

33 „Melancholiker"
770 x 780
30. 8. 1889

34 „Phlegmathiker"
770 x 779
30. 8. 1889

35 „Kleiner Zwickel mit Ornament"

36 „dsgl."

Kasten XXXVII d

„Essenweinsche Original-Skizzen der bildlichen Darstellungen

zwischen den Chorstühlen.“

(in einem Karton)

1 „Die Nacht“
   koloriertes Litho, auf dickem Papier
   Dm 13,3

2 „Das alte und das neue Jahr“
   koloriertes Litho, auf dickem Papier
   13,3 x 10

3 „Der Tag“
   koloriertes Litho, auf dickem Papier
   Dm 13,3

4 „Das zarte Kindesalter“
   koloriertes Litho, auf dickem Papier
   Dm 13,3

5 „Der Ackerbau“
   koloriertes Litho, auf dickem Papier
   9,9 x 9,8

6 „Die Kindheit“
   koloriertes Litho, auf dickem Papier
   9,8 x 9,8

7 „Die Jagd“
   koloriertes Litho, auf dickem Papier
   9,8 x 9,8

8 „Die Lehrzeit“
   koloriertes Litho, auf dickem Papier
   9,8 x 9,8

9 „Der Kampf“
   koloriertes Litho, auf dickem Papier
   9,9 x 9,9

10 „Das Mannesalter“
   koloriertes Litho, auf dickem Papier
   9,9 x 9,9

11 „Gottesverehrung“
   koloriertes Litho, auf dickem Papier
   9,8 x 9,8

12 „Das gereifte Alter“
   koloriertes Litho, auf dickem Papier
   9,8 x 9,8

13 „Musik und Tanz“
   koloriertes Litho, auf dickem Papier
   9,9 x 9,8

14 „Das Hohe Alter“
   koloriertes Litho, auf dickem Papier
   9,9 x 9,8

15 „Die Künste“
   koloriertes Litho, auf dickem Papier
   9,9 x 9,8

16 „Das Greisenalter“
   koloriertes Litho, auf dickem Papier
   9,9 x 9,8

17 „Der Fischfang“
   koloriertes Litho, auf dickem Papier
   9,9 x 9,9

18 „Das Meer“
   koloriertes Litho, auf dickem Papier
   Dm 13,3

19 „Das Glücksrad“
   koloriertes Litho, auf dickem Papier
   13,3 x 10

20 „Die Erde“
   koloriertes Litho, auf dickem Papier

Die originalgroßen Kartons (Kiste XXXVII e–i) sind in der Regel als Arbeiten in Wasserfarben und/oder Tusche sowie als Federzeichnungen über Bleistift auf unterschiedlich dickem Karton angelegt.

(Kiste XXXVII e)

„Cartons der bildlichen Darstellung zwischen den Chorstühlen von Essenwein"

(originalgroße Kartons im Tiefkeller)

1	„Die Nacht" Dm. 199		12	„Gereiftes Alter" 158 x 158
2	„Das alte und das neue Jahr" 205 x 156		13	„Musik und Tanz" 160 x 158,5
3	„Der Tag" Dm. 199		14	„Das hohe Alter" 160 x 156
4	„Das zarte Kindesalter" 158 x 155,5		15	„Die Künste" 159 x 157
5	„Ackerbau" 156 x 156,5		16	„Das Greisen-Alter" 159,2 x 156
6	„Die Kindheit" 156 x 156		17	„Der Fischfang" 159,5 x 156
7	„Jagd" 160 x 156		18	„Das Meer" Dm. 199
8	„Die Hochzeit" (tatsächlich: Adolescencia/Die Lehrzeit) 158 x 156		19	„Das Glücksrad" 203 x 156
9	„Der Kampf" 159 x 156		20	„Die Erde" Dm. 201
10	„Das Mannesalter" 156 x 157		21	„Mosaikmuster nicht zum Cölner Dom gehörend" (nicht nachweisbar)
11	„Gottesverehrung" 159 x 156			

(Kiste XXXVII f)

a „Cartons der bildlichen Darstellungen zwischen den Chorstühlen von Geiges"

(originalgroße Kartons im Tiefkeller)

1	„Die Nacht, coloriert" 186,5 x 148 1892		4	„Das zarte Kindesalter, coloriert" 154 x 160 1893
2	„Das alte und das neue Jahr, coloriert" 192 x 145 1893		5	„Ackerbau, coloriert" 160,5 x 149,7 1893
3	„Der Tag, coloriert" 200 x 150 1893		6	„Die Kindheit, coloriert" 150 x 164 1893

7 „Jagd, coloriert"
160 x 148,2
1894

8 „Die Hochzeit, coloriert"
(tatsächlich: Adolescencia/Die Lehrzeit)
151 x 157
1894

9 „Der Kampf, coloriert"
145 x 155
1894

10 „Das Mannesalter, coloriert"
149 x 156,6
1894

11 „Gottesverehrung, coloriert"
151,6 x 156,8
1894

12 „Gereiftes Alter, coloriert"
148,9 x 157
1894

13 „Musik und Tanz, coloriert"
153 x 157
1894

14 „Das hohe Alter, coloriert"
148,7 x 151
1894

15 „Die Künste, coloriert"
144,5 x 153,3
1894

16 „Das Greisen-Alter, coloriert"
150 x 151,4
1894

17 „Der Fischfang, coloriert"
146,5 x 152,4
1894

18 „Das Meer, coloriert"
187,5 x 182
1894

19 „Das Glücksrad, coloriert"
205,5 x 155,5
1894

20 „Die Erde, coloriert"
187,5 x 181
1894

(Kiste XXXVII g)

b „Feld Kaiser"

(originalgroße Kartons im Tiefkeller)

1 „Deutschland St. Gereon, coloriert"
217 x 162,5
1897

2 „Ungarn Gran, coloriert"
215 x 165
1897

3 „Slavische Nation Welehard, coloriert"
218 x 162
1897

4 „Jerusalem Grabeskirche, coloriert"
2150 x 162
Februar 1897

5 „Eckfüllung zu 1 bis 4, coloriert"
148 x 72

6 „Fries der freien Künste, coloriert"
75 x 150

7 „Geometrie, coloriert"
86 x 72,3
1896

8 „Arithmetic, coloriert"
82,4 x 74
1896

9 „Astronomie, coloriert"
84,7 x 72,3
1896

10 „Retoric, coloriert"
85,1 x 74,3
1896

11 „Grammatic, coloriert"
90,7 x 74,9
1896

12 „Musik, coloriert"
890 x 74,3
1896

13 „Dialectic, coloriert"
90,5 x 73
1896

14 „Eckfüllung der freien Künste, coloriert"
820 x 192

15 „Eckfüllung zu den vier Strömen Europas, coloriert"
107 x 184

16 „dsgl."
117 x 189

17 „Tiber, coloriert"
152 x 145
25. 6. 1896

18 „Rhein, coloriert"
137 x 138
7. 7. 1896

19 „Seine, coloriert"
137 x 138
10. 6. 1896

20 „Donau, coloriert"
137 x 138
15. 7. 1896

21 „Kaiser obere Hälfte, coloriert"
115 x 200

22 „Kaiser untere Hälfte, coloriert"

94 x 200
1896

23 „Rom Peterskirche, coloriert"
215 x 163
Dezember 1896

24 „Frankreich Reims, coloriert"
234 x 172
7. 11. 1896

25 „Spanien Jago de Compostella, coloriert"
218 x 162
Dezember 1896

26 „Konstantinopel Sophien-Kirche, coloriert"
216 x 162
Januar 1897

(Kiste XXXVII h)

c „Feld Papst"

(originalgroße Kartons im Tiefkeller)

1 „Der Papst obere Hälfte des Cartons"
140,5 x 278
April 1897

2 „Der Papst untere Hälfte des Cartons"
137 x 278
1897

3 „Euphrat"
127,9 x 222,5

4 „Phison"
129 x 217
1897

5 „Tigris"
127,5 x 218
1897

6 „Geon"
128,8 x 218,2

7 „Einsiedler"
156,5 x 95
1897

8 „Priester"
162 x 96
26. 8. 1897

9 „Erzbischof"
161 x 96
August 1897

10 „Papst"
156 x 96,5
1897

11 „Cardinal"
157 x 98,5
August 1897

12 „Canonicus"
163 x 98
August 1897

13 „Mönch"
157 x 96,5
Juni 1897

14 „Bettler"
160 x 99
1897

15 „Kaufmann"
161 x 95,5
1897

16 „Ritter"
200 x 94
Juni 1897

17 „Kaiser"
154 x 97
Oktober 1897

18 „Fürst"
157,5 x 97
1897

19 „Künstler"
159 x 95
November 1897

20 „Ackermann"

151 x 94,5
November 1897

21 „Maßwerk zu den Ständen gehörend"
67,1 x 117,5
1897

22 „dsgl."
54,2 x 106,2

23 Schriftband
„CONTINVATVM EST HOC..."
35 x 216

24 Schriftband
„AD MENTEM JPSJVS REDACTVM"
17 x 108

(Kiste XXXVII i)

„Chor-Umgang und Ax-Kapelle"

(bis auf Nr. 10 und 11 nicht nachweisbar)

1 „Der alte Dom, schwarz"

2 „dsgl., schwarz"

3 „dsgl., schwarz"

4 „dsgl., schwarz"

5 „dsgl., farbig"

6 „dsgl., farbig"

7 „Mittelfeld Conrad v. Hochstaden, schwarz"

8 „dsgl., schwarz"

9 „dsgl., farbig"

10 „Der Grundriß des Cölner Domes, farbig"
(o. M.) zu Feld G.
(u. r.) Schwäb. Hall, September 1890 / A. v. Essenwein
Federzeichnung, Wasserfarben, auf dickem Papier
54,4 x 35,9

11 „Skizze des Mittelfeldes, farbig"
(o. M.) Feld G. Achsfeld
(u. r.) Schwäb. Hall, Sept. 1890 / A. v. Essenwein
Bleistift, Federzeichnung, Wasserfarben, auf dickem Papier
47 x 51,8 (mit Zettel 71,1)
Ecke o. l. beschnitten, an der rechten Seite Zettel mit handschr. Erläuterungen Essensweins zu den Inschriften angeklebt (Gies 25. Dez. 1890)

12 „Wappen der Stadt Cöln, schwarz"

13 „Wappen des Stiftes Cöln, schwarz"

14 „Der neue Dom, farbig"

15 „dsgl., farbig"

16 „Ornament und Fries, schwarz"

17 „Rosette, schwarz"

18 „Ornament, schwarz"

19 „Fries, schwarz"

20 „Fries, schwarz"

21 „Viereck mit Ornament, schwarz"

22 „dsgl., schwarz"

23 „Dreieck mit Ornament, schwarz"

24 „dsgl., schwarz"

25 „Wappen (Warinus), schwarz"

26 „Wappen (Herrmanus II.), Pause"

27 „Wappen (Pilgrimus), Pause"

28 „Wappen (Heribertus), Pause"

29 „Wappen (Evergerus), Pause"

30 „Wappen (Warinus), Pause"

31 „Wappen (Ditericus), Pause"

32 „Wappen (Fridericus I.), Pause"

33 „Wappen (Herrmanus III.), Pause"

34 „Wappen (Sigewinus), Pause"

35 „Wappen (Hildolfus), Pause"

36 „Wappen (Anno), II., Pause"

37 „Wappen (Guntharus), Pause"

38 „Wappen (Willibertus), Pause"

39 „Wappen (Hadebaltus), Pause"

40 „Wappen (Max Franc.), Pause"

41 „Wappen (Maximilianus Frideric.), Pause"

42 „Wappen (Clemens, August), Pause"

43 „Wappen (Josef Clemens), Pause"

44 „Wappen (Maximilian Henricus), Pause"

534

45	„Wappen (Ferdinandus), Pause"	63	„Wappen (Engelbertus I.), Pause"
46	„Wappen (Ernestus), Pause"	64	„Wappen (Bruno IV.), Pause"
47	„Wappen (Gebhardus), Pause"	65	„Wappen (Adolfus I.), Pause"
48	„Wappen (Salentinus), Pause"	66	„Wappen (Bruno III.), Pause"
49	„Wappen (Fredericus), Pause"	67	„Wappen (Philippus de Heinsberg), Pause"
50	„Wappen (Johannes Gebhardus), Pause"	68	„Wappen (Rainald v. Daßel), Pause"
51	„Wappen (Antonius Graf v. Schauenburg), Pause"	69	„Wappen (Fridericus II.), Pause"
52	„Wappen (Adolf III. Graf v. Schauenburg), Pause"	70	„Wappen (Arnoldus II.), Pause"
53	„Wappen (Herrmanus III.), Pause"	71	„Wappen (Arnoldus I.), Pause"
54	„Wappen (Philippus II.), Pause"	72	„Wappen (Hugo de Spohnheim), Pause"
55	„Wappen (Herrmanus IV.), Pause"	73	„Wappen (Bruno II.), Pause"
56	„Wappen (Rupertus), Pause"	74	„Wappen (Geromarchis), Pause"
57	„Wappen (Ditericus II.), Pause"	75	„Wappen (Folkmarus), Pause"
58	„Wappen (Fridericus III.), Pause"	76	„Wappen (Bruno I.), Pause"
59	„Wappen (Engelbertus III.), Pause"	77	„Wappen (Wikfridus), Pause"
60	„Wappen (Adolfus II.), Pause"	78	„Wappen (Herimanus), Pause"
61	„Wappen (Wilhelmus de Gennop), Pause"	79	„Wappen (Henricus d. Virneburg), Pause"
62	„Wappen (Henricus I.), Pause"	80	„Wappen (Clemens August), Pause"
		81	N. N.

Nicht inventarisierte Pläne, Entwürfe und Photos im DBAK

1 Plan zur Randbeflurung der Vierung
(o. r.) 6 / Vierung
Federzeichnung (zweifarbig), auf dickem Papier
77 x 77
Blatt rahmenartig ausgeschnitten

2 Planzeichnung
(o. l.) Granitplatten-Bestellung vom 14. Januar 1896 / im Bereich des Fußbodens der Windfänge / am Südportale, Blatt I
Federzeichnung, Transparentpapier auf Karton aufgezogen
62,7 x 52

3 Planzeichnung
(o. l.) Granitplatten-Bestellung vom 14. Januar 1896 / im Bereich des Fußbodens der Windfänge / am Westportale, Blatt IV
Federzeichnung, Transparentpapier auf Karton aufgezogen
66,4 x 60,5

4 Planzeichnung
(o. l.) Granitplatten-Bestellung vom 14. Januar 1896 / im Bereich des Fußbodens der Windfänge / am West- und Südportale

Federzeichnung (zweifarbig), auf dickem Papier
51 x 103

5 Photographie
(u. M.) Farbenskizze zur Mosaikbeflurung des Dom-Chors von Essenwein / genehmigt durch allerhöchsten Erlaß vom 26. November 1888
Photo, auf Karton aufgezogen
94 x 61,3 / Photo: 86,3 x 57

6 Photographie
(u. r.) Zum Berichte vom 30. October 1893 / Der Dombaumeister. Voigtel
Photo, auf Karton aufgezogen
97,5 x 65,5 / Photo: 87 x 57

7 Detailentwurf zu einem Mosaikfußboden
(u. r. Handschriftlicher Kommentar von Essenwein:) NB. Dieser Baum gehört nicht zum Kölner Fußboden, die Zeichnung liegt als Vorlage für Herrn Geiges bei, welcher danach leicht den für Köln nötigen Baum zeichnen kann.
Bleistift, Federzeichnung, Wasserfarben, auf dünnem Karton
138,2 x 75,3

8 Plan zur Beplattung
(u. r.) Köln, den 1. September 1887 / Voigtel
Bleistift, Federzeichnung, rückseitig laviert, auf
Transparentpapier
71 x 74,5
ruinös, fragmentarisch

9 Begrenzung des inneren Hochchors
Blei- und Farbstifte, auf Transparentpapier
81,8 x 51

10 Skizze zur Beplattung
Federzeichnung, auf Transparentpapier
42 x 30

11 Zeichnung zur Vierung mit Maßangaben
(u. M.) Köln, den 19. November 1896
Federzeichnung, rückseitig laviert, auf Transparentpapier

42 x 40
ruinös

12 Unterer Teil eines Planes zur Beplattung
(u. M.) Köln, den 10. Juli 1888
mit umfangreichem handschriftlichen Kommentar
Federzeichnung, laviert, auf Transparentpapier
51 x 69,8
ruinös, fragmentarisch

13 Zeichnung
(u. r.) Köln, den 1. September 1887 / Voigtel /
Dombaumeister
Federzeichnung, rückseitig laviert, auf Transparentpapier
sehr ruinös

REGISTER

(Die *kursiv* gesetzten Ziffern verweisen auf Abbildungen)

ABBILDUNGSNACHWEIS

Archiv des Autors: 10, 24, 25, 39a–d, 45, 46, 90, 92, 96, 104, 112, 113, 116, 118–120, 122–125, 134, 136–151a/b, 158, 160–162, 172–175, 178–181, 184, 185, 218–221, 299, 303–309, 311, 320–327, 330, 332, 339, 343–346, 349–353, 355, 359, 381, 387–391, 395, 397, 399, 402–405, 408a–d, 410–414, 425

Bayerische Staatsbibliothek, München: 383/384

Bildarchiv Foto Marburg: 367

Bildstelle u. Denkmalsarchiv, Hochbauamt d. Stadt Nürnberg: 362–366

Jutta Brüdern, Braunschweig: 374–376

Dombauarchiv, Köln: 1, 3, 4a–d, 5, 7, 11–18, 20–22, 27–37, 40–44, 48, 49, 86–89, 93–95, 97–103, 105–111, 114, 115, 117, 121, 126–133, 135, 152–157, 159, 163–171, 176, 177, 182, 183, 186, 187, 191–216, 222–293, 296–298, 300–302, 310, 312–319, 328, 329, 331, 333–338, 340–342, 347, 348, 352a–f, 378, 379, 385, 394, 396, 398, 401, 406, 407, 415–424

Germanisches Nationalmuseum, Nürnberg: 26, 38, 47, 50–85

Hirmer Fotoarchiv, München: 380

National Gallery of Art, Washington D.C.: 91

Niedersächsisches Verwaltungsamt, Institut für Denkmalpflege, Hannover: 368–372, 377

Rheinisches Bildarchiv, Köln: 2, 6, 8, 9, 19, 23, 188–190, 217, 294, 295, 357, 358, 360, 361, 373, 382, 400, 409

Städelsches Kunstinstitut, Frankfurt a. M.: 386

Stiftung Preußischer Kulturbesitz, Kunstbibliothek, Berlin: 392, 393

Villeroy & Boch, Mettlach: 354